D0530240

DOSSIER

Micro Application

Internet
Trucs de pros

www.microapp.com

Copyright　　　© 2004　　Micro Application
20-22, rue des Petits-Hôtels
75010 Paris

1ère Édition - Juin 2004

Auteur　　　Laurent BECALSERI, Pascal GASTALDI, Jean-Louis GOUBERT

Avertissement aux utilisateurs　　　Les informations contenues dans ce produit sont données à titre indicatif et n'ont aucun caractère exhaustif voire certain. A titre d'exemple non limitatif, ce produit peut vous proposer une ou plusieurs adresses de sites Web qui ne seront plus d'actualité ou dont le contenu aura changé au moment où vous en prendrez connaissance.

Aussi, ces informations ne sauraient engager la responsabilité de l'Editeur. La société MICRO APPLICATION ne pourra être tenue responsable de toute omission, erreur ou lacune qui aurait pu se glisser dans ce produit ainsi que des conséquences, quelles qu'elles soient, qui résulteraient des informations et indications fournies ainsi que de leur utilisation".

ISBN : 2-7429-3597-5

Couverture réalisée par Athanessopoulos Stefanos.

MICRO APPLICATION
20-22, rue des Petits-Hôtels
75010 PARIS
Tél. : 01 53 34 20 20 - Fax : 01 53 34 20 00
http://www.microapp.com

Support technique
disponible sur
www.microapp.com

Mister O'net, l'homme à la référence, vous montre le chemin !
Rendez-vous sur le site **Internet de Micro Application** **www.microapp.com**. Dans le module de recherche, sur la page d'accueil du site, retrouvez **Mister O'net**. Dans la zone de saisie, entrez la référence à 4 chiffres qu'il vous indique ci-contre. Vous accédez directement à la fiche produit.

Avant-propos

Cette collection fournit des connaissances essentielles sur un sujet donné sans jamais s'éloigner de leur application pratique. Les volumes de la collection sont basés sur une structure identique :

■ les puces introduisent une énumération ou des solutions alternatives.

1. La numérotation accompagne chaque étape d'une technique.

Conventions typographiques

Afin de faciliter la compréhension des techniques décrites, nous avons adopté les conventions typographiques suivantes :

■ **gras** : menu, commande, boîte de dialogue, bouton, onglet.

■ *italique* : zone de texte, liste déroulante, case à cocher, bouton radio.

■ Police bâton : instruction, listing, texte à saisir.

■ ✂ : indique un retour à la ligne volontaire dû aux contraintes de la mise en pages.

Au cours de votre lecture, vous rencontrerez les encadrés suivants :

Il s'agit d'informations supplémentaires relatives au sujet traité.

Met l'accent sur un point important, souvent d'ordre technique qu'il ne faut négliger à aucun prix.

Propose conseils et trucs pratiques.

Renvoie à un site internet où vous trouverez des infos complémentaires ou des outils à télécharger.

Mentionne un fichier exemple ou un programme disponible sur le cd d'accompagnement.

Donne en quelques lignes la définition d'un terme technique ou d'une abréviation.

Fait référence à un chapitre où vous trouverez des informations.

Sommaire

Sommaire

Modifier la base de registre pour Internet Explorer **105**

Programmes et scripts utiles pour Internet 137

CHAPITRE 5 — Rechercher sur Internet **201**

CHAPITRE 6

Opera 233

CHAPITRE 7

Netscape 275

CHAPITRE 8

Mozilla 309

CHAPITRE 9

NetMeeting 333

CHAPITRE 10

Microsoft Portrait 353

CHAPITRE 11
Les sites Internet 371

Messageries instantanées 531

CHAPITRE 14

Messagerie Outlook Express 613

Programmes externes Outlook Express . . **789**

Modifier la base de registre pour Outlook Express. **827**

Accéder et participer aux forums avec Outlook Express. **881**

Outlook 2002/2003 921

Chapitre commun 1057

Index 1075

CHAPITRE 1

Présentation /Connexion

Internet est un concept qui a révolutionné les moyens de communication durant ces dernières années. Actuellement, la plupart des gens ne passent pas un jour sans envoyer un mail, contacter des amis ou des collègues par l'intermédiaire de messageries instantanées qui gèrent maintenant aussi l'audio et la vidéo.

Internet arrive aussi désormais jusque dans nos poches, grâce aux moyens de télécommunications mobiles comme les smartphones (cellulaires livrés avec Windows) et les Pocket PC. Les réseaux sans fil (WiFi) sont en train de se développer très rapidement, et maintenant vous pouvez déjà vous connecter à Internet avec votre ordinateur portable dans les lieux publics comme les aéroports et les gares. Les hôtels et certains cafés commencent aussi à s'équiper de ces systèmes de connexion sans fil.

La baisse des coups d'utilisation, l'augmentation de la qualité et de la vitesse de connexion ont ouvert de nouveaux horizons, et chaque jour nous sommes de plus en plus nombreux à surfer sur le Web. En six ou sept ans, le nombre de connexions à Internet par foyer a fait un bon en avant phénoménal, et si on regarde en arrière, aucune autre invention technologique n'a eu une telle rapidité de propagation.

1. Les différents types de connexions

Voici les grands types de connexions Internet :

- La connexion RTC (réseau téléphonique commuté) : c'est jusqu'à présent le type de connexion le plus répandu dans les foyers. La connexion, dont la vitesse ne dépasse pas 56 Kbits/s en réception, se fait par l'intermédiaire d'un modem raccordé à la ligne téléphonique. Les inconvénients majeurs de cette connexion sont la faible vitesse de connexion et l'occupation de la ligne téléphonique lorsque vous surfez.

- L'ADSL (*Asymetric Digital Subscriber Line*) : c'est le type de connexion qui est en pleine expansion à l'heure actuelle car il offre une rapidité de connexion bien plus élevée qu'une simple connexion RTC. De plus, avec l'ADSL, votre ligne téléphonique reste libre. Pour vous connecter, il suffit d'installer un simple filtre sur votre ligne téléphonique qui dissocie la connexion Internet de la partie téléphone. L'ADSL a une caractéristique particulière : sa vitesse de réception est différente de sa vitesse d'envoi. C'est pour cela qu'on dit que c'est une connexion asymétrique. Les fournisseurs d'accès vous proposent en général plusieurs types de forfaits qui dépendent de la vitesse de connexion que vous choisirez en fonction de vos besoins. Attention, l'ADSL n'est pas encore disponible partout en France, mais ça ne devrait pas tarder.

■ Le câble : c'est un autre type de connexion très intéressant mais pas très répandu en France puisque la majorité des récepteurs TV utilise soit une antenne, soit une parabole. Pour que vous puissiez prendre un abonnement Internet par le câble, il faut absolument que votre ville ou votre quartier soit desservi par cette technologie. Le câble est avant tout un moyen de réception des chaînes de télévision, la connexion Internet passera donc par le même "câble" que celui de la TV. Le gros avantage de cette connexion, c'est que vous êtes connecté en permanence à Internet et que le débit en réception pour les forfaits de base se situe autour de 1,2 Mbit/s. Le problème, c'est que le débit peut chuter puisque vous n'êtes pas le seul à utiliser la connexion au câble dans votre immeuble ou votre quartier. En principe, vous ne subissez pas de très grosses chutes de débit car les fournisseurs d'accès veillent à trouver un certain équilibre de charge.

■ La connexion numérique ISDN (*Integrated Services Digital Network*) ou RNIS (réseau numérique à intégration de service) en français : avec ce système, la vitesse de connexion est de l'ordre de 64 Kbits/s en réception comme en émission. Votre ligne téléphonique reste libre, mais le gros inconvénient c'est que vous devrez payer l'abonnement à la ligne RNIS en plus de l'abonnement Internet.

■ Il existe encore quelques autres types de connexions Internet moins répandus, comme les connexions par satellite et par fibre optique qui sont utilisées à des fins bien particulières, étant donné leurs gros coups de mise en œuvre et d'exploitation.

2. Créer sa connexion Internet

Quel que soit le moyen de connexion que vous avez choisi, il faudra paramétrer cette connexion. Windows XP fournit un assistant pour faire cette opération. Voici la marche à suivre.

1. Cliquez sur le bouton **Démarrer**, puis sur **Connexions** et **Afficher toutes les connexions**.

2. Dans la partie droite de la fenêtre, sous *Gestion du Réseau*, cliquez sur **Créer une nouvelle connexion**.

3. L'assistant vous indique les étapes à réaliser. Cliquez sur le bouton **Suivant**.

4. Choisissez l'option *Etablir une connexion à Internet* et cliquez sur le bouton **Suivant**.

5. Choisissez l'option *Configurer ma connexion manuellement* et cliquez sur le bouton **Suivant**.

6. Choisissez une des options suivantes pour :

   — *Se connecter en utilisant un modem d'accès distant* : utiliser une connexion RTC ou RNIS.

   — *Se connecter en utilisant une connexion large bande qui nécessite un nom d'utilisateur et un mot de passe* : utiliser une connexion câble ou ADSL classique.

   — *Se connecter en utilisant une connexion large bande toujours activée* : utiliser une connexion câble ou ADSL active en permanence, comme sur un réseau d'entreprise.

7. Cliquez sur le bouton **Suivant**.

8. Dans le cas des deux premiers types de connexion choisis à l'étape précédente, dans la zone *Nom du fournisseur de service Internet*, saisissez le nom que vous voulez donner à votre connexion (ce n'est qu'un repère) et cliquez sur le bouton **Suivant**.

9. Dans le cas d'une liaison téléphonique RTC ou RNIS, saisissez le *Numéro de téléphone* d'accès à votre fournisseur Internet et cliquez sur le bouton **Suivant**.

10. Saisissez votre *Nom d'utilisateur* qui vous a été donné par votre fournisseur d'accès (ne confondez pas avec votre adresse de messagerie), votre *Mot de passe* de connexion, que vous devrez entrer une seconde fois pour confirmation.

11. Cochez ou décochez les options que vous désirez et cliquez sur le bouton **Suivant**.

12. Cliquez enfin sur le bouton **Terminer** pour créer votre connexion (voir fig. 1.1).

Si vous souhaitez partager une connexion Internet, reportez-vous au chapitre Programmes et scripts utiles pour Internet, astuce Partager une connexion Internet simplement.

Si vous souhaitez aussi sécuriser votre connexion, reportez-vous au chapitre Programmes et scripts utiles pour Internet, astuce Installer et configurer un pare-feu efficace et gratuit.

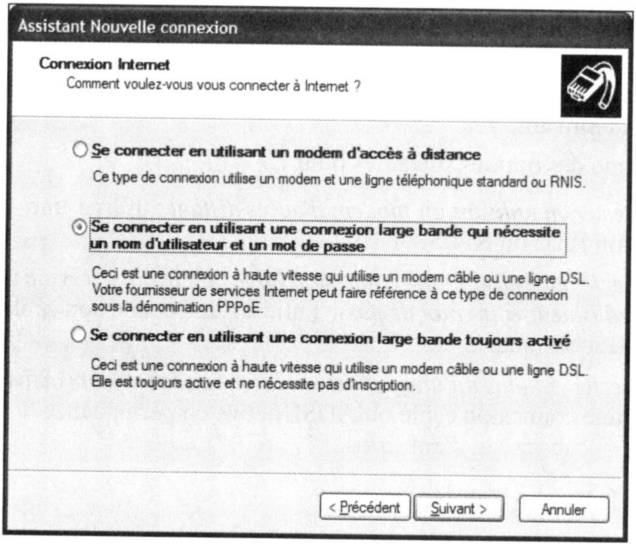

Figure 1.1 : *Création de la connexion*

Internet
Explorer

Internet Explorer

2.1 Maîtriser et optimiser la navigation

3. Internet sur son bureau

Afficher des informations en temps réel sur votre bureau vous permettra de ne pas passer à côté de l'information qui vous intéresse. Que ce soit la météo, la Bourse, les informations ou même la page de news de votre site préféré, vous pouvez afficher tout cela directement sur votre bureau grâce à Active Desktop.

Votre site préféré sur le bureau

1. Cliquez avec le bouton droit de la souris sur un espace vide du bureau. La boîte de dialogue **Propriétés de Affichage** s'affiche ; sélectionnez l'onglet **Bureau**.

2. Cliquez sur le bouton **Personnalisation du Bureau**. La boîte de dialogue **Eléments du Bureau** s'ouvre ; sélectionnez l'onglet **Web**.

3. Cliquez sur le bouton **Nouveau** dans la zone de texte *Emplacement*, saisissez l'adresse de la page web que vous souhaitez placer sur le bureau et cliquez sur le bouton OK.

4. Si vous souhaitez que les éléments ajoutés au bureau ne soient pas déplaçables, cochez la case *Verrouiller les éléments du Bureau* puis validez avec le bouton OK.

La météo de votre ville sur le bureau

S'il y a une chose que l'on aime connaître à l'avance, c'est bien la météo. Alors, pourquoi ne pas afficher en permanence les prévisions de Météo France sur votre bureau !

1. Tout d'abord, rendez-vous sur le site de Météo France à l'adresse http://www.meteo.fr/meteonet/temps/france/prev/frprev.htm et sélectionnez la région, le département et la ville que vous souhaitez afficher sur le bureau.

2. Une fois que vous êtes sur la page désirée, cliquez du bouton droit de la souris sur un espace vide de la page web et sélectionnez la commande **Propriétés**.

3. Dans la rubrique *Adresse (URL)*, sélectionnez et copiez l'adresse complète de la page. Par exemple, pour la ville de Figeac, dans la région Midi-Pyrénées, l'adresse récupérée sur la page a cette forme :

http://www.meteo.fr/meteonet/temps/ville/prev/miniatmos_fr
.htm?a=4604&b=FIGEAC&c=+02.03&d=44.61. Ensuite, fermez Internet
Explorer.

4. Cliquez du bouton droit sur un espace vide du bureau. La boîte de
dialogue **Propriétés de Affichage** s'affiche ; sélectionnez l'onglet
Bureau.

5. Cliquez sur le bouton **Personnalisation du Bureau**. La boîte de
dialogue **Eléments du Bureau** s'ouvre ; sélectionnez l'onglet **Web**.

6. Cliquez sur le bouton **Nouveau** dans la zone de texte *Emplacement*, et
collez l'adresse que vous avez récupérée plus haut sur le site de Météo
France. Si vous souhaitez que les éléments ajoutés au bureau ne soient
pas déplaçables, cochez la case *Verrouiller les éléments du Bureau* puis
validez avec le bouton OK.

Figure 2.1 : *Un bureau tourné vers Internet*

4. Désactiver l'affichage des images pour surfer plus vite

Pour accéder rapidement aux informations écrites des pages web, il vous suffit de désactiver l'affichage des images afin d'accélérer le chargement des pages.

1. Cliquez sur le menu **Outils** puis sur **Options Internet**, et sélectionnez l'onglet **Avancé**.

2. Décochez ensuite, dans la rubrique *Multimédia*, la case *Afficher les images*.

3. Il n'est pas nécessaire de fermer le navigateur pour que la modification soit effective.

5. Garder la connexion lors d'un changement d'utilisateur sous XP

Il est souvent désagréable de devoir quitter la connexion Internet lors d'un changement d'utilisateur sous Windows XP. Vous pouvez facilement résoudre ce problème, en effectuant la manipulation suivante :

1. Dans la boîte de dialogue **Exécuter** (accessible par le menu **Démarrer/Exécuter**), saisissez regedit afin de lancer l'Éditeur du registre.

2. Sélectionnez et sauvegardez la clé *HKEY_LOCAL_MACHINE\Software\Microsoft\Windows NT\CurrentVersion\Winlogon* par la commande **Fichier/Exporter**.

3. Dans le volet droit de l'Éditeur du registre correspondant à cette clé, créez une nouvelle valeur chaîne que vous nommerez KeepRasConnections. Double-cliquez sur la valeur que vous venez de créer et, dans la zone *Données de la valeur*, saisissez le nombre 1.

4. Redémarrez l'ordinateur afin que les modifications soient prises en compte.

6. Naviguer en plein écran

Internet Explorer dispose d'un mode de navigation qui vous permet de basculer facilement de l'affichage standard vers l'affichage plein écran et vice versa. Ce mode de navigation est appelé mode kiosque.

1. Ouvrez Internet Explorer et allez sur votre site préféré.

2. Appuyez sur la touche F11 pour basculer en mode Kiosque et visualiser ainsi le site en plein écran.

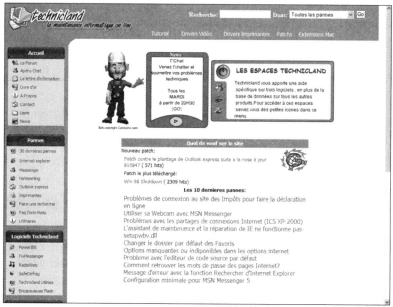

Figure 2.2 : *Un site web en plein écran*

3. Appuyez une nouvelle fois sur la touche F11 pour revenir en mode d'affichage normal.

Comment se servir du mode kiosque

Pour faire apparaître la barre d'outils qui se masque automatiquement une fois le mode kiosque activé, pointez le curseur de votre souris vers le haut de l'écran.

Par défaut, la barre d'outils du mode kiosque n'affiche pas la barre d'adresses. Pour la faire apparaître, cliquez avec le bouton droit dans une zone vide de la barre d'outils, et sélectionnez **Barre d'adresses**.

7. Démarrer Internet Explorer en mode kiosque

Pour restreindre la navigation à un site en particulier, il vous suffit de lancer Internet Explorer directement en mode kiosque, en procédant comme suit :

1. Cliquez du bouton droit sur un espace vide du bureau, puis sur la commande **Raccourci** du sous-menu **Nouveau**. La boîte de dialogue **Création d'un raccourci** s'affiche.

2. Dans la zone de texte *Entrez l'emplacement de l'élément*, saisissez "C:\Program Files\Internet Explorer\iexplore.exe" −k puis cliquez sur le bouton **Suivant**.

3. Dans la zone de texte *Entrez un nom pour ce raccourci*, saisissez par exemple IE kiosque. Cliquez sur le bouton **Terminer**.

4. Double-cliquez sur le raccourci que vous venez de créer pour vérifier le résultat.

REMARQUE

Plus d'informations sur le mode kiosque

Si vous désirez lancer la navigation en mode kiosque sur une autre page de démarrage que celle d'Internet Explorer, ajoutez l'URL de cette page à la fin de cette ligne, par exemple *"C:\Program Files\Internet Explorer\iexplore.exe" -k www.votresite.com/votrepage.htm.*
Pour sortir du mode kiosque et ainsi fermer la fenêtre d'Internet Explorer, utilisez la combinaison de touches [Alt]+[F4].

---

8. Revenir facilement sur ses pas

Il arrive souvent que l'on ait besoin de revenir rapidement sur des pages récemment visitées. Si vous pouvez facilement revenir sur une ou deux pages précédentes grâce au bouton **Précédent** de la barre d'outils, il est très difficile de retourner plus loin avec cette fonction.

Pour accéder rapidement à une des dix dernières pages visitées, cliquez avec le bouton droit sur le bouton **Précédent** de la barre d'outils d'Internet Explorer et choisissez la page sur laquelle vous souhaitez revenir.

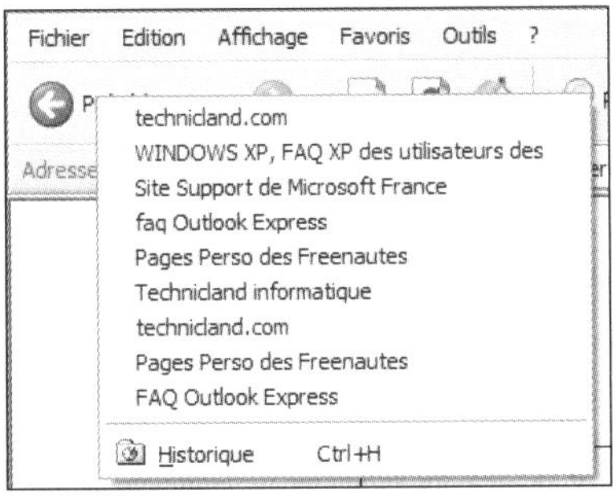

Figure 2.3 :
Visualisez les dix dernières pages visitées

9. Créer un raccourci de site sur son bureau

Pour accéder rapidement à un site, créez un raccourci de celui-ci sur votre bureau.

1. Ouvrez Internet Explorer et rendez-vous sur le site qui vous intéresse.
2. Cliquez sur la petite icône de la barre d'adresses (*favicon*).
3. Maintenez le bouton gauche enfoncé et déplacez l'icône jusque sur le bureau.
4. Relâchez le bouton de la souris.

ASTUCE

> **Se servir du menu contextuel**
>
> Si le menu contextuel est autorisé sur la page que vous souhaitez placer en raccourci, cliquez du bouton droit dans une zone vide de la page Internet. Ensuite, sélectionnez **Créer un raccourci**, puis validez en cliquant sur le bouton OK de la boîte de dialogue Internet. Un raccourci vers la page en cours sera placé sur votre bureau.

10. Vider automatiquement le cache d'Internet Explorer

Si vous avez une connexion haute vitesse et que vous ne surfiez pas hors connexion, vous pouvez activer la suppression des fichiers Internet temporaires à chaque fermeture d'Internet Explorer. Cela vous évitera de faire la suppression manuellement et, ainsi, vous ne perdrez pas de place inutilement sur votre disque dur.

1. Cliquez sur le menu **Outils** puis sur **Options Internet**, et sélectionnez l'onglet **Avancé**.
2. Cochez la case *Vider le dossier Temporary Internet Files lorsque le navigateur est fermé*.
3. Cliquez sur le bouton OK pour valider votre choix.

11. Se servir de la barre d'état pour voir où pointe un lien

Si vous voulez savoir où pointe un lien sans forcément l'ouvrir en cliquant dessus, vous pouvez vous servir de la barre d'état pour visualiser sa destination.

1. Ouvrez Internet Explorer sur une page web comprenant des liens.

2. Sélectionnez la commande **Barre d'état** dans le menu **Affichage**.

3. Pointez le curseur de la souris sur un lien et regardez la barre d'état.

Figure 2.4 : *Utilisation de la barre d'état*

12. Si la page tarde à s'afficher

Pendant la navigation, il arrive parfois que certaines pages tardent à s'afficher. Si vous ne souhaitez pas attendre la fin du chargement de ces pages, cliquez sur le bouton **Arrêter,** vous pourrez ainsi juger de leur contenu et soit continuer à les charger en cliquant sur **Actualiser**, soit passer votre chemin.

13. Activer le redimensionnement automatique des images

Internet Explorer dispose d'une option qui permet d'ajuster automatiquement la dimension des images en fonction de la taille de la fenêtre ouverte ; pour activer cette option, procédez comme suit :

1. Cliquez sur le menu **Outils** puis **Options Internet**, et sélectionnez l'onglet **Avancé**.

2. Cochez la case *Autoriser le redimensionnement automatique de l'image*.

3. Validez en cliquant sur le bouton OK.

Taille normale ou pas ?

Si vous placez le curseur de la souris sur une image qui a été redimensionnée, le bouton **Agrandir à une taille normale** apparaîtra au bout de quelques secondes dans le coin inférieur droit de l'image.

14. Utiliser l'historique

Le volet historique, accessible par le bouton **Historique** de la barre d'outils d'Internet Explorer, permet de lister tous les sites visités pendant une période définie ; pour régler cette période, procédez comme suit :

1. Cliquez sur le menu **Outils** puis sur **Options Internet**, et sélectionnez l'onglet **Général**.

2. Dans la rubrique *Historique*, entrez un nombre de jours dans la zone de texte *Jours pendant lesquels ces pages sont conservées*.

Figure 2.5 :
Rubrique Historique

3. Validez en cliquant sur le bouton OK.

Se servir du menu Affichage pour faire des tris

Si vous n'avez pas noté l'adresse d'un site récemment visité et que vous souhaitiez y retourner, cliquez sur le bouton **Historique**. Dans le volet gauche qui apparaît, cliquez sur le menu **Affichage** et sélectionnez **par ordre de visite du jour** (pour retrouver un site visité dans la journée) ou **par date** (pour retrouver un site visité quelques jours auparavant).

15. Accéder au menu contextuel, malgré le blocage du clic droit

Il arrive que, sur certaines pages web, l'affichage du menu contextuel (accessible par un clic droit de la souris) soit interdit. Dans ce cas-là, si la fenêtre a été ouverte sous forme de pop-up, il devient très difficile d'avoir accès à certaines fonctions utiles, telles que **Afficher la source** et **Enregistrer la cible sous**. Voici deux méthodes qui vous permettront de récupérer facilement cette fonctionnalité sur de telles pages.

Utilisation de la touche Menu

1. Rendez-vous sur une page Internet bloquant le menu contextuel puis cliquez sur la touche (Menu).

2. Sélectionnez la fonction qui vous intéresse dans le menu contextuel.

Avec la souris

1. Rendez-vous sur une page Internet bloquant le menu contextuel et cliquez sans relâcher sur le bouton droit de la souris.

2. Maintenez le bouton droit de la souris enfoncé et, en même temps, validez avec le clic gauche la boîte de dialogue vous indiquant que le clic droit est interdit sur cette page.

3. Relâchez le bouton droit de la souris pour faire apparaître le menu contextuel.

4. Sélectionnez la fonction qui vous intéresse.

Figure 2.6 :
Exemple d'une boîte de dialogue vous annonçant l'interdiction du menu contextuel

16. Couper le son sur une page web

De nombreux sites Internet proposent l'écoute d'un fond musical pendant leur visite. Si vous souhaitez stopper l'écoute de ces bandes sonores sans forcément intervenir sur le réglage du volume, appuyez sur la touche [Esc] du clavier ou sur le bouton **Arrêter** de la barre d'outils d'Internet Explorer.

17. Changer sa page de démarrage Internet Explorer

Si vous avez installé votre connexion Internet par l'intermédiaire du CD-Rom de votre fournisseur d'accès, il est fort probable que celui-ci ait placé son site Internet comme page de démarrage. Pour personnaliser cette page et ainsi ouvrir votre navigateur sur votre site préféré, procédez comme suit :

1. Cliquez sur le menu **Outils** puis sur **Options Internet**, et sélectionnez l'onglet **Général**.

2. Saisissez l'adresse du site web que vous souhaitez afficher lors de l'ouverture d'Internet Explorer dans la rubrique *Page de démarrage/Adresse*.

3. Validez votre saisie en cliquant sur le bouton OK.

4. Fermez et rouvrez votre navigateur pour voir le résultat.

 Si l'option de modification de votre page de démarrage n'est pas disponible dans les options Internet, rapportez-vous à l'astuce Modifier la page de démarrage même si elle est bloquée du chapitre Modifier la base de registre pour Internet Explorer.

18. Surfer hors connexion dans le cache

Si vous ne disposez pas d'une connexion Internet haut débit ou si vous avez un forfait limité, il est très intéressant de pouvoir se servir des fichiers Internet temporaires pour naviguer hors connexion. Si vous disposez d'un espace libre assez important sur votre disque dur, autant l'affecter aux fichiers Internet temporaires, ce qui améliorera les performances de votre navigation hors connexion.

Paramétrer l'espace de vos fichiers temporaires sur votre disque dur

1. Cliquez sur le menu **Outils** puis sur **Options Internet**, et sélectionnez l'onglet **Général**.

2. Cliquez sur le bouton **Paramètres** situé dans la rubrique *Fichiers Internet temporaires*.

3. Entrez un nombre dans la zone de texte *Espace disque à utiliser* de la rubrique *Dossier Temporary Internet files* (si vous avez de la place sur votre disque dur, une valeur de 500 Mo reste très correcte).

4. Validez en cliquant sur les boutons OK des deux boîtes de dialogue.

Surfer hors connexion

1. Démarrez Internet Explorer et, si la boîte de dialogue de connexion s'ouvre, cliquez sur le bouton **Travailler hors connexion**.

2. Si la boîte de dialogue de connexion ne s'ouvre pas et que la connexion s'établisse, cliquez sur **Fichier/Travailler hors connexion**.

Rester hors connexion

Lorsque vous naviguez hors connexion, si vous placez le pointeur de la souris sur un lien pointant vers une page qui n'est pas disponible dans vos fichiers temporaires, le pointeur de la souris prend l'apparence d'une main avec un panneau d'interdiction.

19. Être toujours à l'heure grâce à Internet

Pour que votre ordinateur soit toujours à l'heure exacte, vous pouvez utiliser la fonction de Windows XP qui lui permet de se synchroniser avec un serveur de temps.

1. Connectez-vous à Internet.

2. Double-cliquez sur l'horloge située en bas à droite de l'écran. La boîte de dialogue **Propriétés de Date et heure** s'affiche.

3. Sélectionnez l'onglet **Temps Internet** et cochez la case *Synchroniser automatiquement avec un serveur de temps*.

4. Sélectionnez un serveur de temps dans la liste déroulante *Serveur* (voir fig. 2.7).

5. Cliquez sur le bouton **Mettre à jour**.

6. Si la synchronisation ne s'est pas effectuée correctement, réessayez de faire une mise à jour ou essayez en sélectionnant un autre serveur de temps.

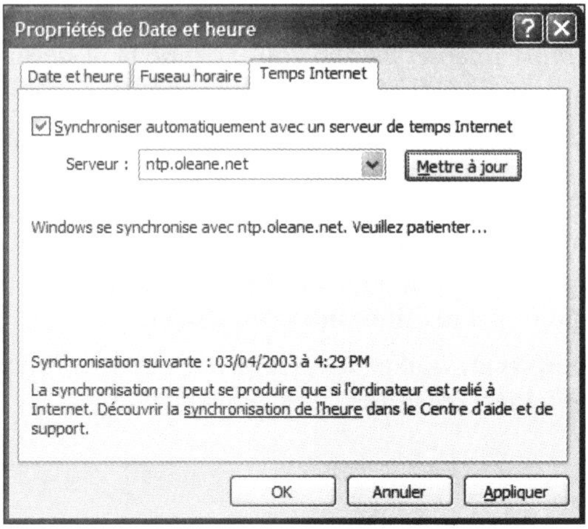

Figure 2.7 :
La boîte de dialogue Propriétés de Date et heure

20. Ajouter des serveurs de temps

Par défaut, la liste des serveurs de temps ne comprend que deux serveurs de temps, mais vous pouvez facilement en ajouter.

1. Double-cliquez sur l'horloge située en bas à droite de l'écran. La boîte de dialogue **Propriétés de Date et heure** s'affiche.

2. Sélectionnez l'onglet **Temps Internet** et vérifiez que la case *Synchroniser automatiquement avec un serveur de temps* soit bien cochée.

3. Saisissez un nouveau serveur de temps dans la zone de texte *Serveur*.

4. Cliquez sur le bouton **Mettre à jour**.

Tableau 2-1 : Liste des serveurs de temps (NTP) avec accès libre	
Nom	**Adresse**
CNRS campus de Sophia Antipolis	ntp.cnrs.sophia.fr
France Télécom	ntp1.oleane.net
INRIA	ntp-sop.inria.fr
Laboratoire primaire du temps et des fréquences	ntp-p1.obspm.fr

Pour en savoir plus sur les serveurs de temps

Si le protocole ntp vous intéresse, il existe une FAQ disponible en anglais (malheureusement) à l'adresse http://www.ntp.org/ntpfaq/NTP-a-faq.htm. Pour une liste plus complète des serveurs de temps français, consultez la page http://www.cru.fr/NTP/serveurs_francais.html.

21. Envoyer une page ou un lien par messagerie

Si vous venez de découvrir une page ou un site intéressant, pourquoi ne pas en faire profiter vos amis ? Envoyez-leur un lien vers la page ou la page web complète. Pour ce faire, procédez comme suit :

1. Cliquez sur le menu **Outils** puis sur **Courrier et News** et sélectionnez la commande **Envoyer un lien**. Une fenêtre de votre logiciel de courrier par défaut s'ouvre avec en pièce jointe un raccourci de l'URL de la page en cours de visite. Vous n'avez plus qu'à entrer l'adresse e-mail du destinataire et vos commentaires.

2. Cliquez sur le menu **Outils** puis sur **Courrier et News** et sélectionnez la commande **Envoyer la page**. Une fenêtre de votre logiciel de courrier par défaut s'ouvre avec le contenu de la page en cours de visite. Vous n'avez plus qu'à entrer l'adresse e-mail du destinataire et vos commentaires.

Attention aux cadres

Si la page que vous souhaitez envoyer comprend des cadres (ou *frame*), une boîte de dialogue vous le signalera lors de la sélection **Envoyer la page**. Dans ce cas-là, pour que la page s'intègre bien dans l'e-mail, cliquez sur le bouton **Lecture seule**.

22. Internet Explorer 6 comme client FTP

Internet Explorer peut être aussi utilisé comme client FTP, une fois qu'il sera paramétré, vous pourrez facilement évoluer sur les serveurs FTP.

Paramétrer Internet Explorer pour les serveurs FTP

1. Cliquez sur le menu **Outils** puis **Options Internet**, et sélectionnez l'onglet **Avancé**.

2. Cochez dans la rubrique *Navigation* la case *Activer l'affichage des dossiers sur les sites FTP* et *Utiliser le mode FTP passif*.

Connexion à un serveur FTP

1. Démarrez Internet Explorer.

2. Saisissez l'adresse d'un serveur FTP dans la barre d'adresses (vous pouvez tester avec ce serveur **ftp://ftp.lip6.fr**, qui offre une connexion anonyme).

3. Si la connexion au serveur FTP nécessite une identification, saisissez, dans la boîte de dialogue **Ouvrir une session en tant que**, votre nom d'utilisateur dans le champ de texte *Utilisateur* et votre mot de passe dans le champ de texte *Mot de passe*.

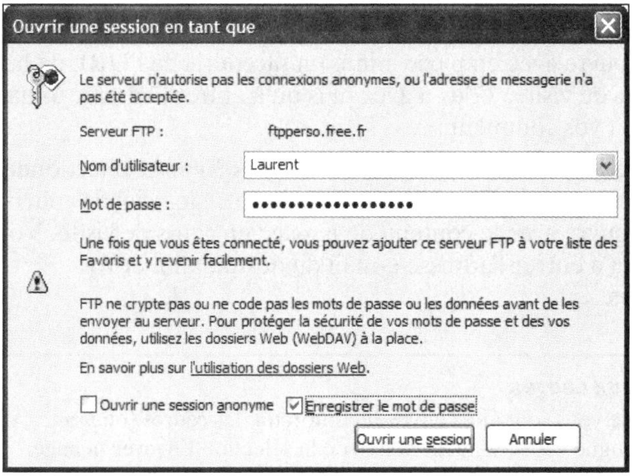

Figure 2.8 : *Connexion à un serveur FTP sécurisé*

Trouver des serveurs FTP

Il n'est pas forcément facile de trouver des serveurs FTP qui offrent des connexions anonymes. Mais il existe un excellent moteur de recherche, ftpsearch, qui fait ses recherches sur les sites FTP ; voici son adresse : **http://www .ftpsearch.net**.

23. Gérer les fichiers sur les serveurs FTP

Il est possible de gérer simplement ses fichiers sur les serveurs FTP avec Internet Explorer.

Télécharger un fichier depuis un serveur FTP

1. Connectez-vous à un serveur FTP.

2. Cliquez avec le bouton droit de la souris sur le fichier que vous souhaitez télécharger et choisissez la commande **Copier dans un dossier**.

3. Sélectionnez le dossier de votre choix et validez avec le bouton OK de la boîte de dialogue **Rechercher un dossier**.

Envoyer un fichier sur un serveur FTP

1. Connectez-vous à un serveur FTP.

2. Sélectionnez le fichier que vous souhaitez transférer et faites-le glisser dans la fenêtre Internet Explorer.

REMARQUE

Pour aller plus loin avec les serveurs FTP

Si vous souhaitez entrer directement votre nom de connexion et votre mot de passe lors de l'accès à un serveur FTP sécurisé, utilisez cette syntaxe dans la barre d'adresses : votre nom d'utilisateur suivi de deux points, puis votre mot de passe et, ensuite, le symbole @ suivi du nom du serveur FTP. Par exemple, pour une connexion au serveur FTP ayant comme nom monserveurftp.com avec le nom d'utilisateur tommy et le mot de passe avion, voici ce qu'il vous faut saisir dans la barre d'adresses : ftp://tommy:avion@monserveurftp.com.

24. Sauvegarder une page Internet avec les images dans un seul fichier

Lorsque vous enregistrez une page Internet au format HTML, la page se sauvegarde en deux parties : le fichier HTML contenant le code et un dossier associé contenant les images, les scripts et autres éléments associés à la page. Il existe un format d'enregistrement peu connu et pourtant fort utile qui enregistre la page et ses éléments dans un seul fichier portant l'extension mht.

1. Ouvrez Internet Explorer et allez sur une page web que vous souhaitez sauvegarder.

2. Cliquez sur le menu **Fichier** puis sur la commande **Enregistrer sous**.

3. Saisissez un nom de fichier (ou laissez celui par défaut) dans la zone de texte *Nom du fichier* de la boîte de dialogue **Enregistrer la page Web**.

4. Dans la liste déroulante *Type* sélectionnez le format *Archive Web, fichier seul (*.mht)*.

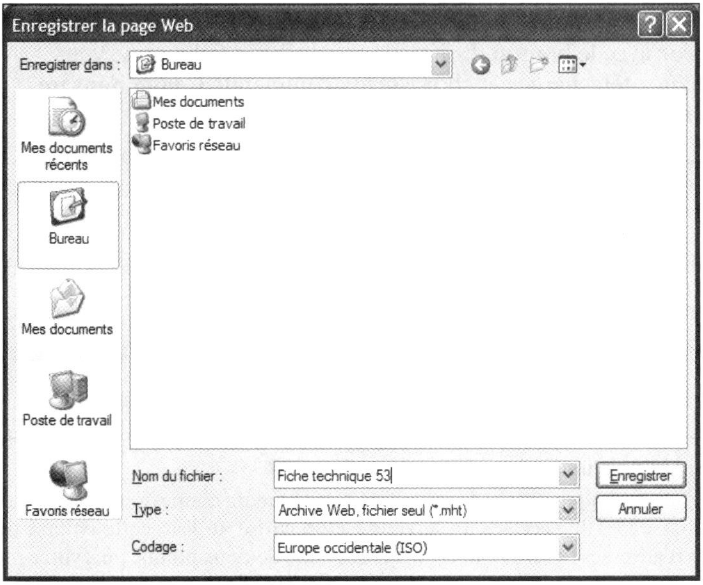

Figure 2.9 : *La boîte de dialogue Enregistrer la page web*

5. Validez en cliquant sur le bouton **Enregistrer**.

25. Récupérer une animation Flash diffusée sur un site

Si vous souhaitez récupérer des animations Flash intéressantes trouvées sur des pages web, sachez que c'est possible. Les animations Flash publiées sur des pages sont en fait des fichiers qui viennent s'intégrer dans ces pages web, et leur extension est swf. Pour récupérer ces fichiers et donc l'animation, il faut effectuer quelques manipulations :

1. Ouvrez Internet Explorer et cliquez sur le menu **Outils** puis sur **Options Internet**, et sélectionnez l'onglet **Général**.

2. Dans la rubrique *Fichiers Internet temporaires,* cliquez sur le bouton **Supprimer les fichiers**.

3. Dans la boîte de dialogue **Supprimer les fichiers**, cochez la case *Supprimer tout le contenu hors connexion* et validez par OK.

4. Fermez la boîte de dialogue **Options Internet**.

5. Rendez-vous sur une page web contenant une animation Flash.

6. Cliquez sur le menu **Outils** puis sur **Options Internet**, et sélectionnez l'onglet **Général**.

7. Cliquez sur le bouton **Paramètres** de la rubrique *Fichiers Internet temporaires*, puis sur le bouton **Afficher les fichiers** de la rubrique *Dossier Temporary Internet files*.

8. Cliquez avec le bouton droit dans une zone vide de la fenêtre **Temporary Internet files** qui vient de s'ouvrir, et cliquez sur **Réorganiser les icônes par** puis sélectionnez **Type**.

Figure 2.10 : *La fenêtre Temporary Internet files*

9. Recherchez les types de fichiers avec une extension en swf. L'animation que vous cherchez est forcément dans l'un de ces fichiers ; ouvrez-les un par un pour sélectionner celle qui vous intéresse.

L'extension de mes fichiers ne s'affiche pas

Pas de panique ! ouvrez un dossier, cliquez sur **Outils** puis sur **Options des dossiers** et sélectionnez l'onglet **Affichage**. Décochez la case *Masquez les extensions des fichiers dont le type est connu*.

ATTENTION

Si vous naviguez hors connexion

Cette manipulation vous fait supprimer les fichiers Internet temporaires.
Pour ne pas perdre le contenu de la navigation hors connexion, transférez vos fichiers dans un autre dossier le temps de la manipulation et remettez-les ensuite dans leur emplacement d'origine.

---

26. Ouvrir rapidement une adresse

Il existe une combinaison clavier peu connue mais très efficace. Elle vous permet de saisir juste le nom du site dans la barre d'adresses, et l'appui simultané des touches [Ctrl]+[Entrée] ajoute le www et le .com afin de transformer le nom en adresse Internet.

27. Les raccourcis clavier importants

Voici la liste des principaux raccourcis clavier pour Internet Explorer.

Tableau 2-2 : Raccourcis clavier	
Touche	**Fonction**
[F1]	Affiche l'aide d'Internet Explorer.
[F5]	Rafraîchit la page en cours.
[F10] ou [Alt]	Active la barre de menus ou ferme un menu et un sous-menu ouverts.
[F11]	Bascule entre le mode kiosque (plein écran) et le mode d'affichage normal.
[Tab]	Passe à l'élément suivant de la page web.
[Maj]+[Tab]	Revient à l'élément précédent de la page web.
[Alt]+[↖]	Ouvre la page de démarrage.
[Alt]+[Flèche droite]	Page suivante.
[Alt+Flèche gauche]	Page précédente.
[Bas]	Se rendre en bas de la page.
[Haut]	Se rendre en haut de la page.

Tableau 2-2 : Raccourcis clavier	
Touche	**Fonction**
Ctrl + B	Ouvre la boîte de dialogue **Organiser les Favoris**.
Ctrl + E	Ouvre le volet de recherche.
Ctrl + F	Effectuer une recherche sur la page.
Ctrl + F5	Force la réactualisation de la page.
Ctrl + H	Ouvre le volet d'historique.
Ctrl + I	Ouvre le volet favoris.
Ctrl + N	Ouvre une nouvelle fenêtre.
Ctrl + O	Ouvre une boîte de dialogue pour se rendre à une adresse Internet.
Ctrl + S	Enregistre la page en cours.
Ctrl + P	Lance l'impression de la page ou du cadre.
CtrlL + W	Ferme la fenêtre.
Alt + D	Sélectionne tout le texte de la barre d'adresses.
F4	Déroule la barre d'adresses.

28. Fixer la taille du texte avec la souris

Si vous vous trouvez sur une page web avec une dimension de caractères qui ne vous convient pas, appuyez sur la touche Ctrl tout en faisant tourner la molette de la souris. Si la rotation s'effectue vers l'avant, la taille du texte diminuera ; si la rotation se fait vers l'arrière, la taille du texte augmentera.

ATTENTION

Aux feuilles de style

Si le concepteur de la page a bloqué la taille de la police, cette manipulation sera inefficace.

29. Utiliser la molette de la souris

Avec la molette de la souris, vous pouvez très facilement utiliser des fonctions de navigation. Il vous suffit de maintenir la touche [Maj] ([Shift]) enfoncée et de faire tourner la molette vers l'arrière pour revenir sur les pages précédentes et vers l'avant pour aller sur les pages suivantes.

30. Saisir des adresses rapidement

Pour utiliser pleinement toutes les ressources d'Internet Explorer, il faut le paramétrer correctement en fonction de vos besoins. L'activation de la saisie semi-automatique dans la barre d'adresses fait partie d'un des réglages indispensables. Lorsque vous activez cette fonction, dès que vous commencez à saisir une adresse, celle-ci est automatiquement complétée s'il existe une URL en rapport dans l'historique.

1. Ouvrez Internet Explorer et cliquez sur le menu **Outils** puis sur **Options Internet**, et sélectionnez l'onglet **Contenu**.

2. Dans la rubrique *Informations personnelles*, cliquez sur le bouton **Saisie semi-automatique**. La boîte de dialogue **Paramètres de saisie semi-automatique** s'affiche.

3. Cochez la case *Adresses Web* de la rubrique *Utiliser la saisie semi-automatique pour*, et validez avec le bouton OK (ne fermez pas la boîte de dialogue **Options Internet**).

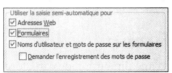

Figure 2.11 :
Rubrique de saisie semi-automatique

4. Sélectionnez l'onglet **Avancé** de la boîte de dialogue **Options Internet** dans la rubrique *Navigation*, cochez la case *Utiliser la saisie semi-automatique dans la barre d'adresses* et validez avec le bouton OK.

Figure 2.12 :
Un exemple de saisie semi-automatique

31. Effacer ses traces de surf

Si les fonctions d'Internet Explorer telles que l'historique ou les fichiers Internet temporaires peuvent être très utiles, il faut savoir qu'elles peuvent aussi servir à vous espionner ! Effectivement, si vous souhaitez garder un minimum de confidentialité par rapport à votre navigation, prenez soin d'effacer l'historique et les fichiers temporaires après chacun de vos surfs.

1. Ouvrez Internet Explorer et cliquez sur le menu **Outils** puis sur **Options Internet**, et sélectionnez l'onglet **Général**.

2. Dans la rubrique *Fichiers Internet temporaires*, cliquez sur le bouton **Supprimer les fichiers**.

3. Dans la rubrique *Historique*, cliquez sur le bouton **Effacer l'Historique**.

Cette manipulation suffit à effacer superficiellement vos traces de surf. Mais il faut savoir qu'Internet Explorer enregistre aussi les adresses web saisies dans le registre. Si vous souhaitez effacer en profondeur toutes ces adresses, reportez-vous à l'astuce Supprimer les URL saisies dans la barre d'adresses et inscrites au registre du chapitre Modifier la base de registre pour Internet Explorer.

32. Forcer la réactualisation des pages web

Suivant les paramètres de vos fichiers Internet temporaires, il se peut que vos pages web ne soient actualisées qu'en partie. Si vous avez des doutes sur la version de la page en cours de visite, forcez Internet Explorer à recharger complètement la page en utilisant la combinaison de touches [Ctrl]+[F5].

33. Régler ses options régionales pour Internet

Si vous voyagez avec votre ordinateur ou si vous avez déménagé, il vous faut absolument définir votre emplacement géographique dans les options régionales afin de bénéficier de services locaux tels que les actualités et la météo.

1. Cliquez sur **Poste de travail/Panneau de configuration**, puis sur **Options régionales et linguistiques**.

2. Sélectionnez l'onglet **Options régionales** et, dans la rubrique *Emplacement*, sélectionnez le pays où vous vous trouvez actuellement puis validez en cliquant sur le bouton OK.

34. Surfer en plusieurs langues

Certains sites web proposent des contenus multilingues ; pour que votre navigateur puisse interpréter les caractères étrangers, il faut le paramétrer.

1. Cliquez sur le menu **Outils** puis sur **Options Internet**, et sélectionnez l'onglet **Général**.

2. Cliquez sur le bouton **Langues**, situé dans le bas de la boîte de dialogue **Options Internet**.

3. Dans la boîte de dialogue **Langues**, cliquez sur le bouton **Ajouter** et sélectionnez une langue que vous souhaitez ajouter, puis validez avec le bouton OK.

4. Pour qu'Internet Explorer puisse automatiquement sélectionner le codage approprié, cliquez sur le menu **Affichage/Codage**, et sélectionnez la commande **Sélection automatique**.

Un logiciel qui gère la composition des caractères chinois ou japonais
Si vous désirez pouvoir composer des messages sous Outlook Express ou dans Internet Explorer en kanji ou en kana, Microsoft fournit un logiciel gratuit, IME (Input Method Editor), qui transforme les caractères saisis au clavier en caractères japonais ou chinois. Vous pouvez télécharger cet outil à l'adresse Internet :
http://office.microsoft.com/assistance/2002/articles/odownloadinputmethodeditors.aspx
si vous avez Office XP ou, si vous n'en disposez pas, à l'adresse :
http://www.microsoft.com/msdownload/iebuild/ime5_win32/FR/119250.htm

35. Supprimer le contenu des formulaires des pages web

Si vous utilisez la saisie semi-automatique dans les formulaires des pages web, toutes les frappes que vous effectuez dans des champs de formulaire sont enregistrées. Si vous souhaitez les effacer, procédez comme suit :

1. Ouvrez Internet Explorer et cliquez sur le menu **Outils** puis sur **Options Internet**, et sélectionnez l'onglet **Contenu**.

2. Dans la rubrique *Informations personnelles*, cliquez sur le bouton **Saisie semi-automatique**. La boîte de dialogue **Paramètres de saisie semi-automatique** s'affiche.

3. Dans la rubrique *Effacer l'Historique de la saisie semi-automatique*, cliquez sur le bouton **Effacer les formulaires**. Si vous souhaitez aussi effacer les mots de passe mémorisés, cliquez sur le bouton **Effacer les mots de passe**.

36. Effacer seulement un enregistrement dans un formulaire de saisie

Si vous souhaitez effacer seulement une entrée enregistrée par la saisie semi-automatique dans un champ de formulaire, procédez comme suit :

1. Dans un champ de formulaire sur une page web, commencez à saisir seulement le début du mot que vous souhaitez effacer.

2. La saisie automatique vous propose alors une liste de mots sous forme de menu déroulant. Positionnez le pointeur de la souris sur le mot que vous souhaitez supprimer et cliquez sur la touche [Suppr].

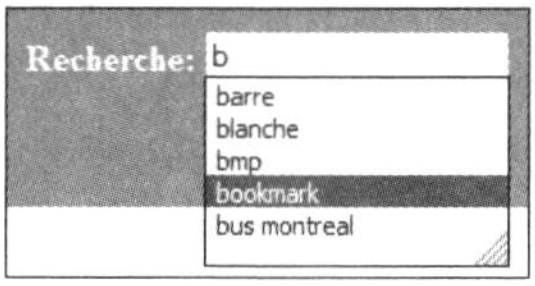

Figure 2.13 :
Un champ de formulaire avec la saisie semi-automatique activée

37. Ne jamais perdre ses barres d'outils

Avec Internet Explorer, vous pouvez facilement modifier l'affichage et la disposition des différentes barres d'outils disponibles. Il est en revanche vivement conseillé de verrouiller l'affichage des barres d'outils une fois que vous aurez déterminé leurs emplacements définitifs. Pour verrouiller l'affichage des barres d'outils, cliquez sur le menu **Affichage** puis sur **Barres d'outils** et sélectionnez la commande **Verrouiller les barres d'outils**.

38. Sauvegarder les cookies

Si vous souhaitez sauvegarder vos cookies, il faut savoir qu'Internet Explorer possède une fonction qui vous permet d'exporter les cookies sous forme d'un fichier texte, ce qui vous permettra facilement de les réimporter plus tard.

1. Cliquez sur le menu **Fichier** puis sélectionnez la commande **Importer et exporter**. La boîte de dialogue **Assistant Importation/Exportation** s'affiche.

2. Cliquez sur le bouton **Suivant** et, dans la rubrique *Choisir une opération à effectuer*, sélectionnez la commande **Exporter les cookies** et cliquez sur le bouton **Suivant**.

3. Par défaut, le dossier de destination d'exportation des cookies est le dossier *Mes documents* ; vous pouvez le modifier à l'aide du bouton **Parcourir**. Cliquez ensuite sur le bouton **Suivant** puis sur **Terminer**.

4. Fermez la boîte de dialogue qui vous signifie que l'exportation des cookies s'est bien effectuée. Vous pouvez vérifier la présence du fichier *cookies.txt* dans le dossier de sauvegarde choisi.

39. Restaurer les cookies sauvegardés

Pour importer des cookies précédemment sauvegardés au format texte, procédez comme suit :

1. Cliquez sur le menu **Fichier** puis sélectionnez la commande **Importer et exporter**. La boîte de dialogue **Assistant Importation/Exportation** s'affiche.

2. Cliquez sur le bouton **Suivant** et, dans la rubrique *Choisir une opération à effectuer*, sélectionnez la commande **Importer les cookies** et cliquez sur le bouton **Suivant**.

3. Sélectionnez le fichier source d'importation des cookies avec le bouton **Parcourir**. Cliquez ensuite sur le bouton **Suivant** puis sur **Terminer**.

4. Fermez la boîte de dialogue qui vous signifie que l'importation des cookies s'est bien effectuée.

40. Changer la couleur des liens

Si vous souhaitez modifier la couleur des liens ou la couleur des liens visités affichés dans les pages web, il vous faut modifier les réglages d'Internet Explorer.

1. Cliquez sur le menu **Outils** puis sur **Options Internet**, et sélectionnez l'onglet **Général**.

2. Cliquez sur le bouton **Couleurs** ; la boîte de dialogue **Couleurs** s'affiche.

3. Dans la rubrique *Liens*, cliquez sur le bouton représentant la couleur des liens visités afin d'ouvrir la palette de couleurs, sélectionnez dans la palette une couleur que vous souhaitez attribuer aux liens visités et validez avec le bouton OK. Effectuez la même manipulation si vous voulez changer la couleur des liens non visités.

4. Si vous cochez la case *Sélection par pointage*, vous pourrez attribuer une couleur différente aux liens lors de leur survol par le pointeur de la souris. Attention, cela fonctionne uniquement si les pages consultées n'utilisent pas d'autres moyens de personnalisation des liens !

2.2 Gérer les fenêtres Internet Explorer

41. Minimiser toutes les fenêtres

Il est souvent très utile d'ouvrir plusieurs fenêtres pendant la navigation. Le problème, c'est que la multiplication de ces fenêtres devient très rapidement ingérable. Lorsque vous souhaitez minimiser toutes les fenêtres dans la barre des tâches, utilisez la combinaison de touches [Windows]+[M]. L'icône de bureau située dans la barre des tâches effectue à peu près la même fonction.

42. Grouper toutes les fenêtres similaires dans la barre des tâches

Lorsque vous naviguez, vous êtes souvent amené à ouvrir plusieurs fenêtres Internet Explorer. Il existe une option de Windows XP qui apporte un plus indéniable au niveau de la gestion de fenêtres. Cette fonction regroupe toutes les fenêtres issues d'une même application dans un seul bouton de la barre des tâches. Voici comment activer ou désactiver cette fonction :

1. Cliquez avec le bouton droit de la souris dans un espace vide de la barre des tâches, puis sélectionnez la commande **Propriétés**. La boîte de dialogue **Propriétés de la barre des tâches et du menu Démarrer** s'affiche.

2. Dans la rubrique *Apparence de la barre des tâches*, cochez la case *Grouper les boutons similaires de la barre des tâches* puis validez avec le bouton OK.

Figure 2.14 :
Groupe de fenêtres Internet Explorer

43. Placer les fenêtres Internet en mosaïque horizontale ou verticale

La fonction de regroupement des fenêtres de Windows XP offre d'autres options de gestion des fenêtres très utiles à la navigation. Le mode

Mosaïque permet d'afficher en un seul écran toutes les fenêtres issues d'une même application.

1. Ouvrez plusieurs fenêtres Internet Explorer afin d'obtenir un bouton de regroupement d'application dans la barre des tâches.

2. Cliquez avec le bouton droit de la souris sur le bouton de regroupement de fenêtres **Internet Explorer,** puis sélectionnez soit la commande **Mosaïque horizontale** soit la commande **Mosaïque verticale**.

Figure 2.15 : *Mosaïque verticale de fenêtres Internet Explorer*

44. Placer les fenêtres Internet en cascades

Le mode de fenêtre Cascade permet de placer toutes les fenêtres issues d'une même application les unes derrière les autres.

1. Ouvrez plusieurs fenêtres Internet Explorer afin d'obtenir un bouton de regroupement d'application dans la barre des tâches.

2. Cliquez avec le bouton droit de la souris sur le bouton de regroupement de fenêtres **Internet Explorer,** puis sélectionnez la commande **Cascade**.

45. Fermer toutes les fenêtres Internet Explorer en un seul clic

Lorsque vous avez ouvert plusieurs fenêtres Internet Explorer et que vous souhaitez stopper la navigation, pensez à utiliser la fonction **Fermer le groupe de fenêtres**. Cliquez avec le bouton droit de la souris sur le bouton de regroupement de fenêtres **Internet Explorer**, puis sélectionnez la commande **Fermer le groupe**.

46. Fermer une fenêtre sans contour

Sur certains sites, vous risquez de vous trouver face à des fenêtres de publicités sans contour, appelées aussi fenêtres *Chromeless*. Le problème est que ces fenêtres ne contiennent pas non plus de menu. Il devient alors très difficile de s'en débarrasser. Lorsque vous vous trouvez face à une de ces fenêtres, Il existe deux méthodes pour essayer de les fermer.

Première méthode

Cliquez dans une zone vide de la fenêtre sans contour et faites la combinaison de touches [Alt]+[F4].

Deuxième méthode

Cette méthode est à utiliser uniquement si la première n'est pas efficace.

1. Appuyez simultanément sur les touches [Ctrl]+[Alt]+[Suppr] ; la boîte de dialogue **Gestionnaire des tâches de Windows** s'affiche.

2. Sélectionnez l'onglet **Applications** et, dans la liste des applications de la rubrique *Tâche*, sélectionnez le nom de la fenêtre Internet qui vous pose problème et cliquez sur le bouton **Fin de tâche**.

47. Utiliser le menu Fichier d'Internet Explorer

Si, pendant que vous surfez, vous avez besoin de vous rendre sur une nouvelle page sans perdre le contenu de celle que vous êtes en train de visiter, cliquez sur le menu **Fichier** puis sur **Nouveau/Fenêtre**.

Pour passer un appel Netmeeting directement depuis Internet Explorer, cliquez sur le menu **Fichier** puis sur **Nouveau/Appel Internet**.

48. Ouvrir un lien dans une nouvelle fenêtre

Si vous souhaitez ouvrir un lien d'une page web dans une nouvelle fenêtre, appuyez sur la touche [Maj] sans relâcher et cliquez sur le lien que vous voulez ouvrir.

49. Récupérer les menus et la barre d'outils

Il arrive que, sur certains sites, les webmasters suppriment la barre d'outils et le menu d'Internet Explorer. Malgré ces restrictions, il est possible de retrouver ces fonctions manquantes. Lorsque vous vous retrouvez sur de telles pages, procédez comme suit :

1. Sélectionnez la fenêtre sans contour et effectuez la combinaison de touches [Ctrl]+[N].

2. Une nouvelle fenêtre identique à la première s'ouvre, mais elle contient les menus et toutes les barres d'outils. Vous pouvez ainsi retrouver toutes les commandes, par exemple **Afficher la source**, **Enregistrer sous**.

Figure 2.16 : *Une fenêtre sans menu puis la même fenêtre après la combinaison de touches Ctrl+N*

2.3 Rechercher avec Internet Explorer

50. Faire une recherche sur une page web

Afin de rechercher un mot sur une page web, utilisez la fonction **Rechercher** d'Internet Explorer.

1. Cliquez sur le menu **Edition** puis sur la commande **Rechercher (dans cette page)** ou pressez la combinaison de touches [Ctrl]+[F].

2. Dans la zone de texte *Rechercher* de la boîte de dialogue **Rechercher**, saisissez le mot que vous souhaitez rechercher.

3. Si vous êtes en haut de la page web, cochez, dans la rubrique *Direction*, l'option *Bas* pour effectuer une recherche de haut en bas de la page. Cochez l'option *Haut* si vous êtes en bas de page.

4. Cliquez sur le bouton **Suivant** pour lancer la recherche.

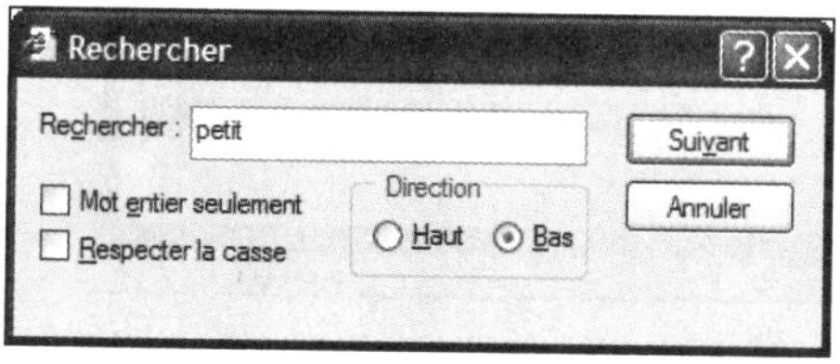

Figure 2.17 :
La boîte de dialogue Rechercher

La case *Mot entier seulement* n'est à cocher que si vous souhaitez effectuer une recherche sur le mot exact. Par exemple, si vous lancez une recherche sur le mot "petit" et que la page contienne le mot "petits" (avec un s), la recherche sera infructueuse.

La case *Respecter la casse* permet d'effectuer une recherche en respectant les majuscules et minuscules que vous tapez dans la zone de texte *Rechercher*.

51. Modifier le moteur de recherche par défaut

Par défaut, les recherches effectuées *via* le volet de recherche d'Internet Explorer se font sur le moteur de recherche MSN Search. Il est possible de définir un autre moteur de recherche que celui-ci.

1. Cliquez sur le bouton **Rechercher** de la barre d'outils d'Internet Explorer, puis sur le bouton **Personnaliser** du volet Rechercher.

2. Activez le bouton d'option *Utiliser un service de recherche pour toutes les recherches*.

3. Choisissez le moteur de recherche que vous souhaitez utiliser en le sélectionnant dans la liste *Sélectionner le service de recherche*.

4. Cliquez sur le bouton OK pour valider votre choix.

Figure 2.18 : *Un volet Rechercher personnalisé avec le moteur de recherche Google*

52. Ajouter des moteurs de recherche

Si vous ne trouvez pas votre moteur de recherche préféré dans la liste des services de recherche du menu **Rechercher** d'Internet Explorer, vous pouvez l'ajouter manuellement.

1. Dans la boîte de dialogue **Exécuter** (accessible par le menu **Démarrer/Exécuter**), saisissez regedit afin de lancer l'Éditeur du registre.

2. Sélectionnez et sauvegardez la clé *HKEY_CURRENT_USER\Software\Microsoft\Internet Explorer\Main*, par la commande **Fichier/Exporter**.

3. Dans le volet droit, double-cliquez sur la valeur *Search Bar* et saisissez l'URL du moteur de recherche que vous souhaitez voir apparaître (par exemple pour Google : http:/www.google.com/ie).

Tableau 2-3 : Quelques moteurs de recherche que vous pouvez utiliser avec le menu Rechercher	
Moteur de recherche	**Données à saisir dans la valeur Search Bar**
Altavista	http://Jump.altavista.com/start/ie4
Google	http://www.google.com/ie
Lycos	http://sidesearch.lycos.com/
Nomade	http://rechercher.nomade.tiscali.fr/ie4recherche.asp
Yahoo	http://www.yahoo.com/search/ie.html

53. La barre d'adresses comme moteur de recherche

Il existe une option très intéressante qui vous permet de lancer directement une recherche à partir de la barre d'adresses ; le résultat s'affiche directement dans la fenêtre principale.

1. Cliquez sur le menu **Outils** puis sur **Options Internet**, et sélectionnez l'onglet **Avancé**.

2. Dans la rubrique *Rechercher à partir de la barre d'adresses*, sélectionnez l'option *Afficher simplement les résultats dans la fenêtre principale* et validez par le bouton OK.

3. Dans la barre d'adresses, saisissez un mot clé, par exemple *Voiture*, et validez par la touche [Entrée] du clavier.

4. Les résultats de la recherche s'affichent dans la fenêtre principale ; notez que le moteur de recherche utilisé est MSN Search.

54. Ajouter des moteurs de recherche à la barre d'adresses

Lorsque vous lancez une recherche en saisissant un mot clé dans la barre d'adresses, la recherche se fait automatiquement sur le moteur de recherche par défaut de Windows, qui est MSN Search. Vous pouvez ajouter des moteurs de recherche et choisir ainsi celui avec lequel vous souhaitez travailler suivant la recherche à effectuer.

Pour ajouter le moteur de recherche Yahoo, procédez comme suit :

1. Dans la boîte de dialogue **Exécuter** (accessible par le menu **Démarrer/Exécuter**), saisissez regedit afin de lancer l'Éditeur du registre.

2. Sélectionnez et sauvegardez la clé
*HKEY_CURRENT_USER\Software\Microsoft\Internet
Explorer\SearchUrl* par la commande **Fichier/Exporter**.

3. Dans le volet droit, cliquez du bouton droit dans une zone vide puis,
dans le menu, sélectionnez **Nouveau/Clé**.

4. Saisissez yah comme nom pour la nouvelle clé que vous venez de créer.
Pour des raisons d'efficacité, choisissez des abréviations pour les
différents moteurs de recherche. Ici, nous avons choisi *yah* pour le
moteur de recherche Yahoo.

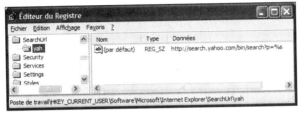

Figure 2.19 : *Nouvelle clé yah*

5. Sélectionnez la clé *yah* et, dans le volet de droite, double-cliquez sur la
valeur *(par défaut)*. La boîte de dialogue **Modification de la chaîne**
s'affiche.

6. Dans la zone de texte *Données de la valeur*, saisissez
http://www.google.com/search?q=%s, puis validez avec le bouton OK.
Vous pouvez quitter l'Éditeur du registre.

Tableau 2-4 : Syntaxe des principaux moteurs de recherche, pour une recherche à partir de la barre d'adresses		
Moteur de recherche	**Abréviation proposée**	**Données à saisir dans la valeur (par défaut)**
Altavista	alt	http://www.altavista.com/q?q=%s
Enfin	enf	http://www.enfin.com/search.php?mot=%s&lang=fr
Excite	exc	http://search−dyn.excite.fr/search.php?key=%s
Google	goo	http://www.google.com/search?q=%s
Lycos	lyc	http://www.lycos.fr/cgi−bin/pursuit?query=%s
Microsoft KB	ms	http://support.microsoft.com/?kbid=%s
Nomade	nom	http://rechercher.nomade.tiscali.fr/recherche.asp?MT=%s

Tableau 2-4 : Syntaxe des principaux moteurs de recherche, pour une recherche à partir de la barre d'adresses		
Moteur de recherche	Abréviation proposée	Données à saisir dans la valeur (par défaut)
Voila	voi	http://search.ke.voila.fr/S/voila?kw=%s

55. Utiliser les moteurs de recherche ajoutés à la barre d'adresses

Après avoir ajouté au registre les moteurs de recherche que vous souhaitez utiliser, voici la syntaxe à utiliser pour effectuer une recherche à partir de la barre d'adresses. Il vous faut saisir l'abréviation du moteur de recherche puis placer une espace et entrer votre mot clé. Voici un exemple de recherche avec le moteur de recherche Yahoo et avec le mot clé *voiture* :

1. Ouvrez Internet Explorer.

2. Dans la barre d'adresses, saisissez yah voiture et validez par la touche Entrée.

3. Vous pouvez visualiser le résultat de la requête dans la fenêtre principale.

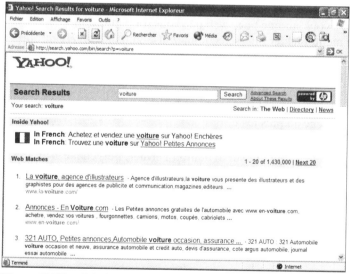

Figure 2.20 : *Résultat de la requête passée dans la barre d'adresses sur le moteur de recherche Yahoo*

2.4 Imprimer avec Internet Explorer

56. Économiser les cartouches d'encre

Si vous imprimez souvent des documents, vous avez dû vous rendre compte du prix élevé des cartouches d'encre. Les pages Internet utilisent très souvent dans leurs présentations des images ou des couleurs d'arrière-plan qui ne sont pas indispensables au document. En désactivant l'impression de ces éléments, vous économiserez une quantité non négligeable d'encre.

1. Cliquez sur le menu **Outils** puis sur **Options Internet**, et sélectionnez l'onglet **Avancé**.

2. Dans la rubrique *Impression en cours*, décochez la case *Imprimer les couleurs et les images d'arrière-plan*, puis validez avec le bouton OK.

57. Utiliser l'aperçu avant impression

L'impression des pages web n'est pas toujours évidente. Vous pouvez rencontrer des problèmes lorsque les pages web que vous souhaitez imprimer utilisent des mises en page peu conventionnelles ou lorsque les pages sont incluses dans des cadres (ou *frames*). Pour avoir un aperçu du document avant l'impression et ajuster les marges au mieux afin d'obtenir une impression parfaite, procédez comme suit :

1. Rendez-vous sur une page web que vous souhaitez imprimer et cliquez sur le menu **Fichier** puis sélectionnez la commande **Aperçu avant impression**.

2. Dans la fenêtre **Aperçu avant impression** qui s'affiche, vous pouvez déjà voir si la mise en page de votre document est correcte. S'il vous manque des informations, il va falloir essayer d'ajuster les réglages de mise en page au plus juste.

3. Pour reprendre la mise en page, fermez la fenêtre **Aperçu avant impression** en cliquant sur le bouton **Fermer**, puis cliquez sur **Fichier/Mise en page**.

4. Dans la rubrique *Marges (en millimètres)*, ajustez les réglages afin d'obtenir une mise en page correcte. N'hésitez pas à réutiliser la commande **Aperçu avant impression** pour vérifier le résultat.

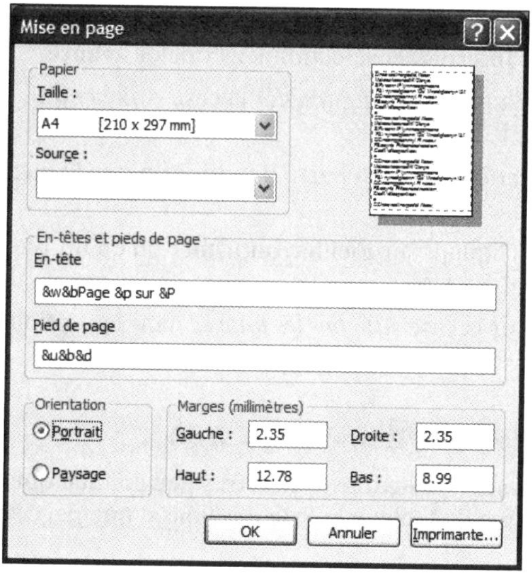

Figure 2.21 :
La boîte de dialogue
Mise en page

Réglage des marges

Lorsque vous reprenez le réglage des marges, pensez à regarder la feuille en haut à droite de la boîte de dialogue **Mise en page** ; elle vous donnera un aperçu visuel des marges que vous êtes en train de modifier.

58. Imprimer juste le nécessaire

Pour imprimer juste la partie intéressante d'une page web :

1. Cliquez sans relâcher au début de la partie qui vous intéresse et sélectionnez tout ce que vous souhaitez imprimer.

2. Dans le menu **Fichier**, cliquez sur la commande **Imprimer**. La boîte de dialogue **Imprimer** s'ouvre.

3. Dans la rubrique *Étendue de page*, sélectionnez l'option *Sélection* puis cliquez sur le bouton **Imprimer**.

59. N'imprimer que le texte

Si, sur certaines pages, vous ne souhaitez imprimer que le texte, procédez comme suit :

1. Une fois sur la page que vous souhaitez imprimer, cliquez sur le menu **Outils** puis sur **Options Internet**, et sélectionnez l'onglet **Avancé**.

2. Décochez ensuite dans la rubrique *Multimédia* la case *Afficher les images* puis validez avec le bouton OK.

3. Cliquez sur le bouton **Actualiser** de la barre d'outils afin que la page s'affiche sans les images.

4. Lancez l'impression en cliquant sur **Fichier/Imprimer** ou en utilisant la combinaison de touches $\boxed{\text{Ctrl}}+\boxed{\text{P}}$.

5. Pensez ensuite à recocher la case *Afficher les images* dans les options Internet.

60. Connaître tous les liens d'une page web

Dans les options d'impression, il existe une option très peu connue qui vous permet d'imprimer sous forme de tableau la liste des liens d'une page web avec leurs adresses Internet.

1. Ouvrez Internet Explorer et rendez-vous sur une page web.

2. Cliquez sur **Fichier** et sélectionnez la commande **Imprimer**. La boîte de dialogue **Imprimer** s'affiche.

3. Sélectionner l'onglet **Options**, cochez la case *Imprimer la table des liens* et cliquez sur le bouton **Imprimer**.

Raccourci	Adresse Internet
cliquant ici	http://www.technicland.com/article.php3?sid=102
Cliquez ici pour savoir somment le configurer	http://www.technicland.com/article.php3?sid=144
http://www.technicland.com	http://www.technicland.com/
http://www.technicland.com/article.php?sid=156	http://www.technicland.com/article.php3?sid=156
	http://www.estat.com/getstats?serial=223023137551
Tutorial	http://www.technicland.com/manip.php3
Drivers Vidéo	http://www.technicland.com/graphiques.php3
Drivers Imprimantes	http://www.technicland.com/imprimantes.php3
Patchs	http://www.technicland.com/downpatch.php3
Extensions Mac	http://www.technicland.com/macexten.php3
Informations légales	http://www.technicland.com/ilegales.php3
Droits d'auteur	http://www.technicland.com/copyright.php3
30 dernières pannes	http://www.technicland.com/search.php3
Internet explorer	http://www.technicland.com/search.php3?query=&topic=13&author=
Messenger	http://www.technicland.com/search.php3?query=&topic=21&author=

Figure 2.22 : *Un exemple de table des liens*

61. Modifier le contenu des en-têtes et des pieds de page

Lorsque vous imprimez des pages à partir d'Internet Explorer, des informations telles que la date, le nombre de pages, le nom du site et l'URL s'impriment dans les en-têtes et les pieds de page. Il est possible de modifier les informations à imprimer dans ces parties-là en se basant sur un code spécial.

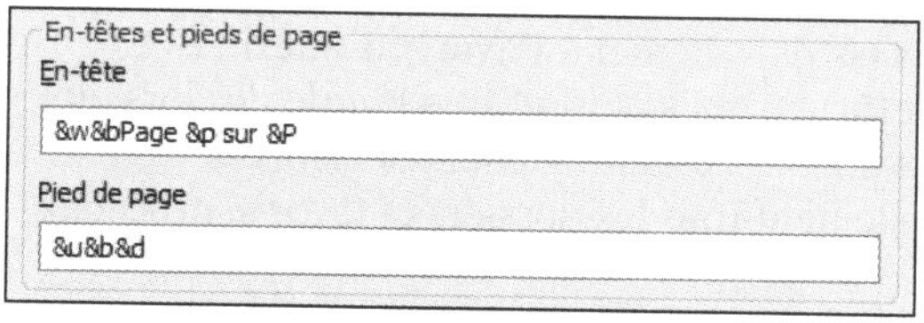

En-têtes et pieds de page
En-tête

&w&bPage &p sur &P

Pied de page

&u&b&d

Figure 2.23 :
Paramètres des en-têtes et des pieds de page par défaut

Tableau 2-5 : Code pour modifier le contenu des en-têtes et des pieds de page	
Code à saisir dans en-têtes et pieds de page	**Représentation lors de l'impression**
&u	Afficher l'URL
&w	Afficher le titre de la fenêtre
&d	Afficher la date
&D	Afficher la date au format long
&t	Afficher l'heure
&T	Afficher la date au format 24H
&p	Afficher le numéro de la page
&P	Afficher le nombre de pages total
&b	Centrer ce qui se trouve après
&b&b	Aligner à droite ce qui se trouve après

2.5 Gérer les favoris

62. Organiser facilement ses favoris

Lorsque l'on commence à naviguer quotidiennement, les favoris s'accumulent très rapidement. Il faut donc prévoir une organisation dans la gestion des favoris afin qu'ils restent très facilement accessibles.

La méthode classique pour organiser les favoris consiste à utiliser la commande **Organiser les Favoris** dans le menu **Favoris** d'Internet Explorer. Cette méthode est efficace mais devient très lourde dès lors que vous souhaitez créer plusieurs dossiers et faire glisser les favoris à l'intérieur. Pour organiser facilement tous les dossiers et favoris, procédez comme suit :

1. Appuyez sans relâcher sur la touche [Maj] puis, dans le menu **Favoris**, cliquez sur la commande **Organiser les Favoris**.

2. La fenêtre du dossier contenant les favoris s'affiche ; à partir de là, vous pouvez facilement créer des dossiers et ranger vos favoris.

63. Conserver les pages des favoris

Il est possible, lorsque vous ajoutez un site dans vos favoris, de rendre son contenu ainsi que toutes les pages liées disponibles hors connexion.

1. Dans le menu **Favoris**, cliquez sur la commande **Ajouter aux Favoris**. La boîte de dialogue **Ajout de Favoris** s'affiche.

2. Cochez la case *Rendre disponible hors connexion*, puis cliquez sur le bouton **Personnaliser**.

3. Dans la boîte de dialogue **Assistant Favoris hors connexion**, sélectionnez l'option *Oui* afin de pouvoir saisir un nombre entre 1 et 3 dans la rubrique *Téléchargement de niveaux de pages liées* (voir fig. 2.24).

4. Cliquez ensuite sur le bouton **Suivant** puis vérifiez que l'option *Uniquement en sélectionnant Synchroniser dans le menu Outils* soit sélectionnée et cliquez sur le bouton **Suivant**.

5. Cliquez sur le bouton **Terminer** et fermez la boîte de dialogue **Ajout de Favoris**.

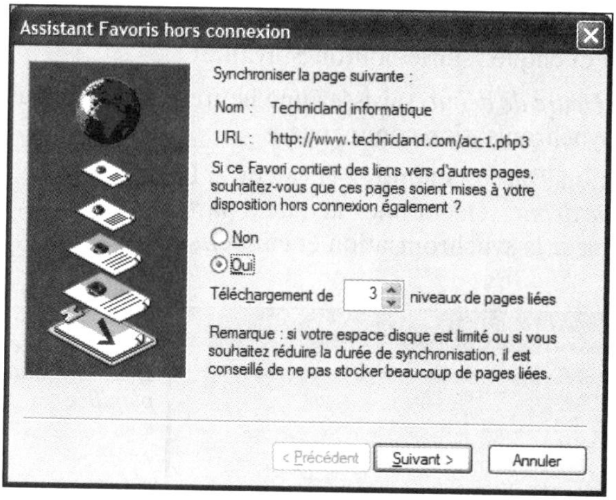

Figure 2.24 :
*Boîte de dialogue
Assistant Favoris hors
connexion*

64. Planifier la mise à jour de ses favoris

Si vous avez des favoris disponibles hors connexion, vous pouvez les synchroniser manuellement ou planifier leurs mises à jour afin que le contenu des pages soit actualisé selon une fréquence prédéfinie.

Effectuer une synchronisation manuelle

1. Dans le menu **Outils** d'Internet Explorer, cliquez sur la commande **Synchroniser**. La boîte de dialogue **Eléments à synchroniser** s'affiche.

2. Cochez la case correspondant à la page que vous souhaitez synchroniser et cliquez sur le bouton **Synchroniser**. La boîte de dialogue **Synchronisation** s'ouvre ; attendez que la synchronisation soit finie.

Planifier une synchronisation

Nous allons dans cet exemple planifier une synchronisation par semaine :

1. Dans le menu **Outils** d'Internet Explorer, cliquez sur la commande **Synchroniser** puis sur le bouton **Configurer**.

2. Sélectionnez l'onglet **Planification** de la boîte de dialogue **Eléments à synchroniser** et cliquez sur le bouton **Ajouter**.

3. Cliquez sur le bouton **Suivant** de la boîte de dialogue **Assistant Synchronisation planifiée**.

4. Cochez la case de la page que vous souhaitez synchroniser automatiquement et cliquez sur le bouton **Suivant**.

5. Dans la rubrique *Heure de début*, saisissez une heure à laquelle vous souhaitez que la synchronisation commence.

6. Sélectionnez l'option *Tous les* et entrez la valeur 7. Dans la liste déroulante *Date de début*, sélectionnez la date à partir de laquelle vous souhaitez commencer la synchronisation et cliquez sur le bouton **Suivant**.

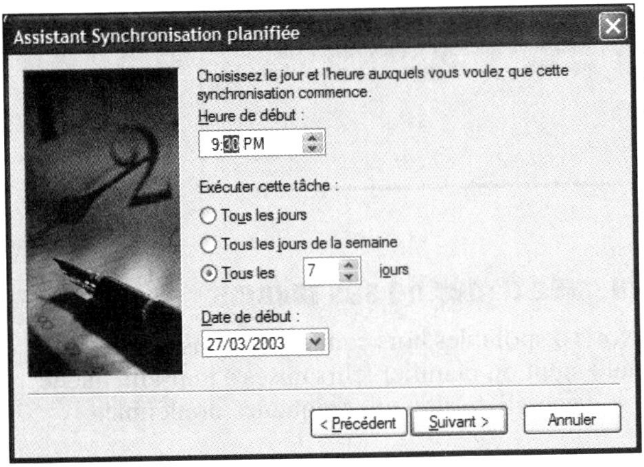

Figure 2.25 :
Paramètres de la synchronisation planifiée

Assistant Synchronisation planifiée

Choisissez le jour et l'heure auxquels vous voulez que cette synchronisation commence.

Heure de début :

9:30 PM

Exécuter cette tâche :

○ Tous les jours
○ Tous les jours de la semaine
◉ Tous les   7   jours

Date de début :

27/03/2003

< Précédent   Suivant >   Annuler

7. Saisissez synchro automatique dans la zone de texte *Entrez un nom pour cette synchronisation planifiée* et cliquez sur le bouton **Suivant**.

8. Vérifiez tous les paramètres de votre synchronisation planifiée dans le résumé affiché et cliquez sur le bouton **Terminer**.

65. Aspirer la partie intéressante d'un site

Si vous souhaitez récupérer une page intéressante d'un site web ainsi que toutes ses pages liées, il est possible de se servir de l'option *Rendre disponible hors connexion* du menu **Favoris** afin qu'elle joue le rôle d'un aspirateur de site.

1. Ouvrez Internet Explorer et rendez-vous sur la page du site que vous souhaitez aspirer.

2. Cliquez sur le menu **Outils** puis sur **Options Internet**, et sélectionnez l'onglet **Général**.

3. Dans la rubrique *Fichiers Internet temporaires*, cliquez sur le bouton **Supprimer les fichiers**.

4. Dans la boîte de dialogue **Supprimer les fichiers**, cochez la case *Supprimer tout le contenu hors connexion* et validez en cliquant sur le bouton OK.

5. Fermez la boîte de dialogue **Options Internet** puis cliquez sur **Favoris/Ajouter aux Favoris**. La boîte de dialogue **Ajout de Favoris** s'affiche.

6. Cochez la case *Rendre disponible hors connexion* puis cliquez sur le bouton **Personnaliser**.

7. Dans la boîte de dialogue **Assistant Favoris hors connexion**, sélectionnez l'option *Oui* et saisissez le nombre 3 dans la rubrique *Téléchargement de niveaux de pages liées* afin de récupérer un maximum de pages.

8. Cliquez sur le bouton **Suivant** puis vérifiez que l'option *Uniquement en sélectionnant Synchroniser dans le menu Outils* soit sélectionnée et cliquez sur le bouton **Suivant**.

9. Cliquez sur le bouton **Terminer** et fermez la boîte de dialogue **Ajout de Favoris**.

10. Cliquez sur le menu **Outils** puis sur **Options Internet**, et sélectionnez l'onglet **Général**.

11. Dans la rubrique *Fichiers Internet temporaires*, cliquez sur le bouton **Paramètres**, puis sur le bouton **Afficher les objets** de la rubrique *Dossier Temporary Internet files*.

12. Cliquez du bouton droit dans une zone vide de la fenêtre **Temporary Internet files** qui vient de s'ouvrir, et cliquez sur **Réorganiser les icônes par** puis sélectionnez **Adresse Internet**.

13. Tous les éléments en rapport avec le site que vous venez d'aspirer se trouvent dans ce dossier. Il vous suffit de les copier ou de les déplacer dans un nouveau dossier pour avoir une copie parfaite des pages qui vous intéressent.

66. Trier par nom les favoris

Si vous voulez ordonner l'affichage de vos favoris, cliquez avec le bouton droit sur un dossier du menu **Favoris** et sélectionnez la commande **Trier par nom**.

67. Ouvrir rapidement le dossier Favoris

Pour vous rendre rapidement dans le dossier *Favoris*, procédez comme suit :

1. Cliquez sur le bouton **Démarrer** et sélectionnez la commande **Exécuter**. La boîte de dialogue **Exécuter** s'affiche.

2. Dans la zone de texte *Ouvrir*, saisissez favoris et validez par la touche [Entrée].

68. Sauvegarder les favoris

Internet Explorer possède une fonction qui vous permet de transformer le contenu du dossier *Favoris* en un fichier au format htm (en général *bookmark.htm*). Si vous souhaitez facilement sauvegarder vos favoris par mesure de précaution ou en vue du formatage de votre machine, voici comment procéder :

1. Cliquez sur le menu **Fichier** puis sélectionnez la commande **Importer et exporter**. La boîte de dialogue **Assistant Importation/Exportation** s'affiche.

2. Cliquez sur le bouton **Suivant** et, dans la rubrique *Choisir une opération à effectuer* sélectionnez la commande **Exporter les Favoris** et cliquez sur le bouton **Suivant**.

3. Vérifiez que le dossier source d'exportation des favoris soit correct et cliquez sur le bouton **Suivant**.

4. Par défaut, le dossier de destination d'exportation des favoris est le dossier *Mes documents* ; vous pouvez le modifier à l'aide du bouton **Parcourir**. Cliquez ensuite sur le bouton **Suivant** puis sur **Terminer**.

5. Vous pouvez vérifier dans le dossier de destination la création du fichier *bookmark.htm*.

69. Restaurer les favoris sauvegardés

Si vous voulez importer des favoris exportés dans un fichier au format htm, utilisez la fonction **Importer les Favoris**.

1. Cliquez sur le menu **Fichier** puis sélectionnez la commande **Importer et exporter**. La boîte de dialogue **Assistant Importation/Exportation** s'affiche.

2. Cliquez sur le bouton **Suivant** et, dans la rubrique *Choisir une opération à effectuer*, sélectionnez la commande **Importer les Favoris** et cliquez sur le bouton **Suivant**.

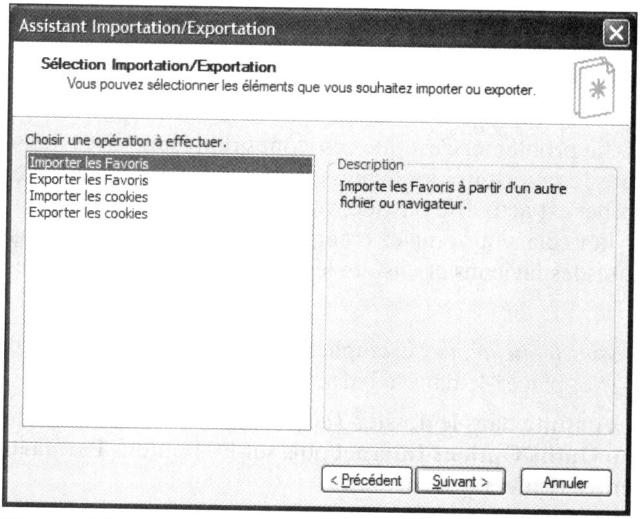

Figure 2.26 : *La boîte de dialogue Assistant Importation/Exportation*

3. Sélectionnez le dossier source d'importation des favoris avec le bouton **Parcourir** puis cliquez sur le bouton **Suivant**.

4. Vérifiez que le dossier de destination d'importation des favoris soit correct et cliquez sur le bouton **Suivant**. Cliquez sur le bouton **Terminer**.

5. Après l'importation des favoris, vous pouvez vérifier le résultat de la manipulation dans votre navigateur.

70. Changer les icônes des favoris

Lorsque vous déroulez le menu **Favoris** d'Internet Explorer, vous pouvez remarquer qu'il y a devant certains favoris de sites des icônes spécifiques. Ces icônes sont appelées *favicon* ; vous pouvez vous aussi modifier les icônes des favoris en procédant comme suit :

1. Dans le menu **Favoris** d'Internet Explorer, cliquez du bouton droit sur le favori dont vous souhaitez changer l'icône. Dans le menu contextuel, sélectionnez la commande **Propriétés**.

2. Sélectionnez l'onglet **Document Web** et cliquez sur le bouton **Changer d'icône**.

3. Cliquez sur le bouton **Parcourir** afin de sélectionner l'icône que vous souhaitez associer au favori et valider par le bouton OK.

71. Ne jamais perdre les icônes des favoris

Les favicons apportent un repère visuel qui facilite la localisation des sites dans vos favoris. Le problème, c'est que ces icônes représentatives des sites sont stockées dans le répertoire des fichiers temporaires. Donc, dès que votre cache Internet est actualisé ou vidé, vos favoris vont perdre leurs icônes. Afin d'éviter cela, vous pouvez créer un dossier dans lequel vous allez stocker toutes les favicons et ensuite les associer aux raccourcis de vos favoris.

1. Créez un dossier *Iconefav*, par exemple à la racine de votre disque dur, puis ouvrez-le et placez-le dans la barre des tâches.

2. Rendez-vous ensuite dans le dossier *Temporary Internet files* en cliquant dans le menu **Outils/Options Internet** puis sur les boutons **Paramètres** puis **Afficher les fichiers**.

3. Cliquez du bouton droit dans un espace vide du dossier *Temporary Internet files* ; dans le menu contextuel, cliquez sur **Réorganiser les icônes par** et sélectionnez la commande **Type**.

4. Recherchez maintenant tous les fichiers nommés *favicon.ico*.

5. Appuyez sans relâcher sur la touche [Maj] et cliquez sur tous les fichiers *favicon.ico* afin de les sélectionner.

6. Ouvrez le dossier *Iconefav* se trouvant dans la barre des tâches et faites-y glisser tous les fichiers *favicon.ico* sélectionnés.

7. Les fichiers *favicon.ico* dans le dossier *Iconefav* se renomment automatiquement en *favicon[1].ico, favicon[2].ico, favicon[3].ico* et ainsi de suite jusqu'au dernier fichier. Fermez le dossier *Iconefav*.

Figure 2.27 :
Les favicons.ico dans le dossier Iconefav

8. Dans le menu **Favoris** d'Internet Explorer, cliquez du bouton droit sur un favori. Dans le menu contextuel, sélectionnez la commande **Propriétés**.

9. Sélectionnez l'onglet **Document Web** et cliquez sur le bouton **Changer d'icône**.

10. Cliquez sur le bouton **Parcourir** et rendez-vous dans le dossier *Iconefav*. Sélectionnez l'icône en rapport avec le favori choisi et cliquez sur le bouton **Ouvrir**.

11. Cliquez sur les boutons OK afin de valider votre choix.

Pensez-y régulièrement

Cette manipulation est assez longue la première fois si vous avez beaucoup de favoris. Il est donc préférable de mettre l'icône à jour à chaque ajout de favoris, cela sera beaucoup plus facile.

72. Créer une barre d'accès à ses favoris préférés

Avec la barre d'outils Liens et le dossier *Liens* dans les favoris, vous pouvez facilement créer un outil d'accès à vos meilleurs favoris qui soit efficace ; de plus, vous pouvez la personnaliser selon vos goûts et vos couleurs en changeant les icônes.

1. Dans le menu **Affichage** d'Internet Explorer, ouvrez le menu **Barres d'outils** et sélectionnez la commande **Liens**.

2. Vérifiez que la barre des liens soit affichée parmi les barres d'outils d'Internet Explorer, et positionnez-la à l'emplacement que vous souhaitez à l'aide de la souris. Attention, avant de modifier leur position, pensez à déverrouiller les barres d'outils par l'intermédiaire du menu **Affichage/Barres d'outils**, commande **Verrouiller les barres d'outils**.

3. À l'aide de la commande **Organiser les Favoris** du menu **Favoris** d'Internet Explorer, placez les raccourcis de vos sites préférés dans le dossier *Liens* du menu **Favoris**.

Figure 2.28 : *Une jolie barre des liens vers vos sites préférés*

73. Ajouter facilement un favori à la barre des liens

Si vous vous servez de la barre des liens, voici comment y ajouter très rapidement un favori. Sélectionnez dans la barre d'adresses l'icône de la page web et faites-la glisser dans la barre des liens.

74. Effectuer des recherches dans les favoris

Lorsque les favoris s'accumulent, au fur et à mesure des surfs, il devient très difficile de retrouver rapidement un favori. Il existe un petit logiciel freeware, Favorites Search, qui une fois installé vous permettra de faire des recherches dans vos favoris par mots clés. Cet outil est très léger et très efficace et, de plus, s'adapte parfaitement à Internet Explorer en reprenant la forme des volets d'historique et de recherche. Vous le trouverez à l'adresse Internet **http://www.dzsoft.com/favseek.htm**.

75. Masquer le dossier Liens des favoris

Si vous avez déjà essayé de supprimer le dossier *Liens* présent dans les favoris, vous avez dû vous apercevoir qu'il se recrée automatiquement après un redémarrage système. Si vous ne souhaitez plus le voir dans vos favoris, il suffit de lui affecter la propriété d'un fichier caché.

1. Cliquez sur le bouton **Démarrer** et sélectionnez la commande **Exécuter**. La boîte de dialogue **Exécuter** s'affiche.

2. Dans la zone de texte *Ouvrir*, saisissez favoris et validez par la touche Entrée.

3. Recherchez le dossier *Liens* et cliquez dessus avec le bouton droit, puis sélectionnez la commande **Propriétés**.

4. Dans la rubrique *Attributs*, cochez la case *Caché* et validez avec le bouton OK.

76. Imprimer la liste des favoris et leurs liens associés

Afin de garder une trace écrite de vos favoris avec les adresses Internet correspondantes à chacun des favoris, procédez comme suit :

1. Ouvrez le fichier *bookmark.htm* ; c'est le fichier qui correspond à l'exportation des favoris sous forme de fichier. Si vous ne disposez pas de ce fichier, reportez-vous à la section *Sauvegarder ses favoris*.

2. Cliquez sur le menu **Fichier** et sélectionnez la commande **Imprimer**.

3. Dans la boîte de dialogue **Imprimer**, sélectionnez l'onglet **Options** et cochez la case *Imprimer la table des liens*.

4. Cliquez sur le bouton **Terminer**.

2.6 Sécuriser la navigation

77. Protéger ses enfants du contenu de certains sites

Internet Explorer dispose d'une fonction qui vous permet d'appliquer une restriction en fonction du contenu des sites Internet que vous visitez.

Pour utiliser ce filtre afin de protéger vos enfants, il vous suffit d'activer le gestionnaire d'accès et d'y définir un mot de passe. Ensuite, vous allez ajuster un niveau dans les quatre catégories (*Langue, Nudité, Sexe, Violence*) afin qu'ils reflètent les restrictions que vous souhaitez appliquer par rapport au contenu des sites.

1. Cliquez sur le menu **Outils** puis sur **Options Internet**, et sélectionnez l'onglet **Contenu**.

2. Dans la rubrique *Gestionnaire d'accès*, cliquez sur le bouton **Activer**. La boîte de dialogue **Gestionnaire d'accès** s'affiche ; sélectionnez l'onglet **Contrôle d'accès**.

3. Ajustez à l'aide de la barre de défilement un niveau de restrictions pour les quatre catégories proposées (*Langue, Nudité, Sexe, Violence*). Il y a quatre niveaux pour chaque catégorie, le niveau 0 étant le plus restrictif. Pour avoir plus de détails sur le niveau sélectionné, aidez-vous de la rubrique *Description* (voir fig. 2.29).

4. Validez vos réglages avec le bouton OK. La boîte de dialogue **Création d'un mot de passe de superviseur** s'ouvre.

5. Saisissez un mot de passe dans la zone de texte *Mot de passe* et confirmez-le dans la zone de texte *Confirmer le mot de passe*. Dans la rubrique *Conseil*, saisissez un indice qui vous permettra de retrouver votre mot de passe en cas d'oubli, puis validez avec le bouton OK.

6. Fermez la boîte de dialogue **Options Internet** puis quittez et réouvrez Internet Explorer pour tester le gestionnaire d'accès.

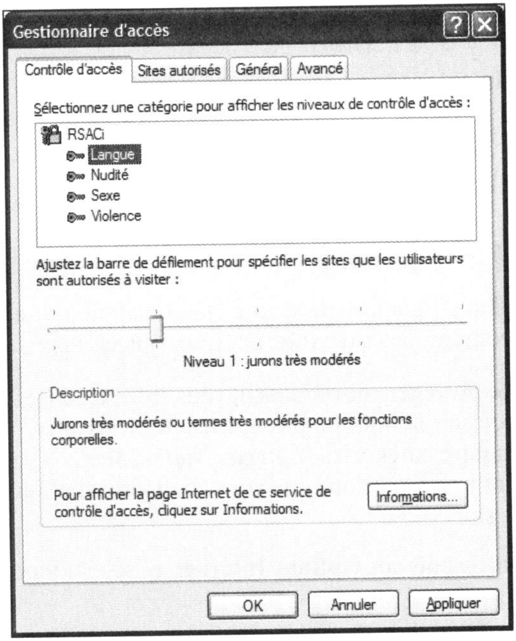

Figure 2.29 :
La boîte de dialogue
Gestionnaire d'accès et
les niveaux de réglages

Quelques remarques

Si vous avez déjà défini un mot de passe de superviseur dans le gestionnaire d'accès, cliquez sur le bouton **Paramètres** pour accéder aux réglages.

Prenez soin de noter le mot de passe superviseur que vous avez défini, et ne négligez pas les renseignements saisis dans la rubrique *Conseil*.

78. Maintenir à jour le système de filtrage du gestionnaire d'accès

Par défaut, Internet Explorer ne propose qu'un choix de quatre catégories dans le système de filtrage du gestionnaire d'accès, ce qui est vraiment très peu pour une utilisation efficace de ce service.

L'Association de classification du contenu de l'Internet (site Internet **http://www.icra.org/_fr/**) a développé et tient à jour un système de filtrage gratuit, efficace et compatible avec Internet Explorer. Si vous souhaitez utiliser ce système de filtrage plus souple et beaucoup plus performant, voici comment procéder :

1. Téléchargez la dernière version du système de filtrage ICRA pour Internet Explorer à l'adresse **http://www.icra.org/_fr/icra.rat**.

2. Ensuite, placez le fichier *icra.rat* que vous venez de télécharger dans le répertoire *C:\windows\system32*.

3. Ouvrez Internet Explorer et cliquez sur le menu **Outils** puis sur **Options Internet**, et sélectionnez l'onglet **Contenu**.

4. Dans la rubrique *Gestionnaire d'accès*, cliquez sur le bouton **Paramètres** et sélectionnez l'onglet **Général**.

5. Dans la rubrique *Systèmes de contrôle d'accès*, cliquez sur le bouton **Systèmes de contrôle d'accès** puis sur le bouton **Ajouter**.

6. Sélectionnez le fichier *icra.rat* que vous avez précédemment placé dans le dossier *C:\windows\system32* et validez votre choix en appuyant sur le bouton **Ouvrir**.

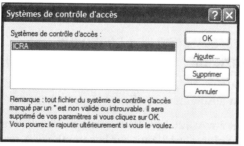

Figure 2.30 :
La boîte de dialogue Systèmes de contrôle d'accès avec le filtre ICRA

7. Fermez la boîte de dialogue **Systèmes de contrôle d'accès** en cliquant sur le bouton OK.

8. Dans la boîte de dialogue **Gestionnaires d'accès**, sélectionnez l'onglet **Contrôle d'accès**.

9. Vous disposez maintenant de plus de 49 rubriques pour affiner vos réglages dans le gestionnaire d'accès.

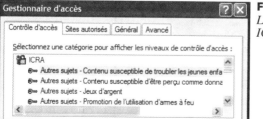

Figure 2.31 :
Le système de filtrage ICRA

79. Interdire la consultation de certains sites

Si vous souhaitez interdire certains sites spécifiques en plus du système de filtrage, vous pouvez procéder comme suit :

1. Cliquez sur le menu **Outils** puis sur **Options Internet**, et sélectionnez l'onglet **Contenu**.

2. Dans la rubrique *Gestionnaire d'accès*, cliquez sur le bouton **Activer**. La boîte de dialogue **Gestionnaire d'accès** s'affiche ; sélectionnez l'onglet **Sites autorisés**.

3. Saisissez le nom du site que vous désirez interdire dans la zone de texte *Autoriser ce site Web* et cliquez sur le bouton **Jamais** puis sur OK. Si vous n'avez pas de mot de passe de superviseur, on vous demandera d'en saisir un.

80. Régler votre navigateur pour une connexion avec les sites sécurisés

Pour être sûr que votre navigateur soit compatible avec les sites sécurisés, voici quelques points qu'il faut absolument vérifier et régler si besoin :

1. Le niveau de cryptage doit être à 128 bits. Pour vérifier cela, cliquez dans le menu d'Internet Explorer sur **?**, puis sur la commande **A propos de Internet Explorer**. Vous trouverez les renseignements sur le niveau de cryptage dans la rubrique *Niveau de cryptage*.

Figure 2.32 :
Niveau de cryptage

2. Le niveau de sécurité doit être placé à *Moyen*. Pour s'assurer de cela, cliquez sur le menu **Outils** puis sur **Options Internet**, et sélectionnez l'onglet **Sécurité**. Dans la rubrique *Niveau de sécurité pour cette zone*, placez le curseur sur *Moyen*.

3. La confidentialité doit être placée à *Moyenne*, ceci afin d'accepter certains cookies. Pour s'assurer de cela, cliquez sur le menu **Outils** puis sur **Options Internet**, et sélectionnez l'onglet **Confidentialité**. Dans la rubrique *Paramètres*, placez le curseur sur *Moyen* et validez par OK.

81. Tester la compatibilité de votre navigateur avec les sites sécurisés

Si vous souhaitez vous assurer de la compatibilité de votre navigateur avec les sites sécurisés, vous pouvez utiliser Navitest. C'est un outil de diagnostic en ligne qui vous permet de tester différents points (SSL, cookies, JavaScript…) nécessaires à l'établissement d'une connexion sécurisée. Vous trouverez cet outil à l'adresse **https://www.secure-ssl.net/digitalconcept .fr/IntroTest.php**.

82. Être prévenu lorsque l'on entre sur un espace sécurisé

Internet Explorer dispose d'une option qui vous permet d'être averti dès que vous entrez dans un espace sécurisé ou le quittez ; vous pouvez activer cette option en procédant comme suit :

1. Cliquez sur le menu **Outils** puis sur **Options Internet**, et sélectionnez l'onglet **Avancé**.

2. Dans la rubrique *Sécurité*, cochez la case *Avertir en cas de changement entre mode sécurisé et non sécurisé*.

3. Validez en cliquant sur le bouton OK.

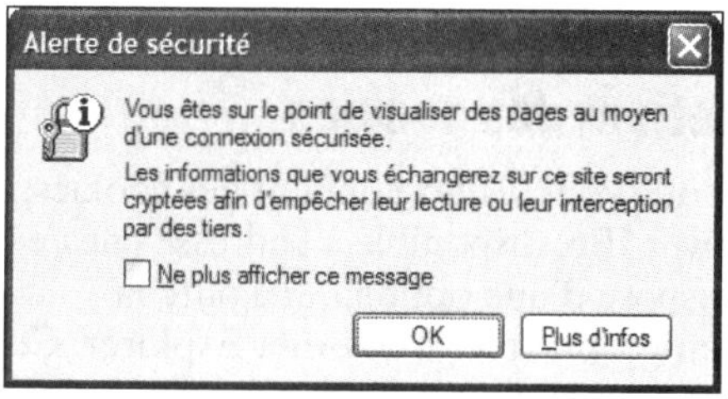

Figure 2.33 :
Boîte de dialogue d'Alerte sécurité

REMARQUE

Autres indices

Il existe deux autres repères visuels qui peuvent vous indiquer que vous êtes dans une zone sécurisée : le symbole du cadenas en bas à droite de la fenêtre Internet Explorer et le début de l'adresse Internet, qui doit commencer par https://.

83. Les cookies

Les cookies sont facilement éditables avec le Bloc-notes ; vous pouvez ainsi consulter leur contenu pour savoir s'ils méritent d'être conservés sur votre disque dur.

Accéder au contenu des cookies et le consulter

1. Cliquez sur le bouton **Démarrer** et sélectionnez la commande **Exécuter**. La boîte de dialogue **Exécuter** s'affiche.

2. Dans la zone de texte *Ouvrir*, saisissez cookies et validez par la touche [Entrée]. La fenêtre contenant vos cookies s'affiche.

3. Recherchez le cookie que vous souhaitez consulter et double-cliquez dessus avec la souris pour l'ouvrir.

Syntaxe d'un cookie

Le nom d'un cookie est composé du nom du profil sous lequel il a été créé, du symbole @ puis du nom de domaine du site d'où il provient. Si un site place plusieurs cookies, un nombre est ajouté entre crochets à la fin du nom de domaine.

Voici un exemple de nom de cookie : *Tommy@technicland.txt[2]*, ce qui signifie que ce cookie a été créé sous le profil Tommy, provient du site technicland et est le deuxième cookie stocké par ce site.

84. Savoir si une page contient des cookies

Si vous souhaitez savoir si la page que vous visitez contient des cookies, vous pouvez utiliser l'utilitaire Power IE6, disponible à l'adresse http://www .technicland.com/powerie6.php3. Il dispose d'une option qui ajoute la commande **Voir les cookies** au menu contextuel d'Internet Explorer. Cette commande permet d'afficher la liste des cookies utilisés sur la page en cours de consultation.

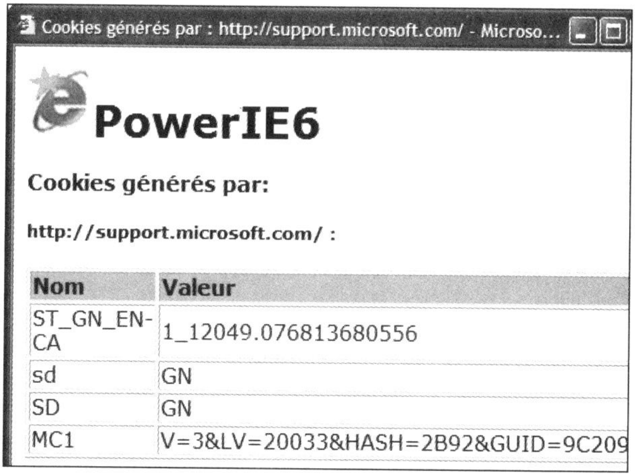

Figure 2.34 : *Liste des cookies utilisés sur une page*

85. Faire le tri dans ses cookies

Si vous surfez beaucoup, vous allez accumuler de nombreux cookies, et tous ne sont pas forcément indispensables. Pour essayer de gérer les cookies, il existe un petit utilitaire très simple mais redoutablement efficace. Cookies Manager, disponible à l'adresse **http://home.nordnet.fr/ ~pmdevigne/CookiesManager.html**, vous permettra d'effectuer rapidement le tri de vos nouveaux cookies.

86. Se protéger des intrus avec le pare-feu de Windows XP

Si vous possédez Windows XP, vous pouvez utiliser son pare-feu intégré. Il est très simple à mettre en œuvre et assez efficace.

1. Cliquez sur **Poste de travail/Panneau de configuration**, puis sur **Connexions réseau**.

2. Cliquez avec le bouton droit sur l'icône de votre connexion Internet et sélectionnez la commande **Propriétés** du menu contextuel.

3. Sélectionnez l'onglet **Paramètres avancés** et cochez la case *Protéger mon ordinateur et le réseau en limitant ou interdisant l'accès à cet ordinateur à partir d'Internet* dans la rubrique *Pare-feu de connexion Internet*.

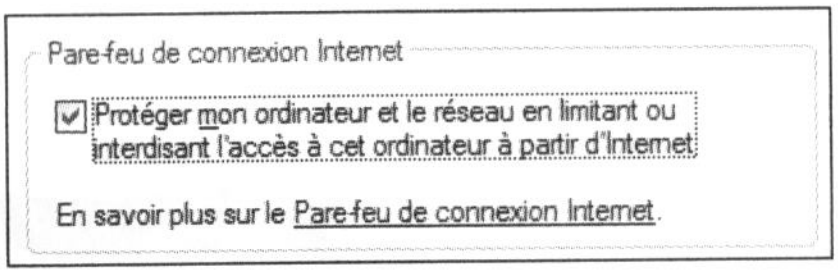

Pare-feu de connexion Internet

☑ Protéger mon ordinateur et le réseau en limitant ou
interdisant l'accès à cet ordinateur à partir d'Internet

En savoir plus sur le Pare-feu de connexion Internet.

Figure 2.35 :
*La rubrique Pare-feu de
connexion Internet*

4. Validez en cliquant sur le bouton OK.

REMARQUE

Se servir de l'aide

Ne négligez pas les aides apportées par les liens proposés dans les
rubriques. Par exemple, dans la rubrique *Pare-feu de connexion Internet*,
cliquez sur *En savoir plus sur le Pare-feu de connexion Internet*, vous y trouverez
beaucoup d'informations très utiles.

87. Interdire l'accès à un site à l'aide du fichier Host

Si vous souhaitez interdire l'accès à certains sites sans pour cela utiliser le
gestionnaire d'accès, il vous suffit de modifier le fichier *hosts* en y
renseignant l'adresse du site à proscrire.

1. Ouvrez l'Explorateur Windows et rendez-vous dans le dossier
C:\WINDOWS\system32\drivers\etc. Si vous avez un message vous
signalant que le dossier contient des fichiers système cachés, validez
afin d'afficher le contenu du dossier.

2. Double-cliquez sur le fichier *hosts*. Dans la boîte de dialogue **Windows**,
sélectionnez le bouton d'option *Sélectionner le programme dans une liste*
et cliquez sur le bouton OK.

3. Dans la rubrique *Programmes*, sélectionnez l'application **Bloc-notes** et
cliquez sur le bouton OK.

4. Rendez-vous directement à la fin du fichier, après la ligne *127.0.0.0
localhost*. Appuyez sur la touche (Entrée) pour aller à la ligne. Voici le
format que vous devez utiliser : il faut saisir toujours l'adresse IP
127.0.0.1 puis taper une espace et saisir le nom du site à proscrire. Par
exemple, saisissez 127.0.0.1 www.site_a_interdire.com.

5. Enregistrez le fichier et ouvrez Internet Explorer ; dans la barre
d'adresses, saisissez l'adresse du site que vous venez d'interdire afin de
vérifier qu'il soit bien inaccessible.

Un antipub maison

En utilisant cette méthode, vous pouvez utiliser le fichier *hosts* afin d'interdire tous les sites publicitaires. Il existe un site qui référence et tient à jour une liste de tous les sites qui diffusent de la publicité ; à l'heure actuelle, plus de 12 800 sites y sont référencés. Rendez-vous à l'adresse http://www .accs-net.com/hosts/get_hosts.html et téléchargez la dernière liste disponible ; copiez ensuite son contenu dans votre fichier *hosts*.

2.7 Dépanner Internet Explorer

88. En finir avec les messages d'erreur de script

Si vous avez souvent le message d'erreur "Une erreur est survenue sur le script de cette page. Souhaitez-vous faire un débogage ?" qui s'affiche sous forme d'une boîte de dialogue **Erreur**, voici comment procéder pour supprimer ce message d'erreur :

1. Cliquez sur le menu **Outils** puis sur **Options Internet**, et sélectionnez l'onglet **Avancé**.

2. Dans la rubrique *Navigation*, décochez les cases *Désactiver le debugueur de script* et *Afficher une notification de chaque erreur de script*.

Ces options du navigateur sont en fait un moyen pour les développeurs de vérifier leurs scripts.

89. Redonner une taille normale aux fenêtres Internet Explorer

Si, à chaque fois que vous ouvrez Internet Explorer, la fenêtre ne s'ouvre pas dans sa taille maximale, voici comment remédier au problème :

1. Fermez toutes les fenêtres Internet Explorer sauf une.

2. Agrandissez ensuite, à l'aide des poignées, la fenêtre jusqu'à ce qu'elle retrouve sa taille maximale. N'utilisez surtout pas le bouton d'agrandissement de la fenêtre, sinon les modifications ne seront pas prises en compte.

Figure 2.36 :
Poignée d'une fenêtre Internet Explorer

3. Cliquez sur le menu **Fichier** et choisissez la commande **Quitter**.

90. Perte de la barre d'adresses

Si vous n'avez pas verrouillé les barres d'outils dans le menu **Affichage/Barres d'outils**, il se peut qu'une fausse manipulation ait fait disparaître la barre d'adresses.

1. Vérifiez que dans le menu **Affichage/Barres d'outils** la commande **Barre d'adresses** soit sélectionnée.

2. Si la barre d'adresses ne s'est pas réaffichée, cliquez sur le menu **Affichage/Barres d'outils** et vérifiez que la commande **Verrouiller les barres d'outils** soit désélectionnée.

3. Cliquez ensuite sans relâcher sur les poignées du module de la barre d'adresses et déplacez-la jusqu'à la positionner correctement.

Figure 2.37 :
Les poignées du module de la barre d'adresses

4. Cliquez sur le menu **Affichage/Barres d'outils** et vérifiez que la commande **Verrouiller les barres d'outils** soit sélectionnée afin que l'incident ne se renouvelle pas.

91. La FAQ Internet Explorer

Pour toutes les questions que vous pouvez vous poser par rapport au fonctionnement d'Internet Explorer, il existe une FAQ (*Frequently Asked Questions*) ; c'est un recueil des questions le plus souvent posées sur le newsgroup Internet Explorer de Microsoft (**news://microsoft.public.fr.ie6**). Vous pouvez trouver cette FAQ à l'adresse Internet **http://faq.ie6.free.fr**.

92. La barre d'état disparaît

Si vous voulez être sûr que la barre d'état reste affichée en permanence dans Internet Explorer, il vous faut vérifier tous ces points :

1. Cliquez sur le menu **Affichage** et vérifiez que la commande **Barre d'état** soit sélectionnée.

2. Vérifiez ensuite dans le menu **Affichage/Barre d'outils** que la commande **Verrouiller les barres d'outils** soit sélectionnée.

3. Fermez Internet Explorer et ouvrez un dossier quelconque, par exemple *Mes documents*.

4. Dans ce dossier, vérifiez que la barre d'état soit affichée ; si ce n'est pas le cas, cliquez sur le menu **Affichage** et sélectionnez la commande **Barre d'état**.

5. Cliquez ensuite sur le menu **Outils** puis sur la commande **Options des dossiers** et sélectionnez l'onglet **Affichage**.

6. Dans la rubrique *Affichage des dossiers*, cliquez sur le bouton **Appliquer à tous les dossiers** ; cliquez ensuite sur le bouton OK de la boîte de dialogue **Affichage des dossiers**.

93. Comment récupérer un cryptage à 128 bits

Il est indispensable pour une connexion à un site sécurisé de disposer d'un niveau de cryptage à 128 bits. Il arrive parfois qu'après une mise à jour système ce niveau de cryptage soit endommagé. Voici comment procéder pour connaître et rétablir un niveau de cryptage à 128 bits.

1. Dans le menu d'Internet Explorer, cliquez sur ? puis sur la commande **A propos de Internet Explorer**. Vous trouverez les renseignements sur le niveau de cryptage dans la rubrique *Niveau de cryptage*.

2. Si votre niveau de cryptage n'est pas à 128 bits, il va falloir le rétablir en utilisant la méthode appropriée en fonction de votre configuration.

3. Si vous avez Windows NT comme système d'exploitation, il vous faut télécharger et installer le Service Pack 6a, ce qui rétablira le niveau de cryptage à 128 bits.

4. Si vous avez Windows 2000 comme système d'exploitation, il vous faut télécharger et installer le Service Pack 3, ce qui rétablira le niveau de cryptage à 128 bits.

5. Si vous avez Windows XP comme système d'exploitation, essayez d'installer ou de réinstaller le Service Pack 1.

6. Pour les autres systèmes d'exploitation Windows, vous pouvez consulter cet article de la base de connaissances Microsoft qui vous expliquera comment récupérer un niveau de cryptage correct : **http://support.microsoft.com/?scid=kb;fr;261328**.

7. Pour les versions plus anciennes que la version 6 d'Internet Explorer, vous pouvez trouver les packs de cryptage à l'adresse **http://www.microsoft.com/windows/ie_intl/fr/download/128bit/intro.asp**.

94. Affichage des fichiers PDF sous Internet Explorer

Le format de fichier PDF lisible avec le logiciel gratuit Acrobat Reader est devenu un standard en matière de diffusion de fichiers électroniques. Ce format a l'avantage de conserver la mise en page, le formatage et la disposition des images quelle que soit la plate-forme où il a été créé et celle où il sera lu. Ce format de fichier est très répandu sur Internet, vous pouvez d'ailleurs directement ouvrir un fichier PDF depuis votre navigateur ; pour cela, procédez comme suit :

1. Si vous ne possédez pas Acrobat Reader, téléchargez et installez-le ; il est disponible à l'adresse **http://www.adobe.fr/products/acrobat/readstep2.html**.

2. Ouvrez Acrobat Reader puis cliquez sur le menu **Edition** puis sur **Préférences** et sélectionnez la commande **Général**.

3. Dans le menu de gauche, cliquez sur la commande **Options**.

4. Dans la rubrique *Options du navigateur Web*, cochez toutes les cases (*Afficher dans le navigateur*, *Vérifier la configuration du navigateur au lancement d'Acrobat*, *Autoriser l'affichage rapide des pages web*, *Autoriser le téléchargement en tâche de fond*).

5. Validez vos choix en cliquant sur le bouton OK puis fermez Acrobat Reader.

95. Problème de téléchargement avec certains types de fichiers

Lorsque vous cliquez sur un lien pour télécharger un fichier, vous avez automatiquement une boîte de dialogue **Téléchargement de fichier** qui vous propose soit l'enregistrement soit l'ouverture du fichier. Si dans cette boîte de dialogue vous avez décoché la case *Toujours demander avant d'ouvrir ce type de fichier*, la prochaine fois que vous téléchargerez un fichier ayant la même extension il s'ouvrira automatiquement, ce qui peut poser des problèmes au niveau de la sécurité. Pour réactiver la boîte de dialogue **Téléchargement de fichier**, procédez comme suit :

1. Ouvrez un dossier quelconque, par exemple *Mes documents*.

2. Cliquez sur le menu **Outils** puis sur la commande **Options des dossiers** et sélectionnez l'onglet **Types de fichiers**.

3. Dans la rubrique *Types de fichiers enregistrés*, sélectionnez le type de fichier qui vous pose problème et cliquez sur le bouton **Avancé** de la rubrique *Détails concernant l'extension*.

4. Dans la boîte de dialogue **Modification du type de fichier**, cochez la case *Confirmer l'ouverture après le téléchargement* puis cliquez sur le bouton OK puis sur **Fermer**.

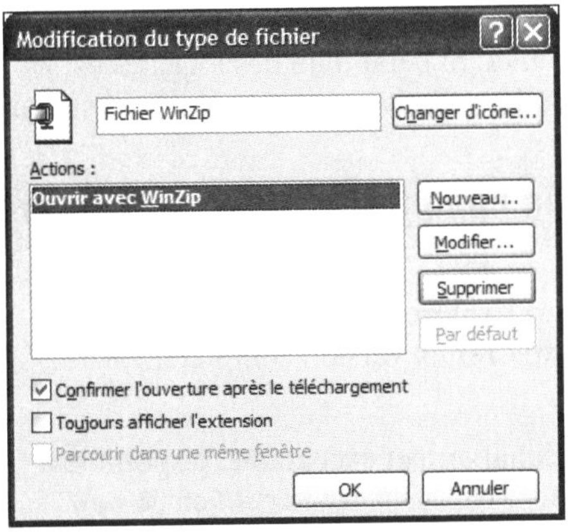

Figure 2.38 :
La boîte de dialogue Modification du type de fichier

96. Les images s'enregistrent au format unique bmp

Sous Internet Explorer, lorsque vous souhaitez enregistrer une image, vous avez le choix de l'enregistrer au format d'origine, par exemple gif ou jpeg. Au bout d'un certain temps, il se peut que vous n'arriviez plus à enregistrer les images dans leur format d'origine et que seul le format bmp soit disponible. Pour essayer de résoudre ce problème, effectuez les manipulations suivantes :

1. Ouvrez Internet Explorer et cliquez sur le menu **Outils** puis sur **Options Internet**, et sélectionnez l'onglet **Général**.

2. Dans la rubrique *Fichiers Internet temporaires*, cliquez sur le bouton **Supprimer les fichiers**.

3. Dans la boîte de dialogue **Supprimer les fichiers**, cochez la case *Supprimer tout le contenu hors connexion* et validez par OK.

4. Fermez la boîte de dialogue **Options Internet**, puis fermez et réouvrez Internet Explorer pour voir si le problème est résolu.

5. Si le problème persiste, ouvrez Internet Explorer et cliquez sur le menu **Outils** puis sur **Options Internet**, et sélectionnez l'onglet **Général**.

6. Dans la rubrique *Fichiers Internet temporaires*, cliquez sur le bouton **Paramètres**.

7. Dans la rubrique *Dossier Temporary Internet files*, cliquez sur le bouton **Afficher les objets**. La fenêtre **Downloaded Program Files** s'affiche.

8. Dans le menu **Affichage**, sélectionnez la commande **Détails**.

9. Vérifiez l'état de chaque logiciel installé à l'aide de la colonne d'état du dossier *Downloaded Program Files*. Si l'état d'un des logiciels est marqué comme inconnu ou endommagé, supprimez-le et réinstallez-le.

97. Télécharger la version complète d'Internet Explorer 6SP1

Si vous souhaitez déployer Internet Explorer sur plusieurs postes ou simplement récupérer Internet Explorer en version complète, voici comment procéder :

1. Tout d'abord, il vous faut télécharger cet exécutable, disponible à l'adresse **http://download.microsoft.com/download/ie6sp1/finrel/6_sp1/ W98NT42KMeXP/FR/ie6setup.exe**.

2. Créez un nouveau dossier à la racine du disque dur C et nommez-le IE6SETUP.

3. Dans la boîte de dialogue **Exécuter** (accessible par le menu **Démarrer/Exécuter**), saisissez "C:\IE6SETUP\ie6setup.exe" /C:"ie6wzd.exe /d /s:""#E""", puis validez en pressant la touche Entrée.

4. Dans la boîte de dialogue **Windows Update**, sélectionnez le bouton d'option *J'accepte les termes du contrat* et cliquez sur le bouton **Suivant**.

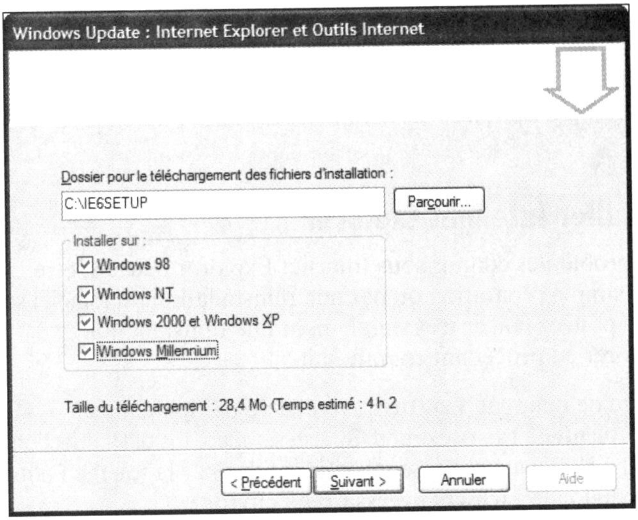

Figure 2.39 : *La boîte de dialogue Windows Update*

5. Dans la zone de texte *Dossier pour le téléchargement des fichiers d'installation*, saisissez C:\ IE6SETUP ; dans la rubrique *Installer sur* cochez les cases *Windows 98*, *Windows NT*, *Windows 2000 et Windows XP*, *Windows Millennium* puis cliquez sur le bouton **Suivant**.

6. Une fois le téléchargement complété, il vous suffit de lancer le fichier *ie6setup.exe* pour lancer l'installation. Vous pouvez aussi placer le contenu du dossier *IE6SETUP* sur un CD-Rom pour facilement pouvoir lancer l'installation.

98. Commander Internet Explorer

Si vous ne possédez pas de connexion haut débit et que vous souhaitiez récupérer l'installation complète d'Internet Explorer, Microsoft propose de vous envoyer un CD contenant la version complète moyennant 10 euros pour les frais de port ; il suffit de remplir un formulaire en ligne à l'adresse https://oms.one.microsoft.com/anonymous/EMEA299/fr/OM/CI/CustomerInfo.asp.

99. Réparer Internet Explorer

Internet Explorer dispose d'un module de réparation intégré ; voici comment procéder pour lancer rapidement l'assistant de maintenance :

1. Dans la boîte de dialogue **Exécuter** (accessible par le menu **Démarrer/Exécuter**), saisissez rundll32 setupwbv.dll,IE6Maintenance

"C:\Program Files\Internet Explorer\Setup\SETUP.EXE" /g "C:\WINDOWS\IE Uninstall Log.Txt", puis validez par la touche Entrée.

2. Dans la boîte de dialogue **Internet Explorer 6 et Outils Internet**, cochez le bouton d'option *Réparer Internet Explorer* puis cliquez sur le bouton OK.

100. Réinstaller Internet Explorer

La plupart des problèmes connus sous Internet Explorer peuvent être résolus par une simple réparation ou par une réinstallation du logiciel sur lui-même. Vous pouvez lancer très simplement une réinstallation d'Internet Explorer en procédant comme suit :

1. Dans la boîte de dialogue **Exécuter** (accessible par le menu **Démarrer/Exécuter**), saisissez rundll32.exe setupapi,InstallHinfSection DefaultInstall 132 %windir%\Inf\ie.inf, puis validez par la touche Entrée. La boîte de dialogue **Fichiers nécessaires** s'ouvre.

2. Cliquez sur le bouton **Parcourir** et indiquez au système où se trouve le fichier *IEXPLORE.EXE*, nécessaire à la réinstallation d'Internet Explorer ; cliquez ensuite sur le bouton OK. Attention, si vous disposez du Service Pack 1 de Windows XP, le fichier *IEXPLORE.EXE* se trouve en général à l'emplacement *C:\WINDOWS\ServicePackFiles\i386*, sinon il se trouve dans le dossier *I386* à la racine du CD-Rom d'installation de Windows XP.

3. Ensuite, le fichier *html32.cnv* vous sera sûrement aussi demandé ; renseignez son emplacement à l'aide du bouton **Parcourir** et cliquez sur OK. Le fichier *html32.cnv* se trouve dans le dossier *I386* à la racine du CD-Rom d'installation de Windows XP.

101. Un outil pour dépanner Internet Explorer

Il existe un outil gratuit très pratique pour le dépannage et la personnalisation des Options d'Internet Explorer. Power IE6, disponible en téléchargement à l'adresse Internet http://www.technicland.com/powerie6 .php3, est constitué de plusieurs modules dont deux spécifiquement conçus pour la remise en état d'Internet Explorer. Le module **Réparation** vous permettra notamment de lancer une réparation d'un simple clic.

Figure 2.40 :
Le module Réparation de Power IE6

102. Glossaire, abréviations et acronymes

Tableau 2-6 : Glossaire		
Acronyme/expression	**Explication**	**Signification**
Browseur ou *Navigateur*	C'est un logiciel qui interprète les pages codées en HTML et les affiche de manière lisible aux utilisateurs. Les logiciels les plus répandus sont Internet Explorer, Netscape, Mozilla et Opera.	

Tableau 2-6 : Glossaire		
Acronyme/expression	**Explication**	**Signification**
Cookies	C'est un fichier texte que le serveur du site visité envoie sur votre ordinateur afin d'y stocker des informations qu'il pourra relire lors d'une prochaine visite. Un cookie ne peut être lu que par le serveur qui l'a créé. Par exemple, si vous choisissez la langue française sur un site proposant deux langues (français, anglais), le serveur peut vous envoyer un cookie pour stocker cette option. La prochaine fois que vous retournerez sur ce site (si vous n'avez pas effacé ce cookie), le serveur lira le cookie et affichera directement le site en français.	
Favicon	Icône d'un site que l'on retrouve dans la barre d'adresses et dans les favoris.	
IE	Abréviation pour Internet Explorer.	Internet Explorer
FTP	C'est un protocole de transfert de fichiers.	*File Transfert Protocol*
HTML	C'est le langage standard de programmation des pages Internet.	*Hyper Text Mark-up Language*
HTTP	C'est le protocole qui sert à transférer les pages Internet ou les fichiers entre le navigateur de l'utilisateur et les serveurs stockant les documents.	*Hyper Text Transfert Protocol*
HTTPS	C'est le protocole sécurisé de transfert de fichier utilisé sur Internet.	
Lien hypertexte	Cela permet de faire des renvois d'une page vers une autre page ou vers une autre partie de la page en cours de consultation.	
Mot clef	C'est un mot que l'on définit comme étant le plus représentatif de la recherche que l'on souhaite effectuer. Ceci afin que le résultat de la recherche soit le plus pertinent possible.	

Tableau 2-6 : Glossaire		
Acronyme/expression	**Explication**	**Signification**
Pare-feu	C'est un système de sécurité qui en principe gère les échanges entre un réseau privé et l'extérieur. Le pare-feu ou *firewall* est censé stopper les accès non autorisés dans les deux directions.	
Peer To Peer	Vous trouverez souvent sur Internet cette abréviation P2P ; c'est un système d'échange de données qui relie les utilisateurs entre eux et favorise ainsi leurs partages. Le Peer to Peer est énormément utilisé pour le partage de fichiers MP3 (format de fichiers pour la musique).	
URL	C'est le chemin d'accès à une page Internet.	*Uniform Resource Locator*

Modifier la base de registre pour Internet Explorer

Modifier la base de registre pour Internet Explorer

3.1 Personnaliser Internet Explorer

103. Personnaliser la barre d'outils d'Internet Explorer

Il est possible d'ajouter une image de fond à la barre d'outils d'Internet Explorer afin d'égayer son apparence, relativement sobre. Le seul impératif est de disposer d'une image assez claire au format BMP. Voici comment procéder pour ajouter une image de fond :

1. Dans la boîte de dialogue **Exécuter** (accessible par le menu **Démarrer/Exécuter**), saisissez regedit afin de lancer l'Éditeur du registre.

2. Sélectionnez la clé *HKEY_CURRENT_USER\Software\Microsoft\Internet Explorer\Toolbar*.

3. Dans le volet droit de l'Éditeur du registre correspondant à cette clé, cliquez du bouton droit de la souris dans un espace vide et, dans le menu contextuel **Nouveau**, sélectionnez la commande **Valeur chaîne**. Donnez comme nom à la nouvelle valeur chaîne créée BackBitmapIE5.

4. Double-cliquez sur la valeur chaîne *BackBitmapIE5* que vous venez de créer et, dans la zone de texte *Données de la valeur*, saisissez l'emplacement de l'image que vous souhaitez utiliser comme image de fond. Par exemple, si votre image se trouve dans le dossier images à la racine du disque dur C, le texte à saisir ressemblera à ceci : C:\images\votre_images.bmp. Validez la saisie en cliquant sur le bouton OK.

5. Fermez l'Éditeur du registre et ouvrez Internet Explorer pour visualiser le résultat. Vous noterez que cette manipulation place la même image de fond dans la barre d'outils d'Outlook Express.

Figure 3.1 : *Une barre d'outils personnalisée*

Des images de fond pour votre barre d'outils
Vous trouverez des images de fond gratuites ainsi que d'autres ressources comme des papiers à lettres à l'adresse **www.lavandedesign.com**.

104. Personnaliser sa barre de titre Internet Explorer

Le nom par défaut qui est affiché dans la fenêtre Internet Explorer est Microsoft Internet Explorer, mais il arrive aussi que les fournisseurs d'accès à Internet le modifient. Si vous voulez restaurer le nom d'origine ou si vous souhaitez personnaliser ce titre, procédez comme suit :

1. Dans la boîte de dialogue **Exécuter** (accessible par le menu **Démarrer/Exécuter**), saisissez regedit afin de lancer l'Éditeur du registre.

2. Sélectionnez la clé *HKEY_CURRENT_USER\Software\Microsoft\Internet Explorer\Main*.

3. Dans le volet droit de l'Éditeur du registre, double-cliquez sur la valeur chaîne *Window Title* et, dans la zone de texte *Données de la valeur*, saisissez le nom que vous souhaitez donner à la fenêtre Internet Explorer puis cliquez sur le bouton OK et fermez l'Éditeur du registre.

4. Ouvrez Internet Explorer et regardez le nom que porte la fenêtre en haut à gauche.

105. Ajouter une commande au menu Outils d'Internet Explorer

Si vous souhaitez pouvoir lancer facilement une application depuis le menu **Outils** d'Internet Explorer, il vous faut modifier le registre comme ceci :

1. Dans la boîte de dialogue **Exécuter** (accessible par le menu **Démarrer**/**Exécuter**), saisissez regedit afin de lancer l'Éditeur du registre.

2. Sélectionnez la clé *HKEY_CURRENT_USER\Software\Microsoft\Internet Explorer\Extensions*.

3. Dans le volet de droite correspondant à cette clé, créez une sous-clé que vous allez nommer sous forme d'un nombre unique de 32 chiffres au format 8-4-4-4-12 ; voici un exemple de nom de clé : {11111111−1111−11D4−A15B−FFF9086C1A3C}. Attention, choisissez un nombre au hasard, le seul impératif étant que ce nombre n'existe pas dans le registre ; pour vous en assurer, faites une recherche dans le registre à l'aide de la combinaison de touches Ctrl+F.

4. Dans le volet de droite correspondant à la clé que vous venez de créer, créez une nouvelle valeur chaîne et nommez-la CLSID. Double-cliquez sur cette valeur et, dans la zone *Données de la valeur*, saisissez {1FBA04EE-3024-11d2-8F1F-0000F87ABD16}.

5. Toujours au même endroit dans le registre, créez une nouvelle valeur chaîne que vous allez nommer MenuText. Double-cliquez sur cette valeur et, dans la zone *Données de la valeur*, saisissez le titre que vous voulez (c'est ce titre qui apparaîtra dans le menu **Outils** d'Internet Explorer).

6. Créez une nouvelle valeur chaîne et nommez-la MenuStatusBar. Double-cliquez sur cette valeur et, dans la zone *Données de la valeur*, saisissez le texte que vous voulez voir apparaître dans la barre d'état lorsque le pointeur de la souris sera sur la commande du menu **Options**.

7. Créez une nouvelle valeur chaîne et nommez-la Exec. Double-cliquez sur cette valeur et, dans la zone *Données de la valeur*, saisissez le chemin de l'exécutable qui sera lancé par la nouvelle commande du menu **Outils**.

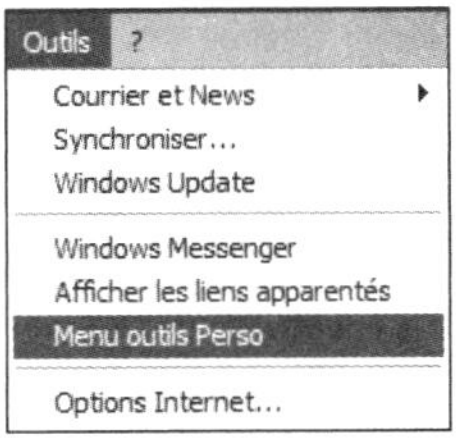

Figure 3.2 :
Un menu Outils personnalisé

Outils	?
Courrier et News	▶
Synchroniser...	
Windows Update	
Windows Messenger	
Afficher les liens apparentés	
Menu outils Perso	
Options Internet...	

Référence

Cette manipulation fait référence à l'article Adding Menu Items du site des développeurs Microsoft (MSDN) ; cet article est disponible en anglais à l'adresse Internet http://msdn.microsoft.com/workshop/browser/ext/tutorials/menu.asp.

106. Ajouter un bouton personnalisé à la barre d'outils d'Internet Explorer

Il est possible d'ajouter un bouton personnalisé dans la barre d'outils d'Internet Explorer. Pour cela, il vous faudra tout d'abord créer deux icônes ou en télécharger sur le Web.

1. Dans la boîte de dialogue **Exécuter** (accessible par le menu **Démarrer/Exécuter**), saisissez regedit afin de lancer l'Éditeur du registre.

2. Sélectionnez la clé *HKEY_CURRENT_USER\Software\Microsoft\Internet Explorer\Extensions*.

3. Dans le volet de droite correspondant à cette clé, créez une sous-clé et nommez-la sous forme d'un nombre unique de 32 chiffres au format 8-4-4-4-12 ; voici un exemple de nom de clé : {11111111-1111-11D4-A15B-FFF9086C1A3C}. Attention, choisissez un nombre au hasard, le seul impératif étant que ce nombre ne doit pas exister dans le registre ; pour vous en assurer, faites une recherche dans le registre à l'aide de la combinaison de touches Ctrl+F. Si vous avez déjà créé une clé pour l'ajout d'une commande dans le menu **Outils**, vous pouvez utiliser la même clé si l'exécutable à lancer est le même, sinon créez une nouvelle clé.

4. Dans le volet de droite correspondant à la clé que vous venez de créer, créez une nouvelle valeur chaîne et nommez-la CLSID. Double-cliquez sur cette valeur et, dans la zone *Données de la valeur*, saisissez {1FBA04EE-3024-11d2-8F1F-0000F87ABD16}.

5. Toujours au même endroit dans le registre, créez une nouvelle valeur chaîne et nommez-la ButtonText. Double-cliquez sur cette valeur et, dans la zone *Données de la valeur*, saisissez le titre qui s'affichera au passage de la souris sur le bouton.

6. Créez une nouvelle valeur chaîne et nommez-la Icon. Double-cliquez sur cette valeur et, dans la zone *Données de la valeur*, saisissez le chemin de l'icône qui apparaîtra dans la barre d'outils.

7. Créez une nouvelle valeur chaîne et nommez-la HotIcon. Double-cliquez sur cette valeur et, dans la zone *Données de la valeur*, saisissez le chemin de l'icône qui s'affichera au passage de la souris.

8. Créez une nouvelle valeur chaîne et nommez-la Exec. Double-cliquez sur cette valeur et, dans la zone *Données de la valeur*, saisissez le chemin de l'exécutable qui sera lancé lors d'un clic sur le nouveau bouton.

9. Créez une nouvelle valeur chaîne et nommez-la Default Visible. Double-cliquez sur cette valeur et, dans la zone *Données de la valeur*, saisissez Yes.

10. Fermez l'Éditeur du registre et ouvrez Internet Explorer afin de visualiser votre nouveau bouton. S'il n'apparaît pas, cliquez du bouton

droit de la souris sur un espace vide de la barre d'outils et sélectionnez la commande **Personnaliser**. Dans la zone *Boutons disponibles*, sélectionnez votre bouton et cliquez sur le bouton **Ajouter** puis sur le bouton **Fermer**.

Figure 3.3 :
Un bouton personnalisé dans la barre d'outils

107. Supprimer le dossier Liens dans les favoris

Si vous souhaitez supprimer le dossier *Liens* présent dans le dossier *Favoris*, il est nécessaire d'effectuer une manipulation dans le registre. En effet, si ce dossier est supprimé par une simple commande de suppression, il se recrée automatiquement après un redémarrage de l'ordinateur.

1. Dans la boîte de dialogue **Exécuter** (accessible par le menu **Démarrer/Exécuter**), saisissez regedit afin de lancer l'Éditeur du registre.

2. Sélectionnez la clé *HKEY_CURRENT_USER\Software\Microsoft\Internet Explorer\Toolbar*.

3. Double-cliquez sur la valeur *LinksFolderName* et, dans la zone de texte *Données de la valeur*, effacez le texte *Liens* et validez en cliquant sur le bouton OK, puis fermez l'Éditeur du registre.

4. Ouvrez Internet Explorer et cliquez sur le menu **Favoris**. Appuyez sans relâcher sur la touche [Maj] et cliquez en même temps sur la commande **Organiser les favoris**.

5. Dans le dossier *Favoris*, sélectionnez et supprimez le dossier *Liens*. Fermez le dossier *Favoris* et Internet Explorer.

6. Redémarrez l'ordinateur puis ouvrez Internet Explorer afin de contrôler que le dossier *Liens* ne soit plus présent dans les favoris.

108. Modifier la page de démarrage même si elle est bloquée

Il arrive que certains *spywares* ou certains logiciels placent une page de démarrage spécifique et interdisent ensuite la modification de celle-ci. Si vous vous retrouvez dans cette situation, il est possible de modifier la page de démarrage en effectuant une manipulation dans le registre.

1. Dans la boîte de dialogue **Exécuter** (accessible par le menu **Démarrer/Exécuter**), saisissez regedit afin de lancer l'Éditeur du registre.

2. Sélectionnez la clé *HKEY_CURRENT_USER\Software\Microsoft\Internet Explorer\Main*.

3. Dans le volet de droite correspondant à cette clé, double-cliquez sur la valeur *Start Page* et, dans la zone de texte *Données de la valeur*, saisissez l'adresse complète de la page sur laquelle vous voulez que votre navigateur démarre puis validez en cliquant sur le bouton OK.

4. Fermez l'Éditeur du registre et ouvrez Internet Explorer afin de vérifier qu'il s'ouvre bien sur la page souhaitée.

Figure 3.4 :
Une page de démarrage bloquée dans les options Internet

109. Modifier l'emplacement du dossier Favoris

Il peut être utile, par exemple si vous souhaitez utiliser les mêmes favoris sur différents profils, de modifier l'emplacement du dossier *Favoris* afin qu'il pointe vers un dossier commun.

1. Créez un nouveau dossier dans lequel vous allez stocker vos favoris ; il devra être accessible depuis tous les profils (nous allons par exemple créer un dossier *favcom* à la racine du disque dur C).

2. Dans la boîte de dialogue **Exécuter** (accessible par le menu **Démarrer/Exécuter**), saisissez regedit afin de lancer l'Éditeur du registre.

3. Sélectionnez la clé *KEY_CURRENT_USER\Software\Microsoft\Windows\CurrentVersion\Explorer\Shell Folders*.

4. Dans le volet de droite correspondant à cette clé, double-cliquez sur la valeur *Favorites* et, dans la zone de texte *Données de la valeur*, saisissez le chemin complet du nouveau dossier *Favoris*. Dans notre exemple, nous allons saisir C:\favcom ; puis validez en cliquant sur le bouton OK.

5. Sélectionnez ensuite la clé *HKEY_CURRENT_USER\Software\Microsoft\Windows\CurrentVersion\Explorer\User Shell Folders*.

6. Dans le volet de droite correspondant à cette clé, double-cliquez sur la valeur *Favorites* et, dans la zone de texte *Données de la valeur*, saisissez ici aussi le chemin complet du nouveau dossier *Favoris*. Dans notre exemple, nous allons saisir C:\favcom ; puis validez en cliquant sur le bouton OK.

7. Fermez l'Éditeur du registre et ouvrez Internet Explorer pour vérifier que le dossier *Favoris* s'ouvre bien dans le dossier souhaité.

110. Forcer le chemin d'enregistrement des fichiers à télécharger

À partir d'Internet Explorer, lorsque vous cliquez sur un lien pour télécharger un fichier, la boîte de dialogue **Enregistrer sous** vous propose de choisir un chemin d'enregistrement. Il faut savoir que le dernier emplacement choisi pour télécharger un fichier est sauvegardé dans le registre. Lors de votre prochain téléchargement, cet emplacement vous sera automatiquement proposé. Si vous avez l'habitude de placer tous les fichiers que vous téléchargez dans un dossier spécifique (par exemple *C:\fichiers_download*), dès lors que vous téléchargerez un fichier ailleurs que dans ce répertoire votre chemin par défaut sera perdu. Afin de vous éviter toutes ces manipulations, qui deviennent très vite pénibles, vous pouvez créer un fichier qui une fois exécuté reparamétrera automatiquement votre répertoire de téléchargement.

1. Créez un dossier dans lequel vous souhaitez placer tous les fichiers que vous téléchargerez à l'avenir ; pour l'exemple, nous allons créer à la racine du disque dur *C* un dossier que nous nommerons fichiers_download.

2. Dans la boîte de dialogue **Exécuter** (accessible par le menu **Démarrer/Exécuter**), saisissez notepad afin de lancer le Bloc-notes.

3. Saisissez les lignes de code suivantes :

```
Windows Registry Editor Version 5.00
[HKEY_CURRENT_USER\Software\Microsoft\Internet Explorer]
@=""
"Download Directory"="C:\\fichiers_download"
```

4. Cliquez sur le menu **Fichier** puis sélectionnez la commande **Enregistrer** et saisissez un nom de fichier avec une extension *.reg* (par exemple *dossier_download.reg*).

5. Dorénavant, lorsque vous souhaiterez replacer votre dossier de téléchargement par défaut, il vous suffira de double-cliquer sur le fichier que vous venez de créer.

111. Supprimer les URL saisies dans la barre d'adresses et inscrites au registre

Internet Explorer enregistre certaines adresses saisies dans la barre d'adresses dans la base de registre. Cela peut constituer une faille dans la gestion de votre confidentialité. Pour effacer ces adresses, procédez comme suit :

1. Dans la boîte de dialogue **Exécuter** (accessible par le menu **Démarrer/Exécuter**), saisissez regedit afin de lancer l'Éditeur du registre.

2. Sélectionnez la clé *HKEY_CURRENT_USER\Software\Microsoft\Internet Explorer\TypedURLs*.

3. Dans le volet de droite correspondant à cette clé, vous trouverez une série de valeurs nommées *url1* à *url25*. Ces valeurs contiennent les adresses des sites saisies dans la barre d'adresses ; il vous suffit de supprimer les valeurs que vous souhaitez. Il est possible de supprimer toutes les valeurs en supprimant complètement la clé *HKEY_CURRENT_USER\Software\Microsoft\Internet Explorer\TypedURLs* ; une nouvelle clé vide se créera lors de la prochaine ouverture d'Internet Explorer.

4. Vous pouvez ouvrir Internet Explorer pour vérifier le résultat ; n'oubliez pas de vider l'historique pour ne plus avoir aucune adresse présente dans la barre d'adresses.

112. Supprimer le mot de passe superviseur du gestionnaire d'accès

Si vous avez saisi un mot de passe dans le gestionnaire d'accès et que vous ne vous en souveniez pas, vous pouvez le faire sauter en procédant comme suit :

1. Dans la boîte de dialogue **Exécuter** (accessible par le menu **Démarrer/Exécuter**), saisissez regedit afin de lancer l'Éditeur du registre.

2. Sélectionnez la clé *HKEY_LOCAL_MACHINE\SOFTWARE\Microsoft \Windows\CurrentVersion\policies\Ratings*.

3. Dans le volet de droite correspondant à cette clé, sélectionnez et supprimez la valeur *Key*.

4. Fermez l'Éditeur du registre et ouvrez Internet Explorer pour constater qu'il n'y a plus de mot de passe superviseur dans le gestionnaire d'accès.

Le gestionnaire d'accès et la base de registre

Dans la clé *HKEY_LOCAL_MACHINE\SOFTWARE\Microsoft\Windows \CurrentVersion\policies\Ratings*, la valeur *Hint* correspond au conseil qui vous est donné dans la boîte de dialogue vous demandant le mot du superviseur. Toujours dans la même clé, la valeur *FileName0* correspond à l'emplacement du fichier de système de filtrage en cours.

113. Modifier l'éditeur de code source par défaut

Lorsque vous sélectionnez la commande **Afficher la source**, accessible par un clic droit sur une page web, le code source de la page s'affiche dans le Bloc-notes. Il est possible de remplacer ce dernier par l'application de votre choix ; il faut pour cela modifier la base de registre.

1. Dans la boîte de dialogue **Exécuter** (accessible par le menu **Démarrer/Exécuter**), saisissez regedit afin de lancer l'Éditeur du registre.

2. Sélectionnez la clé *HKEY_LOCAL_MACHINE\SOFTWARE\Microsoft\Internet Explorer*.

3. Dans cette clé, créez un nouvelle clé et nommez-la View Source Editor.

4. À l'intérieur de la clé *View Source Editor*, créez une nouvelle clé et nommez-la Editor name.

5. Dans le volet de droite correspondant à cette clé, double-cliquez sur la valeur *(par défaut)*. Dans la zone de texte *Données de la valeur*, saisissez l'emplacement du logiciel avec lequel vous souhaitez éditer les pages web ; par exemple, si vous souhaitez utiliser Dreamweaver MX, voici ce qu'il vous faudra saisir : C:\Program Files\Macromedia\Dreamweaver MX\Dreamweaver.exe.

6. Fermez l'Éditeur du registre et ouvrez Internet Explorer puis testez l'affichage du code source sur une page.

> **ASTUCE**
>
> **Retrouver le Bloc-notes**
>
> Si vous souhaitez retrouver le Bloc-notes comme éditeur de code source par défaut, il vous suffit de supprimer la clé *HKEY_LOCAL_MACHINE\SOFTWARE\Microsoft\Internet Explorer\View Source Editor*. Pensez à sauvegarder la clé ; comme cela, si vous voulez replacer votre logiciel comme éditeur par défaut, il vous suffira de fusionner le fichier en l'exécutant.

114. Ajouter un programme au bouton d'édition de la barre d'outils d'Internet Explorer

Le bouton d'édition de la barre d'outils d'Internet Explorer propose en général deux ou trois logiciels d'édition de code source. Si vous souhaitez ajouter un programme particulier pour éditer le code source des pages web, effectuez les manipulations suivantes dans le registre. Pour l'exemple, nous allons ajouter comme logiciel d'édition Dreamweaver ; vous pouvez bien sûr ajouter un autre logiciel de votre choix.

1. Dans la boîte de dialogue **Exécuter** (accessible par le menu **Démarrer/Exécuter**), saisissez regedit afin de lancer l'Éditeur du registre.

2. Sélectionnez la clé *HKEY_CLASSES_ROOT\.htm\OpenWithList*.

3. Dans cette clé, créez une nouvelle clé et nommez-la Dreamweaver.exe. Il vous faut nommer la clé que vous venez de créer avec le nom de l'exécutable de l'application que vous souhaitez ajouter.

4. Ensuite, toujours dans le registre, sélectionnez la clé *HKEY_CLASSES_ROOT\Applications\Dreamweaver.exe*, créez une nouvelle clé et nommez-la shell. Si vous souhaitez placer une autre application que Dreamweaver dans la clé *HKEY_CLASSES_ROOT\Applications*, recherchez la clé de l'application que vous souhaitez utiliser et créez dans cette clé une nouvelle clé que vous nommerez shell.

5. Ensuite, dans la clé *shell* que vous venez de créer, créez une nouvelle clé et nommez-la Edit.

6. Dans la clé *Edit* que vous venez de créer, créez une nouvelle clé et nommez-la command.

7. Dans le volet de droite correspondant à la clé *command*, double-cliquez sur la valeur *(par défaut)*. Dans la zone de texte *Données de la*

valeur, saisissez l'emplacement du logiciel que vous souhaitez ajouter au bouton d'édition ; dans notre exemple, il faut saisir "C:\Program Files\Macromedia\Dreamweaver MX\Dreamweaver.exe" %1. Attention, n'oubliez pas de placer le chemin de l'application entre guillemets et d'ajouter un espace puis %1 à la fin.

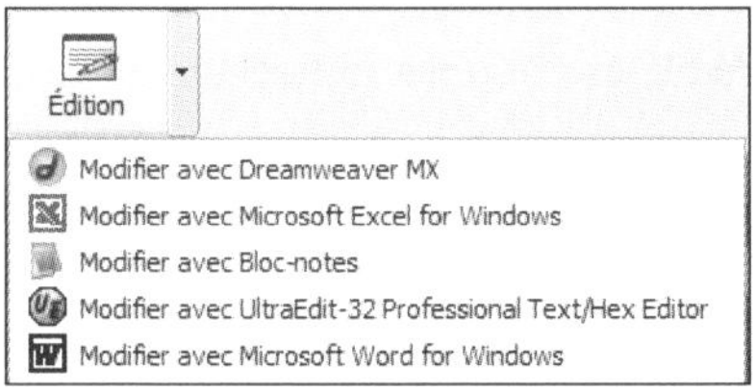

Figure 3.5 :
Ajout du logiciel Dreamweaver au bouton d'édition

115. Ajouter une commande Chercher sur Google au menu contextuel d'Internet Explorer

Une commande qui peut être utile d'ajouter au menu contextuel d'Internet Explorer est celle que vous nommerez **Rechercher sur Google**. Son fonctionnement est simple, il vous suffira de sélectionner un mot sur une page web et de choisir ensuite cette commande dans le menu contextuel d'Internet Explorer pour lancer une recherche Google sur le mot sélectionné. Pour ajouter cette commande, procédez comme suit :

1. Dans la boîte de dialogue **Exécuter** (accessible par le menu **Démarrer**/**Exécuter**), saisissez notepad afin de lancer le Bloc-notes.

2. Saisissez les lignes de code suivantes :

```
<html>
<SCRIPT LANGUAGE="JavaScript" defer>
var parentwin = external.menuArguments;
var doc = parentwin.document;
var sel = doc.selection;
var rng = sel.createRange();
var str = new String(rng.text);
var search = new String ("http://www.google.fr/search?q="+
< str);
 open(search);
</SCRIPT>
```

3. Cliquez sur le menu **Fichier** puis sélectionnez la commande **Enregistrer** et, dans la zone de texte *Nom du fichier*, saisissez recgoog.htm et enregistrez ce fichier dans le dossier *C:\WINDOWS\Web*.

4. Dans la boîte de dialogue **Exécuter** (accessible par le menu **Démarrer/Exécuter**), saisissez regedit afin de lancer l'Éditeur du registre.

5. Sélectionnez la clé *HKEY_CURRENT_USER\Software\Microsoft\Internet Explorer\MenuExt*.

6. Dans cette clé, créez une nouvelle clé et nommez-la Rechercher sur Google.

7. Dans le volet de droite correspondant à cette clé, double-cliquez sur la valeur *(par défaut)*. Dans la zone de texte *Données de la valeur*, saisissez file://C:\WINDOWS\Web\recgoog.htm.

8. Fermez l'Éditeur du registre et ouvrez Internet Explorer pour tester la nouvelle commande **Rechercher sur Google** disponible dans le menu contextuel.

MSDN, la référence des développeurs pour les produits Microsoft
Les astuces relatives au menu contextuel d'Internet Explorer font appel à des informations techniques disponibles sur le site MSDN des développeurs pour les produits Microsoft. Vous retrouvez des informations concernant le développement relatif à Internet Explorer à l'adresse http://msdn.microsoft.com/library/default.asp?url=/workshop/browser/overview/overview.asp.

116. Ajouter une commande Marqueur Fluo au menu contextuel d'Internet Explorer

Et si vous pouviez surligner certains mots des pages web avant de les imprimer, comme le fait votre bon vieux marqueur fluorescent sur vos documents papier ? Eh bien, en effectuant la manipulation suivante, vous n'aurez plus qu'à sélectionner les mots que vous souhaitez surligner et à cliquer ensuite sur la commande **Surligner** du menu contextuel que vous aurez ajouté.

1. Dans la boîte de dialogue **Exécuter** (accessible par le menu **Démarrer/Exécuter**), saisissez notepad afin de lancer le Bloc-notes.

2. Saisissez les lignes de code suivantes :

```
<HTML>
<SCRIPT LANGUAGE="JavaScript" defer>
var parentwin = external.menuArguments;
var doc = parentwin.document;
```

```
var sel = doc.selection;
var rng = sel.createRange();
var str = new String(rng.text);
rng.execCommand("BackColor",0,"#FFFF60");
</SCRIPT>
</HTML>
```

3. Cliquez sur le menu **Fichier** puis sélectionnez la commande **Enregistrer** et, dans la zone de texte *Nom du fichier*, saisissez marqueur.htm et enregistrez ce fichier dans le dossier *C:\WINDOWS\Web*.

4. Dans la boîte de dialogue **Exécuter** (accessible par le menu **Démarrer/Exécuter**), saisissez regedit afin de lancer l'Éditeur du registre.

5. Sélectionnez la clé *HKEY_CURRENT_USER\Software\Microsoft\Internet Explorer\MenuExt*.

6. Dans cette clé, créez un nouvelle clé et nommez-la Marqueur Fluo.

7. Dans le volet de droite correspondant à cette clé, double-cliquez sur la valeur *(par défaut)*. Dans la zone de texte *Données de la valeur*, saisissez file://C:\WINDOWS\Web\marqueur.htm.

8. Fermez l'Éditeur du registre et ouvrez Internet Explorer pour tester la nouvelle commande **Marqueur Fluo** disponible dans le menu contextuel.

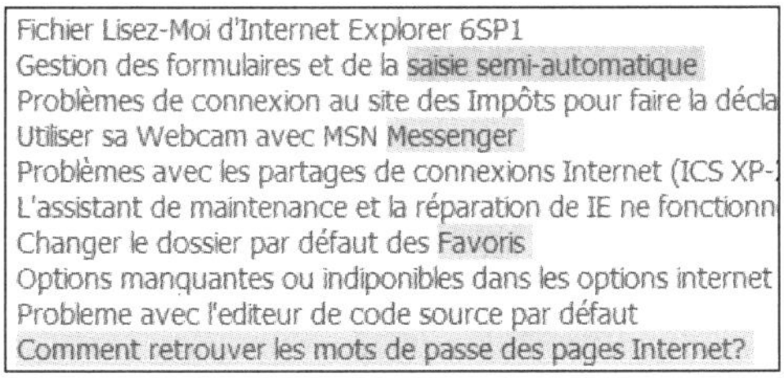

Figure 3.6 :
Des mots surlignés au marqueur sur une page web

Changer la couleur du marqueur

Si le jaune fluorescent proposé dans l'astuce ne vous convient pas, vous pouvez facilement le remplacer par une autre couleur du tableau suivant ; pour cela, il vous suffit de modifier cette valeur *#FFFF60* dans le code du fichier *marqueur.htm*.

Tableau 3-1 : Une palette de couleur pour votre marqueur	
Couleur du marqueur	**Valeur à saisir dans marqueur.htm**
Jaune fluorescent	*#FFFF60*
Rose fluorescent pâle	*#FFE0E0*
Rose fluorescent foncé	*#FFC0E0*
Orange fluorescent	*#FFD0A0*
Vert fluorescent	*#80FF80*
Bleu clair fluorescent	*#60FFFF*
Rouge	*#FF206B*

117. Ajouter une commande Masquer les images au menu contextuel d'Internet Explorer

Bien souvent, lorsque vous souhaitez imprimer des pages web, les images ne sont pas forcément utiles. Vous avez alors le choix entre imprimer uniquement le texte, en faisant une sélection, ou désactiver l'affichage des images, en vous rendant dans les options Internet du navigateur. Ces manipulations fonctionnent, mais elles ne sont pas très pratiques si vous les effectuez plusieurs fois par jour. En ajoutant une commande au menu contextuel, vous pourrez alors masquer les images de la page en cours de visite en un seul clic.

1. Dans la boîte de dialogue **Exécuter** (accessible par le menu **Démarrer/Exécuter**), saisissez notepad afin de lancer le Bloc-notes.

2. Saisissez les lignes de code suivantes :

```
<SCRIPT LANGUAGE="javascript">
if (external.menuArguments) {
var parentwin = external.menuArguments;
var doc = parentwin.document;
var feustyle = doc.createStyleSheet();
var pasimage = "IMG { display: none;}"

TotalTags = 0;
CurPos = pasimage.indexOf("{");
while (CurPos != -1) {
 CurPos = pasimage.indexOf("{",(CurPos + 1));
 TotalTags++;}
```

```
for (counter = 0; counter < TotalTags; counter++) {
  BeginTag = pasimage.indexOf("{",(CurPos + 1));
  EndTag = pasimage.indexOf("}",CurPos);
  TempTag = pasimage.substring(CurPos, (BeginTag - 1));
  TempAttrib = pasimage.substring((BeginTag + 1),
    (EndTag - 1));
  feustyle.addRule(TempTag, TempAttrib);
  CurPos = (EndTag + 1);
  }}
</SCRIPT>
```

3. Cliquez sur le menu **Fichier** puis sélectionnez la commande **Enregistrer** et, dans la zone de texte *Nom du fichier*, saisissez maskimages.htm puis enregistrez ce fichier dans le dossier *C:\WINDOWS\Web*.

4. Dans la boîte de dialogue **Exécuter** (accessible par le menu **Démarrer/Exécuter**), saisissez regedit afin de lancer l'Éditeur du registre.

5. Sélectionnez la clé *HKEY_CURRENT_USER\Software\Microsoft\Internet Explorer\MenuExt*.

6. Dans cette clé, créez un nouvelle clé et nommez-la Masquer les images.

7. Dans le volet de droite correspondant à cette clé, double-cliquez sur la valeur *(par défaut)*. Dans la zone de texte *Données de la valeur*, saisissez file://C:\WINDOWS\Web\maskimages.htm.

8. Fermez l'Éditeur du registre et ouvrez Internet Explorer. Rendez-vous sur une page web contenant des images, cliquez du bouton droit dans une zone vide de la page puis sélectionnez la commande **Masquer les images**.

Figure 3.7 :
Une page avec les images

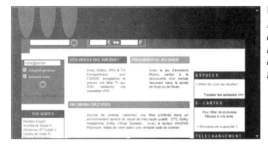

Figure 3.8 :
La même page sans aucune image suite à l'application de la commande Masquer les images

Retrouver les images

Si, après l'application de la commande **Masquer les images**, vous souhaitez de nouveau afficher les images de la page, cliquez sur le bouton **Actualiser** de la barre d'outils d'Internet Explorer.

118. Ajouter une commande Ouvrir uniquement le cadre au menu contextuel d'Internet Explorer

Il peut aussi être utile d'ajouter la commande **Ouvrir uniquement le cadre**. Les cadres ou frames sont souvent utilisés ainsi : un cadre à gauche pour le menu et un cadre à droite qui sert de page de navigation. Si vous souhaitez imprimer la page, les deux cadres vont s'imprimer, ce qui n'est vraiment pas esthétique. En utilisant la commande **Ouvrir uniquement le cadre** dans le cadre que vous souhaitez imprimer, ce dernier va s'ouvrir dans une nouvelle fenêtre, et vous pourrez facilement imprimer son contenu et uniquement son contenu. Voici comment procéder pour ajouter la commande **Ouvrir uniquement le cadre** au menu contextuel d'Internet Explorer :

1. Dans la boîte de dialogue **Exécuter** (accessible par le menu **Démarrer/Exécuter**), saisissez notepad afin de lancer le Bloc-notes.

2. Saisissez les lignes de code suivantes :

```
<SCRIPT LANGUAGE="JavaScript" defer>
     open(external.menuArguments.location.href);
</script>
```

3. Cliquez sur le menu **Fichier** puis sélectionnez la commande **Enregistrer** et, dans la zone de texte *Nom du fichier*, saisissez Ouvrircadre.htm et enregistrez ce fichier dans le dossier *C:\WINDOWS\Web*.

4. Dans la boîte de dialogue **Exécuter** (accessible par le menu **Démarrer/Exécuter**), saisissez regedit afin de lancer l'Éditeur du registre.

5. Sélectionnez la clé *HKEY_CURRENT_USER\Software\Microsoft\Internet Explorer\MenuExt*.

6. Dans cette clé, créez une nouvelle clé et nommez-la Ouvrir uniquement le cadre.

7. Dans le volet de droite correspondant à cette clé, double-cliquez sur la valeur *(par défaut)*. Dans la zone de texte *Données de la valeur*, saisissez file://C:\WINDOWS\Web\Ouvrircadre.htm.

8. Toujours dans le volet droit correspondant à la clé *HKEY_CURRENT_USER\Software\Microsoft\Internet Explorer\MenuExt\Ouvrir uniquement le cadre*, cliquez du bouton droit dans un espace vide et, dans le menu contextuel **Nouveau**, sélectionnez la commande **Valeur DWORD**. Nommez cette nouvelle valeur Context.

9. Double-cliquez sur la valeur DWORD *Context* que vous venez de créer et, dans la zone de texte *Données de la valeur*, saisissez 1 et validez par OK.

10. Fermez l'Éditeur du registre et ouvrez Internet Explorer pour tester la nouvelle commande **Ouvrir uniquement le cadre** disponible dans le menu contextuel.

Marqueur Fluo
Masquer les images
Ouvrir le cadre dans une nouvelle fenêtre
Ouvrir uniquement le cadre
Rechercher sur Google
Voir les cookies

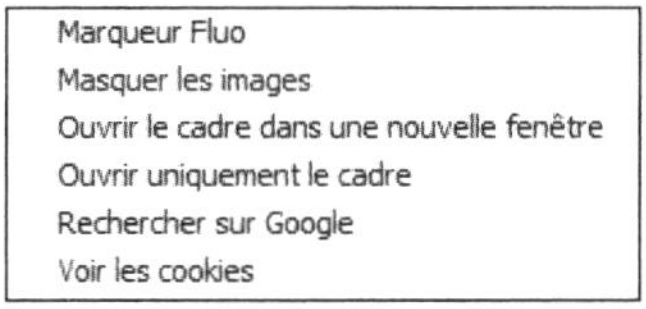

Figure 3.9 :
Un menu contextuel personnalisé avec toutes les commandes ajoutées

Références
Cette astuce est fondée sur des informations techniques données dans la base de connaissances Microsoft ; vous trouverez cette fiche technique en anglais à l'adresse **http://support.microsoft.com/default.aspx?kbid=177241**.

119. Calculer la valeur optimale du MTU

Si vous avez souvent le message d'erreur "sites non accessibles" lors de votre navigation et que vous disposiez d'une connexion haut débit, le fait de calculer et de paramétrer correctement la valeur optimale du MTU (abréviation de *Maximum Transmission Unit*) corrigera sûrement ce problème. Le MTU est une valeur exprimée en octets qui représente la transmission maximale de Paquet IP provenant d'Internet.

Avant de renseigner la valeur dans le registre, voici comment la calculer :

1. Dans la boîte de dialogue **Exécuter** (accessible par le menu **Démarrer/Exécuter**), saisissez cmd afin de lancer une fenêtre **Invite de commandes**.

2. Voici la syntaxe de la ligne de commande que nous allons utiliser pour calculer cette valeur maximale de MTU : *ping -f -l une valeur de MTU test puis une adresse extérieure*, que nous allons essayer de joindre. Pour débuter, nous allons commencer avec une valeur test de 1410. Dans la fenêtre **Invite de commandes**, saisissez ping −f −l 1410 www.microapp.com. Si vous obtenez en retour ceci : *Réponse de 212.37.212.78 : octets=1410 temps*=une valeur *ms TTL*=une valeur, c'est que votre valeur est correcte.

3. Il vous faut donc essayer avec une valeur plus élevée. Augmentez la valeur test de départ de 10 ; vous devez donc saisir ceci dans la fenêtre d'invite de commandes : ping −f −l 1420 www.microapp.com. Si vous obtenez toujours une réponse, recommencez la manipulation en augmentant la valeur de 10 en 10 à chaque fois jusqu'à arriver à cette réponse : *Le paquet doit être fragmenté mais paramétré DF*. À partir de ce moment, cela voudra dire que la valeur optimale de votre MTU se trouve entre la dernière valeur qui vous donnait une réponse et cette valeur-ci qui vous indique que le paquet est fragmenté.

4. Ressaisissez la ligne de commande précédemment utilisée jusqu'à vous approcher le plus près possible de la valeur qui ne vous donnera plus de réponse.

Une fois que vous avez cette valeur, il faudra y ajouter 28 (28 correspond à la taille du paquet) pour avoir votre taille finale et optimale de MTU. Une fois que vous avez cette valeur, reportez-vous à l'astuce suivante, Fixer la valeur du MTU au registre.

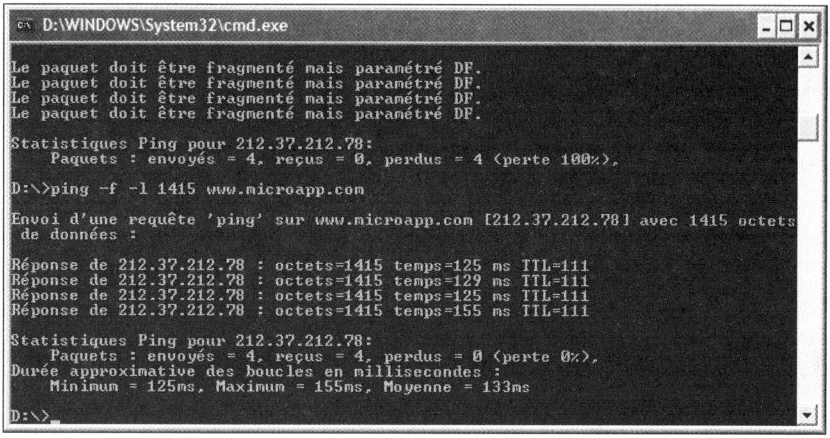

Figure 3.10 : *La fenêtre d'invite de commandes avec la taille de MTU calculée*

120. Fixer la valeur du MTU au registre

Après avoir calculé une taille MTU correcte, il faut la renseigner dans le registre ; pour cela, procédez comme suit :

1. Dans la boîte de dialogue **Exécuter** (accessible par le menu **Démarrer/Exécuter**), saisissez regedit afin de lancer l'Éditeur du registre.

2. Sélectionnez la clé *HKEY_LOCAL_MACHINE\SYSTEM \CurrentControlSet\Services\Tcpip\Parameters\Interfaces*.

3. Dans cette clé, sélectionnez la clé qui porte le numéro d'identification correspondant à votre carte réseau ADSL ou à votre modem câble. Pour trouver cette clé, passez les numéros d'identification des cartes les uns après les autres en regardant dans le volet de droite le nom des valeurs *DhcpIPAddress* et *IPAddress*. Lorsque l'une de ces valeurs correspondra à l'adresse IP de votre ordinateur, ce sera dans cette clé qu'il vous faudra faire les modifications.

4. Dans le volet de droite correspondant à cette clé, créez une nouvelle valeur DWORD et nommez-la MTU.

5. Double-cliquez sur la valeur *MTU* que vous venez de créer, sélectionnez dans la rubrique *Base* le bouton d'option **Décimale** et, dans la zone de texte *Données de la valeur*, saisissez la taille optimale MTU précédemment calculée.

6. Fermez l'Éditeur du registre et redémarrez votre ordinateur.

 Cette manipulation peut paraître longue et fastidieuse, mais dans bien des cas elle résout les problèmes liés à l'erreur "sites non accessibles". Si vous ne voulez pas passer par le registre pour fixer la taille MTU, il existe des outils qui paramètrent à votre place la taille du MTU dans le registre. Pour cela, consultez l'astuce Fixer la taille MTU en un clic du chapitre Programmes et scripts utiles pour Internet.

3.2 Activer/désactiver les restrictions d'Internet Explorer grâce au registre

121. Désactiver l'onglet Général des options Internet

L'onglet **Général** des options Internet vous permet entre autres de gérer la page de démarrage, les fichiers Internet temporaires et l'historique. Si vous souhaitez interdire aux utilisateurs l'accès à cet onglet, procédez comme suit :

1. Dans la boîte de dialogue **Exécuter** (accessible par le menu **Démarrer/Exécuter**), saisissez regedit afin de lancer l'Éditeur du registre.

2. Sélectionnez la clé *HKEY_CURRENT_USER\Software\Policies\Microsoft\Internet Explorer\Control Panel*.

3. Dans le volet droit correspondant à cette clé, cliquez du bouton droit dans un espace vide puis, dans le menu contextuel **Nouveau**, sélectionnez la commande **Valeur DWORD**. Donnez comme nom à la nouvelle valeur DWORD créée GeneralTab.

4. Double-cliquez sur la valeur DWORD *GeneralTab* que vous venez de créer et, dans la zone de texte *Données de la valeur*, saisissez le nombre 1 et validez par le bouton OK, puis fermez l'Éditeur du registre.

5. Ouvrez Internet Explorer et, dans le menu **Outils**, cliquez sur la commande **Options Internet**. Vous pouvez constater que l'onglet **Général** n'est plus disponible.

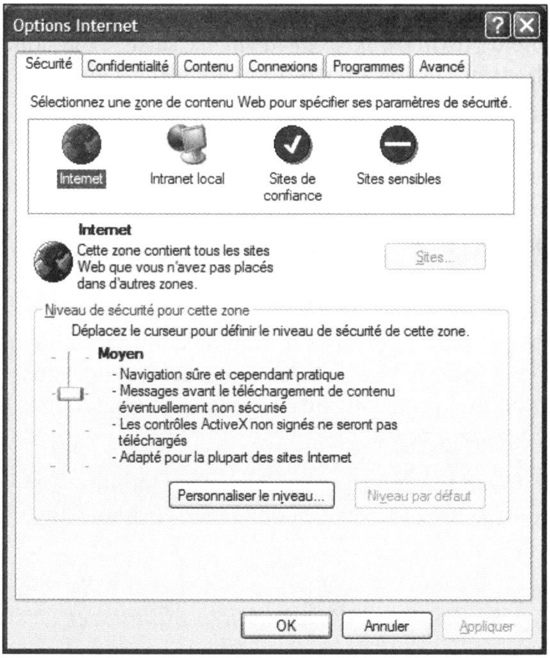

Figure 3.11 :
Les options Internet sans l'onglet Général

122. Désactiver l'onglet Sécurité des options Internet

L'onglet **Sécurité** permet de régler le niveau de sécurité que vous souhaitez appliquer à votre navigateur. Afin d'éviter que certains utilisateurs non avertis aient accès à ces réglages, procédez comme suit pour désactiver l'affichage de cet onglet dans les options Internet :

1. Dans la boîte de dialogue **Exécuter** (accessible par le menu **Démarrer/Exécuter**), saisissez regedit afin de lancer l'Éditeur du registre.

2. Sélectionnez la clé *HKEY_CURRENT_USER\Software\Policies\Microsoft\Internet Explorer\Control Panel*.

3. Dans le volet droit correspondant à cette clé, cliquez du bouton droit dans un espace vide puis, dans le menu contextuel **Nouveau**, sélectionnez la commande **Valeur DWORD**. Donnez comme nom à la nouvelle valeur DWORD créée SecurityTab.

4. Double-cliquez sur la valeur DWORD *SecurityTab* que vous venez de créer et, dans la zone de texte *Données de la valeur*, saisissez le nombre 1 et validez par le bouton OK, puis fermez l'Éditeur du registre.

5. Ouvrez Internet Explorer et, dans le menu **Outils**, cliquez sur la commande **Options Internet**. Vous pouvez constater que l'onglet **Sécurité** n'est plus disponible.

123. Désactiver l'onglet Confidentialité des options Internet

L'onglet **Confidentialité** permet de régler le niveau de confidentialité que vous souhaitez appliquer à votre navigateur, niveau grâce auquel vous réglerez la gestion des cookies. Pour interdire l'accès à cet onglet dans les options Internet, procédez comme suit :

1. Dans la boîte de dialogue **Exécuter** (accessible par le menu **Démarrer/Exécuter**), saisissez regedit afin de lancer l'Éditeur du registre.

2. Sélectionnez la clé *HKEY_CURRENT_USER\Software\Policies\Microsoft\Internet Explorer\Control Panel.*

3. Dans le volet droit correspondant à cette clé, cliquez du bouton droit dans un espace vide puis, dans le menu contextuel **Nouveau**, sélectionnez la commande **Valeur DWORD**. Donnez comme nom à la nouvelle valeur DWORD créée PrivacyTab.

4. Double-cliquez sur la valeur DWORD *PrivacyTab* que vous venez de créer et, dans la zone de texte *Données de la valeur*, saisissez le nombre 1 et validez par le bouton OK, puis fermez l'Éditeur du registre.

5. Ouvrez Internet Explorer et, dans le menu **Outils**, cliquez sur la commande **Options Internet**. Vous pouvez constater que l'onglet **Confidentialité** n'est plus disponible.

124. Désactiver l'onglet Contenu des options Internet

L'onglet **Contenu** des options Internet vous permet entre autres de gérer le gestionnaire d'accès, les certificats et les réglages de la saisie semi-automatique. Si vous souhaitez interdire aux utilisateurs l'accès à cet onglet, procédez comme suit :

1. Dans la boîte de dialogue **Exécuter** (accessible par le menu **Démarrer/Exécuter**), saisissez regedit afin de lancer l'Éditeur du registre.

2. Sélectionnez la clé *HKEY_CURRENT_USER\Software\Policies\Microsoft\Internet Explorer\Control Panel*.

3. Dans le volet droit correspondant à cette clé, cliquez du bouton droit dans un espace vide puis, dans le menu contextuel **Nouveau**, sélectionnez la commande **Valeur DWORD**. Donnez comme nom à la nouvelle valeur DWORD créée ContentTab.

4. Double-cliquez sur la valeur DWORD *ContentTab* que vous venez de créer et, dans la zone de texte *Données de la valeur*, saisissez le nombre 1 et validez par le bouton OK, puis fermez l'Éditeur du registre.

5. Ouvrez Internet Explorer et, dans le menu **Outils**, cliquez sur la commande **Options Internet**. Vous pouvez constater que l'onglet **Contenu** n'est plus disponible.

125. Désactiver l'onglet Connexions des options Internet

L'onglet **Connexions** permet de modifier les réglages de votre connexion ou bien ceux de votre réseau local. Afin d'éviter que certains utilisateurs non avertis aient accès à ces réglages, procédez comme suit pour désactiver l'affichage de cet onglet dans les options Internet :

1. Dans la boîte de dialogue **Exécuter** (accessible par le menu **Démarrer/Exécuter**), saisissez regedit afin de lancer l'Éditeur du registre.

2. Sélectionnez la clé *HKEY_CURRENT_USER\Software\Policies\Microsoft\Internet Explorer\Control Panel*.

3. Dans le volet droit correspondant à cette clé, cliquez du bouton droit dans un espace vide puis, dans le menu contextuel **Nouveau**, sélectionnez la commande **Valeur DWORD**. Donnez comme nom à la nouvelle valeur DWORD créée ConnectionsTab.

4. Double-cliquez sur la valeur DWORD *ConnectionsTab* que vous venez de créer et, dans la zone de texte *Données de la valeur*, saisissez le nombre 1 et validez par le bouton OK, puis fermez l'Éditeur du registre.

5. Ouvrez Internet Explorer et, dans le menu **Outils**, cliquez sur la commande **Options Internet**. Vous pouvez constater que l'onglet **Connexions** n'est plus disponible.

126. Désactiver l'onglet Programmes des options Internet

L'onglet **Programmes** permet de spécifier le programme que Windows utilise automatiquement pour chaque service Internet. Pour interdire l'accès à cet onglet dans les options Internet, procédez comme suit :

1. Dans la boîte de dialogue **Exécuter** (accessible par le menu **Démarrer/Exécuter**), saisissez regedit afin de lancer l'Éditeur du registre.

2. Sélectionnez la clé *HKEY_CURRENT_USER\Software\Policies\Microsoft\Internet Explorer\Control Panel*.

3. Dans le volet droit correspondant à cette clé, cliquez du bouton droit dans un espace vide puis, dans le menu contextuel **Nouveau**, sélectionnez la commande **Valeur DWORD**. Donnez comme nom à la nouvelle valeur DWORD créée ProgramsTab.

4. Double-cliquez sur la valeur DWORD *ProgramsTab* que vous venez de créer et, dans la zone de texte *Données de la valeur*, saisissez le nombre 1 et validez par le bouton OK, puis fermez l'Éditeur du registre.

5. Ouvrez Internet Explorer et, dans le menu **Outils**, cliquez sur la commande **Options Internet**. Vous pouvez constater que l'onglet **Programmes** n'est plus disponible.

127. Désactiver l'onglet Avancé des options Internet

L'onglet **Avancé** des options Internet vous permet de paramétrer beaucoup d'options du navigateur. Si vous souhaitez le rendre inaccessible depuis le menu **Options Internet**, procédez comme suit :

1. Dans la boîte de dialogue **Exécuter** (accessible par le menu **Démarrer/Exécuter**), saisissez regedit afin de lancer l'Éditeur du registre.

2. Sélectionnez la clé *HKEY_CURRENT_USER\Software\Policies\Microsoft\Internet Explorer\Control Panel*.

3. Dans le volet droit correspondant à cette clé, cliquez du bouton droit dans un espace vide puis, dans le menu contextuel **Nouveau**, sélectionnez la commande **Valeur DWORD**. Donnez comme nom à la nouvelle valeur DWORD créée AdvancedTab.

4. Double-cliquez sur la valeur DWORD *AdvancedTab* que vous venez de créer et, dans la zone de texte *Données de la valeur*, saisissez le nombre 1 et validez par le bouton OK, puis fermez l'Éditeur du registre.

5. Ouvrez Internet Explorer et, dans le menu **Outils**, cliquez sur la commande **Options Internet**. Vous pouvez constater que l'onglet **Avancé** n'est plus disponible.

128. Désactiver l'accès aux paramètres du cache

Si vous souhaitez désactiver uniquement l'accès aux réglages des fichiers temporaires, procédez comme suit :

1. Dans la boîte de dialogue **Exécuter** (accessible par le menu **Démarrer/Exécuter**), saisissez regedit afin de lancer l'Éditeur du registre.

2. Sélectionnez la clé *HKEY_CURRENT_USER\Software\Policies \Microsoft\Internet Explorer\Control Panel*.

3. Dans le volet droit correspondant à cette clé, cliquez du bouton droit dans un espace vide puis, dans le menu contextuel **Nouveau**, sélectionnez la commande **Valeur DWORD**. Donnez comme nom à la nouvelle valeur DWORD créée Cache.

4. Double-cliquez sur la valeur DWORD *Cache* que vous venez de créer et, dans la zone de texte *Données de la valeur*, saisissez le nombre 1 et validez par le bouton OK, puis fermez l'Éditeur du registre.

5. Ouvrez Internet Explorer et, dans le menu **Outils**, cliquez sur la commande **Options Internet**. Dans la rubrique *Fichiers Internet temporaires*, cliquez sur le bouton **Paramètres**. Vous pouvez constater que tous les réglages des fichiers Internet temporaires sont inaccessibles.

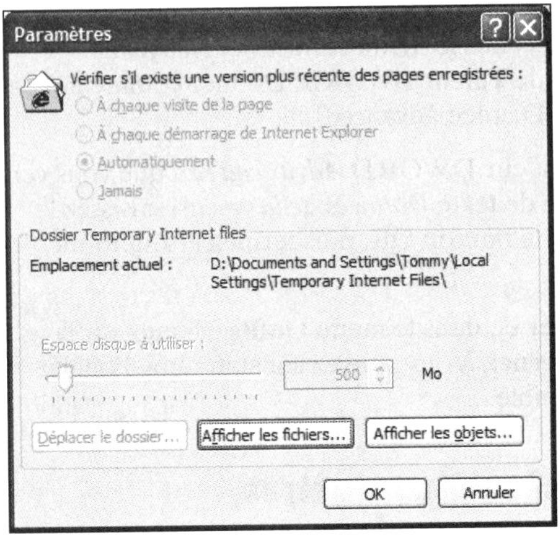

Figure 3.12 :
La boîte de dialogue des paramètres TIF désactivés

129. Liste des restrictions possibles dans les options Internet Explorer grâce au registre

Il est possible de bloquer quasiment toutes les rubriques disponibles dans les options d'Internet Explorer indépendamment les unes des autres. Nous vous avons décrit en détail les principales restrictions, qui consistent à bloquer les accès à chaque onglet disponible dans les options Internet. Les manipulations dans le registre étant quasiment similaires pour bloquer les rubriques et les menus, nous vous donnons la liste des principales restrictions sous forme de tableau.

Tableau 3-2 : Liste des principales restrictions dans les options Internet			
Description de la restriction	Nom de la clé à sélectionner dans HKEY_CURRENT _USER\\Software \\Policies\\Microsoft \\Internet Explorer\	Nom de la valeur DWORD à ajouter dans la clé sélectionnée	Donnée de la valeur à ajouter pour activer la restriction
Empêcher la modification du niveau de sécurité	*Control Panel*	SecChangeSettings	1

Tableau 3-2 : Liste des principales restrictions dans les options Internet			
Description de la restriction	Nom de la clé à sélectionner dans HKEY_CURRENT _USER\\Software \Policies\Microsoft \Internet Explorer\	Nom de la valeur DWORD à ajouter dans la clé sélectionnée	Donnée de la valeur à ajouter pour activer la restriction
Empêcher la modification du niveau de confidentialité	*Control Panel*	Privacy Settings	1
Empêcher la modification des certificats	*Control Panel*	CertifPers	1
Empêcher la configuration de connexion Internet	*Control Panel*	Connwiz Admin Lock	1
Désactiver l'option *Rétablir les paramètres par défaut*	*Control Panel*	ResetWebSettings	1
Empêcher la modification des couleurs de texte et d'arrière-plan	*Control Panel*	Colors	1
Empêcher la modification des options de liens	*Control Panel*	Links	1
Empêcher la modification des polices	*Control Panel*	Fonts	1
Empêcher la modification des paramètres des connexions	*Control Panel*	ConnectionSettings	1
Empêcher la modification de l'historique	*Control Panel*	History	1
Empêcher la modification de la langue	*Control Panel*	Languages	1

Tableau 3-2 : Liste des principales restrictions dans les options Internet

Description de la restriction	Nom de la clé à sélectionner dans HKEY_CURRENT _USER\\Software \Policies\Microsoft \Internet Explorer\	Nom de la valeur DWORD à ajouter dans la clé sélectionnée	Donnée de la valeur à ajouter pour activer la restriction
Empêcher la modification des profils	*Control Panel*	Profiles	1
Empêcher la modification des réglages proxy	*Control Panel*	Proxy	1
Empêcher la modification de la détection du navigateur par défaut	*Control Panel*	Check_If_Default	1
Empêcher la modification de la liste des contacts et du calendrier	*Control Panel*	CalendarContact	1
Empêcher la modification du client Messagerie	*Control Panel*	Messaging	1
Empêcher la modification du gestionnaire d'accès	*Control Panel*	Ratings	1
Empêcher la fermeture du navigateur	*Restrictions*	NoBrowserClose	1
Empêcher l'affichage du menu contextuel dans le navigateur	*Restrictions*	NoBrowserContext Menu	1
Masquer le menu fichier **Enregistrer sous**	*Restrictions*	NoBrowserSaveAs	1

Tableau 3-2 : Liste des principales restrictions dans les options Internet			
Description de la restriction	Nom de la clé à sélectionner dans HKEY_CURRENT_USER\\Software \Policies\Microsoft \Internet Explorer\	Nom de la valeur DWORD à ajouter dans la clé sélectionnée	Donnée de la valeur à ajouter pour activer la restriction
Masquer le menu **Favoris** dans Internet Explorer	*Restrictions*	NoFavorites	1
Masquer le menu fichier **Imprimer** dans Internet Explorer	*Restrictions*	NoPrinting	1
Empêcher le téléchargement	*Restrictions*	NoSelectDownload Dir	1
Masquer la possibilité d'afficher la source	*Restrictions*	NoViewSource	1

Priorité

Comme vous l'aurez sûrement compris, le fait de placer les données de la valeur à 1 active les restrictions ; pour désactiver ces restrictions, il vous suffira de placer les données de la valeur à 0.

Il faut aussi savoir que les restrictions qui se trouvent dans la clé *HKEY_LOCAL_MACHINE\SOFTWARE\Policies\Microsoft\Internet Explorer\Restrictions* sont toujours prioritaires par rapport à celles qui se trouvent dans la clé *HKEY_CURRENT_USER\Software\Policies\Microsoft\Internet Explorer\Restrictions*. Ce qui signifie que, si vous avez deux valeurs de restrictions de même nom dans ces deux clés, celle qui se trouve dans la branche *HKEY_LOCAL_MACHINE* sera toujours prioritaire quelles que soient les données de sa valeur, 1 ou 0.

130. Glossaire

Tableau 3-3 : Glossaire		
Acronyme /expression	**Explication**	**Signification**
Menu contextuel	Habituellement, le menu contextuel est un menu qui apparaît lorsque vous cliquez du bouton droit de la souris.	
Spyware	Ce sont en fait des logiciels qui une fois installés (souvent à votre insu) sur votre ordinateur revoient des informations concernant vos habitudes de surf et vos préférences. Ces sociétés pourront ainsi revendre les informations à des annonceurs publicitaires qui pourront cibler leurs e-mails.	Logiciel espion.
TIF	Fichiers Internet temporaires	*Temporary Internet Files*

CHAPITRE
4

Programmes et scripts utiles pour Internet

Programmes et scripts utiles pour Internet

4.1 Programmes

131. Connaître le chemin emprunté pour accéder à un site avec la commande Tracert

Afin de connaître le chemin emprunté pour atteindre votre site préféré, vous pouvez utiliser la commande **DOS tracert**. Celle-ci renvoie sous forme de liste tous les routeurs utilisés entre vous et le site que vous souhaitez atteindre. La syntaxe de cette commande est la suivante : **tracert** + adresse IP ou nom du site à atteindre. Voici un exemple d'utilisation de cette commande, en prenant comme site distant www.microapp.com :

1. Dans la boîte de dialogue **Exécuter** (accessible par le menu **Démarrer/Exécuter**), saisissez cmd afin de lancer une fenêtre **Invite de commandes**.
2. Dans cette fenêtre, saisissez la ligne de commande suivante : tracert www.microapp.com, puis validez par la touche Entrée.
3. Cette commande va vous renvoyer le chemin emprunté entre vous et le serveur hébergeant le site Internet Micro Application.

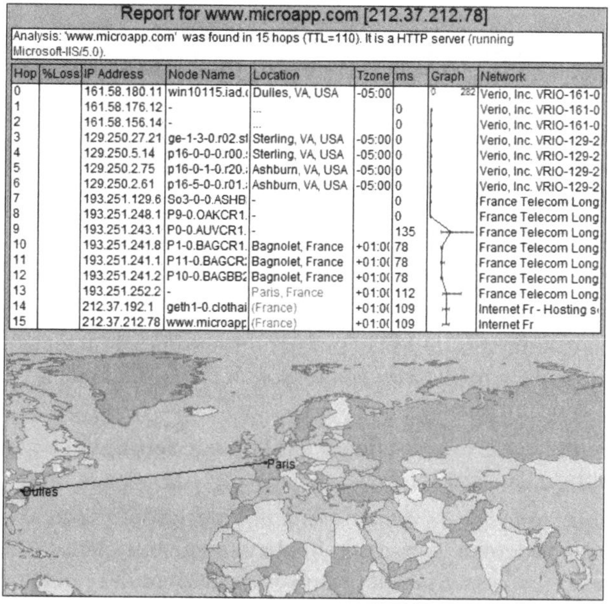
Report for www.microapp.com [212.37.212.78]

Analysis: 'www.microapp.com' was found in 15 hops (TTL=110). It is a HTTP server (running Microsoft-IIS/5.0).

Hop	%Loss	IP Address	Node Name	Location	Tzone	ms	Graph	Network
0		161.58.180.11	win10115.iad.(	Dulles, VA, USA	-05:00		0 282	Verio, Inc. VRIO-161-0
1		161.58.176.12	-	...		0		Verio, Inc. VRIO-161-0
2		161.58.156.14	-	...		0		Verio, Inc. VRIO-161-0
3		129.250.27.21	ge-1-3-0.r02.st	Sterling, VA, USA	-05:00	0		Verio, Inc. VRIO-129-2
4		129.250.5.14	p16-0-0-0.r00.:	Sterling, VA, USA	-05:00	0		Verio, Inc. VRIO-129-2
5		129.250.2.75	p16-0-1-0.r20.:	Ashburn, VA, USA	-05:00	0		Verio, Inc. VRIO-129-2
6		129.250.2.61	p16-5-0-0.r01.:	Ashburn, VA, USA	-05:00	0		Verio, Inc. VRIO-129-2
7		193.251.129.6	So3-0-0.ASHB	-		0		France Telecom Long
8		193.251.248.1	P9-0.OAKCR1.	-		0		France Telecom Long
9		193.251.243.1	P0-0.AUVCR1.	-		135		France Telecom Long
10		193.251.241.8	P1-0.BAGCR1.	Bagnolet, France	+01:0(	78		France Telecom Long
11		193.251.241.1	P11-0.BAGCR:	Bagnolet, France	+01:0(	78		France Telecom Long
12		193.251.241.2	P10-0.BAGBB:	Bagnolet, France	+01:0(	78		France Telecom Long
13		193.251.252.2	-	Paris, France	+01:0(	112		France Telecom Long
14		212.37.192.1	geth1-0.clothai	(France)	+01:0(	109		Internet Fr - Hosting s
15		212.37.212.78	www.microapp	(France)	+01:0(	109		Internet Fr

Figure 4.1 : *Le résultat sous forme graphique grâce au site VisualRoute*

Résultat sous forme graphique

Si vous souhaitez visualiser le résultat obtenu par la commande **tracert** sous forme graphique, ce qui est nettement plus parlant, le logiciel VisualRoute vous propose d'effectuer une démonstration en ligne à l'adresse http://www .visualware.com/visualroute/livedemo.html. Le fonctionnement est très simple : choisissez le serveur le plus proche possible de chez vous et saisissez l'URL du site que vous souhaitez tester ; il ne vous reste plus qu'à visualiser le résultat.

132. Déployer Internet Explorer 6 sur un réseau grâce à IEAK

Avec l'outil Microsoft IEAK (Internet Explorer Administration Kit), vous pourrez facilement déployer et gérer des navigateurs personnalisés pour votre entreprise ou vos clients. Cet utilitaire vous aidera à créer des packages de déploiement qui vous permettront d'automatiser les installations d'Internet Explorer avec des réglages prédéfinis. IEAK est gratuit, et vous le trouverez sur le site Microsoft à l'adresse **www.microsoft .com/windows/ieak/fr.**

133. Calculer et fixer la taille MTU en un clic

L'utilitaire TCP Optimizer, téléchargeable à l'adresse **www.speedguide .net/downloads.php,** vous permet de calculer et de paramétrer automatiquement un MTU optimal, ce qui est souhaitable si vous possédez une connexion ADSL.

1. Après avoir téléchargé TCP Optimizer, exécutez-le. Sélectionnez l'onglet **MaxMTU** et cliquez sur le bouton **Start**. Dans la boîte de dialogue qui apparaît, cliquez sur le bouton **Oui**.

2. Le calcul de la valeur Max de MTU se fait automatiquement, et sa valeur s'affiche sous la forme *You can set you MTU to* suivie de la valeur que vous devez relever.

3. Après avoir relevé cette valeur, cliquez sur l'onglet **Settings** et cochez le bouton d'option **Custom settings**.

4. Dans la rubrique *Network Adaptater selection*, sélectionnez votre carte réseau ou votre modem de connexion haute vitesse, puis, dans la zone de texte *MaxMTU*, saisissez la valeur précédemment relevée et cliquez sur le bouton **Apply changes**. Attention, l'ordinateur va redémarrer après l'application des modifications !

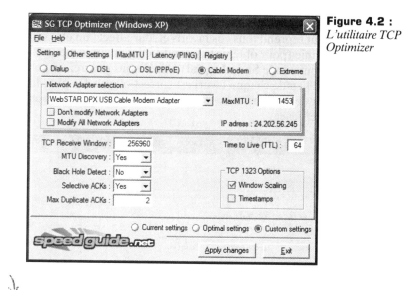

Figure 4.2 :
L'utilitaire TCP Optimizer

↓

134. Retrouver les mots de passe des formulaires avec Protect Storage Passview

Protect Storage Passview est un petit utilitaire qui vous permettra de retrouver les mots de passe des comptes de messagerie Outlook Express, les noms d'utilisateurs et les mots de passe des formulaires utilisés sur les pages Internet. Ce petit outil très léger ne nécessite aucune installation ; il vous aidera à retrouver tous les mots de passe relatifs à la session utilisateur en cours. Vous pouvez le télécharger à l'adresse Internet **http://nirsoft.multiservers.com/utils/pspv.html**. Il n'y a pas de manipulation spécifique : lancez le logiciel et tous les mots de passe s'affichent. Notez que vous pouvez aussi facilement supprimer les entrées saisies dans les formulaires, chose bien utile pour faire un tri sélectif.

135. Gérer les favoris et les favicons avec favorg

Favorg, développé par Main soft (**www.mainsoft.fr**) est un utilitaire qui gère les favicons et vérifie la validité des liens de vos favoris. De plus, vous pouvez avec ce petit outil affecter à vos favoris une icône personnalisée pour chacun de vos favoris. Cet utilitaire est disponible en téléchargement à cette adresse : **http://jceel.free.fr/FAVORG.zip**.

Malgré une interface disponible uniquement en anglais, son fonctionnement reste très simple. Après le lancement de l'application, un scan très rapide de vos favoris s'effectue. Une fois le scan terminé, un rapport s'affiche, qui reprend tous vos favoris et leur affecte un état suivant une légende prédéfinie (pour obtenir la légende, cliquez sur le menu **Tools** et sélectionnez la commande **Show Legend**). Ainsi, vous pourrez en un coup d'œil voir si le lien de chaque favori est correct ou pas. De plus, la fonction qui permet de stocker les favicons dans un dossier prédéfini est très appréciable et efficace.

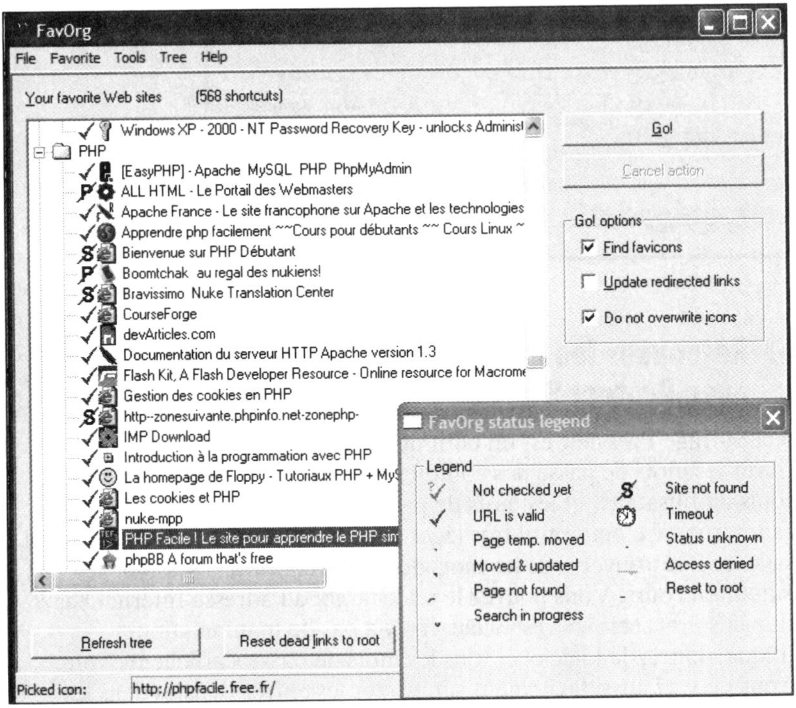

Figure 4.3 : *L'interface de Favorg avec la légende*

136. Partager une connexion Internet simplement

Windows XP dispose d'une fonction de partage de connexion Internet connue sous le nom d'ICS. Si vous disposez de plusieurs ordinateurs en réseau et d'une connexion Internet, vous pouvez facilement en faire profiter tous les postes en procédant ainsi :

1. Cliquez sur **Poste de travail/Panneau de configuration**, puis sur **Connexions réseau**.

2. Cliquez du bouton droit sur l'icône de votre connexion Internet et sélectionnez la commande **Propriétés** du menu contextuel.

3. Sélectionnez l'onglet **Avancé** et, dans la rubrique *Partage de connexion Internet,* cochez les cases *Autoriser d'autres utilisateurs du réseau à se connecter via la connexion Internet de cet ordinateur* et *Autoriser d'autres utilisateurs du réseau à contrôler ou désactiver la connexion Internet partagée,* puis cliquez sur le bouton OK.

4. Vous n'avez plus qu'à lancer Internet Explorer sur les postes clients du réseau.

ATTENTION

Difficultés de mise en œuvre

L'activation du partage de connexion Internet est très simple ; ce qui peut être en revanche plus difficile, c'est la phase de mise en réseau de plusieurs postes. Pour savoir comment relier plusieurs ordinateurs en réseau, vous pouvez vous rendre à l'adresse **www.generation-nt.com/index.php?cat=dossiers26**. Si vous avez du mal à faire fonctionner le partage de connexion Internet, rendez-vous à l'adresse **www.technicland.com/article.php3?sid=154**.

---

137. Un client FTP simple et efficace, Leech FTP

Leech FTP est un client FTP très léger, très efficace et, de plus, gratuit. Avec ce logiciel, vous pourrez mettre des serveurs FTP en signets, et ces derniers vous permettront de sauvegarder l'adresse IP des serveurs FTP, le nom d'utilisateur et leur mot de passe respectifs. L'intérêt de ce client FTP, outre les fonctionnalités de transfert de fichiers standards (envoi/réception), réside dans sa gestion des transferts. En effet, vous pourrez facilement envoyer et recevoir plusieurs fichiers, ces multiples transferts seront visibles sous forme de file d'attente. À tout moment, vous pourrez intervenir sur cette file d'attente, pour stopper ou supprimer le transfert d'un fichier. Vous pouvez télécharger Leech FTP et son pack de francisation à l'adresse Internet **http://stud.fh-heilbronn.de/~jdebis/leechftp/downloads.html**.

138. Connaître les ports en cours d'utilisation TCPView

Bien souvent, lorsque l'on souhaite configurer un pare-feu ou pour des questions évidentes de sécurité, on voudrait connaître les ports qu'il est nécessaire d'ouvrir ou bien ceux qu'il est impératif de fermer. L'utilitaire gratuit TCPView vous permet de lister en temps réel les ports et les protocoles utilisés par les process des applications en cours d'exécution. De plus, TCPView vous indique l'adresse IP locale et distante utilisée. Ce très bon logiciel est disponible à l'adresse **www.sysinternals.com/ntw2k/source/tcpview.shtml** ; il est très léger (35kb) et ne nécessite pas d'installation, il vous suffit de décompresser les trois fichiers contenus dans le fichier zip dans un dossier. Son utilisation est très simple : double-cliquez sur le fichier *TCPView.exe*, et vous aurez immédiatement un rapport de tous les protocoles actifs sur votre machine ; le rafraîchissement est automatique. Pour faire un test et ainsi voir la liste des protocoles utilisés par une application, ouvrez Outlook Express et cliquez sur le bouton **Envoyer/Recevoir** ; en même temps, jetez un œil sur TCPView.

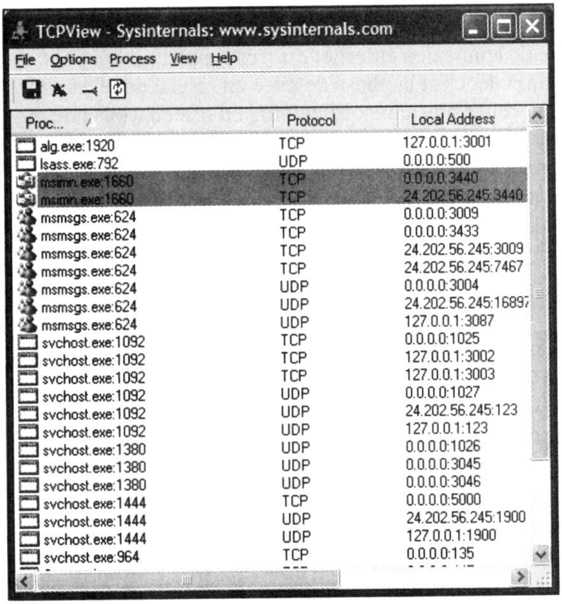

Figure 4.4 :
L'utilitaire TCPView avec quelques process actifs

139. Connaître son adresse IP et sa configuration réseau

Il est bien souvent très utile de connaître son adresse IP, que ce soit pour utiliser Netmeeting ou d'autres logiciels. Comme la plupart des fournisseurs d'accès ne donnent pas une adresse IP fixe, vous êtes en permanence à la recherche de celle-ci. Vous pouvez très facilement créer un fichier batch qui, lorsque vous l'exécuterez, vous donnera votre configuration réseau, comprenant bien sûr votre adresse IP.

1. Dans la boîte de dialogue **Exécuter** (accessible par le menu **Démarrer/Exécuter**), saisissez notepad afin de lancer le Bloc-notes.

2. Saisissez les lignes de code suivantes :

```
@echo
@echo Recherche de votre Configuration Reseau
@ipconfig
@echo
@pause
```

3. Cliquez sur le menu **Fichier** puis sélectionnez la commande **Enregistrer** et, dans la zone de texte *Nom du fichier*, saisissez confip.bat et enregistrez ce fichier sur le bureau ou dans un autre dossier facile d'accès.

4. Rendez-vous sur le bureau et double-cliquez sur le fichier *confip.bat* que vous venez de créer. Une fenêtre affichant votre configuration réseau s'affiche ; vous y retrouverez votre adresse IP.

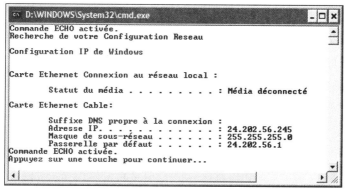

Figure 4.5 : *Résultat du fichier batch confip.bat*

Tout sur Ipconfig
Si vous souhaitez obtenir plus d'informations sur la syntaxe de la commande **ipconfig**, vous pouvez consulter l'adresse de la base de connaissances Microsoft : http://support.microsoft.com/default.aspx?scid=kb;fr;223413.

140. Fini les espions avec Ad-aware et Spybot

Les *spywares* ou mouchards fleurissent sur le net à une vitesse vertigineuse, à tel point que, comme les antivirus, de nouveaux logiciels antimouchards trouvent leur place parmi la palette des logiciels indispensables. Actuellement, deux logiciels gratuits prédominent sur le marché des antimouchards : Spybot et Ad-aware.

Le fonctionnement de ces deux logiciels est à peu près similaire ; il vous suffit de lancer un scan de votre disque dur, et les logiciels se mettent à la recherche des espions présents sur votre ordinateur. Une fois la recherche terminée, vous pouvez supprimer les espions ou les placer en quarantaine. Les deux logiciels possèdent une option de mise à jour en ligne des définitions d'espions. Voici l'adresse où vous pourrez trouver Spybot : **http:// security.kolla.de/index.php?lang=fr** ; et Ad-aware : **http://lavasoft.element5.com/ default.shtml.fr**.

141. Supprimer les pop-up

Une des choses les plus désagréables lorsque l'on surfe, c'est l'apparition incessante de pop-up publicitaires. Il arrive même que, sur certains sites, vous receviez jusqu'à trois ou quatre pop-up par page visitée. Heureusement, il existe des utilitaires qui vont vous aider à gérer cela. Le rôle des antipop-up est de détecter ces éventuels pop-up et de les fermer avant leur apparition à l'écran.

Parmi les antipop-up gratuits, Pop-up stopper est un des plus efficaces et aussi un des plus simples de par son utilisation et sa configuration. Vous pouvez le télécharger à l'adresse **www.panicware.com/product_psfree.html**. Une fois qu'il est installé, il vous suffit de le configurer selon vos besoins. Vous pouvez le paramétrer afin qu'il émette un signal sonore et visuel dès qu'un pop-up sera bloqué. Il n'y a pas d'autre réglage à effectuer, et c'est finalement l'un de ses points les plus forts : sa simplicité. Si vous souhaitez laisser s'ouvrir un pop-up sur une page, il vous suffira d'appuyer sur la touche Ctrl.

Un autre anti pop-up gratuit
La barre d'outil Google intègre aussi en plus de toutes ces autres fonctions un anti pop-up intégré très efficace. Téléchargez-la à partir de cette adresse **http://toolbar.google.com/intl/fr**.

142. Aspirer un site pour le consulter hors connexion

Si vous voulez télécharger un site web entièrement sur votre disque dur, afin de consulter son contenu hors connexion, vous pouvez utiliser un "aspirateur de site web". La fonction principale de ces logiciels est de faire une copie parfaite du site que vous souhaitez aspirer. De nombreux paramètres sont à votre disposition afin de définir et de régler les téléchargements selon vos besoins. Par exemple, vous pouvez donner un niveau de profondeur des liens, désactiver le téléchargement des images ou des fichiers *.zip* ou *.exe* ; vous pouvez aussi différer et régler le débit des téléchargements.

Bien évidemment, de nombreux logiciels sont disponibles sur le marché ; malheureusement, à l'heure actuelle aucun freeware ne donne une totale satisfaction. Offline Explorer est un aspirateur de site web très puissant, facile d'utilisation et qui dispose d'une interface paramétrable en français. Ce shareware, que vous pouvez essayer gratuitement pendant 30 jours, est disponible à l'adresse **www.metaproducts.com/mp/mpProducts_Detail.asp?id=1**. Son utilisation est très simple : dès sa première exécution, une boîte de dialogue se lance sous la forme d'un assistant. Il ne vous reste plus qu'à saisir l'URL du site que vous souhaitez aspirer, le dossier dans lequel vous voulez stocker l'image du site et la profondeur des liens. Pour franciser l'interface, cliquez sur le menu **Afficher** et sélectionnez la commande **French** dans le sous-menu **Langues**. Vous vous familiariserez très vite avec ce logiciel, car sa simplicité d'utilisation et son efficacité en font incontestablement un des meilleurs *soft* de sa catégorie.

Figure 4.6 : *Un site aspiré par Offline Explorer*

143. Installer et configurer un pare-feu efficace et gratuit

La sécurité sur le net est devenue un des enjeux majeurs de ces dernières années, et les entreprises investissent de grosses sommes pour se protéger des virus et d'éventuelles attaques de pirates. Si ces *hackers* visent essentiellement les entreprises, il serait faux de penser que vous êtes à l'abri d'une éventuelle intrusion sur votre ordinateur. Le fait de posséder un antivirus ne vous protège pas des attaques extérieures ; c'est pour cela que, même sur votre ordinateur personnel, il est important de vous protéger à l'aide d'un pare-feu.

Installer Kerio Personal Firewall

Parmi la gamme des pare-feu, un prédomine par sa simplicité d'emploi et par son efficacité. Kerio Personal Firewall est à l'heure actuelle un des meilleurs pare-feu, de plus gratuit pour une utilisation personnelle. Préférez la version 2.1.5 du pare-feu Kerio plutôt que la dernière.

1. Rendez-vous à l'adresse Internet **http://eu.download.Kerio.com/dwn.kpf/ Kerio.pf-2.1.5-en-win.exe** pour télécharger le logiciel d'installation de Kerio Personal Firewall. En même temps, il est conseillé de télécharger le fichier d'aide disponible en français à l'adresse **www .kerio.com/dwn/kpf/kpf21-fr-v1.chm**, il vous sera utile pour vous familiariser avec le logiciel.

2. Double-cliquez sur le fichier exécutable afin de lancer l'installation. Elle se déroule très simplement, il est juste nécessaire de redémarrer votre ordinateur une fois celle-ci terminée.

3. Si vous souhaitez que le fichier d'aide soit en français, renommez le fichier *kpf21-fr-v1.chm* précédemment téléchargé en kpf.chm et placez-le dans le dossier *C:\Program Files\Kerio\Personal Firewall*.

Définir un niveau de sécurité

Prenez le temps de faire les réglages suivants et accordez-y une attention particulière, car ce sont de ces réglages que dépendra l'efficacité de votre pare-feu :

1. Une fois votre ordinateur redémarré suite à l'installation de Kerio, vous remarquerez la présence d'une nouvelle icône en forme de bouclier dans le systray juste à côté de l'heure.

2. Cliquez du bouton droit sur cette icône et sélectionnez la commande **Administration**. Dans la boîte de dialogue **Kerio Personal Firewall** qui s'affiche, sélectionnez l'onglet **Firewall**.

3. La case *Firewall Enabled* indique que le pare-feu est actif ; il faut donc vérifier que cette case soit cochée. Si vous souhaitez un jour désactiver temporairement votre pare-feu, il vous faudra décocher cette case. Dans la rubrique correspondant à cette case, placez le curseur à la position correspondant au niveau de sécurité **ASK Me First**. Ce niveau de sécurité est intéressant, car il reste très sécurisé tout en vous laissant une certaine souplesse dans son utilisation.

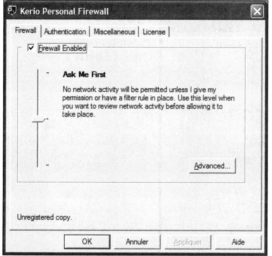

Figure 4.7 :
L'onglet Firewall vous permet de régler le niveau de sécurité

Rendre son pare-feu intelligent

Tel que nous venons de paramétrer le pare-feu, celui-ci va, dès que vous allez lancer une application utilisant votre connexion Internet, afficher une alerte de sécurité. Ne vous affolez pas, il faut rendre le pare-feu "intelligent", en lui apprenant sous forme de règles quelles applications sont sans danger pour votre environnement. Par exemple, pour le logiciel Outlook Express, nous allons configurer le pare-feu afin qu'il ne place plus d'alerte lorsque vous l'utiliserez.

Lancez Outlook Express et cliquez sur le bouton **Envoyer/Recevoir**. Instantanément, une boîte de dialogue d'alerte **Outgoing Connection Alert!** s'affiche. C'est à partir de ce type de boîte de dialogue que vous allez pouvoir simplement créer des règles qui permettront à votre pare-feu de devenir "intelligent". Voilà comment réagir devant ce type de situation : si vous pensez que l'application est sans danger pour votre environnement, cochez la case *Create appropriate filter rule and don't ask me again* puis cliquez sur le bouton **Permit** ; c'est cette option qu'il vous faut choisir dans le cas Outlook Express. Si, en revanche, vous souhaitez toujours bloquer ce type d'application, cochez la case *Create appropriate filter rule and don't ask me again* et cliquez sur le bouton **Deny**. Si vous ne souhaitez pas créer de règles à partir de ces alertes, cliquez sur **Permit** ou **Deny** sans cocher la case *Create appropriate filter rule and don't ask me again.* Il vous faudra paramétrer ainsi toutes les applications Internet (Internet Explorer, Messenger, etc.).

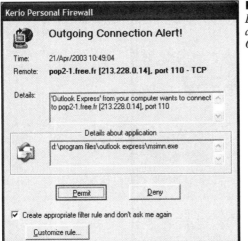

Figure 4.8 :
La boîte de dialogue d'alerte concernant Outlook Express

Gérer les règles

Pour visualiser les règles que vous avez déjà pu paramétrer, procédez comme suit :

1. Cliquez du bouton droit sur l'icône de Kerio Personal Firewall se trouvant à côté de l'horloge et sélectionnez la commande **Administration**. Dans la boîte de dialogue **Kerio Personal Firewall** qui s'affiche, sélectionnez l'onglet **Firewall**.

2. Dans la rubrique *Firewall Enabled*, cliquez sur le bouton **Advanced**. Dans la boîte de dialogue *Firewall Configuration*, sélectionnez l'onglet **Filter Rules**. Dans cet onglet, vous allez retrouver toutes les règles que vous avez pu créer jusqu'à aujourd'hui. Si vous trouvez des applications en double, regardez les ports utilisés et leurs états ; vous allez sûrement

pouvoir facilement regrouper le tout sous une même règle. Par exemple, pour l'application Messenger, qui utilise des ports TCP et UDP dans le sens entrant et sortant, vous pouvez créer une seule règle. Cliquez sur l'application **Messenger**, dans le menu déroulant **Protocol**, sélectionnez *TCP and UDP* et, dans le menu déroulant **Direction**, sélectionnez *Both directions*, puis validez par le bouton OK. Vous pouvez maintenant supprimer l'application Messenger, qui est en double dans l'onglet **Filter Rules**. Avant de quitter la configuration du Firewall, n'oubliez pas de cliquer sur le bouton **Appliquer**.

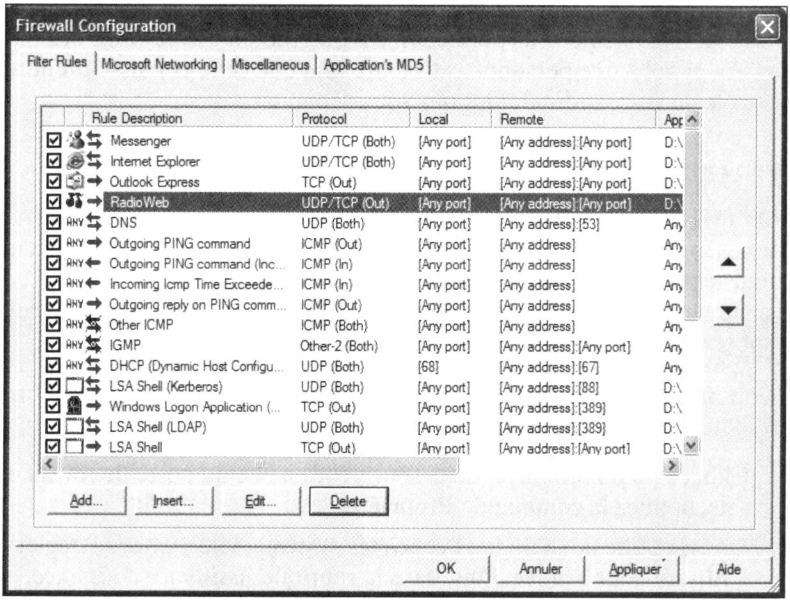

Figure 4.9 : *Liste des règles*

Pour aller plus loin avec Kerio Personal Firewal

Pour entrer plus en détail dans les réglages de Kerio Personal Firewall, vous pouvez, en plus de l'aide en français que vous pouvez télécharger, trouver aussi sur Internet des règles toutes prêtes, et il ne vous restera plus qu'à les renseigner dans le logiciel. Quelques règles bien faites sont disponibles à l'adresse http://websec.arcady.fr/kerioPF.htm.

144. Utiliser l'assistance à distance de XP pour se faire dépanner par un ami

Très souvent, les problèmes que vous pouvez rencontrer avec votre ordinateur peuvent rapidement devenir gênants, voire bloquants. Dans la plupart des cas, la résolution des problèmes peut paraître simple pour un informaticien ou pour un utilisateur avancé, mais tout le monde n'est pas censé avoir un diplôme d'informatique juste pour utiliser son ordinateur. Microsoft vient d'intégrer à Windows XP un système d'assistance à distance. Ce système vous permet en cas de problème avec votre ordinateur de faire appel à une personne extérieure afin que celle-ci puisse prendre le contrôle de votre ordinateur, pour vous dépanner.

Pré requis

Pour utiliser l'assistance à distance, il est impératif de disposer d'une connexion Internet sur les deux postes qui vont se connecter. Bien qu'une connexion haut débit ne soit pas forcément nécessaire, elle est recommandée. Les deux ordinateurs entrant en communication doivent disposer de Windows XP (édition familiale ou professionnelle).

Il vous faut aussi autoriser l'utilisation de l'assistance à distance sur votre ordinateur ; pour cela, procédez comme ceci :

1. Cliquez du bouton droit de la souris sur l'icône du poste de travail et sélectionnez la commande **Propriétés**.

2. Dans la boîte de dialogue **Propriétés système**, sélectionnez l'onglet **Utilisation à distance**. Puis, dans la rubrique *Assistance à distance*, cochez la case *Autoriser l'envoi d'invitation d'assistance à distance à partir de cet ordinateur*, et cliquez sur le bouton OK.

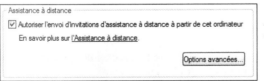

Figure 4.10 :
Rubrique Assistance à distance

Voici deux méthodes possibles pour démarrer une assistance à distance.

Assistance à distance depuis Windows Messenger

Windows Messenger est installé par défaut sur les ordinateurs qui disposent de Windows XP Professionnel ou édition familiale ; si vous ne savez pas comment utiliser Windows Messenger, consultez l'astuce Ouvrir un compte Passport du chapitre Messageries instantanées.

Afin de pouvoir démarrer une assistance à distance *via* Windows Messenger, il faut impérativement que la personne à qui vous souhaitez demander de l'aide fasse partie de votre liste de contacts. Si ce n'est pas le cas, demandez à la personne son contact Messenger avant de faire la manipulation.

1. Double-cliquez sur l'icône *Windows Messenger*, qui se situe à côté de l'horloge.

2. Dans la liste de vos contacts Messenger, cliquez du bouton droit sur le contact à qui vous souhaitez demander de l'aide et sélectionnez la commande **Demander une assistance à distance**. Attention, il faut que le contact à qui vous demandez de l'aide soit en vert, ce qui signifie qu'il est en ligne !

3. À ce moment-là, la personne reçoit votre demande et doit l'accepter. Si c'est le cas, vous recevez une boîte de dialogue **Assistance à distance** vous indiquant que la personne a accepté la demande. Dans cette même boîte de dialogue, à la question *Voulez-vous laisser cette personne afficher votre écran et converser avec vous?*, cliquez sur le bouton **Oui**.

4. Dès que la connexion est établie, l'affichage en cours de votre écran apparaît chez la personne à qui vous avez demandé de l'aide. À partir de cet instant, tout ce que vous ferez à l'écran sera affiché simultanément chez la personne distante, mais, attention, elle ne pourra pas intervenir sur votre ordinateur tant que vous ne l'aurez pas autorisée à prendre le contrôle.

5. Pour que la personne à qui vous avez demandé de l'aide puisse intervenir sur votre ordinateur, il faut qu'elle vous en fasse la demande en cliquant sur le bouton **Prendre le contrôle** qui se situe en haut à gauche de son écran.

6. Pour accepter la demande, à la question *Voulez-vous laisser prendre le contrôle de votre ordinateur?*, cliquez sur le bouton **Oui**.

7. Pour mettre fin à une session d'assistance à distance, cliquez sur le bouton **Déconnexion**.

Demander une assistance à distance par courrier électronique

Si vous ne vous servez pas de Windows Messenger et que vous souhaitiez tout de même demander une assistance à distance à un ami, vous pouvez faire cette demande par courrier électronique.

1. Cliquez sur le bouton **Démarrer** et sélectionnez la commande **Aide et support**. La fenêtre **Centre d'aide et support** s'affiche.

2. Dans la rubrique *Demander de l'assistance*, cliquez sur **Inviter un ami à se connecter à votre ordinateur avec l'assistance à distance**.

3. Dans la fenêtre suivante, cliquez sur la commande **Inviter quelqu'un pour vous aider**. La fenêtre proposant l'étape suivante s'affiche.

4. Dans la zone de texte *Entrez une adresse de messagerie*, saisissez l'adresse de messagerie de la personne à qui vous souhaitez envoyer la demande d'assistance à distance, puis cliquez sur la commande **Inviter cette personne**.

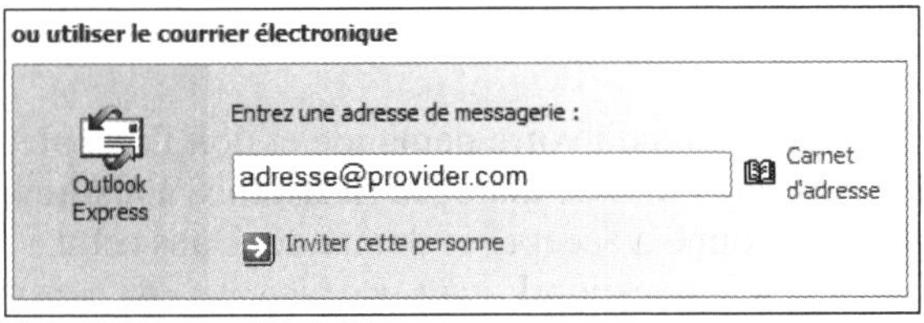

Figure 4.11 : *La rubrique courrier de la fenêtre du centre d'aide à distance*

5. Dans la zone de texte *Émis par*, saisissez le nom que vous souhaitez voir apparaître lors de l'invitation ; en principe, saisissez votre prénom et/ou votre nom de famille pour que la personne à qui vous demandez de l'aide vous identifie rapidement. Dans la zone de texte *Message*, saisissez le texte que vous souhaitez envoyer dans le message, puis cliquez sur le bouton **Continuer**.

6. À l'aide des menus déroulants de la rubrique *Demander l'expiration de l'invitation*, déterminez la durée de validité de votre demande. Ensuite, si vous avez défini un mot de passe à l'avance avec votre ami, cochez la case *Demander au destinataire d'utiliser un mot de passe* et saisissez le mot de passe et sa confirmation dans les zones de texte correspondantes, puis cliquez sur le bouton **Envoyer l'invitation**.

7. Dès que votre ami recevra la demande d'assistance par e-mail, il n'aura plus qu'à exécuter le fichier joint avec le message pour lancer la connexion.

145. Un logiciel de contrôle à distance multiplate-forme

Pour les personnes qui n'ont pas Windows XP, il existe un logiciel gratuit, RealVNC, qui permet de prendre le contrôle d'un poste à distance. Avec RealVNC, vous pourrez donc faire de l'assistance à distance, et il vous permettra aussi d'administrer un poste ou un serveur distant ne fonctionnant pas forcément sous le même environnement que le poste maître. Par exemple, vous pourrez depuis un poste qui fonctionne sous Windows intervenir sur un poste qui fonctionne sous Linux. Pour plus de renseignements sur la compatibilité entre les divers environnements, vous pouvez vous rendre à l'adresse **www.realvnc.com/what.html**.

Le fonctionnement de ce logiciel est très simple ; il faut le télécharger à partir de l'adresse **www.realvnc.com/download.html**. Lors de l'installation, vous avez le choix d'installer VNC Serveur pour la machine cliente ou VNC Viewer pour le poste qui prend le contrôle, et vous pouvez aussi installer les deux versions sur la même machine. Ensuite, il vous suffit de lancer l'application et de paramétrer un mot de passe sur le poste client. Depuis le poste maître, saisissez l'adresse IP du client et le mot de passe afin d'établir la connexion.

146. Le bureau à distance de XP Professionnel

L'utilisation du bureau à distance est une des nouvelles fonctionnalités proposées par Windows XP Professionnel. Avec cette fonction, vous pouvez accéder à toutes les ressources de votre ordinateur depuis un autre ordinateur distant exécutant Windows XP, 95 ou 98. Vous pourrez ainsi, de n'importe où dans le monde, accéder à votre ordinateur et travailler comme si vous étiez devant. Cela vous permet d'accéder à tous les documents, logiciels ressources installés dessus. Voici comment procéder pour utiliser cette fonctionnalité.

Réglages de l'ordinateur hôte

Avant de pouvoir utiliser le bureau à distance sur votre ordinateur, il vous faut d'abord effectuer quelques réglages.

Activer la fonction *Bureau à distance*

1. Cliquez du bouton droit de la souris sur le poste de travail et sélectionnez la commande **Propriétés**. Dans la boîte de dialogue **Propriétés système**, sélectionnez l'onglet **Utilisation à distance**.

2. Dans la rubrique *Bureau à distance*, cochez la case *Autoriser les utilisateurs à se connecter à distance à cet ordinateur*, puis cliquez sur le bouton OK.

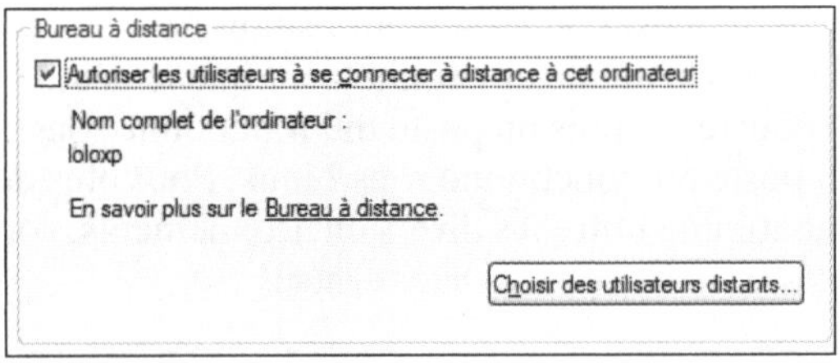

Figure 4.12 :
Rubrique Bureau à distance

Autoriser des utilisateurs à se connecter au bureau à distance

Attention, seuls les comptes Administrateur peuvent par défaut utiliser le bureau à distance. Pour autoriser des comptes utilisateurs limités, il faut simplement les déclarer comme ceci :

1. Cliquez du bouton droit sur le poste de travail et sélectionnez la commande **Propriétés**. Dans la boîte de dialogue **Propriétés système**, sélectionnez l'onglet **Utilisation à distance**.

2. Dans la rubrique *Bureau à distance*, cliquez sur le bouton **Choisir des utilisateurs distants**. La boîte de dialogue **Utilisateurs du Bureau à distance** s'affiche.

3. Cliquez sur le bouton **Ajouter** et, dans la rubrique *Entrer les noms des objets à sélectionner*, saisissez le nom du compte que vous souhaitez utiliser pour vous connecter au bureau à distance puis cliquez sur le bouton OK.

4. Si le nom de compte que vous venez de saisir est valide, celui-ci s'affiche avec une icône en forme de visage dans la boîte de dialogue **Utilisateurs du Bureau à distance**. Si le compte que vous venez de saisir n'est pas reconnu (faute de frappe ou compte inexistant), on vous demandera de ressaisir le nom du compte. Notez que l'on vous signale que le compte Administrateur a déjà un accès (sur la capture d'écran, on peut voir que le compte Laurent est administrateur puisqu'il est notifié *Laurent a déjà un accès*).

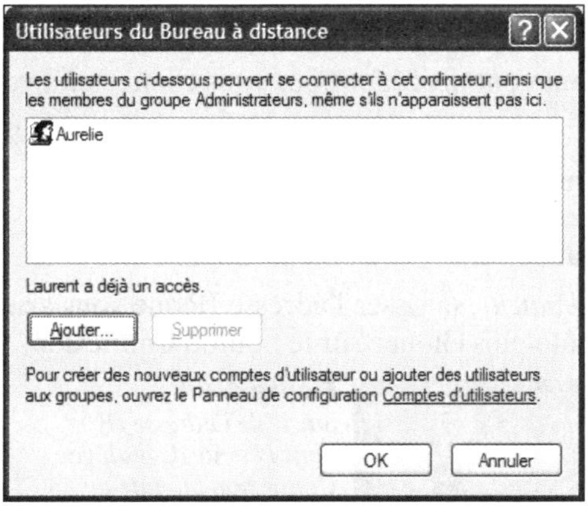

Figure 4.13 :
Ajout d'un compte d'utilisation du bureau à distance

Ouvrir le port nécessaire à la connexion au bureau à distance

Comme vous allez laisser votre ordinateur allumé et connecté à Internet pendant une certaine période, il vaut mieux prendre vos précautions et vous munir d'un pare-feu afin d'éviter tout acte de piratage. Donc, si vous utilisez un pare-feu, n'oubliez pas d'ouvrir le port 3389 en TCP nécessaire à l'établissement de la connexion bureau à distance.

Relever les informations nécessaires à la connexion distante

Pour vous connecter depuis un ordinateur distant, il vous faudra bien sûr le nom du compte utilisateur que vous venez d'autoriser à utiliser le bureau à distance, son mot de passe et l'adresse IP du poste afin de pouvoir l'atteindre une fois que vous serez à l'extérieur. Pour relever l'adresse IP, procédez comme suit :

1. Dans la boîte de dialogue **Exécuter** (accessible par le menu **Démarrer/Exécuter**), saisissez cmd afin de lancer une fenêtre **Invite de commandes**.

2. Dans cette fenêtre, saisissez la ligne de commande suivante : ipconfig, puis validez par la touche Entrée. Les informations relatives à votre configuration réseau s'affichent.

3. Recherchez et relevez les informations relatives à la ligne *Adresse IP*. Une fois que vous avez cette adresse, vous pouvez fermer la fenêtre d'invite de commandes.

Une fois tous les réglages effectués, fermez la session *via* la commande **Fermer la session** du menu **Démarrer**. Attention, n'éteignez surtout pas l'ordinateur, comme à votre habitude !

Connexion à son bureau à distance

Une fois à l'extérieur, voici comment procéder pour vous connecter à votre ordinateur :

1. Cliquez sur le bouton **Démarrer** puis sur **Tous les programmes**. Ensuite, dans le menu **Accessoires**, sélectionnez la commande **Connexion Bureau à distance** dans le sous-menu **Communications**.

2. Dans la zone de texte *Ordinateur*, saisissez l'adresse IP que vous aviez relevée sur l'ordinateur hôte puis cliquez sur le bouton **Connexion**.

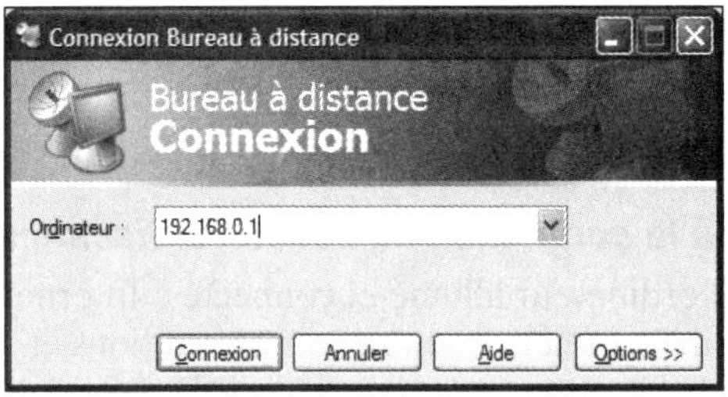

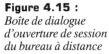

Figure 4.14 :
Saisie de l'adresse IP dans la boîte de dialogue Connexion bureau à distance

Vous pouvez régler divers paramètres en cliquant sur le bouton **Options** de la boîte de dialogue **Connexion Bureau à distance**. Par exemple, si vous souhaitez régler la taille de la fenêtre du bureau à distance, sélectionnez l'onglet **Afficher** et, dans la rubrique *Taille du Bureau distant*, modifiez la taille de la fenêtre. Vous pouvez aussi optimiser la vitesse en baissant le nombre de couleurs affichées. Et encore, *via* ces options, régler les paramètres de son, de clavier, de périphériques locaux et enregistrer vos paramètres de connexion.

3. La connexion s'établit ; saisissez votre nom d'utilisateur et votre mot de passe pour finalement arriver sur votre bureau et votre environnement habituels.

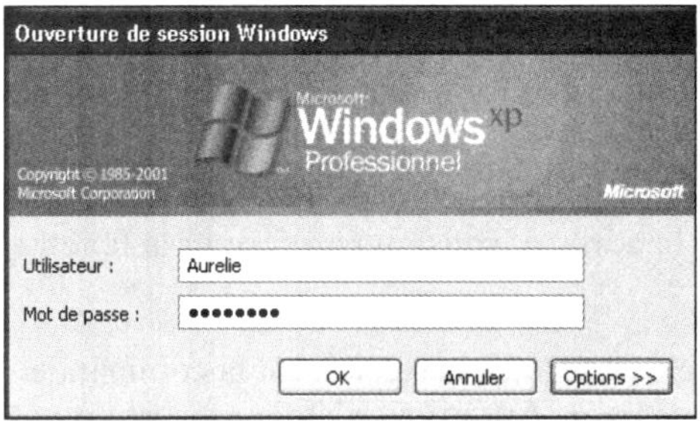

Figure 4.15 :
Boîte de dialogue d'ouverture de session du bureau à distance

Connexion depuis un ordinateur ne fonctionnant pas sous Windows XP

L'ordinateur hôte doit forcément exécuter Windows XP Professionnel ; en revanche, celui d'où vous souhaitez vous connecter peut fonctionner sous Windows 95, 98, 2000. Il vous suffit de placer le CD-Rom d'installation de Windows XP Professionnel dans le lecteur de CD de la machine et de cliquer sur **Effectuer des tâches supplémentaires**, puis sur **Créer une connexion Bureau à distance**. Une fois l'installation des ressources terminée, cliquez sur le bouton **Démarrer** puis sur **Programmes**. Ensuite, dans le menu **Accessoires**, sélectionnez la commande **Connexion Bureau à distance** dans le sous-menu **Communications**.

Figure 4.16 : *Une session Bureau à distance ouverte sur un ordinateur exécutant Windows 98*

147. Éditer son historique en profondeur

Il existe un fichier *Index.dat* qui est en fait une copie de votre historique ; il contient la liste des URL consultées. Il faut savoir que, même si vous effacez l'historique et les URL présentes dans le registre, ce fichier pourrait encore porter atteinte à votre confidentialité. Il n'est pas effaçable directement sous Windows ; une méthode existe qui consiste à le supprimer manuellement en boutant sur une disquette ou en mode MS-DOS, mais ceci n'est pas très simple.

Regseeker, utilitaire gratuit pour une utilisation personnelle, vous permet entre autres d'éditer ce fichier et d'effacer les éléments sélectionnés. Voici comment vous pouvez utiliser Regseeker afin d'éditer le fichier *index.dat* :

1. Regseeker est disponible sur le site de Thibault Djian, son créateur, à l'adresse **www.hoverdesk.net/freeware.htm**.

2. Une fois Regseeker téléchargé, dézippez-le dans un répertoire, puis cliquez sur **RegSeeker.exe** pour lancer l'application.

3. Pour bénéficier de l'interface française, cliquez sur le menu **Languages** et sélectionnez la commande **Français [French.lng]**.

4. Cliquez ensuite sur le menu **Historiques** et, dans le menu qui s'ouvre, sélectionnez la commande **IE Historique Cache Cookies (index.dat)**.

5. Dans le volet de droite, toutes les entrées contenues dans le fichier *index.dat* s'affichent. Pour effacer une adresse, cliquez une fois sur celle que vous souhaitez supprimer afin de la sélectionner, puis cliquez avec le bouton droit de la souris et sélectionnez la commande **Supprimer les éléments sélectionnés**.

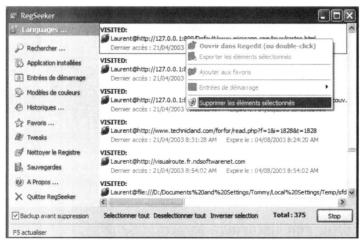

Figure 4.17 : *Le fichier Index.dat listé par Regseeker*

148. Les logiciels de compression/décompression

Le transfert de données est une des plus importantes sources de trafic sur le Web. Si les connexions haute vitesse ont largement contribué à l'amélioration des conditions de transfert, les logiciels de compression et de décompression sont toujours beaucoup utilisés, notamment pour réduire la taille des pièces jointes dans les e-mails, car la taille de stockage des e-mails est toujours limitée sur les serveurs de courriers. Voici la liste des logiciels de compression/décompression les plus utilisés.

Tableau 4-1 : Liste des logiciels de compression/décompression		
Nom du logiciel	Adresse de téléchargement	Principaux fichiers gérés
Winzip	www.winzip.com/ddca.htm	.zip, .tar, .gz, .taz, .tgz, .cab, .arc, .arj, .lzh.
Power Archiver	www.powerarchiver.com /download	.zip, .cab, .lha (.lzh), .tar, .gz, .bz2, .bh, .rar, .arj, .arc, .ace, .zoo, .gz, .bzip2, .xxe, .mime, .uue.
Winace	www.winace.com/down.html	.ace, .zip, .lha, .ms-cab, .rar, .arc, .arj, .gzip, .tar, .zoo, .jar.
Winrar	www.win-rar.com/index .php?lang=fra&aid =download	.zip, .cab, .arj, .lzh, .ace, .tar, .gzip, .uue, .iso, .bzip.

4.2 Les principaux plug-in pour Internet Explorer

Les plug-in sont des petits logiciels qui viennent ajouter des fonctionnalités aux programmes pour lesquels ils ont été développés. Voici, pour Internet Explorer, la liste des principaux plug-in, leurs fonctions et un lien où vous pourrez les télécharger en version française.

149. Adobe Acrobat Reader

Le format de fichier *.pdf* est devenu un standard en matière de diffusion de fichiers électroniques. Ce format conserve la mise en page, le formatage et la disposition des images quelle que soit la plate-forme sur laquelle il sera lu. Vous pouvez directement visualiser les fichiers portant l'extension *.pdf* à partir d'Internet Explorer ; pour cela, téléchargez et installez le logiciel Adobe Acrobat Reader, disponible à l'adresse **www.adobe.fr/products/ acrobat/readstep2.html**.

Pour configurer l'ouverture des fichiers PDF dans votre navigateur, reportez-vous à l'astuce Affichage des fichiers PDF sous Internet Explorer du chapitre Maîtriser et optimiser votre navigation.

150. Macromedia Flash Player

Sur le net, les animations multimédias Flash (format de fichier *.swf*) sont devenues une référence et presque un standard. La faible taille des animations, la compatibilité entre les diverses plates-formes, les possibilités de créations quasiment illimitées en ont fait un des lecteurs multimédias le plus utilisés sur le net (à peu près 475 millions d'internautes disposent de ce lecteur gratuit). Pour le télécharger, rendez-vous à l'adresse web **www .macromedia.com/fr/software/flashplayer**.

Macromédia diffuse un autre plug-in très connu sous le nom de Shockwave Player. Ce dernier est un peu plus lourd, mais son installation intègre aussi le plug-in Flash Player. Ce player est orienté animation 3D et jeux en ligne, vous pourrez le télécharger à l'adresse **www.macromedia.com/fr/software/ shockwaveplayer**. Si vous voulez vous faire une idée de la qualité des animations réalisées avec la technologie Shockwave, rendez-vous à l'adresse Internet **www.shockwave.com**.

Figure 4.18 :
Une animation lue dans une fenêtre Internet Explorer avec le plug-in Shockwave Player

151. RealOne Player

Le lecteur multimédia RealOne Player est lui aussi une référence en tant que lecteur multimédia sur le net. Il est utilisé sur de nombreux sites, notamment ceux qui utilisent la technologie du *streaming* pour diffuser de l'audio ou de la vidéo sur leurs pages. Vous pouvez le télécharger à l'adresse **www.real.com/realone/?lang=fr**.

Choisir le bon player

Lorsque vous vous rendrez à l'adresse mentionnée ci-dessus pour télécharger le lecteur RealOne Player, ne vous trompez pas, car la société Real propose en premier de télécharger le lecteur RealOne Player Plus, qui, lui, est payant. Pour télécharger le lecteur RealOne Player gratuit, cliquez sur le lien RealOne Player gratuit, situé vers le milieu de la page web.

152. QuickTime Player

QuickTime Player est un lecteur multimédia qui permet entre autres de lire les fichiers audio et vidéo. Ce lecteur, bien qu'il soit développé par Apple, est compatible Mac OS et Windows ; vous pouvez le télécharger gratuitement à l'adresse **www.apple.com/fr/quicktime/download**. QuickTime vous permettra aussi de visualiser un très grand nombre de formats d'image.

153. Machine virtuelle Java (JVM) de Sun et la Machine virtuelle Microsoft

Les applets Java étant très utilisées sur le net, voici où trouver les logiciels nécessaires à leur lecture. Vous pouvez télécharger le logiciel Java SUN à l'adresse **http://java.sun.com/getjava/fr**.

Actuellement, Sun étant en procès contre Microsoft à propos de la machine virtuelle, Microsoft ne peut plus diffuser pour l'instant sa machine virtuelle. Mais vous pouvez la trouver en téléchargement sur des sites indépendants, notamment celui de Jceel, à l'adresse **http://jceel.free.fr**, intervenant régulier sur les newsgroups Microsoft. Ou sur le site d'aide de la Direction générale des impôts, **http://steriatddi.stesop.net/pgTelechargementJVM.html**.

154. La visionneuse Microsoft Word, Excel et PowerPoint

Si vous ne disposez pas de la suite Microsoft Office, sachez que vous pouvez tout de même consulter et imprimer gratuitement des documents Word, Excel et PowerPoint que l'on vous transférera ou que vous trouverez sur le net. En revanche, ces visionneuses ne vous permettront pas de modifier les documents. Voici où trouver les différentes visionneuses.

Word : http://office.microsoft.com/france/downloads/2000/wd97vwr32.aspx.

PowerPoint : http://office.microsoft.com/france/downloads/2000/ppview97.aspx.

Excel : http://office.microsoft.com/downloads/2000/xlviewer.aspx.

Visio : http://www.office.microsoft.com/france/downloads/2002/vviewer.aspx.

4.3 Les bookmarklets

155. Définition d'un bookmarklet

Le concept des *bookmarklets*, ou applisignets en français, est très innovant même si, pour l'instant, il reste peu connu du grand public sur le net. L'idée est en fait de détourner l'utilisation des signets (favoris) en remplaçant l'URL contenue dans le code du signet par un tout petit bout de script écrit en JavaScript. Chaque favori ainsi modifié devient une petite application à lui tout seul. Ce signet spécial, plus communément appelé bookmarklet, pourra être exécuté afin d'appliquer le programme (script) à la page en cours de visite.

Pour prendre un exemple concret, en ajoutant à vos favoris le bookmarklet appelé Display Image, lorsque vous cliquerez sur ce signet pendant la visite d'une page, une nouvelle page s'ouvrira qui contiendra uniquement les images de la page que vous étiez en train de visiter.

Il existe à l'heure actuelle à peu près 150 bookmarklets différents. Ils sont tous disponibles gratuitement sur le site de Steve Kangas, www .bookmarklets.com, sur lequel vous pouvez directement tester tous les bookmarklets compatibles avec votre navigateur simplement en cliquant sur les liens proposés pour chaque bookmarklet.

156. Être efficace avec les bookmarklets

Les bookmarklets sont un excellent moyen de mettre à profit votre barre de liens. Effectivement, pour que ces petits programmes soient efficaces, il faut qu'ils soient très facilement accessibles, et la barre de liens d'Internet Explorer est très bien placée pour les accueillir. Pour afficher votre barre de liens, procédez comme suit :

1. Dans le menu **Affichage** d'Internet Explorer, ouvrez le menu **Barres d'outils** et sélectionnez la commande **Liens**.

2. Pour que la barre de liens soit vraiment bien placée parmi les barres d'outils, cliquez sans relâcher sur son extrémité gauche et placez-la en bas de toutes les barres d'outils.

Parmi les 150 bookmarklets du site de Steve Kangas, nous vous en suggérons 9 que nous trouvons particulièrement intéressants. Suivez les astuces suivantes pour ainsi ajouter les bookmarklets sélectionnés à la barre de liens que vous venez d'afficher.

157. Afficher toutes les images contenues dans une page

Ce bookmarklet vous permettra d'afficher dans une nouvelle fenêtre toutes les images présentes sur la page en cours de visite ; pour l'ajouter à vos favoris dans la barre de liens, procédez comme suit :

1. Ouvrez Internet Explorer et rendez-vous à l'adresse www.bookmarklets .com/tools/data/index.phtml.

2. Sur la page affichée, cliquez du bouton droit de la souris sur le lien du bookmarklet nommé *Display Images*. Dans le menu contextuel qui s'affiche, sélectionnez la commande **Ajouter aux Favoris**.

3. Dans la boîte de dialogue **Alerte de sécurité**, qui vous signale que le favori n'est pas sûr, cliquez sur le bouton **Oui**. La boîte de dialogue **Ajout de Favoris** s'affiche.

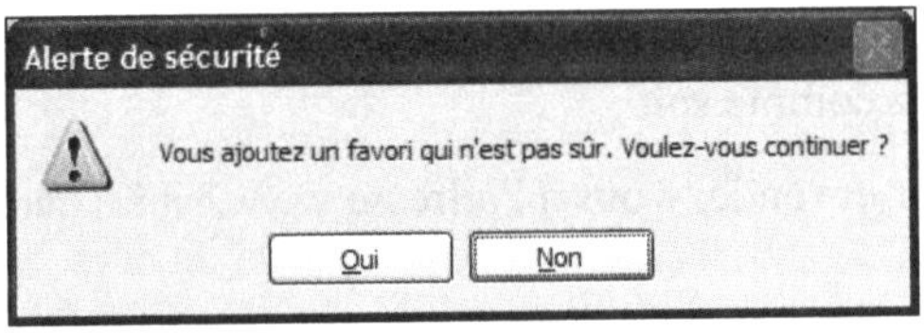

Figure 4.19 :
*La boîte de dialogue
Alerte de sécurité*

4. Dans la zone de texte *Nom*, effacez le nom inscrit et saisissez Afficher images, puis sélectionnez le dossier *Liens* et cliquez sur le bouton OK.

5. Pour tester ce bookmarklet, rendez-vous sur une page web contenant des images et cliquez sur le signet *Afficher images* que vous venez de créer. Toutes les images présentes sur la page s'affichent sur une nouvelle page.

Figure 4.20 : *Liste des images d'une page*

158. Masquer toutes les images d'une page

Ce bookmarklet vous permettra de masquer toutes les images présentes sur la page en cours de visite, ce qui est très utile lorsque vous souhaitez imprimer uniquement le texte des pages. Pour ajouter ce bookmarklet à votre barre de liens, procédez comme suit :

1. Ouvrez Internet Explorer et rendez-vous à l'adresse www.bookmarklets .com/tools/look/index.phtml.

2. Sur la page affichée, cliquez du bouton droit sur le lien du bookmarklet nommé *Hide All Images*. Dans le menu contextuel qui s'affiche, sélectionnez la commande **Ajouter aux Favoris**.

3. Dans la boîte de dialogue **Alerte de sécurité**, qui vous signale que le favori n'est pas sûr, cliquez sur le bouton **Oui**. La boîte de dialogue **Ajout de Favoris** s'affiche.

4. Dans la zone de texte *Nom*, effacez le nom inscrit et saisissez Masquer images, puis sélectionnez le dossier *Liens* et cliquez sur le bouton OK.

5. Pour tester ce bookmarklet, rendez-vous sur une page web contenant des images et cliquez sur le signet *Masquer images* que vous venez de créer. Toutes les images présentes sur la page doivent disparaître.

159. Afficher la liste des liens contenus dans une page

Ce bookmarklet vous permettra de lister tous les liens présents sur la page en cours de visite ; pour l'ajouter à vos favoris dans la barre de liens, procédez comme suit :

1. Ouvrez Internet Explorer et rendez-vous à l'adresse www.bookmarklets .com/tools/data/index.phtml.

2. Sur la page affichée, cliquez du bouton droit sur le lien du bookmarklet nommé *List All Links*. Dans le menu contextuel qui s'affiche, sélectionnez la commande **Ajouter aux Favoris**.

3. Dans la boîte de dialogue **Alerte de sécurité**, qui vous signale que le favori n'est pas sûr, cliquez sur le bouton **Oui**. La boîte de dialogue **Ajout de Favoris** s'affiche.

4. Dans la zone de texte *Nom*, effacez le nom inscrit et saisissez Liste des liens, puis sélectionnez le dossier *Liens* et cliquez sur le bouton OK.

5. Pour tester ce bookmarklet, rendez-vous sur une page web et cliquez sur le signet Liste des liens que vous venez de créer. Tous les liens présents sur la page s'affichent dans une nouvelle fenêtre.

160. Afficher la liste des liens e-mail contenus dans une page

Ce bookmarklet vous permettra de lister tous les liens e-mail présents sur la page en cours de visite ; pour l'ajouter à vos favoris dans la barre de liens, procédez comme suit :

1. Ouvrez Internet Explorer et rendez-vous à l'adresse **www.bookmarklets .com/tools/data/index.phtml**.

2. Sur la page affichée, cliquez du bouton droit sur le lien du bookmarklet nommé *List Email Links*. Dans le menu contextuel qui s'affiche, sélectionnez la commande **Ajouter aux Favoris**.

3. Dans la boîte de dialogue **Alerte de sécurité**, qui vous signale que le favori n'est pas sûr, cliquez sur le bouton **Oui**. La boîte de dialogue **Ajout de Favoris** s'affiche.

4. Dans la zone de texte *Nom*, effacez le nom inscrit et saisissez Liens email, puis sélectionnez le dossier *Liens* et cliquez sur le bouton OK.

5. Pour tester ce bookmarklet, rendez-vous sur une page web et cliquez sur le signet Liens email que vous venez de créer. Tous les liens e-mail présents sur la page s'affichent dans une boîte de dialogue.

161. Surligner tous les liens contenus dans une page

Ce bookmarklet vous permettra de surligner en jaune tous les liens e-mail présents sur la page en cours de visite ; pour l'ajouter à vos favoris dans la barre de liens, procédez comme suit :

1. Ouvrez Internet Explorer et rendez-vous à l'adresse **www.bookmarklets .com/tools/look/index.phtml**.

2. Sur la page affichée, cliquez du bouton droit sur le lien du bookmarklet nommé *Highlight Links*. Dans le menu contextuel qui s'affiche, sélectionnez la commande **Ajouter aux Favoris**.

3. Dans la boîte de dialogue **Alerte de sécurité**, qui vous signale que le favori n'est pas sûr, cliquez sur le bouton **Oui**. La boîte de dialogue **Ajout de Favoris** s'affiche.

4. Dans la zone de texte *Nom*, effacez le nom inscrit et saisissez Surligner liens, puis sélectionnez le dossier *Liens* et cliquez sur le bouton OK.

5. Pour tester ce bookmarklet, rendez-vous sur une page web et cliquez sur le signet Surligner liens que vous venez de créer. Tous les liens présents sur la page vont être surlignés en jaune. Vous pouvez modifier la couleur du surligneur en éditant le bookmarklet.

162. Changer la couleur de fond de la page visitée

Ce bookmarklet vous permettra de changer la couleur de fond de la page en cours de visite ; pour l'ajouter à vos favoris dans la barre de liens, procédez comme suit :

1. Ouvrez Internet Explorer et rendez-vous à l'adresse **www.bookmarklets .com/tools/look/index.phtml**.

2. Sur la page affichée, cliquez du bouton droit sur le lien du bookmarklet nommé *Page Color*. Attention, la page possède deux liens nommés *Page Color* ; sélectionnez celui qui est compatible avec votre navigateur. Dans le menu contextuel qui s'affiche, sélectionnez la commande **Ajouter aux Favoris**.

3. Dans la boîte de dialogue **Alerte de sécurité**, qui vous signale que le favori n'est pas sûr, cliquez sur le bouton **Oui**. La boîte de dialogue **Ajout de Favoris** s'affiche.

4. Dans la zone de texte *Nom*, effacez le nom inscrit et saisissez Changer couleur fond, puis sélectionnez le dossier *Liens* et cliquez sur le bouton OK.

5. Pour tester ce bookmarklet, rendez-vous sur une page web et cliquez sur le signet Changer couleur fond que vous venez de créer. Dans la zone de texte de la boîte de dialogue **Invite Utilisateur**, saisissez la couleur de fond que vous souhaitez placer, saisissez par exemple white pour la couleur blanche. La couleur de fond de la page doit s'afficher en blanc. Il faut saisir le nom de la couleur en anglais.

Tableau 4-2 : Liste de quelques couleurs de fond à saisir	
Couleur de fond	**Couleur de fond à saisir**
Blanc	White
Jaune	Yellow
Rouge	Red
Vert	Green
Noir	Black
Bleu	Blue
Gris	Gray

163. Changer la couleur du texte de la page visitée

Ce bookmarklet vous permettra de changer la couleur du texte de la page en cours de visite ; pour l'ajouter à vos favoris dans la barre de liens, procédez comme suit :

1. Ouvrez Internet Explorer et rendez-vous à l'adresse www.bookmarklets .com/tools/look/index.phtml.

2. Sur la page affichée, cliquez du bouton droit sur le lien du bookmarklet nommé *Text Color*. Dans le menu contextuel qui s'affiche, sélectionnez la commande **Ajouter aux Favoris**.

3. Dans la boîte de dialogue **Alerte de sécurité**, qui vous signale que le favori n'est pas sûr, cliquez sur le bouton **Oui**. La boîte de dialogue **Ajout de Favoris** s'affiche.

4. Dans la zone de texte *Nom*, effacez le nom inscrit et saisissez Changer couleur texte, puis sélectionnez le dossier *Liens* et cliquez sur le bouton OK.

5. Pour tester ce bookmarklet, rendez-vous sur une page web et cliquez sur le signet Changer couleur texte que vous venez de créer. Dans la zone de texte de la boîte de dialogue **Invite Utilisateur**, saisissez la couleur de texte que vous souhaitez appliquer, saisissez par exemple blue pour la couleur bleue. La couleur du texte de la page doit s'afficher en bleu. Pour les couleurs, reportez-vous au tableau présent dans l'astuce précédente.

164. Envoyer le contenu de la sélection par e-mail

Ce bookmarklet vous permettra d'envoyer par e-mail uniquement le contenu d'une sélection effectuée sur une page web. Pour ajouter ce bookmarklet à la barre de liens, procédez comme suit :

1. Ouvrez Internet Explorer et rendez-vous à l'adresse www.bookmarklets .com/tools/data/index.phtml.

2. Sur la page affichée, cliquez du bouton droit sur le lien du bookmarklet nommé *Send Select Text*. Attention, la page possède deux liens nommés *Send Select Text* ; sélectionnez celui qui est compatible avec votre navigateur. Dans le menu contextuel qui s'affiche, sélectionnez la commande **Ajouter aux Favoris**.

3. Dans la boîte de dialogue **Alerte de sécurité**, qui vous signale que le favori n'est pas sûr, cliquez sur le bouton **Oui**. La boîte de dialogue **Ajout de Favoris** s'affiche.

4. Dans la zone de texte *Nom*, effacez le nom inscrit et saisissez Envoyer selection puis sélectionnez le dossier *Liens* et cliquez sur le bouton OK.

5. Pour tester ce bookmarklet, rendez-vous sur une page web. À l'aide de la souris, sélectionnez une partie du texte présent sur la page web puis cliquez sur le signet Envoyer selection que vous venez de créer. Automatiquement, un nouveau message s'ouvre qui contient comme message le texte sélectionné sur la page ; il ne reste plus qu'à saisir l'adresse de la personne à qui vous souhaitez envoyer cet e-mail.

165. Ouvrir la page précédente dans une nouvelle fenêtre

Ce bookmarklet vous permettra d'ouvrir la page précédemment visitée dans une nouvelle fenêtre. Cela peut être très utile si vous souhaitez ne pas perdre la page en cours de visite. Pour ajouter ce bookmarklet à la barre de liens, procédez comme suit :

1. Ouvrez Internet Explorer et rendez-vous à l'adresse **www.bookmarklets .com/tools/navigation/index.phtml**.

2. Sur la page affichée, cliquez du bouton droit sur le lien du bookmarklet nommé *Previous Page in New Windows*. Dans le menu contextuel qui s'affiche, sélectionnez la commande **Ajouter aux Favoris**.

3. Dans la boîte de dialogue **Alerte de sécurité**, qui vous signale que le favori n'est pas sûr, cliquez sur le bouton **Oui**. La boîte de dialogue **Ajout de Favoris** s'affiche.

4. Dans la zone de texte *Nom*, effacez le nom inscrit et saisissez Page précédente nouvelle fenêtre, puis sélectionnez le dossier *Liens* et cliquez sur le bouton OK.

5. Pour tester ce bookmarklet, rendez-vous sur une page web et cliquez sur le signet Page précédente nouvelle fenêtre que vous venez de créer. La page précédemment ouverte s'affichera dans une nouvelle fenêtre.

4.4 Création d'animations avec les agents Microsoft

166. Définition et utilisation des agents Microsoft

Les agents Microsoft sont en fait des personnages animés interactifs. Ils peuvent facilement être utilisés comme compagnons, guides ou animateurs virtuels. Parmi les personnages distribués par Microsoft, les plus connus sont Merlin et le chien ; ils servent de compagnon dans le menu **Rechercher** de Windows XP (accessible *via* la combinaison de touches [Windows]+[F]).

L'aspect intéressant de ces personnages virtuels est que vous pouvez facilement les animer par vous-même, et c'est vraiment moins compliqué qu'il n'y paraît au premier abord. Ainsi, en suivant les astuces de cette section, vous pourrez facilement animer des personnages, les faire se déplacer et même leur donner la parole grâce au système de synthèse vocale. Ensuite, vous pourrez facilement intégrer ces animations dans des courriers électroniques ou des pages web.

Derrière ces sympathiques personnages animés se cache en fait une véritable technologie en évolution permanente. Effectivement, les possibilités offertes sont immenses, et beaucoup de grandes sociétés ont fait développer des personnages personnalisés pour vous guider sur leurs sites web ou pour présenter des produits ou des applications.

Figure 4.21 : *Des agents, dans l'ordre de gauche à droite Max le chien, Merlin et James*

Une démonstration en ligne

Si vous voulez vous faire une idée de ce que l'on peut faire avec les agents Microsoft, rendez-vous sur cette page, Merlin vous y attend : **www** **.technicland.com/msagent.htm**.

167. Installer le nécessaire pour faire fonctionner les agents Microsoft

Pour avoir accès à toutes les fonctionnalités des agents Microsoft, voici ce qu'il vous faut installer pour bien démarrer.

Pré requis

Avant d'installer tous les outils nécessaires au fonctionnement des agents, il vous faut vérifier la compatibilité de votre configuration matérielle et logicielle.

- Système d'exploitation compatible : Microsoft Windows 95, Windows 98, Windows Me, Windows NT 4.0 ou Windows 2000 et XP.

- Processeur : Pentium 100 Mhz au minimum ou au-delà.

- Internet Explorer version 3.02 ou au-delà.

- RAM : 16 Mo ou au-delà.

- Une carte son compatible Windows (avec haut-parleur et, si vous souhaitez utiliser la reconnaissance vocale, un microphone).

- 10 Mo d'espace libre sur votre disque dur (si vous souhaitez utiliser le moteur de reconnaissance vocale, il vous faudra au moins 35 Mo d'espace libre).

Installation des outils

Tous les outils pour utiliser les agents sont gratuits et sont disponibles en libre téléchargement sur le site de Microsoft. Avant d'installer tous ces logiciels, il est préférable de voir si vous ne possédez pas déjà certains d'entre eux, ce qui vous évitera de les réinstaller. Pour tester les éléments présents sur votre ordinateur, rendez-vous à l'adresse **www.technicland.com/** **testagent.htm**, afin de voir ce qu'il vous reste à installer. Si rien n'est détecté, il vous faudra installer la plupart des éléments suivants :

1. Si le moteur des agents V2 n'a pas été détecté, installez-le ; pour cela, rendez-vous à l'adresse **www.microsoft.com/msagent/downloads/user .asp#core** et cliquez sur le lien *Download the Microsoft Agent core components (395 KB exe)*. Une fois le téléchargement fini, installez l'outil.

2. Pour franciser les menus du moteur d'agent que vous venez d'installer, sur la même page web juste en dessous du lien précédent dans le menu déroulant *Select a language*, sélectionnez *French 128kb exe* et cliquez sur le lien *Download select language component*, puis installez-le.

3. Microsoft propose en téléchargement quatre personnages différents, Merlin, Génie, Peedy le perroquet et Robby le robot. Vous pouvez les télécharger en vous rendant à l'adresse **www.microsoft.com/msagent/ downloads/user.asp#character**. Dans le menu déroulant, sélectionnez le personnage que vous souhaitez télécharger et cliquez sur le lien *Download select character*. Recommencez la manipulation pour télécharger un autre personnage.

Merlin   Génie   Peedy   Robby

Figure 4.22 : *Les quatre agents Microsoft disponibles en téléchargement*

4. Pour donner la parole à vos agents, il vous faut télécharger le moteur de parole connu sous le nom de text-to-speech engine ; pour cela rendez-vous à l'adresse **www.microsoft.com/msagent/downloads/user .asp#tts**. Ensuite, dans le menu déroulant *Select a Text-to speech (TTS) engine*, sélectionnez *Lernout & Hauspie® TTS3000 TTS engine - French (2.2 MB exe)* puis cliquez sur le lien *Download select engine*. Une fois le téléchargement terminé, installez le logiciel.

5. Le moteur de reconnaissance vocale n'est pas indispensable, mais vous pouvez tout de même le télécharger et l'installer si vous comptez utiliser la reconnaissance vocale avec vos agents. Pour le télécharger, rendez-vous à l'adresse **www.microsoft.com/msagent/downloads/user.asp#sr** et cliquez sur le lien *Download the Microsoft® Speech Recognition Engine (6 MB exe)*.

6. Le panneau de commandes de la parole vous permet de lister et d'adapter les moteurs de reconnaissance vocale et les moteurs texte-voix installés sur votre système. Une fois installé, il ajoute une icône

commande vocale à votre panneau de configuration. L'installation de cette application n'est pas obligatoire au fonctionnement des agents ; notez que Windows XP n'a pas besoin de cette fonction car elle est déjà préinstallée. Pour télécharger cette application, rendez-vous à l'adresse **www.microsoft.com/msagent/downloads/user.asp#cpl** et cliquez sur le lien *Download the Speach Control Panel (927 KB exe).*

168. Tester l'installation

Une fois les outils nécessaires téléchargés et installés, il faut tester le bon fonctionnement des agents. Pour cela, Microsoft a créé une page dans laquelle il est possible de mettre à l'épreuve l'agent Peedy en le faisant chanter ou parler.

1. Rendez-vous à l'adresse **www.microsoft.com/msagent/dev/code/TryMSAgent .asp**. Si tout est bien installé, Peedy le perroquet va apparaître et se présenter. Malheureusement, Peedy parle en anglais, alors (comme vous allez le faire parler), ne vous étonnez pas de son accent un peu "british".

2. Saisissez le texte que vous souhaitez faire dire à Peedy dans la zone de texte et cliquez sur le bouton **Speak**. Peedy doit normalement reprendre votre texte.

Figure 4.23 :
Test de l'installation sur le site de Microsoft

3. Cliquez sur le bouton **Sing a Song** pour que Peedy vous chante une petite chanson.

169. Créer des animations avec Mash

La société Bellcraft, à l'adresse **www.bellcraft.com**, s'est spécialisée dans l'animation des agents Microsoft. Elle a créé plusieurs personnages et mis au point un logiciel nommé **Mash** qui permet d'animer les agents Microsoft sans aucune connaissance en programmation. Avec Mash, tout se fait *via* l'interface du logiciel, il vous suffit uniquement de déplacer les agents où vous souhaitez sur l'écran et ensuite de leur affecter des actions et d'écrire les textes ; Mash s'occupe du reste. Ce logiciel est un shareware, vous pouvez l'utiliser gratuitement pendant 30 jours ; si vous souhaitez passé ce délai continuer à l'utiliser, il vous faudra acheter une licence qui coûte 25 dollars. Voici comment utiliser Mash pour créer des animations que vous pourrez utiliser sur des pages web ou dans vos courriers électroniques.

Installation de Mash

1. Rendez-vous à l'adresse **www.bellcraft.com/mash/download.htm**. Allez dans la rubrique *Free 30- Day Trial* ; attention, il existe deux versions, une nommée Full Setup qui comprend l'installation des composants nécessaires au fonctionnement des agents et une version Minimum Setup qui comprend uniquement le logiciel Mash ! Si vous avez installé tout ce qu'il faut comme indiqué dans les astuces précédentes, cliquez sur le lien *Download Mash64.exe*, qui se trouve dans la rubrique Minimum Setup.

2. Lancez l'installation du logiciel en cliquant sur l'exécutable *Mash64.exe*. Répondez aux questions pour finir l'installation.

Création d'une animation

Vous allez maintenant créer une petite animation avec le personnage de Merlin ; vous pourrez ensuite l'envoyer par courrier électronique.

1. Lancez l'application en cliquant sur l'icône nommée **MASH**, qui se trouve maintenant sur le bureau.

2. Dans le menu déroulant *Character*, sélectionnez *Merlin* et cliquez sur le bouton **Show**.

3. Cliquez sans relâcher sur le personnage de Merlin et positionnez-le où vous souhaitez sur l'écran puis relâchez le bouton de la souris.

4. Les personnages disposent de plusieurs mouvements préenregistrés ; pour les faire jouer aux personnages, cliquez dans le menu déroulant *Animation* et sélectionnez un mouvement. Dans notre exemple, choisissez *Announce* et cliquez sur le bouton **Play Animation**.

5. Dans la zone de texte *Speak*, saisissez le texte suivant : Salut c'est bien les Agents Microsoft non?, puis cliquez sur le bouton **Speak**. Le bouton **Whisper** fait prononcer le texte à voix basse, et le bouton **Think** écrit le texte sous forme de pensée. Le bouton **Show &Tell** vous montre toutes les animations en les énumérant.

6. Dans le menu de gauche, cliquez sur la commande **Script Only** et cliquez sur le bouton **Play** ou appuyez sur la touche (F5) pour faire jouer l'animation que vous venez de créer.

7. Dans le menu de gauche, cliquez sur la commande **Script Output** et, dans la rubrique *Script Type*, sélectionnez la commande **Outlook Express/98/2000 Email Stationery** puis cliquez sur le bouton **Compose Email Message**.

8. Outlook Express s'ouvre, et un nouveau courrier intégrant l'animation s'affiche ; saisissez un message, l'adresse de la personne à qui vous souhaitez l'envoyer et expédiez-le.

9. Si vous souhaitez faire une page Internet avec l'animation que vous venez de créer, sélectionnez dans la rubrique *Script Type* la commande **VBScript HTML** et cliquez sur le bouton **Save to File**, puis donnez un nom au fichier et enregistrez-le. Notez que vous pouvez aussi envoyer ce fichier en pièce jointe à un ami, qui pourra l'ouvrir avec Internet Explorer.

Votre correspondant n'arrive pas à lire l'e-mail reçu
Si votre correspondant ne voit pas l'animation dans l'e-mail que vous venez de lui faire parvenir, faites-lui faire ceci (vous pouvez aussi le faire). Pour lire ce type d'animation dans les courriers électroniques, cliquez dans Outlook Express sur le menu **Outils** et sélectionnez la commande **Options** puis l'onglet **Sécurité**. Dans la rubrique *Protection Antivirus*, cochez le bouton d'option *Zone Internet* (moins sécurisée mais plus facile d'utilisation) puis cliquez sur le bouton OK.

170. Un site pour animer vos agents

Les agents Microsoft, malgré leur véritable potentiel, restent très peu connus du grand public, et les sites qui traitent sérieusement du sujet sont rares sur le Web francophone. La page perso de Serge Knopf, **http://perso .wanadoo.fr/serge.knopf**, est vraiment un des seuls sites francophones qui parlent de ce sujet en profondeur. Ce programmeur a même conçu une page qui vous permet d'animer les agents ; vous pouvez ensuite récupérer le script pour le placer dans des pages web ou des e-mails. Cette page est disponible à l'adresse **http://perso.wanadoo.fr/serge.knopf/agent/agent.htm**. De plus, l'auteur vous propose de télécharger cette page (depuis la page d'accueil) pour que vous puissiez animer les personnages sans vous connecter à Internet.

171. Pour aller plus loin avec les agents

Voici les principaux sites qui traitent de la technologie des agents Microsoft.

Le site MS Agent Ring, **www.msagentring.org**, est le site de référence par excellence. Il traite du sujet de A à Z, et vous y trouverez des agents à télécharger, des applications et des liens utiles.

Le site Agentry, **www.agentry.net**, traite aussi assez bien du sujet.

Cantoche, **www.cantoche.com**, est une société française leader mondial dans le domaine de la création de personnages 3D animés sous le format Microsoft Agent. Elle a développé une technologie d'animation (Living Actor) qui est très légère et donc très adaptée au Web. Elle a aussi conçu des agents pour des sociétés telles qu'EDF, Microsoft, Hewlett-Packard. Vous trouverez des démonstrations de ses agents et de sa technologie à l'adresse **www.cantoche.com/francais/application.htm**.

Figure 4.24 : *La galerie d'agents créée par Cantoche.com (capture d'écran tirée du site www.cantoche.com)*

4.5   Le plug-in Crazy Browser

Crazy Browser est un logiciel qui vient s'installer en plus d'Internet Explorer. Il y ajoute beaucoup de fonctionnalités intéressantes comme des onglets de navigation qui permettent d'alléger la barre de tâches. Il intègre aussi un antipop-up et une fonction de recherche des favoris, chose bien utile lorsque l'on dispose d'un grand nombre de favoris.

172. Télécharger Crazy Browser

La version de base est téléchargeable à **www.crazybrowser.com/download.htm**, il suffit de cliquer sur le site sur lequel vous désirez que le téléchargement se fasse. Si l'un est trop long, vous pourrez choisir l'un des deux autres. Il est possible de télécharger le module de francisation à **www.crazybrowser .com/translations/CAFrench.zip**.

173. Installer/configurer Crazy Browser

Une fois le logiciel téléchargé, il suffit de lancer l'installation (en anglais) en faisant un double clic sur le programme *CBsetup.exe*. Indiquez ensuite le dossier de stockage du programme.

La première exécution se fera en anglais, mais vous allez extraire le fichier *.zip* dans le dossier *C:\Program Files\Crazy Browser\Languages*. Lancez ensuite Crazy Browser, ouvrez le menu **View**, **Languages** et cochez *French*.

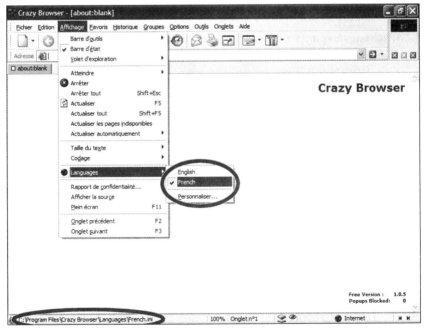

Figure 4.25 : *Crazy Browser en français*

174. Personnaliser le mode d'utilisation

Afin que ce programme corresponde le mieux possible à vos attentes, vous pouvez personnaliser son mode d'utilisation :

- Pour configurer vos préférences, ouvrez le menu **Options**, et choisissez la commande **Options avancées**.

1. *Démarrage* permet de définir comment doit démarrer Crazy Browser : avec une page vide, la page d'accueil, les derniers sites ouverts quand vous l'avez quitté ou avec un groupe d'onglets prédéfinis.

2. *Fermeture* permet de choisir ce que vous désirez effacer au moment de la fermeture de Crazy Browser afin de ne pas encombrer votre disque dur de fichiers devenus obsolètes.

3. *Plein écran* définit ce qui doit être affiché lors du passage au mode d'utilisation de la totalité de l'écran en supprimant une grosse partie de ce qui est normalement affiché. Il est conseillé de laisser activée la case *Le bouton central de la souris permute le mode plein écran* car cette option est très pratique à l'usage.

4. *Onglet de navigations* et ses sous-options permet de choisir le mode de fermeture des onglets si pratique.

5. *Général* définit le mode de travail hors connexion mais n'est pas compatible avec les versions inférieures à Windows 2000.

6. *Achèvement des domaines* permet de choisir les combinaisons de touches à utiliser pour compléter automatiquement une adresse de site saisie dans la barre d'adresses de Crazy Browser.

7. *Confirmations* permet de choisir les confirmations que Crazy Browser vous demandera.

8. *WebProxy et traduction* indiquent les adresses des sites de traductions d'une adresse actuellement dans la ligne d'adresse.

9. *Filtre Pop-up* conserve les adresses des sites ou des fenêtres de pop-up qu'il doit bloquer. Vous pouvez modifier celle-ci de plusieurs manières (voir plus loin...).

10. Cliquez sur le bouton OK.

- Ouvrez le menu **Options**, et choisissez la commande **Téléchargement de la Page en Cours** pour définir les actions à exécuter ou pas sur la page actuelle.

1. Télécharger les Images, **Télécharger les Vidéos** et **Télécharger les Sons d'Arrière-Plan** permettent de gagner du temps de téléchargement si un site (ou votre connexion) est trop lent(e).

2. Désactiver les Scripts, **Désactiver les Applets Java**, **Désactiver les contrôles Activex** et **Ne pas Télécharger les contrôles ActiveX** permettent aussi de gagner du temps et d'éliminer aussi des risques d'infection virale.

- Ouvrez le menu **Options**, et choisissez la commande **Désactiver le Texte les Effets dans la Barre de Status** afin de voir les adresses des liens pointés plutôt qu'une animation de texte qui masque l'adresse du lien.

- Ouvrez le menu **Options**, et choisissez la commande **Position pour Nouvel Onglet** afin de choisir où doit s'afficher les nouveaux onglets de pages. Choisissez aussi **Toujours Activer un Nouvel Onglet** si vous désirez que les nouveaux onglets soient activés automatiquement ou pas.

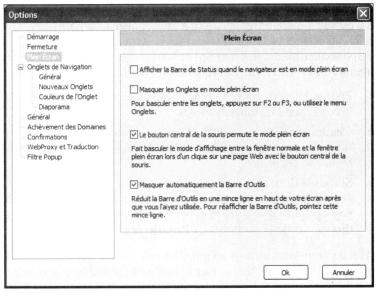

Figure 4.26 : *Configurer Crazy Browser*

175. Naviguer dans les onglets

À chaque fois que vous ouvrez un site, une page est créée. Pour naviguer parmi ces pages, vous pouvez utiliser les astuces suivantes.

- La touche (F2) ou (Ctrl)+(Maj)+(Tab) passe à l'onglet précédent.
- La touche (F3) ou (Ctrl)+(Tab) passe à l'onglet suivant.
- Les boutons < ou > à gauche des onglets activent l'onglet précédent ou suivant.
- Les boutons < ou > à droite des onglets affichent les onglets masqués à gauche ou à droite.
- Le menu **Onglets** permet de choisir le numéro de l'onglet à activer.
- Le premier bouton de la barre d'outils permet de créer de nouveaux onglets.

176. Interdire les pop-up

S'il est une fonction très agréable à utiliser avec Crazy Browser, c'est bien celle qui permet de bloquer toutes les fenêtres qui viennent vous empoisonner le surf (les pop-up) et vous obligent à en fermer beaucoup de nombreuses fois car aussitôt fermées, le site de pub les réouvrent.

1. Pour configurer vos préférences, ouvrez le menu **Options**, et choisissez la commande **Options avancées**.

2. Cliquez sur *Filtre Pop-up*, puis cochez les cases *Activer le filtre Pop-up (ferme automatiquement les fenêtres "pop-up")* et *Désactiver "pop-up" à la fermeture des onglets*.

3. Si vous le désirez, vous pouvez aussi cocher la case *Activer le filtre Pop-up (basé sur la liste noire)* et entrez les adresses des pages de pop-up (pour connaître le nom de la page d'un pop-up, faites un clic droit sur celle-ci et choisissez **Propriétés**).

Afin de supprimer un pop-up qui n'est pas dans la liste actuelle ou qui n'est pas considéré comme tel, activez la fenêtre indésirable et appuyez sur la touche (F8) ou ouvrez le menu **Outils** et activez la commande **Ajouter aux Filtres Pop-up**. Confirmez votre action en cliquant sur le bouton **Oui**.

En cas de rejet d'une fenêtre de pop-up, vous pouvez toujours l'enlever de la liste en ouvrant le menu **Outils** — choisissez la commande **Organiser les Filtres Pop-up** —, puis en supprimant l'adresse erronée.

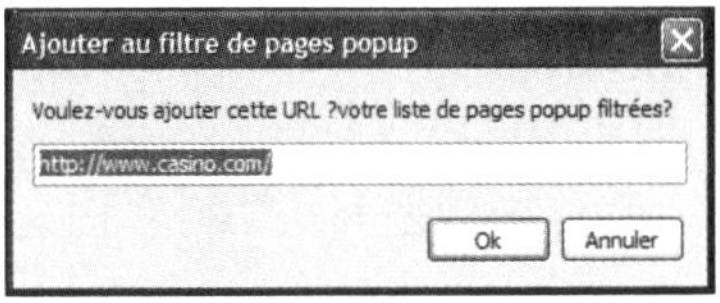

Figure 4.27 :
Ajouter aux Filtres Pop-up

177. Rechercher dans les favoris

Crazy Browser possède une fonction qui se révèle très utile si vous avez de nombreux favoris et de nombreux dossiers. En effet, qui n'a pas déjà cherché parmi les nombreux dossiers une adresse dont on ne se rappelle qu'un mot ?

1. Ouvrez le menu **Affichage/Barre de navigation** et choisissez **Favoris**, ou cliquez sur le bouton **Favoris**, ou utilisez les touches [Ctrl]+[I].

2. Cliquez sur le bouton **Trouver dans les favoris**, puis saisissez le texte recherché et appuyez sur la touche [Entrée].

178. Utiliser le moteur de recherche de votre choix

Plutôt que d'ouvrir un moteur de recherche puis de lancer une recherche dans ce dernier, Crazy Browser vous permet de lancer directement une recherche sur le moteur de votre choix.

1. Ouvrez le menu **Affichage/Barre de navigation** et choisissez **Rechercher**, ou cliquez sur le bouton **Rechercher**, ou utilisez les touches [Ctrl]+[E].

2. Saisissez le texte recherché et cliquez sur le nom du moteur de recherche à utiliser ou sur la catégorie de recherche à faire.

Recherche rapide

Pour une recherche rapide sur Google, vous pouvez saisir le texte recherché dans la ligne d'adresse et appuyer sur les touches [Alt]+[Entrée].

Personnalisation

Il est possible de personnaliser complètement la recherche en modifiant le fichier HTML correspondant à la langue utilisée et se trouvant à *C:\Program Files\Crazy Browser\Languages*.

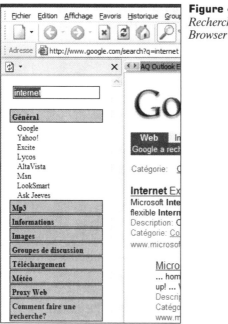

Figure 4.28 :
Recherchez avec Crazy Browser

179. Gérer les groupes de page

Il arrive souvent qu'en ouvrant un site on ait besoin d'en afficher un autre à côté afin de faire des recherches dans l'un et dans l'autre. Crazy Browser propose de créer des groupes de pages afin d'ouvrir rapidement un ensemble de pages.

Créer un groupe

1. Ouvrez les pages que vous désirez grouper.

2. Ouvrez le menu **Groupes**, puis choisissez la commande **Enregistrer Toutes les Pages comme Groupe**.

3. Saisissez le nom à donner au groupe et cliquez sur le bouton **Enregistrer**.

Ouvrir un groupe

Ouvrez le menu **Groupes**, puis choisissez le nom du groupe à ouvrir.

Ajouter une ou des pages à un groupe

1. Ouvrez la ou les pages que vous désirez ajouter.

2. Ouvrez le menu **Groupes**, puis choisissez la commande **Ajouter au Groupe** ou **Ajouter Toutes les Pages au Groupe**.

3. Choisissez le nom du groupe et cliquez sur le bouton **Ouvrir**.

Supprimer une page d'un groupe

1. Ouvrez le menu **Groupes**, puis choisissez la commande **Organiser les Groupes**.

2. Choisissez le nom du groupe et cliquez sur le bouton **Ouvrir**.

3. Sélectionnez la page à retirer et cliquez sur le bouton **Supprimer**.

4. Cliquez sur le bouton OK pour terminer.

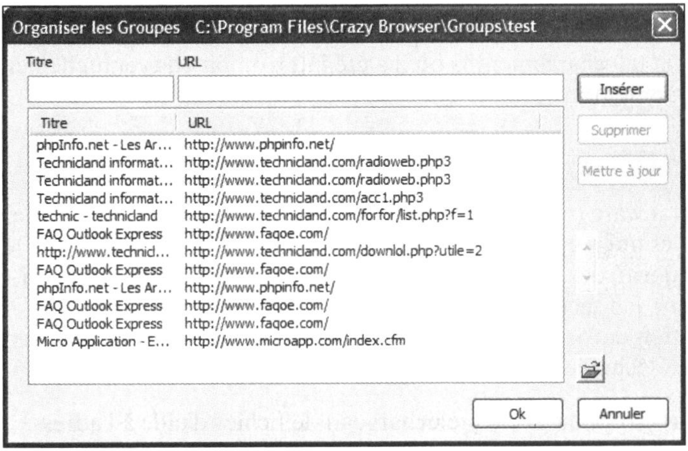

Figure 4.29 : *Gestion des groupes*

4.6 Téléchargement

Il s'agit de transférer un fichier stocké sur le Web vers le disque dur d'un ordinateur sans passer par la messagerie électronique, en particulier à cause de la taille. Il existe deux vitesses et deux sens au téléchargement : *Download*, ou récupération du Web vers votre ordinateur et vitesse la plus rapide, annoncée par votre provider, et *Upload*, ou envoi de votre ordinateur vers le Web et vitesse la plus lente, rarement indiquée. Pour un modem RTC sur ligne téléphonique normale, ces vitesses sont en général aux alentours de 48 Kb/s (soit environ 5 Ko/s) — alors que le maximum (utopique ?) est prévu à 56 Kb/s — et de 33,6 Kb/s (soit environ 3 Ko/s) en réception. Afin de gagner du temps, une majorité des fichiers sont compressés avant d'être envoyés ou stockés sur le Web.

180. Définition et besoin du téléchargement

Internet regorge de programmes, de fichiers et de données en tout genre qu'il est parfois nécessaire de rapatrier sur sa machine, surtout les patchs correctifs de certains problèmes, les nouveaux drivers de votre matériel et les définitions des antivirus, pour ne citer que les principaux. Il existe des solutions simples, ou plutôt simplistes, pour télécharger ces données (un clic sur un lien), mais elles occultent le fait qu'un téléchargement peut être long et finalement coûteux en temps. Si vous disposez non pas d'une connexion ADSL ou câble, mais d'un simple modem analogique (56 Kb/s au maximum en rêve) ou d'une ligne Numéris (64 à 128 Kb/s), les programmes ci-dessous sont faits pour vous aider à télécharger en reprenant le téléchargement là où il a été interrompu et, éventuellement, en accélérant le transfert.

181. FlashGet

FlashGet (adware (cad avec bandeau de pub) ou shareware) fait partie des programmes qui permettent de faciliter le téléchargement et de l'accélérer dans la majorité des cas. FlashGet découpe vos fichiers téléchargés en sections, chaque section étant téléchargée simultanément, pour une augmentation de la vitesse de téléchargement de 100 % à 500 %. Vous pouvez le télécharger à l'adresse **www.amazesoft.com/download.htm**.

L'aide peut être francisée en téléchargeant le fichier d'aide à l'adresse **www.amazesoft.com/download.htm#language**.

182. Installer/configurer FlashGet

Une fois FlashGet téléchargé, il suffit de lancer l'installation (en anglais) en faisant un double clic sur le programme *fgf140.exe*. Indiquez ensuite le dossier de stockage du programme. La première exécution se fera en anglais, mais vous allez extraire le fichier *Flashget.chm* de *Fgfrahlp.zip* dans le dossier *C:\Program Files\FlashGet*.

Lancez ensuite FlashGet, ouvrez le menu **View/Language** et validez la case à cocher *French*.

183. Programmer un téléchargement

Il existe plusieurs solutions pour programmer un téléchargement. La plus simple reste celle-ci :

1. Faites glisser le lien du fichier à télécharger de votre navigateur vers l'icône de FlashGet.
2. Cliquez sur **Immédiat** puis sur le bouton OK.

Pour retarder le téléchargement à la période qui vous convient :

1. Cliquez sur **Programmé** puis sur le bouton OK.
2. Ouvrez le menu **Outils/Options** et activez l'onglet **Programmateur**.
3. Choisissez la meilleure période et le temps accordé au téléchargement puis cliquez sur le bouton OK.

Si l'icône de téléchargement de FlashGet vous gêne, vous pouvez aussi utiliser cette méthode :

1. Faites un clic droit sur le lien du fichier à télécharger et choisissez la commande **Copier le raccourci**.
2. Lancez FlashGet et appuyez sur la touche F4 ou ouvrez le menu **Tâches** et cliquez sur **Nouveau téléchargement**.

184. Naviguer dans l'arborescence d'un site

Quand un site comprend plusieurs fichiers que vous désirez télécharger, il est possible d'afficher l'arborescence du site afin de choisir les fichiers à récupérer.

1. Lancez FlashGet et appuyez sur la touche F7 ou ouvrez le menu **Outils** et cliquez sur **Explorateur de site**.
2. Saisissez l'adresse du site ou collez-la à partir du Presse-papiers. Ou lancez FlashGet et faites un clic du bouton droit sur un fichier en téléchargement et choisissez **Naviguer avec l'explorateur de site**.

Au bout de quelques secondes, le contenu du site s'affiche.

Pour lancer le téléchargement de plusieurs fichiers, sélectionnez-les, faites un clic droit sur l'un des fichiers et choisissez la commande **Télécharger**.

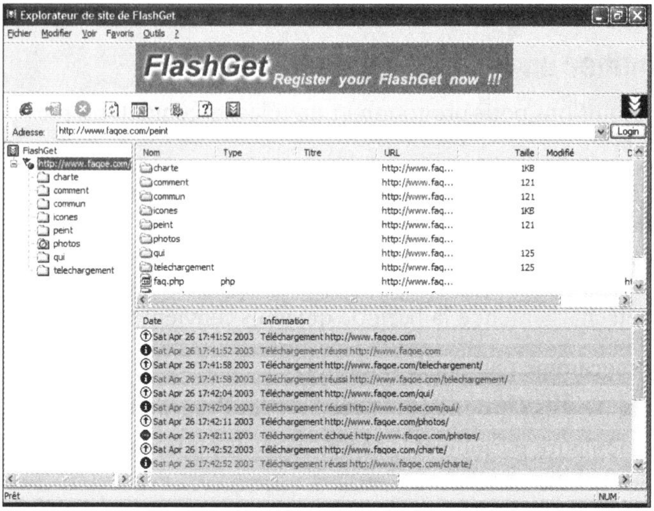

Figure 4.30 : *Explorateur de site*

185. Reprendre un téléchargement interrompu

Suite à des problèmes de téléchargement ou de coupure de connexions, il est possible de reprendre le téléchargement où il en était, si le site qui héberge les fichiers le permet.

Cliquez dans la liste sur le fichier qui n'a pu être téléchargé entièrement et appuyez sur la touche [F5], ou ouvrez le menu **Tâches** et cliquez sur **Démarrer**.

186. GetRight

GetRight (shareware) est un gestionnaire de téléchargements très complet pour ceux qui téléchargent beaucoup et pour les novices. Il permet de mettre en pause vos téléchargements et de les reprendre plus tard. Il inclut des options avancées pour programmer des téléchargements, établir une connexion avec votre modem, éteindre l'ordinateur quand les téléchargements sont terminés, et bien d'autres fonctions très intéressantes. Il supporte aussi les skins pour que vous puissiez personnaliser son interface.

Vous pouvez le télécharger à l'adresse **www.getright.com/get.html**.

Il existe une version non officielle francisée, mais elle est référencée chez Headlight Software. Vous trouverez des liens vers ces versions à l'adresse **www.getright.com/unofficial.html**.

187. Installer/configurer GetRight

Une fois GetRight téléchargé, il suffit de lancer l'installation (en anglais) double-cliquant sur le programme *Getrt500.exe*. Indiquez ensuite le dossier de stockage du programme. Immédiatement après, double-cliquez sur le programme *Gr_5_fr.exe*, qui lancera l'installation du patch français.

Afin de simplifier la configuration de GetRight, les concepteurs du programme ont inclus un assistant de configuration qu'il suffit de suivre pour définir toute la configuration de ce programme ou presque.

Ouvrez le menu **Outils** et choisissez la commande **Configuration de GetRight**. Si l'assistant ne démarre pas, cliquez sur le bouton **Utiliser l'assistant de configuration de GetRight** dans **Général**. Le reste des étapes se fait en répondant aux questions de l'assistant et en cliquant sur le bouton **Suivant** à chaque page.

Si vous désirez configurer plus finement GetRight plus tard, cliquez sur le bouton **Utiliser les options complètes pour configurer GetRight...** dans le menu **Outils/Configuration de GetRight**.

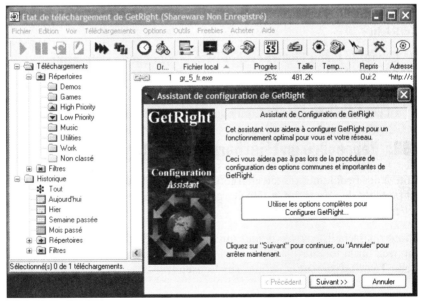

Figure 4.31 : *GetRight en français*

188. Programmer un téléchargement

Comme l'intégration de GetRight à votre navigateur est importante, il n'y a rien à définir pour l'utiliser automatiquement.

1. Cliquez sur le lien du fichier à télécharger pour lancer automatiquement GetRight.

2. Choisissez le dossier de stockage, indiquez les options et cliquez sur le bouton **Enregistrer**.

Programmez les téléchargements :

1. Cliquez sur le bouton **Programmation** ou ouvrez le menu **Téléchargement** et activez la commande **Programmer.**

2. Indiquez les paramètres de téléchargement et cliquez sur le bouton OK.

Pour annuler la programmation, cliquez à nouveau sur le bouton **Programmation** ou ouvrez le menu **Téléchargement** et activez la commande **Programmer.**

Vous pouvez aussi lancer un téléchargement directement avec GetRight :

1. Ouvrez le menu **Fichier** et choisissez la commande **Entrer une nouvelle URL.**

2. Saisissez l'adresse complète ou collez-la avec les touches Ctrl + V.

3. Cliquez sur le bouton OK, puis sur **Commencer le téléchargement.**

189. Reprendre un téléchargement interrompu

Suite à des problèmes de téléchargement ou de coupure de connexions, il est possible de reprendre le téléchargement où il en était, si le site qui héberge les fichiers le permet.

Cliquez dans la liste sur le fichier qui n'a pu être téléchargé entièrement et appuyez sur la touche Entrée ou sur le bouton **Reprendre**, ou ouvrez le menu **Téléchargement** et cliquez sur **Reprendre**.

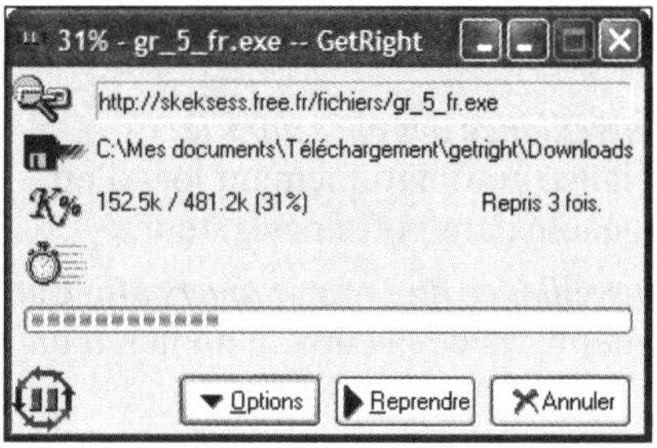

Figure 4.32 :
Reprenez un téléchargement

190. Choisir un site alternatif

Il est possible de demander à GetRight de rechercher automatiquement un site plus rapide ou plus disponible pour télécharger le fichier que vous désirez. Pendant le téléchargement, cliquez sur le bouton **Options** et choisissez **Chercher les alternances**.

Vous pouvez gérer les sites alternatifs sur lesquels GetRight peut faire des recherches en cliquant sur le bouton **Options** et en choisissant **URL alternatives** pendant le téléchargement.

191. Net Vampire

Net Vampire est un shareware qui fait partie des programmes qui facilitent le téléchargement et, souvent, l'accélèrent. Il est l'un des rares à proposer la possibilité de rétablir la date du fichier original au lieu de mettre la date du jour du téléchargement. Vous pouvez le télécharger à l'adresse **www .netvampire.com/download.htm**.

Le programme peut être entièrement francisé en téléchargeant le fichier de francisation *Francais.lng* à l'adresse **www.netvampire.com/lang.htm**.

192. Installer/configurer Net Vampire

Une fois Net Vampire téléchargé, il suffit de lancer l'installation (en anglais) en double-cliquant sur le programme *nvamp.exe* directement après avoir ouvert le fichier *.ZIP*. Il n'est pas nécessaire de décompresser le fichier archive, car le programme d'installation est entièrement dans le fichier *nvamp.exe*.

Copiez ensuite le fichier *Francais.lng* dans le dossier *C:\Program Files\Net Vampire\Lang*.

1. Lancez ensuite Net Vampire, ouvrez le menu **Options/Language** et choisissez **Français**.

2. Ouvrez le menu **Entrée** et cochez *Surveillance des clics dans le navigateur* afin que Net Vampire se lance automatiquement lors d'un clic sur un lien d'un fichier téléchargeable dans votre navigateur.

3. Ouvrez le menu **Entrée** et cochez *Surveillance du presse-papiers* afin que Net Vampire se lance automatiquement lors de la copie d'un lien d'un fichier téléchargeable.

Les boutons
Les boutons de la barre d'outils restent en anglais.

193. Programmer un téléchargement

L'intégration de Net Vampire au navigateur vous permet de choisir la façon dont vous désirez l'utiliser. La plus simple reste celle-ci :

1. Cliquez sur le lien du fichier à télécharger pour lancer automatiquement Net Vampire.

2. Cliquez sur le bouton **Démarrer**.

Vous pouvez aussi lancer un téléchargement en faisant glisser le lien vers la petite fenêtre de Net Vampire.

Pour retarder le téléchargement à la période qui vous convient :

1. Cliquez sur le bouton **Param tâche**.

2. Indiquez la date et l'heure de début du téléchargement et cliquez sur le bouton OK.

3. Cliquez ensuite sur le bouton **Planifier** afin que Net Vampire lance automatiquement le téléchargement au moment voulu.

Vous pouvez aussi lancer un téléchargement directement avec Net Vampire :

1. Cliquez sur le bouton **Add** ou ouvrez le menu **Tâches** et choisissez la commande **Ajouter**.

2. Saisissez l'adresse complète.

3. Cliquez sur le bouton **Démarrer**.

Touche Ctrl+C

Si vous avez paramétré Net Vampire pour réagir à la surveillance du Presse-papiers, il se lancera automatiquement dès qu'une adresse sera copiée.

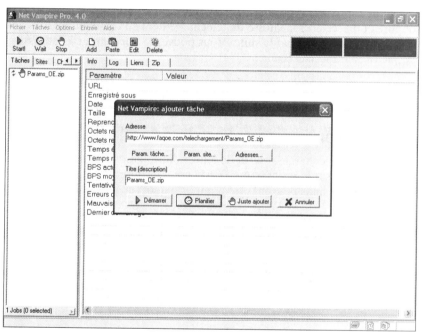

Figure 4.33 : *Téléchargez*

194. Reprendre un téléchargement interrompu

Suite à des problèmes de téléchargement ou de coupure de connexions, il est possible de reprendre le téléchargement où il en était, si le site qui héberge les fichiers le permet.

Cliquez dans la liste sur le fichier qui n'a pu être téléchargé entièrement et cliquez sur le bouton **Start**, ou ouvrez le menu **Tâches** et cliquez sur **Démarrer**.

195. Download Accelerator Plus

Download Accelerator Plus (DAP) (adware cad avec bandeau de pub. Il existe une version payante sans pub, Download Accelerator Premium) s'intègre totalement au navigateur Internet Explorer. Ses fonctionnalités permettent d'obtenir un rendement optimal de la bande passante. Il permet de reprendre plus tard le téléchargement d'un fichier en cas de coupure et d'accélérer la vitesse de téléchargement en fragmentant le fichier, qu'il rassemble par la suite. Vous pouvez le télécharger à l'adresse **http://download1.speedbit.com**.

Le programme peut être entièrement francisé en téléchargeant le "langage pack" à l'adresse **http://download2.speedbit.com**.

196. Installer/configurer Download Accelerator Plus

Une fois DAP téléchargé, il suffit de lancer l'installation (en anglais) en double-cliquant sur le programme *Dap53.exe*. Les informations demandées sont obligatoires mais peuvent être n'importe quoi (en particulier l'adresse de messagerie).

Après avoir téléchargé le fichier *Dap53lang.exe*, vous pouvez lancer son installation en double-cliquant sur son nom. Là aussi, il vous sera demandé des informations obligatoires.

Lancez ensuite Download Accelerator Plus, ouvrez le menu **Help/Language selection**, choisissez *French* et cliquez sur le bouton OK.

Étant donné que la configuration de base n'est pas vraiment satisfaisante, je vous recommande ceci :

1. Ouvrez le menu **Téléchargement**, et choisissez la commande **Options/Configurations**.

2. Cliquez sur *Général*, et cochez *Integrate into...* (et choisissez votre navigateur).

3. Cliquez sur *Enregistrer dans*, et indiquez le dossier dans lequel les téléchargements doivent se faire.

4. Cliquez sur *Connexion*, indiquez votre type de connexion, cochez les cases concernant les sites miroirs, et choisissez le pays de préférence pour les téléchargements.

5. Si vous vous êtes enregistré sur le site de Speedbit, cliquez sur *Toujours reprendre*, et cliquez sur le bouton **Activer**.

6. Cliquez sur *Programmateur*, cochez la case *Activer la fonction Programmer et démarrer* et indiquez les paramètres de début et de fin de téléchargement.

7. Cliquez sur *Service de connexion à distance*, choisissez la connexion à utiliser et indiquez les paramètres.

8. Cliquez sur le bouton **Fermer**.

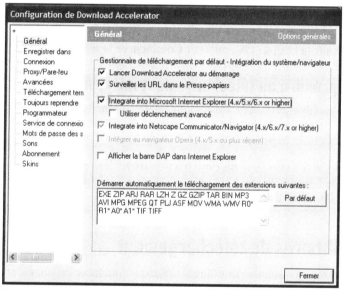

Figure 4.34 : *Configurez Download Accelerator Plus*

197. Lancer un téléchargement

Étant donné l'intégration de DAP dans le navigateur, il n'y a quasiment rien à faire pour l'utiliser.

1. Cliquez sur le lien du fichier à télécharger pour lancer automatiquement DAP.

2. Cliquez sur le bouton **Commencer le téléchargement**.

Pour retarder le téléchargement à la période qui vous convient :

1. Cliquez sur **Reporter le téléchargement**.

2. Faites un clic droit sur le fichier à télécharger et activez la commande **Programmer un téléchargement**.

Ce dernier démarrera selon le paramétrage fait avec le bouton **Scheduler** ou dans les options.

Vous pouvez aussi lancer un téléchargement directement avec DAP :

1. Cliquez sur le bouton **Add URL** ou ouvrez le menu **URL** et choisissez la commande **Nouvel URL**.

2. Saisissez l'adresse complète ou collez-la avec les touches [Ctrl]+[V].

3. Cliquez sur le bouton OK, puis sur **Commencer le téléchargement**.

198. Reprendre un téléchargement interrompu

Suite à des problèmes de téléchargement ou de coupure de connexions, il est possible de reprendre le téléchargement où il en était, si le site qui héberge les fichiers le permet.

Cliquez dans la liste sur le fichier qui n'a pu être téléchargé entièrement et cliquez sur le bouton **Resume**, ou ouvrez le menu **Téléchargement** et cliquez sur **Reprendre tout**.

4.7 Utilitaires de téléchargement

Vous trouverez ici quelques utilitaires qu'il est souhaitable de posséder lors de téléchargements, en plus ou à la place des programmes de téléchargement ci-dessus.

199. Modem Monitor Graph

Ce programme permet d'avoir en temps réel sous forme de graphe des statistiques sur la connexion et les téléchargements en cours. Il possède aussi quelques amusantes fonctions qui n'ont rien à voir avec les statistiques de téléchargement. Il est téléchargeable à l'adresse **www.geocities.com/modemgph**.

Une fois installé, il affiche une icône dans le "systray", et un clic droit sur l'icône puis sur **Display options** vous permettra de choisir d'afficher ou de masquer le programme.

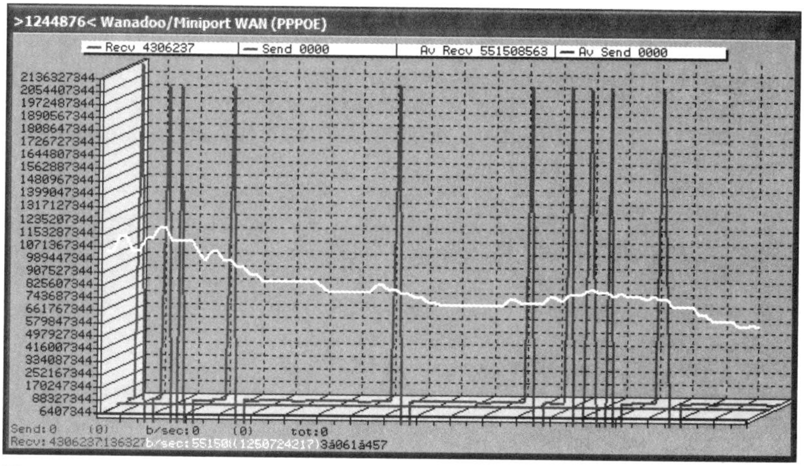

Figure 4.35 : *Modem Monitor Graph*

200. NetLaunch

Cet utilitaire permet de programmer des connexions ou des déconnexions avec lancement ou pas de certains programmes à la suite de la connexion ou de la déconnexion. Il peut, par exemple, être utilisé pour recevoir son courrier régulièrement sans avoir à se préoccuper de la connexion/déconnexion. Il est téléchargeable à l'adresse www .blackcastlesoft.com/netlaunch/download.asp en version francisée.

Une fois installé, il affiche une icône dans le "systray".

201. Programmer une connexion/déconnexion

Une fois lancé, NetLaunch se gère grâce à l'icône ajoutée dans le "systray" à côté de l'horloge.

1. Faites un clic droit sur l'icône puis sur **Préférences**, et activez l'onglet **Connexions**.

2. Dans la partie *Programmation*, cliquez sur **Connecter** ou **Déconnecter** selon ce que vous désirez programmer.

3. Choisissez le moment de connexion/déconnexion dans la liste *Quand*.

4. Indiquez l'heure et cliquez sur le bouton **Ajouter**.

5. Recommencez les étapes 2 à 4 pour chaque programmation voulue.

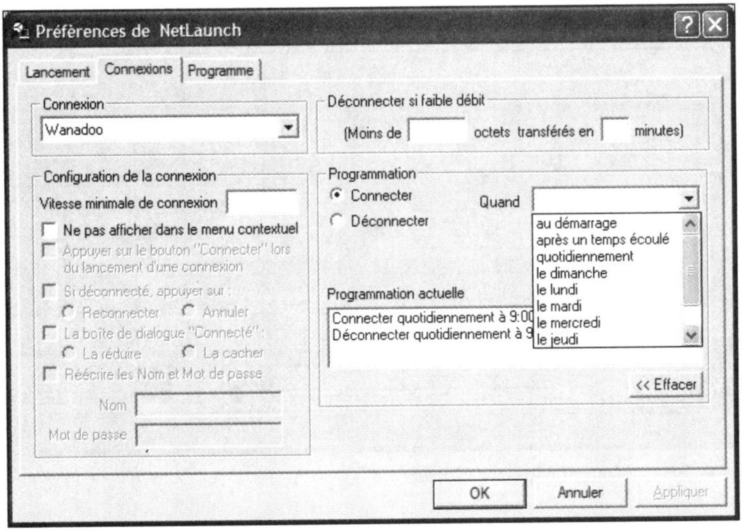

Figure 4.36 : *NetLaunch*

202. Ajouter un programme à lancer à la connexion

Après avoir programmé les connexions/déconnexions, vous pouvez ajouter des programmes à lancer automatiquement.

1. Faites un clic droit sur l'icône puis sur **Ouvrir la liste de lancement**.

2. Faites ensuite glisser les raccourcis des programmes à lancer et/ou créez de nouveaux raccourcis directement dans la fenêtre.

203. ADSL Autoconnect

Étant donné que, pour ceux qui utilisent l'ADSL, il est théoriquement prévu une déconnexion automatique toutes les 24 heures, ADSL Autoconnect peut vous être utile car il permet d'ouvrir une connexion ADSL au démarrage de Windows, de reconnecter automatiquement, de réinitialiser la connexion toutes les x heures, de recevoir une notification de changement d'adresse IP et d'afficher les taux de transfert. Il est téléchargeable à l'adresse **www.adslautoconnect.net/autoconnect/ telecharger_autoconnect.php** en version française.

Une fois installé, il affiche une icône dans le "systray" et un graphe pour les taux de transfert montant et descendant. Pour le configurer, double-cliquez sur son icône et cliquez sur le bouton **Préférences**.

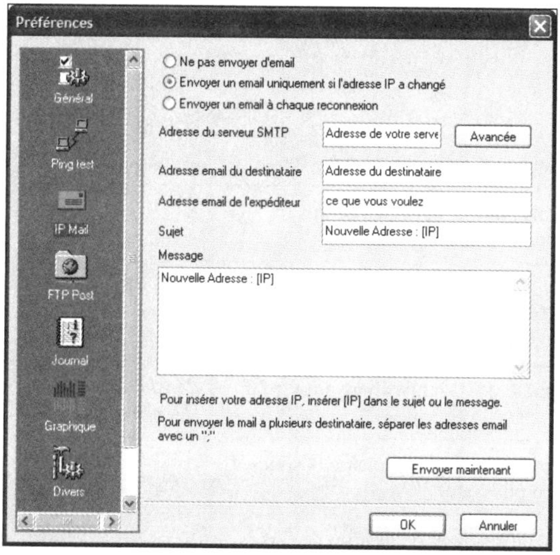

Figure 4.37 :
ADSL Autoconnect

204. AutoNetStop

AutoNetStop (freeware) est un assistant de programmation de déconnexion pour vos connexions Internet. Il met fin à une connexion active à une heure précise ou après un certain nombre de minutes. Il est téléchargeable à l'adresse **http://dri.fr/tarifcom/freewares** en version française.

Double-cliquez sur son icône dans le "systray" et programmez l'heure ou le temps avant déconnexion.

Figure 4.38 :
AutoNetStop

205. Glossaire

Tableau 4-3 : Glossaire		
Acronyme /expression	Explication	Signification
Firewall	Terme anglais pour désigner un pare-feu.	
Hacker	Terme anglais pour désigner un pirate informatique.	
ICS	C'est le partage de connexion Internet de Windows.	*Internet Connection Sharing.*
MTU	Taille maximale des données pouvant être envoyées.	*Maximum Transmit Unit.*
Pop-up	Petite fenêtre Internet, en principe destinée à diffuser de la publicité.	
Streaming	Méthode de diffusion et de gestion de flux vidéo ou audio sur Internet.	

CHAPITRE 5

Rechercher sur Internet

Rechercher sur Internet

5.1 Être efficace dans les recherches

206. Comment bien définir les recherches

Chaque jour, des millions d'informations sont ajoutées et mises à jour sur les sites web du monde entier, et c'est pour cela qu'afin de trouver l'information qui vous intéresse le plus rapidement possible il est indispensable de bien définir les mots que vous allez utiliser pour effectuer vos recherches.

La définition des mots clés dépend bien entendu du type de recherche que vous allez devoir effectuer. Si vous cherchez des détails sur un produit spécifique, il vous suffira de saisir tout simplement le nom du produit ou sa référence pour avoir très rapidement une réponse pertinente parmi les premières propositions. Par exemple, pour le modèle de voiture Espace du constructeur Renault, rendez-vous sur un moteur de recherche (tel Google) et saisissez les mots clés renault espace ; parmi les premiers liens proposés, vous allez trouver celui qui renvoie exactement sur la page du site Renault correspondant au modèle de voiture Espace, ce qui est nettement plus rapide que de chercher sur le site le modèle de véhicule !

Pour des recherches plus complexes, saisissez plusieurs mots clés afin que la requête soit la plus pertinente possible et la plus représentative de ce que vous souhaitez trouver. Dans ces requêtes, évitez les articles définis (le, la, les), qui n'apportent rien à la recherche, et séparez les mots clés les uns des autres par une espace. Prenons un exemple pour illustrer ce que nous venons de dire. Vous aimeriez trouver les horaires et le plan du réseau de bus de la ville de Toulouse. Vous n'allez pas saisir comme requête "horaires et plan du réseau de bus de la ville de Toulouse" ; saisissez uniquement l'essentiel, par exemple horaires bus Toulouse.

207. Affiner les recherches

La plupart des moteurs de recherche offrent la possibilité de faire des recherches très poussées *via* le menu **Recherche avancée** ou **Recherche approfondie** de leurs pages d'accueil. Ne négligez pas ces menus, qui offrent un grand nombre d'options de recherche comme la date, le type de fichier, le nom de domaine sur lequel vous souhaitez effectuer la recherche ou le nombre de résultats que vous souhaitez afficher. Toutes ces options vous permettront d'affiner votre recherche afin d'obtenir rapidement des réponses pertinentes.

208. Un moteur de recherche différent, Kartoo

La plupart des moteurs de recherche fonctionnent sur le même principe, mais certains, tel le métamoteur Kartoo, arrivent encore à innover en proposant des fonctions jusqu'ici inexploitées. Kartoo effectue ses recherches sur plusieurs moteurs de recherche et vous propose le résultat sous forme d'une carte. Cette carte présente les sites trouvés sous forme de pages, dont la dimension varie selon la pertinence du site. Pour exploiter pleinement cet outil, il vous faudra disposer du plug-in flash. Voici son fonctionnement détaillé :

1. Ouvrez Internet Explorer et rendez-vous à l'adresse **www.kartoo.fr**.

2. Dans la zone de texte *Rechercher* de la page web, saisissez le mot clé technicland et cliquez sur le bouton OK. Une image de chargement s'affiche pendant quelques secondes, le temps de la recherche, puis le résultat s'affiche sous forme d'une carte. Comme dit précédemment, la page la plus grosse représente le résultat de la recherche le plus pertinent, ici le site **www.technicland.com**. Dans le menu de gauche, vous pouvez affiner la recherche.

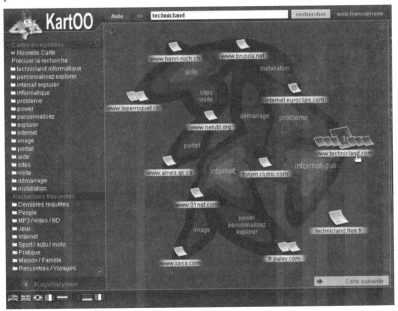

Figure 5.1 : *Résultat d'une recherche sur le métamoteur Kartoo*

3. Amenez maintenant le pointeur de la souris sur la page la plus grosse. Une arborescence de mots clés s'affiche autour de la page, et une description du site s'affiche dans le menu de gauche.

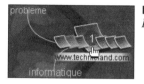

Figure 5.2 :
La page et son arborescence

Le moteur de recherche Kartoo propose une manière vraiment différente d'exploiter le résultat de vos recherches ; prenez le temps de le découvrir, car il existe beaucoup d'options que vous apprendrez à maîtriser avec le temps.

5.2 Optimiser ses recherches avec Google

209. Pourquoi préférer Google ?

Google est à l'heure actuelle un des meilleurs moteurs de recherche au monde. S'il est en tête et loin devant tous ses concurrents, c'est qu'il a fait depuis longtemps ses preuves. Sous ses allures simplistes et dépouillées se cache en fait un véritable arsenal technologique qui traite chaque jour des millions de pages web afin de les indexer et de les référencer dans une gigantesque base de données. Mais le fait de référencer un maximum de pages web ne suffit pas pour devenir leader dans son domaine. Google a développé en parallèle une technologie appelée page ranks qui lui permet d'évaluer le contenu des pages web, ce qui a pour effet d'augmenter la pertinence des propositions soumises lors d'une recherche.

Des chiffres

Si vous souhaitez voir diverses statistiques entre les principaux moteurs de recherche, vous pouvez consulter l'adresse **www.indicateur.com/barometre/default.shtml**, qui dresse un bilan mensuel des principaux moteurs de recherche. Pour connaître aussi la taille des différents index de chaque moteur, consultez sur le même site l'adresse **www.indicateur.com/Doc/taille_index.shtml**.

210. Paramétrer ses préférences Google

Si vous utilisez souvent Google, prenez le temps de le paramétrer correctement une fois pour toutes. Cela vous évitera de reprendre à chaque fois des options que vous utilisez quotidiennement. Attention, les préférences sont conservées sous forme de cookies ! Il vous faudra donc activer cette option dans l'onglet **Confidentialité** des options Internet.

1. Rendez-vous sur le site Internet **www.google.fr** et cliquez sur le lien *Préférences,* situé à droite du champ de recherche.

2. Dans la rubrique *Langue d'interface*, sélectionnez votre langue habituelle. Dans la rubrique *Langue de recherche*, sélectionnez la langue à laquelle vous souhaitez limiter les réponses affichées.

3. Dans la rubrique *Nombre de résultats*, sélectionnez le nombre de résultats que vous souhaitez voir afficher par page.

4. La dernière rubrique, *Fenêtre des résultats*, vous permettra de paramétrer l'ouverture ou non de la page de résultats dans une nouvelle fenêtre. Pour valider vos choix, cliquez sur le bouton **Enregistrer les préférences**.

211. Le page rank, l'esprit Google

Afin de pouvoir sonder la popularité des sites web, Google observe en permanence le nombre de liens pointant vers les sites ou les pages web. En résumant simplement, plus il y aura de sites web proposant des liens vers un site ou vers les pages d'un site, plus ce site ou cette page en question montera dans le classement établi par Google.

Connaissant ce principe, vous comprendrez facilement qu'il est donc important pour votre site de se voir référencé par d'autres sites Internet. Afin d'augmenter le page rank de votre site, vous pouvez échanger des liens avec d'autres sites ou alors utiliser des réseaux d'échange de liens. Attention à cette dernière méthode, car Google commence à faire la chasse à ce type de procédé, qui remet totalement en question son mode de classement.

> **INTERNET**
>
> **Tout sur le page rank**
> Si vous souhaitez tout savoir sur le page rank, sur les techniques de référencement ou trouver des outils, vous pouvez consulter le site www .webrankinfo.com, qui traite en profondeur de tous ces sujets.

212. Accéder à Google

Google est toujours en quête de nouveautés afin d'améliorer la pertinence de son moteur de recherche et l'accessibilité à celui-ci.

Une des dernières trouvailles de Google est la navigation complète au clavier depuis le moteur de recherche. Outre la facilité de navigation que cela procure, il ne faut pas oublier que cela rend le moteur de recherche accessible aux non-voyants, qui eux aussi surfent grâce à des logiciels de revue d'écran. Pour avoir un aperçu de ce nouvel outil, procédez comme suit :

1. Rendez-vous à l'adresse Internet **http://labs.google.com/keys/index.html** et, dans la zone de texte, saisissez un mot pour lequel vous souhaitez lancer une recherche et cliquez sur le bouton **Google Search**.

2. Une fois la fenêtre de résultat affichée, appuyez sur la touche ⓀⓀ de votre clavier. Une image représentant trois sphères, rouge, bleu et jaune, vient se placer devant le premier résultat. Pour passer au second résultat cliquez à nouveau sur la touche Ⓚ, et pour revenir au résultat précédent appuyez sur la touche Ⓘ. Pour afficher la page où se trouvent les sphères cliquez sur la touche Entrée.

Figure 5.3 : *Le logo de Google montrant un résultat sélectionné*

3. Pour passer à la page de résultat suivante, cliquez sur la touche $\boxed{N}$ et, pour revenir à la page de résultat précédente, appuyez sur la touche $\boxed{P}$.

4. Pour pouvoir revenir dans la zone de saisie, appuyez sur la touche $\boxed{A}$.

5. Les touches $\boxed{?}$ ou $\boxed{/}$ vous permettent d'afficher la liste des touches à utiliser et leurs fonctions.

Tableau 5-1 : Raccourcis clavier de Google (version Accessibilité)		
Raccourci clavier	**Signification anglaise**	**Action**
$\boxed{k}$	*Next result*	Page suivante
$\boxed{j}$	*Prev result*	Page précédente
$\boxed{\text{Entrée}}$	*Visit result*	Sélectionne la page
$\boxed{c}$	*Cached page*	En cache
$\boxed{s}$	*Similar pages*	Pages similaires
$\boxed{L}$	*Select AdWords*	Sélectionne les liens commerciaux
$\boxed{I}$	*Select main results*	Sélectionne la liste des résultats
$\boxed{n}$	*Next page*	Page suivante
$\boxed{p}$	*Prev page*	Page précédente
$\boxed{a}$	*Search box*	Zone de saisie texte (rechercher)
$\boxed{1}$-$\boxed{9}$	*Visit result #*	Raccourci vers les réponses 1 à 9
$\boxed{\leftarrow}$	*Back*	Retour
$\boxed{?}$		Affiche les raccourcis clavier

213. Effectuer une recherche uniquement sur un site

Google vous offre la possibilité de lancer vos recherches uniquement sur un site. Cela peut être très utile lorsque vous souhaitez rechercher un article ou autre chose sur un site en particulier. Pour ce type de recherche, il vous faut simplement utiliser une syntaxe spécifique lorsque vous effectuez vos recherches :

1. Ouvrez Internet Explorer et rendez-vous sur le site de Google www .google.fr.

2. Si vous souhaitez par exemple lancer une recherche sur le mot *powerie6* uniquement sur le site **www.technicland.com**, voici ce que vous allez devoir saisir dans le champ de recherche : site:www.technicland.com powerie6.

3. Google va donc vous donner uniquement le résultat des pages qu'il aura indexées par rapport à ce site et ce mot recherché. La syntaxe à utiliser est donc celle-ci : *site:nom_de_domaine_du_site mot recherché*.

214. Rechercher par type de fichier

Avec Google, vous avez aussi la possibilité de lancer une recherche uniquement sur un type d'extension de fichier, toujours en utilisant une syntaxe spécifique dans le champ de recherche.

1. Ouvrez Internet Explorer et rendez-vous sur le site de Google **www .google.fr**.

2. Si vous voulez par exemple chercher uniquement des fichiers au format *.pdf* contenant le mot clé *imprimante*, voici ce que vous allez devoir saisir dans le champ de recherche de la page Google : filetype:pdf imprimante.

Figure 5.4 :
Recherche sur le type d'extension pdf contenant le mot imprimante

3. Le résultat de la recherche Google proposera donc uniquement des documents au format *.pdf* contenant le mot *imprimante*. La syntaxe à utiliser pour lancer des recherches sur des types de fichiers spécifiques est celle-ci : filetype:extension_recherché *mot recherché*. Vous pouvez lancer la recherche sur des extensions comme *.doc* pour Word, *.xls* pour Excel, *.ppt* pour des diaporamas PowerPoint, etc.

215. Un moteur de recherche sous la main avec la Google Toolbar

Google a développé un utilitaire qui s'intègre au navigateur Internet Explorer sous la forme d'une barre d'outils. Habituellement, lorsque vous souhaitez effectuer des recherches sur Google, vous êtes obligé de vous rendre sur la page d'accueil du site afin d'accéder au formulaire de recherche. L'un des points forts de la Google Toolbar est de vous fournir en permanence un champ de recherche afin que vous puissiez saisir directement vos mots clés et ainsi lancer la recherche à partir de la page en cours de visite. La barre d'outils possède plusieurs autres fonctions intéressantes dont un anti pop-up très efficace ; pour l'installer rendez-vous à l'adresse **http://toolbar.google.com/intl/fr** et cliquez sur le bouton **Télécharger la barre d'outils Google**. Une fois le logiciel d'installation de la barre téléchargé, exécutez-le afin de l'installer.

| Google ▾ | | ✓ | 🔍 Recherche Web | ▾ | 🔲 133 bloquée(s) | 🅱 | 📑 Options | 🖉 |

Figure 5.5 : *La barre d'outils Google*

Autres outils similaires

Si vous préférez d'autres moteurs de recherche, sachez qu'en principe eux aussi ont développé leurs barres d'outils. Pour le moteur de recherche Voila, rendez-vous à l'adresse **http://voilabar.voila.fr/presentation.shtm** et, pour le moteur de recherche Yahoo, l'outil est disponible à **http://fr.companion.yahoo.com**.

216. Paramétrer la Google Toolbar

Pour que la barre d'outils Google soit encore plus efficace et complètement adaptée à vos besoins, il vous faut la paramétrer. Pour accéder aux réglages, procédez comme suit :

1. Ouvrez Internet Explorer, cliquez sur le logo Google situé sur la gauche de la barre d'outils et sélectionnez la commande **Options**. La boîte de dialogue contenant deux onglets, **Options** et **Autres,** s'affiche.

2. Dans la rubrique *Recherche* de l'onglet **Options**, vous allez pouvoir régler le site Google du pays sur lequel vous souhaitez lancer les recherches. vous pourrez aussi paramétrer suivant vos besoins diverses préférences par l'intermédiaire du second onglet, **Autres**.

Le bouton **Paramètres par défaut,** situé en bas de la boîte de dialogue, vous permettra de revenir à une barre standard en cas de besoin.

217. Surligner les mots recherchés dans les pages affichées

Parmi les nombreuses options disponibles dans la barre d'outils Google, la fonction **Contraster** est une des plus efficaces, et elle vous apportera un plus indéniable dans vos recherches. Voici comment elle fonctionne :

1. Lancez une recherche depuis la barre d'outils Google ou depuis le site Google, puis ouvrez un site parmi les propositions faites sur la page.

✏ Contraster	🔍 imprimante	🔍 thermique

Figure 5.6 :
Le bouton Contraster et deux mots clés recherchés

2. Une fois sur le site, cliquez sur le bouton **Contraster** de la barre d'outils Google. Tous les mots que vous aurez saisis dans le champ de recherche vont apparaître surlignés de couleurs différentes. Vous allez donc pouvoir localiser très rapidement les mots qui vous intéressent.

3. Si dans les préférences de la barre d'outils vous avez activé l'option *Boutons reprenant les mots clés de la recherche*, chaque mot sera alors repris dans un bouton de la barre Google, et chaque bouton aura une couleur qui sera reprise sur la page lorsque vous utiliserez la fonction **Contraster**. Si vous appuyez sur un de ces boutons reprenant un mot clé, vous allez vous rendre directement sur le premier mot clé trouvé de la page. Si vous appuyez une seconde fois, vous passerez au second mot, et ainsi de suite.

218. J'ai de la chance

Une autre fonction intéressante de la barre Google est le bouton **J'ai de la chance**. Saisissez un ou plusieurs mots clés et appuyez sur le bouton **J'ai de la chance** ; Google va automatiquement vous connecter sur un site en rapport avec les mots clés saisis. Cette fonction est efficace si vous disposez de mots clés pertinents.

219. Cibler les recherches Google sur le site Microsoft

Si vous souhaitez effectuer des recherches en rapport avec Microsoft, Google met à votre disposition un espace de recherche spécialisé sur les produits et les technologies Microsoft. Rendez-vous à l'adresse **www.google .com/microsoft** et effectuez une recherche sur les mots clés ou produits que vous souhaitez trouver.

220. Utiliser la fonction En cache

Si en consultant un des résultats proposés par Google vous arrivez sur une page qui n'existe plus, sachez qu'il est possible d'utiliser la fonction **En cache**. Cette option vous propose d'afficher la page telle qu'elle était lors du dernier référencement par Google. Donc, même si la page n'existe plus, vous pourrez sûrement encore la consulter grâce à cette fonction.

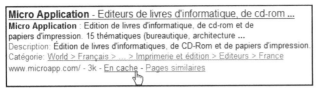

Micro Application - Editeurs de livres d'informatique, de cd-rom ...
Micro Application : Edition de livres d'informatique, de cd-rom et de
papiers d'impression. 15 thématiques (bureautique, architecture ...
Description: Édition de livres d'informatiques, de CD-Rom et de papiers d'impression.
Catégorie: World > Français > ... > Imprimerie et édition > Editeurs > France
www.microapp.com/ - 3k - En cache - Pages similaires

Figure 5.7 : *Position de la fonction En cache sur un résultat de recherche*

221. Les recherches les plus effectuées

Si vous aimez les statistiques, rendez-vous à l'adresse **www.google.fr/press/ zeitgeist.html**, vous y trouverez la liste de mots clés les plus recherchés sur Google au cours de l'année passée.

À l'adresse **www.google.com/intl/en/press/zeitgeist.html**, vous accéderez aux dernières statistiques concernant les mots clés les plus recherchés au cours des dernières semaines. Vous pourrez aussi trouver des statistiques sur les systèmes d'exploitation et les navigateurs utilisés pour naviguer. Ces pages sont une mine d'informations qui reflètent les tendances et l'humeur actuelles des internautes ; c'est très intéressant car, en plus des statistiques globales, Google nous offre aussi des statistiques par pays.

5.3 Rechercher de la musique

222. Rechercher de la musique à télécharger

À l'heure actuelle, la plupart des échanges de fichiers musicaux se font par l'intermédiaire de réseaux Peer to Peer. Cependant, quelques bons moteurs de recherche spécialisés dans la musique comme Musicseek vous permettent encore de télécharger de la musique sans installer de client P2P. Voici comment bien débuter avec ce moteur de recherche :

1. Ouvrez Internet Explorer et rendez-vous à l'adresse **www.musicseek.net**.

2. Dans le champ de recherche, saisissez un nom d'artiste ou un titre de chanson. Ensuite, dans la rubrique *Customize your Seach* via le menu déroulant *Number of search results per page*, sélectionnez le nombre de réponses que vous souhaitez voir afficher par page.

3. Cochez la case *Smart Search*, qui correspond à faire une recherche intelligente, utilisée notamment pour corriger les fautes de frappe. Si vous souhaitez exclure de vos recherches les sites où il faut d'abord

envoyer des fichiers avant de pouvoir en télécharger, cochez la case *Don't search sites with ratio*.

4. Ensuite, toujours dans la rubrique *Customize your Seach*, cochez le format de fichier que vous souhaitez télécharger ; vous avez quatre formats disponibles : *.mp3, .vqf, .aac, .ra*.

5. Après ces différents réglages, vous pouvez maintenant lancer la recherche en cliquant sur le bouton **Seek!**.

6. La page de résultats vous présente d'abord les sites en rapport avec votre recherche ; vous pouvez sauter cette partie peu intéressante et vous rendre directement vers le bas de la page, à la rubrique *MusicSeek Results*. Cette partie vous propose uniquement des fichiers à télécharger.

MusicSeek Results:				
Site Name: lethal.servemp3.com	Login	Password	Ratio	Reliability
ftp://mp3.mp3@lethal.servemp3.com:21	mp3	mp3	None	★ ★

Figure 5.8 : *Tableau de réponses MusicSeek*

7. Le résultat de la recherche s'affiche sous forme de tableau contenant le nom du site, l'adresse générale du serveur FTP, le login et le password (utilisateur et mot de passe) pour vous connecter au serveur. Il vous indique aussi si la technique du ratio est utilisée sur ce serveur, et la fiabilité du serveur est notée suivant un nombre d'étoiles allant de une pour très basse à cinq pour excellente.

Toujours plus de MP3

Il existe d'autres moteurs de recherche qui donnent de bons résultats en matière de recherche de MP3, notamment le site Alltheweb, disponible à l'adresse **www.alltheweb.com/?c=mp3.**

223. Rechercher de la musique gratuite

Si le format *.mp3* a longtemps été pris à partie par les artistes, sous prétexte de mise en péril de leur profession, on commence à percevoir un changement d'attitude par rapport à celui-ci. Les nouveaux artistes trouvent notamment dans ce format un moyen facile et efficace de diffuser à grande échelle leur musique et ainsi de se faire connaître rapidement. Chose qui avant n'était pas possible sans passer par les maisons de disques ou les radios.

Le site People Sound, présent dans plusieurs pays européens et disponible en français à l'adresse **http://fr.peoplesound.com**, propose d'écouter ou de télécharger gratuitement des fichiers *.mp3* de nouveaux artistes ou d'artistes ne réclamant pas de droits sur ce type de fichier. Rendez-vous sur ce site, où vous pourrez donc télécharger en toute légalité beaucoup de fichiers *.mp3* de plus ou moins bonne qualité "artistique".

Pour vous aider à choisir avant d'écouter ou de télécharger des morceaux, servez-vous du menu **Top 20**, vous y trouverez un classement hebdomadaire des vingt meilleurs titres proposés sur le site et diverses sélections intéressantes. Prenez aussi le temps de lire les commentaires des gens à propos des titres, c'est un bon indicateur de tendance. Via le menu **Mon Jukebox**, vous pourrez aussi vous créer une *playlist* de vos titres préférés.

224. Écouter des extraits musicaux

Le moteur de recherche Voila propose sur son site un espace nommé Your DJ entièrement dédié à la recherche et à l'écoute d'extraits musicaux.

1. Ouvrez Internet Explorer et rendez-vous à l'adresse **http://dj.voila.fr.**

2. Depuis la rubrique *Recherche extraits!*, saisissez un nom de titre, d'interprète ou celui d'un album et cochez le bouton d'option correspondant, puis lancez la recherche.

3. Sur la page de résultats, cliquez sur le titre qui vous intéresse, la page suivante qui s'affiche vous propose en général la liste des titres contenus dans un album. Cochez les cases des titres que vous souhaitez écouter et cliquez sur le bouton **Jouer**, vous pourrez ainsi vous faire une idée des titres ; l'extrait de chaque titre dure en principe entre 30 et 45 secondes.

Dans l'espace Your DJ de Voila vous pouvez aussi faire des recherches avancées sur les extraits musicaux. Si vous cherchez des *.mp3* complets, servez-vous de la rubrique de recherche située tout à fait en bas de page.

5.4 Rechercher par type de fichier

225. Rechercher des images

Si vous souhaitez trouver des images et seulement des images, que ce soient d'objets, d'artistes, de voitures, bref, de n'importe quoi mais en rapport avec des images, voici quelques outils de recherche spécialisés.

PicSearch

PicSearch, accessible à l'adresse **www.picsearch.com**, est un des meilleurs moteurs de recherche d'images car il allie la simplicité et l'efficacité. Son fonctionnement est très simple : saisissez un mot clé et lancez la recherche. Le résultat affiche les images sous forme de vignettes avec différentes informations à propos de l'image. Sur la page d'accueil du site, vous trouverez aussi la présentation des quatre recherches les plus effectuées sur le site.

Ixquick

Ixquick est un métachercheur qui est aussi très efficace ; pour l'utiliser, rendez-vous à l'adresse **http://ixquick.com/fra** puis saisissez vos mots clés et cochez l'option *Images* puis lancez la recherche. Le résultat affiche les images sous forme de vignettes et quelques informations concernant les images.

Google

Bien sûr, Google dispose aussi d'une section spécialisée dans la recherche d'images sur Internet. Voici l'adresse directe de cette section : **http://images .google.fr**.

226. Rechercher des vidéos

Si vous cherchez des vidéos, rendez-vous dans la section spécialisée du moteur de recherche Altavista à l'adresse **http://fr.altavista.com/video**. À partir de cette page, vous pourrez effectuer des recherches ciblées uniquement sur des documents aux formats vidéo. Pour une recherche plus pointue, effectuez une recherche avancée, qui vous offrira diverses options intéressantes, notamment le choix du format et de la durée des vidéos recherchées.

Où sont les vidéos ?

Le moteur de recherche Altavista vous donnera la page où se trouve la vidéo et non un lien direct de la vidéo. Si sur certaines pages les liens sont mis en évidence, sur d'autres, c'est beaucoup plus difficile de les retrouver, alors ouvrez l'œil.

227. Rechercher des sons

Si vous souhaitez trouver des sons pour personnaliser votre environnement Windows ou pour faire des animations ou toute autre chose, rendez-vous sur le site FindSounds, accessible à l'adresse **www.findsounds.com**. Vous pourrez ainsi rechercher des sons "samplés" en sélectionnant les options qui vous intéressent (format, taille, mono ou stéréo, résolution). Attention, c'est un moteur de recherche anglophone ! alors, n'oubliez pas de lancer des recherches avec des termes anglais, sinon vous risquez de ne pas avoir beaucoup de réponses. Le moteur de recherche vous fournit aussi une liste de sons accessibles par thème qui est disponible à l'adresse **www.findsounds .com/types.html**.

228. Rechercher des pilotes

Si vous avez besoin d'un driver pour votre ordinateur, rendez-vous à l'adresse **www.driversearch.com** et, dans le champ de texte, saisissez la référence de votre matériel puis lancez la recherche. Parmi les réponses, choisissez celle qui vous semble la plus pertinente et téléchargez le pilote. Depuis la page d'accueil du site, en cliquant sur le lien *Driver Sites*, vous aurez aussi la possibilité d'avoir accès aux drivers depuis un classement par catégorie de matériel puis par constructeur.

Mot de passe

Beaucoup de drivers font référence au site **www.driverguide.com**, qui demande un mot de passe généraliste pour télécharger les drivers depuis son site. Le nom d'utilisateur est "drivers" et le mot de passe, "all".

5.5 Rechercher des lieux ou des emplacements

229. Rechercher une adresse avec un moteur de recherche cartographique

Si vous avez besoin de localiser une adresse, ce n'est plus la peine de chercher pendant des heures sur des cartes que l'on n'arrive jamais à replier. Maintenant, grâce à Internet, il vous suffit de saisir l'adresse pour la situer directement sur une carte qui s'affichera à l'écran.

1. Rendez-vous sur le site **www.ismap.fr** et lancez une recherche après avoir saisi l'adresse ou la ville dont vous cherchez le plan.

2. S'il y a plusieurs réponses, sélectionnez la plus pertinente.

3. La carte s'affiche. Notez qu'à l'aide d'un menu sous la carte vous avez la possibilité de choisir différentes vues plus ou moins précises de la carte.

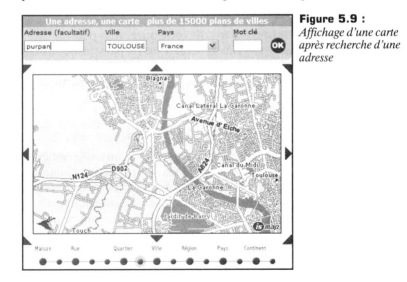

Figure 5.9 :
Affichage d'une carte après recherche d'une adresse

230. Calculer un itinéraire

La rubrique *Itinéraires* du site Ismap **www.ismap.fr** vous permet de calculer facilement un itinéraire. Pour cela, il vous suffit de donner l'adresse de départ et l'adresse d'arrivée puis de lancer la recherche. Le résultat vous sera donné en deux parties bien distinctes.

Dans la première partie, vous obtiendrez un parcours général avec comme informations le temps, la distance et le tracé principal de l'itinéraire, qui sera affiché sur une carte sur laquelle le point de départ sera notifié par un petit drapeau vert et celui d'arrivée, par un petit drapeau rouge. Notez que vous avez aussi la possibilité d'agrandir la carte du tracé principal *via* les liens sous la carte 640*480, 800*600 ou 1024*768.

Dans la deuxième partie de la page de résultats, vous obtiendrez un parcours très détaillé. L'itinéraire sera découpé en plusieurs étapes importantes, toutes accompagnées de tracés très précis sur une partie de carte. Avec de telles informations, il ne vous reste plus qu'à imprimer le résultat de la recherche pour être quasiment sûr d'arriver à bon port !

231. Exploration géographique avec Yahoo

Si vous souhaitez organiser vos prochaines vacances et ainsi trouver facilement des informations sur les lieux d'hébergement, les sites à visiter ou les événements locaux, rendez-vous à l'adresse **http://fr.dir.yahoo.com/ exploration_geographique/pays**. À partir de cette page, vous pourrez facilement trouver des informations générales sur un pays, jusqu'aux dates et horaires du marché nocturne de Cordes-sur-Ciel. Cela vous donne une idée de la palette d'informations que vous pourrez trouver à partir de cette page.

232. Rechercher un événement par ville

Si vous souhaitez rechercher une idée de sortie dans votre ville, rendez-vous sur le site CityWeb **www.webcity.fr**. Après avoir sélectionné une des 75 villes disponibles, vous pourrez consulter les dates et heures de tous les principaux événements théâtraux, musicaux, cinématographiques et sportifs. Vous y trouverez aussi des commentaires d'internautes sur les différents bars, boîtes et restaurants, ce qui est en général un bon indicateur de tendance.

233. Atlas en ligne

Si vous recherchez des cartes ou des informations sur des pays ou des régions, visitez à l'adresse **http://www.univ-tlse2.fr/geoprdc/bazarcarto/index .php?m=c&c=6** le petit Bazar cartographique de l'université de Toulouse. Comme son nom l'indique, vous y trouverez divers liens qui recensent de nombreux atlas géographiques, économiques, physiques et humains en ligne.

5.6 Utiliser les annuaires en ligne

234. Chercher un numéro de téléphone

Si vous avez besoin du numéro de téléphone d'un particulier, il n'est plus nécessaire de chercher dans les milliers de pages de votre bon vieil annuaire. France Télécom a eu la bonne idée de mettre en ligne les numéros de ses abonnés. Rendez-vous à l'adresse **www.pagesblanches.fr** et saisissez le nom et la localité de la personne dont vous cherchez le numéro de téléphone.

235. Rechercher un professionnel

France Télécom a aussi mis en ligne l'équivalent de son annuaire des professionnels, plus communément appelé les Pages Jaunes ; vous le retrouverez à l'adresse **www.pagesjaunes.fr**.

236. Rechercher à qui appartient ce numéro

Si vous souhaitez mettre un nom sur un numéro de téléphone ou de fax, sachez qu'il existe une possibilité de faire une recherche inversée. Cette option est proposée sur le site des pages blanches de France Télécom, mais elle est payante ! Heureusement, vous pouvez tout de même effectuer ce type de recherche gratuitement ; rendez-vous à l'adresse **www.infobel.com/france/wp/revsearch/default.asp** et saisissez un numéro puis lancez la recherche.

237. Rechercher les meilleurs prix des moyens de communication

Si vous cherchez à comparer le prix des opérateurs téléphoniques afin de trouver le meilleur rapport qualité/prix, rendez-vous à l'adresse **www .comparatel.fr/accueil** sur le site de Comparatel. Vous pourrez ainsi comparer les prix de vos abonnements de téléphonie fixe, Internet et cellulaires afin de trouver celui qui offre en ce moment le meilleur rapport qualité/prix. Vous retrouverez également sur le site des études sur la qualité des réseaux et des opérateurs.

5.7 Rechercher des dictionnaires et des traducteurs en ligne

238. Rechercher la signification d'un mot

Si vous avez besoin de connaître la signification d'un mot et que vous n'ayez pas de dictionnaire sous la main, ce n'est pas grave ! L'Office québécois de la langue française a mis en ligne un grand dictionnaire de terminologie qui vous offre la possibilité de trouver la signification de quasiment tous les mots de la langue française.

1. Ouvrez Internet Explorer et rendez-vous à l'adresse www .granddictionnaire.com.

2. Dans le menu déroulant *Langue d'interrogation*, sélectionnez la langue du mot que vous allez rechercher. Si vous souhaitez que le dictionnaire vous propose un équivalent du mot recherché dans une autre langue, sélectionnez dans le menu déroulant *Langue de l'équivalent* une des trois langues proposées.

3. Dans la zone de recherche *Interrogation*, saisissez le mot dont vous souhaitez rechercher la définition et appuyez sur le bouton en forme de loupe pour lancer la recherche.

4. Si le résultat de la recherche contient plusieurs réponses, celles-ci s'affichent dans le menu de gauche. Cliquez sur le terme que vous souhaitez consulter afin que sa définition s'affiche au centre de la page de résultats.

239. Un dictionnaire informatique en ligne

Si vous recherchez la définition d'un terme informatique, n'hésitez pas à vous rendre sur le site du Dictionnaire français d'informatique, disponible à l'adresse www.dicofr.com. Depuis la page d'accueil, vous pourrez très facilement saisir le terme dont vous souhaitez rechercher la définition. Le site propose aussi un classement des termes les plus recherchés ainsi que les dix dernières définitions ajoutées au dictionnaire.

240. Traduire le résultat de votre recherche

Les moteurs de recherche vous soumettent souvent des réponses intéressantes mais, malheureusement, une majorité des sites proposés sont anglophones. Il est maintenant possible de faire traduire la totalité d'une page web par des sites de traduction instantanée en ligne. FreeTranslation est un des meilleurs traducteurs en ligne gratuits à l'heure actuelle. Le site, disponible à l'adresse **www.freetranslation.com**, vous propose deux modes de traduction.

Le premier mode consiste à copier un texte externe que vous souhaitez traduire dans la zone de texte de la page d'accueil. Il ne vous reste plus ensuite qu'à sélectionner *via* le menu déroulant le sens de la traduction (par exemple *English to French*).et à lancer la traduction par le bouton **Free Translation**.

Le second mode vous permet de faire traduire une page Internet complète. Rendez-vous à l'adresse **www.freetranslation.com/web.htm** sur le site FreeTranslation et, dans la zone de texte *Type or paste website address here*, collez ou saisissez l'adresse exacte de la page que vous souhaitez traduire puis cliquez sur le bouton **Free Translation**. Après quelques secondes d'attente la page apparaîtra dans la langue choisie.

5.8 Utiliser l'annuaire Yahoo

Yahoo fut et est encore aujourd'hui un des principaux moteurs de recherche utilisés par les internautes, ou c'est plutôt un annuaire de recherche. Sa classification par catégorie permet de flâner un peu au hasard comme dans un grand magasin sans bien avoir défini ce que l'on recherche. L'avantage de ceci est que l'on peut trouver directement une information, que Yahoo a classée en vérifiant que les sites correspondent bien à la catégorie.

241. Utiliser les catégories

Lancez votre navigateur préféré, saisissez l'adresse http://fr.yahoo.com et appuyez sur (Entrée).

Un peu plus bas, dans la page d'accueil, vous trouverez toutes les rubriques que Yahoo vous permet de consulter. Cliquez simplement sur celle que vous voulez, et ainsi de suite jusqu'à arriver sur le site qui correspond le plus aux catégories que vous avez choisies.

Un @ affiché à la fin du nom des catégories indique qu'elles sont utilisées dans d'autres catégories et ne font donc pas à proprement parler partie de celle dans laquelle vous vous trouvez actuellement.

Les valeurs indiquées entre parenthèses, (12530), après le nom de la catégorie indiquent le nombre de sous-catégories ou de sites répertoriés dans celle-ci.

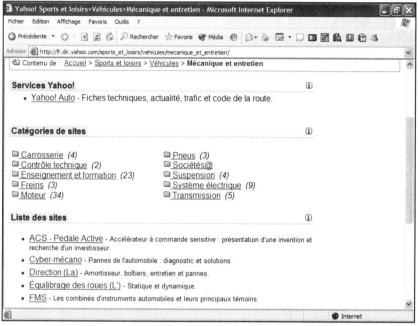

Figure 5.10 : *Catégories de Yahoo*

242. Syntaxe du moteur de recherche

En plus de l'annuaire, Yahoo possède un puissant moteur de recherche qu'il faut savoir utiliser si l'on désire avoir des informations pertinentes. Si vous recherchez un mot simple, saisissez ce mot dans l'emplacement prévu et cliquez sur le bouton **Rechercher**.

Il faut savoir que, si vous mettez une espace entre deux mots, Yahoo fera la recherche sur l'un des deux mots en faisant un "ou" entre les deux. Par exemple, si vous recherchez renault espace, Yahoo trouvera les mots renault et espace pas forcément accolés ni dans le même ordre.

Pour rechercher des mots composés, mettez-les entre guillemets. Par exemple, "renault espace" ne donnera pas du tout le même résultat que précédemment.

De même, si vous recherchez les mots renault et espace dans cet ordre mais pas forcément accolés, vous devez mettre un + devant le mot suivant. Par exemple, renault +espace.

Pour exclure un mot de la recherche, vous devez mettre un − devant. Par exemple, renault −espace. Attention à mettre une espace devant le − de façon que Yahoo ne cherche pas le mot composé !

Toutes les combinaisons de ces signes sont possibles. Par exemple, "renault espace" −twingo +"agence de location".

Vous pouvez aussi rechercher l'un des deux mots en écrivant OR en majuscule entre les deux. Par exemple, renault OR espace. (Évidemment, si vous recherchez collier OR massif, vous risquez de ne pas trouver de collier en or massif. Mettez-le entre guillemets et en minuscule, "collier or massif", ou avec des +, collier +or +massif, selon ce que vous cherchez.)

243. Recherche avancée

Si la recherche simple ne suffit pas, le site a prévu de combler le moindre de vos désirs en vous donnant une possibilité de faire une recherche avancée. Cliquez sur le lien *Recherche avancée* juste à côté du bouton **Rechercher**. Vous pouvez définir quatre critères différents qui ne sont pas forcément contradictoires :

- *contenant tous les mots*. Recherche tous les mots indiqués (correspond au +).

- *contenant exactement la phrase*. Cette phrase exactement (correspond aux "").

- *contenant au moins l'un des mots*. Un des mots spécifiés (correspond au OR).

- *ne contenant aucun des mots*. Ignore les mots indiqués (correspond au -).

Dans la partie *Plus d'options*, vous pouvez définir :

- *La langue*. Pour éviter les recherches sur des mots anglais dans des sites anglais.

- *Le pays*. Afin de limiter votre recherche géographiquement.

- *La date*. Pour avoir des informations récentes.

- *L'emplacement*. Du texte recherché dans la page ou dans le nom du site.

- *Le domaine.* Pour faire une recherche sur un type de site précis ou pour exclure un type de site.

Une fois définis tous vos critères, cliquez sur le bouton **Lancer la recherche**.

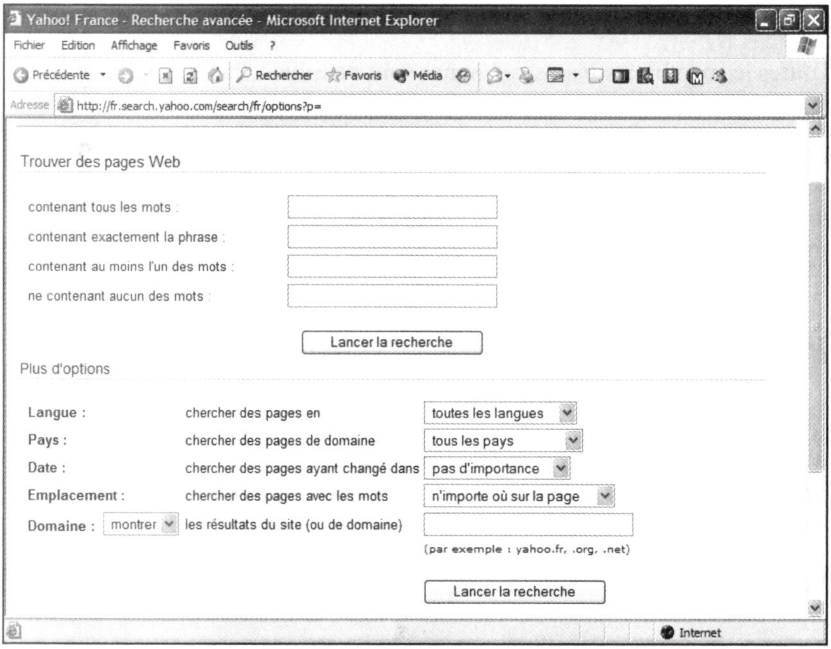

Figure 5.11 : *Recherche avancée de Yahoo*

5.9 Altavista, un autre mode de recherche

Altavista est un autre type de moteur de recherche plus axé sur les recherches pures de texte, d'image ou de son, mais il contient aussi une sélection par "pôle de recherche" qui vous renvoie la plupart du temps sur des sites commerciaux. Il contient aussi un "répertoire" des différents sites professionnels référencés, classé par catégories. Il offre en plus la possibilité de traduire directement un site ou un texte.

244. Utiliser les pôles de recherche et le répertoire

Lancez votre navigateur, saisissez l'adresse http://fr.altavista.com et appuyez sur (Entrée).

Un peu plus bas, dans la page d'accueil, vous trouverez les Pôles de recherche, qui sponsorisent Altavista. Cliquez sur celui que vous voulez et choisissez ce que vous désirez selon la catégorie choisie et le sponsor du moment. Ou cliquez sur l'onglet **Répertoire**.

Cliquez ensuite sur la catégorie que vous voulez, et ainsi de suite jusqu'à arriver sur le site professionnel qui correspond le plus à la catégorie que vous avez choisie.

245. Syntaxe du moteur de recherche

Altavista est habituellement plus utilisé pour son moteur de recherche, puissant mais dont la syntaxe d'utilisation n'est pas forcément connue. Vous pouvez utiliser les mots clés suivants, mais vous devez toujours les écrire en majuscules.

Si vous recherchez un mot simple, cliquez sur l'onglet à utiliser **Web**, **Image**, **MP3/Audio**, **Vidéo** ou **Répertoire**, saisissez le mot recherché dans l'emplacement prévu et cliquez sur le bouton **Trouver**.

Il faut savoir que, si vous mettez une espace entre deux mots ou le mot clé AND, Altavista fera la recherche sur les deux mots en faisant un "et" entre les deux. Par exemple, si vous recherchez renault espace ou renault AND espace, Altavista trouvera les mots renault et espace pas forcément accolés ni dans le même ordre.

Pour rechercher des mots composés, mettez-les entre guillemets. Par exemple, "renault espace" ne donnera pas du tout le même résultat que précédemment.

De même, si vous recherchez les mots renault ou espace, vous devez mettre le mot clé OR entre les deux. Par exemple, renault OR espace.

Pour exclure un mot de la recherche, vous devez mettre le mot clé AND NOT entre les deux (Altavista n'accepte pas le mot clé NOT seul). Par exemple, renault AND NOT espace. Cela exclut les documents contenant le mot espace.

Toutes les combinaisons des mots clés sont possibles. Par exemple, "renault espace" AND NOT twingo AND "agence de location".

Vous pouvez aussi rechercher les deux mots, mais éloignés de dix mots au maximum l'un de l'autre, en écrivant NEAR entre les deux. Par exemple, renault NEAR espace.

246. Recherche avancée

Si la recherche simple ne suffit pas, Altavista a prévu des possibilités supplémentaires de recherche qui sont quelquefois plus faciles à utiliser que les mots clés AND, NOT, NEAR...

Cliquez sur le lien *Plus de précision*. Vous pouvez définir quatre critères différents qui ne sont pas forcément contradictoires :

- *Tous les mots suivants.* Recherche tous les mots indiqués (correspond aux espaces entre les mots).

- *Cette expression exacte.* Cette phrase exactement (correspond aux "").

- *Un des mots suivants.* Un des mots spécifiés (correspond au OR).

- *Aucun des mots suivants.* Ignore les mots indiqués (correspond au AND NOT).

Si vous cliquez sur le lien *Recherche avancée*, vous écrivez complètement la recherche dans le langage spécifique d'Altavista ou spécifiez :

- *Date.* Pour avoir des informations récentes ou d'une période définie.

- *Type de fichier.* Afin de limiter votre recherche à certains fichiers.

- *Emplacement.* Pour faire une recherche sur un type de site précis ou sur un site particulier (par exemple Microsoft).

Une fois tous vos critères définis, cliquez sur le bouton **Trouver**.

5.10 Utiliser un métamoteur de recherche

L'utilité d'un métamoteur de recherche est d'interroger plusieurs moteurs de recherche en une seule fois et, surtout, de trier les résultats afin de limiter les adresses que vous visiteriez plusieurs fois si vous utilisiez plusieurs moteurs de recherche individuellement. Par ailleurs, le classement se fait généralement par pertinence et limite donc encore le nombre de pages que vous allez visiter pour trouver l'information qui vous intéresse. Il existe deux types de métamoteurs, ceux qui sont online sur le Web et ceux que vous devez installer sur votre ordinateur. Les seconds sont généralement plus performants mais souvent payants dans les versions évoluées. Vous pourrez trouver un certain nombre de métamoteurs à l'adresse **www.moteur.online.fr/moteur.php3?rubr=3**.

247. Copernic, un métamoteur performant

Le logiciel métamoteur de recherche le plus connu est sans nul doute Copernic. Il s'installe sur votre machine, s'intègre dans votre navigateur et est disponible d'un simple clic. Il existe sous trois distributions différentes : Copernic Agent Basic, qui est une version gratuite et allégée de certaines fonctionnalités, Copernic Agent Personnal, qui est très complet, et Copernic Agent Professional, qui contient tout ce dont vous pourriez avoir besoin pour rechercher des informations sans perte de temps. Vous pouvez télécharger la version gratuite à l'adresse **www.copernic.com/fr/products/ agent/download.html**.

Après l'installation, vous pourrez le lancer directement ou l'utiliser *via* votre navigateur grâce à la barre d'outils intégrée.

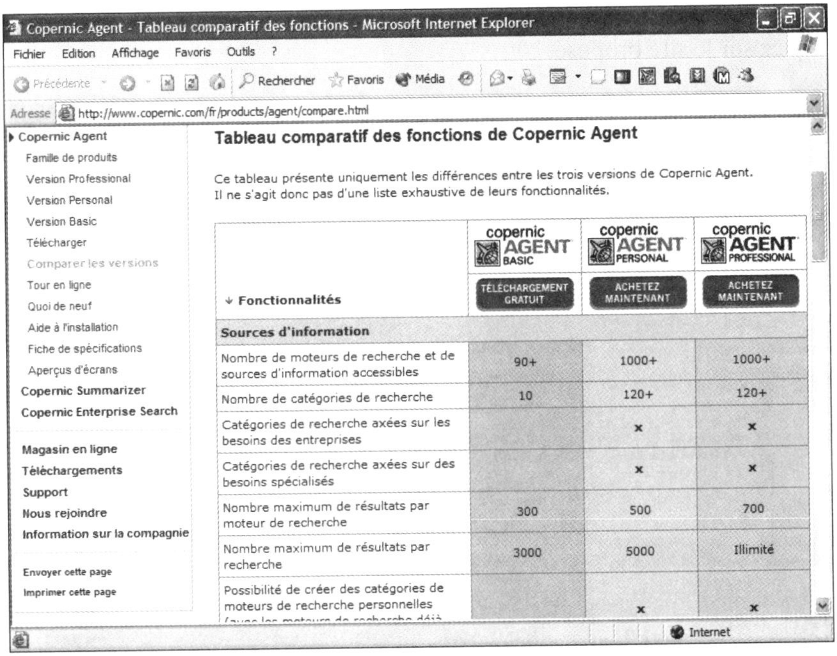

Figure 5.12 : *Comparatif des versions de Copernic*

248. Lancer une recherche

Pour rechercher une information, vous pouvez procéder comme suit :

1. Saisissez ce que vous recherchez dans la zone *Requête*.

2. Cochez la case *Expression exacte* si vous désirez que Copernic respecte la saisie stricte.

3. Cliquez sur le bouton **Rechercher**.

Une fois la recherche effectuée, Copernic vous donne les sites classés par pertinence avec quelques informations que vous pouvez compléter en passant la souris sur un des résultats ou en cliquant sur le bouton **Affichage des résultats** pour obtenir plus ou moins d'informations.

Afin de trier différemment les résultats, cliquez sur le bouton **Trier résultats** et choisissez l'ordre d'affichage. Pour voir le résultat, double-cliquez sur le site proposé.

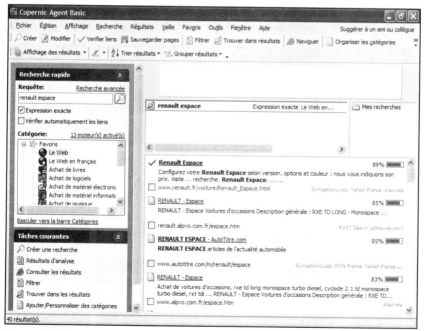

Figure 5.13 : *Rechercher avec Copernic*

249. Utiliser la recherche thématique

Afin de limiter le résultat de la recherche à une catégorie précise, Copernic vous propose une série de catégories prédéfinies.

1. Cliquez sur le lien *Basculer vers la barre Catégories*.

2. Cliquez sur l'une des catégories dans lesquelles vous désirez rechercher et saisissez votre demande.

3. Cliquez sur le bouton **Chercher**.

250. Affiner la recherche

Une fois la recherche effectuée, vous avez souvent plus d'informations que nécessaire. Copernic vous permet de faire une recherche dans la recherche.

1. Cliquez sur le bouton **Trouver dans résultats**.

2. Saisissez ce que vous recherchez et cliquez sur le bouton **Options** afin de définir les options de recherche. Ou cliquez sur le bouton **Recherche avancée** afin de définir plus d'options de recherche.

3. Cliquez sur le bouton **Trouver**.

Cliquez à nouveau sur le bouton **Trouver dans résultats** pour désactiver le filtre.

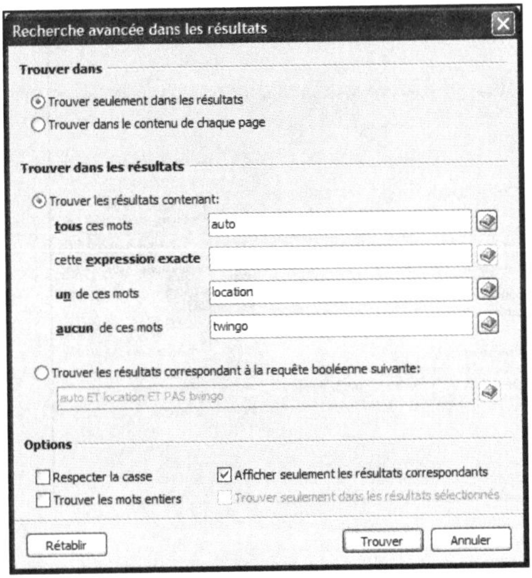

Figure 5.14 :
Affinez la recherche

251. Choisir les moteurs de recherche à utiliser

Certains moteurs de recherche ne retournent pas nécessairement les résultats dont vous avez besoin. Vous pouvez décider des moteurs à utiliser pour chaque catégorie.

1. Cliquez sur une des catégories puis sur le lien *xx moteurs(s) activé(s)*.

2. Cochez ou décochez les moteurs à utiliser et définissez le nombre de réponses maximal par moteur.

3. Cliquez sur le bouton OK.

252. Utiliser un métamoteur online

Les métamoteurs de recherche online sont tous fondés sur le même principe, mais leurs performances sont différentes selon les recherches. L'un d'entre eux se nomme Ixquick. Lancez votre navigateur préféré, saisissez l'adresse www.ixquick.com et appuyez sur [Entrée].

1. Saisissez ce que vous recherchez dans la zone de recherche et cliquez sur le bouton **Rechercher**.

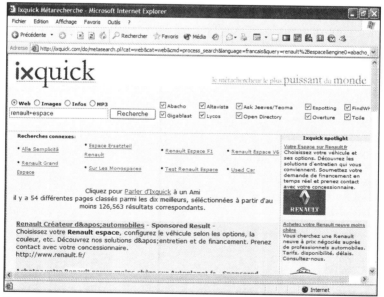

Figure 5.15 : *Ixquick*

2. Une fois le résultat affiché, vous pouvez éliminer des moteurs de recherche en décochant les cases concernées, et cliquez à nouveau sur le bouton **Rechercher**.

Les étoiles à côté des résultats sont le classement par pertinence.

Syntaxe

Vous pouvez cliquer sur le lien *aide* sur la page d'accueil afin de connaître la syntaxe très riche qu'utilise Ixquick

253. Glossaire

Tableau 5-2 : Glossaire		
Acronyme/expression	**Explication**	**Signification**
Métamoteur de recherche	Ce site Internet propose de faire des recherches en lançant une requête sur plusieurs moteurs de recherche. Ensuite, il propose les réponses les plus pertinentes.	
P2P	Vous trouverez souvent sur Internet l'abréviation P2P ; c'est un système d'échange de données qui relie les utilisateurs entre eux et favorise ainsi leurs partages. Le Peer to Peer est énormément utilisé pour le partage de fichiers *MP3* (format de fichiers pour la musique).	*Peer to Peer*
Sample	C'est une méthode qui consiste à découper en petites parties des morceaux de chansons ou de sons, afin de les utiliser dans des applications (comme le son qui est joué par défaut sous Windows lorsque vous le démarrez).	

CHAPITRE 6

Opera

Opera

254. Présentation d'Opera

Si Internet Explorer se taille la part du lion sur le marché des navigateurs, cela n'empêche pas les autres concepteurs de navigateur d'exister. Opera essaye de percer dans ce secteur en innovant en permanence et en essayant de se faire connaître grâce à l'originalité et à l'efficacité de son navigateur.

Opera utilise le slogan publicitaire suivant : "Le navigateur le plus léger et le plus rapide au monde." Affirmer ce genre de chose dans le monde informatique est un fait assez rare pour être souligné. En ce qui concerne la taille du logiciel, vous allez être effectivement surpris par la taille de l'installeur, qui ne dépasse pas 3,2 Mo, et par le peu de ressources système nécessaires à son fonctionnement. Parmi les points forts d'Opera, vous remarquerez tout de suite le système de gestion des fenêtres, qui est vraiment très innovant et pratique. En effet, chaque nouvelle fenêtre ouverte s'intègre à l'espace de travail d'Opera, et, pour basculer d'une fenêtre à l'autre, il ne vous reste plus qu'à cliquer sur le bouton (ou l'onglet) de la barre d'outils représentant la fenêtre.

Opera propose d'autres fonctions innovantes telles que la possibilité de changer l'apparence de l'interface, le zoom intégré, la navigation au clavier, l'intégration d'un champ pour la recherche dans divers moteurs de recherche. Il offre bien sûr aussi toutes les autres fonctionnalités de base telle la navigation sécurisée.

La version gratuite d'Opera contient juste un petit bandeau publicitaire en haut à droite de la fenêtre, qui reste très discret et que vous oublierez rapidement. Si vous souhaitez vous débarrasser de ce bandeau, vous pouvez acheter Opera en vous rendant à l'adresse https://secure.bmtmicro .com/opera/buy-opera.html ; il vous en coûtera 29 euros.

255. Installation

Opera est une société suédoise qui développe son navigateur en anglais afin de toucher le plus grand nombre d'internautes possible. Le problème est que chaque nouvelle version du navigateur n'est pas disponible en français avant plusieurs mois ; il est cependant facile de trouver une traduction sur le Web.

Pour obtenir la dernière version d'Opera, rendez-vous à l'adresse www
.opera.com/download. Vérifiez que la plate-forme et le langage proposés
soient corrects ; sinon cliquez sur le lien *Show other languages and platform*
et sélectionnez votre système d'exploitation et votre langue. Si la version
proposée en français ne correspond pas à la toute dernière version,
téléchargez la dernière version en anglais et passez à l'astuce suivante pour
disposer d'Opera en français.

Avant de lancer le téléchargement, il faut savoir qu'il existe deux versions
d'installation d'Opera : une version de base et une qui intègre la Java
Virtual Machine de Sun. Si vous disposez déjà de la JVM, cochez le bouton
d'option *Non-Java* et cliquez sur le bouton **Download Now** pour démarrer
le téléchargement.

L'installation en elle-même est très simple ; il vous suffit de choisir un
répertoire d'installation et de répondre à deux ou trois questions assez
simples (si vous souhaitez utiliser des réglages différents suivant les profils
utilisateurs pendant la phase d'installation, cochez la case *Utiliser des
réglages différents pour chaque utilisateur*). Une fois l'installation terminée,
vous pouvez commencer à surfer sous Opera.

256. Francisation de la dernière version d'Opera

Si vous souhaitez surfer en français avec la toute dernière version d'Opera,
vous serez donc peut-être obligé de l'utiliser en version anglaise, ce qui est
assez désagréable. Comme le français est loin d'être une des langues les
plus répandues au monde, Opera tarde souvent à sortir dans celle-ci la
dernière version de son navigateur. Avant toute chose, regardez tout de
même si le fichier de traduction de la dernière version n'est pas disponible
sur la page http://www.opera.com/download/languagefiles. Si c'est le cas,
téléchargez ce fichier puis copiez-le dans le dossier d'installation d'Opera,
en principe *C:\Program Files\Opera7*, et procédez comme suit pour
paramétrer Opera en français :

1. Démarrez Opera et, dans la boîte de dialogue **Quick Preferences**,
   cliquez sur le bouton OK.

2. Cliquez sur le menu **File** et sélectionnez la commande **Preferences**.

3. Dans le menu de gauche, sélectionnez la commande **Languages**.

4. Dans la rubrique *User interface*, cliquez sur le bouton **Choose** et
   sélectionnez le fichier que vous venez de copier dans le répertoire
   d'installation d'Opera puis cliquez sur le bouton **Ouvrir**.

5. Dans la rubrique *Preferred Language for Web pages*, cliquez sur le bouton **Add** puis sélectionnez la ligne *French, [fr]* et cliquez sur le bouton OK.

6. Ensuite, toujours dans la rubrique *Preferred Language for Web pages*, sélectionnez la ligne *French, [fr]* et cliquez sur le bouton **Move up**, puis cliquez sur le bouton OK pour fermer la boîte de dialogue.

7. Regardez les différents menus, et voilà, c'est fait ! Vous disposez maintenant de la toute dernière version d'Opera en français.

6.1 Optimiser le surf sous Opera

257. Maximiser l'affichage en simplifiant les barres d'outils

L'interface d'Opera propose une palette d'outils tellement importante qu'elle en devient même envahissante. Heureusement, vous pouvez facilement personnaliser l'affichage des barres d'outils afin d'augmenter la taille d'affichage des pages web.

Ouvrez le navigateur Opera et cliquez sur le menu **Afficher** puis, dans les sous-menus :

1. Barre principale, sélectionnez la commande **Haut**.

2. Barre de statut, sélectionnez la commande **Bas**.

3. Barre personnelle, sélectionnez la commande **Off**.

4. Barre de page, sélectionnez la commande **Off**.

5. Barre d'adresses, sélectionnez la commande **Haut**.

6. Barre de navigation, sélectionnez la commande **Off**.

En effectuant toutes ces manipulations convenablement, vous pourrez gagner un espace non négligeable, ce qui maximisera considérablement votre espace de navigation.

Figure 6.1 : *Un espace de navigation standard*

Figure 6.2 : *Le même espace de travail optimisé*

258. Personnalisation de la barre d'outils principale

Il est possible de supprimer ou d'ajouter des boutons à la barre d'outils principale d'Opera. Pour personnaliser cette barre d'outils, procédez comme suit :

1. Cliquez sur le menu **Afficher** et sélectionnez la commande **Personnaliser les barres d'outils**.

2. Dans la boîte de dialogue **Personnaliser les barres d'outils**, sélectionnez l'onglet **Grand**. La liste des boutons disponibles s'affiche.

3. Pour ajouter un des boutons disponibles dans cette liste à la barre d'outils principale, sélectionnez un bouton et faites-le glisser sur la barre d'outils à l'emplacement où vous souhaitez qu'il apparaisse.

4. Pour supprimer un bouton de la barre d'outils principale, cliquez du bouton droit de la souris sur le bouton que vous souhaitez supprimer et sélectionnez la commande **Enlever de la barre d'outils**.

259. Afficher/masquer les images en un clic

Opera offre la possibilité d'activer ou de désactiver l'affichage des images sur les pages à l'aide d'un bouton en forme d'appareil photo qui se situe à gauche de la barre d'adresses.

Si vous cliquez sur ce bouton, toutes les images présentes sur la page vont se masquer et seront remplacées sur la page par un rectangle contenant l'inscription **Image**. Si l'image contient un lien, l'inscription image présente dans ce rectangle prendra une couleur différente. Quant au bouton, il prendra l'apparence d'un appareil photo barré. Pour réafficher les images, il vous suffira de cliquer à nouveau sur ce bouton.

260. Paramétrer la page d'accueil

Il est possible, comme sous Internet Explorer, de définir la page que l'on souhaite afficher à l'ouverture du navigateur. Voici comment procéder pour définir rapidement une page de démarrage :

1. Cliquez sur le menu **Navigation** puis sélectionnez la commande **Définir la page d'accueil**. La boîte de dialogue **Définir la page d'accueil** s'affiche.

2. Opera vous offre trois possibilités pour définir votre page de démarrage :

- *Utiliser comme page d'accueil la page actuelle.* La page dans laquelle vous vous trouvez actuellement sera utilisée comme page de démarrage.

- *Revenir à la page d'accueil par défaut d'Opera.* La page d'Opera sera utilisée.

- *Utiliser l'adresse entrée ici.* La page que vous aurez saisie dans le champ de texte *Adresse de la page* sera utilisée comme page de démarrage.

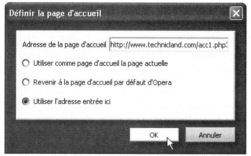

Figure 6.3 :
La boîte de dialogue Définir la page d'accueil

261. Définir les options de démarrage

Opera offre aussi différentes options de démarrage, que vous pouvez définir en procédant comme suit :

1. Cliquez sur le menu **Fichier** puis sélectionnez la commande **Préférences**. La boîte de dialogue **Préférences** s'affiche.

2. Dans le menu de gauche de la boîte de dialogue, sélectionnez la commande **Démarrage et arrêt**.

3. Voici les différentes options de démarrage que vous pouvez utiliser :

- *Continuer là où j'étais la dernière fois.* Opera s'ouvrira sur la dernière page web visitée.

- *Démarrer avec la session sauvegardée.* Opera vous proposera d'ouvrir sur des sessions de fenêtres préalablement sauvegardées.

- *Démarrer sans fenêtre.* Opera s'ouvrira sans aucune fenêtre.

- *Démarrer avec la page d'accueil.* Opera s'ouvrira sur la page d'accueil que vous aurez définie.

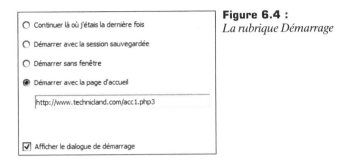

Figure 6.4 :
La rubrique Démarrage

4. Si vous cochez la case *Afficher le dialogue de démarrage*, à chaque démarrage d'Opera une boîte de dialogue vous proposera différentes façons d'ouvrir le navigateur.

Figure 6.5 :
La boîte de dialogue au démarrage

262. Définir un temps de réactualisation automatique des pages

Si vous vous trouvez sur des pages qui contiennent des données qui se modifient dynamiquement, vous pouvez utiliser l'option de réactualisation automatique des pages web, accessible *via* le menu contextuel.

1. Cliquez du bouton droit dans un espace vide d'une page web.

2. Dans le menu contextuel, cliquez sur le sous-menu **Recharger toutes les** et sélectionnez la commande **Activer,** puis cochez un intervalle de temps de réactualisation.

Figure 6.6 :
Le menu contextuel et le sous-menu Recharger toutes les pages

3. Vous pouvez aussi personnaliser l'intervalle de temps en cliquant sur la commande **Personnaliser** du sous-menu **Recharger toutes les pages**.

263. Activer l'antipop-up intégré d'Opera

Parmi les nombreuses fonctionnalités que possède Opera, l'antipop-up intégré est vraiment un plus indéniable. Il est tellement discret et efficace qu'au bout de quelques jours d'utilisation vous ne vous rappellerez même plus que les pop-up ont un jour existé. Voici comment procéder pour l'activer :

1. Cliquez sur le menu **Fichier** puis sélectionnez la commande **Préférences**. La boîte de dialogue **Préférences** s'affiche.

2. Dans le menu de gauche de la boîte de dialogue, sélectionnez la commande **Fenêtres**.

3. Dans le menu déroulant **Pop-ups**, sélectionnez l'option *Refuser les pop-ups* et validez en cliquant sur le bouton OK.

Figure 6.7 : *La rubrique Pop-ups dans les préférences*

Trier les pop-up

Dans le menu déroulant **Pop-ups**, il peut être judicieux de sélectionner l'option *Ouvrir les Pop-ups demandés uniquement*, ce qui permettra de cibler un peu mieux les pop-up à éliminer.

264. Les images et Opera

Opera offre diverses options pour la manipulation des images rencontrées sur les pages web. Pour voir en détail toutes les options disponibles dans le menu contextuel, ouvrez Opera et cliquez du bouton droit de la souris sur une image afin de faire apparaître le menu contextuel.

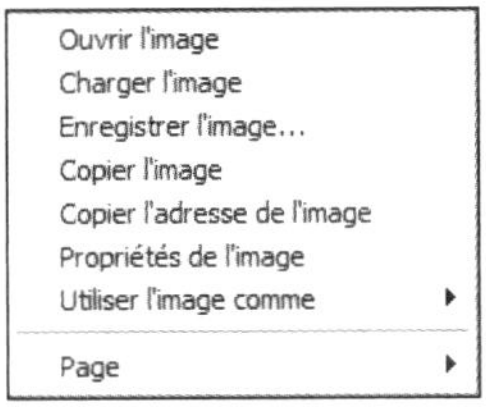

Ouvrir l'image
Charger l'image
Enregistrer l'image…
Copier l'image
Copier l'adresse de l'image
Propriétés de l'image
Utiliser l'image comme   ▶

Page   ▶

Figure 6.8 :
Le menu contextuel disponible sur une image

Tableau 6-1 : Liste et description des commandes d'images disponibles dans le menu contextuel d'Opera	
Commande du menu contextuel	**Description de la commande**
Afficher l'image	Affiche l'image avec son emplacement dans une nouvelle fenêtre.
Charger l'image	Réactualise l'image.
Enregistrer l'image	Vous permet d'enregistrer l'image directement dans un répertoire.
Copier l'image	Copie l'image dans le Presse-papiers. Pour coller l'image dans un document, utilisez la commande **Coller** du menu **Édition**.
Copier l'adresse de l'image	Copie l'adresse Internet de l'image dans le Presse-papiers ; vous pouvez ensuite copier cette adresse dans la barre d'adresses ou vous en servir dans la conception d'un document HTML faisant référence à cette image.

Tableau 6-1 : Liste et description des commandes d'images disponibles dans le menu contextuel d'Opera	
Commande du menu contextuel	**Description de la commande**
Propriétés de l'image	Affiche une boîte de dialogue contenant diverses informations sur l'image (dimensions, profondeur, type, taille, adresse).
Sous-menu **Utiliser l'image comme**	
Arrière-plan du bureau	Remplace l'image placée en arrière-plan sur le bureau.

265. Utiliser le zoom intégré d'Opera

La possibilité de zoomer sur pages web constitue encore une idée novatrice de la part des concepteurs d'Opera. En effet, vous pouvez avec cette option zoomer de 20 % jusqu'à 1 000 % sur toutes les pages web. Pour zoomer, il suffit simplement de choisir la dimension du zoom voulu dans le menu déroulant de la barre d'adresses.

Figure 6.9 : *La position du zoom dans la barre d'adresses*

266. Les meilleurs moteurs de recherche sous la main

Opera a Intégré dans ses barres d'outils un champ de recherche qui permet de lancer directement des recherches sur tous les meilleurs moteurs de recherche.

1. Si le champ des moteurs de recherche n'apparaît pas dans la barre d'adresses, cliquez du bouton droit dans un espace vide de la barre d'adresses et cliquez sur la commande **Barre d'outils par défaut**.

2. Dans le champ de recherche, sélectionnez un moteur de recherche puis saisissez vos mots clés et cliquez sur la touche Entrée.

3. Le résultat de la recherche s'affichera alors dans la fenêtre web active.

267. Bien configurer son cache sous Opera

Comme sous Internet Explorer, vous pouvez paramétrer diverses options de votre cache sous Opera.

1. Cliquez sur le menu **Fichier** puis sélectionnez la commande **Préférences**. La boîte de dialogue **Préférences** s'affiche.

2. Dans le menu de gauche, cliquez sur la commande **Historique et cache**.

3. Dans la rubrique *Cache disque*, vous pouvez renseigner une valeur plus ou moins grande suivant l'espace libre sur votre disque dur. Le cache disque sert à stocker les différents éléments des pages web visitées afin d'éviter de les retélécharger lors d'une prochaine visite. Si vous ne disposez pas d'une connexion haute vitesse, augmentez cette valeur au maximum, cela optimisera votre surf.

4. Par l'intermédiaire du menu déroulant **Cache en mémoire**, vous pouvez modifier la valeur allouée à la mémoire physique (Ram). Vous pouvez l'augmenter en fonction de la mémoire disponible sur votre ordinateur, ce qui est une façon d'optimiser le surf ; cette valeur est réglée par défaut sur **Automatique**.

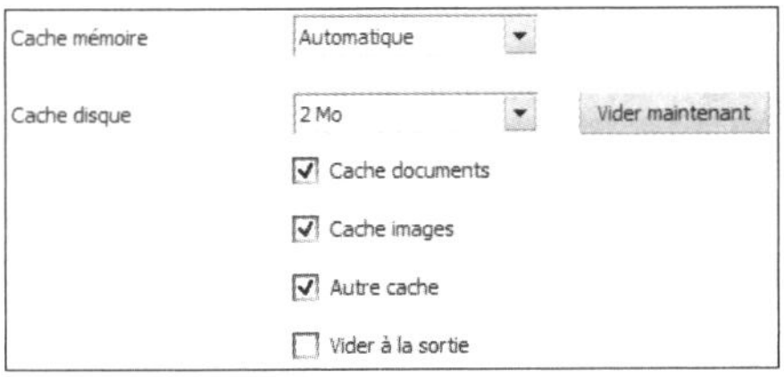

Cache mémoire	Automatique ▼	
Cache disque	2 Mo ▼	Vider maintenant
	☑ Cache documents	
	☑ Cache images	
	☑ Autre cache	
	☐ Vider à la sortie	

Figure 6.10 :
Les différents réglages du cache d'Opera

5. Si vous souhaitez vider le contenu de votre cache, cliquez sur le bouton **Vider maintenant**.

6. La case *Vider à la sortie* vous offre la possibilité de vider automatiquement le cache disque lorsque vous fermez Opera.

Emplacement du dossier cache

Le dossier cache d'Opera se trouve sur le disque dur dans le dossier d'installation d'Opera, qui est en principe *C:\Program Files\Opera7*, et il se nomme *Cache4*. Attention, si lors de l'installation d'Opera vous avez choisi d'utiliser des préférences spécifiques pour chaque utilisateur, dans ce cas-là le dossier *Cache 4* se trouve à *C:\Documents and Settings\nom_de_votre_profil\Application Data\Opera\Opera7\profile* !

268. Bien configurer son historique sous Opera

L'historique sert à conserver les adresses des sites visitées lors de vos surfs précédents. Voici comment configurer quelques paramètres de l'historique sous Opera :

1. Cliquez sur le menu **Fichier** puis sélectionnez la commande **Préférences**. La boîte de dialogue **Préférences** s'affiche.

2. Dans le menu de gauche, cliquez sur la commande **Historique et cache**.

3. Vous pouvez paramétrer le nombre d'adresses entrées et le nombre de sites visités que vous souhaitez conserver dans l'historique.

4. Vous pouvez vider l'historique des adresses entrées et visitées en cliquant sur les boutons **Effacer** situés en face des rubriques.

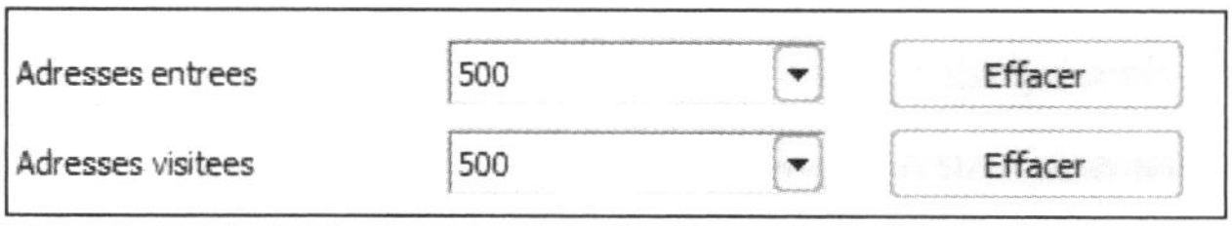

Adresses entrees	500	▼	Effacer
Adresses visitees	500	▼	Effacer

Figure 6.11 : *La rubrique Historique d'Opera*

269. Accéder simplement à l'historique

Le menu d'outils est une des nouvelles fonctions d'Opera. Ce menu regroupe une palette d'outils que vous pouvez personnaliser. À partir de ce menu, voici comment afficher l'historique des sites visités avec Opera :

1.  Cliquez sur le menu **Afficher** puis sélectionnez la commande **Gauche** du sous-menu **Menu d'outils**. Pour accéder rapidement au menu d'outils, vous pouvez aussi cliquer sur le bouton en forme d'étoile de la barre d'outils principale ; ce bouton est aussi appelé **HotList** ou **Signets** suivant les traductions.

2. À partir du volet qui s'affiche sur la gauche de la fenêtre, vous pouvez maintenant avoir accès aux différents outils. Pour afficher l'historique, cliquez sur le bouton **Historique**. *Via* le champ de texte, vous avez aussi la possibilité de faire une recherche rapide dans l'historique.

Figure 6.12 :
Les différents outils disponibles dans le menu d'outils affichage de l'historique

270. Préserver sa confidentialité

Si vous souhaitez que personne ne puisse savoir sur quels sites vous avez navigué et que vous vouliez vraiment effacer toutes vos traces concernant vos surfs dans Opera, procédez comme suit :

1. Cliquez sur le menu **Fichier** et sélectionnez la commande **Supprimer les informations privées**. La boîte de dialogue **Supprimer les données privées** s'affiche.

2. Cochez toutes les cases de la boîte de dialogue et cliquez sur le bouton OK.

Perte d'informations

Le fait de cocher toutes les cases supprimera les mots de passe du gestionnaire de mot de passe, et cela effacera aussi vos cookies et votre historique, mais c'est nécessaire si vous souhaitez vraiment effacer toutes vos traces de surf !

271. Afficher la liste des liens présents sur une page

Si vous souhaitez connaître la liste de tous les liens présents sur une page web en cours de visite, procédez comme suit :

1. Cliquez sur le menu **Afficher** et sélectionnez la commande **Liens** (ou utilisez le raccourci clavier [Ctrl]+[J]).

2. Tous les liens présents sur la page s'affichent dans la boîte de dialogue **Liens**. Les différents boutons présents dans le menu de droite vous

offrent diverses possibilités telles que l'ouverture du lien dans une nouvelle fenêtre en arrière-plan ou la mise en signet du lien.

272. Utiliser le gestionnaire de téléchargement intégré d'Opera

Opera intègre un gestionnaire de téléchargement ; celui-ci vous permettra d'arrêter un téléchargement en cours et de le reprendre plus tard. Cette option facilite énormément le téléchargement des fichiers volumineux.

1. Lancez un téléchargement et cliquez sur le bouton **Signets** ou sur la touche [F4] afin d'afficher le menu d'outils.

2. Dans le volet du menu d'outils, cliquez sur le bouton **Transferts** afin que tous les fichiers en cours de transfert s'affichent.

3. Sélectionnez un fichier en cours de téléchargement et cliquez sur le bouton **Arrêter** pour stopper le téléchargement ou sur le bouton **Reprendre** pour le reprendre.

4. Si vous sélectionnez le fichier, toutes les informations sur celui-ci s'afficheront en bas du volet. Vous pouvez copier ces informations dans le Presse-papiers en cliquant sur le fichier à l'aide du bouton droit de la souris et en sélectionnant la commande **Copier les informations du fichier**.

Figure 6.13 :
Le gestionnaire de téléchargement

Détails sur le téléchargement
Lors d'un téléchargement, le nom du fichier s'affiche en vert, et des informations sur son état s'affichent en alternance à sa droite (kb/s, temps de téléchargement, taille du fichier).

273. Un Bloc-notes intelligent

Opera intègre dans le menu d'outils une option *Notes*. C'est en fait une sorte de Bloc-notes assez perfectionné et très fonctionnel. Il pourra vous servir de mémo ou de fourre-tout textuel sur lequel vous pourrez facilement revenir même plusieurs jours plus tard. Voici l'une de ses utilisations les plus intéressantes :

1. Ouvrez Opera et rendez-vous sur une page web au contenu intéressant.

2. Sélectionnez à l'aide de la souris une partie de texte que vous souhaiteriez sauvegarder afin de pouvoir y revenir plus tard.

3. Une fois le texte sélectionné, cliquez du bouton droit et sélectionnez la commande du menu contextuel **Copier** (ou utilisez le raccourci clavier Ctrl+C).

4. Pour coller le contenu de la sélection dans le menu d'outils **Notes**, cliquez sur le menu **Editer** et sélectionnez la commande **Coller dans la note** (ou utilisez le raccourci clavier Ctrl+Maj+V). Dès que vous voudrez revenir sur ce texte, cliquez sur le bouton **HotList** (ou sur la touche F4) et cliquez ensuite sur le bouton **Notes** du volet du menu d'outils. Toutes les notes sauvegardées apparaîtront dans ce volet.

274. Utiliser un traducteur parlant sept langues

Bien souvent, on ignore sur des pages non francophones la signification d'un mot ou d'une phrase, ce qui peut être très gênant dans la compréhension générale d'un texte ou d'un article. Opera intègre dans le menu contextuel de son navigateur un menu de traduction qui dispose de sept langues différentes ; voici comment utiliser cette option :

1. Ouvrez Opera et rendez-vous sur une page web anglophone, par exemple.

2. Sélectionnez à l'aide de la souris un mot ou une phrase que vous souhaitez voir traduire.

3. Une fois le texte sélectionné, cliquez du bouton droit et, dans le menu **Traduire** du menu contextuel, sélectionnez la commande **De l'anglais au français**.

4. Le résultat de la traduction s'affiche en général sur l'outil de traduction de Lycos dans la rubrique *Translated Text*.

Figure 6.14 :
Les différentes versions de traduction
possibles grâce à Opera

275. Ajouter des services à la HotList (menu d'outils)

Il est possible d'ajouter des boutons (donc des services) au menu d'outils d'Opera. Pour cela, le site web d'Opera propose une palette de services comme des dictionnaires, des jeux, des services d'information ou de recherche. Dans la manipulation suivante, nous allons vous montrer comment accéder à la page qui propose ces services sur le site d'Opera, et nous ajouterons ensuite un service donnant accès à un dictionnaire informatique en ligne.

1. Cliquez sur le bouton **Signets** ou sur la touche [F4] afin d'afficher le menu d'outils.

2. Cliquez sur le menu **Afficher** et, dans le sous-menu **Menu d'outils**, sélectionnez la commande **Obtenir des panneaux**. La page du site web d'Opera proposant des services s'affiche alors.

3. Dans la liste des catégories proposées sur la page, cliquez sur **Dictionaries**.

4. Dans la liste des dictionnaires proposés, cliquez sur **Le jargon français**. La boîte de dialogue **Propriétés du signet** s'affiche.

5. Cochez la case *Afficher dans le menu d'outils* et cliquez sur le bouton OK.

6. Vérifiez la présence du nouveau bouton **Le jargon français** dans le panneau de gauche du navigateur.

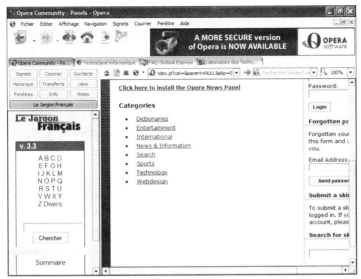

Figure 6.15 : *Un service de plus dans le menu d'outils*

276. Affecter des sons à des événements d'Opera

Vous pouvez affecter des sons personnalisés à certains événements d'Opera tels que son ouverture, sa fermeture ou la notification de fin de téléchargement d'un fichier. Pour personnaliser votre navigateur, procédez comme suit :

1. Cliquez sur le menu **Fichier** puis sélectionnez la commande **Préférences**. La boîte de dialogue **Préférences** s'affiche.

2. Dans le menu de gauche, cliquez sur la commande **Sons**.

3. Sélectionnez un événement dans la liste et cliquez sur le bouton **Choisir**. La boîte de dialogue **Sélectionner le fichier de son** s'affiche.

4. Choisissez un fichier son au format wav et cliquez sur le bouton **Ouvrir**.

Des fichiers son au format wav

Vous trouverez des milliers de fichiers son au format wav grâce à ce très puissant moteur de recherche, disponible à l'adresse **www.musicrobot.com/ cgi-bin/windex.pl**. Un autre site qui regroupe des fichiers au format wav classés par thèmes se trouve à l'adresse **http://soundamerica.com**.

277. Gérer les mots de passe des formulaires

Opera possède un gestionnaire de mots de passe pour les pages web, plus communément appelé Wand. Lors de la saisie d'un nom d'utilisateur et de son mot de passe associé sur une page web, une boîte de dialogue vous demandera si vous souhaitez sauvegarder ce mot de passe ; ainsi, il vous suffira lors de votre visite suivante de cliquer sur le bouton **Wand** (baguette) ou d'appuyer sur la combinaison de touches [Ctrl]+[Entrée].

Activation du gestionnaire de mots de passe

1. Cliquez sur le menu **Fichier** puis sélectionnez la commande **Préférences**. La boîte de dialogue **Préférences** s'affiche.

2. Dans le menu de gauche, cliquez sur la commande **Sécurité**.

3. Dans la rubrique *Baguette*, cochez la case *Activer la baguette* et cliquez sur le bouton OK.

Gérer les mots de passe

Si vous cliquez sur le bouton **Mots de passe baguette** de la rubrique *Baguette*, une boîte de dialogue vous affichera toutes les adresses des pages contenant des mots de passe sauvegardés, et vous pourrez ainsi les supprimer individuellement.

Sauvegarde d'un mot de passe

1. Ouvrez Opera et rendez-vous sur une page web contenant un formulaire qui vous demande la saisie d'un nom d'utilisateur et de son mot de passe.

2. Après avoir validé la saisie des données, la boîte de dialogue **Baguette** apparaît. Dans le menu déroulant, sélectionnez une proposition, en général *Pour cette page*, et validez par le bouton **Oui**.

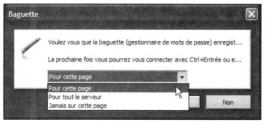

Figure 6.16 :
La boîte de dialogue Baguette

Utilisation du gestionnaire de mots de passe

Si vous vous trouvez sur une page dans laquelle vous avez déjà saisi et activé la fonction **Baguette**, les champs de saisie de l'utilisateur et du mot de passe seront entourés d'un filet doré.

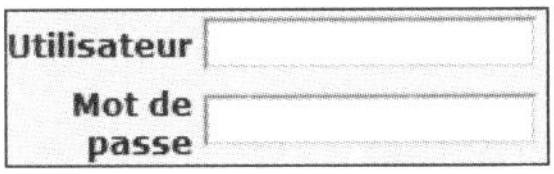

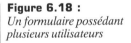

Figure 6.17 :
Formulaire ou la Baguette (gestionnaire de mots de passe) est active

Sur un formulaire dans lequel le gestionnaire de mots de passe est actif, cliquez sur le bouton **Baguette** de la barre d'outils ou appuyez sur la combinaison de touches [Ctrl]+[Entrée].

Sur un formulaire dans lequel plusieurs utilisateurs ont activé le gestionnaire de mots de passe, une boîte de dialogue vous demandera de sélectionner un utilisateur.

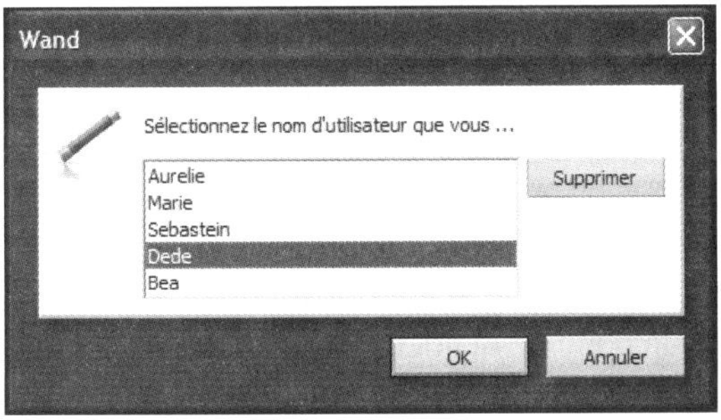

Figure 6.18 :
Un formulaire possédant plusieurs utilisateurs

278. Gagner du temps avec les raccourcis clavier

Les développeurs d'Opera ont rendu le navigateur complètement accessible au clavier. Si vous souhaitez connaître la liste des raccourcis clavier, qui vous feront gagner du temps, cliquez sur le menu **Aide** et sélectionnez la commande **Clavier**. Une page au format HTML s'affichera, et vous pourrez ainsi facilement imprimer la liste de tous les raccourcis clavier pour les avoir sous les yeux.

279. Personnaliser ses propres raccourcis clavier

Opera a bien sûr défini une palette de raccourcis clavier, mais, chose qui est très rare, le navigateur vous offre la possibilité de redéfinir vous-même les raccourcis clavier. Vous pourrez ainsi affecter des combinaisons de touches personnelles à certaines fonctions. Voici comment procéder pour modifier les raccourcis clavier :

1. Cliquez sur le menu **Fichier** puis sélectionnez la commande **Préférences**. La boîte de dialogue **Préférences** s'affiche.

2. Dans le menu de gauche de la boîte de dialogue, sélectionnez la commande **Souris et clavier**.

3. Cliquez sur le bouton **Editer** de la rubrique *Configuration clavier*.

4. Dans la rubrique *Contexte d'entrée et raccourcis*, cliquez sur le raccourci clavier que vous souhaitez modifier et, dans la zone de texte qui s'affiche, saisissez le nouveau raccourci clavier puis cliquez sur OK et fermez la boîte de dialogue.

280. Accéder rapidement à une adresse

Si vous souhaitez accéder rapidement à un site *via* la barre d'adresses, saisissez uniquement le nom du site sans le préfixe *www* ni le suffixe *.com* ou *.fr*, puis appuyez sur la touche [Entrée]. Le navigateur se chargera de compléter l'adresse pour vous et vous connectera directement sur le site approprié. Avant d'utiliser cette technique, il vous faut préalablement paramétrer vos préférences :

1. Cliquez sur le menu **Fichier** puis sélectionnez la commande **Préférences**. La boîte de dialogue **Préférences** s'affiche.

2. Dans le menu de gauche de la boîte de dialogue, sélectionnez la commande **Réseau** puis cliquez sur le bouton **Complètement de noms de serveur**. La boîte de dialogue **Complètement de noms de serveur** s'affiche.

3. Dans la zone de texte *Préfixes*, saisissez www et, dans la zone de texte *Suffixes*, saisissez celui que vous utilisez le plus souvent (par exemple *com* ou *fr* ou *net*). Vous ne pouvez placer qu'un seul préfixe et qu'un seul suffixe.

281. Changer l'éditeur de code source par défaut

Opera utilise le WordPad lorsque vous demandez l'affichage du code source sur des pages visitées. Sur Opera, contrairement à Internet Explorer, il est possible de modifier simplement le logiciel d'édition ; pour cela, procédez comme suit :

1. Cliquez sur le menu **Fichier** puis sélectionnez la commande **Préférences**. La boîte de dialogue **Préférences** s'affiche.

2. Dans le menu de gauche de la boîte de dialogue, sélectionnez la commande **Programmes et chemins**.

3. Dans la rubrique *Visualisation du code source*, cliquez sur le bouton **Choisir**. Dans la boîte de dialogue **Ouvrir**, sélectionnez l'exécutable avec lequel vous souhaitez éditer le code source des pages visitées (par exemple *Notepad.exe*, *Dreamweaver.exe*) et cliquez sur le bouton **Ouvrir** puis validez avec le bouton OK.

4. Pour essayer votre nouvel éditeur de code source, ouvrez une page web, cliquez sur le menu **Afficher** et sélectionnez la commande **Source** (ou utilisez la combinaison de touches Ctrl+F3).

282. Définir Opera comme navigateur par défaut

Si vous commencez à ne plus pouvoir vous passer d'Opera et que vous ayez l'intention de l'utiliser comme navigateur principal, voici comment procéder pour le paramétrer en tant que navigateur par défaut :

1. Cliquez sur le menu **Fichier** puis sélectionnez la commande **Préférences**. La boîte de dialogue **Préférences** s'affiche.

2. Dans le menu de gauche de la boîte de dialogue, sélectionnez la commande **Application par défaut**.

3. Cochez la case *Vérifier au démarrage si Opera est le navigateur par défaut* puis cliquez sur le bouton OK et fermez et réouvrez Opera.

4. Au lancement d'Opera, cochez, dans la boîte de dialogue **Utiliser Opera comme navigateur par défaut**, la case *Ne plus afficher ce dialogue* puis cliquez sur le bouton **Oui**.

Figure 6.19 : *Confirmation d'utilisation d'Opera comme navigateur par défaut*

283. Rechercher un site dans les signets

Opera intègre dans sa gestion des signets du menu d'outils (ou HotList) une fonction qui permet de faire une recherche rapide dans les favoris (signets). Procédez comme suit pour lancer une recherche :

1. Cliquez sur le bouton **Signets** ou sur la touche F4 afin d'afficher le menu d'outils.

2. Cliquez sur le bouton **Signets** et, dans la zone de texte du menu d'outils, saisissez le début d'un mot clé ou d'un site que vous recherchez parmi vos signets.

Menu de recherche spécial
Le menu de recherche du menu d'outils n'est pas un menu de recherche standard, car la recherche actualise le résultat à chaque lettre saisie.

6.2 Affichage et personnalisation

284. Changer les couleurs d'Opera

Si vous souhaitez modifier les couleurs de l'apparence d'Opera, sachez que le navigateur dispose d'une gestion intégrée de modèles de couleurs et que vous pouvez choisir entre neuf couleurs d'apparences différentes. Pour changer le modèle de couleur, ouvrez Opera et cliquez sur le menu **Afficher**, puis sélectionnez une couleur dans le sous-menu **Thème de couleurs**. Le modèle de couleur s'applique instantanément à l'interface d'Opera.

285. Changer le décor d'Opera

Vous pouvez personnaliser complètement le look d'Opera grâce à sa gestion intégrée des *skins*. Vous pourrez récupérer des centaines de décors différents sur le site d'Opera et même, si aucun ne vous convient et que vous vous sentiez l'âme d'un créateur, concevoir votre propre habillage. Voici comment procéder pour télécharger et appliquer un nouvel habillage :

1. Cliquez sur le menu **Afficher**. Sélectionnez la commande **Obtenir des habillages** dans le sous-menu **Habillage**. La page web du site d'Opera s'affiche.

2. Lorsque vous aurez trouvé un décor qui vous convient, cliquez sur le lien *Download this skin*. La boîte de dialogue de téléchargement s'affiche ; attendez la fin du téléchargement.

3. Une fois le téléchargement complété, cliquez dans la boîte de dialogue **Appliquer l'habillage téléchargé** sur le bouton **Oui**.

Figure 6.20 :
Exemples de barres d'outils avec deux habillages différents

REMARQUE

Pour aller plus loin avec les décors

Une fois que vous aurez téléchargé plusieurs décors, vous pourrez rapidement basculer de l'un à l'autre en cliquant sur le menu **Afficher/Habillage**.

Si vous souhaitez concevoir vos propres skins ou décors, il vous faudra respecter quelques règles bien précises qui sont décrites dans un article disponible à l'adresse Internet http://my.opera.com/customize/skins/specs.

---

286. Personnaliser la boîte de dialogue de démarrage

Il est possible, en éditant un fichier du décor par défaut d'Opera, de personnaliser à vos couleurs la boîte de dialogue de démarrage. Pour cela, procédez comme suit :

1. Rendez-vous dans le dossier d'installation d'Opera 7, qui est en principe *C:\Program Files\Opera7*.

2. Ouvrez le dossier *skin* et décompressez dans un nouveau dossier (par exemple sur le bureau) le contenu du fichier *standard_skin.zip*.

3. Ouvrez le dossier que vous venez de créer et rendez-vous dans le dossier *startup_dialog*.

4. Éditez l'image *header.gif* avec un logiciel d'édition d'image comme Photoshop. Personnalisez cette image selon vos goûts et vos couleurs et enregistrez les modifications.

5. Zippez le dossier précédemment décompressé en gardant exactement l'arborescence des répertoires. Nommez le fichier zip comme suit : *standard_skin.zip*.

6. Dans le dossier *C:\Program Files\Opera7\skin*, remplacez le fichier *standard_skin.zip* par celui que vous venez de modifier.

7. Ouvrez Opera pour vérifier le résultat.

Figure 6.21 :
Une boîte de dialogue de démarrage perso

287. Utiliser la barre d'adresses comme moteur de recherche

Vous pouvez utiliser directement la barre d'adresses comme champ de saisie pour lancer une recherche sur plus de dix-sept moteurs de recherche. Pour cela, il vous suffit d'utiliser une syntaxe prédéfinie dans Opera. Dans l'exemple suivant, nous allons lancer une recherche depuis la barre d'adresses sur le moteur de recherche Yahoo.

1. Ouvrez Opera et, dans la barre d'adresses, saisissez Y suivi du mot clé que vous souhaitez rechercher puis validez en cliquant sur ⌈Entrée⌋.

2. Le résultat de la recherche s'affiche dans la fenêtre Internet.

Moteur de recherche	Mot-clé
Google France	g
Yahoo France	y
Super	s
Lycos	l
Amazon.com	z
Ebay.com	e
News	n
Download.com	w
SearchBoss	sb
Nom de Domaine	d
Image	i
Video	v
Mp3/Audio	m
Google groups	r
Comparateur de Prix	p
Support Opera	o
dans la page	f

Figure 6.22 :
Liste des moteurs de recherche et de leurs abréviations

288. Modifier la touche affectée à un moteur de recherche de la barre d'adresses

Si les touches de raccourci associées aux moteurs de recherche de la barre d'adresses ne vous plaisent pas, il est possible de les modifier en éditant et en modifiant le fichier *Search.ini*, qui se trouve dans le répertoire d'installation d'Opera 7. Pour modifier le fichier *Search.ini*, procédez comme suit :

1. Fermez Opera s'il est ouvert, et rendez-vous dans le dossier *C:\Program Files\Opera7\profile*. Attention, si lors de l'installation d'Opera vous avez choisi d'utiliser des préférences spécifiques pour chaque utilisateur, il vous faudra dans ce cas-là vous rendre dans le dossier *C:\Documents and Settings\nom_de_votre_profil\Application Data\Opera\Opera7\profile* (attention, le dossier *Application data* est un dossier caché !).

2. Cliquez du bouton droit sur le fichier *Search.ini* et sélectionnez la commande **Ouvrir avec**. La boîte de dialogue **Ouvrir avec** s'affiche.

3. Dans la rubrique *Programmes*, sélectionnez le programme *Bloc-notes* et cliquez sur le bouton OK.

4. Voici les principaux éléments de syntaxe utilisés dans le fichier *Search.ini* :

   – *[Search Engine 1]*. Chaque moteur de recherche est référencé ainsi et possède un numéro, ici le numéro 1, qui correspond à Google.

- *Name*. Correspond au nom du moteur de recherche affiché dans les préférences.
- *URL*. Correspond à l'URL du moteur de recherche.
- *Key*. Correspond à la touche de raccourci utilisée dans la barre d'adresses.

5. Pour modifier la touche de raccourci d'un moteur de recherche, il vous suffit donc de modifier la ligne *Key* correspondant à ce moteur de recherche. Par exemple, si vous modifiez la touche de raccourci de Google, qui est en principe g, en go, cela donnera dans le fichier *Search.ini*, Key=go.

Pour aller plus loin avec le fichier Search.ini
En éditant le fichier *Search.ini*, vous pourrez aussi changer le nom du moteur de recherche, son adresse Internet et, donc, remplacer manuellement un moteur de recherche par celui que vous souhaitez.

289. Ajouter des moteurs de recherche grâce à OperaTweak

Si vous souhaitez remplacer ou modifier des moteurs de recherche intégrés à Opera, il existe un utilitaire gratuit, OperaTweak, qui effectue cette opération en quelques clics.

1. Téléchargez OperaTweak, disponible sur la page de son éditeur à l'adresse **http://snoopy81.ifrance.com/snoopy81/fr/operatweak.htm**.

2. OperaTweak ne nécessite pas d'installation. Il vous suffit de le dézipper dans un répertoire de votre choix.

3. Ouvrez le dossier dans lequel vous avez dézippé OperaTweak et cliquez sur l'exécutable *OprTweak.exe*.

4. Une fois le logiciel ouvert pour modifier les moteurs de recherche, cliquez sur le bouton **Change search engines**.

5. Dans l'exemple suivant, nous allons modifier le moteur de recherche Super, disponible dans Opera, par le moteur de recherche Altavista. Dans le menu déroulant de la rubrique *Opera's Search engine*, sélectionnez le moteur de recherche Super. Dans le menu déroulant de la rubrique *Search Engine replacement*, sélectionnez le moteur de recherche Altavista et cliquez sur le bouton **Modify**. Si vous souhaitez modifier la touche par défaut affectée au moteur de recherche que

vous allez ajouter, modifiez la lettre dans la case # de la rubrique *Search engine replacement* avant d'appliquer le changement.

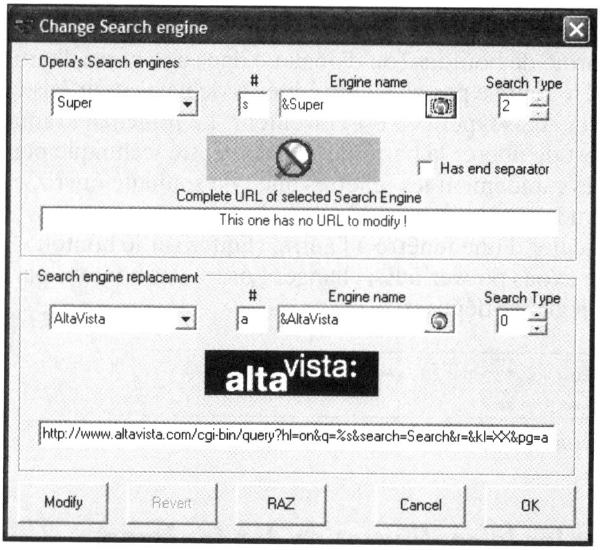

Figure 6.23 : *Modification d'un moteur de recherche avec OperaTweak*

OperaTweak vous permet aussi d'activer ou de désactiver la fonction Wand. Il gère aussi la fonction Splashscreen, mais uniquement si votre Opera est enregistré.

290. Utiliser les boutons Mosaïque/Cascade/Plein écran

La barre d'outils principale d'Opera dispose de plusieurs boutons qui permettent de gérer l'affichage des fenêtres.

1.  Ouvrez plusieurs fenêtres ; pour cela, vous pouvez vous servir du bouton **Nouveau**.

2.  Cliquez sur le bouton **Mosaïque**, qui vous permettra d'afficher toutes les fenêtres ouvertes sur une même page.

3.  Cliquez sur le bouton **Cascade**, qui vous permettra d'afficher toutes les fenêtres ouvertes une derrière l'autre.

4.  Cliquez sur le bouton **Plein écran** pour agrandir une fenêtre en plein écran.

291. Le gestionnaire de fenêtres d'Opera

Opera intègre un gestionnaire de fenêtres qui permet de regrouper toutes les fenêtres sous forme de boutons (ou d'onglets) dans une barre d'outils. Cette technique a été reprise par plusieurs éditeurs de navigateur tels que Netscape ou Mozilla, mais Opera en est l'inventeur. Le principal avantage de cette méthode est de libérer la barre des tâches. Cette technique permet aussi de repérer très rapidement les fenêtres que l'on souhaite ouvrir, car le bouton représentant la fenêtre reprend le nom du site et son icône (favicon). Pour basculer d'une fenêtre à l'autre, cliquez sur le bouton représentant le site ; vous pouvez aussi changer l'ordre des boutons par l'intermédiaire d'un glisser/déposer.

Figure 6.24 : *La gestion des fenêtres sous forme de bouton*

292. Sauvegarder la configuration des fenêtres

Si vous êtes obligé d'interrompre une navigation importante, sachez qu'Opera vous offre la possibilité d'enregistrer la configuration de toutes les fenêtres à un instant précis. Vous pouvez donc enregistrer cette configuration sous forme d'une session et la réouvrir plus tard. Cela vous permettra de retrouver toutes les fenêtres que vous aviez lorsque vous avez été obligé d'interrompre votre travail. C'est vraiment encore une option très utile, et voici comment l'utiliser.

Sauvegarde de session

Voici comment procéder pour sauvegarder une session de fenêtre :

1. Ouvrez plusieurs fenêtres de navigation.

2. Une fois que vous vous trouvez dans une configuration de fenêtres que vous aimeriez sauvegarder afin d'y revenir plus tard, cliquez sur le menu **Fichier** puis, dans le sous-menu **Sessions**, cliquez sur la commande **Enregistrer la session**. La boîte de dialogue **Enregistrement des fenêtres** s'affiche.

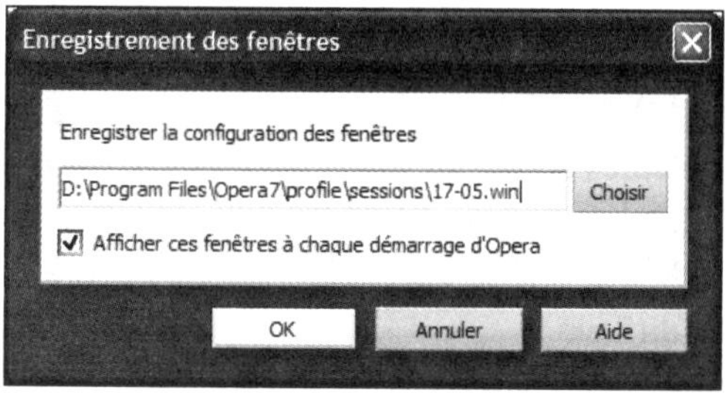

Figure 6.25 :
La boîte de dialogue Enregistrement des fenêtres

3. Dans le champ de texte *Enregistrer la configuration des fenêtres*, choisissez un répertoire de sauvegarde et saisissez un nom de fichier avec l'extension *win* puis cliquez sur le bouton OK (comme nom de fichier, vous pouvez par exemple donner la date du jour, ici *17-05.win*).

4. Si vous cochez la case *Afficher ces fenêtres à chaque démarrage d'Opera*, la boîte de dialogue de démarrage vous offrira la possibilité d'ouvrir cette session au démarrage.

Ouvrir une session enregistrée

Voici comment procéder pour ouvrir une session de fenêtres sauvegardées :

1. Cliquez sur le menu **Fichier** puis, dans le sous-menu **Sessions**, cliquez sur la commande **Ouvrir la session**. La boîte de dialogue **Ouvrir** s'affiche.

2. Recherchez et sélectionnez le fichier correspondant à la session de fenêtres que vous souhaitez ouvrir et cliquez sur le bouton **Ouvrir**. Les fichiers de sessions de fenêtres sont généralement sauvegardés dans le répertoire *C:\Program Files\Opera7\profile\sessions* ou dans *C:\Documents and Settings\nom_de_votre_profil\Application Data\Opera\Opera7\profile* suivant le type d'installation que vous avez effectué.

3. Toutes les fenêtres qui étaient présentes lors de l'enregistrement de la session se réouvrent automatiquement.

Vous pouvez aussi ouvrir une session de fenêtre *via* la boîte de dialogue de démarrage si celle-ci est active au démarrage d'Opera.

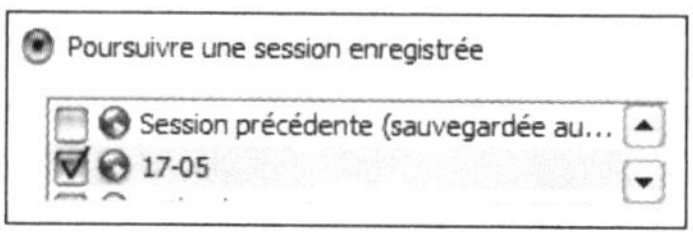

Figure 6.26 :
Ouverture d'une session de fenêtres sauvegardées via la boîte de dialogue de démarrage

293. Gérer les cadres (frames)

Qui n'a pas rencontré de problèmes en surfant sur des pages avec des cadres (plus communément appelés frames). Effectivement, le fait qu'une page comprenne des cadres engendre souvent les problèmes suivants :

1. Affichage du code source difficile.
2. Impression d'un cadre spécifique difficile.
3. Difficulté pour récupérer l'adresse réelle du cadre intéressant.

Eh bien, Opera va vous réconcilier avec les cadres car son menu contextuel intègre un sous-menu **Cadre** qui contient une multitude d'options pour vous aider à les gérer !

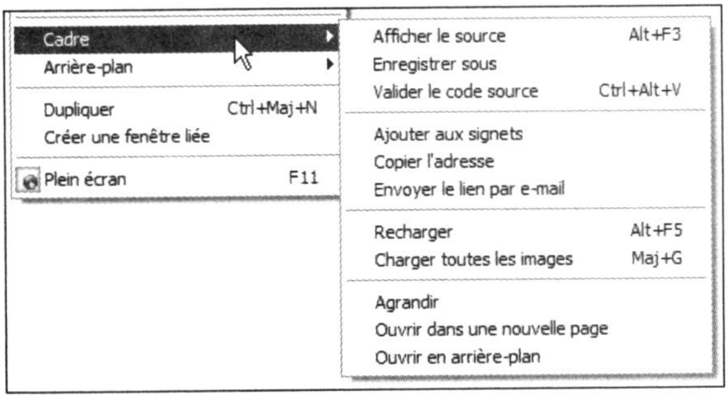

Figure 6.27 :
Le menu contextuel sur une page avec des cadres

Tableau 6-2 : Définition des commandes du sous-menu Cadre intégré au menu contextuel	
Commande du menu contextuel Cadre	**Description de la commande**
Afficher la source	Affiche le code source de la page contenue dans le cadre où vous avez appelé le menu contextuel. Attention, ne négligez pas l'intérêt de cette commande, Internet Explorer gère très mal l'affichage du code source dans les cadres ! Dans ce cas-là, Opera peut vous apporter une solution simple.
Enregistrer sous	Vous permet d'enregistrer uniquement le document contenu dans le cadre où vous avez appelé le menu contextuel. Cela vous évite de devoir enregistrer les parties inutiles des pages contenant des cadres.

Tableau 6-2 : Définition des commandes du sous-menu Cadre intégré au menu contextuel	
Commande du menu contextuel Cadre	**Description de la commande**
Valider le code Source	Vous permet de faire valider le code source de la page dans laquelle vous avez appelé le menu contextuel par un service d'analyse en ligne.
Ajouter aux signets	Ajoute au signet l'adresse de la page contenue dans le cadre où a été appelé le menu contextuel.
Copier l'adresse	Copie dans le Presse-papiers l'adresse de la page contenue dans le cadre où a été appelé le menu contextuel.
Envoyer le lien par e-mail	Si le client e-mail d'Opera est paramétré, cela vous offre la possibilité d'envoyer par courrier électronique l'adresse de la page contenue dans le cadre où a été appelé le menu contextuel.
Recharger	Recharge uniquement le cadre dans lequel a été appelé le menu contextuel.
Charger toutes les images	Recharge uniquement toutes les images du cadre où a été appelé le menu contextuel.
Agrandir	Passe en pleine fenêtre le contenu du cadre où a été appelé le menu contextuel.
Ouvrir dans une nouvelle page	Ouvre dans une nouvelle fenêtre le contenu du cadre où a été appelé le menu contextuel.
Ouvrir en arrière-plan	Ouvre dans la page d'arrière-plan le contenu du cadre où a été appelé le menu contextuel.

6.3   Impression

294.   Effectuer des impressions parfaites

L'impression des pages web est souvent difficile car les dimensions d'un écran ne correspondent pas aux dimensions des feuilles A4. La solution le plus souvent utilisée pour résoudre ce problème est l'impression au format paysage ; cette solution fonctionne mais elle oblige la lecture des documents dans le sens de la largeur, ce qui n'est vraiment pas agréable.

Opera vous offre dans ses options d'impression la possibilité de réduire en pourcentage les dimensions de la page web que vous souhaitez imprimer. Cette fonctionnalité est vraiment une nouveauté très appréciable dont vous ne pourrez sûrement plus vous passer.

1. Rendez-vous sur une page Internet sur laquelle vous avez des soucis d'impression (voici un exemple concret de page qui pose des soucis ; vous pouvez tester avec l'adresse **www.technicland.com/article .php3?sid=53**).

2. En premier, vous pouvez vérifier ce que donne la mise en page ; pour cela, cliquez sur **Fichier** et sélectionnez la commande **Aperçu avant impression** (ou appuyez sur la touche P). Si vous vous apercevez qu'il manque des parties du document avant de lancer l'impression, passez à l'étape suivante.

3. Cliquez sur **Fichier** et sélectionnez la commande **Options d'impression**. La boîte de dialogue **Options d'impression** s'affiche.

4. Sélectionnez une valeur de pourcentage dans le menu déroulant *Imprimer à l'échelle* et cliquez sur OK. Notez que, si les valeurs proposées ne vous conviennent pas, vous pouvez directement saisir une valeur dans la zone de texte du menu déroulant (pour notre exemple, vous pouvez prendre comme échelle 83 %).

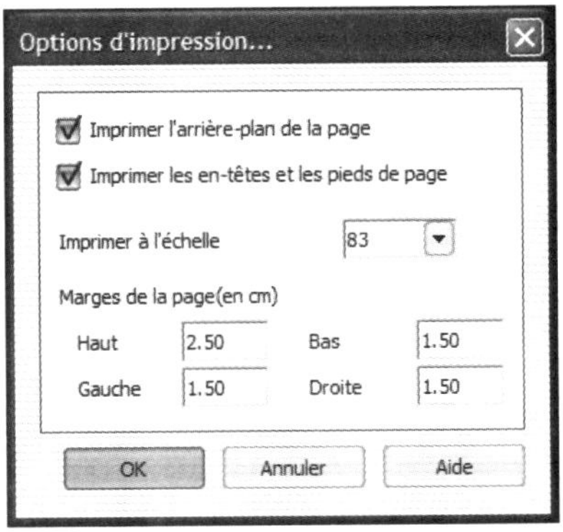

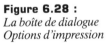

Figure 6.28 :
La boîte de dialogue Options d'impression

5. Cliquez à nouveau sur **Fichier** et sélectionnez la commande **Aperçu avant impression** (ou appuyez sur la touche P) pour vérifier ce que donne la nouvelle mise en page. Si elle est correcte, vous pouvez lancer l'impression *via* le menu **Fichier/Imprimer**. Si elle n'est pas correcte, recommencez la manipulation à partir de l'étape 3.

295. N'imprimer que le nécessaire

Opera vous offre plusieurs options d'impression qui, associées à la gestion des images, vous permettront de faire des économies d'encre en évitant d'imprimer les choses inutiles.

1.  Si vous ne souhaitez pas imprimer les images, vous pouvez les désactiver en cliquant sur le bouton en forme d'appareil photo.

2. Cliquez ensuite sur **Fichier** et sélectionnez la commande **Options d'impression**. La boîte de dialogue **Options d'impression** s'affiche.

3. Décochez les cases *Imprimer l'arrière-plan de la page* et *Imprimer les en-têtes et les pieds de page*.

6.4 Pour aller plus loin avec Opera

296. Importer les favoris d'Internet Explorer

Si vous souhaitez récupérer tous les favoris dont vous vous serviez avec Internet Explorer, procédez comme suit :

1. Cliquez sur le menu **Fichier** et, dans le sous-menu **Importer**, sélectionnez la commande **Favoris d'Internet Explorer**. La boîte de dialogue **Rechercher un dossier** s'affiche.

2. Sélectionnez le dossier correspondant à vos Favoris Internet Explorer et cliquez sur le bouton OK.

Figure 6.29 :
Sélection du dossier Favoris

3. Une fois vos Favoris importés, cliquez sur le menu **Signets** pour vérifier le résultat.

297. Valider le code source de vos pages web

Si vous développez des sites Internet, le navigateur Opera intègre une commande qui analysera le contenu de vos pages web par l'intermédiaire d'un analyseur de code source en ligne. Un rapport sur votre code source vous sera fourni afin de voir s'il contient d'éventuelles erreurs de syntaxe. Pour utiliser cet outil lorsque vous êtes sur une page web que vous souhaitez analyser, appuyez sur la combinaison de touches [Ctrl]+[Alt]+[V] puis cliquez sur le bouton **Oui**.

298. Reconnaître rapidement un espace sécurisé

Il est important de savoir assez rapidement si l'on est sur un espace sécurisé, surtout lorsque l'on souhaite effectuer des transactions en ligne. Opera a intégré à sa barre d'adresses un témoin visuel qui vous avertit lorsque vous êtes sur un espace sécurisé.

Lorsque vous vous trouverez sur un site sécurisé, regardez à gauche de la barre d'adresses si le cadenas est verrouillé. Pour avoir plus d'informations au niveau de la sécurité, positionnez le pointeur de la souris sur le cadenas.

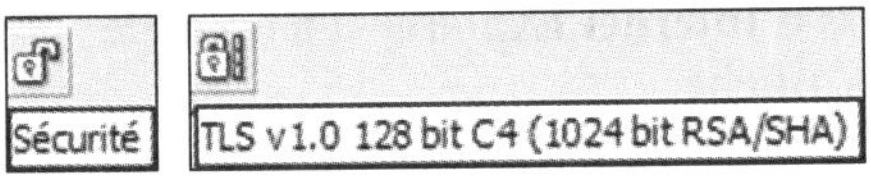

Figure 6.30 : *À gauche, le cadenas lors de la visite d'un site standard, à droite, le cadenas lors de la visite d'un site sécurisé*

299. Que faut-il sauvegarder avant de réinstaller Opera ?

Toutes les préférences, les cookies, les signets sont enregistrés sous forme de fichiers. Voici les fichiers importants qu'il vous faut sauvegarder en vue d'une réinstallation ou par mesure de précaution.

1. Créez à un emplacement de votre choix un dossier pour sauvegarder les paramètres d'Opera et nommez-le *Sauve_Opera*.

2. Rendez-vous dans le dossier d'installation d'Opera, qui est en principe *C:\Program Files\Opera7*. Attention, si lors de l'installation d'Opera vous avez choisi d'utiliser des préférences spécifiques pour chaque utilisateur, il vous faudra dans ce cas-là vous rendre dans le dossier

C:\Documents and Settings\nom_de_votre_profil\Application Data\Opera\Opera7\profile.

3. Cliquez du bouton droit dans un espace vide du dossier et, dans le menu **Réorganiser les icônes par**, sélectionnez la commande **Type**.

4. Sélectionnez tous les fichiers mentionnés dans le tableau suivant et copiez-les dans le répertoire *Sauve_Opera* précédemment créé.

Tableau 6-3 : Liste des fichiers et des dossiers à sauvegarder pour Opera	
Nom des fichiers ou des dossiers à sauvegarder	**Fonctions**
Opera6.adr, Operadef6.adr	Fichier de stockage de tous vos signets.
Contacts.adr	Fichier de stockage de vos contacts.
Download.dat	Fichier contenant l'historique des téléchargements.
Notes.adr	Fichier de stockage des données du Bloc-notes intégré à Opera.
Cookies4.dat	Fichier de stockage des cookies.
Global.dat	Fichier contenant l'historique des sites visités.
Opcacrt6.dat	Fichier de stockage des certificats d'authentification.
Opcert6.dat	Fichier de stockage de vos certificats personnels.
Vlink4.dat	Fichier contenant la liste des liens visités.
Wand.dat	Fichier de stockage du gestionnaire de mots de passe Wand (crypté).
Dossiers à sauvegarder	
Keyboard	Dossier contenant les différents paramètres de configuration du clavier.
Mail	Dossier contenant tous vos e-mails.
Mouse	Dossier contenant les différents paramètres de configuration de la souris.
Program	Dossier contenant les différents plug-in.

Tableau 6-3 : Liste des fichiers et des dossiers à sauvegarder pour Opera	
Nom des fichiers ou des dossiers à sauvegarder	Fonctions
Sessions	Dossier contenant les sessions de fenêtres sauvegardées.
Skin	Dossier contenant tous les skins téléchargés.
toolbar	Dossier contenant les paramètres des différentes barres d'outils.

300. Réinstaller Opera

Si des problèmes surviennent avec Opera et qu'il devienne instable, ne vous inquiétez pas ! La méthode la plus simple est de le réinstaller, ce qui prend cinq minutes et résout quasiment tous les problèmes.

1. Commencez par sauvegarder toutes vos préférences relatives à Opera avant de faire les manipulations suivantes. Pour cela rapportez-vous à l'astuce précédente, *Que faut-il sauvegarder avant de réinstaller Opera?*

2. Rendez-vous ensuite dans le Panneau de configuration et cliquez sur l'icône **Ajout/Suppression de programmes**.

3. Cliquez sur le bouton **Modifier ou supprimer des programmes** et sélectionnez le logiciel Opera, puis cliquez sur le bouton **Modifier/Supprimer**. Suivez les différentes indications de la boîte de dialogue afin de finir la désinstallation.

4. Retéléchargez le logiciel d'installation d'Opera et réinstallez-le. Pour plus d'informations sur l'installation, rapportez-vous à l'astuce *Installation* de ce même chapitre.

5. Une fois l'installation terminée, vous pouvez replacer les fichiers précédemment sauvegardés à leur emplacement respectif.

6.5 Opera Mail

301. La messagerie d'Opera

Opera ne distribue pas à proprement parler un client de messagerie spécifique. En fait, le gestionnaire de courrier électronique appelé M2 est intégré au navigateur. Le point fort de cette méthode est qu'en un seul produit vous avez un navigateur et un "client messagerie". L'intérêt de ce concept est que vous basculez d'une page Internet à votre messagerie juste en cliquant sur les onglets de la barre d'outils du navigateur, sans qu'il soit nécessaire de lancer un autre logiciel.

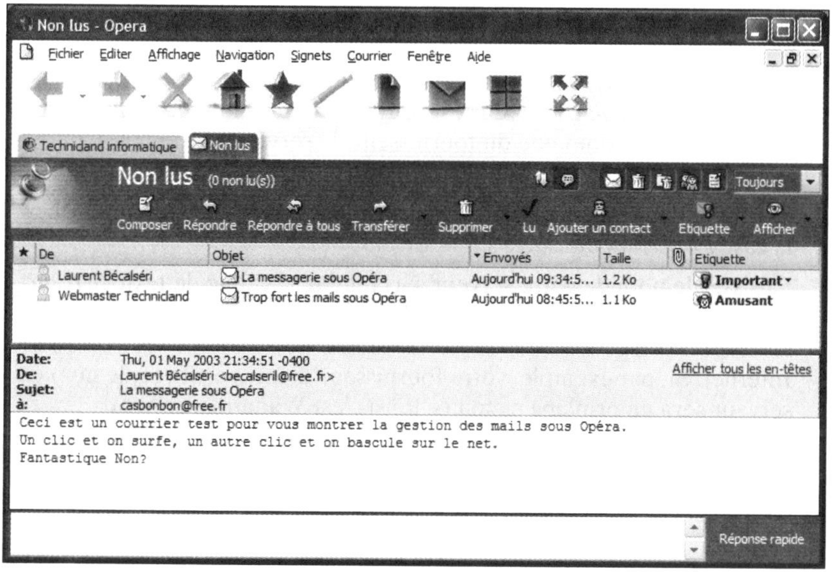

Figure 6.31 : *La messagerie M2 intégrée à Opera*

302. Paramétrer un compte e-mail (POP)

Voici comment paramétrer un compte de courrier électronique sous Opera.

1. Cliquez sur le menu **Courrier** et sélectionnez la commande **Nouveau compte**. La boîte de dialogue **Nouveau compte** s'affiche.

2. Sélectionnez le type de compte que vous souhaitez configurer ; en principe, le plus répandu correspond au type *Email normal (POP)* ; puis cliquez sur le bouton **Suivant**.

3. Saisissez vos nom et prénom ou pseudo dans la zone de texte *Nom significatif*.

4. Saisissez votre adresse e-mail dans la zone de texte *Adresse email*.

5. Si vous disposez d'un nom d'organisation, remplissez le champ de texte *Organisation*, sinon laissez le champ vide, puis cliquez sur le bouton **Suivant**.

6. Saisissez votre nom d'utilisateur dans la zone de texte *Nom d'utilisateur* et votre mot de passe correspondant dans la zone de texte *Mot de passe* puis cliquez sur le bouton **Suivant**. Ces informations vous sont généralement fournies lors de l'ouverture du compte e-mail.

7. Saisissez le nom de votre serveur entrant dans la zone de texte *Serveur entrant*. Le nom de ce serveur est souvent nommé comme suit : pop suivi du nom de domaine du fournisseur de services ; pour Free, par exemple, le serveur entrant est pop.free.fr.

8. Si vous souhaitez laisser une copie des messages sur le serveur, cochez la case *Laisser les messages sur le serveur*.

9. Saisissez le nom de votre serveur sortant dans la zone de texte *Serveur sortant* puis cliquez sur le bouton **Finir**. Le nom de ce serveur correspond en général au serveur SMTP de votre fournisseur d'accès à Internet. Si, par exemple, votre fournisseur d'accès est Free, le nom du serveur sera en principe smtp.free.fr ; si c'est Wanadoo, ce sera smtp.wanadoo.fr.

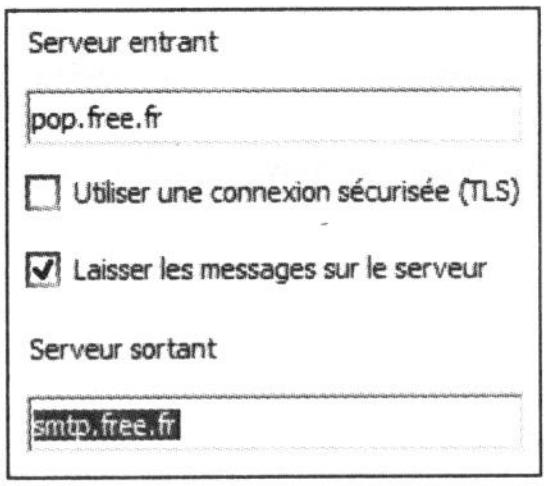

Figure 6.32 :
Paramétrage des serveurs

Voilà, vous êtes fin prêt à utiliser la messagerie sous Opera ; pour cela, il vous suffit de cliquer sur le bouton **Courrier** de la barre d'outils.

303. Importer les paramètres, messages, contacts d'Outlook Express

Il est possible d'importer tous les paramètres déjà définis dans Outlook Express (Paramètres de comptes, contacts, messages) afin de les utiliser dans la messagerie d'Opera. Pour cela, procédez comme suit :

1. Cliquez sur le menu **Fichier** et, dans le sous-menu **Importer**, sélectionnez la commande **Courrier**.

2. Sélectionnez **Importer d'Outlook Express** et cliquez sur le bouton **Suivant**.

3. Dans la rubrique *Importer l'item*, sélectionnez le ou les comptes (vous pouvez tout sélectionner si vous le souhaitez) et cochez les cases correspondant aux paramètres (comptes, contacts, messages) que vous souhaitez importer, puis cliquez sur le bouton **Importer**.

Figure 6.33 :
Importation à partir d'Outlook Express

4. Une barre de défilement vous indiquant la progression de l'importation s'affiche. Une fois celle-ci terminée vous pouvez vérifier si tout a bien été importé.

304. Créer une signature perso

Vous pouvez facilement créer une signature personnalisée que vous intégrerez à la fin de vos messages. Pour cela, procédez comme suit :

1. Cliquez sur le menu **Courrier** et sélectionnez la commande **Gérer les comptes**. La boîte de dialogue **Gérer les comptes** s'affiche.

2. Sélectionnez le compte auquel vous souhaitez ajouter une signature et cliquez sur le bouton **Editer**.

3. Sélectionnez l'onglet **Sortant** de la boîte de dialogue **Propriétés du compte**.

4. Dans la zone de texte *Signature*, saisissez votre signature et cliquez sur le bouton OK.

Lorsque vous composerez désormais un e-mail avec ce compte, votre signature s'intégrera en bas du message.

305. Jouer un son perso à l'arrivée de nouveaux messages

Il est possible de jouer un son personnalisé lors de l'arrivée de nouveaux messages.

1. Cliquez sur le menu **Courrier** et sélectionnez la commande **Gérer les comptes**. La boîte de dialogue **Gérer les comptes** s'affiche.

2. Sélectionnez le compte sur lequel vous souhaitez affecter un son lors de l'arrivée de messages et cliquez sur le bouton **Editer**.

3. Sélectionnez l'onglet **Entrant** de la boîte de dialogue **Propriétés du compte**.

4. Cochez la case *Jouer un son s'il y a de nouveaux messages*.

5. Ensuite, cliquez sur le bouton **Choisir** et sélectionnez le son au format *wav* que vous voulez jouer lors de l'arrivée de nouveaux messages. Puis cliquez sur le bouton OK pour valider.

CHAPITRE

7

Netscape

Netscape

7.1 Généralités autour de Netscape

306. Présentation de la dernière version de Netscape

La dernière version de la famille Netscape porte le numéro 7.02 et intègre plusieurs fonctions dont :

- Un navigateur Internet (Navigator).
- Un logiciel de Messagerie & Forums (Netscape Mail).
- Un carnet d'adresses.
- Un correcteur orthographique (Spell Checker).
- Un éditeur HTML WYSIWYG (Composer).
- Deux messageries instantanées AIM et ICQ (faites leur connaissance dans le chapitre *Messageries instantanées*).

La suite de logiciels Netscape est une alternative aux programmes de navigation et de messagerie installés par Windows. Il y a des avantages et des inconvénients à se servir des logiciels de Microsoft ou de Netscape Communications Corporation ; le choix des programmes à utiliser appartient à l'utilisateur.

Liens utiles :

- Site de Netscape : **www.netscape.fr**.
- Description de Netscape 7.02 : **www.telechargement.netscape.fr/telechargement/netscape7/index.htm**.
- Téléchargement du programme : **www.telechargement.netscape.fr/telechargement**.
- Commander le CD (payant) : **http://secure.e-cdorder.com/pageload.do**.
- Documentation Netscape en français : **http://wp.netscape.com/fr/eng/mozilla/2.02/handbook/index.html**.

7.2 Paramétrer/Configurer

307. Installation de la version téléchargeable

Avant toute installation, quittez les programmes en cours et désactivez votre antivirus.

1. Rendez-vous à l'adresse **www.telechargement.netscape.fr/telechargement/ netscape7/configuration/telecharger.htm.**

2. Dans la rubrique *Netscape 7.02 version Windows*, cliquez sur votre type de connexion :

   – *Connexion par modem 56K ou inférieur.* Le téléchargement de l'intégralité du programme d'installation débute automatiquement (*NSSetupB.exe* [31,7 Mo]). Le programme d'installation comprend toutes les options de Netscape, ce qui permettra une installation hors connexion, ou vous évitera lors d'une prochaine réinstallation de charger à nouveau des parties du programme.

   – *Connexion supérieure à 56K.* Le téléchargement du programme de configuration d'installation débute (*NSSetup.exe* [241 Ko]). Durant l'installation, vous devrez être connecté à Internet afin de télécharger les modules complémentaires.

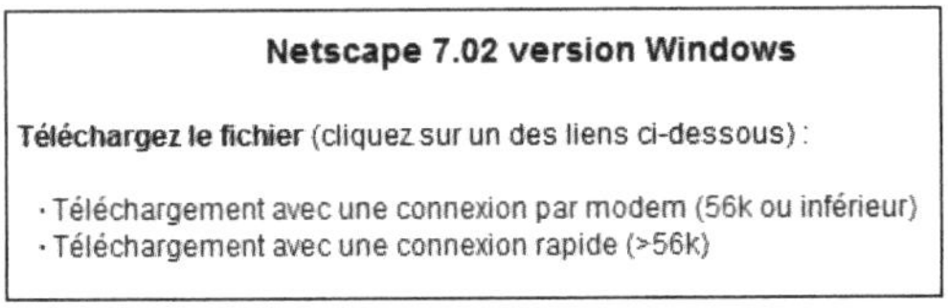

   Netscape 7.02 version Windows

   Téléchargez le fichier (cliquez sur un des liens ci-dessous) :

   · Téléchargement avec une connexion par modem (56k ou inférieur)
   · Téléchargement avec une connexion rapide (>56k)

   Figure 7.1 :
   Choisissez la version à télécharger

3. Exécutez le programme d'installation. Vous avez trois possibilités d'installation :

   – *Recommandée* (par défaut, installe les composants les plus courants).

   – *Complète* (installe toutes les options).

   – *Personnalisée* (en plus de Netscape Navigator, vous pouvez installer la Messagerie & AIM et Spell Cheker, correction orthographique).

4. Laissez le choix par défaut pour une utilisation courante et cliquez sur le bouton **Suivant**. Si vous n'avez pas opté pour l'installation complète, vous pouvez choisir d'installer Sun Java 2 (la machine virtuelle Java Sun), Real Player 8 (un lecteur multimédia) et Winamp (un lecteur de fichier MP3). Cliquez sur le bouton **Suivant**.

5. Laissez la case *Quick Launch* cochée. Elle vous permet d'exécuter Netscape plus rapidement depuis la zone de notification. Cela veut dire que le programme n'est plus fermé, mais est réduit et accessible par une icône à côté de l'heure. Cliquez sur le bouton **Suivant**.

6. Cochez la case *Enregistrer les fichiers du programme d'installation localement*, puis cliquez sur le bouton **Suivant**.

7. Cliquez sur le bouton **Installer** pour télécharger les composants désirés et les installer.

REMARQUE

Liste des options de la version complète

La version complète comprend les éléments suivants : Navigator (le navigateur Internet), Sun Java 2 (machine virtuelle Java Sun), Messagerie & Forums (messagerie électronique et discussion), AIM et ICQ (messagerie instantanée), Quality Feedback Agent (l'agent contrôle qualité qui permet l'envoi de rapport à Netscape), Spell Checker (le correcteur orthographique), AOL ART Extensions (la prise en charge des formats d'image de AOL), Macromedia Flash Player (permet l'affichage d'animations conçues avec Macromedia Flash MX), Real Player 8 (lecteur de fichier multimédia), Viewpoint Media Player (un afficheur d'image spéciale), Winamp (un lecteur de fichier MP3), Classic Skin (personnalisation de Netscape).

---

308. Afficher/Masquer "Ma barre latérale"

La barre latérale est composée d'onglets que vous pouvez personnaliser et qui agissent comme des raccourcis. La barre d'affichage latérale s'active de plusieurs façons :

■ Cliquez sur le menu **Afficher**, puis sur **Afficher/Masquer** et choisissez **Ma barre latérale**.

■ Appuyez sur la touche [F9] pour afficher ou masquer la barre latérale.

■ Cliquez sur l'icône *Ouvrir Ma barre latérale* (lorsque la barre est fermée), ou sur *Fermer Ma barre latérale* (lorsque la barre est ouverte).

■ Cliquez au milieu du trait vertical qui sépare la barre latérale de la fenêtre de navigation.

309. Choisir les "onglets" à afficher

Ajouter un onglet

1. Dans la barre latérale, cliquez sur *Onglets*, puis choisissez *Personnaliser Ma barre latérale*.

2. Cliquez sur le triangle devant le nom de l'onglet dont vous voulez voir le contenu, dans la partie *Onglets disponibles*.

3. Sélectionnez l'onglet à ajouter, puis cliquez sur le bouton **Ajouter**. L'onglet s'affiche dans la fenêtre de droite, **Onglets de Ma barre latérale**.

4. Au besoin, cliquez sur le bouton **Autres onglets** pour charger depuis le site http://channel.netscape.com/sidebar/sbd/index.tmpl des onglets supplémentaires (en anglais).

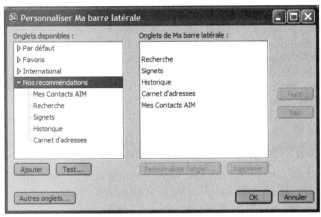

Figure 7.2 : *Personnalisation de la barre latérale*

Supprimer un onglet

1. Dans la barre latérale, cliquez sur *Onglets*, puis choisissez *Personnaliser Ma barre latérale*.

2. Sélectionnez l'onglet à supprimer dans la fenêtre de droite, **Onglets de Ma barre latérale**.

3. Cliquez sur le bouton **Supprimer**.

310. Ajouter rapidement une page web dans la barre latérale

Tous les sites, toutes les pages que vous visiterez ne vous proposeront pas d'être ajoutés à la barre latérale, pourtant il y a des occasions où cette possibilité peut être intéressante ! La technique consiste à écrire une instruction de programme Javascript dans un signet, à la place de l'adresse d'une page, d'un document web. Ainsi, lorsque vous sélectionnez ce signet, c'est l'instruction Javascript qui est exécutée.

Voilà comment mettre en place un signet qui propose d'intégrer la page en cours dans la barre latérale :

1. Cliquez sur le menu **Signets**, puis sur **Gérer les signets** (ou appuyez sur Ctrl+B).

2. Sélectionnez le dossier *Dossier personnel*.

3. Cliquez sur le menu **Fichier** et sélectionnez successivement **Nouveau**, puis **Signet**.

4. Saisissez Ajout à la barre latérale dans la zone de texte *Nom*.

5. Saisissez javascript:window.sidebar.addPanel(document.title,window.location,'') dans la zone de saisie *Adresse*.

6. Validez en cliquant sur le bouton OK.

Au hasard de votre navigation, si vous voulez ajouter un site à la barre latérale, cliquez sur le signet *Ajout à la barre latérale*.

311. Utiliser les onglets de navigation

1. Cliquez sur le menu **Afficher**, puis sur **Afficher/Masquer** et choisissez **Ma barre latérale** (ou le raccourci clavier F9) pour faire apparaître la barre latérale.

2. Cliquez sur l'onglet choisi de la barre latérale. Pour la plupart des liens trouvés et activés, les données s'afficheront dans la fenêtre principale.

312. Personnaliser la barre d'outils

Inutile de garder sur le navigateur des boutons dont vous ne vous servez jamais ! Allégez le contenu visuel de vos interfaces, vous y gagnerez en confort.

1. Cliquez sur le menu **Edition**, puis sur **Préférences**.

2. Dans la catégorie *Navigator*, rubrique *Sélectionnez les boutons que vous souhaitez voir dans les barres d'outils*, cochez les cases correspondant aux boutons que vous voulez afficher.

3. Cliquez sur le bouton OK pour terminer.

313. Choisir la page d'accueil

Afin d'afficher le document web de votre choix lorsque vous cliquez sur l'icône *Accueil* de la barre d'outils, procédez comme ceci :

1. Cliquez sur le menu **Edition**, puis sur **Préférences**.

2. Dans la catégorie *Navigator*, rubrique *Page d'accueil*, inscrivez l'adresse de la page à afficher dans la zone *Adresse*.

3. Cliquez sur le bouton OK pour terminer.

REMARQUE

Page d'accueil et page de démarrage

La page d'accueil n'est pas forcément la page sur laquelle Navigator démarre, mais la page qui s'affiche lorsque vous cliquez sur l'icône *Accueil*. Pour faire de votre page d'accueil la page de démarrage, dans la rubrique *Navigator démarre avec*, choisissez *Page d'accueil*.

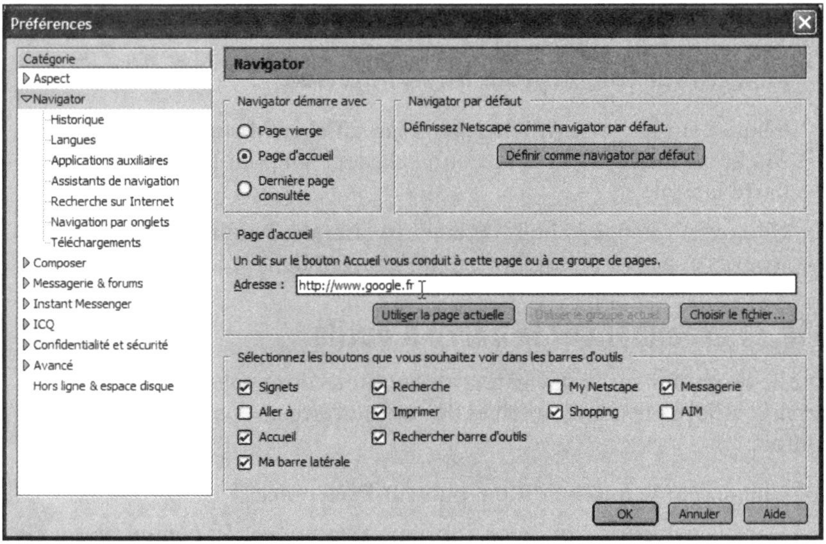

Figure 7.3 : *Personnalisation de la page d'accueil*

314. Ouvrir votre navigateur sur la dernière page consultée

Plutôt que de vous retrouver devant une page qui est toujours la même, vous pouvez décider de relancer le navigateur sur la dernière page ouverte afin de reprendre à l'endroit où vous en étiez resté.

1. Cliquez sur le menu **Edition**, puis sur **Préférences**.

2. Sélectionnez la catégorie *Navigator*.

3. Dans la rubrique *Navigator démarre avec*, activez l'option *Dernière page consultée*.

315. Accélérer le lancement de Netscape

Activez l'option *Quick Launch* pour diminuer Netscape Navigator dans la zone de notification (à côté de l'heure).

1. Cliquez sur le menu **Edition**, puis sur **Préférences**.

2. Sélectionnez *Avancé* et cochez la case *Activer Quick Launch*.

3. Cliquez sur le bouton OK pour terminer.

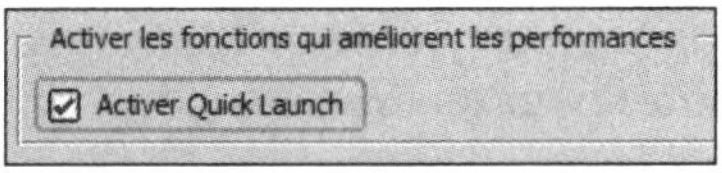

Activer les fonctions qui améliorent les performances

☑ Activer Quick Launch

Figure 7.4 :
Activation de Quick Launch

Lorsque vous quittez Netscape, une icône s'affiche dans la zone de notification. Vous pouvez agir dessus de plusieurs façons :

■ Un double-clic ouvre instantanément Netscape Navigator.

■ Cliquez du bouton droit de la souris et choisissez une des applications qui vous intéressent : Messagerie & Forums, Composer, Carnet d'adresses (selon les composants que vous avez installés).

■ Cliquez du bouton droit de la souris et choisissez **Quitter Netscape 7.0** pour quitter complètement le programme.

Figure 7.5 :
Choix du module à lancer

316. Copier simplement l'adresse d'un lien

Vous pouvez facilement copier une adresse, afin de la réutiliser dans n'importe quelle application, en la collant simplement.

- Cliquez du bouton droit sur le lien et choisissez la commande **Copier l'adresse du lien**.

- L'adresse est ainsi transférée dans le Presse-papiers de Windows et peut être collée ensuite n'importe où.

317. Obtenir des infos sur une page

Que ce soit par curiosité, pour régler un problème d'affichage, enregistrer les médias contenus sur une page ou visualiser les certificats de sécurité, vous pourrez trouver des renseignements dans les Infos pages :

1. Cliquez du bouton droit de la souris sur un endroit non actif de la page web.

2. Choisissez **Infos page** dans le menu contextuel.

3. Les informations de la page en cours s'affichent dans une nouvelle boîte de dialogue.

4. Sélectionnez tour à tour les différents onglets (**Générales**, **Formulaires**, **Liens**, **Média**, **Sécurité**, **Confidentialité**) pour en lire le contenu.

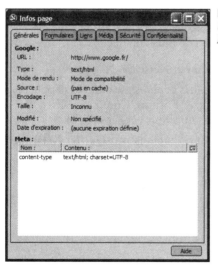

Figure 7.6 :
Une Info page émise par Netscape Navigator

318. Utiliser le moteur de recherche de Netscape

Netscape possède son propre moteur de recherche. Celui-ci est disponible à l'adresse **www.netscape.fr**. Par Netscape Navigator, vous y accédez rapidement en cliquant sur le menu **Outils**, **Rechercher**, puis sur **Rechercher sur Internet**.

D'autres choix de recherche sont accessibles par le menu **Rechercher sur Internet** :

Tableau 7-1 : Options du menu Rechercher		
Option de menu	**Service**	**Adresse Internet**
Annuaire des professionnels	Liste les annuaires consultables	www.netscape.fr/redir.pl?dest=telephonepro
Bourse	Informations financières	www.finance.netscape.fr/bourse/index.shtml
Cartes et plans	Liste des sites trouvés avec le mot "plans"	www.netscape.fr/redir.pl?dest=plans
Annuaire des particuliers	Liste des sites trouvés avec "annuaire téléphonique"	www.netscape.fr/redir.pl?dest=telephonepar

Netscape propose d'accéder rapidement à certains sites en saisissant un mot clé dans la zone de saisie texte *Rechercher* de la page **www.netscape.fr**.

Par exemple, saisissez seulement amazon pour arriver directement sur le site **www.amazon.fr**.

La liste des mots clés est consultable par divers moyens :

- À l'adresse **http://wp.netscape.com/fr/escapes/keywords/index.html**.
- En cliquant sur le menu **Outils**, puis sur **Rechercher et Mots clés**.
- En cliquant sur l'icône *Choisir le mot clé*, à gauche de la zone de saisie texte *Rechercher*.

319. Ajouter Google comme moteur de recherche

Peut-être préféreriez-vous avoir un autre moteur de recherche que celui de Netscape ? Voici comment ajouter le moteur de recherche de Google.

Ajouter le plug-in de Google

1. Saisissez l'adresse http://www.google.com/mozilla/google.src dans la ligne d'adresse pour télécharger le plug-in du moteur de recherche Google.

2. Ouvrez le menu **Fichier** et choisissez la commande **Enregistrer la page sous**.

3. Sélectionnez l'emplacement *C:\Program Files\Netscape\Netscape\searchplugins* afin de placer le plug-in dans le répertoire d'installation de Netscape dédié aux plug-in de moteurs de recherche.

4. Cliquez sur le bouton **Enregistrer**.

Télécharger le logo de Google

1. Saisissez l'adresse http://www.google.com/mozilla/google.gif pour charger le logo du moteur de recherche Google.

2. Cliquez du bouton droit de la souris sur le petit logo de Google et choisissez la commande **Enregistrer l'image sous**.

3. Sélectionnez l'emplacement *C:\Program Files\Netscape\Netscape\searchplugins* afin d'associer l'icône au moteur de recherche de Google.

4. Cliquez sur le bouton **Enregistrer**.

Définir le moteur de recherche par défaut

1. Quittez puis relancez Netscape Navigator pour que le plug-in soit pris en compte.

2. Cliquez sur le menu **Edition**, puis sur **Préférences**.

3. Dans la partie *Catégorie*, cliquez sur le triangle devant *Navigator* et sélectionnez *Recherche sur Internet*.

4. Sélectionnez Google dans la liste déroulante *Rechercher avec*.

Figure 7.7 :
Google est disponible comme nouveau moteur de recherche

320. Modifier les options de recherche de Google

Si vous avez opté pour Google comme moteur de recherche, peut-être aimeriez-vous le personnaliser selon vos besoins ou vos préférences ?

1. Exécutez le Bloc-notes de Windows qui est dans le groupe **Accessoires** du menu **Démarrer**.

2. Cliquez sur le menu **Fichier**, puis sur la commande **Ouvrir**.

3. Dans la liste *Regarder dans*, choisissez successivement les dossiers *Poste de travail*, *c:*, *Program Files, Netscape, Netscape, searchplugins*.

4. Dans la zone *Nom du fichier*, saisissez "google.src" avec les guillemets et cliquez sur le bouton **Ouvrir**.

5. Supprimez la ligne update="http://www.google.com/mozilla/google.src".

6. Modifiez la ligne action="http://www.google.com/search" de la façon suivante :

Tableau 7-2 : Quelques idées de personnalisation du plug-in Google	
Type de recherche	**Action à effectuer**
Recherche d'images	action="http://images.google.com/images"
Recherche sur les forums	action="http://groups.google.com/groups"
Sur le site universitaire de Paris-Dauphine	action="http://www.google.com/univ/dauphine"
Sur le site de l'université libre de Bruxelles	action="http://www.google.com/univ/ulb"
Sur le site universitaire de Québec à Trois-Rivières	action="http://www.google.com/univ/uqtr−uquebec"
Actualité Google (version bêta anglophone)	action="http://news.google.com/news"
Vente avec Froogle (version bêta anglophone)	action="http://froogle.google.com/froogle"
Recherche spécifique Microsoft	action="http://www.google.com/microsoft"
Recherche spécifique Mac	action="http://www.google.com/mac"
Recherche spécifique BSD UNIX	action="http://www.google.com/bsd"

Tableau 7-2 : Quelques idées de personnalisation du plug-in Google	
Type de recherche	**Action à effectuer**
Recherche spécifique LINUX	action="http://www.google.com/linux"
Recherche spécifique sites militaires et gouvernementaux américains	action="http://www.google.com/unclesam"

Recherche francophone uniquement

Pour forcer le paramètre de recherche en langue française, modifiez la ligne <input name="q" user> par <input name="lr=lang_fr&q" user>.

321. Ajouter Voila comme moteur de recherche

Suivez cette procédure pour ajouter Voila dans les moteurs de recherche de Netscape

Créer le plug-in pour Voila

1. Exécutez le Bloc-notes de Windows, que vous trouverez dans le groupe **Accessoires** du menu **Démarrer**.

2. Saisissez les lignes suivantes :

```
# Voila Search

<SEARCH
      name        = "Voila (francophone)"
      description = "Voila"
      method      = "GET"
      action      = "http://search.ke.voila.fr/S/voila"
>
<INPUT NAME="dt=*&kw" user>
</SEARCH>
```

3. Cliquez sur le menu **Fichier** et choisissez la commande **Enregistrer**.

4. Dans la liste *Enregistrer dans*, choisissez successivement les dossiers *Poste de travail, c:, Program Files, Netscape, Netscape, searchplugins*.

5. Dans la zone *Nom du fichier*, saisissez "voila.src" avec les guillemets et cliquez sur le bouton **Enregistrer**.

Définir le moteur de recherche par défaut

1. Si Netscape est ouvert, refermez-le et relancez-le afin de prendre en compte le nouveau plug-in.

2. Cliquez sur le menu **Edition**, puis sur **Préférences**.

3. Dans la partie *Catégorie*, cliquez sur le triangle devant *Navigator* et sélectionnez *Recherche sur Internet*.

4. Sélectionnez "*Voila*" dans la liste déroulante *Rechercher avec*.

> **ASTUCE**
>
> **Rajoutez une icône pour ce moteur de recherche**
> Allez à l'adresse http://voila.fr/favicon.ico pour récupérer l'icône de Voila. Convertissez-la au format *.gif* sous le nom *Voila.gif* et placez-la dans le même dossier que le fichier *Voila.src*. Dans la liste déroulante, l'icône de Voila est associée au moteur de recherche du même nom.

7.3 Affichage

322. Afficher les onglets de pages

Afin d'afficher plusieurs pages et de passer facilement de l'une à l'autre, Netscape vous propose de les afficher dans des onglets.

Cliquez sur le menu **Afficher**, **Afficher/Masquer**, puis sur **Barre d'onglets**.

323. Configurer l'utilisation des onglets

Afin d'ouvrir une page dans un onglet différent, vous pouvez choisir comment Netscape doit réagir à vos demandes.

1. Cliquez sur le menu **Edition**, puis sur **Préférences**.

2. Cliquez sur le triangle de la catégorie *Navigator* et sélectionnez *Navigation par onglets*.

3. Dans la rubrique *Ouvrir des onglets plutôt que des fenêtres lors d'un*, cochez la case *Clic du bouton central ou Ctrl+clic des liens dans une page Web*.

4. Cliquez sur le bouton OK.

Les liens de page web ouvrent, comme vous en avez l'habitude, une nouvelle fenêtre ou remplacent la fenêtre précédente. Si vous maintenez la touche Ctrl pendant que vous cliquez sur un lien, ou si vous cliquez avec le bouton central de la souris, la nouvelle page s'affiche dans un autre onglet en laissant l'onglet précédent accessible. Un onglet permet de basculer entre les différentes pages ainsi affichées, et la case de fermeture à droite de l'onglet de la page active permet de fermer celle-ci.

Figure 7.8 : *Plusieurs pages sont chargées et sont accessibles par un onglet*

324. Réduire les barres de menus ou d'outils

Afin de gagner de la place sur l'affichage de la fenêtre du navigateur, vous pouvez masquer ou afficher rapidement la barre de menus, d'outils ou de navigation en cliquant à gauche de celle-ci sur l'icône en forme de triangle.

325. Changer l'apparence de Netscape

Différents thèmes vous permettent de changer l'apparence globale de Netscape afin de l'adapter à vos goûts.

Télécharger un thème

Cliquez sur le menu **Afficher** et choisissez **Appliquer un thème**. Plusieurs choix s'offrent à vous :

- **Préférences de thème** ouvre les préférences de Navigator dans la catégorie *Aspect/Thèmes*. De là, vous pouvez avoir un aperçu du thème avant de le choisir.

- **Obtenir de nouveaux thèmes** vous ouvre la page http://wp.netscape.com/themes/7_0/index.html à partir de laquelle vous pouvez choisir et charger des thèmes supplémentaires (en anglais).

Appliquer un thème

1. Cliquez sur le menu **Afficher** et choisissez **Appliquer un thème**.

2. Choisissez le thème à utiliser.

3. Quittez puis relancez Netscape pour visualiser la modification.

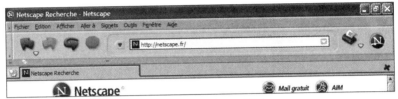

Figure 7.9 : *Exemple d'application d'un thème différent*

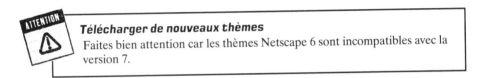

Télécharger de nouveaux thèmes
Faites bien attention car les thèmes Netscape 6 sont incompatibles avec la version 7.

7.4 Impression

326. Définir la mise en page

La gestion d'impression est très facile. Cliquez sur le menu **Fichier**, puis sur **Mise en page** pour accéder au gestionnaire de mise en page.

- Onglet **Format et options**.

  – Rubrique *Format*. Vous définissez le format (en hauteur : *Portrait* ; en largeur : *Paysage*), mais surtout le pourcentage par rapport au document original. En laissant la case *Réduire pour ajuster à la largeur de la page* validée, vous optimiserez l'impression en étant certain de ne rien perdre du document original.

  – Rubrique *Options*. Cochez la case *Imprimer l'arrière-plan (couleurs et images)* pour afficher à l'impression le fond d'écran de la page.

- Onglet **Marges et en-tête/pied de page**.

  – Rubrique *Marges (pouces)*. Réglez la largeur de la marge pour chacun des bords.

— Rubrique *En-têtes et pieds de page*. La ligne supérieure est relative aux en-têtes de page, la ligne inférieure aux pieds de page. Les listes déroulantes de gauche à droite représentent l'emplacement horizontal du texte à imprimer (à gauche, centré, à droite). Les options des listes déroulantes sont décrites dans le tableau suivant.

Tableau 7-3 : Option des listes déroulantes pour les en-têtes et pieds de page

Option	Action
Vierge	Aucune impression
Titre	Imprime le titre de la page
URL	Imprime l'adresse de la page
Date/heure	Imprime la date et l'heure courante sous la forme jj/mm/aa hh:mm
Page #	Imprime le numéro de page
Page # sur #	Imprime le numéro de page en cours "sur" le nombre total de pages à imprimer
Personnaliser	Imprime un texte personnalisé

327. Imprimer une partie de la page

Il n'est pas obligatoire d'imprimer la totalité d'une page web si une infime partie vous suffit.

1. Sélectionnez avec la souris la zone du document que vous voulez imprimer.

2. Cliquez sur le menu **Fichier**, puis sur **Imprimer**.

3. Choisissez l'option *Sélection* de la rubrique *Etendue d'impression*.

4. Cliquez sur le bouton OK pour démarrer l'impression.

328. Lancer rapidement une impression

Afin d'imprimer rapidement le document que vous consultez, vous pouvez utiliser le raccourci clavier Ctrl+P.

7.5 Pour aller plus loin avec Netscape Navigator

329. Importer les favoris d'Internet Explorer

Si vous utilisez alternativement Netscape et Internet Explorer, vous aurez peut-être envie de synchroniser la liste des signets de Netscape avec les favoris d'Internet Explorer. Voici comment procéder.

Dans Internet Explorer

1. Cliquez sur **Fichier**, puis sur **Importer et exporter**.

2. Cliquez sur le bouton **Suivant** de la page de présentation **Assistant Importation/Exportation**.

3. Sélectionnez *Exporter les favoris* et cliquez sur le bouton **Suivant**.

4. Sélectionnez le dossier *Favoris* ou le dossier contenant les favoris à exporter et cliquez sur le bouton **Suivant**.

5. Choisissez *Exporter vers un fichier ou une adresse*. Vérifiez que le nom de fichier et le chemin sont *C:\Mes documents\bookmark.htm*. Cliquez sur le bouton **Suivant**.

6. Cliquez sur le bouton **Terminer** pour sauvegarder vos favoris dans le fichier désigné (*Bookmark.htm*).

Dans Netscape Navigator

1. Cliquez sur le menu **Signets**, puis sur **Gérer les signets** (ou le raccourci clavier ⌃Ctrl+B).

2. Sélectionnez un des dossiers de la fenêtre des dossiers.

3. Choisissez le menu **Outils**, puis **Importer**.

4. Cliquez sur le dossier *Mes documents* et désignez le fichier *Bookmark.htm* précédemment créé.

5. Cliquez sur le bouton **Ouvrir** pour lancer l'importation des favoris.

330. Gérer les pop-ups

Inutile de recourir à des programmes externes pour gérer les petites fenêtres qui s'ouvrent en marge de la fenêtre principale, Netscape les gère très bien :

1. Cliquez sur le menu **Edition**, puis sur **Préférences**.

2. Cliquez sur le triangle devant la catégorie *Confidentialité et sécurité* et sélectionnez *Fenêtres Popup*.

3. Activez l'option *Bloquer les Popups*. Vous pouvez gérer des exceptions en cliquant sur le bouton **Exceptions**.

4. Cochez la case *Emettre un son* et choisissez le en cliquant sur le bouton **Sélectionner**, et/ou cochez la case *Afficher une icône dans la barre d'état de Navigator* afin d'être averti qu'un pop-up a été bloqué.

331. ICQ ou AIM par Netscape

ICQ (I seek you) et AIM (*AOL Instant Messenger*) sont des messageries instantanées, consultables via la suite Netscape.

1. Dans **Ma barre latérale**, affichez l'onglet **Mes contacts AIM**.

2. Dans la liste déroulante *Sélectionnez le service auquel vous connecter*, choisissez *AIM* ou *ICQ*.

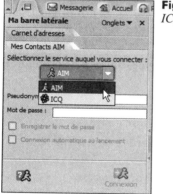

Figure 7.10 :
ICQ ou AIM par Netscape

Vous remarquerez que, par Netscape Communicator, les fonctions de certaines de ces messageries sont différentes de leur logiciel dédié.

*Pour en savoir plus à leur propos, consultez les astuces relatives à **AIM** et **ICQ** dans le chapitre **Messageries instantanées**.*

332. Guetter un utilisateur AIM

Netscape offre la possibilité agréable d'être prévenu de la connexion d'un contact AIM en particulier.

1. Dans la barre latérale, ajoutez l'onglet **Mes contacts AIM**.

2. Dans l'onglet **Répertoire**, cliquez du bouton droit de la souris sur le contact à guetter.

3. Choisissez l'option du menu contextuel *M'avertir quand <pseudo> est disponible*.

4. Sélectionnez un ou plusieurs critères dans la rubrique *M'avertir lorsque le contact...*

   - *Arrive en ligne.*

   - *Revient de l'état inactif.*

   - *Revient d'un état d'absence.*

5. Sélectionnez le type d'avertissement dans la rubrique *M'avertir par :*

   - *Affichage de la fenêtre d'alerte de contact.*

   - *Emission d'un son.*

6. Validez en cliquant sur le bouton OK. L'icône à gauche du contact prend la forme d'un carillon.

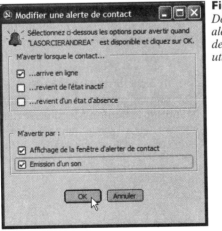

Figure 7.11 :
Définir ou modifier une alerte de contact permet de guetter l'arrivée d'un utilisateur en particulier

333. Netscape Composer

Netscape Composer est un éditeur visuel de pages web qui vous permettra de créer simplement votre site, si l'envie vous prenait, sans utiliser d'outils spécialisés. Sur une page blanche, insérez des images, créez des tableaux, définissez un style ou détectez des événements… Le document HTML sera créé automatiquement par rapport à ce que vous avez inséré sur la page.

Accédez à Netscape Composer en cliquant sur la quatrième icône en bas à gauche, ou sur le menu **Fenêtre**, puis sur **Composer** (ou le raccourci clavier Ctrl+4).

Figure 7.12 :
Accédez au Composer

Outre les fonctions de base, Netscape Composer permet la visualisation graphique des balises employées dans une page (en bas de page, onglet **Afficher toutes les étiquettes**) et offre un raccourci vers le site W3C pour faire valider un document. (Si le document est conforme aux normes du W3C, en plus de la satisfaction d'avoir un travail propre, vous aurez la possibilité d'afficher le logo W3C.) Accédez à ce raccourci par le menu **Outils/Valider HTML**.

7.6 Netscape Messenger (Messagerie & Forums)

Netscape Messenger vous permet d'accéder à vos comptes de courrier et de suivre les forums de discussion. Vous pouvez y paramétrer des comptes sur serveurs POP, SMTP ou IMAP et NNTP (protocoles reconnus par Netscape Messenger).

Accédez à Netscape Messagerie & Forums à partir de Netscape Navigator ou d'un autre programme de la suite Netscape Communicator en cliquant sur la deuxième icône en bas à gauche, ou sur le bouton **Messagerie** dans la barre d'outils personnelle de Navigator, ou encore sur le menu **Fenêtre**, puis sur **Messagerie & Forums** (ou le raccourci clavier Ctrl+2).

Figure 7.13 :
Accédez à Messenger

334. Ajouter un compte de messagerie

Afin de pouvoir envoyer et recevoir des messages électroniques en utilisant Netscape Messenger, vous devrez ajouter les paramètres de tous vos comptes de messagerie dans ce dernier.

1. Cliquez sur le menu **Edition**, puis sur **Paramètres de compte Messagerie/Forums**.

2. Cliquez sur le bouton **Ajouter un compte**.

3. Choisissez le type de compte à ajouter et cliquez sur le bouton **Suivant** (nous utiliserons ici l'exemple *Compte de messagerie*) :

   – Dans la zone de texte *Votre nom*, inscrivez le nom qui apparaîtra chez vos correspondants.

   – Dans la zone *Adresse E-mail*, inscrivez votre adresse de messagerie.

4. Cliquez sur le bouton **Suivant**.

5. Choisissez le type de compte **POP** ou **IMAP** et inscrivez le nom du serveur de messagerie dans la zone *Serveur entrant*.

6. Cliquez sur le bouton **Suivant**.

7. Saisissez le nom d'utilisateur (souvent le même que l'adresse de messagerie sans le @domaine) et cliquez sur le bouton **Suivant**.

8. Saisissez un nom personnalisé pour reconnaître ce compte et cliquez sur le bouton **Suivant**.

9. Vérifiez les renseignements relatifs à votre nouveau compte, puis cliquez sur les boutons **Terminer** et OK.

335. Récupérer ses messages

1. Sélectionnez le compte pour lequel vous désirez récupérer les messages et utilisez une de ces méthodes :

   – Cliquez sur l'icône *Récupérer les nouveaux messages*.

   – Cliquez sur le menu **Fichier**, puis sur **Récupérer les nouveaux messages**.

   – Utilisez le raccourci clavier Ctrl+T.

2. Saisissez le mot de passe de votre compte dans la boîte de dialogue **Entrez votre mot de passe**.

3. Cochez la case *Utiliser le gestionnaire de mots de passe pour mémoriser ces mots de passe* afin de ne pas avoir à ressaisir le mot de passe chaque fois.

4. Cliquez sur le bouton OK pour récupérer votre courrier.

336. Définir le serveur d'envoi des messages

Vous devez absolument paramétrer un serveur de courrier sortant (SMTP) pour émettre des courriers de messagerie ou des posts. Quel que soit le nombre de comptes de messagerie, vous devez configurer le serveur SMTP de la connexion qui sera active lors de l'envoi.

1. Cliquez sur le menu **Edition**, puis sur **Paramètres de compte Messagerie/Forums**.

2. Sélectionnez l'option *Serveur sortant (SMTP)*.

3. Indiquez le nom du serveur permettant l'envoi et cliquez sur le bouton OK.

337. Paramétrer un compte de forum

La connexion à un serveur de forums vous permettra de choisir, parmi les forums (autrement appelés groupes de discussion ou newsgroups) hébergés sur ce serveur, ceux auxquels vous voulez vous abonner. Les forums se trouveront à la suite des listes des comptes de messagerie.

1. Cliquez sur le menu **Edition**, puis sur **Paramètres de compte Messagerie/Forums**.

2. Cliquez sur le bouton **Ajouter un compte**.

3. Sélectionnez l'option *Compte de forum* et cliquez sur le bouton **Suivant** :

    –   Dans la zone de texte *Votre nom*, inscrivez le nom qui apparaîtra chez vos correspondants.

    –   Dans la zone *Adresse E-mail*, inscrivez l'adresse de messagerie que vous désirez utiliser pour les réponses personnelles.

4. Cliquez sur le bouton **Suivant**.

5. Inscrivez le nom du serveur de news sur lequel vous voulez vous connecter, puis cliquez sur le bouton **Suivant**.

6. Désignez un nom personnalisé pour reconnaître le compte de news et cliquez sur le bouton **Suivant**.

7. Cliquez sur le bouton **Terminer**, puis sur OK.

338. S'abonner aux forums

Vous pourrez vous abonner à un ou plusieurs forums seulement après avoir paramétré votre compte de forums.

1. Cliquez sur le menu **Fichier**, puis choisissez **S'abonner**.

2. Choisissez un compte dans la liste déroulante *Serveur* :

- Dans la zone *Afficher les éléments qui contiennent*, inscrivez .fr. pour limiter le choix aux forums francophones.

- Cliquez sur le bouton **Actualiser**.

3. Cochez les cases correspondant aux forums que vous voulez consulter.

4. Cliquez sur le bouton OK.

5. Le forum est désormais accessible par la fenêtre des dossiers, dans l'arborescence du compte de news.

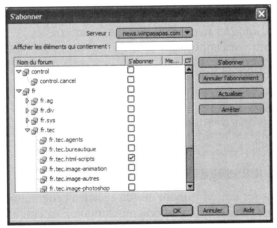

Figure 7.14 : *Abonnement aux forums (notez que le tri par .fr. est inutile sur ce serveur qui n'héberge que des forums francophones)*

339. Importer un carnet d'adresses

Si vous utilisez en parallèle Outlook, Outlook Express ou Eudora, ou si vous avez un fichier texte contenant des adresses, vous pourrez les importer pour les employer avec Netscape Messagerie & Forums.

Importer les adresses

1. Cliquez sur le menu **Outils**, puis sur **Importer**.

2. Choisissez *Carnet d'adresses*, puis cliquez sur le bouton **Suivant**.

3. Sélectionnez le type de carnet d'adresses (Eudora, Outlook, Outlook Express ou Texte) à importer, puis cliquez sur le bouton **Suivant**.

    – Selon le choix fait précédemment, sélectionnez le fichier contenant les adresses, puis cliquez sur le bouton **Ouvrir**.

    – Sélectionnez les champs de données à importer (mappage), puis cliquez sur le bouton OK.

4. L'importation du carnet d'adresses s'effectue automatiquement.

Vérifier l'importation des adresses

1. Accédez au carnet d'adresses en cliquant sur la cinquième icône en bas à gauche, ou sur le menu **Fenêtre**, puis sur **Messagerie & Forums** (ou le raccourci clavier Ctrl+5).

2. Dans la liste *Carnet d'adresses* (à gauche) doivent apparaître les différents carnets d'adresses importés.

3. Cliquez sur un des carnets afin d'afficher la liste des noms dans la partie droite.

Figure 7.15 :
Accédez au carnet d'adresses

340. Importer des messages d'une autre messagerie

Si vous avez décidé de passer définitivement de votre ancien programme de messagerie (Communicator 4, Eudora, Outlook ou Outlook Express) à Netscape 7, il vous est possible d'importer tous vos messages.

1. Cliquez sur le menu **Outils**, puis sur **Importer**.

2. Choisissez *Messagerie*, puis cliquez sur le bouton **Suivant**.

3. Sélectionnez le type de messagerie dont vous désirez récupérer les messages (Communicator 4, Eudora, Outlook ou Outlook Express), puis cliquez sur le bouton **Suivant**.

4. Lorsque l'importation sera terminée, une boîte de dialogue vous informera du déroulement de l'opération. Cliquez sur le bouton OK pour terminer.

ATTENTION

Compatibilité à sens unique

Si, pris de remord, vous voulez faire l'inverse (c'est-à-dire récupérer vos messages Netscape 7 dans d'autres programmes), il y a peu de chances que cela fonctionne.

341. Importer globalement tous les paramètres d'une autre messagerie

Cette manipulation vous permet d'importer les messages envoyés et reçus, les paramètres de comptes courrier, ainsi que les paramètres des comptes de forums.

1. Cliquez sur le menu **Outils**, puis sur **Importer**.

2. Choisissez *Paramètres*, puis cliquez sur le bouton **Suivant**.

3. Sélectionnez le type de messagerie dont vous désirez récupérer les paramètres (Eudora, Outlook ou Outlook Express), puis cliquez sur le bouton **Suivant**.

4. Lorsque l'importation sera terminée, une boîte de dialogue vous informera du déroulement de l'opération. Cliquez sur le bouton OK pour terminer.

342. Définir une signature automatiquement

Lors de la composition d'un nouveau message, la signature automatique y sera intégrée automatiquement.

1. Cliquez sur le menu **Edition**, puis sur **Paramètres de compte Messagerie/Forums**.

2. Sélectionnez le compte pour lequel vous voulez définir une signature.

3. Dans la fenêtre **Paramètres de compte**, rubrique *Identité*, cochez la case *Joindre cette signature*.

4. Cliquez sur le bouton **Choisir** et sélectionnez le fichier contenant la signature à insérer (*.jpg*, *.htm*, *.txt*…).

343. Format de composition des messages

Par défaut, vous pouvez choisir d'envoyer vos messages en texte brut (sans mise en forme) ou au format HTML.

1. Cliquez sur le menu **Edition**, puis sur **Paramètres de compte Messagerie/Forums**.

2. Sélectionnez le compte pour lequel vous voulez choisir le format des messages.

3. Dans la fenêtre **Paramètres de compte**, rubrique *Identité* :

– Cochez la case *Ecrire au format HTML* si vous voulez composer en HTML.

– Décochez la case *Ecrire au format HTML* pour composer en texte brut.

Bascule rapide entre les deux modes

En cours de rédaction, vous ne pouvez pas basculer entre ces deux modes. Si, alors que vous avez spécifié un type de message pour un compte, vous voulez ponctuellement changer, maintenez la touche [Maj] enfoncée pendant que vous cliquez sur l'icône *Ecrire un nouveau message*.

344. Aller plus loin avec Netscape

Il existe une FAQ (foire aux questions) personnelle pour Netscape 7, réalisée et maintenue par Pascal Chevrel, que vous trouverez à cette adresse : http://pascal.chevrel.free.fr/faqmoz.html.

345. Le glossaire de la suite Netscape

Un glossaire complet est accessible dans l'Aide Netscape.

1. Appuyez sur la touche de fonction [F1] pour accéder au fichier d'aide de Netscape.

2. Dans la barre latérale, choisissez l'onglet **Glossaire**.

346. Accéder rapidement à la liste des raccourcis clavier

En désignant la page du fichier d'aide en tant que signet, vous pourrez afficher très rapidement la liste des raccourcis clavier.

1. Cliquez sur le menu **Signets**, puis sur **Gérer les signets** (ou le raccourci clavier Ctrl + B).

2. Sélectionnez le dossier *Barre personnelle*.

3. Cliquez sur le menu **Fichier** et sélectionnez successivement **Nouveau**, puis **Signet**.

4. Saisissez Raccourcis dans la zone *Nom*.

5. Saisissez chrome://help/locale/shortcuts.html dans la zone *Adresse*.

6. Cliquez sur le bouton **OK** pour terminer.

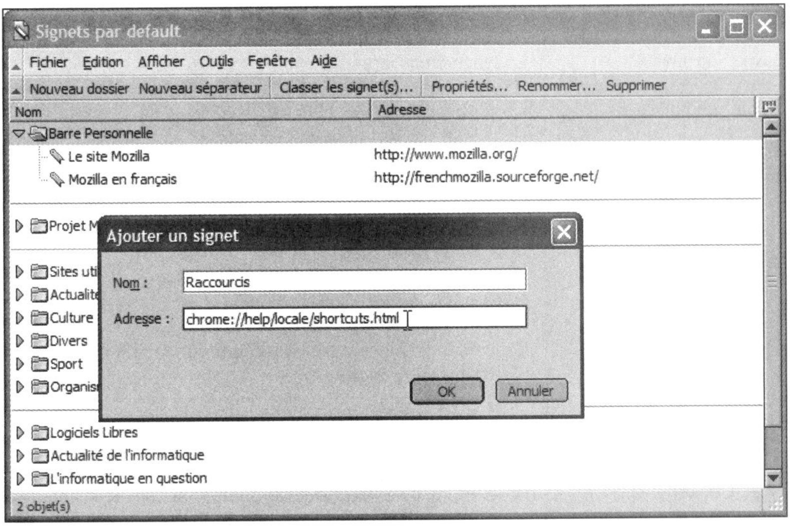

Figure 7.16 : *Création du signet qui désigne la page du fichier d'aide*

Le nouveau raccourci est accessible depuis Navigator. Placez celui-ci de manière à pouvoir y accéder facilement et rapidement : lorsque vous cliquez dessus, la page du fichier d'aide contenant la liste des raccourcis s'affiche.

REMARQUE

Terminologie

Un signet est à Netscape ce qu'un favori est à Internet Explorer ou un marque-pages à Mozilla. Dans tous les cas, il s'agit seulement d'un lien pour accéder plus rapidement à un site, un document web.

347. Glossaire

Tableau 7-4 : Différents termes employés dans ce chapitre	
Terme	**Signification**
AIM	Programme de messagerie instantanée
AOL ART Extensions	Pour l'affichage des images compressées par AOL
ICQ	Autre programme de messagerie instantanée
Java (Sun Java 2)	Langage de programmation
Macromedia Flash Player	Lecteur d'animations Flash
NN	Abréviation de *Netscape Navigator*
Plug-in	Programme ou script ajoutant des fonctionnalités à un logiciel
Quality Feedback Agent	Permet l'envoi de vos appréciations, rapports d'erreur à Netscape (nécessite votre accord)
Quick Launch	Lancement rapide de NN par une réduction du programme plutôt que sa fermeture
Real Player	Lecteur de fichiers audio ou vidéo, permet le streaming (visualisation d'un document pendant son chargement)
Spell Cheker	Programme de correction orthographique de Netscape
Viewpoint Media Player	Pour la visualisation des documents Viewpoint
W3C	*World Wide Web Consortium* : organisme définissant les standards du Web
Winamp	Lecteur de fichiers audio

348. Raccourcis clavier de Netscape

Tableau 7-5 : Raccourcis de Netscape	
Commande	**Raccourci**
Raccourcis généraux	
Fermer la fenêtre	Ctrl + W
Effacer le mot suivant	Ctrl + Suppr
Annuler	Ctrl + Z
Rétablir	Ctrl + Maj + Z
Rechercher	Ctrl + F
Poursuivre la recherche	Ctrl + G ou F3
Ouvrir le menu contextuel	Maj + F10
Ouvrir le menu principal (sélectionnez le premier menu déroulant situé en haut de la fenêtre : **Fichier** dans Windows, par exemple)	Alt ou F10
Quitter Netscape	Ctrl + Q
Démarrer Navigator	Ctrl + 1
Démarrer Messagerie & Forums	Ctrl + 2
Démarrer Instant Messenger	Ctrl + 3
Démarrer Composer	Ctrl + 4
Démarrer le Carnet d'adresses	Ctrl + 5
Raccourcis des signets	
Ouvrir la fenêtre **Gérer les signets**	Ctrl + B
Ajouter la page aux signets	Ctrl + D
Classer un signet (pour personnaliser et classer une page pour laquelle vous créez un signet)	Ctrl + Maj + D
Propriétés du signet (pour un signet sélectionné dans la fenêtre **Gérer les signets**)	Ctrl + I

Tableau 7-5 : Raccourcis de Netscape	
Commande	**Raccourci**
Raccourcis de navigation dans les pages	
Ouvrir la fenêtre **Historique**	Ctrl + H
Recharger	Ctrl + R
Forcer le rechargement (pas depuis le cache)	Ctrl + Maj + R
Précédent	Alt + Flèche gauche ou Retour Arrière
Suivant	Alt + Flèche droite
Arrêter	Echap
Origine	Alt + ↖
Aller au bas de la page	↘
Aller en haut de la page	↖
Sélectionner tout le texte dans la barre d'adresse	Ctrl + L
Ouvrir une page web	Ctrl + Maj + L
Passer au cadre suivant (dans les pages web utilisant des cadres)	Ctrl + Tab ou F6
Passer au cadre précédent (dans les pages web utilisant des cadres)	Ctrl + Maj + Tab ou Maj + F6
Nouvelle fenêtre de Navigator	Ctrl + N
Passer au lien ou à l'élément de formulaire suivant/précédent dans une page web	Tab ou Maj + Tab
Ouvrir un fichier	Ctrl + O
Fermer la fenêtre	Ctrl + W
Enregistrer la page sous	Ctrl + S
Enregistrer la page liée (lorsqu'un lien est sélectionné)	Maj + Entrée
Imprimer la page	Ctrl + P
Activer/Désactiver le mode Curseur	F7

Tableau 7-5 : Raccourcis de Netscape	
Commande	**Raccourci**
Raccourcis d'affichage des pages	
Plein écran (bascule)	`F11`
Réduire le texte	`Ctrl`+`-` (signe moins)
Agrandir le texte	`Ctrl`+`=` (signe égal)
Afficher les informations d'une page	`Ctrl`+`I`
Afficher la source de la page	`Ctrl`+`U`
Raccourcis de navigation par onglets	
Nouvel onglet de Navigator	`Ctrl`+`T`
Passer à l'onglet suivant (lors de l'utilisation de la navigation par onglets)	`Ctrl`+`⇟`
Passer à l'onglet précédent (lors de l'utilisation de la navigation par onglets)	`Ctrl`+`⇞`
Fermer l'onglet (ferme la fenêtre si une page est ouverte)	`Ctrl`+`W`
Raccourcis de Ma barre latérale	
Ouvrir/Fermer Ma barre latérale (bascule)	`F9`
Basculer vers le volet Ma barre latérale suivant	`Alt`+`⇟`
Basculer vers le volet Ma barre latérale précédent	`Alt`+`⇞`
Accéder à la barre latérale/à la barre d'adresse/au contenu	`F6` ou `Maj`+`F6`

Mozilla

Mozilla

8.1 Présentation de Mozilla

 Mozilla est le frère jumeau de Netscape, ce qui peut créer une confusion chez les utilisateurs car il a été créé en partie par les mêmes personnes qui ont programmé Netscape. Les programmes Mozilla sont une suite d'outils liés à Internet, dont les plus importants sont :

- Un navigateur Internet (Navigateur).
- Un logiciel de Messagerie & Forums (Courrier & Forums).
- Un logiciel de discussion instantané (Chatzilla).
- Un programme de signalement de bogue (Agent de rapport qualité).
- Un éditeur HTML (Composer).

Mozilla est un logiciel open source. Cela signifie que le programme source est accessible et modifiable par tout le monde… Il peut donc aussi être copié…

> **Utilisateurs de Mozilla, la similitude du programme avec Netscape est telle qu'il est judicieux de consulter aussi le chapitre relatif à Netscape.**

349. Installation de Mozilla

Comme d'habitude lors de l'installation d'un programme, fermez les applications en cours et désactivez votre antivirus.

1. Rendez-vous sur la page **http://frenchmozilla.sourceforge.net/pages/install/win.html**.

2. Cliquez sur le lien *Installation locale de la suite Mozilla en VF pour Windows (95/98/Me/NT/2000/XP)*. Le fichier d'installation est prêt à être chargé.

3. Choisissez d'enregistrer, puis installez le programme, ou cliquez sur le bouton **Ouvrir** si vous voulez installer directement le programme (fichier *mozilla-win32-1.6-frFR-installer.exe* 12,3 Mo).

4. Il y a trois options d'installation :

– *Navigateur seul* : le programme est installé avec le minimum d'options (Navigateur, Agent de rapport qualité).

- *Complète* : le programme est installé avec toutes les options (Navigateur, Courrier & Forums, Chatzilla, Débogueur, Inspecteur, Agent de rapport qualité).

- *Personnalisée* : choisissez les options à installer parmi celles qui sont disponibles. Le composant Navigateur est obligatoire (Navigateur, Courrier & Forums, Chatzilla, Débogueur, Inspecteur, Agent de rapport qualité).

5. Cochez la case *Utiliser le lancement rapide pour un démarrage rapide* afin de pouvoir lancer directement n'importe quel module avec le raccourci dans la zone de notification à côté de l'horloge.

6. Après l'installation, Mozilla s'exécute et affiche le site Mozilla 1.0 (**http://mozfr.mozdev.org/docs/startpage-1.0**) qui recèle d'une foule d'informations intéressantes à propos de Mozilla.

8.2 Paramétrer/Configurer

350. Afficher/Masquer "la barre" latérale

La barre latérale est un outil d'aide à la navigation qui se présente sous la forme d'une fenêtre auxiliaire composée d'onglets dans la partie gauche de la fenêtre principale (configuration par défaut).

1. Cliquez sur le menu **Affichage**, puis sur **Barre d'outils** et choisissez **La barre** (c'est son nom).

2. Appuyez sur la touche [F9] pour afficher ou masquer la barre latérale.

3. Cliquez au milieu du trait vertical qui sépare la barre latérale de la fenêtre de navigation (voir fig. 8.1).

4. Ou modifiez sa taille en cliquant puis en faisant glisser le trait vertical qui sépare la barre latérale de la fenêtre de navigation.

Figure 8.2 :
Curseur en étirement horizontal pour modifier la taille de la barre verticale

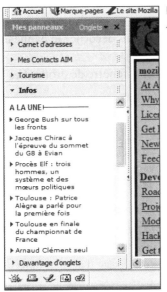

Figure 8.1 :
La barre latérale de Mozilla

351. Choisir les "panneaux" à afficher

La barre latérale est composée de panneaux (ou d'onglets) que vous pouvez personnaliser de cette façon.

Ajouter un panneau

1. Dans la barre latérale, cliquez sur *Onglets*, puis choisissez *Personnaliser*.

2. Cliquez sur le + devant le nom de l'onglet dont vous voulez voir le contenu, dans la partie **Les panneaux actuellement dans la barre**.

3. Sélectionnez le panneau à ajouter, puis cliquez sur le bouton **Ajouter**. Le panneau s'affiche dans la fenêtre de droite, **Les panneaux actuellement dans la barre**.

4. Au besoin, cliquez sur le bouton **Trouver d'autres onglets** pour charger depuis le site **http://dmoz.org/Netscape/Sidebar** des onglets supplémentaires classés par catégorie (en anglais).

Supprimer un panneau

1. Dans la barre latérale, cliquez sur *Onglets*, puis décochez le panneau à masquer, ou choisissez *Personnaliser*.

2. Sélectionnez le panneau à supprimer dans la fenêtre de droite, **Les panneaux actuellement dans la barre**.

3. Cliquez sur le bouton **Effacer**.

352. Choisir la page d'accueil

La page d'accueil n'est pas la page de démarrage, il s'agit de la page qui s'affiche lorsque vous cliquez sur l'icône *Accueil*.

1. Cliquez sur le menu **Edition**, puis sur **Préférences**.

2. Dans la catégorie *Navigateur*, rubrique *Ma page d'accueil*, inscrivez l'adresse de la page à afficher dans la zone *Adresse*.

3. Inscrivez l'adresse ou l'emplacement de votre page d'accueil dans la rubrique du même nom :

   – Le bouton **Choisir un fichier** vous permet de désigner une page web locale. Cela pourrait être judicieux si par exemple vous avez créé une page qui contient plusieurs liens que vous avez choisis.

   – Le bouton **Configuration par défaut** définit www.mozilla.org/start comme page d'accueil (site en anglais).

   – Le bouton **Utiliser la page actuelle** définit l'adresse de la page actuellement affichée comme page d'accueil.

4. Cliquez sur le bouton OK pour terminer.

> **REMARQUE**
>
> **Page d'accueil et page de démarrage**
> La page d'accueil n'est pas forcément celle sur laquelle Navigateur démarre, mais la page qui s'affiche lorsque vous cliquez sur l'icône *Accueil*. Pour faire de votre page d'accueil la page de démarrage, dans la rubrique *Navigateur*, *Le navigateur s'ouvre sur*, choisissez *Ma page d'accueil*.

353. Ouvrir le navigateur sur la dernière page consultée

Plutôt que de vous retrouver devant une page qui est toujours la même, vous pouvez décider de relancer le navigateur sur la dernière page ouverte afin de reprendre à l'endroit où vous étiez.

1. Cliquez sur le menu **Edition**, puis sur **Préférences**.

2. Sélectionnez la catégorie *Navigateur*.

3. Dans la rubrique *Le navigateur s'ouvre sur*, activez l'option *La dernière page visitée*.

354. Accélérer le lancement de Mozilla

Si vous avez coché *Utiliser le lancement rapide pour un démarrage rapide* lors de l'installation de Mozilla, une icône apparaît dans la zone de notification, à côté de l'horloge, qui permet de lancer plus rapidement Mozilla et aussi de choisir le module à lancer. Attention toutefois : le fait de laisser le programme dans cet état vous coûtera des ressources système, c'est-à-dire que Mozilla sera toujours dans la mémoire vive et exécuté par le processeur. Si vous n'avez pas coché cette case lors de l'installation, voici comment l'activer :

1. Cliquez sur le menu **Edition**, puis sur **Préférences**.

2. Sélectionnez la catégorie *Avancées*.

3. 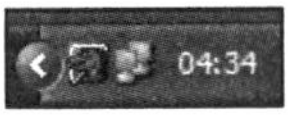  Dans la rubrique *Démarrage rapide*, cochez la case *Garde Mozilla en mémoire pour améliorer les performances de lancement*.

355. Choisir le module de Mozilla à lancer

Lorsque l'icône est active dans la barre des tâches, double-cliquez dessus pour afficher le navigateur, ou cliquez dessus du bouton droit de la souris pour :

■ Avoir accès aux composants (choix en fonction des composants installés) :

  – Navigateur.

  – Courrier et Forums de discussion.

  – Composer.

  – Carnet d'adresses.

■ Désactiver le lancement rapide de Mozilla.

■ Quitter complètement Mozilla.

Figure 8.3 :
Menu contextuel de l'icône de démarrage rapide

356. Copier simplement l'adresse d'un lien

Vous pouvez facilement copier une adresse, afin de la réutiliser dans n'importe quelle application, en la collant simplement.

1. Cliquez du bouton droit sur le lien et choisissez la commande **Copier l'adresse du lien**.

2. L'adresse est ainsi transférée dans le Presse-papiers de Windows et peut être collée ensuite n'importe où.

357. Obtenir des informations sur une page web

Que ce soit pour résoudre un problème d'affichage, par curiosité ou pour récupérer des éléments de cette page, les prétextes pour accéder aux informations d'une page web sont nombreux.

1. Cliquez du bouton droit de la souris sur un endroit non actif de la page web.

2. Choisissez **Informations sur la page** dans le menu contextuel.

3. Sélectionnez tour à tour les différents onglets (**Général**, **Formulaires**, **Liens**, **Média**, **Sécurité**).

Remarquez l'option intéressante sous l'onglet **Média** qui permet de visionner séparément les images, les objets présents dans le document et de les enregistrer (bouton **Enregistrer sous**).

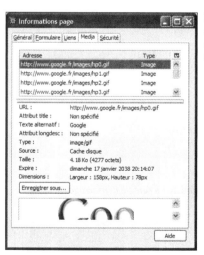

Figure 8.4 :
La boîte de dialogue
Informations sur la page
de Mozilla en action

358. Choisir un moteur de recherche avec Mozilla

Le moteur de recherche défini dans Mozilla vous permet d'effectuer une recherche en inscrivant les mots clés dans la zone de saisie d'adresse, puis en cliquant sur le bouton **Rechercher**.

Le moteur de recherche employé est accessible à l'adresse http://search.dmoz .org, mais vous pouvez le modifier facilement par l'ajout de plug-in de recherche dans le répertoire d'installation de Mozilla, dans le sous-dossier *Searchplugins*.

Le choix du plug-in de recherche (fichier *.src*) à utiliser s'effectue de la façon suivante :

1. Cliquez sur le menu **Edition**, puis sur **Préférences**.
2. Ouvrez la catégorie *Navigateur*, sélectionnez *Recherche sur Inte...*
3. Dans la rubrique *Quand vous cliquez sur le bouton 'Rechercher sur Internet'*, choisissez parmi les moteurs de la liste déroulante *Rechercher en utilisant :*.

Pour ajouter des plug-in de moteur de recherche, consultez les astuces relatives aux moteurs de recherche dans le chapitre sur Netscape.

359. Détecter les plug-in installés dans le navigateur

Les plug-in sont des programmes, des scripts destinés à ajouter des fonctions au navigateur. Retrouvez l'ensemble des plug-in installés dans Mozilla en cliquant sur le menu **Aide**, puis choisissez **A propos des plugins**.

8.3 Affichage

360. Utiliser la navigation par onglets

La navigation par onglets évite d'ouvrir une nouvelle fenêtre de Mozilla à chaque page chargée.

1. Cliquez sur le menu **Edition**, puis sur **Préférences**.
2. Double-cliquez sur la catégorie *Navigateur* et sélectionnez *Onglets*.

3. Dans la rubrique *Ouvrir un onglet plutôt qu'une fenêtre pour*, cochez la case *Clic du milieu, Ctrl+clic ou Ctrl+Entrée sur les liens d'une page Web*.

4. Cliquez sur le bouton OK.

Lorsque vous cliquerez sur un lien avec le bouton central de la souris, ou que vous cliquerez sur un lien en maintenant le bouton $\boxed{\text{Ctrl}}$ enfoncé, la page web se chargera dans la même fenêtre et sera accessible par un système d'onglets.

Figure 8.5 :
Onglets de la fenêtre en cours

361. Réduire les barres de menus ou d'outils

Afin de gagner de la place sur l'affichage de la fenêtre du navigateur, vous pouvez masquer ou afficher rapidement la barre de menus, d'outils ou de navigation en cliquant à gauche de celle-ci sur l'icône en forme de triangle.

362. Changer l'apparence de Mozilla

Modifiez l'apparence graphique du navigateur en lui appliquant un thème différent.

Télécharger un thème

1. Cliquez sur le menu **Affichage**, puis sélectionnez **Appliquer le thème** et **Obtenir de nouveaux thèmes**.

2. La page **www.mozilla.org/themes/download** se charge automatiquement ; elle contient des liens vers les sites qui proposent de nouveaux thèmes.

3. Cliquez sur *Mozdev.org* (ou rendez-vous directement à l'adresse **http://themes.mozdev.org**).

4. Choisissez un thème de la rubrique *Thèmes* (partie droite).

5. Visualisez et consultez les caractéristiques du thème. Si vous voulez l'installer, cliquez sur *Install It!* et acceptez le téléchargement, puis l'installation.

Appliquer un thème

1. Cliquez sur le menu **Affichage**, puis sélectionnez **Appliquer le thème**.

2. Choisissez le thème à utiliser.

3. Fermez complètement Mozilla et ouvrez-le à nouveau pour bénéficier de la nouvelle interface graphique.

Figure 8.6 : *Quelque chose cloche ? Ici, Mozilla a endossé le thème d'Internet Explorer (http://themes.mozdev.org/themes/ie.html)*

363. Gérer les images

Pour l'image de fond comme pour n'importe quelle image, séparez-la pour l'afficher seule. Cliquez dessus du bouton droit de la souris et choisissez l'option du menu contextuel *Voir l'image* (*Voir l'image de fond*, s'il s'agit de l'image de fond).

Il est également possible de ne pas afficher les images d'un site :

1. Cliquez sur le menu **Outils**, puis choisissez **Gestionnaire d'images** :

- Sélectionnez **Bloquer les images de ce site** pour ne plus charger et afficher les images relatives au site parcouru.

- Sélectionnez **Débloquer les images de ce site** pour annuler un blocage précédent.

2. Cliquez sur le bouton **Actualiser** (ou appuyez sur les touches Ctrl+R).

8.4 Impression

364. Définir la mise en page

Pour choisir précisément la forme de l'impression, vous pouvez procéder ainsi :

1. Cliquez sur le menu **Fichier**, puis sur **Configuration de l'impression**.

2. Sous l'onglet **Format & Options**, cochez la case *Réduire à la largeur de la page*.

3. Sélectionnez l'onglet **Marges et En-têtes/Pieds de page**.

4. Réglez les marges en millimètre dans les zones de saisie texte *Haut*, *Bas*, *Droite* et *Gauche*.

5. Définissez ce qui doit s'imprimer en en-tête et en pied de page dans les sections gauche, centre et droite.

6. Cliquez sur le bouton OK pour terminer.

365. Faites des économies d'encre : n'imprimez pas le fond d'écran lorsque cela est inutile

Il se peut que vous vouliez imprimer le contenu d'une page web. Lorsque le fond est sombre, outre la gêne que cela peut occasionner pour votre lecture, vous gaspillerez de l'encre inutilement.

1. Cliquez sur le menu **Fichier**, puis sur **Configuration de l'impression**.

2. Décochez la case *Imprimer le fond d'écran* dans la rubrique *Options*.

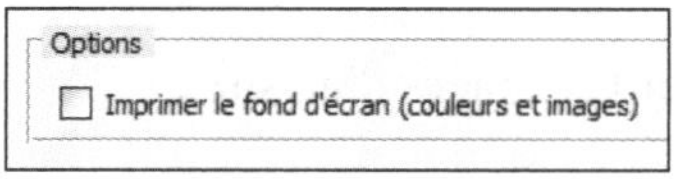

Options
☐ Imprimer le fond d'écran (couleurs et images)

Figure 8.7 :
Lorsque cette case à cocher est vide, le fond d'écran n'est pas imprimé

366. Imprimer une partie de la page

Vous ne voulez imprimer qu'une partie de l'écran ? Mozilla le permet de cette façon :

1. Sélectionnez la partie de la page (images comprises) que vous voulez imprimer.

2. Cliquez sur le menu **Fichier**, puis sur **Imprimer** (ou faites Ctrl+P).

3. Choisissez *Sélection* dans la rubrique *Etendue d'impression*.

4. Cliquez sur le bouton OK.

367. Imprimer un cadre uniquement

Lorsque la page est composée de différents cadres (technique de frames), vous avez la possibilité de gérer leur impression de différentes manières :

1. Sélectionnez une partie de texte dans le cadre que vous voulez imprimer.

2. Cliquez sur le menu **Fichier**, puis sur **Imprimer** (ou appuyez sur Ctrl+P).

3. Choisissez *Le cadre sélectionné* de la rubrique *Imprimer les cadres*.

4. Cliquez sur le bouton OK.

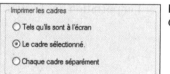

Figure 8.8 :
Gestion de l'impression des cadres

8.5 Pour aller plus loin avec Mozilla

368. Importer les favoris d'Internet Explorer

Les favoris d'Internet Explorer se nomment signets dans Netscape et marque-pages dans Mozilla. Dans tous les cas, il s'agit de raccourcis vers vos liens préférés.

Dans Internet Explorer

1. Cliquez sur **Fichier**, puis sur **Importer et exporter**.

2. Cliquez sur le bouton **Suivant** de la page de présentation **Assistant Importation/Exportation**.

3. Sélectionnez *Exporter les favoris* et cliquez sur le bouton **Suivant**.

4. Laissez la racine du dossier contenant les favoris (le dossier *Favoris*) sélectionnée et cliquez sur le bouton **Suivant**.

5. Choisissez *Exporter vers un fichier ou une adresse*. Vérifiez que le nom de fichier et le chemin sont *C:\Mes documents\bookmark.htm*. Cliquez sur le bouton **Suivant**.

6. Cliquez sur le bouton **Terminer** pour sauvegarder vos favoris dans le fichier désigné (*Bookmark.htm*).

Dans Mozilla

1. Cliquez sur le menu **Marque-pages**, puis sur **Gérer les marque-pages** (ou Ctrl+B).

2. Sélectionnez un des dossiers de la fenêtre des dossiers.

3. Choisissez le menu **Outils**, puis **Importer des marque-pages**.

4. Cliquez sur le dossier *Mes documents* et désignez le fichier *Bookmark.htm* précédemment créé.

5. Cliquez sur le bouton **Ouvrir** pour lancer l'importation des favoris.

8.6 Mozilla Messenger

Mozilla Messenger est un programme de messagerie par lequel vous pourrez consulter vos différentes adresses e-mail, envoyer du courrier et suivre les forums de discussion.

Exécutez Mozilla Courrier & Forums à partir d'un programme de la suite Mozilla, cliquez sur le menu **Fenêtre** et choisissez **Courrier** (ou appuyez sur Ctrl+2).

Figure 8.9 :
Accédez à Messenger

369. Ajouter un compte de messagerie

Paramétrer un compte vous donne accès à votre serveur de messagerie, celui par lequel vous pourrez envoyer et recevoir des e-mails.

1. Cliquez sur le menu **Edition**, puis sur **Paramètres des comptes courrier et forums**.

2. Cliquez sur le bouton **Ajouter un compte**.

3. Laissez *Compte courrier* sélectionné et cliquez sur le bouton **Suivant** :

   – Dans la zone de texte *Votre nom*, inscrivez le nom qui apparaîtra chez vos correspondants.

   – Dans la zone *Adresse de courrier*, inscrivez votre adresse de messagerie.

4. Cliquez sur le bouton **Suivant**.

5. Choisissez le type de compte **POP** ou **IMAP** :

   – Inscrivez le nom du serveur de réception dans la zone *Nom du serveur*.

   – Inscrivez le nom du serveur d'envoi dans la zone *Nom du serveur* (zone inférieure).

6. Cliquez sur le bouton **Suivant**.

7. Saisissez le nom d'utilisateur (souvent le même que l'adresse de messagerie sans le @domaine) et cliquez sur le bouton **Suivant**.

8. Saisissez un nom personnalisé pour reconnaître le compte et cliquez sur le bouton **Suivant**.

9. Vérifiez les renseignements relatifs à votre nouveau compte, puis cliquez sur les boutons **Terminer** et OK.

370. Récupérer ses messages

1. Sélectionnez le compte sur lequel vous désirez relever les messages et utilisez une de ces méthodes :

   – Cliquez sur l'icône *Relever les nouveaux messages*.

   – Cliquez sur le menu **Fichiers**, puis sur **Relever les nouveaux messages**.

   – Utilisez le raccourci clavier $\boxed{\text{Ctrl}}$+$\boxed{\text{T}}$.

2. Saisissez le mot de passe de votre compte dans la boîte de dialogue **Entrez votre mot de passe**.

3. Cochez la case *Utiliser le gestionnaire de mots de passe pour mémoriser ces mots de passe* afin de ne pas avoir à le ressaisir chaque fois.

4. Cliquez sur le bouton OK pour relever votre courrier.

371. Paramétrer un compte de forum

La connexion à un serveur de forums vous permettra de choisir parmi les forums (autrement appelés groupes de discussion ou newsgroups) hébergés sur ce serveur ceux auxquels vous voulez vous abonner. Les forums se trouveront à la suite des listes des comptes de messagerie.

1. Cliquez sur le menu **Edition**, puis sur **Paramètres des comptes courrier et forums**.

2. Cliquez sur le bouton **Ajouter un compte**.

3. Sélectionnez l'option *Compte forums* et cliquez sur le bouton **Suivant** :

   — Dans la zone de texte *Votre nom*, inscrivez le nom qui apparaîtra chez vos correspondants.

   — Dans la zone *Adresse de courrier*, inscrivez l'adresse de messagerie que vous désirez utiliser pour les réponses personnelles.

4. Cliquez sur le bouton **Suivant**.

5. Inscrivez le nom du serveur de news sur lequel vous voulez vous connecter, puis cliquez sur le bouton **Suivant**.

6. Donnez un nom personnalisé pour reconnaître le compte de news et cliquez sur le bouton **Suivant**.

7. Cliquez sur le bouton **Terminer**, puis sur OK.

372. Afficher un forum

Vous pourrez utiliser un ou plusieurs forums seulement après avoir paramétré votre compte de forums.

1. Cliquez sur le menu **Fichier**, puis choisissez **S'inscrire**.

2. Choisissez un compte dans la liste déroulante *Serveur* :

   — Dans la zone *Montrer les forums qui contiennent*, inscrivez .fr. pour limiter le choix aux forums francophones.

   — Cliquez sur le bouton **Rafraîchir**.

3. Cochez les cases correspondant aux forums que vous voulez consulter.

4. Cliquez sur le bouton OK.

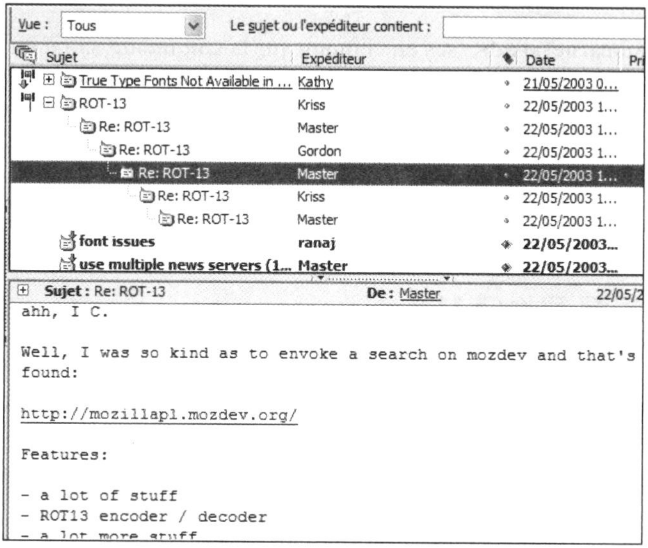

Figure 8.10 : *Un forum de discussion anglophone à propos de Mozilla*

373. Importer un carnet d'adresses

Si vous utilisez en parallèle Outlook, Outlook Express ou Eudora, ou si vous avez un fichier texte contenant des adresses, vous pourrez les importer dans les carnets d'adresses de Mozilla.

Importer les adresses

1. Cliquez sur le menu **Outils**, puis sur **Importer**.

2. Choisissez *Carnet d'adresses*, puis cliquez sur le bouton **Suivant**.

3. Sélectionnez le type de carnet d'adresses (Eudora, Outlook, Outlook Express ou Texte) à importer, puis cliquez sur le bouton **Suivant** :

- Selon le choix qui a été fait précédemment, sélectionnez le fichier contenant les adresses, puis cliquez sur le bouton **Ouvrir**.

- Sélectionnez les champs de données à importer (mappage), puis cliquez sur le bouton OK.

4. L'importation du carnet d'adresses s'effectue automatiquement.

Vérifier l'importation des adresses

1. Accédez au carnet d'adresses en cliquant sur la cinquième icône en bas à gauche ou sur le menu **Fenêtre**, puis sélectionnez *Carnet d'adresses* (ou appuyez sur [Ctrl]+[5]).

2. Dans la liste *Carnet d'adresses* (à gauche) doivent apparaître les différents carnets d'adresses importés.

3. Cliquez sur un des carnets afin d'afficher la liste des noms dans la partie droite.

Figure 8.11 :
Accédez au carnet d'adresses

374. Importer des messages d'une autre messagerie

Si vous avez décidé de passer définitivement de votre ancien programme de messagerie (Communicator 4, Eudora, Outlook ou Outlook Express) à Mozilla, il vous est possible d'importer tous vos messages.

1. Cliquez sur le menu **Outils**, puis sur **Importer**.

2. Choisissez *Courrier*, puis cliquez sur le bouton **Suivant**.

3. Sélectionnez le type de messagerie dont vous désirez récupérer les messages (Communicator 4, Eudora, Outlook ou Outlook Express), puis cliquez sur le bouton **Suivant**.

4. L'importation des différents dossiers commence. Lorsque c'est terminé, une boîte de dialogue vous informe du déroulement de l'opération. Cliquez sur le bouton **Finir**.

Compatibilité à sens unique
Si, pris de remord, vous voulez faire l'inverse (c'est-à-dire récupérer vos messages Mozilla dans d'autres programmes), il y a peu de chances que cela fonctionne.

375. Importer globalement tous les paramètres d'une autre messagerie

Cette manipulation vous permet d'importer les messages envoyés et reçus, les paramètres de comptes courrier, ainsi que les paramètres des comptes de forums.

1. Cliquez sur le menu **Outils**, puis sur **Importer**.
2. Choisissez *Paramètres*, puis cliquez sur le bouton **Suivant**.
3. Sélectionnez le type de messagerie dont vous désirez récupérer les paramètres (Eudora, Outlook ou Outlook Express), puis cliquez sur le bouton **Suivant**.
4. Lorsque l'importation sera terminée, une boîte de dialogue vous informera du déroulement de l'opération. Cliquez sur le bouton OK pour terminer.

376. Créer une signature automatiquement

Avec une signature automatique, chaque nouveau message sera signé automatiquement par le texte et/ou l'image que vous avez choisi.

1. Cliquez sur le menu **Edition**, puis sur **Paramètres des comptes courrier et forums**.
2. Sélectionnez le compte pour lequel vous voulez définir une signature.
3. Dans la fenêtre **Paramètres du compte**, rubrique *Identité*, validez la case à cocher *Apposer cette signature*.
4. Cliquez sur le bouton **Choisir** et sélectionnez le fichier contenant la signature à insérer (*.jpg*, *.htm*, *.txt*…).

8.7 Aller plus loin avec Mozilla

377. FAQ de Mozilla

Il existe une FAQ (foire aux questions) pour Mozilla, un site personnel réalisé et maintenu par Pascal Chevrel, que vous trouverez à cette adresse : http://pascal.chevrel.free.fr/faqmoz.html.

378. Ressources pour Mozilla

Vous trouverez aussi des ressources supplémentaires pour Mozilla :

- **http://frenchmozilla.sourceforge.net**, une multitude de liens et de plug-in pour Mozilla en français.
- http://mozinet.free.fr/moz/index.html, excellent site de Mozilla dédié à sa grande famille.
- www.mozilla.org, site officiel (en anglais).
- http://mozfr.mozdev.org, documentation et information pour Mozilla en français.

Figure 8.12 :
Le logo Mozilla : un gros lézard rouge

379. Raccourcis clavier de Mozilla

Tableau 8-1 : Raccourcis de Mozilla	
Commande	**Raccourci**
Raccourcis généraux	
Fermer la fenêtre	Ctrl + W
Effacer le mot suivant	Ctrl + Suppr
Annuler	Ctrl + Z
Rétablir	Ctrl + Maj + Z

Tableau 8-1 : Raccourcis de Mozilla	
Commande	**Raccourci**
Rechercher	[Ctrl]+[F]
Poursuivre la recherche	[Ctrl]+[G] ou [F3]
Ouvrir le menu contextuel	[Maj]+[F10]
Ouvrir le menu principal (sélectionnez le premier menu déroulant situé en haut de la fenêtre : **Fichier** dans Windows, par exemple)	[Alt] ou [F10]
Quitter Mozilla	[Ctrl]+[Q]
Démarrer Navigateur	[Ctrl]+[1]
Démarrer Messagerie & Forums	[Ctrl]+[2]
Démarrer Instant Messenger	[Ctrl]+[3]
Démarrer Composer	[Ctrl]+[4]
Démarrer le Carnet d'adresses	[Ctrl]+[5]
Raccourcis des signets	
Ouvrir la fenêtre **Gérer les marque-pages**	[Ctrl]+[B]
Ajouter la page aux marque-pages	[Ctrl]+[D]
Classer un marque-pages (pour personnaliser et classer une page pour laquelle vous créez un marque-pages)	[Ctrl]+[Maj]+[D]
Propriétés du marque-pages (pour un marque-pages sélectionné dans la fenêtre **Gérer les marque-pages**)	[Ctrl]+[I]
Raccourcis de navigation dans les pages	
Ouvrir la fenêtre **Historique**	[Ctrl]+[H]
Recharger	[Ctrl]+[R]
Forcer le rechargement (pas depuis le cache)	[Ctrl]+[Maj]+[R]
Précédent	[Alt]+[Flèche gauche] ou [Retour Arrière]
Suivant	[Alt]+[Flèche droite]
Arrêter	[Echap]

Tableau 8-1 : Raccourcis de Mozilla	
Commande	**Raccourci**
Origine	Alt + ↖
Aller au bas de la page	↘
Aller en haut de la page	↖
Sélectionner tout le texte dans la barre d'adresse	Ctrl + L
Ouvrir une page web	Ctrl + Maj + L
Passer au cadre suivant (dans les pages web utilisant des cadres)	Ctrl + Tab ou F6
Passer au cadre précédent (dans les pages web utilisant des cadres)	Ctrl + Maj + Tab ou Maj + F6
Nouvelle fenêtre de Navigateur	Ctrl + N
Passer au lien ou à l'élément de formulaire suivant/précédent dans une page web	Tab ou Maj + Tab
Ouvrir un fichier	Ctrl + O
Fermer la fenêtre	Ctrl + W
Enregistrer la page sous	Ctrl + S
Enregistrer la page liée (lorsqu'un lien est sélectionné)	Maj + Entrée
Imprimer la page	Ctrl + P
Activer/Désactiver le mode Curseur	F7
Raccourcis d'affichage des pages	
Plein écran (bascule)	F11
Réduire le texte	Ctrl + - (signe moins)
Agrandir le texte	Ctrl + = (signe égal)
Afficher les informations d'une page	Ctrl + I
Afficher la source de la page	Ctrl + U
Raccourcis de navigation par onglets	
Nouvel onglet de Navigateur	Ctrl + T

Tableau 8-1 : Raccourcis de Mozilla	
Commande	**Raccourci**
Passer à l'onglet suivant (lors de l'utilisation de la navigation par onglets)	Ctrl + ⇟
Passer à l'onglet précédent (lors de l'utilisation de la navigation par onglets)	Ctrl + ⇞
Fermer l'onglet (ferme la fenêtre si une page est ouverte)	Ctrl + W
Raccourcis de la barre latérale	
Ouvrir/Fermer la barre latérale (bascule)	F9
Basculer vers le volet la barre latérale suivant	Alt + ⇟
Basculer vers le volet la barre latérale précédent	Alt + ⇞
Accéder à la barre latérale/à la barre d'adresse/au contenu	F6 ou Maj + F6

CHAPITRE

9

NetMeeting

NetMeeting est un logiciel Microsoft spécialement conçu pour la vidéoconférence, le transfert de fichiers et le partage d'application. Ce logiciel gratuit est fourni avec les versions de Windows depuis Windows 95 OSR2. NetMeeting est un peu en perte de vitesse car Microsoft privilégie Windows et MSN Messenger. Malgré cela, NetMeeting possède encore quelques avantages, comme la possibilité de redimensionner et de détacher la fenêtre vidéo. Il est aussi toujours très utilisé par les internautes désireux de faire des rencontres en ligne par l'intermédiaire des annuaires et des salons de rencontre.

380. Être à jour sous NetMeeting

NetMeeting est généralement préinstallé sur toutes les versions de Windows (sauf Windows 95, première édition). Sous Windows XP, NetMeeting est toujours présent, mais petit détail, il n'est plus accessible via le menu **Démarrer** (sûrement pour privilégier l'utilisation de Windows Messenger !). Voici comment procéder pour savoir quelle version de NetMeeting est installée sur votre ordinateur.

1. Exécutez NetMeeting et cliquez sur le menu **?**, puis sélectionnez la commande **A propos de Windows NetMeeting**.

Figure 9.1 :
Version de NetMeeting dans la boîte de dialogue A propos de NetMeeting

2. Rendez-vous à cette adresse **www.microsoft.com/windows/netmeeting/ download/nm301x86.asp** et vérifiez que votre version de NetMeeting correspond à celle qui est disponible en téléchargement sur cette page. Si ce n'est pas le cas, téléchargez et installez la nouvelle version.

Téléchargez Netmeeting
Vous pouvez télécharger toutes les versions française de NetMeeting sur le site dédié à ce logiciel **http://rioka.free.fr**.

381. Faciliter l'accès à NetMeeting

Sous Windows XP, Microsoft n'ayant pas placé de raccourci dans le menu **Démarrer** pour lancer NetMeeting, voici plusieurs méthodes pour y accéder rapidement.

Lancement en ligne de commande

Dans la boîte de dialogue **Exécuter** (accessible par le menu **Démarrer/Exécuter**) ou le raccourci clavier Windows+Ⓡ, saisissez conf, puis cliquez sur OK.

Créer un raccourci de l'application dans la barre de lancement rapide

Pour que l'exécution de NetMeeting soit plus facile à l'avenir, vous pouvez créer un raccourci de son exécutable dans la barre de lancement rapide située à droite du bouton **Démarrer**.

1. Rendez-vous dans le dossier d'installation de NetMeeting qui est en général *C:\Program Files\NetMeeting*.

2. Cliquez sans relâcher du bouton gauche de la souris sur l'exécutable *Conf.exe* et faites-le glisser jusque dans la barre de lancement rapide, puis relâchez le bouton. Un raccourci de NetMeeting sera automatiquement créé dans la barre de lancement rapide.

Figure 9.2 :
Création d'un raccourci NetMeeting dans la barre de lancement rapide

Figure 9.3 :
Aperçu de l'icône NetMeeting une fois qu'elle est créée

REMARQUE

Démarrer NetMeeting sous Windows 98/Me

Pour lancer NetMeeting sous un système d'exploitation autre que Windows XP, rendez-vous dans le menu **Démarrer**, puis sélectionnez **Programmes/Accessoires/Outils Internet** et cliquez sur la commande **NetMeeting**.

382. Configurer rapidement NetMeeting

De bons réglages de NetMeeting vous éviteront bien des soucis pendant son utilisation. Voici comment configurer NetMeeting :

1. Cliquez sur **Outils** et sélectionnez la commande **Assistant réglage audio**.

2. Cliquez sur le bouton **Suivant**. Dans les menus déroulants *Enregistrement* et *Lecture*, sélectionnez le périphérique correspondant à votre carte son et cliquez sur le bouton **Suivant**.

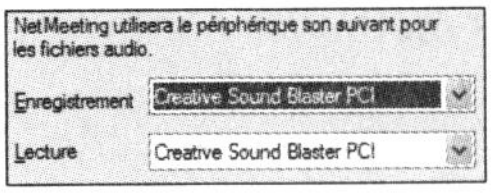

Figure 9.4 :
Réglage des périphériques audio

3. Cliquez sur le bouton **Test** et ajustez le niveau de volume sonore à votre convenance par l'intermédiaire de la barre de réglages, puis cliquez sur le bouton **Suivant**. Si vous n'entendez pas de son, c'est que vous avez sûrement mal configuré vos périphériques ; revenez à l'étape précédente.

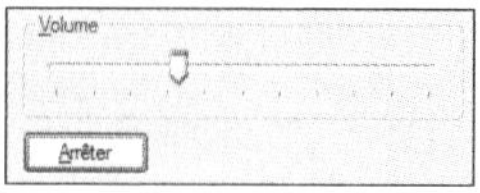

Figure 9.5 :
Réglage des haut-parleurs

4. Ensuite, lisez le texte de la boîte de dialogue dans votre microphone et ajustez le niveau avec la barre de réglages. Il ne faut pas que le niveau soit trop élevé ni trop bas, trouvez un juste milieu. Ensuite, cliquez sur les boutons **Suivant** et **Terminer**.

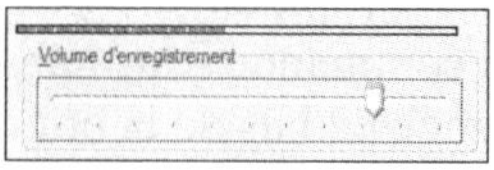

Figure 9.6 :
Réglage du microphone

5. Pour régler votre caméra, cliquez sur **Outils** et sélectionnez la commande **Options**. Dans la boîte de dialogue **Options**, sélectionnez l'onglet **Vidéo**.

6. Sélectionnez votre caméra dans le menu déroulant *Le périphérique de capture vidéo que je veux utiliser est*, puis cliquez sur OK. Vous pouvez en même temps, si vous le souhaitez, régler la taille des images envoyées et la qualité vidéo (à ajuster suivant le débit de votre connexion).

Figure 9.7 :
La fenêtre de réglage Vidéo

Réglages importants

Ces réglages sont très importants ; beaucoup de problèmes viennent de mauvais réglages des différents composants décrits dans cette section.

383. Connaître son adresse IP

Pour établir une communication avec une autre personne via NetMeeting, vous devrez lui fournir votre adresse IP, ou alors il faudra qu'elle vous donne la sienne. Cette adresse est en fait un numéro qui vous est attribué par votre fournisseur d'accès lors de votre connexion à Internet. Ce numéro change en général à chaque connexion (sauf en cas d'attribution d'une adresse fixe, ce qui est rare). Pour vous procurer rapidement cette adresse IP, cliquez sur le menu **?** et sélectionnez la commande **A propos de Windows NetMeeting**. Votre adresse IP est renseignée en bas de la boîte de dialogue, en face du texte *Adresses IP*. Relevez ce numéro pour le fournir à votre correspondant.

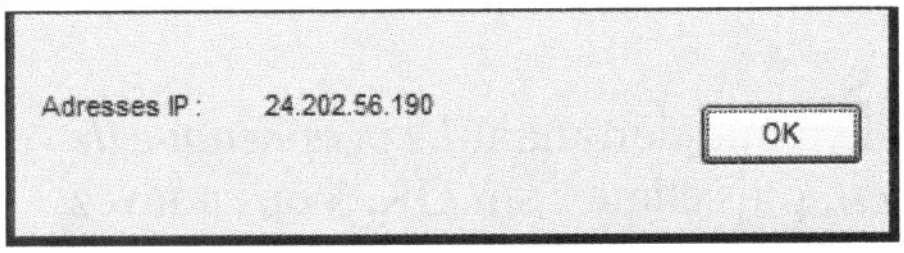

Adresses IP : 24.202.56.190   OK

Figure 9.8 :
Affichage de votre adresse IP

Récupérer son adresse IP sur Internet

Vous pouvez aussi placer un raccourci de cette adresse **www.whatismyip.com** sur votre Bureau, et en ouvrant ce lien, vous aurez directement votre adresse IP.

384. Établir une conversation à deux

Pour établir une vidéoconférence entre deux personnes sous NetMeeting, les deux participants doivent absolument être connectés à Internet, et NetMeeting doit être exécuté simultanément sur les deux postes. Vous devez aussi connaître l'adresse IP de la personne que vous souhaitez contacter ou lui procurer la vôtre (voir astuce précédente). Vous pouvez vous communiquer les adresses IP par courrier électronique ou par l'intermédiaire d'une messagerie instantanée comme MSN Messenger.

L'option de la messagerie instantanée est beaucoup plus pratique car vous savez si votre correspondant est en ligne. De plus, les nouvelles versions de MSN Messenger vous offrent la possibilité d'établir directement une communication NetMeeting avec un contact Messenger qui est en ligne. Cette option est très appréciable car cela vous évite d'avoir à demander ou à donner votre adresse IP à votre correspondant. Pour savoir comment utiliser cette fonction, reportez-vous au chapitre Messageries instantanées, astuce Lancer une vidéoconférence NetMeeting avec un contact MSN Messenger.

1. Une fois que vous disposez de l'adresse IP de votre correspondant, saisissez-la dans la zone de texte et cliquez sur le bouton **Effectuer l'appel** (icône du téléphone) pour lancer la communication.

Figure 9.9 :
Appel NetMeeting par l'intermédiaire d'une adresse IP

2. Une boîte de dialogue d'attente va apparaître, le temps que la personne reçoive et accepte votre appel, puis la communication s'établira.

Figure 9.10 :
Boîte de dialogue d'attente

Faire de la vidéoconférence à plus de deux

Sur un poste standard, NetMeeting ne vous permet pas d'établir de communications audio et vidéo à plus de deux personnes simultanément. Le logiciel Ivisit (**www.ivisit.info**), qui est totalement indépendant de NetMeeting, vous permettra de créer des salles de conversation dans lesquelles vous pourrez vous connecter à plusieurs en audio et vidéo.

385. Gérer rapidement les fenêtres vidéo

Une fois que la communication est établie, vous pouvez adapter selon vos besoins l'affichage des fenêtres vidéo. Voici comment changer rapidement cet affichage lorsque la communication est établie :

 Pour voir votre image en même temps que celle de votre correspondant, vous pouvez l'incruster dans l'image qui est reçue en cliquant sur le bouton **Incrustation d'image**. Vous pouvez aussi la visualiser dans une nouvelle fenêtre en cliquant sur le menu **Affichage** et en sélectionnant la commande **Ma vidéo (nouvelle fenêtre)**.

Figure 9.11 :
Communication avec vidéo personnelle incrustée

Figure 9.12 :
Communication avec vidéo personnelle détachée

Pour agrandir la taille de la fenêtre vidéo, cliquez du bouton droit de la souris sur l'image et dans le menu **Taille de la fenêtre**. Sélectionnez celle que vous souhaitez, vous avez le choix entre quatre tailles différentes (100 %, 200 %, 300 %, 400 %).

386. Discuter avec NetMeeting

Si vous n'avez pas de webcam, vous pouvez quand même utiliser NetMeeting uniquement en vocal grâce à vos haut-parleurs et à votre micro. Si vous n'avez pas non plus de micro, vous pouvez vous servir de la fonction **Conversation**, cela vous permettra de t'chatter avec votre correspondant.

1.  Établissez une connexion avec un de vos contacts et cliquez sur le bouton **Conversation**.

2. Dans la zone de texte *Message*, saisissez le texte que vous souhaitez envoyer et cliquez sur le bouton **Envoyer un message** (icône en forme de bulle). Si vous êtes plusieurs à suivre la conversation, vous pouvez envoyer un message uniquement à une personne (aparté) en sélectionnant son nom dans le menu déroulant *Envoyer à:*. Dans ce cas-là, lors de l'envoi, l'aparté est notifié dans le message sous cette forme, *Personnel à*, suivi du nom de la personne.

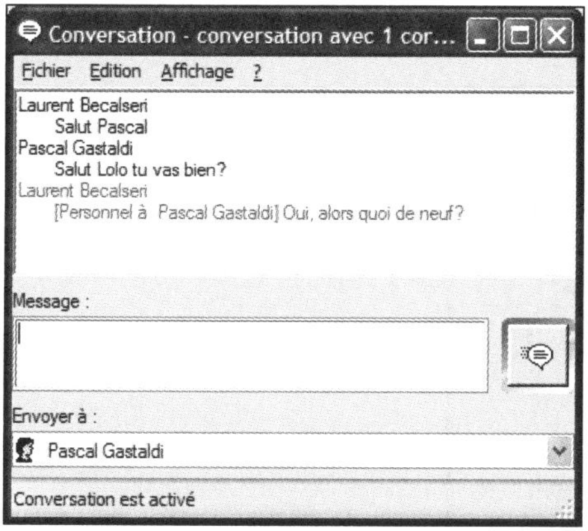

Figure 9.13 :
Boîte de dialogue de conversation sous NetMeeting

387. Transférer des fichiers

Lors de vos communications NetMeeting, vous pouvez aussi très facilement échanger avec vos correspondants des fichiers de tous types. Une fois que la communication est établie, procédez ainsi :

1.  Cliquez sur le bouton **Transférer les fichiers**.

2.  Dans la boîte de dialogue **Transfert de fichiers**, cliquez sur le bouton **Ajouter des fichiers**. Sélectionnez le fichier que vous souhaitez envoyer à votre interlocuteur et cliquez sur le bouton **Ajouter**. Le fichier ajouté s'affiche dans la liste des éléments à envoyer.

3. Si vous êtes en communication avec plusieurs personnes, sélectionnez à l'aide du menu déroulant le contact à qui vous souhaitez envoyer le fichier et cliquez sur le bouton **Envoyer tout**. Le transfert s'effectue.

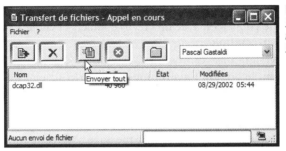

Figure 9.14 :
Envoi d'un fichier via le transfert de fichiers de NetMeeting

4. Votre correspondant, lui, reçoit une boîte de dialogue lui indiquant quelques informations et l'état d'avancement du transfert.

Figure 9.15 :
Boîte de dialogue de réception d'un fichier transféré

388. Utiliser le Tableau blanc

L'outil Tableau blanc de NetMeeting offre de nombreuses possibilités. Sa fonction principale est de mettre à disposition un espace dans lequel tous les participants pourront saisir du texte, dessiner, sélectionner et copier des parties d'écran afin de partager des informations en direct. Cet outil est vraiment très intéressant car il permet de montrer des choses que l'on ne peut pas forcément expliquer avec la parole. De plus, il offre une interactivité entre les interlocuteurs sur sa zone de travail qui est très appréciable. Pour démarrer la fonction **Tableau blanc** une fois la communication établie :

1. Cliquez sur le bouton **Tableau blanc**.

2. Sélectionnez un outil et utilisez-le dans la zone de travail en forme de page blanche. Le fonctionnement est très simple : ce que vous allez écrire ou dessiner sera en même temps affiché sur l'écran de votre correspondant, et vice versa.

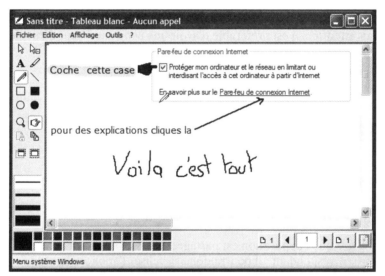

Figure 9.16 : *Une fenêtre Tableau blanc mettant en œuvre plusieurs éléments de la palette d'outils*

REMARQUE

Pour tout connaître sur le Tableau blanc

Si vous souhaitez connaître la fonction de chaque bouton du Tableau blanc une fois que celui-ci est exécuté, appuyez sur la touche F1. Le fichier d'aide du Tableau blanc s'affichera et vous fournira une description détaillée de tous les outils disponibles.

389. Partager des applications

Avec le partage d'application, vous pourrez permettre à votre correspondant d'afficher et de contrôler depuis son ordinateur une application s'exécutant sur le vôtre. Son utilisation est très simple. Établissez une communication, puis :

1. Cliquez sur le bouton **Partager un programme**. La boîte de dialogue **Partage** s'affiche.

2. Dans la rubrique *Partager des programmes*, sélectionnez l'application que vous souhaitez partager avec votre correspondant et cliquez sur le bouton **Partager**. Vous pouvez cocher la case *Partager en mode d'affichage Couleurs vraies*, cela améliorera la qualité des couleurs ; mais attention, il est préférable d'avoir une connexion haut débit chez les deux participants, sinon les performances seront affectées.

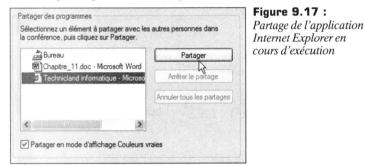

Figure 9.17 :
Partage de l'application Internet Explorer en cours d'exécution

3. Une fois que l'application est partagée, elle s'affiche sur l'écran de votre correspondant ; il pourra donc visualiser l'application et les éventuelles manipulations que vous y effectuerez. Pour qu'il puisse prendre le contrôle et ainsi intervenir lui aussi sur l'application, dans la rubrique *Contrôle*, cliquez sur le bouton **Autoriser le contrôle**, puis sur le bouton **Fermer**. Dès que votre interlocuteur cliquera sur une zone de l'application partagée, vous recevrez une demande de contrôle.

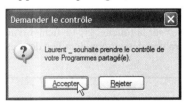

Figure 9.18 :
Confirmation de prise de contrôle

4. Si vous souhaitez ne pas devoir confirmer la prise de contrôle, dans la rubrique *Contrôle* de la boîte de dialogue **Partage**, cochez la case *Accepter automatiquement les demandes de contrôle*. Pour mettre fin au partage d'application, cliquez sur le bouton **Partage d'application** et dans la rubrique *Partager des programmes*, puis cliquez sur le bouton **Arrêter le partage**.

390. Les raccourcis clavier utiles

Voici la liste des raccourcis clavier les plus utiles sous NetMeeting.

Tableau 9-1 : Les raccourcis clavier utiles sous NetMeeting	
Touches	**Fonction**
Ctrl+M	Couper le micro
Ctrl+K	Couper les haut-parleurs
Ctrl+F	Démarre le transfert de fichier
Ctrl+W	Démarre le Tableau blanc
Ctrl+T	Démarre une conversation écrite (t'chat)
Ctrl+S	Démarre le partage d'application
Ctrl+D	Démarre le numéroteur téléphonique
Ctrl+N	Démarre un nouvel appel

391. Prendre une photo

Si, pendant une conversation vidéo, vous souhaitez prendre une photo de votre correspondant, voici comment procéder :

1. Cliquez du bouton droit de la souris dans la zone correspondant à l'image vidéo reçue et sélectionnez la commande **Copier** (voir fig. 9.19).

2. Dans la boîte de dialogue **Exécuter**, accessible par le menu **Démarrer/Exécuter**, ou le raccourci clavier Windows+R, saisissez mspaint et cliquez sur OK. Le logiciel Paint s'ouvre.

3. Dans le menu **Edition**, sélectionnez la commande **Coller**. Vous pouvez maintenant enregistrer l'image au format que vous souhaitez.

Figure 9.19 :
Prise d'une photo

À propos de la fonction Copier

Cette fonction a un atout majeur : elle prend uniquement la zone de l'image vidéo, ce qui vous évite de faire un recadrage, contrairement à une capture d'écran standard.

392. Se connecter à un annuaire

NetMeeting possède une option de connexion à des annuaires (serveurs ILS). Cette fonction permet de lister les personnes actuellement connectées sur le serveur ; vous pourrez donc éventuellement entrer en contact avec l'une d'entre elles. Pour vous connecter à un serveur d'annuaire ILS, procédez ainsi :

1. Cliquez sur le menu **Outils**, puis sur la commande **Options**. Dans la boîte de dialogue **Options**, sélectionnez l'onglet **Général**.

2. Saisissez l'adresse d'un serveur ILS dans la zone de texte *Annuaire* de la rubrique *Paramètres de l'annuaire*, puis cliquez sur OK. L'option *Ne pas indiquer mon nom dans l'annuaire* vous permettra de vous connecter sans apparaître dans la liste des personnes connectées, et l'option *Contacter un serveur d'annuaire quand NetMeeting démarre* vous connectera au serveur d'annuaire lors de l'ouverture de NetMeeting. Vous trouverez une liste d'annuaires ILS à cette adresse **http://rioka.free .fr**, dans le menu de gauche **NetMeeting**, rubrique *Liste serveurs ILS*.

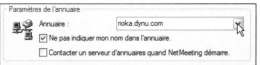

Figure 9.20 :
Ajout d'un serveur ILS

3. Ensuite, cliquez sur le menu **Appel** et sélectionnez la commande **Annuaire**. La boîte de dialogue **Rechercher un correspondant** s'affiche.

4. Choisissez un serveur d'annuaire dans le menu déroulant *Sélectionnez un répertoire*. Après quelques secondes, la liste des personnes connectées au serveur apparaît (si ce n'est pas le cas, cliquez sur le bouton **Actualiser**). Double-cliquez sur le nom d'une personne dans la liste pour entrer en communication avec elle.

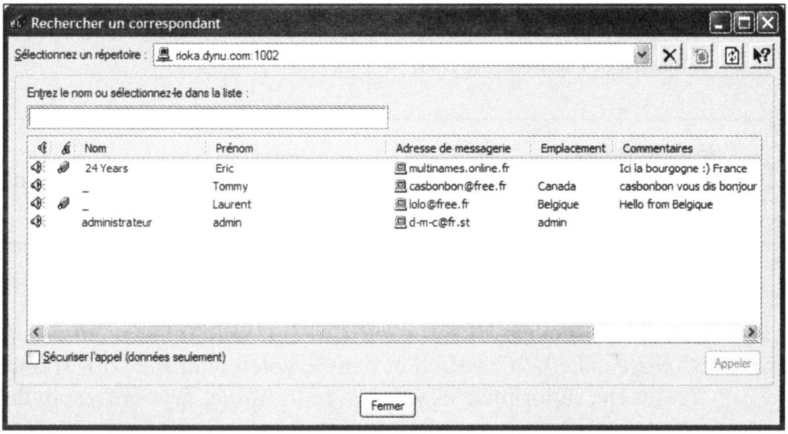

Figure 9.21 : *Liste des personnes connectées à un serveur d'annuaire*

393. Effacer les adresses IP appelées sous NetMeeting

Lorsque vous appelez des personnes en saisissant directement leurs adresses IP dans la zone prévue à cet effet, ces adresses sont sauvegardées dans le registre de Windows. Vous pouvez ainsi voir la liste de toutes les adresses appelées en ouvrant le menu déroulant. Le problème, c'est qu'il est impossible d'effacer ces adresses car il n'existe pas de fonction prévue à cet effet ! La seule méthode pour les supprimer est de modifier le registre de Windows comme ceci (avant de faire la manipulation, fermez NetMeeting) :

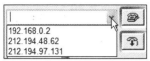

Figure 9.22 :
Liste des adresses appelées

1. Dans la boîte de dialogue **Exécuter**, accessible par le menu **Démarrer/Exécuter**, ou le raccourci clavier Windows+⬚R, saisissez regedit et cliquez sur OK afin de lancer l'éditeur du registre.

2. Si vous souhaitez effacer toutes les adresses IP présentes dans le menu déroulant :

   – Sélectionnez la clé *HKEY_CURRENT_USER\Software\Microsoft \Conferencing\UI\CallMRU*, puis cliquez du bouton droit de la souris.

   – Sélectionnez la commande **Supprimer** et confirmez votre choix en cliquant sur le bouton **Oui**.

Pas de panique

Ne vous inquiétez pas : la clé *CallMRU* se récréera sans vos adresses IP dès la prochaine ouverture de NetMeeting.

3. Si vous souhaitez supprimer uniquement une adresse IP en particulier :

   – Sélectionnez la clé *HKEY_CURRENT_USER\Software\Microsoft \Conferencing\UI\CallMRU* et dans le volet de droite correspondant à cette clé, supprimez les valeurs *Addr*, *Name*, *Type* correspondant à l'adresse IP que vous voulez supprimer.

   – Ensuite, sélectionnez la valeur binaire *Count*, puis cliquez du bouton droit de la souris.

   – Sélectionnez la commande **Modifier**. Dans le champ *Données de la valeur*, modifiez la valeur présente en fonction du nombre d'adresses que vous venez de supprimer. En fait, cette valeur compte le nombre d'adresses présentes dans le menu déroulant. Donc, si vous avez supprimé une seule adresse, soustrayez 1 du nombre présent dans le champ, puis validez en cliquant sur OK. Vous pouvez fermer l'éditeur du registre.

Effacer les adresses sans toucher au registre
Si vous ne voulez pas vous aventurer dans le registre, l'outil Power IE6, téléchargeable à l'adresse **www.technicland.com/powerie6.php3**, possède dans l'onglet **Saisie** une rubrique qui efface toutes les adresses en un clic.

394. Désinstaller NetMeeting

Si NetMeeting ne fonctionne plus correctement ou si vous voulez tout simplement le désinstaller, voici comment procéder.

Avant de désinstaller NetMeeting, assurez-vous que vous disposez du CD-Rom d'installation de Windows XP : il vous sera indispensable pour le réinstaller. Dans la boîte de dialogue **Exécuter**, accessible par le menu **Démarrer/Exécuter**, ou le raccourci clavier Windows+R, saisissez %SystemRoot%\System32\rundll32.exe setupapi,InstallHinfSection NetMtg.Remove 132 msnetmtg.inf, puis cliquez sur le bouton OK. La suppression des fichiers s'effectue.

395. Réinstaller NetMeeting

Avant de pouvoir réinstaller NetMeeting, assurez-vous que Windows peut afficher les fichiers système. Consultez l'astuce *Afficher les fichiers système* du chapitre *Chapitre commun*.

*Reportez-vous aussi à l'astuce **Ne plus masquer les extensions de fichiers du chapitre commun.***

Une simple désinstallation et réinstallation de NetMeeting suffisent en principe à résoudre de nombreux problèmes. Voici comment procéder pour réinstaller NetMeeting :

1. Rendez-vous dans le dossier *C:\WINDOWS\inf*.

2. Sélectionnez le fichier *msnetmtg.inf* et copiez-le sur le Bureau.

3. Cliquez du bouton droit de la souris sur le fichier *msnetmtg.inf* que vous venez de copier et sélectionnez la commande **Installer**. Placez le CD-Rom d'installation de Windows XP dans le lecteur CD.

4. À la demande du fichier *cb32.exe*, cliquez sur le bouton **Parcourir** et sélectionnez le répertoire *I386* qui se trouve sur le CD de Windows XP.

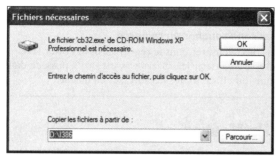

Figure 9.23 :
Renseignez le chemin I386 du CD-Rom de Windows XP

5. Si vous avez installé le service Pack de Windows XP, renseignez le chemin d'installation de celui-ci ou placez le CD-Rom contenant son installeur (en principe, vous pouvez trouver les fichiers nécessaires à l'installation du service Pack dans le dossier *C:\WINDOWS\ServicePackFiles\i386*). L'installation doit en principe se terminer après cela ; vous pouvez tester en exécutant NetMeeting.

6. Vous pouvez supprimer le fichier *msnetmtg.inf* que vous avez copié sur le Bureau si l'installation a fonctionné.

396. Entraide et dépannage pour NetMeeting

Si vous rencontrez des problèmes dans le fonctionnement ou le paramétrage de NetMeeting, n'hésitez pas à consulter la base de connaissances Microsoft, elle met à disposition quelques fiches techniques qui pourront vous aider. Vous trouverez ci-dessous l'adresse de deux fiches qui répondent à deux des questions les plus posées sur le newsgroup NetMeeting de Microsoft.

Configuration de NetMeeting

Cette fiche technique résume sous forme de procédures la configuration et la personnalisation de NetMeeting ; elle est accessible à cette adresse http://support.microsoft.com/?scid=kb;fr;154144.

Configurer NetMeeting à travers un pare-feu

Cette fiche technique vous donne la liste des ports à paramétrer pour que NetMeeting fonctionne avec un pare-feu. En cas de difficultés de cohabitation de NetMeeting avec votre pare-feu, suivez les instructions de cette procédure, disponible à cette adresse http://support.microsoft.com/?scid=kb;fr;158623.

Si vous avez encore des questions sur NetMeeting, vous pouvez les poser sur le newsgroup de Microsoft France dédié à ce produit ; des intervenants réguliers vous aideront sûrement. Le news est disponible à cette adresse **http://support.microsoft.com/newsgroups/default.aspx**. Sélectionnez *Produits pour Internet*, puis *NetMeeting*.

FAQ NetMeeting

Vous trouverez un recueil des questions les plus posées sur le newsgroup Microsoft à cette adresse : **http://bailly.chez.tiscali.fr/NetMeeting.htm.**

CHAPITRE 10

Microsoft Portrait

Microsoft Portrait

397. Description de Portrait

Microsoft Portrait est un logiciel de vidéoconférence spécialement conçu pour les liaisons à très faible débit (même pour les connexions à 9,6 Kbits/s). Avec Portrait, le centre de recherche Microsoft tente de mettre au point un logiciel qui pourrait facilement s'intégrer aux moyens de communication mobiles comme les Pocket PC ou les smartphones. Ce logiciel n'est pas encore disponible en français, mais si vous connaissez NetMeeting, vous constaterez la forte ressemblance des menus ; il vous sera donc facile de l'utiliser. En plus de la communication vocale et vidéo, plusieurs nouveautés intéressantes s'ajoutent à cet outil. Le point le plus remarquable est l'adaptation du flux et de la qualité vidéo en fonction de la bande passante. Enfin, on trouve l'intégration de la technologie .Net Passport, qui vous permet d'entrer directement en communication avec un de vos contacts Messenger (cela vous évite d'avoir à vous échanger les adresses IP). Portrait supporte aussi la connexion à des annuaires ILS (*Internet Locator Service*).

398. Installation

Portrait est disponible en deux versions : une version pour les ordinateurs personnels, et une version pour les Pockets PC (PC de poche) et smartphones. Portrait n'autorise pas de communication audio ou vidéo avec d'autres logiciels comme NetMeeting ou Windows Messenger. Pour pouvoir entrer en communication avec un de vos contacts, il faudra impérativement qu'il dispose d'une des deux versions de Microsoft Portrait. Heureusement, comme Portrait gère le .Net Messenger Service lors d'un appel par l'intermédiaire d'un contact, votre correspondant sera averti de votre tentative de communication et il lui sera proposé de télécharger le logiciel.

Pour télécharger Portrait, rendez-vous sur cette page http://research.microsoft.com/~jiangli/portrait et choisissez la version que vous souhaitez installer : PC (Pc Version) ou Pocket PC. Une fois que le téléchargement est terminé, installez le logiciel en cliquant sur le fichier précédemment téléchargé, l'installation en elle-même se déroule très simplement.

399. Configurer MSPortrait

Avant d'utiliser Microsoft Portrait, vous devrez le configurer. Pour cela, voici les principaux réglages à effectuer :

1. Exécutez Portrait en double-cliquant sur l'icône *Microsoft Portrait* créée sur le Bureau à la suite de l'installation.

2. Cliquez sur le menu **Tools** et sélectionnez la commande **Options**.

3. Dans l'onglet **General**, renseignez votre nom, e-mail. Dans le champ de texte *Location*, renseignez votre pays et, dans *Comments*, saisissez des commentaires qui pourront être lus lors d'une connexion au serveur ILS (*Internet Locator Service*).

4. Cliquez sur l'onglet **Vidéo**. Dans le menu déroulant de la rubrique *Video camera*, sélectionnez votre webcam.

5. Dans la rubrique *Capture setting*, sélectionnez une dimension d'image via le menu déroulant *Image size*. Dans cette rubrique, laissez les autres réglages par défaut.

6. Dans la rubrique *Color setting*, sélectionnez un des boutons d'option suivants :

   − *Black/white video only*, passe la vidéo en noir et blanc.

   − *Full color only*, passe la vidéo en couleurs.

   − *Switch between black/white and full color according to bandwith*, bascule automatiquement entre le mode blanc et noir et le mode couleur suivant la bande passante. Ce réglage est fortement recommandé lorsque vous établissez une connexion avec un Pocket PC ou un smartphone.

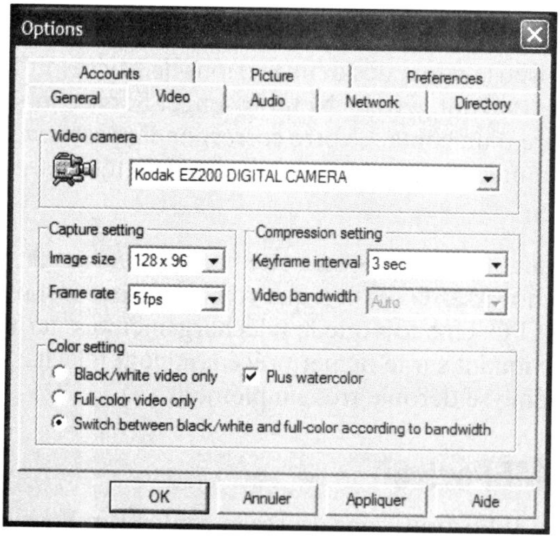

Figure 10.1 : *Réglages vidéo pour une liaison à faible débit*

7. Cliquez sur l'onglet **Audio**. Dans la rubrique *Device*, sélectionnez votre périphérique d'enregistrement (micro) dans le menu déroulant *Recording* et votre périphérique de lecture dans le menu déroulant *Playback*. Dans la rubrique *Codec*, sélectionnez le codec de votre choix pour la compression audio.

8. Sélectionnez l'onglet **Préférences**. Dans la rubrique *Général*, voici les fonctions des différentes cases :

— *Always on top*, affiche Microsoft Portrait toujours au premier plan.

— *Allow this program to run in the Backround*, autorise Portrait à fonctionner en tâche de fond.

— *Run this program when Windows starts*, exécute Microsoft Portrait lorsque Windows démarre.

— *Sign in my accounts when the program starts*, vous connecte à votre compte .Net Messenger Service au démarrage de Portrait.

— *Show me as "Away" when I an inactive for x minutes*, change votre statut en "absent" au bout de x minutes d'inactivité.

Dans la rubrique *Alerts*, voici les fonctions des différentes options :

— *Display alerts when contacts come on line*, affiche un message d'avertissement lorsqu'un contact se connecte.

— *Play sound when contacts sign in or send a message*, joue un son lorsqu'un contact se connecte ou lorsque quelqu'un vous envoie un message instantané.

Une fois que tous ces réglages sont effectués, cliquez sur le bouton OK pour qu'ils soient mémorisés. Attention, certains réglages comme la modification des comptes nécessitent un redémarrage de l'application.

400. Fonctionnement des comptes Passport et de .Net Messenger Service sous Portrait

Pour plus d'informations sur l'obtention d'un compte Passport et sur la connexion à .Net Messenger Service, consultez dans le chapitre Messageries instantanées la section MSN et Windows Messenger, astuce Ouvrir un compte .Net Passport.

Pour connaître les différentes options de gestion des comptes sous Microsoft Portrait, cliquez sur le menu **Tools** et sélectionnez la commande

Options. Dans la boîte de dialogue **Options**, sélectionnez l'onglet **Accounts**. Voici les différents réglages que vous pouvez effectuer dans cette section :

Figure 10.2 :
*Changement
d'état impossible*

- *Sign in my accounts by MSN Messenger.* En sélectionnant ce bouton d'option, le compte utilisé dans MSN ou Windows Messenger sera employé par Microsoft Portrait. Depuis Portrait, vous ne pourrez pas changer votre statut et la demande d'affichage de la liste des contacts lancera Messenger s'il n'est pas actif.

- *Sign in my accounts by Microsoft Portrait.* En sélectionnant ce bouton d'option, vous pourrez utiliser un compte .Net Messenger Service qui sera employé spécifiquement dans Microsoft Portrait. Il vous faudra au préalable renseigner ce compte en cochant la case *Enable .Net Messenger Service Account.* Vous pourrez ainsi changer votre statut et consulter la liste de vos contacts depuis Microsoft Portrait. Vous pourrez aussi utiliser MSN ou Windows Messenger avec un autre compte ; vous aurez donc la possibilité de vous connecter avec deux comptes différents, un qui fonctionne avec Portrait, et l'autre avec MSN ou Windows Messenger.

Figure 10.3 :
*Changement de statut possible lorsqu'un
compte spécifique est utilisé avec
MSPortrait*

- *Enable .Net Messenger Service Account.* En cochant cette case, vous activez le compte renseigné dans le champ de texte *Sign in name.* Si vous cochez l'option *Sign in my accounts by Microsoft Portrait,* vous devez en même temps cocher cette case et renseigner le compte.

Figure 10.4 :
*Paramétrage des
comptes dans l'onglet
Accounts de la boîte de
dialogue Options*

10.1 Communication

401. Connaître son adresse IP via Portrait

Pour établir une communication entre deux personnes qui possèdent le logiciel Microsoft Portrait, plusieurs méthodes sont possibles. Si vous souhaitez utiliser la méthode de connexion par adresse IP, voici comment procéder pour récupérer votre adresse IP :

1. Cliquez sur le menu **Help** et sélectionnez la commande **About Microsoft Portrait**.

2. L'adresse IP est inscrite à la suite du texte *My IP*. Notez que si vous avez plusieurs adresses IP (comme sur l'image suivante), celle qui correspond à votre connexion Internet apparaît en premier.

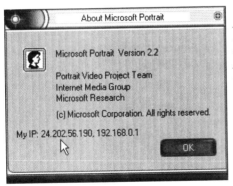

Figure 10.5 :
*Affichage de l'adresse
IP, ici deux adresses IP
séparées l'une de l'autre
par une virgule.
L'adresse IP Internet est
la première*

402. Établir une communication audio/vidéo par adresse IP

Pour que vous puissiez contacter votre correspondant, il faut qu'il vous fasse parvenir son adresse IP actuelle (par mail par exemple) ou alors que

vous lui transmettiez la vôtre. Une fois que vous connaissez son adresse,
voici comment procéder pour établir une communication avec Microsoft
Portrait :

1. Saisissez l'adresse IP fournie par votre correspondant dans la zone de
texte et cliquez sur le bouton **Call**.

Figure 10.6 :
*Appel d'un correspondant avec une
adresse IP*

2. Patientez le temps que votre contact reçoive la notification d'appel.

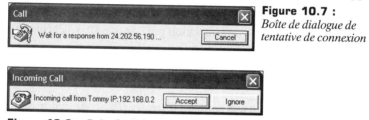

Figure 10.7 :
*Boîte de dialogue de
tentative de connexion*

Figure 10.8 : *Boîte de dialogue que votre correspondant reçoit lorsque vous
essayez d'entrer en contact avec lui*

3. Une fois que votre correspondant a accepté l'appel, vous entrez en
communication avec lui.

Figure 10.9 :
Communication vidéo établie

4. Si vous ou votre correspondant ne recevez pas l'image vidéo, cliquez
tous les deux sur le bouton **Vidéo** et assurez-vous que la case est cochée
(avec cette case, vous activez ou désactivez l'envoi de vidéos).

Figure 10.10 :
Case à cocher pour envoyer la vidéo

5. Cliquez sur le bouton **Speaker** pour ajuster le niveau de volume sonore des haut-parleurs. Ensuite, cliquez sur le bouton **Mic** pour ajuster le niveau d'enregistrement du micro en cours de conversation. Le fait de décocher les cases dans ces sections coupe les haut-parleurs ou le micro.

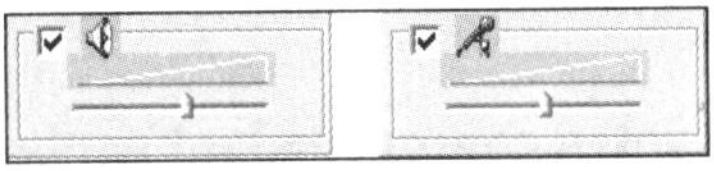

Figure 10.11 :
Réglage des haut-parleurs et du micro en cours de communication

403. Établir une communication audio/vidéo par l'intermédiaire d'un contact

Une nouveauté qui manquait cruellement à NetMeeting est la possibilité d'appeler directement quelqu'un qui est connecté avec MSN Messenger ou Microsoft Portrait à .NET Messenger Service.

Établir une communication lorsque votre correspondant a paramétré un compte .Net Messenger Service spécifique pour Portrait

1. Démarrez Portrait et cliquez sur le bouton **Buddy** afin d'afficher votre liste de contacts.

Figure 10.12 : *Affichage des contacts*

2. Sélectionnez un contact (un seul clic sur le contact pour le sélectionner), puis cliquez sur le bouton **Call**. La boîte de dialogue **Call** s'affiche.

Figure 10.13 :
La boîte de dialogue Call

3. Une fois que votre correspondant a accepté l'invitation, la communication s'établit.

Établir une communication lorsque votre correspondant partage son compte MSN ou Windows Messenger avec Portrait

1. Démarrez Portrait et cliquez sur le bouton **Buddy** afin d'afficher votre liste de contacts.

2. Sélectionnez un contact (cliquez une seule fois dessus pour le sélectionner), puis cliquez sur le bouton **Call**. La boîte de dialogue **Call** s'affiche.

3. Une fenêtre MSN ou Windows Messenger s'affiche chez votre correspondant. S'il dispose de Microsoft Portrait, il suffit qu'il clique sur le lien qui suit le message *Click the "portrait" hyperlink below to accept the invitation*. S'il ne dispose pas de Microsoft Portrait, il suffit qu'il clique sur le lien qui suit le message *You can download a free copy from* pour installer Portrait.

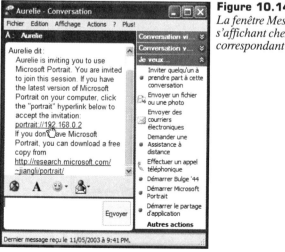

Figure 10.14 :
La fenêtre Messenger s'affichant chez votre correspondant

4. Si votre correspondant dispose de Portrait et s'il clique sur le lien, la communication s'établit.

404. T'chatter avec l'un de vos contacts

Cette astuce nécessite la déclaration d'un compte .Net dans les options de Microsoft Portrait. Pour savoir comment renseigner ce compte, reportez-vous à l'astuce Fonctionnement des comptes Passport et de .Net Messenger Service sous Portrait dans ce chapitre.

Portrait gère aussi très bien la fonction T'chat. Lors du démarrage d'une conversation, une fenêtre vient s'ajouter ; elle vous permettra de saisir et de lire vos messages. Cette fonction T'chat est compatible avec MSN et Windows Messenger ; vous pourrez donc t'chatter facilement avec des personnes qui ne disposent pas forcément de Microsoft Portrait.

1. Cliquez sur le bouton **Buddy** afin d'afficher votre liste de contacts.

2. Double-cliquez sur le contact avec lequel vous souhaitez t'chatter. La fenêtre de t'chat s'affiche. Attention, le bouton **Chat** ne peut être utilisé que si vous avez au préalable établi une communication audio/vidéo.

3. Saisissez le texte que vous souhaitez envoyer dans la zone de texte *Message*, puis cliquez sur le bouton **Send** pour envoyer le message.

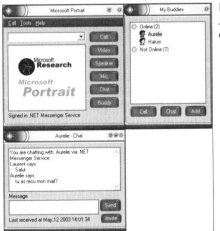

Figure 10.15 :
Portrait avec la fenêtre de t'chat ouverte

4. Quand la conversation est terminée et que vous fermez la fenêtre, une boîte de dialogue vous offre la possibilité d'enregistrer toute la conversation dans un fichier texte.

405. Transférer des fichiers

Une fois que vous avez établi une communication, Portrait vous offre aussi la possibilité de transférer des fichiers. Voici comment procéder :

1. Cliquez sur le menu **Tools** et sélectionnez la commande **Send a File**.

2. Dans la boîte de dialogue **Ouvrir**, sélectionnez le fichier que vous souhaitez envoyer et cliquez sur le bouton **Ouvrir**. Votre correspondant doit accepter l'envoi, après cela le transfert commence.

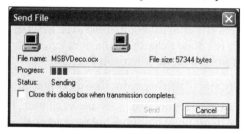

Figure 10.16 :
Transfert d'un fichier

3. Cliquez sur OK lorsque le transfert de fichier est fini ; vous pouvez cocher la case *Close this dialog box when transmission completes* pour fermer automatiquement la boîte de dialogue lorsque le transfert est terminé.

406. Se connecter à un serveur ILS

Comme NetMeeting, Portrait possède une option de connexion à des annuaires (serveurs ILS - *Internet Locator Service*). Cette fonction permet de voir et d'entrer en contact avec les personnes connectées au serveur. Pour se connecter à un serveur, il faut d'abord renseigner son adresse dans les options.

1. Cliquez sur le menu **Tools** et sélectionnez la commande **Options**. Dans la boîte de dialogue **Options**, sélectionnez l'onglet **Directory**.

2. Saisissez l'adresse d'un serveur ILS dans la zone de texte *Directory* et cliquez sur le bouton OK :

- Si vous cochez la case *Do not list my name in the directory*, cela vous permet d'être connecté au serveur sans être vu par les autres personnes connectées.

- Si vous cochez la case *Log on to a directory serveur when Microsoft Portrait starts*, vous serez automatiquement connecté à un serveur d'annuaire au démarrage de Portrait.

Vous trouverez plus de renseignements sur les serveurs ILS et un lien vers un site web vous proposant une liste de serveurs ILS dans le chapitre NetMeeting, astuce Se connecter à un annuaire.

3. Cliquez sur le menu **Call** et sélectionnez la commande **Directory**. Dans le menu déroulant *Select a directory* de la boîte de dialogue **Find Someone**, sélectionnez un annuaire pour vous y connecter. Vous y verrez ainsi la liste des personnes connectées et vous pourrez entrer en contact avec l'une d'entre elles.

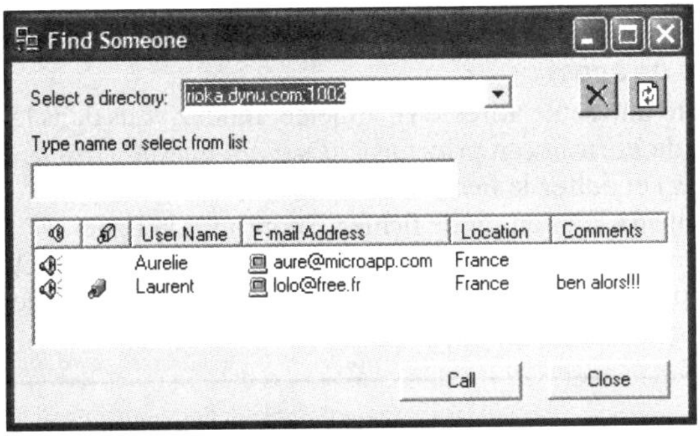

Figure 10.17 :
Connexion à un serveur d'annuaire sous Portrait

Utilisez Portrait

Si vous vous connectez à un serveur d'annuaire avec Portrait, vous risquez de ne voir personne connecté tout simplement parce que la plupart des gens se connectent encore avec NetMeeting et que les deux logiciels sont incompatibles. Mais vous pouvez tourner ce défaut à votre avantage, car si vous dites à vos contacts d'utiliser Portrait et de se connecter au même serveur d'annuaire que vous, vous aurez pratiquement un serveur d'annuaire personnel pour vous et votre entourage.

407. Effacer l'historique des appels

Contrairement à NetMeeting, Microsoft Portrait vous permet d'effacer la liste des appels que vous avez effectués. Tous les appels passés par adresses IP sont visibles dans le menu déroulant de saisie des adresses.

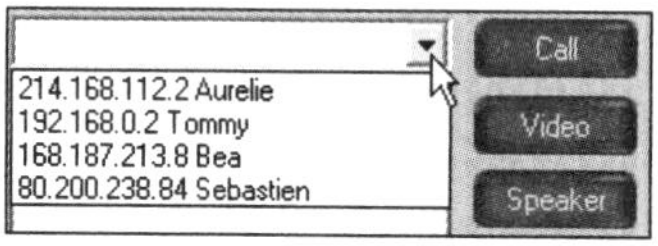

Figure 10.18 :
Liste des appels effectués

Pour effacer tous les appels effectués, procédez ainsi :

1. Cliquez sur le menu **Tools** et sélectionnez la commande **Options**. Dans la boîte de dialogue **Options**, sélectionnez l'onglet **General**.

2. Cliquez sur le bouton **Clear** de la rubrique *Clear History*.

Effacer uniquement un appel

Pour enlever de la liste une seule adresse IP appelée, rendez-vous dans le dossier d'installation de Portrait (en principe *C:\Program Files\Microsoft Research\Microsoft Portrait*) et éditez le fichier *Portrait.ini* avec le Bloc-notes. Les adresses appelées sont stockées en fin de fichier. Supprimez la ligne contenant l'adresse IP que vous souhaitez effacer de la liste dans le logiciel et diminuez le nombre d'appels sur les lignes *call_num=* et *Counter=* en fonction du nombre d'adresses IP que vous avez supprimées.

10.2 Affichage

408. Prendre une photo

Avec Portrait, vous pouvez prendre des photos au format JPEG pendant une vidéoconférence. Voici comment paramétrer et utiliser cette fonction.

Configuration

Voici les réglages qu'il est préférable de faire avant d'utiliser cette fonction :

1. Cliquez sur le menu **Tools** et sélectionnez la commande **Options**. Dans la boîte de dialogue **Options**, sélectionnez l'onglet **Picture**.

2. Dans la zone de texte *Filename prefix*, saisissez un nom. Celui-ci sera utilisé comme préfixe dans toutes les photos prises.

3. La zone de texte *Current counter value* indique le nombre actuel de photos prises. Attention, si vous le remplacez à zéro, vous risquez d'écraser des photos déjà prises !

4. Utilisez le bouton **Browse** pour définir un emplacement de stockage pour vos photos, puis cliquez sur le bouton OK pour valider les réglages.

Prise de photos

Voici comment prendre des photos pendant une vidéoconférence :

1. Cliquez sur le bouton **Tools** et sélectionnez la commande **Take a Picture**. La fenêtre **Snapshot** s'affiche.

2. Sélectionnez une dimension d'image dans le menu déroulant *Image size*.

3. Choisissez une résolution dans le menu déroulant *Quality*.

4. Cliquez sur le bouton **Shutter** afin de prendre la photo.

5. Une fenêtre affichant la photo prise s'affiche. Vous pouvez récupérer la photo en vous rendant dans le dossier défini précédemment.

409. Afficher votre vidéo dans une nouvelle fenêtre

Pour visualiser la vidéo que vous envoyez à votre correspondant, cliquez sur le menu **Tools** et sélectionnez la commande **My Video** (New Window). Une nouvelle fenêtre **My Video** intégrant votre image s'affiche.

410. Ajouter un contact à votre liste

Cette astuce nécessite la déclaration d'un compte .Net dans les options de Microsoft Portrait, sinon vous ne disposerez pas de l'option d'ajout de contact. Pour savoir comment renseigner ce compte, reportez-vous à l'astuce Fonctionnement des comptes Passport et de .Net Messenger Service sous Portrait de ce chapitre.

Pour ajouter un nouveau contact à votre liste, procédez ainsi :

1. Cliquez sur le bouton **Buddy** afin d'afficher la fenêtre de vos contacts, **My Buddies**.

2. Cliquez sur le bouton **Add**. La boîte de dialogue **Add a contact** s'affiche.

3. Saisissez l'adresse e-mail de votre correspondant et cliquez sur le bouton OK. Attention, un .Net Passport doit être associé à l'adresse e-mail que vous renseignez.

Figure 10.19 :
Ajout d'un contact

411. Utiliser Portrait sur un smartphone (téléphone mobile équipé de Windows)

Les smartphones sont des téléphones mobiles (cellulaires) livrés avec un système d'exploitation Windows adapté à ce type d'appareil. Ce type de téléphone mobile commence à être proposé à des prix raisonnables. Alors, si vous souhaitez utiliser Microsoft Portrait pour rester en contact avec vos amis, procédez ainsi :

1. Rendez-vous à cette adresse http://research.microsoft.com/~jiangli/portrait et téléchargez Microsoft Portrait pour smartphones en cliquant sur le lien *Free Download Pocket PC, Handheld PC and Smartphone*.

2. Installez le logiciel téléchargé. Si vous rencontrez des problèmes pendant l'installation, reportez-vous à cette adresse http://research .microsoft.com/~jiangli/portrait/readmeppc.aspx.

3. Exécutez Microsoft Portrait sur votre smartphone et renseignez les informations en rapport avec votre compte .Net Passport.

4. Vous pouvez vous mettre en relation avec un de vos contacts ou être joint en utilisant la fonction **Buddy**.

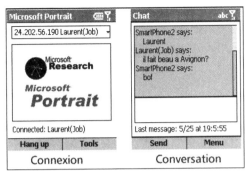

Figure 10.20 :
*La fenêtre de connexion
et de conversation de
Portrait sur un
smartphone*

> **Déverrouiller votre smartphone**
> Certains smartphones sont verrouillés et ne sont pas autorisés à installer des applications nouvelles. Il existe une possibilité de les déverrouiller tout à fait officiellement. Pour plus d'informations, consultez cet article à cette adresse http://msmobiles.com/article.php/20.html.

412. Réparer Microsoft Portrait

Si vous rencontrez des problèmes lors de l'utilisation de Portrait, voici comment faire pour le réparer :

1. Exécutez le logiciel vous ayant servi à installer Portrait, puis cliquez sur **Next**. L'installeur va automatiquement détecter que Portrait est déjà installé sur votre ordinateur.

2. Dans la boîte de dialogue **Microsoft Portrait - InstallShield Wizard**, cochez l'option *Repair* et cliquez sur **Next**.

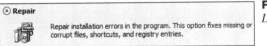

Figure 10.21 :
L'option Repair

3. Cliquez ensuite sur le bouton **Install**. Une fois que la réparation est terminée, cliquez sur **Finish**.

CHAPITRE

11

Les sites Internet

Les sites Internet

11.1 Aide et support en ligne

412. Hervé le conseiller

Le site du support Microsoft met à votre disposition de 9 heures à 19 heures un conseiller prénommé Hervé qui tâchera de répondre à vos questions par l'intermédiaire d'un t'chat. Vous pourrez lui demander des renseignements sur les produits Microsoft ; il saura aussi vous guider sur la base de connaissances Microsoft et sur les newsgroups.

Vous pourrez contacter Hervé à partir de cette adresse, http://support .microsoft.com/default.aspx?scid=/directory/worldwide/fr/concierge/default.asp. Attention, Hervé a un rôle de guide, il n'est pas là pour répondre à des problèmes techniques précis. Il vous aidera en essayant de vous orienter sur le site Microsoft.

413. Les FAQ des MVP

Le titre de MVP (*Most Valuable Professional*) est attribué à des personnes dont les compétences sur un ou plusieurs produits ont été reconnues par Microsoft. Les MVP partagent leurs passions en intervenant sur les newsgroups afin d'aider les utilisateurs. Comme beaucoup de questions reviennent souvent sur les news, certains MVP ont mis en place des FAQ (*Frequently Asked Question*). Ces FAQ sont en fait un recueil des questions les plus posées autour d'un produit. Cela évite aux intervenants réguliers de se répéter plusieurs fois par jour, il leur suffit de répondre rapidement en donnant une référence dans la FAQ.

Vous retrouverez toutes les FAQ des MVP sur tous les produits Microsoft à cette adresse www.microsoft.com/france/communautes/partenaires/default.asp. Si vous vous posez une question ou si vous avez un problème avec un produit Microsoft, dites-vous bien que vous n'êtes sûrement pas le premier. Alors consultez ces FAQ, vous y trouverez sûrement une réponse.

414. À l'aide !

Si vous avez un problème avec votre ordinateur, sachez que l'esprit d'entraide sur le Net existe encore malgré les difficultés que rencontre le Web gratuit pour survivre. Voici quelques adresses où vous trouverez de l'aide gratuitement :

Les mercredis du support de Microsoft : chaque mercredi, des ingénieurs du support de Microsoft et des MVP répondent en direct à vos questions par l'intermédiaire d'un t'chat accessible à cette adresse **http://support .microsoft.com/default.aspx?scid=fh;FR;chat**.

Vous pourrez poser toutes vos questions techniques sur les newsgroups de Microsoft, accessibles à cette adresse **news://msnews.microsoft.com**. Des MVP et des intervenants réguliers vous répondront.

Technicland, **www.technicland.com** : le site met à disposition une base de données sur les pannes, un forum, un t'chat technique, des tutoriaux. Le site produit aussi des logiciels de dépannage, d'optimisation et de divertissement gratuits.

Génération NT, **www.generation-nt.com** : le site vous propose des articles, un forum et des news.

> **REMARQUE**
>
> **Les supports des constructeurs**
>
> Il est bon de savoir que la plupart des constructeurs de matériels informatiques proposent une section support sur leurs sites Internet. Cela varie suivant les sites, mais vous retrouverez des espaces pour soumettre vos problèmes (forums, formulaires à remplir ou une adresse e-mail).

415. Des tutoriaux sur tout ce qui touche à l'informatique

Le site Comment ça marche **www.commentcamarche.net** essaie de rendre accessible au plus grand nombre le monde de l'informatique et des nouvelles technologies. Pour cela, il traite quasi tous les sujets comme les logiciels, matériels, langages de programmation, sécurité. Pour les articles faisant appel à un certain niveau de connaissances, le site propose toujours des liens vers d'autres articles, ce qui permettra aux novices d'acquérir les compétences nécessaires à la compréhension du sujet.

Le site propose un classement par thèmes et un index thématique des sujets. N'hésitez pas à vous servir de la fonction **Rechercher**. Tous les articles sont disponibles en version imprimable. Vous pourrez aussi télécharger le site complet afin de le consulter hors connexion. Comment ça marche est vraiment à l'heure actuelle un des meilleurs sites techniques sur le Web francophone car il associe simplicité, fonctionnalité, rapidité et surtout gratuité.

Figure 11.1 : *Le site Comment ça marche www.commentcamarche.net*

416. S'instruire en ligne

Beaucoup de sites proposent des tutoriaux en ligne. En cherchant bien, le Web peut être une formidable source d'autoapprentissage. Voici une liste de sites proposant des sujets ou des outils pour se former en ligne en informatique :

Microsoft propose un espace d'autoformation gratuit sur ses produits ; la liste de toutes les formations est accessible à cette adresse **www.microsoft .com/France/formezvous**. Vous y trouverez des cours au format multimédia (Windows Media) et des fiches pratiques.

Retrouvez des centaines de trucs et d'astuces sur les produits Microsoft sur **www.microsoft.com/france/trucform**.

Le site Tutorials-fr **www.tutorials-fr.com** vous propose des tutoriaux et des liens vers des sites présentant des sujets sur la programmation, le dessin 2D et 3D, la vidéo, le son et les jeux.

417. Être à jour avec vos logiciels

La plupart des éditeurs de logiciels mettent régulièrement à jour leurs produits afin d'ajouter des fonctions ou de pallier les éventuels problèmes. Il est donc important de se rendre de temps en temps sur le site de l'éditeur afin de voir s'il ne propose pas des mises à jour pour les produits que vous possédez.

Pour tous les produits Microsoft, vous pouvez vous rendre sur le site Windows Update **http://v4.windowsupdate.microsoft.com/fr**. Cette page scannera votre ordinateur et vous proposera automatiquement les mises à jour dont vous avez besoin. Si vous souhaitez télécharger une mise à jour indépendamment de la détection automatique de Windows Update, rendez-vous à cette adresse **http://v4.windowsupdate.microsoft.com/fr/default .asp?corporate=true**.

Pour les personnes qui ont Windows XP, ne manquez pas de vous rendre sur cette page **www.microsoft.com/windowsxp/pro/downloads**. Vous y trouverez des écrans de veille, l'outil Power Tweak pour XP et beaucoup d'autres choses intéressantes pour Windows XP.

418. Testeur de connexion Internet

Si vous souhaitez connaître le débit exact de votre connexion Internet, le site Internet du magazine *60 millions de consommateurs* met à votre disposition un outil qui vous permettra de tester assez précisément le débit descendant (download) et montant (upload) de votre connexion.

Pour effectuer ce test, rendez-vous sur cette page **www.60millions-mag.com/ testeur**. Il existe deux sortes de testeurs : le premier vous permet d'effectuer un test standard, le second est identique mais il possède une fonctionnalité supplémentaire qui vous permettra de sauvegarder l'historique de vos mesures précédentes. Pour lancer le test standard, cliquez sur le menu déroulant afin de sélectionner votre type de connexion, puis cliquez sur le bouton **Lancer le test**. Au bout de quelques secondes, le résultat s'affiche. Deux aiguilles vous indiquent le résultat, une pour le débit montant et l'autre pour le débit descendant. Reportez-vous à la légende pour exploiter le résultat.

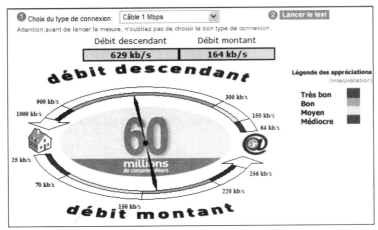

Figure 11.2 : *Le testeur de connexion de 60 millions de consommateurs (capture d'écran d'un résultat de test effectuée sur www.60millions-mag.com)*

Ce test comporte des applets Java. Il est donc indispensable que vous disposiez de la machine virtuelle Microsoft ou de la Java Virtual Machine de Sun. Pour plus de renseignements sur cet outil, consultez le chapitre Programmes et scripts utiles pour Internet, astuce Machine virtuelle Java (JVM) de Sun et la machine virtuelle Microsoft.

Quel temps fait-il chez votre fournisseur d'accès ?

Le site Grenouille www.grenouille.com établit tous les jours des bilans sur l'état des services de plusieurs dizaines de fournisseurs d'accès Internet. Vous pouvez le consulter pour voir s'il fait bon être abonné chez votre provider actuel.

11.2 La sécurité sur Internet

419. Un antivirus gratuit en ligne

Si vous ne souhaitez pas acheter un antivirus, vous pouvez toujours choisir une autre solution afin de voir si des virus ne se sont pas infiltrés chez vous. Le site Secuser www.secuser.com, en plus de ses excellents articles relatifs à la sécurité sur Internet, propose un antivirus gratuit en ligne. Pour l'utiliser, rendez-vous à cette adresse **www.secuser.com/antivirus**. On vous demandera alors de charger un petit plug-in, puis l'arborescence de votre poste de travail s'affichera. Sélectionnez les disques durs, les partitions et les lecteurs que vous souhaitez analyser et cliquez sur le bouton **SCAN** (si vous voulez que les virus trouvés soient automatiquement éradiqués, cochez la case *Auto Clean*). La boîte de dialogue **House Call** s'affiche, elle indique les répertoires qui sont en cours d'analyse par l'antivirus. Si un virus est détecté, une fois que l'analyse est terminée, cliquez sur les boutons **Clean** ou **Delete**.

Éliminez les virus

The Cleaner est un outil qui vous permettra d'éradiquer les virus présents sur votre machine. Vous le trouverez à cette adresse **www.moosoft.com/thecleaner**. Contrairement aux antivirus conventionnels, The Cleaner ne sert qu'à éradiquer les virus, il ne prévient pas leur éventuelle propagation. Le site est en anglais.

420. Vrai ou faux ?

Le site Hoaxbuster **www.hoaxbuster.com** est le portail francophone de référence en matière de hoax, qui signifie en français canular. Le site publie la liste mise à jour des fausses informations ou faux virus qui ont trouvé un vecteur de propagation phénoménal via Internet et les e-mails. Lorsque vous recevrez une information ou une alerte, vous pourrez en vérifier la pertinence en consultant la hoax liste **www.hoaxbuster.com/hoaxliste**. À l'adresse **www.hoaxbuster.com/hoaxcenter/varietes.php**, le site vous indique les différentes formes que peut prendre un hoax et comment les reconnaître facilement.

421. La carte des virus

La société Trend Micro, spécialisée dans les antivirus, dresse en permanence un état de propagation des virus informatiques au niveau mondial. Elle publie à cette adresse **www.trendmicro.com/map** une carte sous forme de planisphère représentant les pays affectés par les différents types de virus.

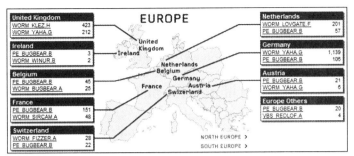

Figure 11.3 : *La carte des virus en Europe*

422. Scanner de ports

Le site **www.sdv.fr** propose un outil en ligne qui va vous permettre de tester l'état de tous les ports sur votre ordinateur. Il dressera ainsi une liste des ports ouverts, dont ceux qui sont susceptibles de subir une attaque d'éventuels hackers.

Pour vous servir de cet outil, rendez-vous directement à cette adresse **http://check.sdv.fr**. Cliquez sur le bouton **Tester mon poste**, situé en bas de page. Ensuite, le scan de tous les ports s'effectue ; cela prend quelques minutes. Attention, si vous avez un pare-feu, celui-ci risque de "s'emballer" car le test des ports peut être perçu comme une tentative d'intrusion. Une fois que le scan est terminé, un rapport sur l'état de vos ports s'affiche sous la forme d'un tableau. Si des ports semblent ouverts, vérifiez que c'est bien nécessaire, sinon fermez-les afin d'améliorer votre sécurité.

Résultat du scan (effectué en 19 secondes):

Votre ip	24.202.56.190 (modemcable190.56-202-24.mtl.mc.videotron.ca)		
Votre système	Windows XP		

Liste des ports visibles:

Nom	Status	Numero	Information
smtp	filtré	25/tcp	Simple Mail Transfer
http	filtré	80/tcp	World Wide Web HTTP
loc-srv	ouvert	135/tcp	NCS local location broker
netbios-ns	filtré	137/tcp	NETBIOS Name Service
netbios-dgm	filtré	138/tcp	NETBIOS Datagram Service
netbios-ssn	filtré	139/tcp	NETBIOS Session Service
microsoft-ds	ouvert	445/tcp	
listen	ouvert	1025/tcp	listener RFS remote_file_sharing
socks	filtré	1080/tcp	
fics	ouvert	5000/tcp	Free Internet Chess Server

Figure 11.4 :
Liste des ports ouverts ou filtrés sur un ordinateur, capture d'écran faite depuis le site check.sdv.fr

*Si vous souhaitez installer un pare-feu, vous pouvez consulter le chapitre **Programmes et scripts utiles pour Internet**, astuce **Installer et configurer un pare-feu efficace et gratuit**.*

423. Comprendre comment on vous piste sur Internet

La CNIL (Commission nationale de l'informatique et libertés) **www.cnil.fr** est un institut chargé de faire respecter la loi et le droit en rapport avec tout ce qui touche à l'informatique et à Internet. Sur le site, vous pourrez trouver beaucoup d'articles relatifs à la législation et à Internet. Si vous êtes webmaster, vous pourrez aussi déclarer gratuitement votre site Internet afin de l'enregistrer et de protéger les éventuels visiteurs en leur signalant que vous respectez leur confidentialité.

Une section du site de la CNIL **www.cnil.fr/traces** vous explique concrètement comment on peut facilement vous pister, et donc porter atteinte à votre confidentialité sur Internet.

11.3 Jouer en ligne

424. Faites revivre votre ancien ordinateur ou votre vieille console de jeu

Vous souvenez-vous des bons moments passés sur votre premier ordinateur ou sur votre ancienne console de jeu ? Rien que d'y penser, vous avez sûrement envie de foncer à la cave pour déballer les cartons et tout rebrancher. Stop ! Pas la peine de vous fatiguer à tout ressortir, le site Emultoo **www.emultoo.com** s'est spécialisé dans le domaine des émulateurs en tout genre sur PC. Les émulateurs sont en fait des logiciels (parfois des cartes électroniques, ce qui est plus rare) qui permettent de simuler le fonctionnement d'une machine et de ses logiciels ou jeux sur une autre machine. Sur le site Emultoo, vous trouverez trois grandes catégories d'émulateurs : les ordinateurs (Amstrad, Apple, Atari, Amiga, Thomson...), les consoles de jeu (Nintendo, Sega, Neo Geo...) et les bornes d'arcades (jeux de cafés).

Le site reprend dans des tableaux toutes les caractéristiques techniques de l'ordinateur ou de la console émulée, et il vous propose sa sélection parmi les émulateurs existants. De plus, toutes les explications nécessaires à l'installation et à la mise en service de l'émulateur sont disponibles sur le site. Vous trouverez aussi les liens de sites en rapport avec l'émulateur ou la console traitée. Ce site est une véritable caverne d'Ali Baba en ce qui concerne les vieilles consoles et les vieux ordinateurs.

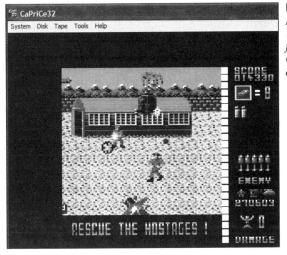

Figure 11.5 :
Le célèbre jeu Opération Wolf des années 90, fonctionnant sous Caprice, émulateur d'ordinateur Amstrad

425. Des jeux gratuits

Il est encore possible à l'heure actuelle de trouver des ressources gratuites sur Internet. Le site Jeux gratuits **www.jeuxgratuits.net** s'occupe de tester, noter, commenter et référencer tous les bons jeux gratuits. Vraiment une perle du Net ! Les jeux sélectionnés sont de très bonne qualité. Vous trouverez sur le site un classement des dix jeux les plus téléchargés.

Consultez aussi le site **www.01jeux.net**, il référence et propose des jeux gratuits.

426. La référence francophone des jeux en Flash

Si vous êtes joueur et si en plus vous aimez les petits jeux réalisés en Flash, ne manquez pas de vous rendre sur le site **www.flash-games.net**. Vous y trouverez des centaines de jeux réalisés au format Flash et Shockwave. Tous les jeux sont classés par thèmes ; vous pourrez voir le Top 15 qui affiche les quinze jeux les plus consultés. Le site propose aussi une sélection de jeux du moment et il vous offre en plus la possibilité de noter les jeux auxquels vous avez pu jouer.

Récupérer les jeux qui vous plaisent

Tous les jeux auxquels vous avez joué sont forcément stockés dans le dossier contenant les fichiers Internet temporaires. Si vous voulez récupérer un jeu qui vous a plu, recherchez-le dans ce dossier.

Pour savoir comment récupérer un fichier Flash dans votre cache, reportez-vous au chapitre *Internet Explorer*, astuce *Récupérer une animation Flash diffusée sur un site*.

427. Tu tires ou tu pointes ?

Si vous aimez la pétanque, rendez-vous sur le site Trankila **http://trankila.free .fr** et retrouvez le doux chant des cigales et le soleil provençal qui baigne le terrain de pétanque. Trankila pro pétanque est un jeu de pétanque en ligne au format Flash. Sa prise en main est un peu difficile, mais au bout d'une demi-heure, vous retrouverez facilement les sensations du vrai jeu de pétanque. Ne manquez pas d'aller "taquiner le cochon" et de faire chauffer les boules du côté de chez Trankila pétanque.

Figure 11.6 : *Le jeu Trankila pro pétanque*

428. Le cruciverbiste

Si les jeux de mots vous passionnent et si vous en demandez toujours plus, consultez cette adresse **www.cruciverbiste.com**. Les auteurs de ce site, deux verbicrucistes talentueux, mettent à votre disposition plusieurs centaines de grilles de jeux de mots que vous pourrez télécharger ou imprimer. Naviguez sur le site, vous trouverez forcément de quoi rassasier votre envie de jouer avec les mots.

La section du site nommée *Amuse-gueules* vous permettra d'accéder au téléchargement de plus de 150 petites grilles au format 6x6. Avant de télécharger les grilles, n'oubliez pas de télécharger le petit logiciel gratuit Across Lite qui vous permettra de les lire ; vous pourrez le télécharger à cette adresse **www.litsoft.com/across/alite/download.htm**.

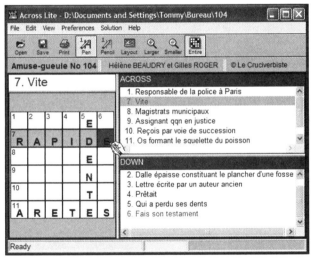

Figure 11.7 : *Une grille de mots au format 6x6 téléchargée sur le site www.cruciverbiste.com*

429. Les jeux de lettres au format Flash

Tous ceux qui aiment les mots fléchés, cachés ou les anagrammes fléchées auront la bonne idée de saisir cette URL **www.gator.fr** dans leur navigateur afin de se rendre sur le site Gator. Ce site est en fait la vitrine sur le Web d'une société spécialisée dans la création de pages de jeux clés en main pour la presse. Sur le site, vous trouverez une rubrique *Jeux gratuits* dans laquelle vous pourrez accéder à quelques jeux de mots interactifs. Les grilles de jeux réalisées au format Flash sont d'une excellente qualité, et la prise en main est rapide et facile. Les jeux sont mis à jour toutes les deux semaines. Le site vous propose aussi d'acheter des packs de trente jeux afin de pouvoir jouer hors connexion. De plus, ces jeux pourront être imprimés sur des feuilles au format A4.

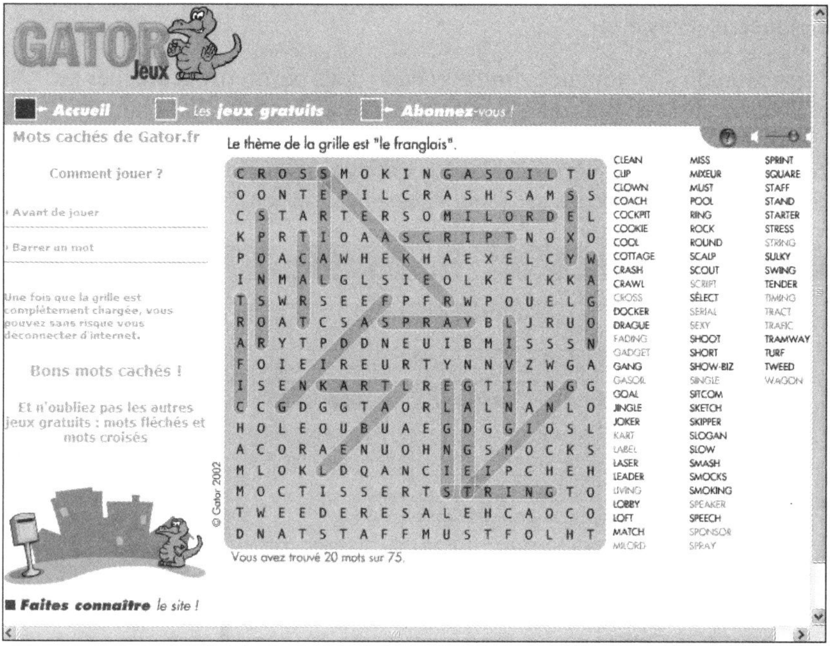

Figure 11.8 : *Une grille de mots cachés au format Flash sur le site www.gator.fr*

430. Aide sur les jeux

Il n'y a rien de plus énervant que de ne plus pouvoir progresser dans un jeu, et parfois malgré des heures passées à essayer de franchir le niveau. Ça bloque au point même d'avoir envie de laisser tomber. Si vous souhaitez trouver de l'aide, rendez-vous sur le site **www.gameup.com**. Ce site recense beaucoup d'astuces sur les jeux de PC et console ; servez-vous du menu **Rechercher** pour trouver l'information qu'il vous faut. Le site publie aussi des notes sur les softs, ce qui vous permettra d'avoir des avis sur un logiciel si vous comptez l'acheter.

431. Parier sur le football

Yahoo propose, dans sa rubrique Sport, de pronostiquer les résultats des matches de chaque journée du championnat de France de football. Le but est de gérer une équipe que vous avez préalablement composée avec les joueurs des différentes formations du championnat, chaque joueur rapportant un certain nombre de points en fonction du résultat de son équipe tout au long des différentes journées du championnat.
L'accumulation des points obtenus permettra d'établir un classement entre les différents participants, dont le premier en fin de championnat se verra attribuer un lot. Pour participer à ce jeu, rendez-vous directement à cette adresse **http://fr.ligue1.fantasysports.yahoo.com**. Il faudra simplement disposer d'un compte Yahoo, que vous pourrez facilement créer en cliquant sur le lien *Inscrivez-vous*.

Pour bien comprendre toutes les subtilités du jeu, lisez attentivement les règles décrites dans la page de démarrage, dans la rubrique *Notes de l'administrateur*. À partir de là, pour créer une équipe, cliquez sur le bouton **Inscription** et suivez les indications. Au départ, vous avez un capital de 100 points pour acheter les différents joueurs qui composeront votre équipe. Il est conseillé de créer son équipe dès le début de la saison, car les joueurs à ce moment-là auront tous la même cote (la cote des joueurs évolue en fonction des résultats de son équipe). Vous pouvez remanier votre formation entre chaque journée.

Un autre jeu dans le même genre est disponible sur **http://winamax.tf1.fr**. Il s'agit de l'entraîneur de TF1.

432. Pronostic en tout genre

Si vous aimez parier, vous allez être servi. Le site **www.pronostix.com** est spécialisé dans les pronostics en tout genre et notamment dans les événements qui composent l'actualité sportive, économique, politique et culturelle. Pour participer, vous devez remplir un formulaire d'inscription sur le site qui vous permettra d'obtenir un identifiant, un mot de passe et un capital de 1 000 "patates" afin de pouvoir commencer à miser sur les événements qui vous intéressent. Consultez le règlement afin de bien assimiler les différentes règles qui composent le jeu. Si vous misez bien et si vous avez du "flair" en matière de pronostic, vous pourrez gagner des chèques cadeaux.

11.4 Webcam

433. Voyager en images

Si vous voulez vous évader et en cinq minutes voir des endroits des quatre coins de la planète, rendez-vous à cette adresse **www.earthcam.com**. Le site Earthcam est en fait une sorte de moteur de recherche de webcam mondial. Son fonctionnement est assez simple. Sur la page d'accueil, dans la zone de texte, saisissez le nom d'une ville ou d'un pays et cliquez sur le bouton **Cam Search**. En fonction de votre recherche, la liste des webcams s'affiche ; il ne vous reste plus qu'à cliquer sur le lien qui vous intéresse pour regarder les images diffusées par la caméra.

Figure 11.9 : *La tour Space Needle en direct de Seattle (capture d'image faite depuis le site www.earthcam.com)*

434. S'inviter chez Serge

Si vous aimez les webcams alors pourquoi ne pas aller voir ce qui se passe du côté de chez Serge ! Serge Lotz, un passionné d'Internet, a créé un site Internet accessible à cette adresse **www.lotz.org**. Sur son site web au design très soigné (à faire pâlir plus d'un professionnel), vous retrouvez ses webcams connectées 24 heures sur 24. Serge s'est fait des amis dans le monde entier par l'intermédiaire de son site, alors pourquoi ne pas partager sa passion pour Internet et entrer dans son cercle de contacts ?

11.5 Les bons plans

435. Le meilleur de la télévision sur le Web

Si vous n'avez pas eu le temps de regarder votre émission préférée ou si vous avez raté un moment de télévision important, ne vous inquiétez pas. Allumez votre ordinateur et connectez-vous à Internet aux adresses suivantes :

Si vous aimez les guignols, Canal Plus vous permet de visionner les cinq dernières émissions des Guignols de l'info sur **http://213.41.65.178/canalplus/player/index_guignols.html**.

Toujours sur Canal Plus, si vous avez raté un moment important, le Zapping l'aura sûrement enregistré pour vous, accessible à cette adresse **http://213.41.65.178/canalplus/player/index_zapping.html**.

Sur le site web de France 3, à cette adresse **http://videojts.france3.fr**, retrouvez les journaux télévisés de toutes les régions, un formidable travail des rédactions locales de France 3 qui permet aux expatriés d'avoir des nouvelles de leurs régions.

TF1 met à disposition des archives de journaux télévisés à cette adresse **www.tf1.fr/video/news/lesjt**. Si vous avez besoin de revenir sur un événement, vous le trouverez forcément à cet endroit.

France 2 met à votre disposition les journaux télévisés de 8 heures, 13 heures et 20 heures, plus l'émission politique quotidienne Les 4 vérités sur **http://videojts.france2.fr**.

*La visualisation des vidéos nécessite l'installation du lecteur multimédia RealOne Player. Consultez le chapitre **Programmes et scripts utiles pour Internet**, astuce **RealOne Player**, si vous souhaitez l'installer.*

436. Paroles de chansons

Ah ! la chanson française et ses magnifiques textes que l'on aime fredonner, lorsqu'on se souvient des paroles, bien entendu ! Si vous avez un petit trou de mémoire ou si vous souhaitez simplement consulter le texte intégral d'une chanson, rendez-vous sur le site **www.paroles.net**. Vous y trouverez des centaines de textes de chansons françaises.

437. Connaître le vrai nom et l'adresse des célébrités

Si vous souhaitez percer certains secrets des personnalités, voici un site www.vrai-nom.fr.st qui vous révélera le vrai nom des célébrités françaises. Vous y apprendrez d'autres petites choses, par exemple que l'envoyé spécial de Moustique sur Canal Plus, Francis Kuntz (Francis Chauvier), est le frère de Serge Lama (Serge Chauvier).

Et si écrire à une de ces personnalités vous intéresse, rendez-vous sur ce site www.adresse-star.com qui répertorie un grand nombre d'adresses de stars.

438. Trouver des modèles de lettres et de discours

Dans bien des cas, dans le cadre de votre travail par exemple, écrire une lettre à l'administration devient très vite une tâche lourde et ennuyeuse. En effet, la rédaction de lettres "un peu officielles" n'est pas facile car ce n'est pas une chose que l'on fait au quotidien. Sur le site de l'Écrivain public virtuel www.admi.net/epv, des spécialistes de la rédaction de documents officiels mettent leurs compétences à votre disposition pour vous aider dans la rédaction de telles lettres. Sur le site, vous trouverez des modèles de lettres et de discours ; une adresse e-mail est même à votre disposition au cas où vous ne trouveriez pas votre bonheur dans la liste des modèles.

439. Les meilleurs prix micro sur Paris

Si vous devez acheter du matériel informatique et si vous habitez Paris, on vous conseillera sûrement de vous rendre rue Montgallet dans le XIIe arrondissement, car c'est là où sont regroupés la plupart des meilleurs assembleurs de la capitale. C'est un peu comme le Sentier pour tout ce qui touche au textile. Le problème, c'est que si vous devez faire toutes les boutiques pour trouver celle qui offre le meilleur prix sur l'article que vous souhaitez acheter, vous allez y passer toute une semaine et les tarifs auront sûrement le temps de changer ! Partant de ce constat, des personnes ont eu l'idée de mettre en ligne un site Internet www.rue-montgallet.com qui dresse un comparatif des prix de la plupart des produits que vous trouverez dans les boutiques de la rue Montgallet. Il vous suffit donc d'aller sur le site et de cliquer sur le menu **Prix**, puis de sélectionner le matériel que vous voulez acheter afin de pouvoir comparer les prix.

Les concepteurs de ce site ont aussi adapté le principe à des boutiques vendant uniquement sur Internet, ceci afin d'essayer de vous donner les meilleurs prix sur le Web. L'adresse de ce site est www.rue-hardware.com.

440. Acheter des MP3

Si vous souhaitez vous procurer des MP3 en toute légalité, rendez-vous sur le site www.e-compil.fr. Vous pourrez ainsi sélectionner des titres, et après avoir payé, vous aurez le droit de télécharger légalement vingt titres au format MP3. Ensuite, vous pourrez les stocker sur votre ordinateur ou bien graver votre propre compilation pour l'écouter sur votre lecteur de salon.

441. Des jaquettes pour vos CD

Si vous cherchez des jaquettes pour embellir vos boîtiers de CD-Rom, rendez-vous sur le site web cd-covers, disponible à cette adresse www .cdcovers.cc. Sur le site, vous trouverez un nombre impressionnant de pochettes de CD audio, de jeux (PC, console) et vidéo (DVD, VHS).

Pour trouver la pochette de CD qui vous intéresse, allez sur le site et dans la rubrique *Cover Search* (située sur la droite). Dans le menu déroulant *Section*, sélectionnez une catégorie, saisissez vos mots clés et cliquez sur le bouton **Search**. Le site vous propose alors une liste d'adresses classées par sites sur lesquelles vous trouverez la pochette recherchée. Les noms de la pochette se présentent souvent ainsi : le nom de la pochette + Back (face arrière du boîtier) et Front (face avant du boîtier). Pour télécharger l'image de la pochette affichée, cliquez dessus du bouton droit et sélectionnez la commande **Enregistrer l'image sous**.

442. Écouter des extraits musicaux

Si vous voulez écouter des extraits musicaux des dernières nouveautés ou simplement ceux de vos artistes préférés, rendez-vous sur le site de Amazon www.amazon.fr et sélectionnez l'onglet **Musique**. Dans la rubrique *Rechercher*, à l'aide du menu déroulant, sélectionnez une rubrique dans laquelle vous souhaitez effectuer une recherche (nom d'album, titre de chanson ou d'artiste), puis dans la zone de texte, saisissez vos mots clés et lancez la recherche en cliquant sur le bouton **Go** (si vous voulez faire une recherche avancée, cliquez sur le lien *Recherche détaillée*). Sélectionnez ensuite un album ou un single parmi le résultat de la recherche. La page de présentation vous donne en général le prix de l'album ou du single et un aperçu de sa pochette. Pour écouter les extraits musicaux de tous les titres de l'album, allez vers le milieu de la page, dans la rubrique *Ecouter des extraits musicaux*, et cliquez sur le titre qui vous intéresse.

*L'écoute d'extraits musicaux nécessite l'installation du lecteur multimédia RealOne Player. Consultez le chapitre **Programmes et scripts utiles pour Internet**, astuce **RealOne Player**, si vous souhaitez l'installer.*

443. Écouter la radio en surfant

Si vous aimez surfer en musique et si vos MP3 commencent à vous lasser, pourquoi ne pas opter pour la diversité d'écoute qu'offre la radio ? La généralisation du haut débit permet maintenant d'écouter la radio sur Internet. Vous pouvez facilement écouter toutes les stations FM françaises et même celles d'autres pays. Pour vous faciliter la sélection et vous éviter d'être harcelé de pop-ups publicitaires, Technicland a développé RadioWeb, un petit outil gratuit qui vous permet de sélectionner diverses stations de radio sur plusieurs pays francophones. Vous pourrez le télécharger à cette adresse **www.technicland.com/radioweb.php3**.

Figure 11.10 :
RadioWeb

444. Un convertisseur de monnaie en ligne

Si vous souhaitez connaître le taux de change d'une monnaie, rendez-vous sur le site **www.xe.com/fr**. Le taux des monnaies est en permanence actualisé sur le site, la rubrique *Quick Currency converter* vous fournissant un convertisseur de monnaie.

445. Commander des magazines

Tout le monde n'habite pas forcément près d'un marchand de journaux, et si votre revue préférée n'est pas ou n'est plus disponible chez ce marchand, rendez-vous sur le site **www.journaux.fr**. Vous pourrez y trouver quasi toutes les revues publiées en France. Un autre point intéressant : si vous avez raté un numéro, vous pourrez sûrement le commander sur le site car il propose aussi une rubrique *Ancien numéro*.

446. Faites chauffer les marmites

Pour les fanatiques des plaisirs du palais ou pour tous ceux qui sont à la recherche de nouvelles recettes à concocter, le site Marmiton www .marmiton.org répertorie dans sa base de données plus de 19 000 recettes de cuisine. Si vous ne savez pas quoi cuisiner pour recevoir vos amis ce week-end, rendez-vous sur le site Marmiton et parcourez les diverses rubriques. Vous y trouverez forcément des idées de plats à préparer. Le menu **Recherche avancée** vous permettra de lancer une recherche en sélectionnant le type de plat que vous souhaitez cuisiner (entrées, amuse-gueules, plats, sauces, dessert…). Le site dispose de nombreuses rubriques intéressantes, comme un lexique culinaire, dans lequel vous trouverez toutes les définitions des termes utilisés en cuisine. La rubrique *Art de recevoir* vous rappellera comment préparer une belle réception, et si jamais vous ne savez vraiment pas quoi cuisiner, cliquez sur le lien *Recette au hasard*. Si vous souhaitez partager une recette dont vous avez le secret, il vous suffira de remplir un petit formulaire. Un site d'une qualité remarquable autant par son design que par son contenu.

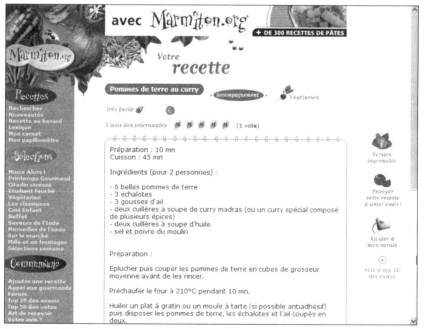

Figure 11.11 : *Le site Marmiton www.marmiton.org*

447. Réviser pour le passage du permis de conduire

Si vous devez passer votre permis de conduire, vous devez d'abord réviser votre Code de la route. Malheureusement les leçons de code demandent une disponibilité assez importante et il n'est pas toujours facile de se libérer aux horaires prévus. Le site **www.coderoute.com** vous propose de réviser cet examen depuis votre domicile. Les tests sont très bien conçus, vous disposez d'une télécommande qui vous permet de sélectionner la ou les bonnes réponses, et vous pouvez au besoin obtenir des explications sur la situation affichée à l'écran. Le site propose quelques tests gratuits ; il vous faudra ensuite prendre une formule d'abonnement payant si vous souhaitez accéder à la totalité des tests.

Figure 11.12 : *Tests pour l'examen du Code de la route (capture d'écran réalisée sur le site www.coderoute.com)*

448. Infos sportives

Si vous aimez le sport et si vous suivez les résultats de plusieurs disciplines sportives, rendez-vous sur le portail Internet du journal *l'Équipe* **www .equipe.fr**. Vous y retrouverez des résultats, des classements, des reportages, des statistiques, bref tout ce qui touche à l'actualité sportive. Pour ceux qui aiment le football, la section qui lui est consacrée sur le site est une véritable mine d'informations. Le site dispose aussi d'un moteur de

recherche sur les joueurs, accessible directement à cette adresse www
.equipe.fr/servlet/FootballRechercheJoueur.

Le site sport24 www.sport24.com est spécialisé lui aussi dans le domaine de
l'information sportive. Son gros avantage est de mettre à disposition des
articles sonores relatifs aux divers événements qui font l'actualité sportive.
Vous apprécierez sûrement aussi le fil info qui diffuse 24 heures sur 24 et
en temps réel des informations sur les événements sportifs en cours. Sur le
site, vous trouverez un forum et un t'chat où vous pourrez poser des
questions à des sportifs.

449. Suivre l'actualité

Le site Internet de l'AFP www.afp.com/francais vous propose de suivre
l'actualité sous forme de dépêches. Vous pouvez vous abonner pour
recevoir les informations par e-mail à cette adresse www.afp.com/francais/
afp/?cat=mailing.

450. Comparer avant d'acheter

En principe, avant d'acheter, on aime bien comparer les prix dans plusieurs
boutiques afin de choisir celle qui offre les meilleurs tarifs. Sur Internet, c'est
la même chose, sauf que c'est beaucoup plus simple. Il vous suffit de saisir le
nom d'un produit et vous aurez la liste des prix de cet article sur différents
sites. Voici quelques sites spécialisés dans la comparaison de prix :

www.acheter-moins-cher.com

http://fr.kelkoo.com

www.monsieurprix.com

www.infomoinscher.net

451. Faites des économies en faisant vos courses

Le site Achat gratuit www.achatgratuit.com référence en permanence toutes
les marques qui proposent de rembourser l'achat de leurs produits. Ainsi,
sur le site, vous retrouvez un menu qui classe par catégories tous les
produits alimentaires qui proposent des réductions. Vous pourrez même
imprimer la liste des produits et les conditions de réduction avant de partir
faire vos courses.

452. Préparer un voyage avec le Routard

Si vous souhaitez préparer un voyage en France ou à l'étranger, ne manquez pas de visiter le site du *Guide du routard* **www.routard.com**. Vous y trouverez tout ce qu'il faut pour dénicher un bon hôtel, une location de voiture ou des vols au meilleur prix. Le site propose aussi tout ce qui est en rapport avec le lieu que vous souhaitez visiter : infos pratiques, culture et traditions, gastronomie, et les liens utiles.

453. Envoyer des cartes virtuelles

Le monde de la communication électronique étant de plus en plus développé, vous envoyez de moins en moins de cartes postales. Internet vous permet de pallier cette carence en remettant à la mode, mais avec les moyens modernes, l'envoi de cartes postales. Vous trouverez ci-dessous quelques sites qui vous permettront de faire plaisir à une connaissance sans pour autant vous ruiner, car majoritairement ce service est gratuit.

Sur le site de Sunnycard, **www.sunnymead.org/cartes/sunnycartes.html**, vous trouverez des cartes classées par types. Envoyer une carte est très facile. Il suffit de suivre les étapes. Les cartes sont placées dans un répertoire non indexé. De cette façon, seulement vous et le destinataire pourrez trouver la carte. Ce répertoire est très sécurisé, vous pouvez donc envoyer votre carte en sachant que votre adresse ne va pas être distribuée.

Avec CyberCartes, **www.cybercartes.fr**, vous aurez bien plus de possibilités, mais certaines sont réservées aux membres. Pour vous inscrire, il suffit de cliquer sur le bouton **Je veux m'inscrire** et de remplir le questionnaire personnel. En devenant membre, vous pourrez utiliser vos images personnelles pour les transformer en cybercartes.

Sur Dromadaire, **www.dromadaire.com/fr**, vous trouverez beaucoup de cartes animées. Ce site est extrêmement riche ; il contient plus de 3 000 cartes et propose de nombreux thèmes (plus d'une centaine de catégories, comme les incontournables "mariage", "naissance", "anniversaire" et "humour", mais aussi "bicentenaire de la naissance de Victor Hugo", "journée de la femme", "Saint-Patrick", etc.). Vous ne pourrez plus manquer un événement !

Avec Vœux.Fr, **www.voeux.fr**, vous pourrez trouver mille et une occasions réparties en 55 thèmes pour souhaiter n'importe quoi à n'importe qui.

454. Envoyer des bisous virtuels

Pour changer, au lieu de cartes, vous pourrez aussi envoyer des bisous virtuels.

Le site le plus connu à ce niveau-là est sans nul doute la Banque mondiale des bisous, que vous trouverez sur **www.ebizous.com**. Vous pourrez y envoyer des chèques d'une valeur de 1 000 à 6 000 000 000 de bisous (sans interdits bancaires, mais sans baume pour les lèvres non plus). En plus des bisous virtuels, vous y trouverez des calinous, des chèques d'amour, des chèques d'amitié et autres chèques qui ne mettront pas votre compte dans le rouge.

Chez Virtual Bisous, **http://membres.lycos.fr/virtualbisous**, vous trouverez des tas de bisous différents pour chaque occasion et aussi des informations "scientifiques" sur les baisers, notamment que "embrasser pendant une minute permet de brûler autant de calories qu'une course de 500 mètres". Donc, pensez à embrasser autrement que virtuellement, car ce conseil ne s'applique pas aux baisers envoyés via Internet.

455. Envoyer des fleurs virtuelles

Avant (ou après) les bisous, vous pouvez toujours tenter les fleurs. C'est un geste qui ne coûte pas cher mais qui est pourtant bien apprécié. Au moins, la personne qui reçoit vos fleurs n'a pas à leur changer l'eau et peut en plus les garder indéfiniment dans le même état de fraîcheur.

Virtual florist, **www.virtualflorist.com/en/act/selection**, est certainement le site le plus riche en matière de bouquets de différentes sortes et de raisons d'envoyer des fleurs virtuelles. En plus des fleurs virtuelles, vous avez aussi la possibilité d'envoyer de vraies fleurs fraîches.

Chez Cartes-fleurs.net, **www.cartes-fleurs.net**, vous trouverez une sélection de bouquets virtuels que vous pourrez envoyer facilement.

Sur le site de Virtuals flowers, **http://virtualflowers.com/vc.asp** (site anglophone), vous aurez aussi un grand choix classé par catégories et par occasions (qui ne manquent pas assurément). Avantage non négligeable de ce site : il vous propose de vous inscrire de façon à pouvoir vous rappeler par messagerie une date que vous aurez renseignée afin de ne surtout pas rater une occasion de fêter quelque chose ou quelqu'un (quelqu'une plutôt ☺).

456. Envoyer des animations

Dans le même style que les cartes, vous pouvez envoyer des animations personnalisables.

Un des sites qui permettent ce genre d'envoi se nomme Tarentule.com **www.tarentule.com**, et les animations sont très bien réalisées, de véritables petits films ! Vous pouvez en personnaliser certains avant de les envoyer.

Avec MessageMates, **http://messagemates.com** (site anglophone), vous accéderez à des programmes qui sont spécifiques à une période de l'année et qui sont de vrais dessins animés personnalisables selon la personne à qui vous les envoyez. Attention toutefois, l'animation étant un *.exe*, elle risque d'être supprimée avant sa lecture par votre destinataire qui pensera à un virus.

11.6 Administration

457. Calculer ses impôts en ligne

Tous les ans lorsque vient la période de la déclaration d'impôt, c'est toujours avec un peu d'angoisse que l'on se met à remplir le fameux formulaire. Le ministère de l'Économie et des Finances (MINEFI) a consacré un espace (Calculs et Simulations) sur son site web afin de vous permettre de calculer une estimation de l'impôt sur le revenu que vous aurez à payer en fonction de votre déclaration. Pour cela, rendez-vous à cette adresse **www.finances.gouv.fr/minefi/services/calculs** et dans la rubrique *Calculs fiscaux*, cliquez sur le lien *Calcul de votre impôt sur le revenu*. Ensuite, il est recommandé de cliquer sur le lien *Modèle simplifié*. Vous arriverez ainsi sur une page reprenant la plupart des questions de votre feuille de déclaration ; remplissez toutes les zones de texte et cochez les boutons d'option et les cases appropriées, puis validez pour connaître le montant de votre imposition.

REMARQUE

Tous les services du MINEFI

À l'adresse **www.finances.gouv.fr/minefi/services**, vous trouverez des formulaires, des informations, des articles de loi sur la déclaration, la TVA, les douanes, bref tout ce dont vous pouvez avoir besoin pour vos relations avec le ministère de l'Économie et des Finances.

458. Le portail du Service Public

Tout le monde connaît la lourdeur de l'appareil administratif, et en particulier le nombre de formulaires qu'il faut remplir avant d'obtenir ce que l'on veut. Le but principal du site Internet du Service Public (**www .service-public.fr**) est clair : simplifier les démarches administratives et faciliter l'accès à l'information. En effet, ce site est une véritable mine d'informations, la plupart des questions que l'on peut se poser par rapport à toutes les administrations y sont traitées.

Les formulaires

À cette adresse **www.service-public.fr/formulaires**, vous pourrez télécharger quasi tous les formulaires (au format PDF) dont vous aurez besoin. Ainsi, vous pourrez les remplir directement chez vous, sans avoir à vous déplacer pour vous les procurer.

S'orienter sur le site

Le sujet traité par le site est tellement vaste qu'on risque d'éprouver rapidement des difficultés à s'y orienter. À cette adresse **www.service-public .fr/accueil/plan.html**, vous trouverez une page qui vous permettra de vous diriger vers la section en rapport avec ce que vous recherchez. Pensez aussi à effectuer des recherches par mots clés, cela peut être un bon moyen pour trouver la bonne information.

459. Nul n'est censé ignorer la loi

Comme tout le monde le sait, "nul n'est censé ignorer la loi". Par contre, si tout le monde devait se procurer tous les articles, codes, conventions, règlements, les imprimeurs auraient de beaux jours devant eux. Dorénavant, vous pouvez consulter tout cela sur le site web de la législation française, à cette adresse **www.legifrance.gouv.fr**.

Sur le même site, si vous vous intéressez au *Journal officiel*, il est possible de vous y abonner. Il vous suffit de renseigner votre adresse e-mail sur cette page **www.legifrance.gouv.fr/WAspad/AccueilAbonnement.jsp**. Ensuite, vous recevrez tous les matins les nouveaux articles du *Journal officiel*.

460. Trouver un code postal

Le problème lorsqu'on souhaite envoyer du courrier, c'est qu'on ne se rappelle jamais le code postal de la ville où habite le destinataire. Sans ce code à cinq chiffres ce n'est pas la peine d'envoyer la lettre car elle vous sera sûrement retournée.

La Poste vous offre, par l'intermédiaire de son portail Internet, la possibilité de faire une recherche sur le nom de la ville pour trouver son code postal, et inversement. Voici la page sur laquelle vous pourrez faire ce genre de recherche, **www.laposte.fr/produits/courrier/code.htm**.

Le site Internet **www.codespostaux.com** vous permet aussi de faire une recherche de codes postaux en saisissant simplement le nom de la ville.

461. S'informer sur les grèves

Le site Le monde du travail vous informe sur les dates des grèves à venir. Il vous offre aussi la possibilité de vous abonner à une newsletter qui, lors des jours de grève importants, vous informera sur la nature de la grève et vous indiquera les numéros de téléphone utiles. Sur ce site, vous trouverez aussi des modèles de lettres, un forum pour poser vos questions, et des informations relatives au monde du travail.

Figure 11.13 :
*Les sites
www.lesgreves.com et
www.lemondedutravail.com*

11.7 Petites annonces

462. Petites annonces par catégories

Le site **www.annoncenet.fr** vous propose, comme son nom l'indique, de consulter des petites annonces directement sur Internet. La particularité de ce site, outre la quantité d'annonces qu'il offre, est de vous donner la possibilité de cibler vos recherches. Cela vous permettra de voir assez rapidement si des annonces correspondent à ce que vous recherchez.

Dès la page d'accueil, vous pouvez choisir entre plusieurs rubriques classées par thèmes (Auto-moto, Immobilier, Emploi, Informatique, Rencontres, Loisirs). Ensuite, vous pouvez choisir des sous-rubriques dans lesquelles vous saisirez vos critères de recherche (fourchette de prix, limiter la recherche à un département, etc.). Le site vous permet aussi sur certaines annonces d'afficher un aperçu du produit ; c'est vraiment un plus car cela permet de se faire une idée.

Figure 11.14 :
Aperçu d'une petite annonce location sur le site www.annoncenet.fr

Pour déposer votre annonce, vous devrez vous rendre dans la rubrique *Publier/Diffuser* du site. La publication d'une annonce coûte environ 8 euros, mais le prix varie selon les sections.

463. Vous cherchez un Mac ?

Le site Sac à puce **www.sacapuce.net** est spécialisé dans le milieu informatique Apple ; vous y trouverez des news, des dossiers, un forum traitant de Macintosh. En plus de cela, le site propose une bourse de l'occasion dédiée au Macintosh, accessible directement à cette adresse **www.sacapuce.net/materiel**. Le principe est simple : une personne qui souhaite vendre ou qui recherche du matériel Apple dépose une annonce sur le site (le dépôt de l'annonce est gratuit), et les gens qui sont intéressés prennent directement contact avec la personne. C'est une technique simple et efficace. Vous pouvez vous abonner à la newsletter qui vous informera toutes les semaines des nouvelles annonces parues sur le site.

464. Faites de bonnes affaires près de chez vous

L'hebdomadaire *Bonjour*, connu pour son journal gratuit spécialisé dans les petites annonces, a aussi créé un portail Internet fondé sur le même principe. Il fonctionne comme la plupart des autres sites de petites annonces, mais en plus il propose une rubrique *Bonnes affaires* qui peut être intéressante car elle permet de repérer assez rapidement les opportunités d'affaires qui pourraient se présenter près de chez vous.

Pour accéder directement à cette rubrique, rendez-vous à cette adresse **www.bonnesaffaires.bonjour.fr**. Pour voir si vous pouvez faire de bonnes affaires près de chez vous, par l'intermédiaire du menu déroulant, sélectionnez une rubrique et une sous-rubrique et saisissez le code de votre département et/ou une ville, puis lancez la recherche. S'il y a des résultats, ils s'affichent sous forme de liste. Pour voir les annonces plus en détail, cliquez sur celle qui vous intéresse. Si la recherche est infructueuse, élargissez les critères au département pour avoir plus de chances de réponse.

11.8 Ressources système

465. Trouver la dll qui vous manque

Beaucoup de programmes demandent l'installation de diverses dll, qui ne sont pas forcément installées par défaut sous Windows. Il se peut aussi que des dll de votre système soient endommagées. Dans les deux cas, lorsque vous exécuterez un programme faisant appel à une de ces dll, vous aurez un message d'erreur vous indiquant que celle-ci est manquante ou endommagée. Ce n'est pas très grave. Dans ce cas-là, notez le nom de la dll et rendez-vous sur le site dll-files, accessible à cette adresse **www.dll-files .com**. Ce site fournit une palette complète de quasi toutes les dll existantes. Saisissez le nom de la dll qui vous manque dans le champ de recherche *Search for dll files* (situé en haut à droite de la page) et cliquez sur le bouton **Search**. Si le site dispose de la dll recherchée, une page s'affiche avec diverses informations à propos de cette dll, et un lien vous permet de la télécharger. Vous devrez utiliser Winzip pour l'extraire. Un fichier texte accompagne chaque zip, qui vous explique comment installer la dll.

466. Mais où est la police !

Windows possède une palette de polices de caractères déjà préinstallées. Si vous souhaitez en ajouter afin de les utiliser dans des logiciels comme Photoshop, Word ou tout autre soft se servant des polices de caractères, cela est possible sans grande difficulté. Le site Dafont **www.dafont.com** vous propose de télécharger plus de 3 300 polices de caractères gratuites classées par thèmes. Vous pouvez de plus lancer une recherche sur une police spécifique, ou alors visualiser les aperçus de chaque police pour vous faire une idée avant de la télécharger. Consultez le Top 100 des polices les plus téléchargées, c'est en général un bon indicateur de qualité. Le site propose aussi une sélection de logiciels en rapport avec la gestion ou la création de polices de caractères.

Figure 11.15 : *Le site Dafont www.dafont.com et la présentation de quelques polices*

REMARQUE

Comment installer une police téléchargée ?

Pour installer une police de caractères, dézippez le contenu du fichier que vous venez de télécharger dans le répertoire *C:\Windows\Fonts*. Si vous rencontrez un problème lors de l'installation d'une police, le site dispose d'une FAQ accessible à cette adresse **www.dafont.com/faq.php**. Un forum est aussi à votre disposition pour d'éventuelles questions.

---

467. De jolis fonds d'écran

Le site Au fond de l'écran **www.ecran.org** vous propose de télécharger des fonds d'écran en rapport avec la mer ou l'océan. Ce site a la particularité de vous offrir des fonds d'écran peu classiques car les images ou les peintures viennent de gens passionnés par la mer. Les fonds d'écran sont classés par thèmes : îles, coques et voiles, surf, peintures et dessins, couchers de soleil. Dans chaque thème, vous trouverez plusieurs galeries classées par auteur.

Le site vous offre aussi la possibilité d'exposer vos créations en rapport avec la mer. Il vous suffit de remplir un formulaire afin d'entrer en contact avec le webmaster du site. Cela peut être une bonne vitrine pour vos photos ou vos peintures ; n'hésitez pas à partager vos œuvres et votre passion car c'est l'essence même du Web.

468. Des icônes à gogo

Si vous souhaitez personnaliser votre Bureau et changer l'apparence de vos icônes, rendez-vous à cette adresse **http://icone.phidji.com**. Le site vous propose des centaines de bibliothèques d'icônes à télécharger gratuitement. Si vous rencontrez des problèmes ou si vous ne savez pas comment modifier les icônes sur votre ordinateur, servez-vous de la rubrique *FAQ* et du *Forum*. Les icônes sont classées par thèmes et vous pourrez aussi consulter la liste des bibliothèques les plus téléchargées afin de vous faire une idée des meilleures icônes proposées sur le site.

11.9 Emplois

469. Un moteur de recherche d'emploi

Dans le domaine de la recherche d'emploi sur le Web, beaucoup de sites ont essayé de mettre à profit les opportunités qu'offre Internet dans ce créneau. Dans la plupart des cas, cela revient à consulter des annonces en ligne et à déposer un CV sur le site afin qu'il soit vu par d'éventuels employeurs.

Le site Keljob **www.keljob.com**, lui, a eu une démarche différente. En partant du principe que c'est vous qui cherchez du travail, il a mis à votre disposition un outil qui vous permet de faire des recherches sur plus de 150 sites proposant des emplois, ce qui a pour effet de limiter la navigation et donc de vous faire gagner un temps précieux. Pour cela, il vous suffit de vous rendre sur le site et de cliquer sur le lien *Recherche avancée*. Vous accédez ainsi à un formulaire qui vous permet de lancer une recherche ciblée par région, secteur, salaire et par type de contrat. Le résultat de la requête est affiché sous la forme d'une liste ; il vous suffit de cliquer sur l'annonce qui vous intéresse pour avoir plus de détails.

470. Tout sur l'assurance chômage

Lors de la perte d'un emploi, entre les soucis et les problèmes que cela engendre, il faut en plus s'occuper de remplir tous les papiers afin de s'inscrire à l'assurance chômage. Le site Internet de l'Assedic **www .assedic.fr** propose de vous aider dans toutes vos démarches. Vous y trouverez des informations et des détails sur votre inscription et sur les démarches à effectuer pour demander l'allocation chômage. En bref, vous trouverez toutes les réponses aux questions que vous pouvez vous poser par rapport à l'assurance chômage. Les informations sont données sous forme de questions/réponses ou bien sous forme de présentation multimédia au format Flash.

471. Tout sur les CV et sur la manière de trouver un emploi

La rédaction d'un CV et les méthodes de préparation à un entretien d'embauche ne sont pas toujours des choses évidentes. De nombreux sites sur le Web proposent des modèles de CV ou des tests pour bien se préparer à un éventuel entretien. Malheureusement, la plupart de ces sites proposent ces services moyennant finance, et souvent les modèles de CV et les recommandations ne sont pas meilleurs qu'ailleurs. Le CV et la lettre de motivation sont les seuls éléments qui vont vous permettre d'obtenir un entretien, alors il est important d'y attacher un soin particulier.

Le site Action-Emploi (**www.action-emploi.net**) possède une section *Conseil CV, Lettre de motivation et entretien* dans laquelle vous trouverez une liste de liens vers différents sites proposant des conseils de rédaction pour votre lettre de motivation et votre CV. Vous pourrez accéder directement à cette section en saisissant cette adresse **www.action-emploi.net/cvconseils/conseils .htm**. Profitez-en pour visiter le site plus en détail car il possède d'autres rubriques qui vous aideront à vous diriger directement vers l'information que vous recherchez.

11.10   Le Peer to Peer

472. Fonctionnement du Peer to Peer

D'une manière simpliste, Peer to Peer pourrait être défini comme : d'égal à égal. C'est un système d'échange de fichiers, de transfert de données directement entre plusieurs ordinateurs reliés ensemble. Il n'y a pas un serveur défini qui héberge les fichiers qui sont disponibles : chaque machine joue le rôle d'un serveur de données et d'un client.

■ D'un serveur car il partage (il rend accessible) les fichiers qu'il héberge.

■ D'un client car lui-même charge par le système Peer to Peer des fichiers disponibles.

Avez-vous entendu parler de Napster ? C'est le premier programme qui permettait à votre ordinateur d'échanger des fichiers par le système Peer to Peer. Si Napster a été contraint de s'arrêter, il reste néanmoins le symbole de ce système d'échange et a permis au grand public de se familiariser avec le Peer to Peer.

N'importe quel type de données peut être échangé par un système Peer to Peer, mais les logiciels permettant l'échange Peer to Peer sont souvent spécialisés dans des types de données bien précis (cela est fonction de leur technologie).

Tableau 11-1 : Les programmes de partage Peer to Peer les plus répandus		
Programme	**Type de fichiers conseillé/admis**	**Adresse officielle**
Kazaa	Tous fichiers supportés, mais utilisé principalement pour les fichiers audio	www.kazaa.com
eDonkey	Tous fichiers volumineux (films en Divx, CD entiers...)	www.edonkey2000-france.com
Emule	Tous fichiers volumineux (identique à eDonkey)	www.emule-project.net
WinMX	Tous fichiers (utilisé principalement pour les fichiers audio)	www.winmx.com www.winmx-france .com
Morpheus	Tous fichiers (utilisé principalement pour les fichiers audio)	www.morpheus-os.com
iMesh	Tous types de fichiers.	www.imesh.com www.imesh.com/languages.php?lang=fr

473. Installation de Kazaa Media Desktop (version 2.6)

Kazaa (raccourci de Kazaa Media Desktop : KMD) est un programme très répandu d'échange de fichiers de toutes sortes (vidéo, documents texte, programmes), mais il est principalement utilisé pour l'échange de fichiers musicaux *.mp3*.

Site officiels de Kazaa :

■ www.kazaa.com (le site officiel, en anglais).

Téléchargement du programme d'installation

1. Rendez-vous à l'adresse **www.kazaa.com/us/index.htm**.

2. Cliquez sur le lien *Download Now*.

3. Après quelques secondes, vous êtes redirigé vers la page **www.kazaa .com/us/products/downloadKMD.htm**. Dans la colonne Kazaa v 2.6 Free, cliquez sur le bouton **Download (6.7 Mb)**.

4. Vous êtes redirigé sur une dernière page où vous devrez cliquer sur le bouton vert : **Download Now**.

Figure 11.16 :
Cliquez sur Download Now

Installation

Exécutez le programme d'installation de Kazaa, *Kmd.exe* (si vous n'avez pas choisi une installation automatique lors du chargement). L'installation se déroule en six étapes :

1. Cliquez sur le bouton **Next** de la première boîte de dialogue **Kazaa Media Desktop Installer**.

2. Vous devez cocher la case *I agree to the Kazaa…* indiquant que vous acceptez d'installer Kazaa avec les programmes et plug-ins qui y sont associés. Ces programmes ne sont absolument pas nécessaires au fonctionnement de l'échange peer to peer et sont même nocifs dans le sens où ils vous imposent de la publicité et vous espionnent à votre insu. Pour installer Kazaa en version gratuite, vous n'avez pas d'autre choix que de cocher cette case et continuer l'installation (même si ensuite vous enlevez ces programmes indésirables).

3. Cochez la case *I have read and agree to the GAIN...* relative à l'accord de licence de Gain Network Privacy puis cliquez sur **Next**. (Là encore, il s'agit d'un partenariat entre KMD et diverses sociétés affiliées qui s'exécute au détriment de l'utilisateur.)

4. Passez la quatrième étape en cliquant sur le bouton **Next**.

5. Le téléchargement des composants de Kazaa s'exécute puis s'installe. Cliquez sur le bouton **Next** à l'issue de l'opération.

6. L'installation terminée, cliquez sur **Launch KMD** pour exécuter le programme.

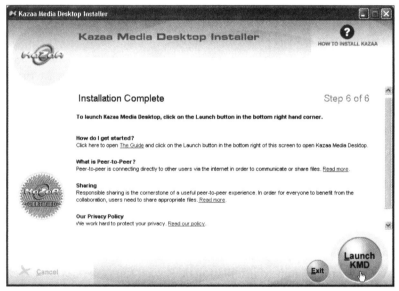

Figure 11.17 : *Vous avez correctement installé Kazaa*

474. Installation de Kazaa Media Desktop en français (version 2.0.2)

La version française de Kazaa est une version antérieure, ne bénéficiant pas des dernières nouveautés du logiciel

Téléchargement du programme d'installation

1. Rendez-vous à l'adresse **www.kazaa.com/fr/products/downloadKMD.htm**.

2. En dessous de la phrase Téléchargez Kazaa v2.0.2 en français, allemand ou espagnol, cliquez sur le lien *Téléchargez Maintenant!*.

3.  Vous êtes dirigé sur la page Kazaa Media Desktop (International) 2.0.2 popular. Cliquez sur *Download Now*.

4. Après quelques secondes, la boîte de dialogue **Téléchargement de fichiers** apparaît. Comme d'habitude, choisissez le bouton **Ouvrir** si vous voulez lancer l'installation automatiquement après le téléchargement, ou **Enregistrer** si vous voulez garder le programme d'installation après son exécution (cela vous évite de charger plusieurs fois le même programme en cas d'installation sur plusieurs ordinateurs, mais vous devrez tout de même être connecté à Internet pour effectuer l'installation). Nom de programme : *kmd_esfrde.exe*.

Installation

1. Exécutez le programme d'installation de Kazaa, *kmd_esfrde.exe* (si vous n'avez pas choisi une installation automatique lors du chargement).

2. Sélectionnez *Français (2.0.2)* dans la liste déroulante *Select Language* et cliquez sur le bouton **Suite**.

Figure 11.18 :
N'oubliez pas de choisir la version francophone

3. Suivez l'évolution et le téléchargement du programme au travers de la boîte de dialogue **Démarrage - Media Desktop Kazaa** (environ 4,46 Mo). Cliquez sur le bouton **Suivant** lors de l'affichage de l'écran de bienvenue.

4. Lisez la licence et la configuration minimale requise. Validez la case *J'accepte les conditions d'utilisation*, puis cliquez sur le bouton **Suivant**.

5. Le dossier cible est l'endroit où le programme s'installe. Modifiez au besoin la valeur par défaut *C:\Program Files\Kazaa* et cliquez sur le bouton **Suivant**.

6. Cliquez successivement sur les six liens de la partie gauche de la boîte de dialogue **Promotions Kazaa** et décochez chaque fois : *Installer...* (ces programmes n'ont aucune influence sur le fonctionnement du programme lui-même, et vous ne vous en servirez sûrement jamais). Liste des liens :

- *Kazaa est gratuit* (par défaut, installe ou ôte tous les logiciels promotionnels).
- *SaveNow*.
- *DelFin*.
- *MediaLoads*.
- *b3d Projector*.
- *News.net*.

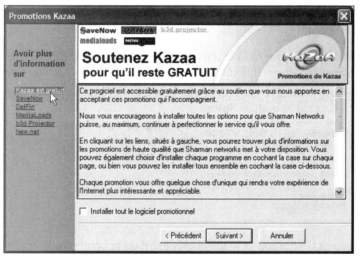

Figure 11.19 : *Tour à tour, sélectionnez chaque lien de la partie gauche et décochez (sauf envie contraire) l'installation du programme promotionnel*

7. Après avoir décoché les programmes que vous ne voulez pas installer, cliquez sur le bouton **Suivant**.

8. Laissez les options par défaut de la boîte de dialogue **Configurer votre Kazaa** et cliquez sur le bouton **Suivant**.

9. Vérifiez si les renseignements affichés correspondent à ce que vous voulez et cliquez sur le bouton **Suivant**.

10. Le programme finit l'installation.

Vérification difficile

Lors de la rédaction de cet ouvrage, le lien **www.kazaa.com/privacy/bundles** .htm, censé donner des renseignements supplémentaires sur les partenaires de Kazaa, aboutit sur une erreur de page inexistante.

---

475. Paramétrage de Kazaa Media Desktop

Lors de la première utilisation de Kazaa, certains réglages sont nécessaires afin d'optimiser l'utilisation du programme. Voici les réglages qui conviendront pour une utilisation courante.

Options du Bureau Médias de Kazaa

Accédez à ces réglages en cliquant sur le menu **Outils** puis **Options**.

1. Onglet **Mon Kazaa**.

   – Dans la zone de saisie texte *Nom d'utilisateur*, inscrivez un pseudonyme de votre choix.

   – Décochez la case *Souscrire au bulletin de Kazaa*.

   – Inscrivez une adresse composée de cette façon nomd_utilisateur@Kazaa.com dans la zone de saisie texte *Adresse électronique* (d'une manière générale, évitez au maximum de distribuer votre vraie adresse e-mail).

   – Décochez la case *Lancer le Bureau Médias de Kazaa automatiquement*.

2. Onglet **Téléchargements en envois**.

   – Nombre maximal de téléchargements : inscrivez 3 si vous avez une connexion RTC (par modem), et 30 si vous avez une connexion haut débit.

   – Nombre maximal d'envois : inscrivez 3 si vous avez une connexion RTC (par modem), et 10 si vous avez une connexion haut débit.

3. Onglet **Messages**.

– Cochez la case *Ignorer tous les messages qui arrivent*.

4. Onglet **Pare-feu**.

– Cochez la case correspondante et inscrivez les paramètres de la rubrique *Serveur Proxy SOCKS5* si vous êtes connecté derrière un proxy.

– Rubrique *Ports d'arrivée*, veillez à ce que le port inscrit dans la zone de saisie texte *Utiliser le port* soit effectivement ouvert par votre pare-feu.

5. Ces réglages étant effectués, cliquez sur le bouton OK.

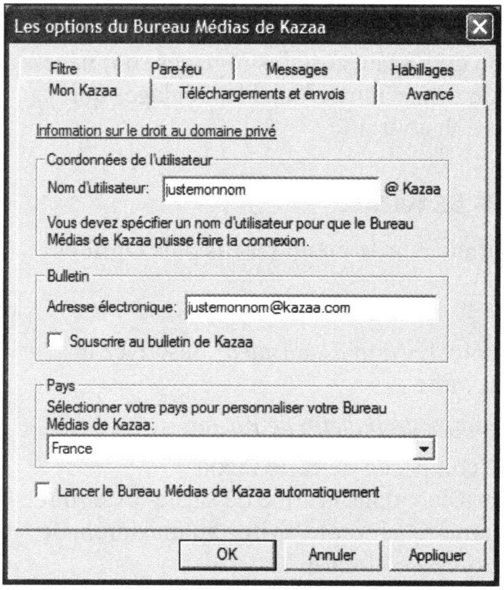

Les options du Bureau Médias de Kazaa

| Filtre | Pare-feu | Messages | Habillages |
| Mon Kazaa | Téléchargements et envois | | Avancé |

Information sur le droit au domaine privé

Coordonnées de l'utilisateur

Nom d'utilisateur : justemonnom @ Kazaa

Vous devez spécifier un nom d'utilisateur pour que le Bureau Médias de Kazaa puisse faire la connexion.

Bulletin

Adresse électronique : justemonnom@kazaa.com

☐ Souscrire au bulletin de Kazaa

Pays

Sélectionner votre pays pour personnaliser votre Bureau Médias de Kazaa :

France

☐ Lancer le Bureau Médias de Kazaa automatiquement

OK   Annuler   Appliquer

Figure 11.20 :
Prenez l'habitude de toujours restreindre la diffusion de votre véritable adresse e-mail !

Définition des répertoires à partager avec les autres utilisateurs

Pour que le système d'échange Peer to Peer (dans son esprit) fonctionne correctement, vous devez éviter un comportement égoïste et proposer à d'autres utilisateurs certains fichiers de votre disque dur (souvent, des fichiers que vous avez déjà chargés chez d'autres utilisateurs).

1. Automatiquement, la boîte de dialogue **Importation de fichiers Kazaa** s'affiche lors de la première utilisation du programme. À partir d'ici, vous allez désigner les fichiers que vous voulez partager sur le réseau Peer to Peer.

2. Cliquez sur le bouton **Liste des dossiers**. Notez qu'un dossier est déjà désigné : il s'agit du dossier *C:\Program Files\Kazaa\My Shared Folder*. Laissez ce dossier par défaut, il contiendra à la fois les fichiers que vous téléchargerez et les fichiers que vous partagerez.

3. Cliquez sur le bouton OK.

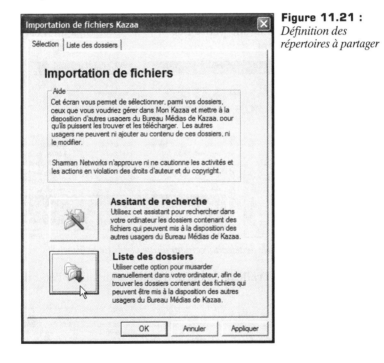

Figure 11.21 :
Définition des répertoires à partager

476. Recherche et téléchargement avec Kazaa Media Desktop

Une fois que les réglages de configuration sont effectués, vous êtes enfin prêt à vous servir de Kazaa.

1. Cliquez sur le menu **File**, puis sur **New P2P search** (ou cliquez sur l'icône de la barre d'outils *Search*).

2. Inscrivez un mot relatif à votre quête dans la zone de saisie texte *Search for*.

3. Cliquez sur le bouton **Search**.

4. La recherche débute. Les éventuelles réponses apparaissent sous la forme d'une liste dans la partie droite du programme.

5. Double-cliquez sur le fichier que vous voulez télécharger ou sélectionnez une liste de fichiers en cliquant sur les deux extrémités de la liste. Tout en maintenant la touche [Maj] enfoncée, cliquez du bouton droit de la souris sur un des fichiers sélectionnés et choisissez la commande du menu contextuel **Télécharger**.

6. L'icône du fichier affiche une petite flèche verte indiquant qu'il est en cours de téléchargement.

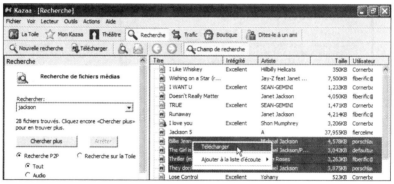

Figure 11.22 : *Demande de téléchargement d'une partie de la liste*

7. Cliquez sur le bouton **Trafic** de la barre d'outils pour suivre l'état du téléchargement.

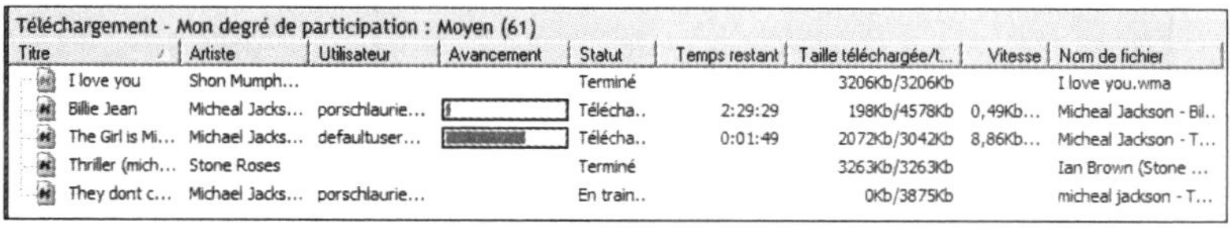

Figure 11.23 : *Progression du téléchargement en cours*

8. Lorsque le téléchargement est terminé, retrouvez vos fichiers dans votre répertoire partagé (*C:\Program Files\Kazaa\My Shared Folder* si vous ne l'avez pas modifié).

I love you.wma Ian Brown kmd202_fr.exe Micheal Jackson
(Stone Rose...   - The Girl is M...

Figure 11.24 :
Les fichiers ont correctement été chargés

Législation

Vous pouvez charger un fichier seulement s'il est libre de droits (domaine public) ou si vous avez payé les droits d'auteur. Consultez les pages www .juriscom.net/pro/1/da19990617.htm, www.sacem.fr pour avoir plus de renseignements.

477. Installer eDonkey

Autre logiciel d'échange Peer to Peer, eDonkey convient principalement pour les gros fichiers (vidéo).

1. Rendez-vous sur le site officiel de eDonkey à l'adresse www .edonkey2000.com/download_ed2k.php.

2. Cliquez sur *Download* de la ligne eDonkey2000 GUI version.

eDonkey2000 Basic

Windows 98/NT/2000/ME/XP

eDonkey2000 GUI version   v0.52   Download
Command Line Client   v0.52   Download

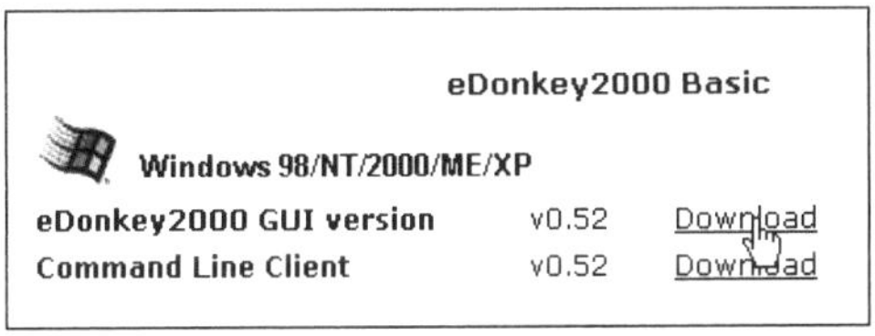

Figure 11.25 :
Téléchargez la dernière version GUI

3. La boîte de dialogue **Téléchargement de fichiers** s'affiche. Comme d'habitude, le bouton **Ouvrir** exécute le programme d'installation dès la fin de son chargement, et le bouton **Enregistrer** permet de le sauvegarder pour ne plus avoir à le recharger. Choisissez par exemple le bouton **Ouvrir** (*eDonkey0.52.exe* 1,25 Mo).

4. Le programme étant chargé, l'installation commence. Cliquez sur le bouton **I agree**, signifiant votre accord avec la licence d'utilisation du programme. Des fichiers continuent à être téléchargés.

5. L'installation commence. Dans la liste déroulante *Choose your preferred language below*, choisissez *Français* puis cliquez sur le bouton **Next**.

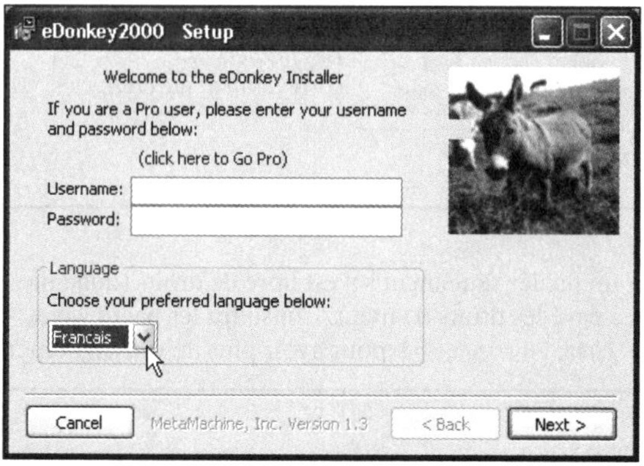

Figure 11.26 :
Choisissez l'affichage en français

6. Après quelques instants de téléchargement, la boîte de dialogue **Setup : Installation folder** s'affiche. Laissez le répertoire d'installation par défaut et cliquez sur **Next**.

7. Laissez le type d'installation Standard et cliquez sur le bouton **Next**.

8. Décochez toutes les cases des logiciels additionnels puis cliquez sur le bouton **I Agree**.

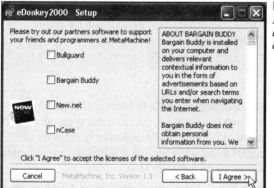

Figure 11.27 :
Ne vous encombrez pas avec ces programmes : décochez toutes les cases

9. Vous avez fini l'installation. Cliquez sur le bouton **Finish** : par défaut le programme s'exécute.

478. Paramétrer eDonkey

L'installation d'eDonkey achevée, vous devez maintenant paramétrer le programme. Un assistant s'exécute automatiquement dès l'ouverture de celui-ci.

1. L'assistant vous propose de vous prévenir des nouveautés d'eDonkey par email. Évitez au maximum de distribuer votre adresse, surtout auprès de sociétés étrangères peu scrupuleuses : vous vous exposeriez au spamming (réception d'un très grand nombre de courriers publicitaires non sollicités). Dans le cas présent, la visite régulière du site d'eDonkey, par exemple, vous renseignera sur les nouveautés autour de ce produit. Cliquez sur le bouton **Next**.

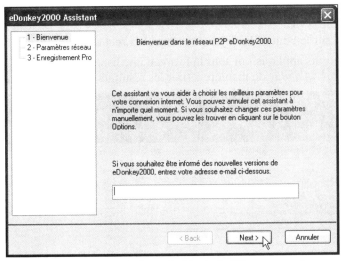

Figure 11.28 : *Prenez la bonne habitude de diffuser votre adresse e-mail avec prudence et parcimonie !*

2. Renseignez votre type de connexion dans la liste déroulante *Type de connexion Internet* :

    – *56K* : "modem classique".

    – *Réseau ou LAN* : Réseau local.

    – *Cable* : Câble.

    – *ADSL* : DSL (ADSL).

    – *Autre* : autre type de connexion

3. Cliquez sur le bouton **Next**, puis sur le bouton **Finish**.

479. Télécharger un film avec eDonkey

La recherche et le téléchargement se font d'une manière très intuitive :

1. Cliquez sur le bouton **Rechercher**.

2. Inscrivez le mot clé dans la zone de saisie texte *Mot Clé*.

3. Choisissez éventuellement un type de document particulier dans la liste déroulante *Format*.

4. Cliquez sur le bouton **Envoyer** pour lancer la recherche.

5. Les résultats apparaissent sous la forme d'une liste. Cliquez sur la colonne *Availability* de manière à trier les résultats selon cet attribut.

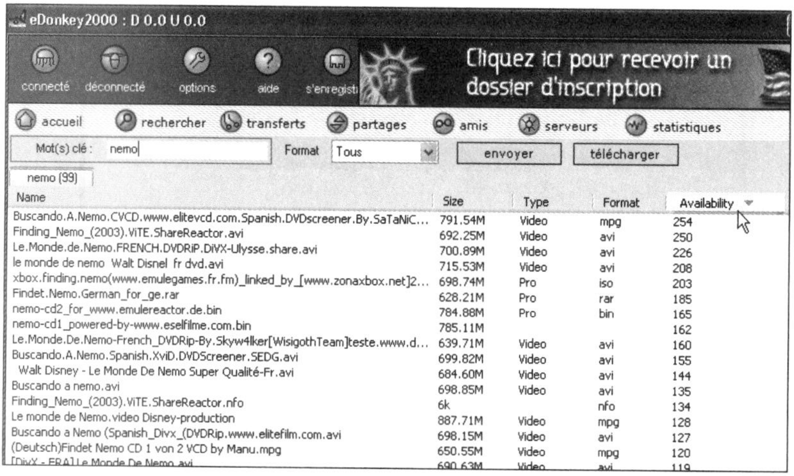

Figure 11.29 : *Triez les fichiers selon leur viabilité*

6. Double-cliquez sur les deux ou trois premiers résultats (en français) pour lancer le téléchargement de ces fichiers.

7. Cliquez sur le bouton **Transferts** pour suivre l'évolution du ou des téléchargements en cours et vous assurer que celui-ci a bien débuté.

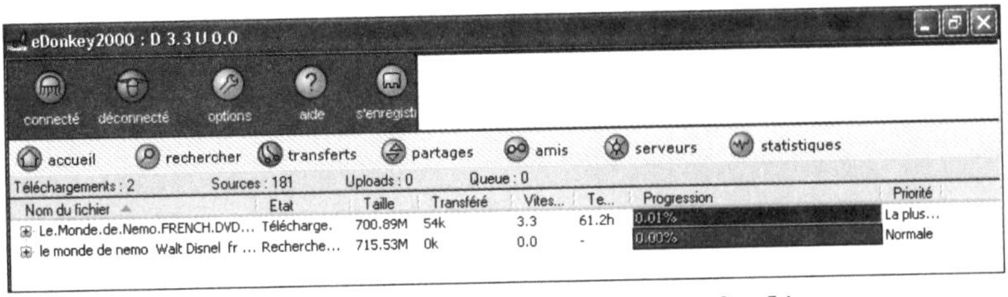

Figure 11.30 : *Le transfert débute. Il faut environ entre 3 et 5 jours avec une connexion ADSL 640 Ko/s pour charger un film compressé d'environ 650 Mo.*

REMARQUE

Lecture des fichiers vidéo

Afin d'éviter d'avoir à télécharger des fichiers gigantesques, les vidéos proposées sur le réseau sont compressées. Il vous faudra un décodeur audio et un décodeur DivX pour pouvoir les visionner.

Consultez les sites **www.divxfr.com**, **http://fanfan78.free.fr**.

REMARQUE

Droits d'auteur

Tout comme la musique et les fichiers MP3, il est interdit de télécharger et visionner un film pour lequel vous n'avez pas l'autorisation de le faire.

CHAPITRE
12

Webmasters

Webmasters

Ce chapitre s'adresse principalement aux webmasters et aux lecteurs qui ont un site Internet et un minimum de connaissances en HTML.

12.1 Serveurs, gestion de l'hébergement et du domaine

480. À qui appartient ce site ?

Vous voulez savoir à qui appartient un nom de domaine ? En savoir un peu plus sur un domaine d'adresse mail ?

Le petit programme AWhois vous permet d'effectuer les recherches en toute simplicité en interrogeant de manière rapide et simple le serveur Whois de votre choix sur une liste d'environ 230 serveurs.

1. Téléchargez et exécutez le programme AWhois sur le site http://members .Eunet.at/k.weide/awhois.htm.

2. Inscrivez dans la zone de saisie texte *Query* le domaine sur lequel vous voulez des renseignements.

   Un nom de domaine peut être relevé :

   — Sur une adresse Internet (nom de la racine du site). Par exemple, le nom de domaine du site http://www.disney.fr est disney.fr. Le nom de domaine du site http://perso.wanadoo.fr/sous.marin/agaasm/ est perso.wanadoo.fr.

   — Sur une adresse mail (partie après l'arobase @). Par exemple, le domaine de l'adresse factice@free.fr est free.fr. Le domaine de l'adresse factice@hotmail.com est hotmail.com.

3. Dans la rubrique *Whois Servers*, validez l'option correspondant au suffixe de l'adresse (si elle n'y figure pas, essayez .com. D'une manière générale, et quel que soit le suffixe, commencez la recherche par le serveur dns411.com de la catégorie .com).

4. Dans la liste des serveurs, double-cliquez sur celui que vous voulez interroger.

5. Les réponses sont variables selon les serveurs, mais vous aurez les renseignements en cas de recherche fructueuse.

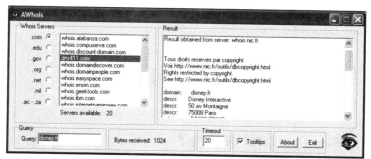

Figure 12.1 : *Recherche fructueuse sur le domaine disney.fr*

Interrogez directement sur un site web

Lorsque vous avez trouvé un serveur qui contient l'information demandée, allez directement sur le site web du serveur et interrogez-le à nouveau. Les informations recueillies seront plus complètes. Par exemple, en interrogeant par AWhois le domaine laposte.net, nous avons une réponse avec le serveur dnx411.com. Allez ensuite sur le site **http://dns411.com** et soumettez la même requête : la réponse pourra être plus complète.

481. Connaître l'adresse IP correspondant à un site (un ordinateur)

L'adresse IP d'un site et son hébergement sont intimement liés. L'une de ces valeurs vous renseigne sur l'autre de cette façon :

Rendez-vous sur le site **www.infobear.com/cgi-bin/nslookup.cgi**, saisissez l'adresse IP ou le domaine dans la zone de saisie texte *Hostname or IP Address of the machine to look up* et cliquez sur le bouton **Run nslookup.**

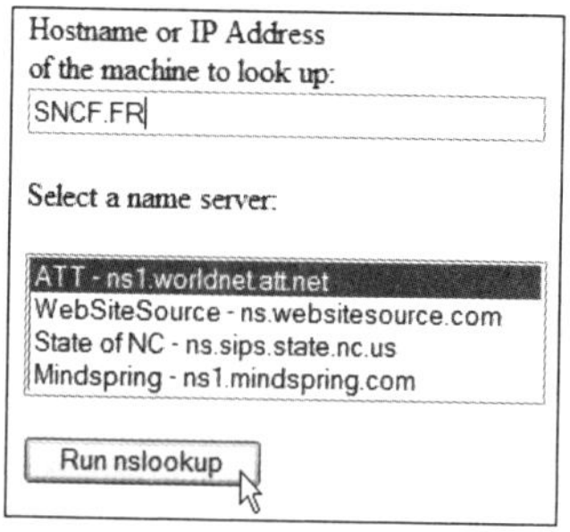

Figure 12.2 :
Recherche d'une adresse IP

D'autres sites proposent une recherche NSLOOKUP, par exemple :

- http://dns411.com
- http://cc-www.uia.ac.be/ds/nslookup.html
- www.bankes.com/nslookup.htm

482. Connaître la disponibilité d'un nom de domaine

Vous découvrirez vite si le nom de domaine que vous voulez acheter est déjà pris, car un nom de domaine est unique, et il est impossible d'acheter un domaine déjà occupé. Vous pouvez néanmoins effectuer des recherches rapides, plusieurs sites Internet proposant ce service :

- http://sedo.fr/main.php3?language=fr
- www.uwhois.com/cgi/domains.cgi?User=NoAds
- www.whoisdomaine.com
- www.internic.net/whois.html (en anglais)

Si le nom que vous pensiez utiliser pour votre site est déjà pris, n'oubliez pas qu'un suffixe différent équivaut à une adresse différente. Autrement dit, si le nom est occupé, essayez le même nom de domaine avec un autre suffixe !

483. Monter gratuitement son site web

C'est extrêmement simple et à la portée de tout utilisateur : créez des pages web et chargez-les chez votre hébergeur.

1. Votre fournisseur d'accès vous offre un espace web (un hébergement). Au besoin, vous devez activer votre espace :
    - Free http://inscription.free.fr/acces/pagesperso.html.
    - Tiscali surf www.chez.tiscali.fr/hebergement/abonne.asp.
    - AOL http://pagesperso.aol.fr.

2. Abonnez-vous à une formule gratuite et faites héberger votre site tout en continuant à vous connecter avec votre FAI principal :
    - Free http://subscribe.free.fr/freetelecom/index0.html.
    - Tiscali surf, http://register.tiscali.fr/acces_gratuit.

3. Trouvez un hébergeur gratuit :

- Lycos/Multimania www.multimania.lycos.fr/myaccount/freehosting (50 Mo).

- ifrance www.ifrance.com/_inscrip/?ressource=SITE.

- Hosteur www.hosteur.com/index.php?page=gratuit/ form_gratuit_inscription.

484. Monter un site web avec son nom de domaine

Deux éléments sont nécessaires afin de créer un site Internet :

1. Posséder un nom de domaine. Vous devez l'acheter dans un organisme (le Registrar) pour en être propriétaire. La durée de cette acquisition est variable selon la formule choisie. Dépêchez-vous, les enregistrements de noms de domaine se font selon le principe : First Come/First Served (premier arrivé, premier servi).

Achetez votre nom de domaine à ces adresses :

Tableau 12-1 : Différents Registrars	
Adresse	**Suffixes proposés**
www.leregistrar.com	.COM .NET .ORG .FR
www.dns.lu/fr	.LU
www.franceregistrar.com	.COM .NET .ORG .INFO .BIZ .CO.UK .ORG.UK .BE .US
www.ovh.com/fr	.COM .NET .ORG .BE .FR
www.amen.fr	.COM .NET .ORG .FR .BIZ .ONFO .BE .TM .RE (et beaucoup d'autres sur www.amen.fr/others.php)
www.gandi.net	.BIZ .COM .INFO .NAME .NET .ORG

2. Être détenteur d'un hébergement. C'est le serveur sur lequel vous stockerez vos données. Ce serveur est accessible via une adresse IP et un nom de serveur. Ce sont ces informations que vous donnerez à votre Registrar afin qu'il associe votre nom de domaine avec votre hébergeur. Voici une liste de quelques hébergeurs :

- http://imingo.net

- www.sivit.fr
- www.webvisio.fr
- http://hebergement-web.com
- www.fac-multimedia.fr/hebergement.html
- www.fid.fr
- www.nvphost.com

Au lieu d'utiliser un hébergeur, vous pouvez héberger vous-même le site sur votre PC.

1. Installez et exécutez sur votre PC un programme serveur, par exemple :
   - APACHE (ou easyPHP qui comprend APACHE + PHP + MySQL).
   - IIS (fourni avec Windows XP Pro, Windows NT, Windows 2000).
   - PWS (*Personal Web Server*), fourni depuis Windows 95.

2. Chez votre Registrar, spécifiez votre adresse IP et le nom de votre ordinateur. (Si vous avez une adresse IP dynamique, orientez-vous vers un site comme www.dyndns.org, ou certains programmes dont Bali DynDNS www.baliciel.com/softwares/baliddns.htm, ou DirectUpdate www.directupdate.net anglais, shareware.)

485. Suffixe des noms de domaine

Les suffixes de noms de domaine sont les dernières lettres d'un nom de domaine. Ils servent en théorie à donner une rapide indication sur le type de site.

Tableau 12-2 : Quelques suffixes de noms de domaine	
Suffixe	**Assignation prévue**
.be	Suffixe des sites belges
.biz	Business (?)
.ca	Suffixe des sites canadiens
.ch	Suffixe des sites suisses
.com	Organisation commerciale (en théorie)

Tableau 12-2 : Quelques suffixes de noms de domaine	
Suffixe	**Assignation prévue**
.coop	Coopératives
.de	Suffixe des sites allemands
.edu	Éducatif
.eu	Sites de l'Union européenne (devrait être disponible vers la fin de l'année 2003)
.fr	Suffixe des sites français (majoritairement réservé aux entreprises)
.gov	Gouvernement
.ie	Suffixe des sites irlandais
.info	Sites d'informations
.int	Internet
.jp	Suffixe des sites japonais
.mil	Militaire
.museum	Musées
.net	Service réseau (en théorie)
.org	Autres organisations (en théorie)
.pro	Professionnel
.se	Suffixe des sites suédois
.uk	Suffixe des sites du Royaume-Uni
.ru	Suffixe des sites russes
.cn	Suffixe des sites chinois
.us	Suffixe des sites américains

486. Les grandes lignes du fichier .htaccess

Il y a deux grands types de serveurs HTTP qui hébergent les sites Internet :
Apache et IIS.

Généralités :

- Un serveur Apache (Apache Software Foundation) interprète le langage dynamique PHP et exploite une base de données MySQL.
  Visitez les sites Internet (en anglais) **www.apache.org** (**www.apachefrance.com**), **www.php.net**, **www.mysql.com**. Apache, PHP et MySQL sont des produits entièrement gratuits.

- IIS (Microsoft) interprète le langage dynamique ASP et est souvent connecté à une base de données Access.

À moins de l'avoir choisi spécifiquement, vous hébergerez sûrement vos pages personnelles ou votre site web sur un serveur Apache, ce type de serveur gratuit étant majoritaire sur le Web. Sur un tel serveur, certains paramètres spécifiques à votre site Internet se définissent par l'intermédiaire d'un fichier particulier que vous déposez chez votre hébergeur avec vos pages web.

Il s'agit d'un simple fichier texte nommé *.htaccess* (précédé du point). Voici quelques-unes de ses possibilités :

Pages d'erreur personnalisées

Vous pouvez diriger le visiteur de votre site sur des pages d'erreur personnalisées :

Inscrivez dans votre fichier *.htaccess* l'instruction ErrorDocument suivie du numéro d'erreur à traiter, puis l'URL de la page web à afficher.

Par exemple,

```
ErrorDocument 404 http://www.faqoe.com/404.htm
```

signifie qu'en cas d'erreur 404, la page à afficher sera la page **www.faqoe.com/404.htm**.

*Retrouvez les codes d'erreur HTTP à l'astuce **Codes d'erreur HTTP** du chapitre **Chapitre commun**.*

Restreindre l'accès à des parties de votre site

Vous pouvez restreindre l'accès de votre site ou du dossier dans lequel se situe le fichier *.htaccess* :

Les instructions DENY et ALLOW permettent respectivement d'interdire ou d'autoriser les utilisateurs d'après une adresse IP, un domaine... Vous pouvez définir ces restrictions sur le répertoire en cours, sur des fichiers précis...

Par exemple :

```
<files bdconnect.php3>
   Order Deny,Allow
   Deny From All
</files>
```

spécifie que le fichier *Bdconnect.php* est interdit à tous les utilisateurs (ne vous inquiétez pas, vous pourrez y accéder par le serveur FTP).

Autres fonctions

Les possibilités et fonctions de *.htaccess* sont immenses. Vous pouvez également :

- Définir un mot de passe pour laisser l'accès à une partie de votre site, un répertoire, un document.

- Obliger certains types de fichiers à être téléchargés plutôt qu'exécutés chez le client (par exemple, forcer le téléchargement d'un fichier *.mid*).

- Définir une page différente que les pages d'origine (*Index.php*, *Index.html*...).

- Définir une redirection.

- Restreindre l'affichage des fichiers lors du listage du répertoire.

- D'autres fonctions.

ASTUCE

Créer le fichier .htaccess sous Windows

Le fichier *.htaccess* doit être transmis sur votre espace web par mode Texte. Le fichier devant commencer par un point *.htaccess*, Windows considère qu'il ne porte pas de nom et refuse sa création. Voici une des manières de créer le fameux fichier *.htaccess* : saisissez le script suivant dans un fichier que vous nommerez avec l'extension *.vbs*. Un double-clic sur ce script créera le fichier *.htaccess* dans le répertoire courant.

```
Set fso = CreateObject("Scripting.FileSystemObject")
Set createText = fso.CreateTextFile(".htaccess")
Set fso=nothing
```

Pour en savoir plus sur les fichiers *.htaccess*, consultez ces quelques liens :

En anglais : **http://javascriptkit.com/howto/htaccess.shtml** et **http://apache-server .com/tutorials/ATusing-htaccess.html.**

En français : **www.eleves.ens.fr/tuteurs/internet/web/htaccess.html**, **http:// webeleve.ensmp.fr/services/faq/pages_web/aide07.html**, **www.phpfrance.com/ tutorials/index.php?id=30.**

487. Avoir une adresse de messagerie sur son domaine

C'est un service proposé par plusieurs hébergeurs de sites web. Il ne s'agit pas d'hébergement des pages personnelles mises à disposition par votre fournisseur d'accès, mais d'hébergement de votre nom de domaine.

Si ce service est proposé, vous pourrez activer des adresses avec votre nom de domaine. Par exemple, si vous avez acheté et fait héberger le domaine monsiteperso.com, vous pourriez avoir des adresses sous la forme : compte@monsiteperso.com.

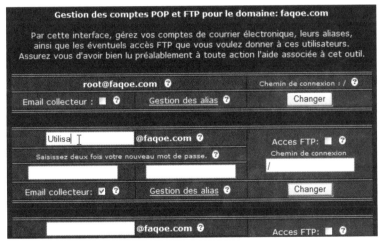

Figure 12.3 : *Création d'un compte courrier sur un domaine*

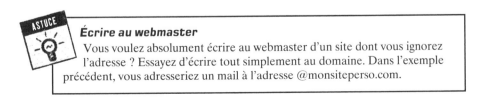

Écrire au webmaster

Vous voulez absolument écrire au webmaster d'un site dont vous ignorez l'adresse ? Essayez d'écrire tout simplement au domaine. Dans l'exemple précédent, vous adresseriez un mail à l'adresse @monsiteperso.com.

488. Envoyer du courrier depuis un site hébergé chez Free.fr

La fonction PHP d'envoi de courrier mail() est désactivée sur les sites hébergés par Free, mais ils proposent comme alternative la création d'un formulaire dont les données sont envoyées au programme de leur serveur form2mail. Ce programme vous envoie ensuite les données dans votre boîte aux lettres.

1. Dans votre page web (*.html, .php*…), créez un formulaire dont la balise <FORM> envoie les données au programme form2mail.

```
<FORM METHOD="POST"
✂ ACTION="http://perso0.free.fr/cgi-bin/form2mail.pl">
```

2. Une fois que vous avez appuyé sur le bouton **Submit** pour valider le formulaire, vous recevez un mail à l'adresse du login de votre site. Dans ce mail seront transmises les données du formulaire rempli "en ligne". Dans le même temps, la page contenant le formulaire charge et affiche une nouvelle page *Result.html* qui doit se trouver dans le même répertoire.

Consultez directement la documentation de Free

Vous retrouverez ces renseignements directement sur la page http://support.free.fr/web/pperso/forms.html, d'où vous pourrez aussi télécharger deux pages HTML mettant en pratique cette manipulation.

12.2 HTML

489. Les recommandations "officielles"

La véritable documentation officielle, le standard dans le domaine des codes HTML, XML, des styles et CSS (et d'autres techniques), est celle mise au point et publiée par le Consortium du Web : le W3C (*World Wide Web Consortium*) à l'adresse www.w3.org.

Certains documents sont traduits en français ; vous avez la liste et les liens de ceux-ci à l'adresse www.w3.org/Consortium/Translation/French. Pour citer les plus utiles :

- HTML 4.0 à www.la-grange.net/w3c/html4.01/cover.html.
- CSS1 à www.yoyodesign.org/doc/w3c/css1/index.html.
- CSS2 à www.yoyodesign.org/doc/w3c/css2/cover.html.
- XML 1.0 à http://babel.alis.com/web_ml/xml/REC-xml.fr.html.
- SVG1 à www.yoyodesign.org/doc/w3c/svg1.

Ces documents, qui sont la traduction des documents officiels, sont accessibles gratuitement dans leur totalité. C'est la référence !

490. Tester votre code HTML

Vous pouvez vérifier en ligne que le code HTML et/ou CSS de vos pages HTML et XHTML est écrit selon la norme définie par le W3C (*World Wide Web Consortium*). Rendez-vous à l'adresse www.w3.org et choisissez HTML Validator ou CSS Validator. En cas de succès de votre test, vous pourrez afficher un logo indiquant la conformité de votre code.

Pour tester la bonne rédaction du code lui-même, le programme CSE HTML Validator disponible à l'adresse www.htmlvalidator.com propose une analyse et un débogage de vos pages web.

491. Mettre en place une redirection de page

Vous avez changé l'adresse de votre page ou de votre site ? Vous avez la possibilité de mettre en place un "redirecteur". Après un temps donné (pour que le visiteur lise le texte expliquant que la page a déménagé), la nouvelle page que vous avez désignée s'ouvre sans que le visiteur ait eu à intervenir.

Dans le header de la page, inscrivez la ligne :

```
<META HTTP-EQUIV="REFRESH" CONTENT="2;
⌐ URL=http://nouvelleadresse.com">
```

Où CONTENT contient la valeur en secondes après laquelle la page est redirigée, et URL désigne la nouvelle adresse.

Cette technique de redirection automatique est déconseillée par le W3C car le REFRESH va couper le fil de retour. C'est-à-dire que les adresses mémorisées en appuyant sur le bouton **Page précédente** du navigateur vont être effacées.

Pour être en conformité avec le W3C, ne faites pas de redirection automatique, mais informez vos visiteurs et demandez-leur d'accéder au nouveau site en cliquant sur un lien, que vous créerez à cet effet vers votre nouvelle adresse (**www.w3.org/2001/06tips/reback**).

492. Les balises META (métadonnées)

Les balises META que vous pouvez inscrire dans le header d'une page web renseignent les moteurs de recherche sur le contenu et les caractéristiques de cette page.

Elles s'inscrivent sous la forme :

```
<META NAME="element" CONTENT="valeur">
```

Tableau 12-3 : Les principaux éléments de métadonnées	
Élément (element)	**Description**
AUTHOR	Nom de l'auteur du document
COPYRIGHT	Information relative au copyright
DESCRIPTION	Description
KEYWORDS	Mots clés qui seront utilisés dans le moteur de recherche
CONTENT-LANGAGE	Langage utilisé
ROBOT	Indique ce qui doit ou ne doit pas être indexé (ALL, INDEX, NOFOLLOW et NOINDEX)
DATE	Date de création

Consultez la documentation relative aux métadonnées sur les pages :

- www.w3.org/TR/REC-html40/struct/global.html#edef-META
- www.la-grange.net/w3c/html4.01/struct/global.html#h-7.4.4.2
- http://peccatte.karefil.com/software/Metadata.htm#Meta

Des métatags faciles

Créez vos métadonnées facilement en ligne à partir de la page www
.i-services.net/plus/generateur_meta_tags.php.

493. Désigner une icône pour son site

Vous pouvez désigner une icône qui correspond à votre site.

Cette icône sera affichée :

- Dans la barre d'adresse.
- Dans un raccourci de site (par la commande **Fichier/Envoyer/Raccourci vers le bureau**).
- En regard du favori qui correspond à votre site (menu **Favoris** d'Internet Explorer).

L'icône doit être au format 16x16 pixels ou 32x32 pixels et composée seulement avec 256 couleurs. Placez-la dans le répertoire racine de votre site et nommez-la *favicon.ico*. Dans vos pages web, saisissez dans le header la ligne suivante :

```
<LINK REL="SHORTCUT ICON"
>< HREF="http://www.monadresse.com/favicon.ico">
```

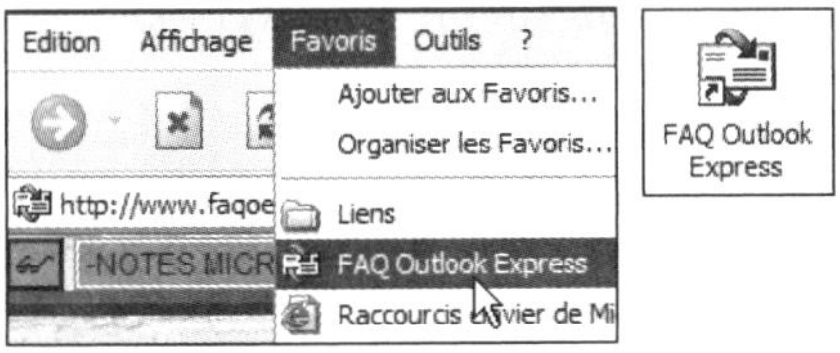

Figure 12.4 : *Les favicons agrémentent votre site d'une icône*

12.3 Gestion des cookies

494. Les cookies

Peut-être avez-vous entendu parler des cookies ? Ils ont été décrits comme la bête noire qui s'installe à votre insu dans votre ordinateur pour vous espionner. Cela est largement exagéré !

Les cookies sont des fichiers texte qui contiennent des données variables choisies par le webmaster, qui ne peut que solliciter la création des cookies. La création d'un cookie est autorisée ou interdite selon le réglage du navigateur. C'est donc le client qui autorise ou interdit les cookies, selon les réglages de son navigateur.

La gestion des cookies sous Internet Explorer est accessible depuis le menu **Outils/Options Internet** sous l'onglet **Confidentialité**.

Ce qu'il faut connaître des cookies :

- Plusieurs cookies peuvent se regrouper dans un même fichier.

- Un cookie vide est un cookie mort : si vous effacez les données contenues dans un cookie, le fichier correspondant est supprimé.

- Par défaut, un cookie a une durée de vie limitée à la durée de la session (aucune inscription sur votre disque dur).

- Vous pouvez déterminer la durée de vie d'un cookie.

- Les cookies sont stockés sur un PC dans le dossier *Temporary Internet Files* (TIF).

- Les cookies sont inscrits dans des fichiers texte nommés *Cookie:Nomdesession@URL.txt*.

- L'adresse MSDN pour les cookies est **http://msdn.microsoft.com/workshop/ author/dhtml/reference/properties/cookie.asp**.

- À consulter ABSOLUMENT : la page de Jean Claude BELLAMY (JCB) qui offre une approche technique approfondie sur les cookies, **www.bellamyjc.net/fr/cookies.html**.

495. Les cookies en ASP

- Response.Cookies crée un cookie.

- Request.Cookies lit un cookie.

Saisissez le script ASP suivant :

```
<% ' Création des cookies
If Request.Cookies("Premier")=VbNullString then
Response.Cookies("Premier")="Un premier coucou"
Response.Cookies("Premier").expires=date+2 'durée de vie
Response.Cookies("Second")="puis un second"
End if
%>
<HTML>
<HEAD>
<TITLE>Essais cookies</TITLE>
</HEAD>
<BODY>
<% ' Lecture
response.write Request.cookies("Premier") & " "
response.write Request.cookies("Second")
%>
```

```
</BODY>
</HTML>
```

La première ligne vérifie si le cookie Premier existe. Si ce n'est pas le cas, deux cookies nommés respectivement "Premier" et "Second" sont créés, ils contiennent les phrases "Un premier coucou" et "puis un second". Le cookie nommé "Premier" aura une durée de vie de deux jours (attribut .expires).

Lors de la relecture de ces cookies dans le corps du message, les deux cookies sont bien relus sous la forme : "Un premier coucou puis un second".

Vérifiez-le en éditant le fichier texte correspondant à votre cookie ; vous devriez lire des données semblables à ceci :

```
Premier
Un+premier+coucou
AdresseURL/
1024
4287836160
29563290
3756010528
29562907
*
```

Le deuxième cookie (Second) n'est pas inscrit dans le fichier car il a une durée de vie limitée à la session en cours.

496. Les cookies en PHP

■ Setcookie crée un cookie.

■ HTTP_COOKIE_VARS lit un cookie.

Saisissez le script PHP suivant :

```
<?php //Création des cookies
if(!$HTTP_COOKIE_VARS["Premier"]){
setcookie("Premier","Un premier coucou",time()+3600*24*2);
setcookie("Second","puis un second");
}
?>
<HTML>
<HEAD>
<TITLE>Essais cookies</TITLE>
</HEAD>
<BODY>
<? //lecture
```

```
echo $HTTP_COOKIE_VARS["Premier"]." ";
echo $HTTP_COOKIE_VARS["Second"];
?>
</BODY>
</HTML>
```

Celui-ci a exactement la même fonction que le script ASP relatif aux cookies : si le cookie Premier n'existe pas, le script crée les cookies Premier et Second, puis il lit et affiche leur valeur.

497. Les cookies en Javascript

Document.cookie permet de créer et de lire un cookie.

Saisissez le script Javascript suivant :

```
<SCRIPT TYPE="text/javascript">
document.cookie="Premier=Un premier coucou; expires=Tue, 20 May
⊰ 2005 00:14:01 UTC"
</SCRIPT>
```

Document.cookie crée le cookie "Premier" contenant la donnée "Un premier coucou". Ce cookie aura une durée de vie allant jusqu'à la date spécifiée : ici le 20 mai 2005.

La lecture s'effectue "en bloc" :

```
<SCRIPT TYPE="text/javascript">
document.write(document.cookie)
</SCRIPT>
```

lit les cookies de la session en cours (la séparation entre le nom et la valeur du cookie est le signe =).

498. Déterminer l'acceptation de cookies chez le visiteur

La propriété cookieEnabled de l'objet Navigator renvoie les réponses True ou False selon que le navigateur accepte ou refuse les cookies.

```
<SCRIPT TYPE="text/javascript">
document.write ("Ce navigateur accepte t\'il les cookies ? " +
⊰ window.navigator.cookieEnabled);
</SCRIPT>
```

Saisissez ce script, il affichera la réponse True si les cookies sont acceptés, ou False s'ils sont refusés.

12.4 Les langages, modèles de script

499. Différents langages du Web

Les langages de programmation pour les pages web peuvent être répartis en deux catégories : ceux qui s'exécutent sur le serveur, et ceux qui sont directement interprétés et exécutés sur le navigateur de l'utilisateur.

Côté serveur

Les langages qui s'exécutent sur le serveur sont dits "langages dynamiques". Le langage est exécuté directement sur le serveur ; celui-ci crée une page web qui est envoyée au navigateur. Plus d'incompatibilité liée au navigateur (notamment la différence Netscape/Internet Explorer) car le script est exécuté avant d'être transmis ! Ces pages se créent à la demande de l'utilisateur qui peut, si cela est prévu par le webmaster, en modifier le contenu par l'intermédiaire d'un lien, d'un bouton placé à cet effet. Par exemple, dans le cadre de l'interrogation d'une base de données, l'utilisateur transmet au serveur des critères que le serveur interprète et renvoie à l'utilisateur sous la forme d'une page web. Cela explique par exemple que le contenu des pages puisse être différent même s'il s'agit de la même page.

Les principaux langages dynamiques :

Tableau 12-4 : Principaux langages dynamiques		
Langage	**Signification**	**Fichiers**
PHP	*PHP Hypertext Preprocessor*	*.php, .php3, .php4*
ASP	*Active Server Page*	*.asp, .aspx*
Perl	*Practical Extraction and Reporting Language*	*.pl*

Toujours dans les langages qui s'exécutent côté serveur, Java et ActiveX sont des langages qui doivent être compilés avant d'être appelés par une page web. Il ne s'agit pas de scripts à proprement parler, mais de programmes qui s'exécutent dans les pages web.

L'objet à insérer se crée en deux temps :

■ Créez et compilez le programme Java ou ActiveX.

■ Appelez le programme depuis une page web.

Pour le langage Java, un fichier texte *.java* est compilé en un fichier *.class* et est appelé via la balise <APPLET>. Consultez le site officiel Java (SUN) **http://java.sun.com**.

Les contrôles ActiveX sont la réponse de Microsoft à Java. Un programme Visual Basic est compilé en un fichier *.ocx*, puis est appelé par la balise <OBJECT>. Le compilateur VB5CCE (*Visual Basic 5 Control Creation Edition*) peut être téléchargé gratuitement à l'adresse **http://msdn.microsoft .com/vbasic/downloads/tools/cce/default.asp**.

Côté client

Les langages qui s'exécutent "côté client" demandent au navigateur d'interpréter un script. Selon votre navigateur, le résultat risque d'être différent, voire de générer des erreurs. C'est pour cela que vous pouvez rencontrer des pages web où il est justement spécifié que le site est optimisé pour Internet Explorer, ou pour un autre navigateur.

Le HTML n'est pas un langage !
Le code HTML n'est pas défini comme un langage, il s'agit juste d'une mise en page.

500. Afficher un texte avec différents langages

Dans un but didactique, voici comment afficher un texte sous différents langages. Le texte sera : "Bonjour à tout le monde".

HTML

```
<html>
<head><title>Bonjour HTML</title></head>
<body>
Bonjour à tout le monde
</body>
</html>
```

Javascript et JScript

```
<HTML>
<HEAD><TITLE>Bonjour JS</TITLE></HEAD>
<BODY>
<SCRIPT TYPE="text/javascript">
document.write("Bonjour à tout le monde");
</SCRIPT>
```

```
</BODY>
</HTML>
```

Visual Basic Script

```
<HTML>
<HEAD><TITLE>Bonjour VBS</TITLE></HEAD>
<BODY>
<SCRIPT TYPE="text/vbscript">
document.write "Bonjour à tout le monde"
</SCRIPT>
</BODY>
</HTML>
```

Active Server Page

```
<HTML>
<HEAD><TITLE>Bonjour ASP</TITLE></HEAD>
<BODY>
<%
response.write ("Bonjour à tout le monde")
%>
</BODY>
</HTML>
```

PHP Hypertext Preprocessor

```
<HTML>
<HEAD><TITLE>Bonjour PHP</TITLE></HEAD>
<BODY>
<?
echo ("Bonjour à tout le monde");
?>
</BODY>
</HTML>
```

Java

1. Compilez le code suivant en fichier *BonjourTLMApp.class* :

```
public class BonjourTLMApp {
public static void main(String[] args) {
System.out.println("Bonjour à tout le monde");
}
}
```

2. Créez de cette façon la page HTML qui appelle l'applet :

```
<HTML>
<HEAD><TITLE>Bonjour JAVA</TITLE></HEAD>
<BODY>
```

```
<APPLET CODE="BonjourTLMApp.class" WIDTH=150 HEIGHT=25>
</APPLET>
</BODY>
</HTML>
```

ActiveX

1. Compilez le code suivant :

```
Option Explicit
Private Sub UserControl_Initialize()
UserControl.AutoRedraw = True
UserControl.Print "Bonjour à tout le monde"
End Sub
```

2. Créez de cette façon la page HTML qui appelle l'OCX :

```
<HTML>
<HEAD><TITLE>Bonjour ActiveX</TITLE></HEAD>
<BODY>
<OBJECT id="UserControl1" WIDTH=150 HEIGHT=30
CODEBASE="Project1.ocx"
CLASSID="clsid:FD1014CC-942C-4513-8975-BBD1BAF01E3B">
</OBJECT>
</BODY>
</HTML>
```

Attention ! cet exemple est donné pour information. Ainsi, le numéro CLASSID est variable et est donné ici à titre d'exemple.

501. Un lien vers nulle part

Quel est l'intérêt de vouloir créer un lien qui n'aboutit nulle part ? Tout simplement pour avoir un texte "réactif" qui ne pointe pas forcément sur un lien. La solution souvent employée est de donner # en adresse.

Par exemple :

```
<A HREF="#" onClick="alert('Coucou')">Ici le texte réactif</A>
```

Lorsqu'on cliquera sur le lien, le script sera exécuté (affichage d'une boîte de dialogue avec le mot COUCOU). Mais ce genre de lien a des inconvénients. Servez-vous plutôt de l'instruction Javascript void() de cette façon :

```
<A HREF="javascript:void(0)" onClick="alert('Coucou')">Ici le
>< texte réactif</A>
```

ou, dans ce cas précis :

```
<A HREF="javascript:void(alert('Coucou'))">Ici le texte
⅋< réactif</A>
```

502. Proposer d'ajouter la page en cours dans les favoris du visiteur

Suggérez au visiteur de placer votre site dans ses favoris ; il sera certain de ne pas perdre le lien et pourra y revenir facilement.

La ligne de script Javascript suivante crée un lien qui facilite l'enregistrement de la page en cours dans le dossier *Favoris* d'Internet Explorer.

```
<a href="javascript:if ((navigator.appVersion.indexOf('MSIE') > 0)
⅋< && (parseInt(navigator.appVersion) >= 4))
⅋< {window.external.AddFavorite(location.href,document.title)};">
Ajouter aux favoris
</a>
```

503. Proposer un lien en Javascript

L'intérêt de savoir accéder à une adresse URL par Javascript est de s'émanciper de l'élément HTML A. Cela vous permettra de proposer des liens qui pourront davantage correspondre à la charte graphique de votre site, par exemple appuyer sur un bouton, survoler un élément avec le curseur de la souris.

Rédigez le lien comme vous affichez une pop-up, seuls les premiers arguments sont vraiment nécessaires :

```
window.open('http://adresse.com','Target')
```

*Retrouvez les arguments Target dans l'astuce **Personnaliser les liens**.*

Exemples d'utilisation de lien en script :

- Accéder au lien en cliquant sur un bouton de l'Explorateur qui lance le lien.

```
<BUTTON onclick="window.open('http://the.dark.sniper.free
⅋< .fr');">Chez Dark Sniper</BUTTON>
```

■ Accéder au lien en cliquant sur un graphique, un bouton personnalisé.

```
<input type="image" src="image.gif" onclick="window.open
>< ('http://the.dark.sniper.free.fr','_self');">
```

504. Proposer d'envoyer le lien à un ami

Mettez en place un lien ou un bouton à cliquer proposant d'envoyer le lien de la page en cours à un ami.

Appelez ce script Javascript par EmailLink() pour proposer d'envoyer le lien et le titre de la page en cours à un ami.

```
<script type="text/javascript">
function EmailLink(){
    window.location = "mailto:?subject=Trouvé sur Internet." +
    "&body=A l\'adresse " +
    window.location + "%0a( " +
    document.title + " )"
}
</script>
```

Par exemple, placez le script dans le header d'un document et inscrivez dans le corps du document :

```
<A HREF="javascript :EmailLink()">Envoyer le lien à un ami</A>
```

Sitôt qu'un visiteur clique sur le lien, une fenêtre de rédaction de messages comportant le lien et le titre de la page web en cours s'ouvre, prête à être envoyée aux destinataires de son choix.

505. Proposer d'écrire au webmaster

Vous avez plusieurs possibilités, notamment la mise en place d'un formulaire en ASP ou PHP, ce qui vous évite de dévoiler votre adresse e-mail, de donner un masque de saisie pour les messages (afin de les trier, par exemple), et de recevoir les courriers publicitaires, envois malintentionnés (avec pièces jointes, mailbombing…).

La technique souvent employée (pas seulement par des amateurs) est la rédaction d'un simple lien MAILTO.

Exemple :

```
<A HREF="mailto:webmaster@monfai.fr">Ecrivez au webmaster</A>
```

ouvre une fenêtre de composition de message avec votre adresse e-mail dans le champ *A* (donc prêt à être transmis).

Pour en savoir plus sur la mise en place d'un lien Mailto, reportez-vous à l'astuce *Rédiger un lien* **Mailto** *du chapitre* **Messagerie Outlook Express.**

Lors de l'inscription de ces adresses, préférez inscrire le code @ à la place du caractère @ pour induire en erreur les programmes qui récupèrent les adresses e-mail des pages web (dans le but d'envoyer du courrier publicitaire non sollicité).

Par exemple, le lien précédent s'écrirait :

```
<A HREF="mailto:webmaster&#64;monfai.fr">Ecrivez au webmaster</A>
```

506. Proposer l'impression de la page en cours

À l'aide de la simple commande window.print(), exécutée par un lien ou un bouton à cliquer, proposez à vos visiteurs d'imprimer la page en cours.

Exemple :

```
<A HREF="javascript:window.print()">Imprimez la page en cours</A>
```

Lorsque le visiteur clique sur le lien *Imprimez la page en cours*, la boîte de dialogue **Imprimer** de Windows s'affiche, prête à imprimer le document.

507. Détecter le logiciel d'exploration Internet

L'objet Navigator est souvent utilisé pour récupérer des informations sur le logiciel dont se sert le visiteur du site. En effet, certains éléments HTML, la manière de mettre en place des applets ou des contrôles ActiveX seront par exemple différents selon que le visiteur se sert de Microsoft Internet Explorer ou de Netscape Navigator.

L'appel à l'objet Navigator se fera surtout en Javascript, langage client universel sur les navigateurs graphiques.

navigator.appName renvoie le nom du navigateur employé.

Inscrivez :

```
<A HREF="alert(navigator.appName)">Exploreur / Navigateur
‍⹀< utilisé</A>
```

Puis cliquez sur le lien. Une boîte de dialogue affichera le nom du navigateur.

Exemple d'utilisation de navigator.appName pour un tri.

Inscrivez le code suivant dans un document HTML et affichez la page :

```
<script type="text/javascript">
if (navigator.appName.indexOf("Microsoft") != -1){
   document.write('<b>Microsoft</b>');
   }
else if (navigator.appName == "Netscape"){
   document.write('<b>Netscape</b>');
   }
else{
document.write('<b>Autre Navigateur</b>');
}
</script>
```

La page affichera :

- Microsoft s'il s'agit d'Internet Explorer.
- Netscape s'il s'agit de Netscape Navigator.
- Autre navigateur s'il ne s'agit d'aucun de ces deux navigateurs.

Modifiez ce script pour y insérer les commandes que vous voulez exécuter en fonction du navigateur employé.

508. L'objet Navigator en détail

L'objet Navigator peut faire plus qu'afficher le nom du navigateur :

Tableau 12-5 : Propriétés/Méthodes et compatibilités de l'objet Navigator				
Propriété	**Description**	**I.Explorer**	**Netscape**	**Opera**
appCodeName	Nom de code du navigateur	OUI	OUI	OUI
appMinorVersion	Numéro de patches, ajouts	OUI	NON	OUI
appName	Nom du navigateur	OUI	OUI	OUI
appVersion	O.S. version du navigateur	OUI	OUI	OUI
browserLanguage	Langue du navigateur	OUI	NON	OUI
cookieEnabled	Acceptation des cookies (true, false)	OUI	OUI	OUI
cpuClass	Type de processeur	OUI	NON	NON

Tableau 12-5 : Propriétés/Méthodes et compatibilités de l'objet Navigator

Propriété	Description	I.Explorer	Netscape	Opera
onLine	Navigateur connecté (true, false)	OUI	NON	NON
platform	O.S. (Win32 pour Windows 32 bits)	OUI	OUI	OUI
systemLanguage	Langue de l'O.S.	OUI	NON	NON
userAgent	User-Agent défini dans le header de la page	OUI	OUI	OUI
userLanguage	Langue définie dans les réglages de l'O.S.	OUI	NON	OUI
javaEnabled()	Java est actif (true, false)	OUI	OUI	OUI

L'objet Navigator est également utile pour détecter les plug-in installés grâce à la collection plug-ins.

Navigator.plugins.length : chiffre le nombre de plug-in installés.

Navigator.plugins(x).name : nomme le plug-in numéro x.

Inscrivez par exemple :

```
<SCRIPT type="text/JavaScript">
//Détection des plugins installés
for (var i=0; i < navigator.plugins.length; i++) {
document.write(navigator.plugins[i].name+" -->
< "+navigator.plugins[i].filename+"<br>");
}
</SCRIPT>
```

Puis listez les plug-in installés.

Complément d'informations

Retrouvez les détails de l'objet Navigator sur MSDN à l'adresse http://msdn .microsoft.com/workshop/author/dhtml/reference/objects/obj_navigator.asp (en anglais).

509. Script d'affichage d'une pop-up

Une pop-up est une fenêtre souvent réduite qui contient une page web.
Cette nouvelle fenêtre est appelée depuis une autre page web. Bien souvent,
ces pop-ups sont utilisées pour afficher de la publicité, mais vous pouvez
vous en servir pour afficher un message de bienvenue, un événement
important, des nouveautés, pour afficher une image comme zoom...

Script d'affichage d'une pop-up :

```
<SCRIPT TYPE="text/javascript">
//<!--
url='http://pages.infinit.net/melida/'; // Inscrivez ici l'adresse
⋊ de la page ou du document que vous voulez ouvrir
popup='width=500,height=250,scrollbars=yes,resizable=yes,
⋊ toolbar=yes,location=yes,status=yes,menubar=yes';
window.open(url,'NPP',popup); //NPP est le nom de la nouvelle
⋊ fenêtre mais peut également prendre les propriétés de
⋊ l'attribut target.
//-->
</SCRIPT>
```

*Pour connaître les propriétés de l'attribut **TARGET**, reportez-vous
à l'astuce **Personnaliser les liens**.*

Selon vos besoins, vous pouvez définir des préférences sur l'apparence de
la pop-up.

Tableau 12-6 : Arguments de la fonction window.open		
Argument	**Action**	**Valeur par défaut**
channelmode	Affichage en mode "théâtre"	no
directories	Ajoute les boutons supplémentaires choisis dans IE	yes
fullscreen	Affichage en plein écran (absolument aucune bordure, quittez en appuyant sur [Alt]+[F4])	no
width	Largeur de la page en pixel	/
height	Hauteur de la page en pixel	/

Tableau 12-6 : Arguments de la fonction window.open		
Argument	**Action**	**Valeur par défaut**
scrollbars	Barre de défilement - choisissez yes ou no (oui/non)	yes
resizable	Possibilité d'agrandir la fenêtre en pleine page - choisissez yes ou no (oui/non)	yes
toolbar	Barre d'outils - choisissez yes ou no (oui/non)	yes
location	Barre d'adresse - choisissez yes ou no (oui/non)	yes
status	Barre de status en bas - choisissez yes ou no (oui/non)	yes
menubar	Barre de menus texte - choisissez yes ou no (oui/non)	yes

Figure 12.5 : *La même page affichée avec et sans tous les arguments de window.open*

510. Afficher une image dans une pop-up

Souvent (presque toujours), pour afficher une image dans une pop-up, les webmasters emploient la technique définie dans l'astuce précédente : un appel window.open où l'URL de la page à afficher est l'image elle-même. Il y a deux inconvénients majeurs à cette méthode : le fond du document est toujours blanc, et surtout il faut contrôler la taille de l'image afin de dimensionner la pop-up en conséquence.

Ce script permet de résoudre ces problèmes.

Inscrivez cette partie dans le header d'une page web :

```
<SCRIPT TYPE="text/javascript">
function popup(urlp){
affich=window.open(null,null,'toolbar=no,scrollbars=no,width=1,
≫< height=1')
affich.document.open("text/html")
affich.document.writeln("<html><body bgcolor='blue' ") //Attention
≫< à laisser l'espace entre ' et "
affich.document.writeln("onload='window.resizeTo(graph.width+30,
≫< graph.height+60)'>")
affich.document.writeln("<img src='" + urlp + "' id='graph'>")
affich.document.write("</body></html>")
affich.document.close()
}
</SCRIPT>
```

Et appelez la pop-up de cette façon : popup('adresse_de_l_image'). Par exemple :

```
<a href="javascript:void(popup('http://c.voila.fr/Icons/Logos/
≫< logo_voila.gif'))">Le logo de Voila.fr</a>
```

Vous pouvez affiner le script avec ces paramètres :

- Ligne 5, dans l'attribut BgColor, personnalisez la couleur de fond de la pop-up.

- Ligne 6, il sera peut-être nécessaire d'affiner +30 et + 60 qui correspondent aux marges de l'image à l'intérieur de la fenêtre. En effet, celles-ci varient selon le thème, l'apparence que vous avez définis pour vos fenêtres Windows.

511. Afficher une pop-up à l'ouverture d'une page

Placez le script Javascript d'ouverture de pop-up entre les balises <HEAD> et </HEAD> d'une page pour l'ouvrir au chargement de celle-ci :

```
<SCRIPT TYPE="text/javascript">
<!--
url='http://pages.infinit.net/melida/'; // Inscrivez ici l'adresse
≫< de la page que vous voulez ouvrir
popup='width=500,height=250,scrollbars=yes,resizable=yes,toolbar
≫< =yes,location=yes,status=yes,menubar=yes';
```

```
window.open(url,'NPP',popup); //NPP est le nom de cette nouvelle
< fenêtre
//-->
</SCRIPT>
```

512. Afficher une fenêtre page à la fermeture d'une page

La commande onUnload dans la balise BODY exécute le script Javascript désigné. Ici, l'ouverture de la pop-up :

```
<HEAD>
<SCRIPT TYPE="text/javascript">
<!--
function popup(){
url='http://pages.infinit.net/melida/'; // Inscrivez ici l'adresse
< de la page que vous voulez ouvrir
fene='width=500,height=250,scrollbars=no,resizable=no,toolbar=no
< ,location=no,status=no,menubar=no';
window.open(url,'',fene);
}
//-->
</SCRIPT>
</HEAD>
<BODY onUnload="popup()">
</BODY>
</HTML>
```

Plus simplement, si vous voulez ouvrir une autre page sans qu'il s'agisse d'une pop-up, inscrivez la ligne BODY de cette façon (en modifiant éventuellement l'adresse de la page à afficher) :

```
<BODY onUnload="javascrip:window.open('http://www.technicland
< .com/','','');">
```

513. Afficher une pop-up en cliquant sur un lien

Vous pouvez avoir besoin de préciser certains éléments d'une page web. Si l'attribut TITLE qui affiche une info-bulle ne suffit pas, servez-vous des pop-ups.

Par exemple, dans un texte, vous désignez certains mots comme des liens hypertextes qui, si le visiteur clique dessus, font apparaître une pop-up qui va afficher un texte, une image… ceci dans le but de préciser ou d'imager certains points de votre texte si le visiteur en éprouve le besoin.

Dans le texte suivant, vous voulez que les mots Kriegsmarine et slipway soient deux liens hypertextes. Un clic sur le mot Kriegsmarine doit afficher une pop-up donnant la définition du mot, et la sélection du lien slipway affiche une pop-up contenant l'image d'un slipway :

"La Kriegsmarine remet en état les installations de l'arsenal (Entreprise M.A.N.).

Les slipway du port de pêche ne peuvent qu'être utilisés pour les Types II C. Les autres types sont trop longs et trop lourds."

(Texte issu du site **http://perso.wanadoo.fr/sous.marin.**)

1. Créez une page web avec le texte correspondant à la définition de "Kriegsmarine". Appelez cette page *PopKrieg.htm*.

2. La photographie du slipway est une simple image de 100x100 pixels, qui se nomme par exemple *Slipway.jpg*. Inutile de créer une page *.html* : la pop-up va pointer directement sur cette photographie.

3. Créez la page web principale de cette façon :

```
<HTML>
<HEAD><TITLE>Bases Sous-Marines</TITLE>
<SCRIPT TYPE="text/javascript">
<!--
function popup(url,hauteur,largeur){
fene='width='+hauteur+',height='+largeur+',scrollbars=no,
⊱ resizable=no,toolbar=no,location=no,status=no,menubar=no';
window.open(url,'',fene);
}
//-->
</SCRIPT>
</HEAD>
<BODY>
La <a href="javascript:popup('PopKrieg
⊱ .htm',150,100);">Kriegsmarine</a> remet en état les
⊱ installations de l'arsenal (Entreprise M.A.N.).<br>
Les <a href="javascript:popup('Slipway
⊱ .jpg',120,120);">slipway</a> du port de pêche ne peuvent
⊱ qu'être utilisés pour les Types II C. Les autres types sont
⊱ trop longs et trop lourds.
</BODY>
</HTML>
```

Le script appelant la pop-up est invoqué comme sous-programme dans la balise A HREF. Lors de l'appel à ce sous-programme, vous donnez des arguments variables tels que l'objet ou la page à afficher, et la taille que doit avoir la pop-up.

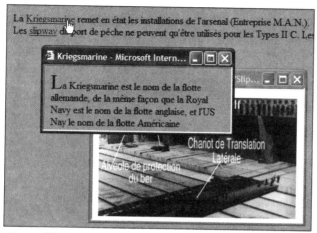

Figure 12.6 : *Exemple d'affichage de pop-up lors de la sélection d'un lien*

Plutôt que d'afficher une petite fenêtre de l'Explorateur, innovez en appelant des boîtes de dialogue différentes par la méthode showModalDialog ou showModelessDialog. La différence entre ces deux méthodes, c'est qu'il est nécessaire de fermer une boîte de dialogue **showModalDialog** : toute action extérieure à cette boîte est impossible (celle-ci reste toujours au-dessus des autres fenêtres). Avec showModelessDialog, la boîte de dialogue peut être placée en arrière-plan ou ouverte plusieurs fois.

Exemple d'affichage d'une boîte de dialogue **Modale** :

```
<a href="javascript:void(showModalDialog('http://automation.be
.tf','','status:yes;resizable:yes'))">Le site de Jean JMST à
propos de scripting</a>
```

Retrouvez les propriétés de chacune des deux méthodes sur les liens http:// msdn.microsoft.com/workshop/author/dhtml/reference/methods/showmodaldialog .asp et http://msdn.microsoft.com/workshop/author/dhtml/reference/methods/ showmodelessdialog.asp (en anglais).

514. Changer la couleur de fond dynamiquement

Voici une manière très facile d'y arriver, sous la forme d'un lien qui appelle la commande Javascript BgColor (cela ne fonctionne pas si vous avez désigné une image comme fond de site).

Dans votre document web, insérez par exemple la ligne :

```
<a href="javascript:void(document.bgColor='blue')">Change la
⸲< couleur de fond en bleu<a/><br>
```

pour changer dynamiquement la couleur du fond en bleu.

Ou encore :

```
<a href="javascript:void(document.bgColor='#55dd22')">Change la
⸲< couleur de fond en vert<a/><br>
```

modifie la couleur en vert.

*Pour connaître les codes de couleur ou la liste de couleurs **HTML**, reportez-vous à l'astuce **Noms de couleurs** du chapitre **Chapitre commun**.*

515. Émettre un son dynamiquement

Quoi de plus convivial qu'un son qui est émis lorsque le visiteur survole un lien, clique sur un bouton ? Voici une façon simple d'y arriver : vous donnez une identification à la balise BGSOUND (son d'arrière-plan) et en Javascript, vous déterminez la source du fichier audio (qui peut être .*mid*, .*mp3*, .*wav*, .*rmi*…).

Cela peut être mis en place très facilement. Inscrivez les trois lignes suivantes dans un document web.

Assurez-vous de modifier le *Son.wav* par le nom et le chemin de votre fichier audio et d'avoir un fichier graphique désigné par *Bouton.gif*.

```
<IMG src="Bouton.gif"
⸲< onmouseover="document.all.music.src='son.wav';">
<BUTTON
⸲< onclick="document.all.music.src='son.wav';">Musique</BUTTON>
<BGSOUND id="music" loop=1>
```

La première ligne affiche une image .*gif*. Le son est joué lorsque la souris survole l'image.

La seconde ligne affiche un bouton sur lequel vous devez cliquer pour entendre le fichier audio.

Enfin, la troisième ligne est l'élément qui jouera le son : l'élément HTML BGSOUND.

À propos de l'élément BGSOUND. Vous pouvez vous servir des attributs de l'élément BGSOUND tels que :

Tableau 12-7 : Trois attributs de la balise BGSOUND

Attribut	Description	Valeurs admises
Balance	Balance droite/gauche (-10000 à gauche/+10000 à droite et 0 en équilibré)	de -10000 à +10000
Loop	Nombre (Nbre) de fois où le fichier est joué	-1 (infini), 0 à Nbre
Volume	Volume sonore	-10000 à 0 (0 = volume maximal)

Retrouvez l'ensemble des attributs de l'élément BGSOUND à l'adresse
http://msdn.microsoft.com/workshop/author/dhtml/reference/objects/bgsound.asp.

516. Empêcher le clic droit de la souris

La raison majeure pour empêcher le clic droit est d'enlever au visiteur la possibilité d'avoir accès au menu contextuel, par lequel il peut enregistrer une image ou afficher le source d'une page.

Néanmoins, il peut être utile de détecter le clic droit afin de lui assigner une action, comme afficher une boîte de dialogue qui informe le visiteur de l'interdiction de récupérer des images ou graphismes d'un site. Cette détection de clic droit peut aussi éventuellement décourager les personnes qui ne connaissent pas les astuces permettant l'accès au menu contextuel.

Insérez le script Javascript suivant entre les balises <HEAD> et </HEAD> de votre document web pour détecter et afficher un message lors de l'appui sur le bouton droit de la souris :

```
<SCRIPT type="text/Javascript">
document.onmousedown=btnDroit;
function btnDroit(btnClick){
if (navigator.appName=="Netscape" && btnClick.which==3)
{alert("L'accès au menu contextuel est désactivé");}
else if (navigator.appName=="Microsoft Internet Explorer" &&
event.button==2)
{alert("L'accès au menu contextuel est désactivé");}
}
</SCRIPT>
```

Figure 12.7 :
Le script en action

Très efficace, le script suivant, diffusé sur Internet, annihile le bouton droit de la souris tout en n'affichant aucune boîte de dialogue. Mais attention, le visiteur avisé aura toujours la possibilité de faire appel à l'affichage du source par le menu de l'Explorateur (par exemple le menu **Affichage/Source** dans Internet Explorer) pour arriver à ses fins.

Inscrivez ce script dans le header d'une page web et cliquez du bouton droit de la souris sur la page.

```
<SCRIPT TYPE="text/javascript">
document.oncontextmenu = function(){return false}
if(document.layers) {
   window.captureEvents(Event.MOUSEDOWN);
   window.onmousedown = function(e){
   if(e.target==document)return false;
 }
}
else {
document.onmousedown = function(){return false}
}
</SCRIPT>
```

Ou, plus simplement, ne donnez aucune suite à l'événement onContextMenu dans le cadre de l'élément Body.

```
<BODY oncontextmenu="return false">
```

Accéder au code source d'une page

Différentes solutions existent pour forcer l'affichage du code source d'une page web. Le plus simple sur Internet Explorer est d'y accéder via le menu **Affichage/Source**. Une autre solution consiste à inscrire view−source: avant l'URL du site dans la barre d'adresse.

Par exemple, view−source:http://www.sncf.com affiche le code source de la page web **www.sncf.com**.

Consultez l'astuce **Accéder au menu contextuel malgré le blocage du clic droit** du chapitre **Internet Explorer**.

517. La sécurité dans les cadres

Si vous employez la technique des cadres (frames ou iframes), vous pouvez afficher un document web tiers dans une partie de votre page.

Par exemple en ajoutant dans votre page <IFRAME width="80%" SRC="http://www.google.fr"></IFRAME>, vous insérez dans votre document un cadre contenant la page **www.google.fr**.

Figure 12.8 : *Utilisation de l'élément Iframe : affichage d'une page à l'intérieur d'une autre*

Internet Explorer 6 propose l'attribut Security dans un élément Frame ou Iframe. Ce nouvel attribut n'admet qu'une seule valeur : Restricted, et il permet d'appliquer les paramètres de sécurité de la zone d'Internet Explorer Sites Sensibles au contenu de la zone Frame ou Iframe. Autrement dit, si vous vous servez de Frame ou Iframe sur votre site et si vous affichez des données d'un site tiers, l'application de l'attribut Security empêchera les scripts de cette page de s'exécuter (paramètre de sécurité par défaut de la zone de sites sensibles), préservant ainsi votre sécurité et l'intégrité de votre document.

Voici un exemple pour vous aider à bien comprendre le but de cette astuce :

La page d'accueil du FBI (**www.fbi.gov**) contient dans sa partie header un code Javascript qui détecte si elle fait partie d'un cadre et dans l'affirmative, le supprime (voici la partie du code de la page du FBI qui supprime les cadres : if (top.location != self.location) {top.location = self.location}).

Insérez dans une page web : <IFRAME width="80%"
SRC="http://www.fbi.gov"></IFRAME> pour afficher dans un cadre Iframe la
page d'accueil du FBI. Lorsque vous ouvrez ce document web, la page du
FBI s'extirpe de votre cadre.

En ajoutant l'attribut Security : <IFRAME width="80%"
SRC="http://www.fbi.gov" security="restricted"></IFRAME>, le script de la page
du FBI ne s'exécute pas et la page s'affiche correctement.

Figure 12.9 : *L'exécution du code n'a pas eu lieu : le document reste correctement
affiché dans son cadre, ce qui n'est pas le cas si vous omettez d'inscrire
l'attribut Security*

518. Écrire dans la barre d'état

La barre d'état est en bas de la fenêtre du navigateur. Par défaut, lorsque la
souris survole un lien, l'adresse du lien est inscrite dans la partie gauche de
cette barre. Vous pouvez choisir de ne pas afficher la barre (menu
d'Internet Explorer **Affichage/Barre d'état**), mais il est vivement conseillé
de la laisser car elle donne différentes informations, dont la zone Internet
de la page en cours (Internet, intranet local, sites de confiance, sites
sensibles), la progression du chargement de la page, la connexion
sécurisée...

Écrivez un texte à gauche de cette barre par la commande Javascript
Window.status='Valeur à afficher'.

Exemple : un lien qui affiche un texte lors du survol de la souris

```
<A HREF="http://lien.htm"
onMouseOver="window.status='Lien survolé'; return true"
onMouseOut="window.status=''">
```

```
Lien à survoler.
</A>
```

Autre exemple : afficher l'heure dans la barre d'état

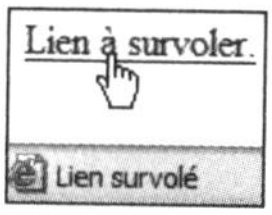

Figure 12.10 :
L'exemple en image : le lien et l'affichage du texte dans la barre d'état

Saisissez le script suivant dans la partie header et exécutez-le dès l'affichage de la page par onLoad dans la balise Body. <body onLoad="heure();">

```
<script type="text/JavaScript">
function heure(){
d=new Date();
window.status=d.getHours()+":"+d.getMinutes()+":"+d.getSeconds();
window.setTimeout("heure();",1000); //Réexécute ce script toutes
✂ les secondes
}
</script>
```

Si le texte à afficher doit contenir un caractère spécial comme une apostrophe, un guillemet, un antislash, faites-le précéder du signe antislash \.

Exemple :

```
<A HREF="http://lien.htm"
onMouseOver="window.status='\'\\Lien survolé\\\''; return true"
onMouseOut="window.status=''">
Lien à survoler.
</A>
```

519. Légender les éléments de votre page web

Souvent employé dans une balise IMG pour légender une image, l'élément TITLE provoque lors du survol de la souris l'affichage d'un texte à l'endroit du curseur (nommé info-bulle ou Tool Tip Text). Il ne s'agit pas d'un script, mais d'un élément qui fait partie intégrante du HTML. Élargissez le champ d'utilisation de l'élément TITLE pour vous en servir dans un lien, un paragraphe, un objet...

Quelques exemples d'emploi d'info-bulle.

Info-bulle sur une image :

```
<IMG SRC="nomdelimage.jgp" TITLE="Légende">
```

Info-bulle sur un lien :

```
<A HREF="http://lien.htm" TITLE="Légende du lien">mon Lien</A>
```

Info-bulle sur un bouton :

```
<INPUT TYPE="BUTTON" VALUE="Action" NAME="btnAction"
>< TITLE="Légende du bouton">
```

Figure 12.11 :
Info-bulle sur bouton

Info-bulle sur un objet :

```
<OBJECT ID="Player" TITLE="Légende de l'objet"
>< CLASSID="CLSID:6BF52A52-394A-11d3-B153-00C04F79FAA6"></OBJECT>
```

Info-bulle sur un paragraphe :

```
<P TITLE="Légende du paragraphe">ici mon paragraphe</P>
```

520. Les événements DHTML

Voici quelques-uns des nombreux événements à détecter. Vous connaissez sûrement déjà onLoad, onMouseOver, onMouseOut..., mais connaissez-vous ceux-là ?

Tableau 12-8 : Vingt-six des soixante-dix-huit événements DHTML

Événement	Description	Événement	Description
onafterprint	Après une impression	onfocus	L'élément ou l'objet a le focus
onbeforecopy	Juste avant que l'élément soit copié dans le Presse-papiers	onhelp	L'utilisateur sollicite l'Aide (touche [F1])
onbeforeprint	Avant une impression	onkeydown	Une touche est pressée
onblur	Lorsque l'objet perd le focus	onmousedown	Un bouton de la souris est enfoncé
onchange	Lorsque le contenu de l'objet a changé	onmousemove	La souris bouge
onClick	Lorsque l'utilisateur clique sur l'élément	onmouseout	La souris sort de l'objet

Tableau 12-8 : Vingt-six des soixante-dix-huit événements DHTML			
Événement	Description	Événement	Description
onContext Menu	Lorsque l'utilisateur clique du bouton droit de la souris sur l'élément	onmouseover	La souris entre dans l'objet (survol)
onCopy	Lorsque l'élément est copié dans le Presse-papiers	onmousewheel	La molette de la souris est actionnée
ondblclick	Lors d'un double-clic	onresize	L'objet est redimensionné
ondrag	Pendant le "glisser" (d'un glisser/poser)	onscroll	Lors d'un scrolling
ondragend	À la fin d'un glisser/poser	onstop	L'utilisateur clique sur le bouton **Arrêter** du navigateur
ondragstart	Début d'un glisser/poser	onunload	L'objet, la fenêtre est "déchargé"
onerror	Lors d'une erreur de chargement ou de script	onsubmit	Le bouton **SUBMIT** d'un formulaire est validé

Exemple d'application :

Lorsque l'utilisateur sélectionne le texte, puis qu'il essaie de le mettre dans le Presse-papiers, un message l'avertit sur les droits d'auteur.

```
<P oncopy="alert('Attention : Vous n\'avez pas le droit de
< diffuser le contenu de ce site')">ici le paragraphe
< protégé.</P>
```

Tous les événements

Retrouvez tous les événements DHTML sur MSDN à l'adresse http://msdn .microsoft.com/workshop/author/dhtml/reference/events.asp (en anglais).

521. Afficher son état ICQ

Si vous êtes un utilisateur du logiciel de messagerie instantanée ICQ, vous avez toute une panoplie d'outils et de panneaux à votre disposition, que vous pouvez installer sur votre site. Tous ces outils sont accessibles à l'adresse **www.icq.com/panels**.

Parmi tous ces outils, l'ICQ Status Indicator permet à vos visiteurs de savoir quel est l'état de votre connexion ICQ : en ligne, déconnecté ou invalide.

1. Rendez-vous à l'adresse **www.icq.com/features/web/indicator.html**.

2. Choisissez un des dix indicateurs graphiques de la liste de droite et notez son numéro.

3. Dans la zone de saisie texte *Your ICQ#*, inscrivez votre numéro ICQ.

4. Sélectionnez *Personal Status indicator* dans la liste déroulante *Select the indicator* :

5. Dans la liste déroulante *Select Design*, choisissez le numéro correspondant à l'indicateur graphique que vous avez choisi.

6. Cliquez sur le bouton **Create my ICQ Status indicator** pour créer et afficher le code HTML à intégrer dans votre page web.

522. Accéder à des indicateurs graphiques cachés d'ICQ

Tous les indicateurs graphiques indiquant votre état de connexion ne sont pas documentés (**www.icq.com/features/web/indicator.html**). Pour dix qui sont documentés, le petit script suivant dévoile qu'il en existe (pour l'instant) vingt-cinq.

Saisissez le script Javascript suivant qui affichera les trente premiers indicateurs graphiques. (Au-delà de vingt-cinq, vous remarquez qu'il n'y a plus d'indicateur, mais vérifiez régulièrement à l'aide du script.)

```
<SCRIPT TYPE="text/javascript">
//affiche les 30 premiers graphiques d'ICQ
var icq=111111111; //Inscrivez ici un n°ICQ valide (peu importe
% qu'il s'agisse du vôtre)
for (num=0; num<30; num++){
document.write (num+'<img src="http://web.icq.com/whitepages/
% online?icq='+icq+'&img=' +num+'"><br>');
}
</SCRIPT>
```

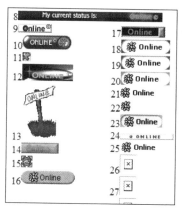

Figure 12.12 :
Avec ce script, vous remarquez qu'il existe quinze indicateurs valides supplémentaires non documentés. Faites votre choix...

523. Ajouter sa barre d'outils AIM

Ce n'est pas tout à fait un graphique indiquant l'état de votre connexion, mais une "télécommande" à installer sur votre site. Selon vos préférences, vous proposerez à vos visiteurs de :

- Vous envoyer un message éclair.
- Vous ajouter à la liste de contacts AIM.
- Vous inscrire sur votre salon.
- Vous envoyer un mail.

La documentation sur cet outil se trouve dans les pages **www.aol.ca/fr/aim/remote.adp** (en français) et **www.aim.com/remote/main.adp** (en anglais).

Installez la télécommande AIM (AIM Remote).

1. Rendez-vous à l'adresse **www.aol.ca/fr/aim/step1.adp**.

2. Saisissez votre pseudo AIM et cliquez sur **Continuer**.

3. Choisissez la présentation de votre télécommande (*Horizontale* ou *Verticale*). Cliquez sur **Continuer**.

4. Sélectionnez les boutons à placer sur votre télécommande (**Message éclair**, **Liste de copains**, **Salon de discussion**, **Courrier électronique**), puis cliquez sur **Continuer**.

   - Pour le bouton **Courrier électronique**, votre adresse e-mail est demandée (notez que c'est la seule option accessible à vos contacts qui ne sont pas abonnés à AIM, il s'agit d'un simple lien Mailto).

5. Visualisez l'apparence de votre télécommande AIM et cliquez sur le bouton **Continuer**.

6. Sélectionnez l'ensemble du code HTML (sur fond blanc) et copiez-le dans votre page web où vous voulez afficher la télécommande AIM.

Figure 12.13 : *Télécommande AIM (AIM Remote) horizontale*

524. Programmer AIM

Des commandes AIM disponibles exécutent le programme pour une action donnée. Cette commande s'exécute chez le client qui a installé AIM. D'ailleurs, testez-le depuis votre PC : allez dans **Démarrer/Exécuter** et inscrivez par exemple aim:goim. Cela va exécuter AIM en mode Messagerie.

Vous pouvez exécuter cette commande chez votre visiteur : il suffit de mettre la commande dans un lien A HREF.

Pour reprendre l'exemple précédent : <A HREF="aim:goim">AIM en Messagerie</A> placée dans une page web produira le même comportement d'AIM dès qu'on cliquera sur le lien.

Tableau 12-9 : Exécution rapide de fonctions AIM	
Syntaxe	**Action**
aim:goim	Ouvre une fenêtre d'envoi de message instantané
aim:goim?screenname=CONTACT	Ouvre une fenêtre d'envoi de message instantané vers CONTACT
aim:goim?message=MESSAGE	Ouvre une fenêtre d'envoi de message instantané et y inscrit dans le corps le MESSAGE (remplacez les espaces par le signe +, des balises HTML sont acceptées)
aim:goim?screenname=CONTACT &message=MESSAGE	Cumule les propriétés CONTACT et MESSAGE

Tableau 12-9 : Exécution rapide de fonctions AIM	
Syntaxe	**Action**
aim:gochat?roomname=SALON	Ouvre une fenêtre de t'chat vers le salon SALON
aim:addbuddy?screenname=CONTACT	Ajoute le contact nommé CONTACT
aim:addbuddy?screenname=CONTACT &groupname=GROUPE	Ajoute le contact nommé CONTACT dans le groupe GROUPE
aim:registeruser?screenname=PSEUDO	Affiche la fenêtre de connexion sous le pseudo PSEUDO
aim:registeruser?screenname=PSEUDO &password=PASSE	Affiche la fenêtre de connexion sous le pseudo PSEUDO et le mot de passe PASSE
aim:buddyicon	Ouvre les préférences d'AIM dans la catégorie Icônes
aim:getfile	Récupère les fichiers d'un contact
aim:getfile?screenname=CONTACT	Récupère les fichiers du contact CONTACT
aim:goaway	Active le message d'absence
aim:goaway?message=MESSAGE	Active le message d'absence avec le message ABSENCE (accepte des balises HTML)

525. Installer un traducteur de page automatique VOILA

Gratuitement (en échange de publicités) et d'une façon extrêmement simple, proposez à vos visiteurs la traduction en ligne de votre site web en anglais, allemand, espagnol, portugais, italien ou néerlandais.

Avec Voila (**http://tr.voila.fr**), la fonction de traduction se fait de cette manière.

Syntaxe :

```
http://trans.voila.fr/voila?systran_id=Voila-fra&systran_lp=LANGUE
&systran_url=LIEN
```

où :

- LIEN = adresse de la page à traduire (sur le Web).
- LANGUE = langue d'origine et de destination de la page :
  - fr_en : français vers anglais.
  - fr_de : français vers allemand.
  - fr_es : français vers espagnol.
  - fr_pt : français vers portugais.
  - fr_it : français vers italien.
  - fr_nl : français vers néerlandais.

Proposez à vos visiteurs la traduction d'une page web en ajoutant le code suivant dans votre document :

```html
<FORM method="post" action="http://trans.voila.fr/voila">
<INPUT TYPE="hidden" name="systran_id" value="Voila-fr">
<SELECT NAME="systran_lp" class="text">
<OPTION VALUE="fr_en" SELECTED>Anglais</OPTION>
<OPTION VALUE="fr_de">Allemand</OPTION>
<OPTION VALUE="fr_es">Espagnol</OPTION>
<OPTION VALUE="fr_pt">Portugais</OPTION>
<OPTION VALUE="fr_it">Italien</OPTION>
<OPTION VALUE="fr_nl">Néerlandais </OPTION>
</SELECT>
<SCRIPT TYPE="text/javascript">
document.write('<input type=hidden name=systran_url value=');
document.write(document.URL); //Récupère l'URl du document en
✂ cours
document.write('>');
</SCRIPT>
<INPUT TYPE="submit" VALUE="Traduire avec Voilà">
</FORM>
```

526. Se connecter à une base de données

Les prétextes pour se servir d'une base de données dans un site web sont extrêmement variés : il peut s'agir par exemple d'un compteur de visites, livre d'or, répertoires de toutes sortes, forum...

En ASP

Connexion à une base Access *.mdb* sans Data Source Name (DSN) :

```asp
<%
'ouverture de la connexion à la base
chemin="Base.mdb"
```

```
Set ConnectionBD = Server.CreateObject("ADODB.Connection")
ConnectionBD.ConnectionString = "DRIVER={Microsoft Access Driver
⤸ (*.mdb)}; DBQ=" & Server.MapPath(chemin) & " "
ConnectionBD.Open
' fermeture de la connexion et destruction de l'objet
ConnectionBD.close
Set ConnectionBD=Nothing
%>
```

Connexion à une base Access *.mdb* avec Data Source Name (DSN) :

```
<%
' Ouverture de la connexion à la base
Set ConnectionBD = Server.CreateObject("ADODB.Connection")
ConnectionBD.open "Base",''',''''
Set Session(Base_conn") = ConnectionBD
' fermeture de la connexion et destruction de l'objet
ConnectionBD.close
Set ConnectionBD = nothing
%>
```

En PHP

Connexion à une base MySQL :

```
<?
// Connexion à la base de données.
$host = "";
$user = "";
$password = "";
$bdd = "BDDPerso";
$db=mysql_connect($host, $user, $password) or die ("impossible de
⤸ se connecter au serveur"); //Connexion à la Base
mysql_select_db($bdd) or die ("impossible de se connecter à la
⤸ base de données");
//Fermeture
mysql_close($db);
?>
```

527. Dessiner dans Internet Explorer (VML)

Introduit avec Internet Explorer 5, un langage à part entière permet
d'appliquer des sorties graphiques dans l'Exploreur, de dessiner
directement sur les pages web avec des motifs géométriques, des filtres et
effets, des motifs de remplissage. Ce langage se nomme Vector Makup
Language (VML). Pas très évident à mettre en œuvre, il dévoile toutes ses
possibilités et performances au fur et à mesure que vous apprenez à le
maîtriser.

Il n'est pas possible dans cet ouvrage de décrire toutes les commandes et instructions de VML. Voici trois exemples qui vous aideront à vous faire une idée de la mise en place de la syntaxe VML :

```html
<html xmlns:v="urn:schemas-microsoft-com:vml">
<head><style>Les instructions Oval ; Roundrect et Line</style>
<style>
v\:* { behavior: url(#default#VML); }
</style>
</head>
<body>
<v:oval style="width: 75; height: 100" fillcolor =
"blue"></v:oval>
<v:roundrect style="width:50;height:50"
fillcolor="green"></v:roundrect>
<v:line from="10,10" to="100,100"></v:line>
</body>
</html>
```

Figure 12.14 :
Les instructions Oval ; Roundrect et Line dessinent respectivement une ellipse, un rectangle aux bords arrondis et une ligne

```html
<html
xmlns:v="urn:schemas-microsoft-com:vml"
xmlns:o="urn:schemas-microsoft-com:office:office"
>
<head><title> Effet d'extrusion appliqué sur un rectangle</title>
<style>
v\:* {behavior:url(#default#VML);}
o\:* {behavior:url(#default#VML);}
</style>
</head>
<body>
<v:rect style='width:80pt;height:80pt'>
    <o:extrusion on="t" Render="Solid"/>
</v:rect>
</body>
</html>
```

Figure 12.15 :
Effet d'extrusion appliqué sur un rectangle

```
<html xmlns:v="urn:schemas-microsoft-com:vml">
<head><title> Double ombre colorée appliquée sur un texte</title>
<style>
v\:* {behavior:url(#default#VML);}
</style>
</head>
<body>
<v:shape style='width:261pt;height:1in' coordsize="21600,21600"
>< path="m0,0l21600,0m0,21600l21600,21600e">
<v:shadow on="t" Type="Double" On="TRUE" Color2="blue"
>< Color="Red" Offset="3pt, 4pt" Offset2="6pt, 8pt" />
<v:path textpathok="t"/>
<v:textpath on="t" fitshape="t" string="Bonjour à tous"/>
</v:shape></body>
</html>
```

Figure 12.16 :
*Double ombre colorée
appliquée sur un texte*

Documentation VML

La documentation la plus complète à propos de VML est celle de la bibliothèque Microsoft, consultable à l'adresse **http://msdn.microsoft.com/ workshop/author/vml/ref/basic1.asp**, ou sur le W3C **www.w3.org/TR/NOTE-VML** (ou **www.yoyodesign.org/doc/w3c/svg1** en français).
Un éditeur VML est accessible gratuitement en anglais à l'adresse **http://msdn .microsoft.com/downloads/samples/internet/vml/vmlgenerator/default.asp**.

528. HTA : HTML Application

Ce n'est pas un langage supplémentaire : HTA est, pour simplifier à l'extrême, l'exécution d'un code HTML (comprenant des scripts, du style) sous la forme d'une application. Il n'est pas exécuté par Internet Explorer, mais par le programme *Mshta.exe* (situé dans le dossier système de Windows). Par conséquent, les paramètres de sécurité ne s'appliquent pas aux scripts contenus dans les documents HTA.

La manière la plus simple de créer une application *.hta* est de nommer une page *.htm* ou *.html* en *.hta*. Toutefois, il est préférable de placer les balises

<HTA:APPLICATION> et </HTA:APPLICATION> dans le header du document, balises qui peuvent contenir des attributs :

Tableau 12-10 : Attributs de l'élément HTA		
Attributs	**Description**	**Valeurs acceptées**
APPLICATIONNAME	Nom de l'application	Toute chaîne de caractères
BORDER	Bordure de la fenêtre	Thick (par défaut), dialog, none, thin
BORDERSTYLE	Type de bordure	Normal, complex, raised, static, sunken
CAPTION	Affiche ou non la barre de titre (oui, non)	yes, no
CONTEXTMENU	Affiche le menu contextuel (oui, non)	yes, no
ICON	Icône associée à l'application	Chemin de l'icône (.ico)
INNERBORDER	Bordure intérieure	yes (défaut), no
MAXIMIZEBUTTON	Affiche le bouton agrandissement de la barre de titre (oui, non)	yes (défaut), no
MINIMIZEBUTTON	Affiche le bouton réduction de la barre de titre (oui, non)	yes (défaut), no
NAVIGABLE	Définit où vont s'ouvrir les liens (no = dans une nouvelle fenêtre du navigateur)	yes, no (défaut)
SCROLL	Affiche les barres de défilement	yes (défaut), no, auto
SCROLLFLAT	Barres de défilement "2D"	yes, no (défaut)
SELECTION	La sélection valide des éléments, du texte	yes (défaut), no
SHOWINTASKBAR	L'application est visible dans la barre des tâches	yes (défaut), no

Tableau 12-10 : Attributs de l'élément HTA		
Attributs	**Description**	**Valeurs acceptées**
SINGLEINSTANCE	Interdit l'exécution multiple de l'application	yes, no (défaut)
SYSMENU	Affiche le menu système (dans la barre de titre)	yes (défaut), no
VERSION	Spécifiez le numéro de version de votre application	Toute chaîne de caractères
WINDOWSTATE	Définit l'état de la fenêtre au lancement de l'application	Normal (défaut), minimize, maximize

Des exemples d'application HTA :

- **http://msdn.microsoft.com/downloads/samples/internet/author/html/htmleditor/ HTML_editor.hta**

- **www.faqoe.com/antispam.hta**

Retrouvez les attributs, propriétés des applications HTA sur MSDN à l'adresse **http://msdn.microsoft.com/workshop/author/hta/reference/objects/hta.asp**.

12.5 Ressources

529. Les filtres

Employés comme des styles, les filtres modifient de manière graphique la sortie d'éléments pour lesquels ils sont désignés.

Syntaxe :

```
<ELEMENT STYLE="filter:
    progid:DXImageTransform.Microsoft.Filtre(Proprietes)">
```

D'après les arguments Filtre et Propriétés du tableau :

Tableau 12-11 : Les filtres DXImageTransform			
Effet	**Filtre**	**Propriétés**	**Exemple**
Filtre Alpha	Alpha	Style, Opacity, FinishOpacity, (StartX, FinishX, StartY, FinishY)	
Règle la taille par rapport à un conteneur	AlphaImage Loader	Src, Sizingmethod	
Effets de base (rotation, opacité, effet miroir, inversion de couleurs, rayon X, dégradé de gris)	BasicImage	Rotation, Mirror, Invert, XRay, Grayscale, Opacity	
Flou	Blur	PixelRadius, MakeShadow, (ShadowOpacity)	
Filtre chromatique	Chroma	Color	
Ombre portée	DropShadow	Color, OffX, OffY, Positive	
Relief	Emboss	/	

Tableau 12-11 : Les filtres DXImageTransform			
Effet	Filtre	Propriétés	Exemple
Gravure	Engrave	/	
Aura	Glow	Color, Strength	
Dégradé	Gradient	GradientType, StartColorStr, EndColorStr	
Bougé	MotionBlur	Direction, Strength	
Pixellisé	Pixelate	MaxSquare	
Ombré	Shadow	Direction, Color, Strength	
Vague	Wave	Freq, LightStrength, Phase, Strength	

Tableau 12-12 : Valeurs possibles et description des propriétés de filtres

Propriétés	Description	Valeur	Propriétés	Description	Valeur
Color	Couleur	Couleur HTML	OffX	Décalage horizontal de l'ombre	Positive ou négative (pas de limite)
Direction	Direction du bougé (en degrés)	0 à 360	OffY	Décalage vertical de l'ombre	Positive ou négative (pas de limite)
EndColorStr	Couleur de fin du dégradé	Couleur HTML	Opacity	Opacité	0.00 à 1.00 (Basic) 0 à 100 (Alpha)
FinishOpacity (StartX, FinishX, StartY, FinishY)	Opacité de la fin du dégradé	0 à 100	Phase	Début de la vague	0 à 100
Freq	Nombre de vagues	1 à (selon la taille de l'objet)	PixelRadius	Importance du flou	0 à 30
GradientType	Type de dégradé	0 ou 1	Positive	Inverse vidéo de l'ombre	False ou True
Grayscale	Dégradé de gris	0 ou 1	Rotation	Quart de rotation	0 à 3
Invert	Inverse des couleurs	0 ou 1	Sizingmethod	Dimensionnement	Crop, Image ou Scale
LightStrength	Éclairement du creux de vague	0 à 100	Src	Source d'un conteneur	Chemin vers une image
MakeShadow (Shadow Opacity)	Applique l'effet sur l'ombre	False ou True	StartColorStr	Couleur de début du dégradé	Couleur HTML
MaxSquare	Taille des "cubes"	2 à (selon la taille de l'objet)	Strength	Force/Taille de l'effet	1 à 100
Mirror	Effet miroir	0 ou 1	Style	Style de filtre Alpha	0 à 3

Par exemple :

```
<IMG SRC="mariaG.jpg" STYLE="filter:progid:DXImageTransform
>< .Microsoft.Alpha( style=2,opacity=100,finishOpacity=0)">
```

Figure 12.17 :
Filtre Alpha (style 2) appliqué dans une balise IMG

Autre exemple :

```
<IMG SRC="mariaG.jpg" onmouseout="this.style.filter=''"
>< onmouseover="this.style.filter='progid:DXImageTransform
>< .Microsoft.Pixelate(MaxSquare=6)'">
```

Au passage du curseur de la souris sur l'image, le filtre Pixelate s'appliquera sur l'image.

Retrouvez tous ces filtres, testez et générez le code automatiquement à l'adresse **http://msdn.microsoft.com/workshop/samples/author/dhtml/DXTidemo/DXTidemo.htm**.

530. Exemple d'application d'un filtre

Un exemple d'application de filtres : l'effet "Parchemin".

Deux styles sont définis :

- Le style Parchemin qui définit l'écriture sur un fond marron, avec application du filtre effet "vague".

- Le style Lettrine qui modifie la taille et la police de caractères de la première lettre de l'élément.

L'application de ces styles combinés selon l'exemple suivant donne un effet d'écriture sur un parchemin.

Saisissez le code source de ce document HTML et affichez la page.

```
<HTML>
<HEAD>
<STYLE>
#parchemin{
    FILTER: progid:DXImageTransform.Microsoft
>< .Wave(freq=1,LightStrength =50,Phase=10,Strength=12);
    FONT-FAMILY: "Book Antiqua";
```

```
    FONT-WEIGHT: bold;
    PADDING-TOP: 20px;
    PADDING-BOTTOM: 20px;
    PADDING-RIGHT: 10px;
    PADDING-LEFT: 13px;
    WIDTH: 305px;
    HEIGHT: 150px;
    COLOR: darkred;
    BACKGROUND-COLOR: #F9BE7F;
}
#lettrine:first-letter {
    FONT-FAMILY: Lucida BlackLetter;
    FONT-SIZE: 250%;
    FLOAT: left
}
</STYLE>
</HEAD>
<BODY>
<SPAN ID="parchemin">
<P id="lettrine">
Voici un exemple d'effet mis en place grace aux styles et au
✂ filtre. Après avoir défini le style "Parchemin" dans le header
✂ de la page ou dans une feuille de style annexe, vous
✂ l'emploierez par simple référence sous la forme
✂ ID="parchemin".</P>
<P id="lettrine">Créez-vous ainsi plusieurs styles différents dont
✂ vous vous servirez facilement.</P>
</SPAN>
</BODY>
</HTML>
```

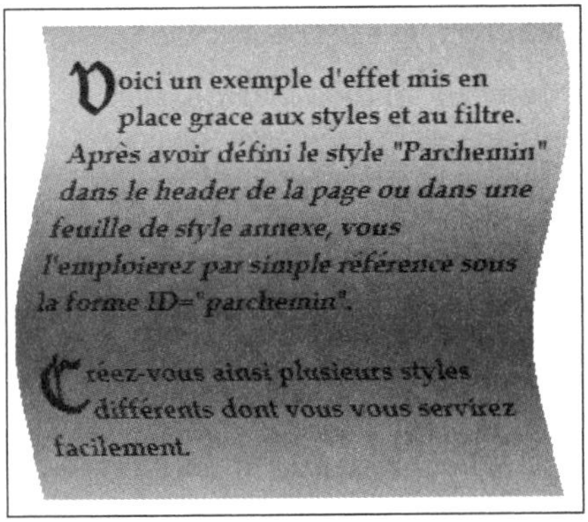

Figure 12.18 :
Résultat de l'effet personnalisé Parchemin

531. Les filtres de transition

Les filtres de transition (disponibles seulement pour Internet Explorer depuis la version 4) servent à appliquer un style particulier lors d'une transition d'objet, comme plusieurs images qui s'affichent l'une sur l'autre, ou un changement de page.

Il existe huit filtres de base, avec différents paramètres à appliquer pour chacun d'eux. Retrouvez-les à l'adresse **http://msdn.microsoft.com/workshop/ author/filter/reference/filters/revealtrans.asp**. Des démonstrations et exemples d'application y sont disponibles.

Une utilisation fréquente des filtres consiste à personnaliser les transitions de pages HTML : la page n'est plus affichée d'un bloc, mais selon l'un des vingt-trois effets préprogrammés décrits dans le tableau.

La mise en place d'un de ces filtres se fait avec la syntaxe suivante :

Dans le header du message, inscrivez la ligne :

```
<META http-equiv="Page-Enter" content="revealTrans(Duration=2,
⊰ Transition=21)">
```

- Duration définit la durée de l'effet.
- Transition est le numéro de filtre préprogrammé choisi.

Tableau 12-13 : Filtres préprogrammés			
N°	Description	Filtre	Paramètres prédéfinis du filtre
0	Rectangle vers l'intérieur	Iris	.Iris(iris,motion='in')
1	Rectangle vers l'extérieur	Iris	.Iris(iris,motion='out')
2	Cercle vers l'intérieur	Iris	.Iris(iris,motion='in')
3	Cercle vers l'extérieur	Iris	.Iris(iris,motion='out')
4	Volet montant	Slide	.Slide(direction='up',bands=1)
5	Volet descendant	Slide	.Slide(direction='down',bands=1)

			Tableau 12-13 : Filtres préprogrammés			
N°	Description	Filtre	Paramètres prédéfinis du filtre
6	Volet vers la droite	Slide	.Slide(direction='right',bands=1)
7	Volet vers la gauche	Slide	.Slide(direction='left',bands=1)
8	Bandes verticales	Blinds	.Blinds(direction='right')
9	Bandes horizontales	Blinds	.Blinds(direction='down')
10	Damier, vers la droite	CheckerBoard	.CheckerBoard(direction='right')
11	Damier, vers le bas	CheckerBoard	.CheckerBoard(direction='down')
12	Dissolution	RandomDissolve	.RandomDissolve
13	Fenêtre verticale qui se ferme	Barn	.Barn(orientation='vertical',motion='in')
14	Fenêtre verticale qui s'ouvre	Barn	.Barn(orientation='vertical',motion='out')
15	Fenêtre horizontale qui se ferme	Barn	.Barn(orientation='horizontal', motion='in')
16	Fenêtre verticale qui s'ouvre	Barn	.Barn(orientation='horizontal', motion='out')
17	En biais vers le coin inférieur gauche	Strips	.Strips(motion='leftdown')
18	En biais vers le coin supérieur gauche	Strips	.Strips(motion='leftup')
19	En biais vers le coin inférieur droit	Strips	.Strips(motion='rightdown')
20	En biais vers le coin supérieur droit	Strips	.Strips(motion='rightup')
21	Fines lignes horizontales	RandomsBars	.RandomBars(orientation='horizontal')
22	Fines lignes verticales	RandomBars	.RandomBars(orientation='vertical')
23	Aléatoire : applique un filtre au hasard	/	/

532. Quelques outils de la bibliothèque DHTML

Microsoft propose une bibliothèque de plusieurs outils DHTML (des composants dynamiques) dans le but de faciliter la conception de pages web en fonction des besoins et nécessités. Attention toutefois : ces composants dynamiques ne fonctionnent que sur Internet Explorer.

L'installation consiste seulement à placer sur votre site un fichier .htc (il s'agit en fait d'un script) et de régler ou de récupérer des valeurs de cet objet par le biais d'attributs et de propriétés spécifiques à chaque outil.

Tableau 12-14 : Outils disponibles du "DHTML Behaviors Library"	
Outil	**Fonction**
Calendar	Calendrier
Colorpick	Palette de 9 couleurs
Coolbar	Création d'une nouvelle barre d'outils
Dataselect	Ajout d'éléments dans un élément <select>
Expand	Crée un menu arborescent qui peut s'étendre ou se développer
ImageRollover	Crée un effet lors du survol d'images
Mask	Expressions régulières
Moveable	Permet de déplacer des éléments
Mpc	Ajoute un effet semblable à une boîte à onglets
Rowover	Propriétés accrues pour les tableaux HTML
Slider	Simule le contrôle représenté par un curseur qui se déplace le long d'une règle graduée
ToolTip	Crée des info-bulles personnalisées

Ces outils sont disponibles à l'adresse http://msdn.microsoft.com/downloads/samples/internet/default.asp, en choisissant dans la fenêtre de gauche le menu **DHTML Behaviors Library**.

Pour en savoir plus sur les fichiers .htc, visitez la page http://msdn.microsoft.com/workshop/components/htc/reference/htcref.asp (en anglais).

533. Ajouter un calendrier

Voici un exemple d'utilisation d'un outil de la bibliothèque DHTML : le calendrier.

La mise en place et l'exploitation se déroulent de la manière suivante :

1. Téléchargez et décompressez les fichiers Calendar sur la page http://msdn.microsoft.com/downloads/samples/internet/behaviors/library/calendar/default.asp.

2. Placez sur votre espace web le fichier *Calendar.htc* que vous venez de décompresser.

3. Construisez de cette façon la page web dans laquelle vous voulez intégrer le calendrier et placez-la dans le même dossier :

```
<HTML XMLNS:IE>
<HEAD>
<STYLE>
@media all{
    IE\:Calendar{
        behavior: url(calendar.htc) ;
        width : 33%;
    }
}
</STYLE>
</HEAD>
<BODY>
<IE:Calendar
    ID = "cal"
    STYLE = "width: 300; height: 275; border: '1px solid
    %< black';"
>
</IE:Calendar>
</BODY>
</HTML>
```

4. Définissez ou lisez les données voulues en vous référant à la page http://msdn.microsoft.com/workshop/author/behaviors/library/calendar/calendar.asp.

   – Par exemple, le jour sélectionné est accessible par l'attribut .day. En prenant le script précédent où "cal" définit l'objet calendrier, cal.day retourne le jour désigné.

   – Rajoutez avant la ligne </BODY> la ligne suivante :

   ```
   <a href="javascript:alert(cal.day+'/'+cal.month+'/
   '+cal.year);">Résultat</a>
   ```

– La sélection du lien *Résultat* affiche une boîte de dialogue avec la date du calendrier.

Traduisez le calendrier

En ouvrant avec un éditeur de texte le fichier *Calendar.htc*, vous pourrez traduire en français les jours de la semaine et les mois de l'année.

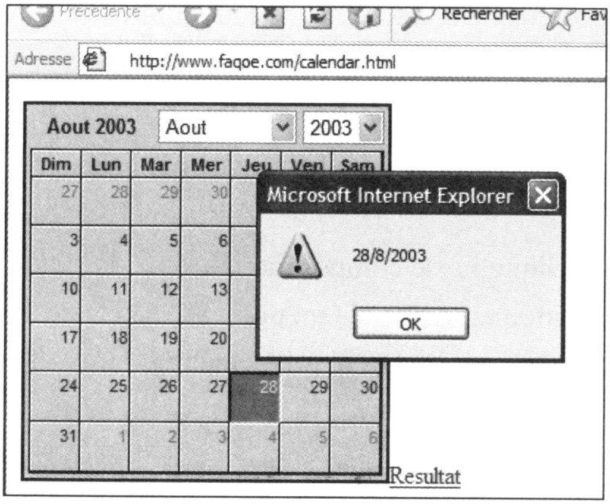

Figure 12.19 :
Calendrier avec son résultat affiché dans une boîte de dialogue. Notez que les jours et les mois ont été traduits

534. Créez vos propres composants dynamiques

Vous pouvez créer vos propres composants dynamiques. Ceux-ci répondent à des actions effectuées par les utilisateurs, et si leur développement peut quelquefois paraître ardu, la visibilité du code final est grandement appréciée. Voici un petit exemple très simple pour que vous ayez une idée de l'utilisation et de la mise en place d'un composant dynamique.

Exemple : construire un outil DHTML générique qui crée un lien avec un style particulier et pour lequel un attribut personnel (par exemple l'attribut "KB") reformaterait le lien afin qu'il rejoigne un article de la base de connaissance Microsoft.

Création du fichier .htc

Le fichier HTC commence par déclarer la création d'un nouveau composant qui s'appelle "lien".

```
<PUBLIC:COMPONENT tagname="lien">
```

Le style appliqué par défaut sur ce nouveau composant sera la modification du curseur : celui-ci se transformera en main à l'index pointé, indiquant au visiteur qu'il survole un lien.

```
<PUBLIC:DEFAULTS style="cursor:hand;" />
```

Début de la zone de script : ici du JScript, un langage proche du Javascript mais créé par Microsoft. Cela ne pose pas de problème de se servir de ce langage "restrictif" car les composants dynamiques ne sont de toute façon utilisables que dans Internet Explorer.

```
<script language="JScript">
```

Trois actions seront détectées sur ce composant ; elles renverront chacune des actions dans le sous-programme désigné :

- onclick : lorsque l'utilisateur clique sur le composant.

- onmouseover : lorsque l'utilisateur survole l'élément.

- onmouseout : lorsque l'utilisateur ne survole plus l'élément.

```
element.attachEvent("onclick", doOnclick);
element.attachEvent("onmouseover", doOnMouseOver);
element.attachEvent("onmouseout", doOnMouseOut);
```

Création des sous-programmes :

Le sous-programme doOnclick (lié à l'action onclick) a la charge d'ouvrir un lien dans une nouvelle fenêtre : dans le composant, vous passez une valeur par un identifiant (par exemple "tgt" pour target), et cette fonction ouvrira le lien passé dans "tgt". Ce sous-programme vérifie aussi la présence de l'attribut "KB" ; si cet attribut existe, il modifie la valeur de "tgt".

```
function doOnclick(){
if (typeof(KB) != "undefined"){
tgt = "http://support.microsoft.com/default.aspx?scid=kb;fr;"+tgt
}
window.open ("http://"+tgt)
}
```

Sous-programme doOnMouseOver : le style du composant change, le texte prend les attributs de couleur "sélection".

```
function doOnMouseOver(){
srcElem = window.event.srcElement;
srcElem.runtimeStyle.backgroundColor="highlight";
srcElem.runtimeStyle.color="highlighttext";
}
```

Sous-programme doOnMouseOut : le style du composant change, le texte reprend sa couleur normale.

```
function doOnMouseOut(){
srcElem = window.event.srcElement;
srcElem.runtimeStyle.backgroundColor="";
srcElem.runtimeStyle.color="";
}
```

Fermez ensuite la partie script et terminez la création du composant :

```
</script>
</PUBLIC:COMPONENT>
```

Script intégral :

```
<PUBLIC:COMPONENT tagname="lien">
<PUBLIC:DEFAULTS style="cursor:hand;" />
<script language="JScript">
element.attachEvent("onclick", doOnclick);
element.attachEvent("onmouseover", doOnMouseOver);
element.attachEvent("onmouseout", doOnMouseOut);
function doOnclick(){
if (typeof(KB) != "undefined"){
tgt = "support.microsoft.com/default.aspx?scid=kb;fr;"+tgt
}
window.open("http://"+tgt)
}
function doOnMouseOver(){
srcElem = window.event.srcElement;
srcElem.runtimeStyle.backgroundColor="highlight";
srcElem.runtimeStyle.color="highlighttext";
}
function doOnMouseOut(){
srcElem = window.event.srcElement;
srcElem.runtimeStyle.backgroundColor="";
srcElem.runtimeStyle.color="";
}
</script>
</PUBLIC:COMPONENT>
```

Saisissez ce code dans un fichier texte brut (avec Notepad, par exemple) et nommez-le *lien.htc*.

REMARQUE

Soyez rigoureux
En saisissant cet exemple de code, respectez scrupuleusement la casse, ce qui signifie que vous devez respecter les minuscules et majuscules.

Utilisation dans une page web

Voilà l'utilisation du fichier *.htc* précédemment créé. L'appel aux composants dynamiques se fait par XMLNS de la balise Body et la ligne <? Import… dans la partie Head. Implementation désigne l'emplacement du fichier *.htc*. Ici, il est dans le même répertoire que ce document html.

Pour vous servir du nouveau composant, inscrivez son nom suivi d'un deux-points et du type (lien) <Perso:lien>. Rajoutez aussi l'attribut tgt qui sert de variable commune avec le script du fichier *.htc*. L'attribut KB indique que la valeur contenue dans tgt doit être modifiée pour accéder à un article de la base de connaissance Microsoft.

```
<html XMLNS:Perso>
<head>
<title>Composant Dynamique personnel</title>
<meta http-equiv="Content-Type" content="text/html;
⊁ charset=iso-8859-1">
<?import namespace="Perso" implementation="lien.htc">
</head>
<body>
<p>
<Perso:lien tgt="www.google.fr" title='Nouvelle Page
⊁ Google'>Google</Perso:lien><br>
<Perso:lien KB tgt="147388">Visualiser la note KB 147388</Perso:lien>
</p>
</body>
</html>
```

Complémentarité

Vous pouvez combiner les composants dynamiques avec les styles personnels décrits dans la section *Le Style/Des styles personnels* de ce chapitre.

Se servir des composants dynamiques dans une page PHP

Vous pouvez vous servir des composants dynamiques dans une page PHP (la seule restriction est d'utiliser Internet Explorer). Néanmoins, vous risquez d'avoir des problèmes pour écrire la ligne qui appelle le fichier *.htc*. En effet, celle-ci débute par les caractères <? qui sont interprétés comme une ouverture de section PHP. Écrivez la ligne d'import htc en PHP.
Par exemple, pour la ligne :

```
<?import namespace="Perso" implementation="lien.htc">
```

Inscrivez dans un document PHP :

```
<?= "<?import namespace=\"Perso\" implementation=\"lien.htc\">"; ?>
```

L'avantage de se servir des composants dynamiques personnels paraît évident : une fois vos fichiers *.htc* créés, la programmation de vos pages web est très claire et il vous suffit au besoin de modifier le fichier *.htc* pour affecter la totalité des pages qui se servent de ces composants dynamiques.

Pour en savoir plus

Retrouvez les explications sur la création de ces composants dynamiques à partir de la page http://msdn.microsoft.com/workshop/components/htc/reference/htcref.asp (en anglais).

535. Créez vos propres composants dynamiques (variante)

Voici une variante de l'astuce précédente, en reprenant le même exemple mais en utilisant une technique légèrement différente. Il s'agit cette fois d'un fichier XML portant l'extension *.wsc* (*Windows Script Components*), toujours appelé dans une page *.html*.

Fichier *Lien.wsc* :

```
<?XML version="1.0"?>
<component>
<implements type="Behavior">
    <attach event="onmouseover" handler="doOnMouseOver" />
    <attach event="onmouseout" handler="doOnMouseOut" />
    <attach event="onclick" handler="doOnclick" />
</implements>
<script language="JScript">
<![CDATA[
function doOnclick(){
if (typeof(KB) != "undefined"){
tgt = "support.microsoft.com/default.aspx?scid=kb;fr;"+tgt
}
window.open("http://"+tgt)
}
function doOnMouseOver(){
srcElem = window.event.srcElement;
srcElem.runtimeStyle.backgroundColor="highlight";
srcElem.runtimeStyle.color="highlighttext";
window.style.cursor="hand";
}
function doOnMouseOut(){
srcElem = window.event.srcElement;
srcElem.runtimeStyle.backgroundColor="";
srcElem.runtimeStyle.color="";
}
```

```
]]>
</script>
</component>
```

Document HTML :

```
<HTML>
<HEAD>
<xml:namespace prefix="Perso" />
<style>
Perso\:Lien {behavior:url(lien.wsc);cursor:hand}
</style>
</HEAD>
<body>
<Perso:Lien tgt="www.google.fr">Google</Perso:lien><br>
<Perso:lien KB tgt="147388">Visualiser la note KB
>< 147388</Perso:lien>
</body>
</HTML>
```

Documentation gratuite en français

Retrouvez la documentation à propos de Windows Script Component en français dans le fichier d'aide *Script56.CHM*, disponible en téléchargement à partir de l'adresse **http://download.microsoft.com/download/winscript56/Install/5.6/ W98NT42KMe/FR/scd56fr.exe**. Dans ce fichier, vous avez aussi la documentation complète à propos de VBScript, JScript, WSH.

12.6 Le Style

536. STYLE de pages web

Le code HTML ne pourrait être qu'une manière de mettre en page du texte, agrémenté de liens. Les STYLES ont pour but d'agrémenter ce texte d'effets graphiques et dynamiques. De cette façon, dans le cas où un même effet pourrait être produit par une balise HTML ou par un effet STYLE, il est toujours préférable de privilégier le STYLE.

Par exemple, pour colorer le fond de page en bleu, vous devriez inscrire <BODY STYLE="background:blue"> plutôt que <BODY BGCOLOR="blue"> (les deux méthodes auront pourtant le même effet).

Il y a plusieurs façons de définir des styles, parmi celles-ci :

Dans la balise HTML

Le style est délimité par la chaîne STYLE="attributs du style".

Par exemple :

```
<P STYLE="color:red">Bonjour</P>
```

Le style appliqué à la balise <P> est color:red (la couleur de texte est rouge).

Dans l'en-tête du document

L'avantage est de pouvoir appliquer le même style à l'ensemble des balises du document.

Par exemple, placez dans le header :

```
<STYLE type="text/css">p{color:red}</STYLE>
```

Dans le document même, tout le texte à l'intérieur des balises <P> et </P> aura le style défini dans le header (dans l'exemple color:red).

```
<P>Bonjour</P>
```

L'avantage évident est de ne pas avoir à inscrire le même style s'appliquant à toutes les mêmes balises d'un document.

Dans un document texte séparé

Dans un document en texte brut, inscrivez la ligne :

```
p{color:red}
```

et sauvegardez le fichier en lui donnant par exemple le nom *Style.css*.

Dans le header du document web, appelez cette feuille de style (*Style.css*) en ajoutant la ligne :

```
<LINK href="style.css" rel="stylesheet" type="text/css">
```

Dès lors, les appels à la balise <P> auront le style défini dans la feuille de style.

```
<P>Bonjour</P>
```

L'avantage est de définir le même fichier style (.*css*) pour plusieurs documents. Pour reprendre l'exemple cité, si vous avez créé plusieurs documents HTML et si vous leur avez donné comme style la feuille *Style.css* précédemment créée, il vous suffira de modifier une seule fois color:red en color:blue pour modifier la couleur de texte entre les balises <P> dans l'ensemble de vos documents !

Dans un script Javascript

Placé par l'élément Style :

```
<P
onMouseover="this.style.color='red'"
onMouseout="this.style.color='blue'">
Bonjour
</P>
```

Le texte Bonjour écrit en couleur d'écriture normale deviendra rouge au survol de la souris, et bleu lorsqu'elle s'en écartera (onMouseover ; onMouseout).

537. Petites astuces de Style

Séparez les styles par un point-virgule

Exemple :

```
<P STYLE="color:red;background:cyan">Bonjour</P>
```

définit le style color et background pour la même balise <P>.

Dissimulez le style aux anciens navigateurs

Lorsqu'elles sont inscrites dans le document (notamment dans le header), masquez le style aux navigateurs ne les gérant pas en inscrivant <!-- en début de déclaration et --> en fin.

Norme de Style

Retrouvez les recommandations officielles de Style (CSS1) à l'adresse www.w3.org/TR/1999/REC-CSS1-19990111, disponibles en français à l'adresse www.yoyodesign.org/doc/w3c/css1/index.html.

Retrouvez le CSS sur le site de Microsoft MSDN : http://msdn.microsoft.com/ workshop/author/css/reference/attributes.asp.

Commentaires

Insérez des commentaires dans vos feuilles de style pour les documenter : ils doivent commencer par /* et se terminer avec */.

Création rapide

Créez rapidement vos feuilles de style en ligne, par exemple à partir de l'adresse **www.i-services.net/plus/generateur_css.php**.

538. Des styles personnels

Créez un ensemble de style qui s'appliquera par un identificateur unique, dans la balise choisie.

Première solution : id

Dans le style, déclarez un identificateur précédé du signe dièse #. Faites appel à ce style par id="identificateur".

Par exemple, déclarez dans la section style :

```
#monstyleperso{color:red;background:cyan}
```

et appelez le style par :

```
<P id="monstyleperso">Bonjour</P>
```

Deuxième solution : class

Dans le style, déclarez une classe précédée du point. Faites appel à ce style par class="classe".

Par exemple, déclarez dans la section style :

```
.maclasse{color:red;background:cyan}
```

et appelez le style par :

```
<P class="maclasse">Bonjour</P>
```

Troisième solution : créer de nouveaux éléments (Internet Explorer seulement)

Faciles à mettre en œuvre, créez vos propres éléments et assignez-leur un style particulier en suivant ces trois étapes :

■ Dans la balise HTML, rajoutez XMLNS suivi du nom que vous voulez donner aux nouveaux éléments.

- Créez une déclaration de style dans la partie header et inscrivez les attributs style du nouvel élément avec la syntaxe : Nom du nouvel élément\:Attribut{style à appliquer}.

- Dans le corps du document web, ouvrez et fermez ces nouveaux éléments avec leurs attributs.

Exemple :

```
<HTML XMLNS:COULEUR XMLNS:GENRE>
 <HEAD>
  <STYLE>
    COULEUR\:vert{color:green;}
    COULEUR\:bleu{color:blue;}
    GENRE\:titre{
     FONT-SIZE: 170%;
     FONT-FAMILY:French Script MT;
     background-color:pink;
     border-style:ridge;
     border-width:thick;
     border-color:yellow;
    }
  </STYLE>
 </HEAD>
<BODY>
<GENRE:titre>
 <COULEUR:bleu>
  Texte écrit en bleu et mis en forme avec mes balises
  >< personnelles.
 </COULEUR:bleu>
</GENRE:titre>
<br>
<br>
<COULEUR:vert>
 Texte écrit en rouge avec ma balise personnelle COULEUR et
 >< l'attribut Vert.
</COULEUR:vert>
<br>
<COULEUR:bleu>
 Texte écrit en rouge avec ma balise personnelle COULEUR et
 >< l'attribut Bleu.
</COULEUR:bleu>
</BODY>
</HTML>
```

Complémentarité

Vous pouvez combiner ces styles avec les composants dynamiques personnels décrits dans la section *Ressources*.

539. Changer dynamiquement un style dans un document web

Tout ce qui est STYLE peut être modifié dynamiquement en appliquant l'astuce suivante :

Identifiez le corps d'un document web avec l'attribut ID= et appliquez-y le style que vous voulez changer dynamiquement.

Par exemple, changez la police d'écriture dynamiquement, inscrivez comme balise Body avec l'attribut Id (inscrivez <BODY ID="aBody">), puis :

Changez la police d'écriture :

```
<a href="javascript:void(aBody.style.fontFamily='Arial')">Police
✂ du document en Arial<a/><br>
<a href="javascript:void(aBody.style.fontFamily='Tahoma')">Police
✂ du document Tahoma<a/><br>
```

Changez la couleur d'écriture :

```
<a href="javascript:void(aBody.style.color='blue')">Couleur de
✂ police bleue<a/><br>
<a href="javascript:void(aBody.style.color='#ff0000')">Couleur de
✂ police rouge<a/><br>
```

Changez le motif de fond d'écran :

```
<a href="javascript:void(aBody.style
✂ .backgroundImage='url(fondecran1.gif)')">Fond d'écran 1<a/><br>
<a href="javascript:void(aBody.style
✂ .backgroundImage='url(fondecran1.gif)')">Fond d'écran 1<a/><br>
```

Changez l'apparence des liens (inutile pour cet exemple de placer ID="aBody" dans la balise <Body>) :

```
<a href="#" onclick="for(var i=0;i<document.links
.length;i++){document.links(i).style
✂ .textDecorationNone='true'}">Liens non soulignés<a/><br>
<a href="#" onclick="for(var i=0;i<document.links
✂ .length;i++){document.links(i).style.fontWeight ='bold'}">Liens
✂ en Gras<a/><br>
```

Liste des attributs de style

Consultez tous les attributs de style sur le site MSDN à l'adresse http://msdn .microsoft.com/workshop/author/css/reference/attributes.asp (en anglais).

540. Définir une lettrine

Une lettrine est la première lettre d'un texte, d'un paragraphe, qui est plus grosse ou d'une police de caractères différente que la police employée dans le texte.

Le pseudo-élément de style First-letter indique la première lettre d'un élément désigné.

Par exemple :

```
<STYLE>
p:first-letter {
font-family: Lucida BlackLetter;
font-size: 200%;
float: left
}
</STYLE>
```

donne à tous les paragraphes <P> l'initiale avec la police Lucida BlackLetter, avec le double de la taille courante. L'alignement à gauche donne un effet d'incrustation de la lettre dans le texte.

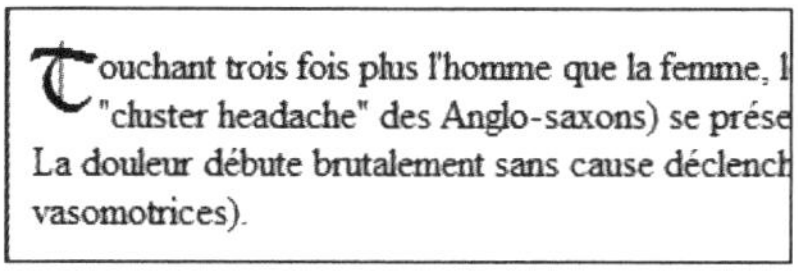

Figure 12.20 :
Lettrine en action

Le pseudo-élement First-line donne le style à la première ligne entière.

Exemple :

```
<style>
.premiereL:first-line {font-family: Verdana;}
</style>
```

Dans le texte, faites référence à la classe qui vient d'être définie : premiereL pour appliquer le style à l'élément voulu :

```
<p CLASS="premiereL">
Touchant trois fois plus l'homme que la femme, le syndrome des
⤬ algies vasculaires de la face (syndrome de Sluder ou "cluster
⤬ headache" des Anglo-saxons) se présente de façon
⤬ stéréotypée.<br>
La douleur débute brutalement sans cause déclenchante (sauf
⤬ parfois la prise d'alcool ou de certaines substances
⤬ vasomotrices). </p>
<p>
```

```
Intense d'emblée, à type de brûlures, toujours unilatérale, elle
✂ est localisée dans l'orbite, irradiant à la tempe et au front,
✂ dans la région maxillaire et aux niveaux occipital et cervical.
</p>
```

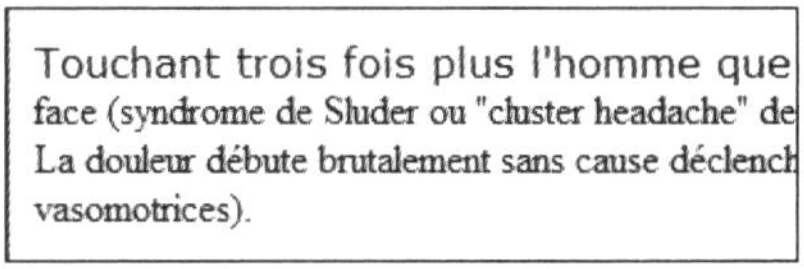

Touchant trois fois plus l'homme que
face (syndrome de Sluder ou "cluster headache" de
La douleur débute brutalement sans cause déclench
vasomotrices).

Figure 12.21 :
Propriété définie à la ligne entière

Il est bien sûr possible de cumuler les deux styles :

```
<style>
p:first-letter {
font-family: Lucida BlackLetter;
font-size: 200%;
float: left
}
p:first-line {font-family: Verdana;}
</style>
```

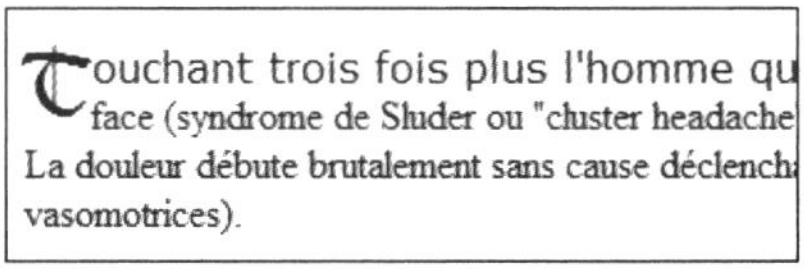

Touchant trois fois plus l'homme qu
face (syndrome de Sluder ou "cluster headache
La douleur débute brutalement sans cause déclench
vasomotrices).

Figure 12.22 :
Cumul des deux styles

541. Définir un curseur différent

L'application de l'attribut de style cursor vous permet de modifier le curseur de la souris du visiteur.

Par exemple :

```
<style>
A:hover{cursor=crosshair;}
</style>
```

change le curseur de la souris en une croix lorsqu'il passe sur un lien.

Tableau 12-15 : Les curseurs disponibles d'Internet Explorer 6		
Nom du curseur	**Emploi, signification**	**Curseur**
all-scroll	La page peut être dirigée dans toutes les directions	 ✥

Tableau 12-15 : Les curseurs disponibles d'Internet Explorer 6		
Nom du curseur	**Emploi, signification**	**Curseur**
auto	Pointeur du navigateur	
col-resize	Déplacement d'une barre verticale	
crosshair	Croix	
default	Curseur par défaut	
hand	Main avec un doigt pointé, indique souvent un lien	
help	Flèche avec un point d'interrogation : l'Aide est disponible	
move	L'objet peut être déplacé	
no-drop	Le glisser/déposer (drag & drop) ne fonctionne pas	
not-allowed	L'objet ne peut pas être déplacé	
pointer	Identique et même signification que le curseur hand	
progress	Une tâche s'exécute en arrière-plan	
row-resize	Déplacement d'une barre horizontale	
text	Sélection de texte	
vertical-text	Sélection d'un texte vertical	
wait	Le programme est occupé	

Tableau 12-15 : Les curseurs disponibles d'Internet Explorer 6		
Nom du curseur	**Emploi, signification**	**Curseur**
n-resize s-resize	Redimensionnement Nord/Sud	 ↕
ne-resize sw-resize	Redimensionnement Nord-Est/Sud-Ouest	 ↗
nw-resize se-resize	Redimensionnement Nord-Ouest/Sud-Est	 ↘
e-resize w-resize	Redimensionnement Est/Ouest	 ↔

542. Définir un curseur personnalisé

En plus des curseurs d'Internet Explorer, vous pouvez désigner vos propres curseurs ; il s'agit de curseurs fixes .*cur* ou de curseurs animés .*ani*. La syntaxe et la mise en place sont semblables à la mise en place de curseurs personnalisés. La différence consiste seulement à désigner l'emplacement du nouveau curseur.

Par exemple :

```
<style>
A:hover{cursor=url(moncurseur.cur);}
</style>
```

personnalise le curseur lors du survol d'un lien.

Figure 12.23 :
Curseur personnalisé lors du survol d'un lien

Vous n'êtes pas obligé de désigner un curseur seulement pour un lien, vous pouvez en affecter aux éléments de votre choix, et pourquoi pas à la page entière :

```
BODY{cursor=url(moncurseur.cur);}
```

Téléchargez de nouveaux curseurs

Plusieurs sites proposent de télécharger de nouveaux curseurs, par exemple http://telecharger.01net.com/windows/Personnaliser/Curseurs, chez qui le choix est vaste.

543. Personnaliser les barres de défilement

Les barres de défilement (ou scrollbars) sont les barres présentes sur les pages où le texte à afficher est plus grand que la fenêtre elle-même.

Sur votre ordinateur, et sur l'ordinateur du visiteur du site, les couleurs et caractéristiques de ces barres sont définies par Windows. Vous y accédez de cette façon :

1. Cliquez du bouton droit de la souris sur un endroit vide du Bureau de Windows et choisissez **Propriétés**.

2. Dans la boîte de dialogue **Propriétés de l'Affichage**, sélectionnez l'onglet **Apparence**. Cliquez sur le bouton **Avancé**.

3. Sous la liste déroulante *Elément*, choisissez :

   – *Barre de défilement* pour modifier la largeur en saisissant un nombre dans la zone de saisie *Taille*.

   – *Objets 3D* pour changer la couleur de ces barres. Attention, ces changements modifient l'ensemble des objets 3D de Windows : boutons, bordures…

Cela ne vous empêche pas d'afficher une page web avec des couleurs de barres de défilement que vous avez définies, indépendamment des réglages Windows. Agissez pour cela dans le STYLE de la page avec la syntaxe Argument:couleur.

Par exemple :

```
scrollbar-Base-color:#552222;
```

Vous pouvez définir des couleurs de barres de défilement pour les éléments APPLET, BDO, BODY, CUSTOM, DIV, EMBED, OBJECT, TEXTAREA.

Par exemple :

```
<TEXTAREA STYLE="scrollbar-Base-color:green;">Barre de défilement
⌐ verte</TEXTAREA>
```

Reportez-vous aux astuces Noms de couleurs du chapitre Chapitre commun.

Pour colorer l'ensemble de la barre de défilement, renseignez la couleur de l'argument de style scrollbar-Base-color.

Pour colorer chaque partie différente de cette barre de défilement, renseignez les arguments de style suivants :

Tableau 12-16 : Arguments du style Scrollbar	
Argument	**Signification**
scrollbar-arrow-color	Couleur de la flèche
scrollbar-track-color	Couleur de fond, sous le bouton de défilement
scrollbar-face-color	Couleur de sommet du bouton
scrollbar-highlight-color	Première bordure éclairée du bouton
scrollbar-3dlight-color	Deuxième bordure éclairée du bouton
scrollbar-darkshadow-color	Première bordure sombre du bouton
scrollbar-shadow-color	Deuxième bordure sombre du bouton

Figure 12.24 :
Arguments du style Scrollbar

Création du code

Testez et essayez différentes valeurs en ligne à l'adresse **http://msdn.microsoft** **.com/workshop/samples/author/dhtml/refs/scrollbarColor.htm**. Le code se créera automatiquement.

544. Personnaliser les liens

La création d'un lien fait sûrement partie de ce qui s'apprend en premier lors de la découverte du HTML. Il est composé de cette façon :

```
<A HREF="http://www.chez.com/fpicalausa"> Rejoignez le site de
< François en cliquant ici</a>
```

Choix de l'emplacement d'ouverture du lien

À côté de l'élément A, vous pouvez ajouter l'attribut TARGET qui spécifie l'endroit où le lien doit être ouvert :

Tableau 12-17 : Propriétés de l'attribut Target	
Propriété	**Emplacement d'ouverture de la nouvelle page**
_blank	Nouvelle fenêtre
_media	Dans le volet d'exploration Media
_parent	Dans la fenêtre appelante
_search	Dans le volet d'exploration Rechercher
_self	Dans la fenêtre active
_top	Dans la fenêtre appelante et fait disparaître les frameset de cadres
_Nomframe	Dans la fenêtre frameset nommée (si votre document contient des cadres)

Par exemple :

```
<A HREF="http://www.chez.com/fpicalausa" target="_blank">Rejoignez
< le site de François en cliquant ici</a>
```

Style de lien

Vous pouvez modifier l'apparence de vos liens, selon qu'ils sont actifs, survolés par la souris, sélectionnés, visités, en donnant un style à l'élément A.

Tableau 12-18 : Quatre des multiples styles de l'élément A	
Style	**Description de la propriété**
:active	Le lien est actif
:hover	Le lien est survolé par le curseur
:link	Le lien n'a pas été visité
:visited	Le lien a récemment été visité

Par exemple :

Dans les déclarations de style :

```
<style>
A:hover{font: bold italic}
</style>
```

aura pour effet de modifier le texte en gras/italique dès que le lien est survolé par le curseur.

Vous pouvez ainsi modifier la couleur de police de fond, mettre une image en fond, changer les propriétés de la police, encadrer le lien…

12.7 Graphisme

545. Les différents formats d'image pour le Web

Une image .gif

Le format graphique *.gif* (*Graphics Interchange Format*) mis au point par CompuServe permet de créer des images compressées en 2, 8, 16 ou 256 couleurs. Sur le Web, vous choisirez donc ce format pour des images allant jusqu'à 256 couleurs (8 bits/pixel).

Lorsque cela est possible, selon votre logiciel de dessin, spécifiez le nombre de couleurs strictement nécessaire à votre graphique. Inutile par exemple de créer une image .*gif* (ou un Gif) en 256 couleurs s'il s'agit d'une image qui n'en compte que 8 !

N'oubliez jamais que plus votre page web sera "légère" en poids, plus elle sera rapide à charger par le visiteur !

Vous pouvez entrelacer votre .*gif*, c'est-à-dire qu'à l'affichage, l'image ne sera pas affichée au fur et à mesure de son chargement, mais d'une manière de plus en plus nette (on comme une image floue qui devient nette).

Une autre particularité des images .*gif* est la possibilité de leur définir un fond transparent. Ceci est souvent employé !

Une image .jpg

Ce format .*jpg* (*Joint Photographic Experts Group*) compresse une image sans limitation de couleurs, mais cette compression génère une perte de qualité proportionnelle à la taille de l'image. Plus l'image sera compressée, plus elle sera légère et moins elle aura la qualité de l'image initiale.

Visitez le site officiel de Joint Photographic Experts Group à l'adresse www.jpeg.org.

Une image .png

L'image .*png* (*Portable Network Graphics*) est compressée mais sans aucune perte de qualité. C'est l'idéal pour afficher des photos de très bonne qualité (codage jusqu'à 48 bits/pixel), mais bien entendu le poids de ces images est plus élevé que celui des mêmes images en .*jpg* ou .*gif*.

Visitez le site officiel de Portable Network Graphics (en anglais) sur www .libpng.org/pub/png.

REMARQUE

D'autres formats d'image

Plusieurs autres formats d'image peuvent être affichés par Internet Explorer. Consultez la documentation MSDN en anglais : http://msdn .microsoft.com/workshop/author/dhtml/reference/objects/img.asp.

546. Créer un .gif animé

Les images au format *.gif* peuvent être animées, c'est-à-dire que l'image est composée d'une succession d'images qui s'affichent les unes sur les autres, selon un intervalle donné.

Une multitude de programmes proposent la création de *.gif* animés ! Parmi ceux-ci :

Tableau 12-19 : Quelques programmes pour fabriquer des images .gif animées		
Programme	**Éditeur**	**Site Internet**
Animation shop 3	Jasc Software	www.jasc.com
Gif animator (anglais, freeware)	Microsoft	Par exemple, www.devparadise .com/download/graphisme/gif/F70 .asp
Active GIF Creator	WSoft Lab	www.wsoft-lab.com/products/ agif/french/index.htm
Image forge pro (anglais)	CursorArts Company	www.cursorarts.com/ca_imf.html
UnFREEz (anglais, freeware)	WhitSoft	www.whitsoftdev.com
Ulead Gif Animator	Ulead	www.ulead.co.uk/fr/ga/trial.htm
Photoshop/ImageReady	Adobe	www.adobe.com

Vous ne vous trouvez pas un talent d'artiste ? Téléchargez des *.gif* déjà prêts sur :

- www.yatoula.com/gif/pages/mailgif.html.
- http://fr.gifs.tv.
- www.quigif.com.
- www.animationfactory.com.
- www.gifworks.com (programme qui modifie vos *.gif* en ligne).

547. Gérer la barre d'outils Image

La barre d'outils *Image* est le menu disponible depuis Internet Explorer 6 sur les images affichées.

Elle propose les actions suivantes :

- *Sauvegarder cette image.*
- *Imprimer cette image.*
- *Envoyer cette image dans un courrier électronique.*
- *Ouvrir le dossier Mes images.*

À la création d'une page web, vous pouvez choisir de ne pas masquer cette barre d'outils *Image*. Dans le header de la page, inscrivez <META HTTP-EQUIV="imagetoolbar" CONTENT="no"> pour toujours masquer la barre d'outils *Image* (la valeur Yes est la valeur par défaut).

Vous pouvez aussi choisir de gérer la barre d'outils image par image. Dans la balise HTML d'affichage d'image <IMG>, ajoutez GALLERYIMG="no" ou GALLERYIMG="yes" selon que vous voulez rendre indisponible ou accessible cette barre d'outils.

Par exemple, la ligne suivante ne fera pas apparaître la barre d'outils *Image* sur la photographie :

```
<IMG SRC="photographie.jpg" GALLERYIMG="no">
```

Ne plus afficher la barre d'outils *Image*

Vous pouvez supprimer l'affichage par défaut de la barre d'outils *Image* sur les sites que vous visitez. Dans Internet Explorer, choisissez successivement les commandes du menu **Outils/Options Internet**, puis l'onglet **Avancé**. Dans la rubrique *Multimédia*, cochez ou décochez la case *Activer la barre d'outils de l'image* selon que vous voulez ou pas l'afficher.

Dans cette même rubrique, vous pouvez également intervenir sur d'autres réglages comme le redimensionnement automatique des images.

12.8 Programmes et ressources extérieures

Voici des programmes et des liens utiles au webmaster.

548. Coder ses scripts

Il est possible de coder vos scripts Javascript et ASP afin d'en interdire la modification et l'édition. Extrêmement utile, cette méthode n'est presque pas utilisée et très peu documentée.

Installation

1. Rendez-vous à l'adresse http://msdn.microsoft.com/downloads/list/webdev .asp. Cliquez sur le lien *Script Encoder* et, dans la nouvelle page qui s'affiche, cliquez sur *Download*.

2. Exécutez le programme chargé (*Sce10en.exe*). Par défaut, celui-ci va extraire dans le dossier *C:\Program Files\Windows Script Encoder* le fichier d'aide *Screnc.chm* et le programme *Screnc.exe*.
   – Le fichier *Screnc.chm* est le fichier d'aide de l'encodeur de script.
   – Le fichier *Screnc.exe* est le programme DOS qui effectue l'encodage.

Utilisation

L'encodeur de script va analyser le document HTM ou HTML que vous lui désignez et déceler puis crypter automatiquement les scripts Javascript, VBScript qui y sont contenus.

Si vous désignez un fichier *.js* (Javascript seul), le fichier codé devra porter l'extension *.jse*. (L'encodeur crypte aussi les scripts ASP.)

1. Dans la boîte de dialogue **Exécuter** (par **Démarrer/Exécuter** ou Windows+R), saisissez cmd pour exécuter l'interpréteur de commande.

2. Placez-vous dans le dossier de *Screnc.exe* (par exemple en inscrivant la commande CD Program Files\Windows Script Encoder si le programme a bien été extrait dans ce dossier).

3. Saisissez Screnc suivi des arguments de la ligne de commande. Voici plusieurs exemples :
   – Screnc fichier.htm fichiercode.htm. Code le document *Fichier.htm* et le sauvegarde dans le nouveau document *Fichiercode.htm*.

- — Screnc programme.js programme.jse. Code le fichier Javascript *Programme.js* et le sauvegarde dans le nouveau fichier *Programme.jse*.

- — Screnc /f fichier.htm. Code le document *Fichier.htm* (le document original non codé est perdu).

- — Screnc *.asp C:\temp. Code tous les documents *.asp* du répertoire courant et les place dans le répertoire *C:\temp*.

En pratique

Exemple : ce document demande un mot de passe en boucle jusqu'à ce que sollies ait été marqué. L'inconvénient est que ce mot est inscrit en clair dans le script, ce qui est impensable pour un mot de passe. La solution consiste à crypter ce document HTML.

```
<html>
<head>
<script language="javascript">
while (prompt('Mot de passe ?','') != "sollies"){alert("Essaye
>< encore")}
</script>
</head>
<body>
<h2>Bienvenue, mon ami !</h2>
</body>
</html>
```

Sauvegardez ce document avec le nom *Page.htm*, puis exécutez en ligne de commande Screnc page.htm pagecode.htm.

Affichez le nouveau document *Pagecode.htm* : son fonctionnement est normal et rien n'a changé. Éditez-le pour lire le code à l'intérieur, vous devriez trouver ceci :

```
<html>
<head>
<script language="JScript
>< .Encode">#@~^UAAAAA==@#@&h4bVP'aDKhwD'vHKY~ [Pwmd/
>< PgESvB*Pe'~JdG^Vr+kE#PlsnMY'E3k/CX~x^KDJ#)@#@&rxcAAA==
>< ^#~@</script>
</head>
<body>
<h2>Bienvenue, mon ami !</h2>
</body>
</html>
```

Le script entre les balises <script> est codé (Javascript.Encode), et illisible.

Utilisation d'un codage par Screnc

Il ne s'agit ici que d'un exemple : si vous interdisez l'exécution des scripts dans ce document, notamment en jouant sur les paramètres de sécurité de la zone à laquelle appartient le document, vous aurez accès à la suite du document. En outre, il est possible de décrypter les scripts codés par Screnc. Cet outil est donc à utiliser :

■ Pour cacher le code aux petits curieux.

■ Pour indiquer que vous ne voulez pas diffuser votre code.

Cryptage de PHP

Les documents PHP ne sont pas reconnus, mais il vous est tout à fait possible de coder à l'intérieur de ces documents PHP les scripts Javascript.

Retrouvez la documentation de l'encodeur de script dans la page **http://msdn .microsoft.com/library/en-us/script56/html/SeconScriptEncoderOverview.asp** (en anglais).

549. Créer son serveur FTP

Pour partager de gros fichiers, vous pouvez mettre en place un serveur FTP : vous désignez un répertoire de votre disque dur, et celui-ci est accessible depuis le réseau Internet sous la forme d'un serveur FTP.

Si vous ne pouvez ou ne voulez pas installer un serveur IIS qui propose ce service, le programme gratuit et en français TYPSoft FTPServeur, disponible en téléchargement depuis le site **http://fr.typsoft.com**, permet de rendre ce service.

Téléchargez, installez et exécutez le programme TYPSoft FTPServeur (site Internet **http://fr.typsoft.com**).

Cliquez sur le menu **Configuration**, puis sur **FTP**. Dans la liste déroulante *Language*, sélectionnez *Français*. Cliquez sur le bouton **Save**, puis sur le bouton **Close**.

Il faut maintenant définir à quel endroit de votre disque dur les utilisateurs peuvent avoir accès. Cliquez dans le menu **Configuration**, puis sur **Utilisateurs**. Chaque personne qui va se connecter sur votre serveur peut être identifiée. Ainsi, vous pouvez préférer n'avoir que des personnes dont vous avez établi une liste ou bien donner l'accès de votre serveur à toute personne (anonymous), et vous pouvez définir des mots de passe, des restrictions de droits et d'accès à différents endroits de votre site selon l'utilisateur.

Voici comment partager un dossier en lecture seule pour tous les utilisateurs :

■ Dans la liste *Liste des Utilisateurs*, cliquez sur *Anonymous* (cela représente un utilisateur non identifié).

■ À droite de la zone de saisie texte *Répertoire racine*, cliquez sur le bouton marqué de trois points ... et désignez le répertoire que vous voulez partager. Ce répertoire s'inscrit dans la liste *Droits d'accès*.

■ Cliquez sur le répertoire à partager de la liste *Droits d'accès* et donnez dans la partie inférieure les informations à partager sur ce répertoire (et pour l'utilisateur qui y accède).

– Les boutons **Ajouter**, **Modifier** et **Effacer** permettent d'ajouter un répertoire, de modifier ou de supprimer le répertoire sélectionné.

– Validez les cases à cocher en fonction des droits que vous voulez donner à ce répertoire pour l'utilisateur connecté.

Vous pouvez ajouter des utilisateurs précis et leur définir des droits et privilèges particuliers :

■ Cliquez sur le bouton **Nouvel utilisateur** et définissez un nouveau login.

■ Dans la zone de saisie texte *Mot de passe*, définissez si nécessaire un mot de passe pour pouvoir se connecter avec ce login.

■ Définissez le ou les répertoires à partager ainsi que les droits d'accès, comme vous aviez fait pour la session Anonymous.

– Cliquez sur le bouton **Enregistrer** pour sauvegarder les modifications, puis cliquez sur le bouton **Fermer**.

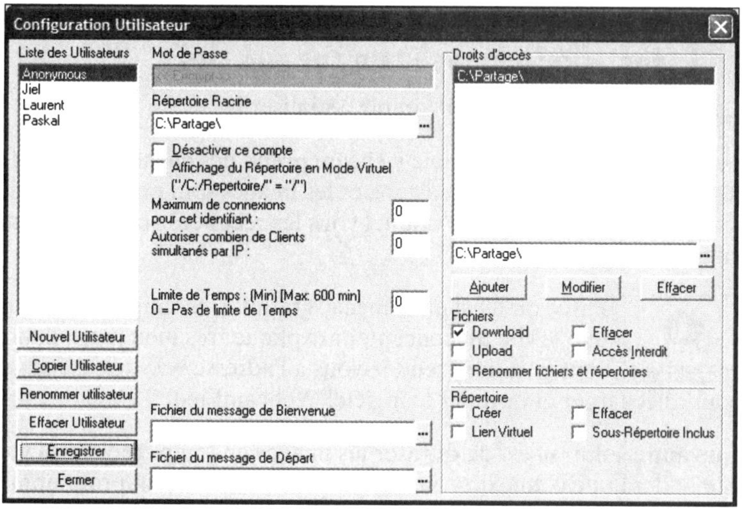

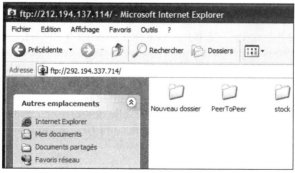

Figure 12.25 : *Configuration des droits utilisateur*

– Le serveur démarre automatiquement (vérifiez que le menu
Serveur/Démarrer est grisé) ; celui-ci est accessible sur le Web à
l'adresse ftp://votre adresse IP. (Découvrez votre adresse IP en
cliquant sur le bouton **Info Utilisateurs**, celle-ci est inscrite dans la
zone *Liste des IP de votre ordinateur*.)

Figure 12.26 : *Connexion à un serveur FTP*

550. Installer une webcam sur son site

Cela peut être extrêmement simple à réaliser !

Le principe est le suivant : une webcam prend des clichés à intervalle régulier (défini par le webmaster), et les images sont envoyées sur le serveur du site web à partir duquel vous les récupérez comme de simples images.

 Parce qu'il est en français, gratuit, très simple d'utilisation et que le site du concepteur explique très bien l'installation et la configuration, rendez-vous à l'adresse **www.webcamfirst.com** pour télécharger et installer le logiciel WebcamFirst.

Une autre solution est de diffuser les images en temps réel. Cela vous demandera une connexion haut débit permanente et un programme pour envoyer les images au taux de transfert voulu. Le logiciel Webcam32 **www .webcam32.com** semble être le modèle du genre, mais il est en anglais et payant (vous pouvez charger une version d'évaluation limitée à dix jours d'utilisation). Néanmoins, vous trouverez plusieurs pages rédigées en français qui vous aideront à configurer le logiciel (par exemple **www.cedhart .ch/fr/qstep_stream.htm**, **www.pcastuces.com/webmasters/dossiersweb/webcam/ webcam.htm**).

551. Des WYSIWYG gratuits

WYSIWYG est l'acronyme de What You See Is What You Get, qui signifie "ce que vous faites est ce que vous avez" : vous créez des documents pour le Web de manière visuelle. Vous placez par exemple un tableau, un bouton d'option ou une liste déroulante à l'aide d'outils graphiques par un jeu de glisser/poser, ou simplement en saisissant le texte avec les attributs de votre choix. Lorsque la page web se crée, elle doit être semblable à celle qui est rédigée graphiquement. Vous l'aurez compris : un logiciel WYSIWYG est un éditeur visuel de pages web.

Les deux programmes phares dans cette catégorie sont Dreamweaver (Macromedia) et FrontPage (Microsoft), tous deux payants. Vous pouvez toutefois vous familiariser avec des logiciels WYSIWYG, par exemple en téléchargeant :

- Dreamweaver MX version d'essai sur **www.macromedia.com/fr/software/ dreamweaver** (57,78 Mo).

- FrontPage Express http://faqfp.free.fr/faq/fpx/index.htm (1,61 Mo).

- Netscape Composer, qui fait partie de la suite Netscape www .telechargement.netscape.fr/telechargement.

- StarOffice, qui a une fonction d'éditeur de page WYSIWYG http://soo .alomphega.com/telechargements/tele.so.html.

- AMAYA est rustique, mais gère aussi le VML ou le XML. Issu du W3C, il génère un code a priori parfait, www.w3.org/Amaya/User/BinDist .html (programme en anglais).

- AOL Press n'est plus distribué par AOL, mais il est toutefois possible de le trouver par une recherche Google (*aol20.exe*). Téléchargez-le par exemple depuis l'université de Rouen www.ac-rouen.fr/pedagogie/ internet/outils/aol20.exe (en anglais, 3,43 Mo).

552. Imposer sa police d'écriture

Dans les documents HTML de Microsoft (cela fonctionne donc sur un mail texte enrichi HTML), vous pouvez imposer une police d'écriture qui n'existe pas chez votre destinataire. La police est en fait "encapsulée" dans votre document.

Cela est possible avec l'outil Microsoft Weft, que vous trouverez en téléchargement sur www.microsoft.com/typography/default.asp en cliquant sur le lien *Microsoft WEFT* de la rubrique *Typography on the Web*. Attention, le programme a une taille de 9,18 Mo. (Vous pouvez accéder directement au téléchargement du programme en saisissant son adresse exacte http:// download.microsoft.com/download/f/a/8/fa8c6b87-ed61-4ddf-89a6-ef778efcb48f/ weft3full.exe.)

1. Téléchargez, installez et exécutez le programme Microsoft Weft (www .microsoft.com/typography/default.asp).

2. Lors de la première exécution, le programme recherche les polices d'écriture présentes sur votre ordinateur. Cette opération, qui peut être longue, n'est réalisée qu'à la première exécution du programme ou dès que vous modifiez les polices installées.

3. Au démarrage du programme, l'assistant s'exécute automatiquement. Passez la première boîte de dialogue en cliquant sur le bouton **Suivant**.

4. Saisissez votre nom, votre adresse e-mail et cliquez sur le bouton **Suivant** (ces informations facultatives servent à signer votre Style).

5. Cliquez sur le bouton **...** à droite de la zone de saisie texte *Enter the URL address of your Web page and click 'Add'*.

6. Parcourez l'arborescence et désignez le document web pour lequel vous voulez intégrer la police. Cliquez sur le bouton **Ouvrir**.

7. De retour dans la boîte de dialogue **Add Web Pages**, cliquez sur le bouton **Suivant**.

8. L'assistant vous informe que l'analyse est prête à commencer. Validez en cliquant à nouveau sur le bouton **Suivant**.

9. Le résultat de l'analyse s'affiche sous la forme d'une liste des polices employées dans le document. En regard de chaque police, une icône indique l'état et le taux de compatibilité de la fonte de caractères :

– Icône verte Éditable ou Installable : ces fontes peuvent être incluses et utilisées dans des pages web.

– Icône verte Previewable : ces fontes aussi peuvent être utilisées, mais seulement dans des pages statiques non éditables.

– Icône jaune Windows core font : l'intégration de ces fontes n'est pas recommandée.

– Icône rouge 'No embedding' font : cette fonte n'a pas été prévue pour être incluse.

– Icône rouge Font may be broken! : cette fonte semble endommagée.

10. Continuez en cliquant sur **Suivant**.

11. La boîte de dialogue **Create Font Objects** s'affiche. Vérifiez et au besoin modifiez les informations, puis cliquez sur le bouton OK. Faites bien attention : la zone de saisie supérieure désigne l'endroit du disque où le programme va créer les fichiers. La zone inférieure désigne le site où vont être installés les objets.

12. Inscrivez dans la zone de saisie texte *Location* le dossier racine de l'emplacement où va être affichée la page et validez en cliquant sur OK.

13. À l'issue de la création des nouveaux objets (fichiers *.eot*), validez la case à cocher *Do not upload modified pages to my server* de la boîte de dialogue **Publish Web Pages** et cliquez sur **Suivant**.

14. L'assistant a fini. Cliquez sur le bouton **Terminer**.

15. Ouvrez l'Explorateur, recherchez et éditez votre page web initiale. Vous verrez que le code de la page contient désormais dans la partie Style l'appel aux nouveaux objets police.

16. Placez le fichier *.eot* et la page dans le même dossier de votre serveur web (pour un site entier, l'utilisation de feuilles de style serait judicieuse).

> **ASTUCE**
>
> **Visualiser les polices qui peuvent être converties**
> Cliquez sur le menu **View/Available Fonts** du programme Weft pour lister les polices de caractères (installées sur votre ordinateur) qui peuvent être incluses et utilisées comme objets *.eot*. Sur cette liste, un double-clic sur une police de caractères vous en affiche l'aperçu.

553. Les kits graphiques

Plus ou moins aboutis et complets, les kits graphiques sont des modèles de sites déjà prêts et standards, comprenant du code (HTML, PHP, ASP…), mais surtout le graphisme. Il ne vous reste plus qu'à les personnaliser selon vos besoins (enlever et ajouter des boutons, créer d'autres pages selon la même charte graphique…).

Quelques sites proposant des kits gratuits :

- http://xaruf.free.fr (gratuit pour un usage privé).
- www.canalgimi.com/kitweb.htm.
- www.zone38.com/kit.php.
- www.active-art-animations.com (gratuit pour un usage privé).

Quelques sites proposant des kits (payants) :

- www.kitgrafik.com/home.
- www.freewebtemplates.com (en anglais, certains kits gratuits).
- www.steves-templates.com (en anglais, certains kits gratuits).
- www.accentedtouch.com (en anglais).
- www.we-sale.com/templates/default.asp (en anglais).

554. Proposer la navigation vocale sur son site

Faire en sorte que votre site soit navigable par la voix, au moyen d'un micro, est très simple à mettre en œuvre grâce à la technologie développée par Interactive Speech Technologie www.interactivespeech.com/fr.

Création de votre site :

1. Rendez-vous sur la page **www.interactivespeech.com/fr/mwdownload.htm**, remplissez le formulaire et cliquez sur **Téléchargez Maintenant**.

2. Installez et exécutez le programme.

3. Dans le menu **Tools**, choisissez **Options/French**, puis cliquez sur OK.

4. Appuyez sur la touche de fonction [F1] pour afficher l'Aide en français du logiciel. Celle-ci contient un didacticiel très bien conçu sur la manière de rendre les liens accessibles par la voix.

Lorsque le visiteur arrive sur votre site, un plug-in très léger (127 Ko) s'installe et affiche les commandes vocales que vous avez définies. Le visiteur prononce la commande vocale qu'il désire pour aller à l'endroit que vous avez déterminé.

Pour tester la navigation vocale, rendez-vous simplement sur le site du concepteur **www.interactivespeech.com/fr** ou, de manière plus ludique, à l'adresse **www.interactivespeech.com/demo/analogiks-indians/index.htm**.

La licence d'utilisation est gratuite pour un site personnel (jusqu'à 20 pages). Tarifs à la page **www.interactivespeech.com/fr/tarifs.htm**.

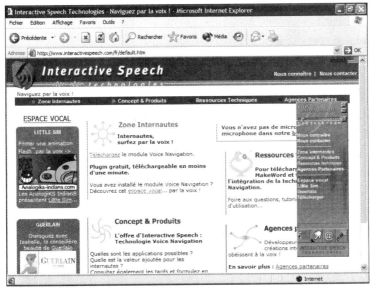

Figure 12.27 : *Le site Interactivespeech. Remarquez le plug-in de navigation vocale (Voice Navigation) qui affiche les commandes valides*

555. Ouvrir un lien pendant l'exécution d'un fichier audio ou vidéo

Vous pouvez ajouter des commandes à un fichier Media *.wma* (*Windows Media Audio*) ou *.wmv* (*Windows Media Video*), notamment grâce à un utilitaire de la suite Windows Media Encoder.

1. Téléchargez et installez le Codeur Windows Media Série 9 pour Windows XP et 2000. **www.microsoft.com/france/internet/ressources/ dossiers/windowsmedia9/default.asp**, rubrique Windows Media Encoder 9 Series (*WMEncoder.exe* 9,61 Mo, gratuit).

2. Dans le menu **Démarrer**, choisissez **Programmes/Windows Media/Utilitaires** et exécutez **Editeur de fichiers Windows Media**.

3. Cliquez sur le menu **Fichier**, puis sur **Ouvrir** pour sélectionner le fichier *.wma* ou *.wmv*.

4. Déplacez le curseur jusqu'au moment où vous voulez lancer votre lien (ou spécifiez un moment précis dans la zone de saisie, puis cliquez sur **Rechercher**).

5. Cliquez sur le bouton **Commandes de script**, puis sur le bouton **Ajouter**.

6. Dans la liste déroulante, choisissez *URL* (valeur par défaut).

7. Inscrivez l'adresse URL (commençant par exemple par le protocole http://www.monurl.com) dans la zone de saisie texte *Paramètres* et validez par le bouton OK.

8. Validez en cliquant sur le bouton OK. Notez qu'un curseur désigne le moment où va s'exécuter le script. Vous pouvez modifier ce moment en cliquant dessus et en faisant glisser ce curseur.

9. Inscrivez des commentaires et renseignements relatifs à ce fichier sous l'onglet **Attributs**.

10. Cliquez sur **Fichier**, puis sur **Enregistrer et indexer** pour sauvegarder les modifications.

Figure 12.28 : *Insertion d'une commande de script dans un fichier vidéo*

Dans la page web qui jouera le fichier (par exemple un simple lien du genre <A HREF="LeFichier.wma">Jouer</A>), le lien affichera la page correspondant au moment choisi. (Il faut que le visiteur ait choisi de jouer le fichier dans Internet Explorer.)

Une autre possibilité de l'Éditeur de fichiers Windows Media
En choisissant dans la liste déroulante TEXT plutôt qu'URL, vous afficherez sur l'écran de Windows Media Player le texte choisi au moment désigné.

Conversion de fichiers
Convertissez vos fichiers *.asf*, *.avi*, *.bmp*, *.jpg*, *.mpg*, *.mp3*, *.wav* en *.wma* ou *.wmv* avec le Codeur Windows Media.

556. Faire du streaming

Le streaming est la méthode qui consiste à jouer un média (vidéo ou audio) au fur et à mesure de son chargement. Ceci en opposition avec les techniques où le fichier se charge entièrement, puis est joué "d'un bloc". Le streaming est donc particulièrement adapté lorsque vous voulez que le fichier commence à être exécuté rapidement, et lorsqu'il s'agit de gros fichiers.

Les deux solutions les plus utilisées :

- Coder un fichier au format .*rm* ou .*ram* pour le lire avec Real Player.

- Coder un fichier au format .*wma* ou .*wmv* pour le lire avec Windows Media Player (ou dans la barre Media d'Internet Explorer).

Voici la méthode Windows Media Player :

1. Téléchargez et installez le Codeur Windows Media correspondant à votre version de Windows (les procédures et captures d'écran sont réalisées d'après la Série 9).

   – Série 9 pour Windows XP et 2000. **www.microsoft.com/france/internet/ressources/dossiers/windowsmedia9/default.asp**, rubrique Windows Media Encoder 9 Series (*WMEncoder.exe* 9,61 Mo).

   – Codeur Windows Media 7.1. **www.microsoft.com/downloads/details.aspx?FamilyID=e0ab51dc-e509-4bc2-ae47-507856f9ddc3&DisplayLang=fr** (*WMEncoder71.exe*, 4 825 Ko).

2. Dans le menu **Démarrer**, choisissez **Programmes/Windows Media** et exécutez le programme Codeur Windows Media.

3. L'assistant Nouvelle session s'exécute au démarrage. Si ce n'est pas le cas, cliquez sur l'icône *Nouvelle session*.

4. Choisissez l'icône *Convertir un fichier*.

5. Renseignez dans la zone de saisie texte supérieure le fichier source devant être converti. Un nom générique s'inscrit par défaut dans la zone inférieure. Cliquez sur le bouton **Suivant**.

6. Cliquez sur *Serveur Web (téléchargement progressif)* de la boîte de dialogue **Distribution du contenu**. Cliquez sur le bouton **Suivant**.

7. Les options de codage se paramètrent automatiquement d'après le choix précédent - *Serveur Web (téléchargement progressif)*. Cliquez sur le bouton **Suivant**.

8. Inscrivez des commentaires et renseignements relatifs à ce fichier et cliquez sur le bouton **Terminer**.

9. Le fichier original se code en fichier *.wma* ou *.wmv* selon le type de donnés. Une dernière boîte de dialogue affiche le résultat du codage.

10. Placez ce nouveau fichier sur votre espace Internet. Lorsque vous l'appellerez (par exemple par un simple lien du genre <A HREF="LeFichier.wma">Jouer</A>), le fichier le jouera simultanément à sa réception. Vous remarquerez en bas du lecteur Windows Media Player une animation spécifique à cette particularité.

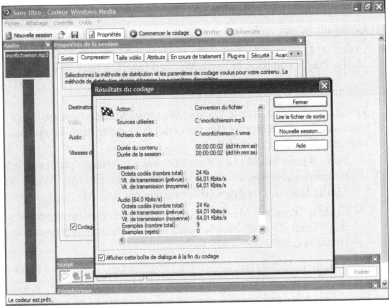

Figure 12.29 : *Le programme Codeur Windows Media*

REMARQUE

Le streaming par le Codeur Windows Media

Il est possible de faire du streaming en direct sur Internet avec le Codeur Windows Media : les images de votre caméra (ou d'une autre source) sont consultables simultanément. Dans l'assistant du Codeur Windows Media, choisissez l'option *Diffuser un événement en direct*, et votre PC fera office de serveur où les données seront consultables par le port sur lequel vous les envoyez (syntaxe : http://IP_ou_DNS:port).

Le streaming peut se faire en "type push" (le serveur "pousse" les données) ou en "type pull" (le serveur "tire" les données). Le type push fait appel au service WMS qui n'est accessible que sur Windows NT4, 2000 et .net server 2003.

12.9 L'objet Windows Media Player

Window Media Player (WMP) peut être intégré dans une page web et se gère d'une manière extrêmement complète pour répondre à vos désirs et exigences.

557. Intégration de WMP9

Intégrez Windows Media Player 9 dans votre page web en inscrivant le code suivant dans votre document :

```
<OBJECT
    ID="Player"   /* Nom donné à l'objet */
    CLASSID="CLSID:6BF52A52-394A-11d3-B153-00C04F79FAA6">
</OBJECT>
```

Figure 12.30 :
L'objet WMP9

Spécifiez dans Height la hauteur de l'objet WMP dans votre page web. Width détermine la largeur.

```
<OBJECT
    ID="Player"   /* Nom donné à l'objet */
    height="0"   /* Hauteur de l'objet  */
    width="0"   /*Largeur de l'objet */
    CLASSID="CLSID:6BF52A52-394A-11d3-B153-00C04F79FAA6">
</OBJECT>
```

Lorsque Width et Height contiennent 0, l'objet est invisible. Voici toutes les façons de rendre l'objet WMP invisible :

- Spécifiez Height=0 et Width=0.
- Inscrivez le code désignant l'objet dans le header de la page web.
- Faites appel à l'attribut uiMode (pour un objet nommé Player, Player.uiMode='invisible' cache l'objet).

À propos de la hauteur, mentionnez seulement height="45" pour ne voir de l'objet que les contrôles de WMP9 :

```
<OBJECT
    ID="Player"    /* Nom donné à l'objet */
    height="45"    /* Hauteur de l'objet  */
    CLASSID="CLSID:6BF52A52-394A-11d3-B153-00C04F79FAA6">
</OBJECT>
```

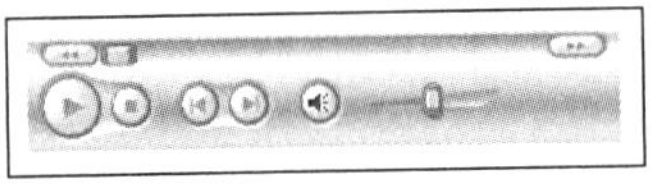

Figure 12.31 :
L'objet WMP9 avec une hauteur de 45

558. Les paramètres de l'objet WMP9

Vingt-deux paramètres sont disponibles lors de l'appel à l'objet WMP9. En voici quelques-uns :

Tableau 12-20 : Quelques paramètres de l'objet WMP9

Paramètre	Description	Valeurs admises
autoStart	Démarrage automatique	True (défaut), False
balance	Balance	-100 à 100 (0 = équilibre)
EnableContextMenu	Active ou désactive le menu contextuel sur l'objet	True (défaut), False
enabled	Active ou désactive les boutons de l'objet (lecture, pause, volume...)	True (défaut), False
fullScreen	Affiche le lecteur en mode Plein écran	True, False (défaut)
mute	Mode muet	True, False (défaut)
playCount	Rejoue le morceau un certain nombre de fois	Spécifie le nombre de répétitions
rate	Vitesse de lecture	Plus ou moins 1.0 (vitesse normale)
stretchToFit	Ajuste la taille de la vidéo à la taille de l'objet	True, False (défaut)

Tableau 12-20 : Quelques paramètres de l'objet WMP9

Paramètre	Description	Valeurs admises
uiMode	Affiche les boutons et contrôles	Invisible : cache l'objet none : aucun contrôle accessible mini : boutons Lire, Arrêter, Muet, Volume full : tous les boutons (par défaut) custom : boutons personnalisés (programmés en C++)
URL	Nom et adresse du fichier à jouer	Nom de fichier, adresse
volume	Volume	0 (muet) à 100 (maxi, par défaut)

Exemple de définition de l'objet WMP9 :

```
<OBJECT
    ID="Player"
    height="150"
    width="150"
    CLASSID="CLSID:6BF52A52-394A-11d3-B153-00C04F79FAA6">
    <param name="uiMode" value="mini">
    <param name="enableContextMenu" value="false">
    <param name="volume" value="75">
    <param name="URL" value="http://www.globalserv.de/wma/wmamusic/
    < endofaugust9 .wma">
</OBJECT>
```

Tous les paramètres

Retrouvez tous les paramètres de l'objet WMP9 à l'adresse http://msdn .microsoft.com/library/en-us/wmplay/mmp_sdk/paramtags.asp (en anglais).

559. Programmer WMP9

Cette astuce n'a pas la prétention de vous apprendre à programmer WMP9, tant les possibilités sont grandes et étendues. Voici un petit aperçu de ce que vous pouvez programmer.

Créez une page web où vous désignez l'objet WMP dans son corps :

```
<OBJECT
    ID="Player"    /* Nom donné à l'objet */
    CLASSID="CLSID:6BF52A52-394A-11d3-B153-00C04F79FAA6">
</OBJECT>
```

Connaître la version de WMP :

```
<INPUT TYPE="BUTTON" VALUE="Version" onClick = "alert('Version
%< '+Player.versionInfo)">
```

Un bouton **Pause** :

```
<INPUT TYPE="BUTTON" VALUE="Pause"
%< OnClick="Player.controls.pause();">
```

Un bouton **Lecture** (après une pause) :

```
<INPUT TYPE="BUTTON" VALUE="Reprend"
%< OnClick="Player.controls.play();">
```

Un bouton **Arrêter** :

```
<INPUT TYPE="BUTTON" VALUE="Arrêter"
%< OnClick="Player.controls.stop();">
```

Un bouton **Avance rapide** :

```
<INPUT TYPE="BUTTON" VALUE="Avance rapide"
%< OnClick="Player.controls.fastForward();">
```

Passer en plein écran (annulez en appuyant sur [Echap]) :

```
<INPUT TYPE="BUTTON" VALUE="Plein Ecran"
%< OnClick="Player.fullScreen='true';">
```

Changer le morceau de musique :

```
<Script type="text/javascript">Player
%< .URL='nouveau_fichier_son_ou_video' </script>
```

Rejouer indéfiniment un morceau :

```
<INPUT TYPE="BUTTON" VALUE="Répéter" onClick
%< ="Player.settings.setMode('loop',true)">
```

Afficher la position à la lecture :

```
<INPUT TYPE="BUTTON" VALUE="Position"
%< onClick="alert(Player.controls.currentPosition)">
```

Tous les objets

Retrouvez tous les (sous)-objets accessibles à l'objet WMP9 à l'adresse http://msdn.microsoft.com/library/en-us/wmplay/mmp_sdk/controlreference.asp (en anglais).

560. Intégrer des animations Flash

Très nombreux sont les sites où des animations Flash sont encapsulées dans les pages. Vous pouvez même trouver de ces animations (fichiers *.swf*) en téléchargement pour agrémenter votre site !

Voici une manière d'intégrer ces fichiers *.swf* dans une page web :

```
<OBJECT classid="clsid:D27CDB6E-AE6D-11cf-96B8-444553540000"
codebase="http://download.macromedia.com/pub/shockwave/cabs/flash/
➤ swflash.cab#version=6,0,40,0"
WIDTH="550" HEIGHT="400" id="Monanimation">
<PARAM NAME=movie VALUE="mon_animation.swf">
<PARAM NAME=quality VALUE=high>
<PARAM NAME=bgcolor VALUE=#FFFFFF>

<EMBED src="mon_animation.swf" quality=high bgcolor=#FFFFFF
➤ WIDTH="550" HEIGHT="400"
NAME="Monanimation" ALIGN="" TYPE="application/x-shockwave-flash"
PLUGINSPAGE="http://www.macromedia.com/go/getflashplayer">
</EMBED>
</OBJECT>
```

- L'objet est appelé par les éléments <OBJECT> et <EMBED> pour une plus grande compatibilité avec tous les navigateurs.

- CODEBASE spécifie l'endroit où doit être chargé l'objet s'il n'est pas installé chez le client.

- Changez le nom du fichier *mon_animation.swf* ligne 5 et 7 pour intégrer l'animation Flash de votre choix.

Exemples Flash

Téléchargez le kit de déploiement après vous être enregistré à partir de l'adresse www.macromedia.com/software/flash/download/deployment_kit. Le kit contient des exemples de détection et d'installation du lecteur Flash.

12.10 Services tiers accessibles aux webmasters

Voici une liste non exhaustive de services tiers dont vous pouvez avoir besoin pour administrer ou gérer votre site. Il peut s'agir de scripts, code à placer sur votre site, ou de liens proposant ces services.

561. Traduction

Proposez à vos visiteurs étrangers de visualiser votre page traduite dans d'autres langues.

Traduisez votre page et placez-la sur votre site. L'avantage par rapport aux traducteurs "en ligne" est d'être pris en compte par les moteurs de recherche. La référence en matière de traduction automatisée est Systranet, à l'adresse **www.systranet.com/systran/net**.

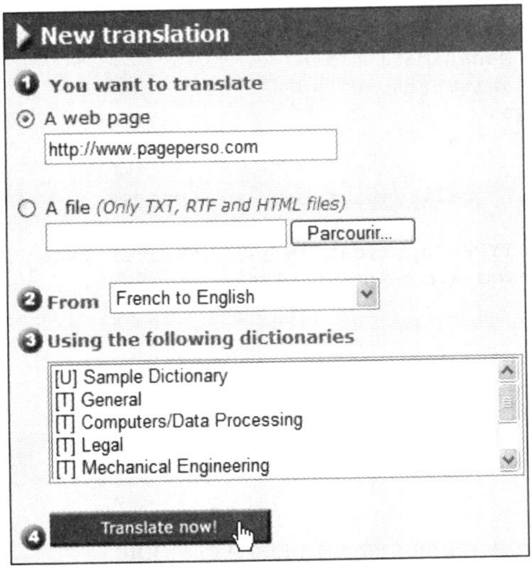

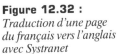

Figure 12.32 :
Traduction d'une page du français vers l'anglais avec Systranet

> **RENVOI**
>
> *Reportez-vous à l'astuce de ce chapitre, **Installer un traducteur de page automatique.***

562. Vote

Les visiteurs cliquent sur un bouton de votre site pour lui attribuer un vote. À chaque clic sur le bouton, votre compte est crédité d'un point sur le site correspondant, ce qui vous donne un indice de popularité de votre site.

- www.top-france.com.
- www.laboratoire-microsoft.org/top (plutôt spécialisé en informatique).

563. Sondage

Vous voulez questionner et sonder vos visiteurs.

- www.weboconcept.com/scripts.php?doc=PHP&sous_rubrique=Sondage20/ 20Vote. Liste vers des scripts PHP.

Service :

- www.weboconcept.com/services.php. Enregistrement obligatoire.

564. Forum

Mettez en place un forum de discussion sur votre site.

Codes :

- www.phpbb.com (site anglais). Langage : PHP.
- www.phorum.org (site anglais, mais possibilité de traduire le forum en français). Langage : PHP.
- www.bheller.com/index01.htm. Langage : ASP.
- www.weboconcept.com/scripts.php?doc=ASP&sous_rubrique=FORUMS. Liste de scripts ASP.
- www.weboconcept.com/scripts.php?doc=PHP&sous_rubrique=Forums. Liste de scripts pour forums en PHP.
- www.phpscripts-fr.net/scripts/scripts.php?cat=Forums. Liste de scripts PHP.

Services :

- www.aceboard.net. Forum gratuit (légère publicité), rapide et simple à mettre en ligne.
- www.internetservices-fr.net/membres/forum (payant si vous ne voulez pas afficher la publicité).
- www.weboconcept.com/services.php. Enregistrement obligatoire.
- www.hit-parade.com. Enregistrement obligatoire. Vous pouvez aussi créer un livre d'or.

565. Chat

Proposez un chat pour que vos visiteurs discutent en temps réel entre eux.

- www.weboconcept.com/main.php?doc=FLASH. Chat gratuit en Flash.

- www.weboconcept.com/scripts
.php?doc=PHP&sous_rubrique=Chat&order=nb_down@DESC. Plusieurs
scripts de chats en PHP et Javascript à télécharger.

- www.weboconcept.com/scripts
.php?doc=ASP&sous_rubrique=CHAT&order=nb_down@DESC. Plusieurs
scripts de chats en ASP.

- www.phpscripts-fr.net/scripts/scripts.php?cat=Chat. Une liste de plusieurs
programmes PHP pour installer un service de chat.

Services

- www.swisstools.net/fr/membre/livechat.asp (payant si vous ne voulez pas
afficher la publicité).

- www.weboconcept.com/services.php. Enregistrement obligatoire
(publicité affichée).

566. Livre d'or

Permet à vos visiteurs de laisser des appréciations à propos de votre site.

Codes

- http://scripts.lecgi.net/index.cgi?page=rapidor. Langage : CGI.

- www.phpscripts-fr.net/scripts/scripts.php?cat=Livres+d%27or. Langage : PHP.

Services

- www.i-services.net/membres/livredor/ (payant si vous ne voulez pas
afficher la publicité).

- www.swisstools.net/fr/membre/livredor.asp (payant si vous ne voulez pas
afficher la publicité).

- www.weboconcept.com/services.php. Enregistrement obligatoire.

- www.hit-parade.com. Enregistrement obligatoire. Vous aurez aussi la
possibilité de créer un forum.

567. Compteur de visites

Comptabilise et affiche le nombre de visites qu'a reçues votre site.

- www.phpscripts-fr.net/scripts/scripts.php?cat=Compteurs. Langage : PHP.
- www.letoutwebmaster.com (compteur de visites et compteur live).

Services :

- www.internetservices-fr.net/membres/compteur. Après inscription, installez votre compteur.
- www.ovnet.net. Aucun enregistrement et gratuit. En mode de comptage, choisissez Visites. Plusieurs styles graphiques disponibles. (Excellent !)
- www.letoutwebmaster.com/Compteur. Ce site propose plusieurs services, dont un compteur de visites (après enregistrement).
- www.weboconcept.com/services.php. Enregistrement obligatoire.

568. Compteur de visites simultanées

Donne en temps réel le nombre d'internautes connectés à votre site.

- www.phpscripts-fr.net/scripts/scripts.php?cat=Compteurs. Langage : PHP.

Services :

- www.internetservices-fr.net/membres/cpt_live.
- www.letoutwebmaster.com/C-Live. Ce site propose plusieurs autres genres de compteurs (légère pub sur le compteur, et lien menant vers leur site).
- www.swisstools.net/fr/membre/counterlive.asp (payant si vous ne voulez pas afficher la publicité).
- www.weboconcept.com/services.php. Après enregistrement, et avec une petite publicité vers Webocount.
- www.top-france.com/index2.php?rub=compteurs. Avec affichage de publicité pour Top-France.

569. Moteur de recherche

Insérez un moteur de recherche sur votre site.

Codes :

- www.weboconcept.com/scripts
  .php?doc=PHP&sous_rubrique=Moteurs20de20recherche. Scripts PHP.
- www.phpscripts-fr.net/scripts/scripts.php?cat=Moteurs+de+recherche. Liste de scripts PHP.

Services :

- www.google.fr/intl/fr/searchcode.html. Insérez un champ de recherche Google (recherche sur Internet. Pour forcer la recherche sur votre site, employez le mot clé site: suivi de l'adresse de votre site).
- www.picosearch.com. Très bon moteur de recherche pour votre site, très flexible et paramétrable à volonté (en anglais).

570. Autres services divers

Voici les services variés que vous pouvez proposer sur votre site.

Code :

- http://scripts.lecgi.net/index.cgi?page=rapidofetes. Langage : CGI/Perl. Affiche les saints du jour.

Services :

- www.cesoirtv.com/fr/programme.htm. Propose le programme TV à vos visiteurs.
- www.lhoroscope.com/partenaires.asp. L'horoscope proposé sur votre site.
- www.evene.fr/citations/index.php. Propose d'afficher des citations.
- www.pandasoftware.com/activescan/fr/default.asp. Inscrivez ce lien sur votre site et prévenez vos visiteurs qu'il s'agit d'une recherche antivirus en ligne.
- www.atelier-duotang.com/contenu_gratuit/mots_croises_du_jour.php. Mots croisés du jour.
- www.atelier-duotang.com/contenu_gratuit/papier_du_jour.php. Le papier à lettre du jour (création http://pages.infinit.net/melida).

- www.cartedereve.net/puzzle.php. Le puzzle du jour.

- www.faro-dessing.com/recettes/Code.htm. La recette (de cuisine) du jour.

- www.meteodirect.com. Proposez à vos visiteurs de consulter les prévisions météorologiques.

- http://webmasters.net2one.fr. Affichage d'événements d'actualité (gratuit en échange d'affichage de publicité).

- http://dev.nexen.net/docs/php/webmaster.php. Proposez de la documentation à propos de PHP.

571. e-card

Proposez à vos visiteurs d'envoyer des e-cartes depuis votre site.

Services :

- www.swisstools.net/fr/membre/e-cards.asp. Payant pour ne plus voir la publicité.

- www.cybercartes.fr. Cliquez en bas de page sur Outils pour webmasters.

- http://ecarteweb.com/prem.php. Propose l'envoi de cartes.

- www.cartedereve.net/codecartes.php. Propose la carte du jour.

572. Création de bannières, titres

Ces liens vous permettent de créer des bannières, titres pour votre site.

- www.crecon.com/newbanners.html. Création d'une bannière statique (beaucoup de choix, en anglais).

- www.cooltext.com. Création de logo et de bannière pour votre site (en anglais).

- www.gifworks.com. Création de bannière, modification en ligne de vos gifs (en anglais).

- www.3dtextmaker.com. Création de bannière assez simple et sans fond (en anglais).

573. Référencement

Le référencement sert à inscrire rapidement votre site sur plusieurs moteurs de recherche.

- www.referenceur.com. Service de référencement (payant).

- www.referencement-2000.com. Service de référencement. Offre plusieurs autres services (générateur de métatag, analyseur HTML), payant. Une partie de référencement gratuite.

- www.outiref.com. "Utilitaires en ligne pour mieux optimiser et référencer son site web".

- www.analyse-referencement.com. Analyse du référencement de votre site (payant).

- www.refposition.com/outils-referencement/referencement-gratuit.php. Une partie du référencement peut être gratuite avec obligation d'afficher un gif.

574. Statistiques

Vous voulez connaître le profil de vos visiteurs ? Vous saurez tout sur eux (ou presque).

Code :

- www.phpscripts-fr.net/scripts/scripts.php?cat=Statistiques. Scripts PHP.

Services :

- www.xiti.com. Trois formules d'abonnement, dont une gratuite.

- www.estat.com. Propose une formule payante et une formule gratuite.

- www.webtrendslive.com (anglais).

575. Téléchargement de graphisme, gif, fond d'écran

Téléchargez des graphiques afin d'agrémenter votre site.

- www.iconbazaar.com (en anglais, mais très complet).

- www.webgraphique.com. Plusieurs fichiers graphiques à télécharger (fichiers .gif, fonds d'écran, icônes). La plupart des images sont payantes.

- www.abgraphix.com ou http://10000gifs.free.fr. Gifs animés, cliparts et fonds d'écran gratuits (publicité très présente sur le site !).

- www.freefoto.com. Des photos à télécharger pour agrémenter et illustrer votre site (en anglais).

- www.2000clipart.com/france.htm. Plusieurs ressources graphiques proposées avec, dans chaque catégorie, une partie gratuite disponible.

Si vous vous servez des ressources de la partie graphique, n'oubliez pas de mentionner le site 2000Clipart.com.

■ **www.eurogif.com**. Gifs, icônes, curseurs, fonds d'écran et smileys à télécharger.

■ **www.animfactory.com**. Très belles animations sur ce site commercial anglais.

■ **www.imagif.com**. Images fonds d'écran, boutons, flèches.

576. Polices de caractères

Téléchargez des polices de caractères. Attention toutefois : vérifiez que la police que vous avez téléchargée prend en compte les accents (pour les pages françaises, par exemple) et consultez l'astuce de ce chapitre, *Imposer sa police d'écriture*.

■ **www.dafont.com**. Excellent site avec un choix impressionnant. Permet de rechercher parmi les polices accentuées.

■ **www.picardie-service.com/polices.htm**, **www.freelang.com/freelang/polices/** (polices de caractères non latins).

*À propos du site Dafont, consultez l'astuce **Mais où est la police !** du chapitre **Les sites Internet**.*

577. Affiliation, partie payante de votre site

Les programmes d'affiliation mettent en relation les annonceurs et affiliés. Si vous choisissez de recourir à ces services, sachez que c'est toujours au détriment du visiteur et que les sommes à gagner sont infimes.

■ **http://network.first-coffee.com**. Met en relation des annonceurs et des affiliés : choisissez parmi les annonceurs ceux que vous voulez afficher sur votre page.

■ **www.cibleclick.com**. Met en relation des annonceurs et des affiliés.

■ **www.amazon.fr/exec/obidos/subst/associates/join/associates.html/ ref=cs_nav_bn_1_1/402-4439357-7041715**. Si un de vos visiteurs achète un livre en s'étant connecté à Amazon.fr depuis votre site, vous touchez une commission sur la vente.

■ **www.mediaplazza.com**. Déposez des pages web sur le site media plazza : vos visiteurs devront payer pour y accéder et vous récupérez une partie des sommes versées. www.mediaplazza.com/media4/faqpaiement.php#audio (différent de l'affiliation).

578. Autres sites web à connaître

Voici des sites utiles à l'administration/législation de votre site.

- Le site de la CNIL www.cnil.fr (Commission nationale de l'informatique et des libertés). En effet, tout site doit y être déclaré. N'hésitez pas, c'est gratuit.

- www.sesam.org. Vous pouvez diffuser de la musique en ligne, mais faites attention de respecter les droits d'auteur. Au besoin, vous devrez déclarer votre site à Sesam.

- http://www.sacem.fr. Enregistrez-vous à la Sacem (Société des auteurs compositeurs éditeurs de musique) si vous diffusez en streaming des programmes radio).

- www.internet.gouv.fr. Toute l'actualité officielle gouvernementale française autour d'Internet.

- www.copyrightdepot.com/indexfr.html. Vous propose d'enregistrer vos pages web pour les protéger contre le piratage.

Retrouvez des informations relatives à la CNIL dans l'astuce Comprendre comment on vous piste sur Internet du chapitre Les sites Internet.

579. Glossaire abréviations et acronymes

Abréviations, termes employés dans ce chapitre.

Tableau 12-21 : Glossaire de termes employés dans ce chapitre

Terme	Signification
.htaccess	Fichier de gestion d'un site web sous un serveur Apache
ActiveX	Programme compilé (souvent un fichier *.ocx* ou *.dll*)
DHTML	HTML dynamique. Du HTML avec des éléments dynamiques : Javascript, Style…
DNS	Genre de base de données faisant correspondre des noms d'hôte avec leur adresse IP (*Domain Name System*)

Tableau 12-21 : Glossaire de termes employés dans ce chapitre	
Terme	**Signification**
FAI	Fournisseur d'accès Internet
Header	Partie de code d'une page web contenue entre les balises <HEAD> et </HEAD>
Hébergeur	Organisme, société qui stocke votre site web sur son serveur
Javascript	Langage client dont la syntaxe ressemble au langage C
Métatags	Donnée dans le header d'une page web servant généralement aux moteurs de recherche
MSDN	(*MicroSoft Developer Network*), atelier de développeurs, programmeurs
Nom de domaine	D'une manière très schématique, c'est le nom qu'aura votre site, le nom qui sera associé à l'adresse IP de votre hébergeur
Plug-in	Petit programme ajoutant des fonctionnalités à un autre logiciel
Police, Fonte	Apparence graphique des caractères typographiques
Pop-up	Petite fenêtre de l'Explorateur, souvent sans barre de menus ou d'outils
Registrar	Organisme habilité à gérer les noms de domaine
Spam	Réception de courrier publicitaire non désiré et envahissant
Streaming	Technique de transfert de média (audio, vidéo) où le fichier est exécuté avant son chargement complet
URI	(*Universal Resource Identifier*), identifie une ressource sans donner son lien exact
URL	(*Uniform Resource Locator*), lien vers une ressource (page web, objet, document...)
VBScript	(*Visual Basic Script*), langage client de Microsoft apparenté au Visual Basic
VML	(*Vector Makup Language*)
W3C	(*World Wide Web Consortium*), organisation des grands groupes définissant les standards du Web
Webmaster	Rédacteur, gestionnaire d'un site web

Tableau 12-21 : Glossaire de termes employés dans ce chapitre	
Terme	**Signification**
Whois	"Qui est". Fournit des renseignements à propos d'un nom de domaine, d'une adresse IP
WMP	(*Windows Media Player*), le lecteur Media de Windows
WWW	(*World Wide Web*)

CHAPITRE

13

Messageries
instantanées

Messageries instantanées

13.1 MSN et Windows Messenger

580. Différence entre Windows Messenger et MSN Messenger

Windows Messenger et MSN Messenger sont deux clients de messageries instantanées Microsoft différents, bien que la ressemblance au niveau de leur nom et de leur interface porte souvent à confusion.

Les deux logiciels sont développés par des équipes de produits différentes chez Microsoft. Windows Messenger, client de messagerie instantanée incorporé, est fourni avec Windows XP. La version 5 de Windows Messenger fonctionne maintenant aussi avec Windows 2000 et Windows 2003 Server. MSN Messenger, lui, doit être téléchargé puis installé séparément ; il est compatible avec tout système d'exploitation Windows.

MSN Messenger dispose de quelques nouvelles caractéristiques, en plus d'une interface sérieusement rafraîchie depuis la version 6. Il gère l'UPnP (*Universal Plug and Play*), ce qui facilite la configuration des postes si vous vous trouvez derrière un partage de connexion Internet ou derrière un routeur compatible UPnP. Vous pouvez aussi utiliser MSN Messenger pour téléphoner vers un poste fixe ou vers un cellulaire (cette option n'est plus disponible sous Windows Messenger). Avec MSN Messenger, vous pouvez aussi effectuer des communications vocales. Depuis MSN Messenger 6, vous pouvez directement contacter en vidéoconférence des correspondants qui disposent eux aussi de MSN Messenger 6.

Windows Messenger, quant à lui, met à disposition des options non accessibles sous MSN Messenger. En effet, l'assistance à distance, le Tableau blanc, le partage d'application sont des fonctions propres à Windows Messenger. C'est pourquoi, même si vous ne l'utilisez pas, il est conseillé de ne pas le désinstaller. MSN Messenger permet aussi de lancer ces fonctions, mais uniquement si Windows Messenger est présent sur la machine. Windows Messenger s'intègre aussi à Outlook Express ; vous pourrez ainsi visualiser le statut de vos contacts directement depuis Outlook Express.

Vous pouvez bien sûr installer MSN Messenger sur un poste disposant de Windows Messenger, vous bénéficierez ainsi des avantages des deux logiciels.

Pour télécharger et obtenir des informations complémentaires sur Windows Messenger, vous pouvez consulter cette adresse **http://www .microsoft.com/downloads/details .aspx?FamilyID=77c3799f-6388-4193-8002-be55584c1ac1&DisplayLang=fr.**

Pour télécharger et obtenir des informations complémentaires sur MSN Messenger, vous pouvez consulter cette adresse **http://messenger.msn.fr/ Download.**

Figure 13.1 : *Windows Messenger*

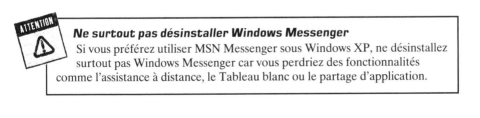

Ne surtout pas désinstaller Windows Messenger

Si vous préférez utiliser MSN Messenger sous Windows XP, ne désinstallez surtout pas Windows Messenger car vous perdriez des fonctionnalités comme l'assistance à distance, le Tableau blanc ou le partage d'application.

Figure 13.2 : *MSN Messenger 6*

Si vous souhaitez désactiver Windows Messenger (sans le désinstaller), reportez-vous à l'astuce Désactiver Windows Messenger de ce chapitre.

581. Ouvrir un compte .Net Passport

Pour utiliser MSN ou Windows Messenger, il est indispensable de posséder un compte .Net Passport. Ce compte .Net Passport vous permettra entre autres de vous connecter au .Net Messenger Service. La connexion à ce service est nécessaire au fonctionnement de MSN ou Windows Messenger car il permet, au travers d'Internet, de vous relier à tous vos contacts et ainsi de voir s'ils sont en ligne ou pas. C'est aussi ce service qui stocke et gère vos contacts.

Si vous avez une adresse de courrier électronique chez MSN ou Hotmail, un compte .Net Passport est automatiquement associé à ces adresses ; vous pourrez donc directement vous connecter à MSN ou Windows Messenger avec ce type d'adresse.

Si vous souhaitez associer un compte Passport à une de vos adresses de messagerie existantes (autre que MSN ou Hotmail), procédez ainsi :

1. Ouvrez Internet Explorer et rendez-vous sur le site **www.passport.net**.

2. Cliquez sur le lien *Inscrivez-vous pour obtenir votre .Net Passport Gratuit dès aujourd'hui!*.

3. Saisissez votre adresse de messagerie et votre mot de passe dans les champs correspondants.

4. Dans la zone de texte suivante, recopiez les lettres inscrites dans l'image (cette manipulation est demandée par Microsoft afin de vérifier que ce ne sont pas des robots qui remplissent les formulaires, ceci afin d'éviter l'ouverture d'un grand nombre de Passport).

Figure 13.3 :
Saisie des données relatives à l'ouverture d'un compte Passport

5. Ensuite, lisez les conditions d'utilisation et cliquez sur le bouton **J'accepte**.

6. Si les informations entrées sont correctes, la page *Inscription Terminée* s'affiche, il vous suffit de cliquer sur le bouton **Continuer** pour finir l'inscription.

7. Dans les heures qui suivent votre inscription, vous allez recevoir un courrier électronique ayant comme sujet "Vérifiez votre adresse de messagerie Microsoft .NET Passport".

8. Cliquez sur le lien proposé dans le message et saisissez votre adresse e-mail et votre mot de passe pour valider l'adresse de messagerie associée à votre compte .Net Passport.

*Si vous ne recevez pas le mail nécessaire à la vérification de votre adresse de messagerie, reportez-vous à l'astuce **Forcer la validation de votre adresse de messagerie** de ce chapitre.*

Obtenir une adresse Hotmail ou MSN

Comme nous l'avons dit précédemment, les adresses Hotmail ou MSN sont automatiquement associées à un compte .Net Passport. Ces adresses sont gratuites, vous pouvez en obtenir en vous rendant sur le site de Hotmail www .hotmail.com/FR ou de MSN.

582. Connexion à MSN ou Windows Messenger

Se connecter à Windows Messenger

Maintenant que vous disposez d'un compte .Net Passport, vous allez pouvoir vous connecter à Windows Messenger. Pour cela, procédez ainsi :

1. Exécutez Windows Messenger en effectuant un double-clic sur l'icône en forme de bonhomme vert, située à côté de l'horloge. Si cette icône n'apparaît pas, rendez-vous dans le dossier d'installation de Windows Messenger qui est en général *C:\Program Files\Messenger* et faites un double-clic sur le fichier *msmsgs.exe*.

2. Dans la fenêtre Windows Messenger qui s'affiche, cliquez sur la commande **Cliquez ici pour ouvrir une session** ; la boîte de dialogue **.Net Messenger Service** s'affiche.

3. Saisissez l'adresse e-mail et le mot de passe correspondant à votre compte .Net Passport et cliquez sur le bouton OK. Attention, si vous cochez la case *Ouvrir ma session automatiquement*, la prochaine fois que vous ouvrirez Windows Messenger, le compte avec lequel vous allez vous connecter sera utilisé automatiquement et cette boîte de dialogue n'apparaîtra donc pas. Si vous disposez de plusieurs comptes .Net Passport, sélectionnez par l'intermédiaire du menu déroulant celui avec lequel vous souhaitez vous connecter.

Figure 13.4 :
La boîte de dialogue
.Net Messenger Service,
qui vous permet de vous
authentifier

4. Après quelques secondes, vous voilà connecté et fin prêt à utiliser Windows Messenger.

Se connecter à MSN Messenger

Après avoir obtenu votre compte. Net Passport, téléchargé puis installé la dernière version de MSN Messenger, procédez ainsi pour vous connecter :

1.  Exécutez MSN Messenger en faisant un double-clic sur l'icône en forme de bonhomme vert avec un papillon, située à côté de l'horloge. Si cette icône n'apparaît pas, rendez-vous dans le dossier d'installation de MSN Messenger qui est en général *C:\Program Files\MSN Messenger* et faites un double-clic sur le fichier *msnmsgr.exe.*

2. Dans la fenêtre MSN Messenger qui s'affiche, cliquez sur le bouton **Ouvrir une session**. La boîte de dialogue **Service .Net Messenger** s'affiche.

3. Saisissez l'adresse e-mail et le mot de passe correspondant à votre compte .Net Passport dans les zones de texte correspondantes et cliquez sur le bouton OK.

4. Après quelques secondes, la connexion s'établit et vous pouvez utiliser MSN Messenger.

583. Configurer rapidement les périphériques audio et vidéo

Pour entrer en contact audio et vidéo avec vos correspondants, il est indispensable d'effectuer quelques petits réglages afin de configurer votre webcam et vos périphériques audio :

1. Cliquez sur le menu **Outils** et sélectionnez la commande **Assistant Ajustement des paramètres audio et vidéo**.

2. Lisez bien et effectuez la manipulation décrite dans la boîte de dialogue **Assistant Ajustement des paramètres audio et vidéo**, puis cliquez sur le bouton **Suivant**.

3. Dans le menu déroulant *Appareil photo*, sélectionnez votre périphérique de capture vidéo (webcam ou appareil photo numérique), puis cliquez sur le bouton **Suivant**.

4. Ajustez le cadrage de votre image et cliquez sur le bouton **Suivant**.

5. Lisez et exécutez les recommandations relatives à votre matériel audio, puis cliquez sur le bouton **Suivant**.

6. Sélectionnez par l'intermédiaire des menus déroulants votre microphone et le périphérique de sortie pour vos haut-parleurs, puis cliquez sur le bouton **Suivant**.

7. Cliquez sur le bouton **Cliquer pour tester les haut-parleurs** et ajustez le niveau du volume sonore par l'intermédiaire du curseur. Une fois que les réglages sont faits, cliquez sur le bouton **Arrêt**, puis sur **Suivant**.

8. Lisez le texte de la boîte de dialogue dans le micro, le niveau s'ajuste automatiquement, cliquez sur le bouton **Suivant**, puis sur **Terminer**.

ATTENTION

⚠ **Effectuez correctement ces réglages**

Ces réglages sont importants. Portez une attention particulière à la sélection des périphériques, sinon vous risquez d'avoir des problèmes de son ou de vidéo.

---

584. Ajouter des contacts

Une fois que vous êtes connecté à MSN ou Windows Messenger, la première chose à faire est de renseigner votre liste de contacts afin de pouvoir entrer en communication avec eux. Pour ajouter des contacts à votre liste, voici comment procéder (nous allons décrire l'ajout d'un contact dans MSN Messenger ; sous Widows Messenger, la procédure est quasi la même) :

1. Cliquez sur le menu **Contacts** et sélectionnez la commande **Ajouter un contact**.

2. Sélectionnez le bouton d'option *En entrant son adresse de messagerie ou son nom d'utilisateur* et cliquez sur le bouton **Suivant**.

3. Saisissez l'adresse de messagerie de votre contact dans la zone de texte correspondante et cliquez sur le bouton **Suivant**. Attention, l'adresse de messagerie de votre contact doit aussi correspondre à un compte .Net Passport valide.

4. Si votre correspondant n'utilise pas MSN ou Windows Messenger, vous pouvez le lui suggérer en cliquant sur le bouton **Envoyer un courrier électronique**. Sinon cliquez sur le bouton **Terminer** pour finir la procédure d'ajout de contact.

5. Renouvelez la procédure pour ajouter autant de contacts que vous souhaitez.

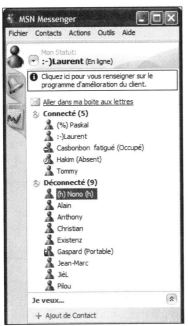

Figure 13.5 :
Une liste de contacts : en haut les contacts actuellement en ligne (avec d'éventuels commentaires sur leurs statuts) et en bas les contacts hors ligne

Nombre maximal de contacts

MSN et Windows Messenger acceptent jusqu'à 150 contacts au maximum. Vous trouverez un petit outil MSN Contact Enlargeur, qui permet de dépasser cette limitation. Vous pourrez le télécharger à cette adresse http://msn .tweakzone.nl/downloads/bekijk/33.

585. Les groupes de contacts

Si vous commencez à avoir une liste de contacts importante, vous pouvez créer des groupes de contacts et y placer des contacts afin de les localiser plus rapidement. Cette méthode est d'autant plus efficace lorsqu'on sait que vos contacts peuvent éventuellement modifier leur nom.

1. Cliquez sur le menu **Outils** de Windows Messenger ou sur le menu **Contacts** de MSN Messenger. Dans le sous-menu **Trier mes contacts par**, sélectionnez la commande **Groupes**. Il est important de faire cette manipulation car, si vous n'activez pas l'affichage par groupes, vous ne pourrez ni gérer les groupes ni en créer.

Figure 13.6 :
Transfert d'un contact du groupe Autres contacts vers le groupe Amis

2. Par défaut, il existe quatre groupes prédéfinis (Amis, Collègues, Famille, Autres contacts). Tous les nouveaux contacts sont placés automatiquement dans le groupe Autres contacts. Vous pouvez facilement renommer, supprimer ou créer un groupe par

l'intermédiaire du menu **Outils/Gérer les groupes** ou **Contacts/Gérer mes groupes de contacts**, selon que vous utilisez Windows ou MSN Messenger. Attention, le groupe Autres contacts ne peut pas être renommé ni supprimé.

3. Une fois que vous avez créé ou renommé des groupes, cliquez sans relâcher sur un contact et faites-le glisser dans le groupe de votre choix. Procédez ainsi pour classer tous vos contacts.

586. Changer son nom

Tommy · Le nom associé à votre contact est modifiable, vous pouvez donc le changer afin de montrer qui est en ligne si vous disposez uniquement d'un contact pour toute la famille. Vous pouvez aussi modifier ce nom dans le but de faire passer un message aux autres contacts. Voici comment procéder pour modifier ce paramètre :

1. Cliquez sur le menu **Outils**, puis sur la commande **Options**. Dans la boîte de dialogue **Options**, sélectionnez l'onglet **Personnel**.

2. Tommy debout mais malade · Saisissez le nom ou le message dans la zone de texte *Tapez le surnom sous lequel vous souhaitez apparaître*, puis cliquez sur le bouton OK.

Longueur du nom

Vous pouvez intégrer jusqu'à 129 caractères dans votre nom, mais attention un nom trop long est assez lourd et cela sera sûrement très mal perçu par vos contacts. Soyez bref, c'est plus simple pour tout le monde.

587. Intégrer une émoticône dans le nom

Il est possible d'intégrer une émoticône (un graphique) dans votre nom ; celle-ci apparaîtra uniquement lorsque vous entrerez en contact avec quelqu'un. Cette émoticône se présentera sous forme de texte dans la liste des contacts.

Tommy moins :-) malade · **Figure 13.7 :**
L'émoticône apparaît comme du texte dans la liste des contacts

1. Cliquez sur le menu **Outils**, puis sur la commande **Options**. Dans la boîte de dialogue **Options**, sélectionnez l'onglet **Personnel**.

2. Dans la zone de texte *Tapez le surnom sous lequel vous souhaitez apparaître*, saisissez votre nom et l'abréviation d'une émoticône, puis cliquez sur le bouton OK.

Figure 13.8 :
Résultat de l'émoticône dans le nom lors d'une conversation

> Pour connaître les abréviations des émoticône, reportez-vous à l'astuce **Liste des émoticônes et de leurs raccourcis clavier sous MSN Messenger 6** de ce chapitre.

Émoticône en début de nom

 Si vous placez une émoticône au début de votre nom, celui-ci apparaîtra aussi chez votre correspondant lorsque vous serez en train de saisir du texte.

588. Communiquer avec Windows Messenger

Envoyer un message instantané

Si vous souhaitez envoyer un message instantané, procédez ainsi :

1. Faites un double-clic sur l'icône représentant le contact avec qui vous souhaitez correspondre. La fenêtre **Conversation** s'affiche.

2. Saisissez le texte que vous voulez envoyer dans la zone de texte située en bas de la fenêtre de conversation et cliquez sur le bouton **Envoyer**.

Établir une conversation vocale

Si vous souhaitez établir une conversation vocale, procédez ainsi :

1. Faites un double-clic sur l'icône représentant le contact avec qui vous souhaitez correspondre. La fenêtre **Conversation** s'affiche.

2. Cliquez sur la commande **Conversation vocale** et attendez que votre correspondant accepte la conversation.

3. Une fois que la connexion est établie, vous pouvez commencer la conversation. Vous pouvez aussi ajuster le niveau de volume du micro et des haut-parleurs par l'intermédiaire des curseurs.

Établir une communication vidéo et vocale

Si vous souhaitez établir une conversation vidéo et vocale, procédez ainsi :

1. Faites un double-clic sur l'icône représentant le contact avec qui vous souhaitez correspondre. La fenêtre **Conversation** s'affiche.

2. Cliquez sur la commande **Conversation vidéo** et attendez que votre correspondant accepte la conversation.

3. Une fois que la connexion est établie, l'image de votre correspondant doit apparaître. Vous pouvez afficher votre image en miniature dans la fenêtre vidéo en cliquant sur le menu **Options/Afficher ma vidéo en incrustation d'image**.

589. Communiquer avec MSN Messenger 6

Envoyer un message instantané

Si vous souhaitez envoyer un message instantané, procédez ainsi :

1. Faites un double-clic sur l'icône représentant le contact avec qui vous souhaitez correspondre. La fenêtre **Conversation** s'affiche.

2. Saisissez le texte que vous voulez envoyer dans la zone de texte située en bas de la fenêtre de conversation et cliquez sur le bouton **Envoyer**.

Établir une conversation vocale

Si vous souhaitez établir une conversation vocale, procédez ainsi :

1. Faites un double-clic sur l'icône représentant le contact avec qui vous souhaitez correspondre. La fenêtre **Conversation** s'affiche.

2. Cliquez sur le bouton **Audio** et attendez que votre correspondant accepte d'établir la communication.

3. Vous pouvez ensuite entamer la discussion avec votre correspondant. Avec les curseurs, vous pouvez régler le niveau de volume du micro et de vos haut-parleurs.

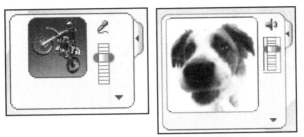

Figure 13.9 : *Réglage du niveau de volume du micro et des haut-parleurs*

Établir une communication vidéo

Depuis la version 6 de MSN Messenger, vous pouvez directement établir une communication vidéo sans passer par un logiciel tiers :

1. Faites un double-clic sur l'icône représentant le contact avec qui vous souhaitez correspondre. La fenêtre **Conversation** s'affiche.

2. Si vous et votre interlocuteur disposez de Windows XP, vous pouvez directement établir une communication vidéo et vocale. Pour cela, cliquez sur le menu **Actions** et sélectionnez la commande **Démarrer la vidéoconférence**.

3. Si un des deux utilisateurs ne dispose pas de Windows XP, cliquez sur le bouton **Webcam** et attendez que votre correspondant accepte l'invitation. Une fois que la communication est établie, votre contact recevra votre image vidéo. Attention, la personne qui lance l'invitation va envoyer son image vidéo chez son correspondant. Pour que les personnes se voient mutuellement, il faut que le correspondant clique lui aussi sur le bouton **Webcam** afin de diffuser sa vidéo.

4. En plus de la vidéo, si vous souhaitez pouvoir entendre et parler avec votre correspondant, cliquez sur le bouton **Audio**.

ASTUCE

Redimensionner la fenêtre vidéo

Depuis la version 6 de MSN Messenger, il est possible de redimensionner la taille de la fenêtre vidéo reçue et émise. Une fois que la communication vidéo est établie, cliquez sur le bouton situé en bas à droite de la fenêtre vidéo, cliquez sur le menu **Taille** et sélectionnez la dimension de la fenêtre voulue. Il existe trois dimensions possibles : *Petit*, *Moyen* et *Grand*.

Figure 13.10 : *Communication vidéo et audio avec MSN Messenger 6*

590. Transférer des fichiers

Si vous souhaitez faire parvenir des fichiers, des applications ou des photos à vos contacts, MSN et Windows Messenger disposent d'une fonction de transfert de fichiers. Voici comment l'utiliser :

1. Établissez une conversation avec un de vos contacts et, dans le menu **Je veux,** cliquez sur la commande **Envoyer un fichier ou une photo**. (Sous MSN Messenger 6, il y a directement un bouton **Envoyer des fichiers**.)

2. Dans la boîte de dialogue **Envoyer un fichier**, sélectionnez le fichier que vous souhaitez envoyer et cliquez sur le bouton **Ouvrir**. Votre correspondant doit accepter l'invitation pour que le transfert s'effectue.

3. Un message vous avertit lorsque le transfert de fichiers est terminé. Pour ouvrir le fichier reçu, il suffit que votre correspondant clique sur le lien proposé dans sa fenêtre de conversation.

591. Modifier le dossier de stockage des fichiers reçus

Tous les fichiers reçus sont en principe stockés dans le dossier
C:\Documents and Settings\Le_nom_de_votre_profil\Mes documents\Mes

fichiers reçus. Vous pouvez modifier facilement l'emplacement des fichiers reçus en procédant ainsi :

1. Cliquez sur le menu **Outils**, puis sélectionnez la commande **Options**. Dans la boîte de dialogue **Options** qui s'affiche, sélectionnez l'onglet **Messages**.

2. Saisissez le chemin du nouveau dossier dans la zone de texte *Les fichiers reçus seront copiés dans ce dossier* (sous MSN 6, la zone texte se nomme *Mettre les fichiers reçus dans ce dossier*), puis cliquez sur le bouton OK. Vous pouvez aussi définir le nouveau dossier de stockage en cliquant sur le bouton **Changer**.

592. Conversation instantanée à trois ou plus

S'il est impossible avec Windows ou MSN Messenger d'établir une conversation vocale à plus de deux personnes simultanément, vous pouvez par contre établir une conversation instantanée de deux jusqu'à huit personnes. Voici comment procéder pour mettre en place une conversation instantanée à trois personnes :

1. Établissez une conversation avec un de vos contacts et, dans le menu **Actions**, cliquez sur la commande **Inviter quelqu'un à prendre part à cette conversation**. Notez que la boîte de dialogue n'affiche que vos contacts en ligne.

2. Sélectionnez le contact que vous souhaitez inviter dans la conversation et cliquez sur le bouton OK.

Figure 13.11 :
La boîte de dialogue Inviter quelqu'un à prendre part à cette conversation

3. Un message apparaît, indiquant à tous les participants qu'une personne a rejoint la conversation.

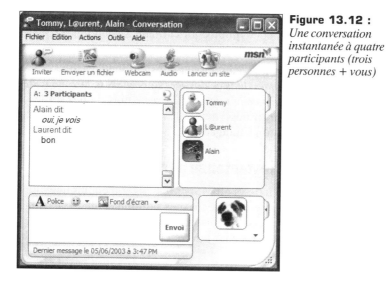

Figure 13.12 :
*Une conversation
instantanée à quatre
participants (trois
personnes + vous)*

Inviter un groupe

La fonction de groupe prend toute son importance lorsque vous voulez inviter plusieurs personnes dans une conversation. En invitant un groupe, toutes les personnes associées à ce groupe seront invitées simultanément.

593. Être averti de l'arrivée de nouveaux messages dans sa boîte aux lettres Hotmail depuis Windows Messenger

Si vous souhaitez être prévenu de l'arrivée de nouveaux messages dans votre boîte aux lettres Hotmail, vous pouvez installer le complément MSN pour Windows Messenger. Ce petit logiciel rajoutera quelques fonctionnalités comme le partage de votre profil public et l'alerte lors de la réception d'un mail dans votre boîte aux lettres Hotmail. Vous pourrez télécharger ce complément à cette adresse http://www.microsoft.com/windows/messenger/fr/addindownload.asp. Après que vous aurez installé le complément, une nouvelle commande apparaîtra, vous permettant d'aller directement consulter votre boîte de réception Hotmail.

Figure 13.13 :
Commande qui vous permettra de consulter vos mails Hotmail

ATTENTION

Version

Ce complément ne fonctionne qu'avec Windows Messenger 4.7. En effet, Windows Messenger 5 ne supporte plus ce complément et la gestion de réception des mails !

---

594. Sauvegarder la liste des contacts

Vous pouvez sauvegarder la liste de vos contacts afin de pouvoir la réinstaller si vous changez de machine. Pour cela, il vous suffit de cliquer sur le menu **Fichier** et de sélectionner la commande **Enregistrer la liste des contacts** (sous MSN Messenger 6, la commande **Exporter ma liste de contacts** se trouve dans le menu **Contacts**). Vos contacts sont ainsi sauvegardés dans un fichier dont l'extension est *.ctt*. Vous pouvez facilement éditer ce fichier avec le Bloc-notes. Pour importer vos contacts sous un autre compte par exemple, il vous suffira d'utiliser la commande **Fichier/Importer les contacts à partir d'un fichier** sous Windows Messenger et **Contacts/Importer une liste de contacts** sous MSN Messenger 6.

595. Lancer une connexion NetMeeting avec un contact MSN Messenger

Pour les ordinateurs qui ne disposent pas de Windows XP, NetMeeting reste le seul moyen d'utiliser le Tableau blanc et le partage d'application. Le fait de lancer une connexion NetMeeting depuis MSN Messenger vous évitera d'avoir à échanger votre adresse IP avec votre correspondant.

1. Établissez une conversation instantanée avec un de vos contacts MSN Messenger, puis cliquez sur le menu **Actions** et sélectionnez la commande **Démarrer NetMeeting**.

2. Une fois que votre correspondant a accepté l'invitation, patientez le temps du démarrage de NetMeeting.

3. Cliquez sur le bouton **Accepter** de la boîte de dialogue **NetMeeting - Appel entrant** afin d'établir la connexion.

NetMeeting - Appel entrant		
Appel entrant provenant de Tommy _...	Accepter	Ignorer

Figure 13.14 :
Appel NetMeeting

Une fois que la connexion NetMeeting est établie, vous pouvez commencer à utiliser le Tableau blanc, le partage d'application, la vidéo ou le t'chat. Pour plus d'informations, reportez-vous au chapitre NetMeeting.

596. Créer ses propres émoticônes avec MSN Messenger 6

La création d'émoticônes personnalisées est une nouveauté qui est apparue avec MSN Messenger 6. Voici comment créer des émoticônes personnelles :

1. Cliquez sur le menu **Outils** et sélectionnez la commande **Créer des émoticônes**.

2. Dans la boîte de dialogue **Mes émoticônes**, cliquez sur le bouton **Ajouter**.

3. Cliquez sur le bouton **Rechercher l'image** et sélectionnez une de vos images qui sera transformée en émoticônes. Prenez une image qui s'y adapte, sinon le résultat ne sera sûrement pas au rendez-vous.

4. Dans la zone de texte suivante, saisissez un raccourci clavier qui sera associé à votre émoticône.

5. Dans la dernière zone de texte, saisissez un nom pour votre émoticône (c'est optionnel), puis cliquez sur le bouton OK.

6. Votre icône se rajoute à votre liste d'émoticônes personnelle ; cliquez sur OK pour fermer la boîte de dialogue.

7. Les dix premières émoticônes perso sont disponibles dans la liste générale des émoticônes accessible lors d'une conversation instantanée.

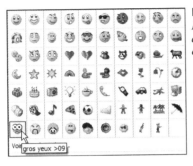

Figure 13.15 :
*Les émoticônes perso
dans la liste des
émoticônes générale*

REMARQUE

Ordre des émoticônes perso

Si vous souhaitez changer l'ordre d'apparition de vos émoticônes dans la liste des émoticônes générale, retournez dans la boîte de dialogue **Mes émoticônes** et servez-vous des boutons **Monter** et **Descendre** pour définir l'ordre qui vous convient.

Vous pourrez télécharger des émoticônes personnalisées et beaucoup d'autres ressources pour MSN Messenger sur le site Mess BE, accessible à cette adresse **www.mess.be**.

---

597. Changer l'image d'arrière-plan des fenêtres de conversation

Changer simplement l'image d'arrière-plan

MSN Messenger 6 vous offre la possibilité de modifier l'image d'arrière-plan des fenêtres de conversation.

1. Ouvrez une fenêtre de conversation et cliquez sur le bouton **Arrière-plans**.

2. Cliquez sur l'image que vous voulez placer comme arrière-plan.

Placer une image d'arrière-plan perso

En plus des images proposées par MSN, vous avez aussi la possibilité de placer une image perso en arrière-plan.

1. Ouvrez une fenêtre de conversation et cliquez sur le bouton **Arrière-plans**.

2. Cliquez sur la commande **Changer mon arrière-plan**. La boîte de dialogue **Mes arrière-plans** s'affiche.

3. Cliquez sur le bouton **Parcourir** et sélectionnez une image qui vous servira d'arrière-plan. Cliquez sur le bouton **Ouvrir**, puis cliquez sur le bouton **Définir par défaut** et sur OK.

> **Télécharger des arrière-plans**
>
> Dans la boîte de dialogue **Mes arrière-plans**, vous pouvez obtenir des arrière-plans gratuits en cliquant sur le lien *Télécharger d'autres images*. Le portail Microsoft de MSN Messenger propose aussi des images d'arrière-plans et des émoticônes perso. Vous pourrez y accéder à cette adresse www .ilovemessenger.msn.fr. Vous trouverez aussi des arrière-plans à cette adresse http://www.mxskinz.com/msn.asp.

Partager un arrière-plan avec un ami

Si vous souhaitez partager vos fonds d'écran avec vos amis, procédez ainsi :

1. Ouvrez une fenêtre de conversation et cliquez sur le bouton **Arrière-plans**.

2. Cliquez sur la commande **Partager l'arrière-plan actuel**. Votre correspondant doit accepter votre demande.

3. Une fois que le transfert est terminé, l'image partagée se place en arrière-plan chez votre correspondant.

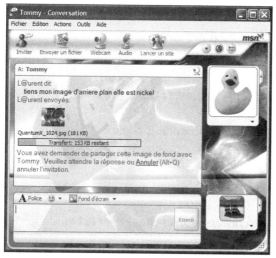

Figure 13.16 : *Partage d'une image d'arrière-plan*

598. Ouvrir deux sessions Messenger (Windows et MSN Messenger sous Win XP)

Si vous avez Windows XP, il peut être utile d'ouvrir en même temps une session Windows Messenger et une session MSN Messenger. Si vous utilisez votre messagerie instantanée pour travailler et aussi pour être en relation avec vos amis, le mieux est de créer deux comptes .Net Passport afin de dissocier les deux : un compte pour le travail, l'autre pour vos relations familiales ou amicales. Le fait de paramétrer un compte sur Windows Messenger et l'autre sur MSN Messenger vous permettra d'ouvrir deux sessions simultanément ; vous pourrez ainsi attribuer un statut différent à chacun (par exemple occupé pour vos amis et en ligne pour le travail). Cela vous évitera aussi d'avoir à changer de compte pour ouvrir une session ; vous n'aurez qu'à vous servir par exemple de MSN Messenger pour le travail et de Windows Messenger pour vos amis. Si vous souhaitez vous connecter uniquement avec vos amis, vous n'aurez qu'à ouvrir Windows Messenger, et vice versa.

Pour ouvrir deux sessions, vous devrez disposer de Windows XP, de MSN Messenger, et vous devrez aussi créer deux comptes .Net Passport. Pour savoir comment ouvrir un compte .Net Passport supplémentaire, reportez-vous à l'astuce Ouvrir un compte .Net Passport de ce chapitre.

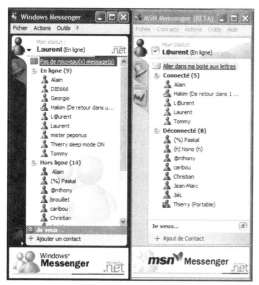

Figure 13.17 : *Deux sessions ouvertes grâce à Windows et MSN Messenger*

599. Ouvrir un nombre illimité de sessions MSN Messenger

En vous servant de Windows et MSN Messenger, vous pouvez donc ouvrir deux sessions sous deux comptes différents. Si vous êtes plusieurs membres d'une même famille à utiliser l'ordinateur et si vous souhaitez tous pouvoir signaler votre présence en ligne à votre liste de contacts, cela va être possible en utilisant un petit outil qui vous permettra d'ouvrir un nombre illimité de sessions MSN Messenger. Bien entendu, il faudra un compte .Net Passport pour chaque session que vous voudrez ouvrir.

1. Rendez-vous sur le site Messenger Addon, accessible à cette adresse **www.msnpolygamy.tk** et téléchargez le petit outil qui se nomme MSN Polygamy. Si le site est indisponible, vous trouverez le même outil à cette adresse **www.mess.be**.

2. Décompressez le contenu du fichier *msnpolygamy.zip* dans le dossier d'installation de MSN Messenger qui est en principe *C:\Program Files\MSN Messenger*.

3. Fermez MSN et Windows Messenger et exécutez **Polygamy**. Cliquez sur le bouton **Yes**.

4. Vérifiez que la case *Create backup* est cochée et cliquez sur le bouton **Apply Patch**. Si le logiciel vous répond qu'il ne trouve pas le fichier, sélectionnez le fichier *msnmsgr.exe* qui se situe dans le répertoire d'installation de MSN Messenger.

5. Une fois que le logiciel est patché, il vous suffit de lancer MSN Messenger autant de fois que vous souhaitez ouvrir de sessions.

Figure 13.18 :
Cinq sessions MSN Messenger plus une session Windows Messenger ouvertes sur le même ordinateur

Polygamy et Windows Messenger

Polygamy fonctionne aussi avec Windows Messenger. La manipulation est quasi identique à celle de MSN Messenger. Il vous suffit donc de décompresser le logiciel dans le répertoire de Windows Messenger qui est en principe *C:\Program Files\Messenger*. Ensuite, il ne vous reste plus qu'à l'exécuter afin de patcher le fichier *msmsgs.exe*.

Figure 13.19 :
Six sessions Windows Messenger ouvertes sur le même ordinateur

600. Renommer un contact Messenger dans Outlook Express

Il est impossible de renommer un contact présent dans votre liste de contacts, que ce soit dans Windows ou MSN Messenger. Windows Messenger, lui, s'intègre à Outlook Express, et vous avez la possibilité d'afficher le statut de vos contacts dans le volet de gauche nommé **Contacts**. Comme le nom d'affichage des contacts présents dans Outlook Express se fonde sur les informations du carnet d'adresses, il est possible dans ce cas-là de modifier l'affichage du nom dans la liste des contacts. Pour cela, procédez ainsi :

1. Si le volet **Contacts** n'est pas affiché dans Outlook Express, cliquez sur le menu **Affichage** et sélectionnez la commande **Disposition**. Puis cochez la case *Contacts* et validez par OK.

2. Cliquez du bouton droit sur le contact que vous souhaitez renommer et sélectionnez la commande **Propriétés**, puis sélectionnez l'onglet **Nom** de la boîte de dialogue **Propriétés**.

Figure 13.20 :
Volet Contacts et commande Propriétés

3. Dans les zones de texte *Prénom*, *Deuxième Prénom*, *Nom*, modifiez les informations comme vous souhaitez les voir apparaître dans le volet **Contacts** et cliquez sur le bouton OK.

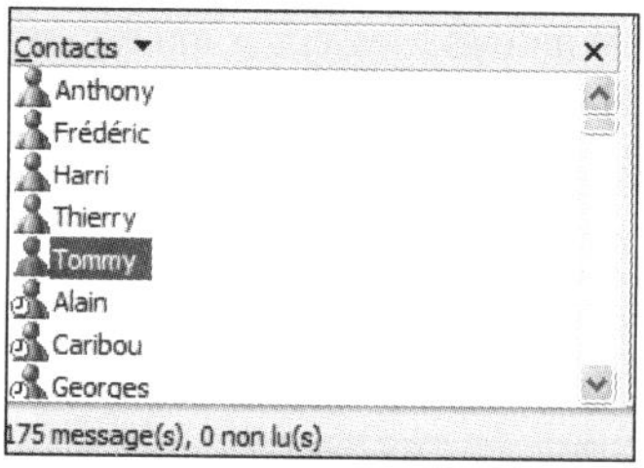

Figure 13.21 :
Le même contact que l'image précédente, mais renommé

601. Connaître l'adresse IP de votre correspondant

Il est possible de savoir quelle est l'adresse IP de votre correspondant pendant une conversation, mais il faut tout de même que quelques conditions soient remplies. Il faut impérativement qu'il y ait eu un transfert de fichiers entre les deux correspondants.

*Pour effectuer cette manipulation, il y a plusieurs méthodes possibles. La plus simple est d'installer le logiciel **TCP** **V**iew. Pour savoir où trouver et comment installer **TCP** **V**iew, reportez-vous au chapitre **Programmes et scripts utiles pour Internet Explorer**, astuce **Connaître les ports en cours d'utilisation TCPView**.*

1. Exécutez le logiciel TCP View et laissez-le ouvert.

2. Établissez une conversation avec le contact dont vous souhaitez connaître l'adresse IP. Pendant la conversation, effectuez un transfert de fichier.
3. Pendant le transfert du fichier, observez les lignes en rapport avec l'application *msmsgs.exe* pour Windows Messenger, et les lignes en rapport avec l'application *msnmsgr.exe* pour MSN Messenger. Vous retrouverez l'adresse IP de votre correspondant dans la colonne *Remote Address*, sur la ligne surlignée en vert qui correspond normalement au transfert en cours.

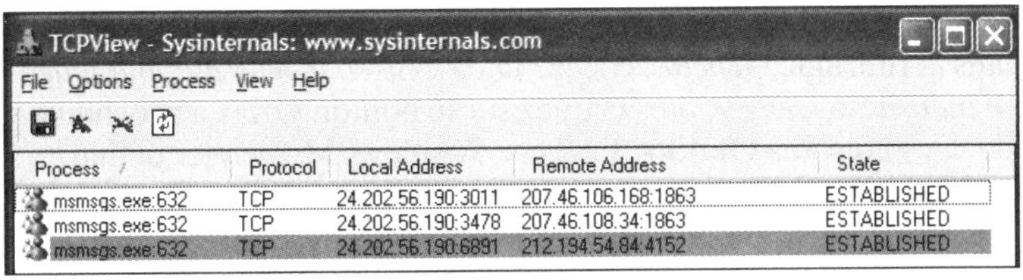

TCPView - Sysinternals: www.sysinternals.com
File Options Process View Help
Process Protocol Local Address Remote Address State
msmsgs.exe:632 TCP 24.202.56.190:3011 207.46.106.168:1863 ESTABLISHED
msmsgs.exe:632 TCP 24.202.56.190:3478 207.46.108.34:1863 ESTABLISHED
msmsgs.exe:632 TCP 24.202.56.190:6891 212.194.54.84:4152 ESTABLISHED

Figure 13.22 : *Récupération de l'adresse IP après un transfert de fichier. L'adresse IP de votre correspondant est dans la colonne Remote Address. Dans cet exemple, l'adresse distante est 212.194.54.84*

602. Savoir si un contact vous bloque

Si vous pensez qu'un contact vous bloque, vous n'avez aucun moyen interne à Windows ou MSN Messenger de le savoir. Mais si vous voulez vraiment savoir si quelqu'un vous a bloqué, le site **http://mess.be** met à votre disposition un moyen de tester si un de vos contact est en ligne :

1. Rendez-vous à cette adresse Internet **http://msnblockchecker.mess.be**.
2. Dans le champ de texte *Account:* saisissez l'adresse de messagerie d'un contact et cliquez sur le bouton **Check** pour vérifier sa présence en ligne.
3. Le message *Contact is online!* s'affiche si celui-ci est en ligne.

Triople
Triople | Options | Terms | F.A.Q | Statistics | About
@msn.com is online!
Account:
Check

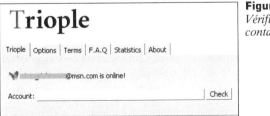

Figure 13.23 : *Vérification d'un contact en ligne*

603. Se connecter à Windows Messenger lors de l'ouverture d'Outlook Express

Windows Messenger s'intègre de plusieurs façons à Outlook Express. Il permet de visualiser le statut de vos contacts dans le volet de gauche, mais aussi de gérer le démarrage de Windows Messenger en même temps que le démarrage d'Outlook Express. Pour activer cette fonction, procédez ainsi :

1. Exécutez Outlook Express et cliquez sur le menu **Outils**, puis sur la commande **Options**, et sélectionnez l'onglet **Général.**

2. Dans la rubrique *Général*, cochez la case *Se connecter automatiquement à Windows Messenger*, puis cliquez sur le bouton OK. La prochaine fois que vous lancerez Outlook Express, Windows Messenger démarrera et se connectera.

604. Forcer Windows Messenger à ne pas se connecter au démarrage d'Outlook Express

Si vous ne souhaitez pas que Windows Messenger se lance en même temps qu'Outlook Express, vous devez décocher la case dans les options d'Outlook Express. Il se peut que, malgré cela, Windows Messenger se connecte quand même. Dans ce cas-là, vous devrez forcer Windows Messenger à ne pas s'intégrer dans Outlook Express en modifiant le registre de cette façon :

1. Cliquez sur le bouton **Démarrer** et sélectionnez la commande **Exécuter**. Dans la zone de texte *Ouvrir* de la boîte de dialogue **Exécuter**, saisissez regedit et cliquez sur le bouton OK.

2. Sélectionnez la clé *HKEY_CURRENT_USER\Software\Microsoft\Outlook Express.*

3. Cliquez sur le menu **Edition/Nouveau** et sélectionnez la commande **Valeur DWORD**.

4. Nommez la nouvelle valeur DWORD Hide Messenger et donnez-lui comme valeur 1.

5. Fermez l'éditeur de registre et redémarrez votre ordinateur. Une fois que l'ordinateur aura redémarré, ouvrez Outlook Express et vérifiez que Windows Messenger ne se connecte pas. Rendez-vous dans les options d'Outlook Express, vous vous rendrez compte que l'option concernant Windows Messenger dans l'onglet **Général** n'existe plus.

Si vous ne vous sentez pas assez expérimenté pour faire cette manipulation dans le registre, vous pouvez télécharger l'outil FixMessenger qui gère cette fonction par un simple clic.

*Pour savoir où trouver et comment installer FixMessenger, reportez-vous à l'astuce **FixMessenger, un outil pour gérer Windows Messenger.***

605. Forcer la validation de votre adresse de messagerie et supprimer le message "Adresse de messagerie non vérifiée"

Si vous avez ouvert un compte .Net Passport avec une adresse de messagerie autre que Hotmail ou MSN, dans les heures qui suivent votre inscription, vous devez normalement recevoir un mail qui vous permettra de valider l'adresse de messagerie et le compte .Net Passport associé à cette adresse. Malheureusement, il se peut que ce mail de confirmation ne vous parvienne jamais. Cela ne vous bloquera pas car vous pourrez tout de même vous servir de votre compte Passport dans MSN ou Windows Messenger, mais vous aurez en permanence dans les fenêtres de conversation ce type de message "Adresse de messagerie non vérifiée".

Pour résoudre ce genre de problème, le service aux utilisateurs de Microsoft .Net Passport met à disposition un formulaire qui vous permettra de redemander l'envoi d'un mail de confirmation. Remplissez le formulaire et vous recevrez un e-mail de confirmation :

1. Exécutez Internet Explorer et rendez-vous à cette adresse http://register .passport.net/contactus.srf?lc=1036.

2. Renseignez les divers champs de texte et dans le menu déroulant *J'ai besoin de*, sélectionnez *Obtenir de l'aide pour enregistrer mon adresse de messagerie*. Finissez de renseigner le formulaire et cliquez sur le bouton **Envoyer**.

Clôturer un compte .Net Passport, modifier le mot de passe
Notez bien l'adresse http://register.passport.net/contactus.srf?lc=1036. Elle pourra aussi vous servir pour clôturer ou changer le mot de passe d'un compte .Net Passport.

606. Désactiver Windows Messenger

Si vous souhaitez vous servir uniquement de MSN Messenger, il est préférable de désactiver Windows Messenger plutôt que de le désinstaller. En effet, la désinstallation de Windows Messenger provoque la perte de fonctions importantes comme l'assistance à distance, le partage d'application et le Tableau blanc. Pour désactiver Windows Messenger, procédez ainsi :

1. Cliquez sur le bouton **Démarrer** et sélectionnez la commande **Exécuter**. Dans la zone de texte *Ouvrir* de la boîte de dialogue **Exécuter**, saisissez regedit et cliquez sur le bouton OK.

2. Sélectionnez la clé *HKEY_LOCAL_MACHINE\SOFTWARE\Policies\Microsoft*.

3. Cliquez sur le menu **Edition/Nouveau** et sélectionnez la commande **Clé**.

4. Nommez la nouvelle clé Messenger, puis dans cette clé créez une nouvelle clé que vous nommerez Client.

5. Dans la clé *Client*, cliquez sur le menu **Edition/Nouveau** et sélectionnez la commande **Valeur DWORD**.

6. Nommez la nouvelle valeur DWORD PreventRun et donnez-lui comme valeur 1.

7. Fermez l'éditeur de registre et redémarrez l'ordinateur. Après le redémarrage de votre ordinateur, Windows Messenger sera complètement désactivé.

8. Si vous souhaitez réactiver Windows Messenger, il vous suffit de passer la valeur de la clé *PreventRun* à 0.

Si vous ne vous sentez pas assez expérimenté pour faire cette manipulation dans le registre, vous pouvez télécharger l'outil FixMessenger qui gère cette fonction par un simple clic.

*Pour savoir où trouver et comment installer FixMessenger, reportez-vous à l'astuce **FixMessenger, un outil pour gérer Windows Messenger.***

607. Bloquer les pop-ups publicitaires

Si vous recevez souvent des pop-ups publicitaires avec comme nom d'en-tête *Service Affichage des messages*, suivez les indications suivantes pour désactiver ce service qui est utilisé par les spammeurs :

1. Cliquez sur l'icône du Poste de travail et cliquez sur le Panneau de configuration.

2. Cliquez ensuite sur **Outils d'administration**, puis sur l'icône *Services*.

3. Faites un double-clic sur le service nommé *Affichage des messages*.

4. Dans le menu déroulant *Type de démarrage*, sélectionnez *Désactivé* et cliquez sur OK.

Si vous souhaitez sécuriser un peu plus votre installation, vous pouvez installer un pare-feu. Cela vous évitera aussi ce genre de problème. Pour savoir où trouver et comment installer un pare-feu, reportez-vous au chapitre **Programmes et scripts utiles pour Internet Explorer**, *astuce* **Installer et configurer un pare-feu.**

Autre technique utilisée par les spammeurs

Sous MSN ou Windows Messenger, il existe une autre méthode qui peut être exploitée par d'éventuels spammeurs. Voici un exemple qui vous montre la simplicité de cette technique :

1. Exécutez Windows ou MSN Messenger, cliquez sur le menu **Actions** et sélectionnez la commande **Envoyer un message instantané**. Dans la boîte de dialogue **Envoyer un message instantané** qui s'affiche, sélectionnez l'onglet **Autre**.

2. Dans la zone de texte *Entrez l'adresse de messagerie*, saisissez une adresse de messagerie au hasard et cliquez sur le bouton OK (une adresse de messagerie avec un nom de domaine en hotmail.com ou msn.com est beaucoup plus susceptible d'être associée à un compte .Net Passport utilisé par MSN ou Windows Messenger).

3. Si le mail que vous avez saisi est utilisé, vous venez d'envoyer un message à quelqu'un qui ne vous a jamais autorisé à le contacter par Windows ou MSN Messenger. Partant de ce constat, vous comprenez sûrement qu'il est important de ne pas diffuser votre adresse e-mail qui est associée à votre compte .Net Passport, car si des personnes qui diffusent de la publicité la récupèrent cela peut être gênant.

Il existe pourtant une manière simple et efficace de se protéger. Pour cela, il suffit de bloquer le contact qui se nomme Tous les autres dans les options de Messenger :

1. Cliquez sur le menu **Outils** et sélectionnez la commande **Options**, puis sélectionnez l'onglet **Confidentialité**.

2. Dans la zone de texte *Ma liste Verte Statut de connexion visible Messages autorisés*, sélectionnez le contact Tous les autres et cliquez sur le bouton **Bloquer**. Validez en cliquant sur le bouton OK.

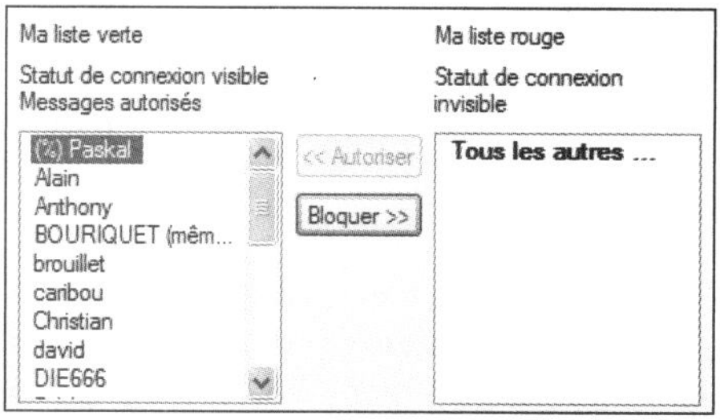

Ma liste verte		Ma liste rouge
Statut de connexion visible Messages autorisés		Statut de connexion invisible
(%) Paskal Alain Anthony BOURIQUET (mêm... brouillet caribou Christian david DIE666	<< Autoriser Bloquer >>	Tous les autres ...

Figure 13.24 :
Blocage du contact Tous les autres

Cette manipulation très simple interdira à toute personne qui ne figure pas dans votre liste de contacts de vous envoyer des messages instantanés.

608. Supprimer/Personnaliser le message d'avertissement à propos des cartes bancaires dans Windows Messenger

Sous Windows Messenger, dès que vous ouvrez une fenêtre de conversation instantanée, un message d'avertissement vous conseille de ne pas communiquer votre numéro de carte bancaire. Même si cette recommandation est importante, il n'est peut-être pas nécessaire de la voir s'afficher en permanence. Voici comment procéder pour supprimer ou personnaliser ce message :

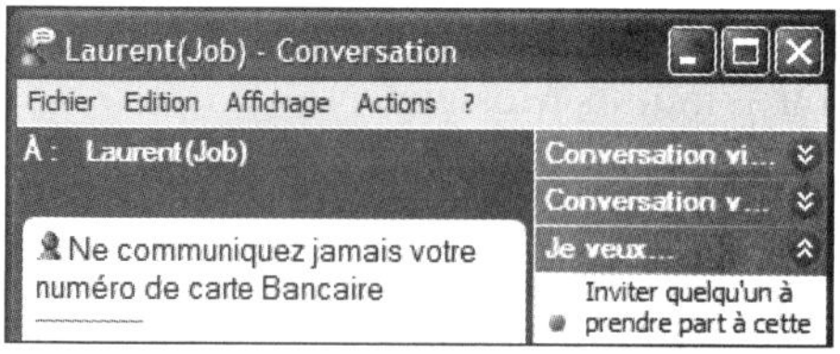

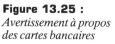

Figure 13.25 :
Avertissement à propos des cartes bancaires

1. Cliquez sur le bouton **Démarrer** et sélectionnez la commande **Exécuter**. Dans la zone de texte *Ouvrir* de la boîte de dialogue **Exécuter**, saisissez regedit et cliquez sur le bouton OK.

2. Sélectionnez la clé *HKEY_LOCAL_MACHINE\SOFTWARE\Microsoft\MessengerService\Policies*.

3. Dans le volet de droite correspondant à cette clé, double-cliquez sur la valeur chaîne *IMWarning*.

4. Saisissez le message que vous voulez dans la zone de texte *Données de la valeur* et cliquez sur le bouton OK. C'est ce message qui apparaîtra dans chaque fenêtre de conversation que vous ouvrirez. Vous pouvez saisir des émoticones dans le texte, elles seront interprétées.

5. Fermez l'éditeur de registre et ouvrez une fenêtre de conversation pour admirer le résultat.

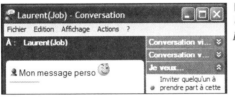

Figure 13.26 :
Un message perso à la place de l'avertissement

609. Enregistrer ses conversations instantanées

MSN Messenger 6 offre la possibilité d'enregistrer les conversations instantanées afin de pouvoir les consulter plus tard si quelque chose vous a échappé dans la conversation.

Enregistrer une conversation ponctuellement

Vous pouvez, si vous le souhaitez, enregistrer une conversation instantanée ponctuellement, c'est-à-dire que vous pouvez enregistrer une conversation uniquement quand vous pensez que celle-ci est intéressante. Pour cela, lorsque la conversation est terminée, cliquez sur le menu **Fichier** et sélectionnez la commande **Enregistrer sous**. Donnez un nom au fichier et enregistrez-le au format *.rtf* (*Rich Text Format*) proposé. Ainsi, vous ne perdrez pas la mise en forme des messages. Vous pourrez aussi revenir sur la conversation en ouvrant le fichier précédemment enregistré.

Archiver toutes les conversations automatiquement

Vous pouvez activer l'enregistrement automatique des conversations afin qu'elles soient toutes enregistrées et archivées. Pour activer l'auto-archivage des messages :

1. Cliquez sur le menu **Outils**, puis sur **Options**, et sélectionnez l'onglet **Messages**.

2. Dans la rubrique *Enregistrement des conversations*, cochez la case *Conserver automatiquement un historique de mes conversations*.

Consulter l'historique des conversations

Si vous archivez automatiquement toutes vos conversations, vous avez la possibilité de consulter cet historique par l'intermédiaire d'une interface spécifique intégrée à MSN Messenger 6. Elle vous permettra de lister, supprimer, rechercher dans les messages archivés pour accéder à cet historique :

1. Cliquez sur le menu **Fichier** et sélectionnez la commande **Consulter l'historique des conversations**.

2. L'historique des messages est archivé par contact. Il vous suffit de cliquer sur un contact pour afficher toutes les conversations archivées en rapport avec celui-ci.

3. La liste des messages archivés s'affiche, vous pouvez ainsi la consulter. Attention, vous ne pouvez pas supprimer uniquement une ligne ; si vous cliquez sur le bouton **Suppression**, toutes les conversations en rapport avec ce contact s'effaceront.

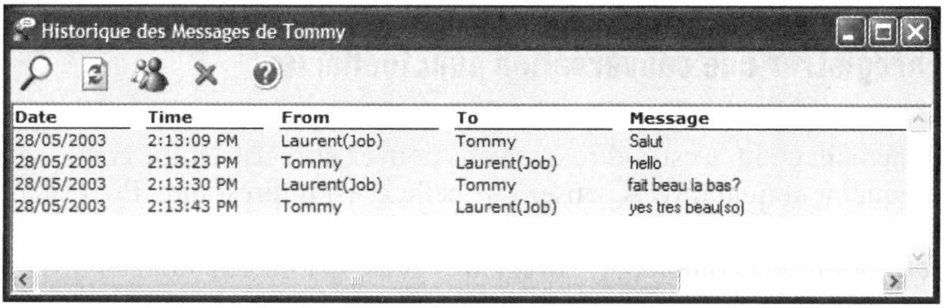

Figure 13.27 : *Interface de consultation de l'historique des messages*

ATTENTION

Big brother is watching you (on peut vous espionner)

Cette fonction d'archivage automatique des messages est très pratique. Par contre, méfiez-vous, des gens pourront lire vos messages s'ils ont accès à votre ordinateur ; ils n'auront même pas besoin de connaître votre mot de passe puisque le tout est stocké dans un fichier au format *.xml*, éditable avec le notepad. Méfiez-vous donc de cet outil, il pourrait porter atteinte à votre vie privée. Si une conversation est trop confidentielle, n'hésitez pas à supprimer l'historique.

610. Modifier une ou plusieurs lignes dans l'historique des messages

Lorsqu'on consulte l'historique des messages, on se rend très vite compte qu'avec l'outil livré par MSN 6 il est impossible de supprimer une seule ligne dans l'historique de la conversation. Soit on supprime tout l'historique, soit on ne supprime rien ! Comme l'historique des messages est stocké sous la forme d'un fichier *.xml*, il est facile de l'éditer et d'y apporter les modifications voulues (suppression d'une ou plusieurs lignes). Voici comment procéder pour supprimer une ligne dans l'historique des messages.

Dossier de stockage de l'historique des messages

1. Cliquez sur le menu **Outils**, puis sur **Options**, et sélectionnez l'onglet **Messages**.

2. Dans la rubrique *Enregistrement des conversations*, notez le chemin qui est renseigné dans la zone de texte *Enregistrer mes conversations dans ce dossier*. En principe, le chemin d'enregistrement des fichiers de conversations est *C:\Documents and Settings\votre_nom_de_profil\Mes documents\Mes fichiers reçus\votre_adresse@mail_de_connexion\History*.

Éditer et modifier le fichier

1. Rendez-vous dans le dossier dont vous venez de noter précédemment le chemin. Dans ce dossier, vous allez retrouver plusieurs fichiers. Chacun porte comme nom l'adresse e-mail d'un de vos contacts avec lequel vous avez eu une conversation qui a été archivée.

2. Cliquez du bouton droit de la souris sur le fichier que vous souhaitez modifier, puis cliquez sur le menu **Ouvrir avec** et sélectionnez la commande **Bloc-notes**.

3. Recherchez dans le contenu du fichier la phrase ou le mot que vous souhaitez modifier ou supprimer. Pour faire une recherche par mot, vous pouvez utiliser la combinaison de touches Ctrl+F.

4. Une fois que vous avez trouvé la ligne, apportez une modification dans le texte suivant vos besoins.

5. Si vous souhaitez supprimer complètement une ligne, voici quelques conseils :

   – Pour localiser rapidement la ligne du message dans le fichier, faites une recherche sur l'heure du message que vous souhaitez supprimer.

   – Une fois que vous avez localisé l'heure du message, sélectionnez à partir de la balise <Message jusqu'à la balise </Message> suivante en rapport avec le texte à supprimer et cliquez sur la touche Suppr, puis enregistrez le fichier.

6. À partir de MSN Messenger, rouvrez l'historique des messages pour voir si votre message a bien été supprimé.

Ligne à supprimer dans le fichier .xml

Pour vous permettre de bien comprendre ce qu'il faut effacer dans le fichier *xml* pour supprimer complètement une ligne de l'historique, voici l'exemple d'un texte qui a été effacé dans le fichier *xml* pour supprimer une phrase complète dans l'historique :

```
<Message Date="28/05/2003" Time="4:06:53 PM"
DateTime="2003-05-28T20:06:53.137Z" SessionID="1"><From><User
LogonName="laurent@microapp.com" FriendlyName="Laurent(Job)"/></
From><To><User LogonName="tommy@microapp.com"
FriendlyName="Tommy"/></To><Text Style="font-family:MS Shell
Dlg; color:#000000; ">il faudra supprimer cette ligne dans le
fichier comme test</Text></Message>
```

> **ATTENTION**
>
> ⚠ **Supprimez ce qu'il faut**
> Surtout, si vous voulez supprimer une phrase complète de l'historique, effacez bien tout ce qui se trouve entre les balises <Message et </Message>, balises comprises.

Figure 13.28 : *L'historique des messages avant et après modification des données. Dans le fichier de stockage des messages, une phrase a été supprimée*

611. Jouer avec un de vos contacts

Depuis la version 6, MSN Messenger permet de jouer directement avec un de vos contacts. Il suffit pour cela, au cours d'une conversation, de cliquer sur le bouton **Lanceur**, puis de sélectionner un des jeux disponibles.

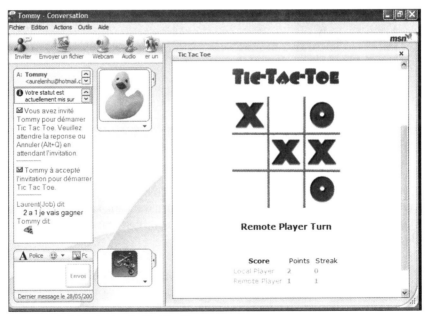

Figure 13.29 : *Le jeu du Tic Tac Toe*

612. Des jeux en plus pour MSN Messenger

Par défaut, MSN Messenger ne dispose que de 4 jeux (Dames, Solitaire, Diamants, Démineur). Si vous souhaitez ajouter des jeux supplémentaires, procédez comme suit :

1. Rendez-vous sur le site Internet **http://games.mess.be**.
2. Cliquez sur le menu **Download** et téléchargez le fichier zip *MSN6GamesPatch-vx.x.zip*.
3. Fermez MSN Messenger, dézippez l'archive et exécutez l'outil.
4. Re-ouvrez MSN Messenger. Vous disposez maintenant d'un nouveau menu **Lanceur** (Bataille navale, Echecs, etc.).

Figure 13.30 :
Le nouveau Lanceur et les jeux disponibles

613. Diffuser votre vidéo à plusieurs de vos contacts simultanément

Si vous êtes en conversation instantanée avec plusieurs personnes et si vous souhaitez leur montrer quelque chose avec votre webcam, sachez qu'avec MSN Messenger 6 il est maintenant possible de diffuser une vidéo à plusieurs personnes simultanément.

Indiquer aux autres utilisateurs que vous disposez d'une webcam

Avant de commencer à diffuser votre image vidéo à plusieurs personnes, vous pouvez activer la fonction qui permet à vos contacts de voir que vous disposez d'une webcam. Ainsi, lorsque vous ouvrez une fenêtre de conversation, la personne pourra voir une petite icône à côté de votre nom et de votre adresse e-mail.

| À : **Alain** <alain_del @msn.com> | 💬 |

Figure 13.31 : *L'icône de la webcam signifie que votre correspondant dispose d'une webcam*

1. Cliquez sur le menu **Outils**, puis sur **Options** et sélectionnez l'onglet **Messages**.

2. Dans la rubrique *Webcam*, cochez la case *Indiquer aux autres utilisateurs que je dispose d'une webcam*.

Envoyer sa vidéo à plusieurs personnes

1. Ouvrez une fenêtre de conversation différente avec chacune des personnes à qui vous souhaitez envoyer votre vidéo.

2. Cliquez sur le bouton **Webcam** dans chacune des fenêtres de conversation. Ainsi vous allez diffuser votre vidéo à toutes les personnes avec qui vous étiez en conversation.

REMARQUE

Vidéo uniquement
Malheureusement, l'option *Audio* ne fonctionne pas de la même manière. Vous ne pourrez donc pas établir une conversation audio à plus de deux personnes.

614. Désactiver l'affichage des publicités dans la bannière des fenêtres de MSN et Windows Messenger

Le bandeau situé en bas de la fenêtre principale de MSN ou Windows Messenger sert à afficher le logo du logiciel, mais vous vous apercevrez très vite qu'il sert aussi à afficher de la publicité. S'il n'est pas possible de supprimer ce bandeau par des moyens conventionnels, il est possible de stopper l'affichage de publicités dans celui-ci. Pour ne plus voir apparaître de publicité, procédez ainsi :

1. Fermez MSN et Windows Messenger et rendez-vous dans le dossier *C:\Documents and Settings\nom_de_votre_profil\Local Settings\Temp*.

2. Cliquez du bouton droit de la souris sur le fichier *links.txt* et sélectionnez la commande **Renommer**. Renommez le fichier en *backup_links.txt* afin d'en faire une sauvegarde.

3. Cliquez du bouton droit de la souris dans une zone vide du dossier et sélectionnez la commande **Nouveau/Document texte**. Nommez le nouveau document *links.txt*.

4. Cliquez du bouton droit de la souris sur le nouveau document *links.txt* que vous venez de créer et sélectionnez la commande **Propriétés**.

5. Dans la rubrique *Attribut*, cochez la case *Lecture seule* et cliquez sur le bouton OK.

Après cette manipulation, vous ne verrez plus apparaître de publicités à la place de la bannière représentant le logo de MSN ou Windows Messenger.

615. Personnaliser la bannière de pub à vos couleurs

Vous pouvez, si vous le souhaitez, modifier la bannière de publicité de Windows ou MSN Messenger. Pour cela, procédez ainsi :

1. Rendez-vous dans le dossier d'installation de Windows Messenger qui est en principe *C:\Program Files\Messenger*.

2. Pour modifier la bannière de Windows Messenger, éditez l'image qui se nomme *logo.gif* avec votre logiciel de retouche d'image favori.

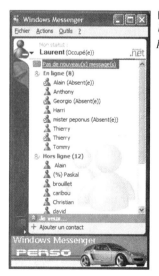

Figure 13.32 :
Une bannière de Windows Messenger personnalisée

616. Supprimer totalement le bandeau publicitaire

Si vous souhaitez supprimer complètement le bandeau publicitaire situé en bas de la fenêtre principale de MSN Messenger, vous trouverez plusieurs outils sur le Web dédiés à cette fonction à ces adresses :

http://www.mastaline.com/?pagina=fun/msnstuff2

http://mess.be

> **Messenger Plus!**
> Messenger Plus! est un complément gratuit qui vous permettra d'ajouter un nombre important de fonctions à MSN Messenger. Avec ce logiciel, vous pourrez facilement supprimer le bandeau publicitaire, ajouter des statuts personnalisés, fixer une taille maximale pour les noms de vos contacts, augmenter la taille maximale d'un message instantané, et faire du multiformat dans un message. Bref, ce logiciel est vraiment un plus pour Messenger. Vous le trouverez sur le site de son éditeur à cette adresse **www.msgplus.net**.

617. Utiliser le Tableau blanc, le partage d'application et l'assistance

Les fonctions telles que l'assistance à distance, le partage d'application et le Tableau blanc sont disponibles dans le menu **Actions** de MSN ou Windows Messenger, uniquement si vous disposez de Windows XP et si vous n'avez pas désinstallé Windows Messenger :

- **Démarrer le Tableau blanc** : cette commande met à disposition un espace dans lequel vous et votre correspondant pourrez saisir du texte, dessiner, sélectionner et copier des parties d'écran afin de partager directement des informations.

- **Démarrer le partage d'application** : cette commande vous permettra de partager une application s'exécutant sur votre ordinateur afin que votre correspondant la visualise et puisse éventuellement intervenir.

Figure 13.33 :
La boîte de dialogue Session de partage, qui apparaît une fois que le partage d'application ou le Tableau blanc est exécuté

- **Demander une assistance à distance** : cette commande vous permettra de demander à votre correspondant une aide à distance afin qu'il prenne le contrôle de votre ordinateur pour essayer de vous dépanner.

*Pour plus de renseignements sur cette fonction, vous pouvez vous reporter au chapitre **Programmes et scripts utiles pour Internet**, astuce **Utiliser l'assistance à distance de XP pour se faire dépanner par un ami**.*

618. Partager des fichiers avec un de vos amis

Le partage de fichier avec un contact est encore une nouvelle fonction exclusive de MSN Messenger 6. Cette option vous permettra lors d'une conversation avec un de vos contacts de partager avec lui plusieurs fichiers qui s'afficheront sous forme de liste sur son ordinateur. La différence majeure entre le transfert de fichier et le partage de fichier, c'est que la fonction de transfert de fichier sous MSN ou Windows Messenger n'autorise qu'un seul envoi à la fois. Si vous essayez de transférer un second fichier avant que le premier n'ait fini d'être téléchargé, cela stoppera tout le processus de transfert. Avec le partage de fichier de MSN Messenger 6, l'avantage majeur est de pouvoir partager plusieurs fichiers, puis de lancer leurs téléchargements. Le téléchargement des fichiers se fera l'un après l'autre, mais vous n'aurez pas besoin d'intervenir puisqu'une fois qu'un fichier de la liste aura fini d'être téléchargé, le téléchargement du suivant débutera automatiquement.

Pour partager des fichiers avec un de vos contacts, procédez ainsi :

1. Cliquez sur le bouton **Lanceur** et sélectionnez la commande **Partager des fichiers**. Une fois que votre correspondant a accepté la demande, la fonction partage de fichier s'ajoutera à la fenêtre de conversation. Le tableau du haut correspond aux fichiers que partage avec vous votre correspondant, et celui du bas représente les fichiers que vous partagez avec lui.

2. Cliquez sur le bouton **Ajouter des fichiers** pour insérer des fichiers dans votre liste de fichiers partagés.

3. Pour supprimer le partage d'un fichier dans la liste, sélectionnez-le et cliquez sur le bouton **Unshare** (arrêter le partage).

4. Pour interrompre un transfert en cours, cliquez sur le bouton **Arrêter le transfert**.

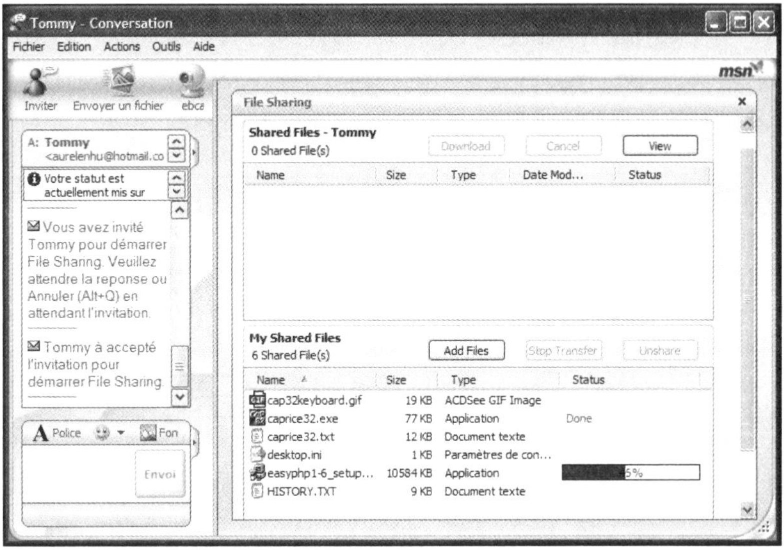

Figure 13.34 : *Fenêtre de partage de fichier, avec une liste de fichiers partagés en cours d'envoi chez un contact*

619. Télécharger des fichiers partagés par un ami

Une fois que votre correspondant vous a invité à partager des fichiers avec lui, vous pouvez commencer à télécharger les fichiers qui vous intéressent parmi ceux qu'il vous propose.

1. Maintenez la touche [Ctrl] enfoncée et sélectionnez les fichiers que vous souhaitez télécharger dans la liste que vous propose votre correspondant.

2. Une fois que cette sélection est faite, cliquez sur le bouton **Télécharger** pour démarrer le téléchargement des fichiers souhaités. Les téléchargements s'effectuent un par un ; dès qu'un téléchargement s'achève, l'autre débute. Si les fichiers à télécharger sont volumineux, vous pouvez passer à autre chose, tout est automatique.

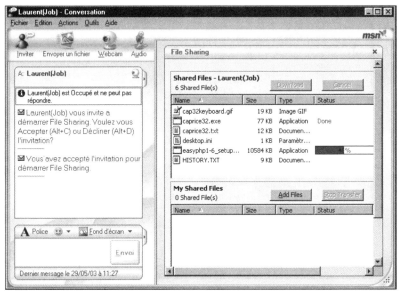

Figure 13.35 : *Fenêtre de partage de fichier, avec une liste de fichiers partagés par un correspondant et des fichiers en cours de réception*

3. Vous pouvez stopper un téléchargement en cours. Pour cela, il vous suffit de cliquer sur le bouton **Annuler** (**Cancel** sur la capture).

4. Pour ouvrir un fichier téléchargé, vous pouvez double-cliquer dessus, ou alors le sélectionner et cliquer sur le bouton **Afficher**.

620. Retrouver les fichiers téléchargés et les fichiers partagés

Une fois que vous avez quitté MSN Messenger 6, il est bon de savoir que tous les fichiers téléchargés depuis le partage de fichier sont stockés dans un dossier ayant cette syntaxe *C:\Documents and Settings\votre_nom_de_profil\Mes documents\MSN Messenger Files\votre_adresse_mail@passport\My Downloaded Files*. Dans ce dossier, vous retrouverez tous les fichiers téléchargés, classés dans des sous-dossiers portant comme nom l'adresse e-mail des contacts chez qui vous les avez téléchargés.

Les fichiers que vous partagez, eux, sont copiés dans le répertoire *C:\Documents and Settings\votre_nom_de_profil\Mes documents\MSN Messenger Files\votre_adresse_mail@passport\ My Shared Files*.

621. Supprimer un compte utilisateur de la liste

Vous avez sûrement remarqué que dès qu'un utilisateur essaie de se connecter avec son compte .Net Passport à Windows Messenger, celui-ci apparaît dans la liste déroulante de la boîte de dialogue de connexion. Cela devient très vite gênant si un grand nombre de personnes utilisent l'ordinateur ou si une personne s'est occasionnellement connectée à son compte depuis votre ordinateur. Cela peut aussi poser un problème de confidentialité si vous ne souhaitez pas que l'on sache que vous vous servez de la messagerie instantanée !

Figure 13.36 :
Liste de personnes qui se sont connectées

Pour supprimer le compte d'une personne afin qu'il n'apparaisse plus dans la liste de la boîte de dialogue **.Net Messenger Service**, procédez ainsi :

1. Cliquez sur l'icône du Poste de travail, puis sur le Panneau de configuration.

2. Cliquez ensuite sur **Comptes d'utilisateurs**, puis sur l'icône représentant votre utilisateur.

3. Dans la partie gauche de la fenêtre, cliquez sur la commande **Gérer mes mots de passe réseau**. La boîte de dialogue **Noms et mots de passe utilisateur enregistrés** s'affiche.

4. Sélectionnez le compte que vous souhaitez supprimer et cliquez sur le bouton **Supprimer**, puis confirmez en cliquant sur OK.

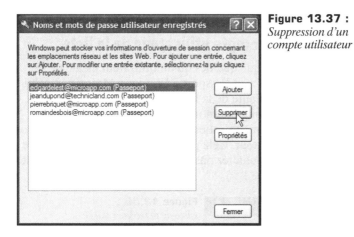

Figure 13.37 :
Suppression d'un
compte utilisateur

622. T'chatter avec MSN ou Windows Messenger

MSN et Windows Messenger intègrent une fonction qui permet de se rendre directement dans des salles de conversation pour t'chatter avec des personnes qui partagent vos passions. Voici comment procéder si vous souhaitez utiliser cette fonction :

1. Sous MSN Messenger, cliquez sur la commande **Fichier**. Dans le sous-menu **Accéder à**, sélectionnez la commande **Salles de discussion** (sous Windows Messenger, cliquez sur le menu **Actions** et sélectionnez la commande **Aller dans des salles de conversations** ; le complément MSN pour Windows Messenger est nécessaire pour disposer de cette fonction sous Windows Messenger).

2. Si vous vous connectez pour la première fois, vous devrez choisir un surnom (pseudo). Si vous ne disposez pas du petit outil MSN chat, on vous proposera de l'installer. Ensuite, il ne vous restera plus qu'à sélectionner un salon de discussion parmi les thèmes proposés.

Création d'un salon de discussion

Une fois que vous êtes sur la page de présentation des différents thèmes des salons, vous pouvez facilement créer un salon dont vous serez le modérateur en cliquant sur le lien *Cliquez ici pour créer une salle de conversation*. Il vous faudra juste remplir un petit formulaire dans lequel vous renseignerez le nom, la langue, le thème du salon que vous souhaitez créer.

623. Liste des émoticônes et de leurs raccourcis clavier sous MSN Messenger 6

Dans une fenêtre de conversation, vous avez accès à une liste d'émoticônes, mais elle n'est pas complète. Voici donc la liste de toutes les émoticônes et leurs raccourcis clavier respectifs :

Tableau 13-1 : Liste des émoticônes sous MSN 6	
Emoticône	**Raccourci clavier**
	(Z) ou (z)
	(6)
	:-[ou :[
	(})
	({)
	(M) ou (m)
	:) ou :-)
	:-D ou :d
	:-O ou :o
	:-P ou :p
	;-) ou ;)

Tableau 13-1 : Liste des émoticônes sous MSN 6	
Emoticône	Raccourci clavier
	:-(ou :(
	:-S ou :s
	:-| ou :|
	:'(
	:$ ou :-$
	(H) ou (h)
	:-@ ou :@
	(A) ou (a)
	(L) ou (l)
	(U) ou (u)
	(K) ou (k)
	(G) ou (g)
	(F) ou (f)
	(W) ou (w)

Tableau 13-1 : Liste des émoticônes sous MSN 6	
Emoticône	**Raccourci clavier**
	(P) ou (p)
	(~)
	(T) ou (t)
	(@)
	(&)
	(C) ou (c)
	(I) ou (i)
	(S)
	(*)
	(8)
	(E) ou (e)
	(^)
	(O) ou (o)
	8o|

Tableau 13-1 : Liste des émoticônes sous MSN 6	
Emoticône	**Raccourci clavier**
	:-#
	(r)
	(st)
	(#)
	(li)
	(ip)
	(pl)
	(pi)
	(mp)
	(co)
	(%)
	(||)
	(um)
	(xx)

Tableau 13-1 : Liste des émoticônes sous MSN 6	
Emoticône	Raccourci clavier
	(mo)
	(ci)
	(au)
	(ap)
	(tu)
	(sn)
	(bah)
	(yn)
	(h5)
	:-*
	:^)
	+o(
	*-)
	^o)

Tableau 13-1 : Liste des émoticônes sous MSN 6	
Emoticône	Raccourci clavier
	(brb)
	<:o)

624. Téléphoner avec MSN Messenger

MSN Messenger vous offre la possibilité de vous servir de votre matériel audio pour passer une communication depuis votre ordinateur vers un téléphone fixe ou mobile. Si vous doutez de l'intérêt d'un tel dispositif, lorsque vous aurez consulté les tarifs, vous considérerez sûrement mieux la question. L'utilisation de cet outil est d'autant plus rentable si vous téléphonez souvent à l'étranger. Pour vous donner un ordre de prix, cela vous reviendra à peu près à 1,2 centime d'euro par minute, quelle que soit la destination de l'appel dans le monde. Le fonctionnement est simple : vous achetez des unités et votre compte .Net Passport est alors crédité. Ensuite, vous vous connectez à MSN Messenger et vous cliquez sur le menu **Actions** et vous sélectionnez la commande **Effectuer un appel téléphonique**. Saisissez le numéro de votre correspondant et patientez le temps que la communication s'établisse.

Figure 13.38 :
La boîte de dialogue Téléphone lors d'une communication téléphonique vers l'Espagne avec MSN Messenger

> **REMARQUE**
>
> **Plus d'informations sur cette fonction**
> Si vous disposez d'une connexion Internet haut débit et d'un micro d'assez bonne qualité, n'hésitez pas à utiliser cette fonction. Ce sont vraiment des tarifs exceptionnels qui vous sont offerts, et ne doutez pas de la qualité car elle est aussi au rendez-vous.
> Afin de pouvoir passer des appels téléphoniques, vous devez vous abonner à un fournisseur de service vocal ; c'est à lui que vous payerez vos unités. Pour vous abonner, cliquez sur le menu **Actions** et sélectionnez la commande **Effectuer un appel téléphonique**, puis cliquez sur le bouton **Démarrez ici**. Vous accéderez ainsi à la liste de tous les fournisseurs de service vocal.
> Pour gérer l'état de vos comptes une fois la boîte de dialogue **Téléphone** ouverte, cliquez sur le menu **Outils** et sélectionnez la commande **Gérer les comptes du service vocal**.

625. Utiliser une messagerie instantanée Windows Messenger sur un réseau local

Si vous souhaitez utiliser une messagerie instantanée de type Windows Messenger sur un réseau local sans passer par une connexion au service .Net Messenger (authentification via votre compte .Net Passport), voici quelques détails sur les différentes conditions que vous devrez prendre en compte :

■ Il faudra que, sur votre réseau local, vous disposiez d'un serveur Exchange (au minimum Exchange 2000), sur lequel vous aurez activé le service de messagerie instantanée Exchange.

■ Ensuite, comme l'authentification des utilisateurs se fera par l'intermédiaire du service d'annuaire Windows 2000 (Active Directory), il faudra qu'il soit actif sur votre réseau.

>
> **De la documentation en français sur le sujet**
> Vous trouverez une FAQ sur la mise en œuvre du service de messagerie instantanée Exchange à cette adresse **www.microsoft.com/exchange/ downloads/2000/IM/fr_faq.doc**, et une autre documentation sur le sujet est accessible sur **www.microsoft.com/exchange/downloads/2000/IM/fr.doc**.

626. Configuration de Messenger avec des pare-feu, routeurs et partages de connexion

MSN Messenger gère les ports de façon dynamique. Si vous disposez d'un routeur matériel, d'un pare-feu ou d'un partage de connexion Internet, il est impératif qu'ils soient compatibles UPnP (*Universal Plug and Play*), sinon vous risquez de rencontrer des problèmes lors de l'utilisation de l'audio, de la vidéo, ainsi que lors du transfert de fichiers. La plupart des routeurs matériels disponibles sur le marché sont maintenant compatibles UPnP. Il est donc important avant d'acheter un routeur de vérifier ce point-là. Les partages de connexion Internet et les pare-feu logiciels doivent être eux aussi compatibles UPnP. Il est bon de savoir que le partage de connexion Internet (ICS) et le pare-feu intégré de Windows XP sont compatibles UPnP. Si votre partage de connexion Internet et votre pare-feu ne sont pas UPnP, vous devrez mapper manuellement une liste de ports afin de rendre certaines fonctions opérationnelles.

Si vous partagez une connexion Internet par l'intermédiaire du partage de connexion de Windows XP ou si vous utilisez un pare-feu qui n'est pas compatible UPnP pour autoriser les communications audio et vidéo, vous devrez autoriser le trafic entrant sur les ports UDP. Pour cela, mappez un port se trouvant dans la plage 5004 à 65535, le port 5060 est en principe utilisé comme référence.

Voici comment procéder pour mapper manuellement le port 5060 en UDP :

1. Cliquez du bouton droit sur l'icône *Favoris réseau* et sélectionnez la commande **Propriétés**.

2. Cliquez du bouton droit de la souris sur l'icône représentant votre connexion Internet. Dans le menu contextuel qui s'affiche, cliquez sur la commande **Propriétés**, puis sélectionnez l'onglet **Paramètres Avancés**.

3. Cliquez sur le bouton **Paramètres**, puis dans la boîte de dialogue cliquez sur le bouton **Ajouter**. La boîte de dialogue **Paramètres de service** s'affiche.

4. Dans la zone de texte *Description du service*, saisissez un nom qui définira le service que vous êtes en train d'ajouter. Par exemple, pour le port 5060 que vous allez mapper, saisissez Audio/Video Messenger 5060.

5. Dans la zone de texte *Nom ou adresse IP de l'ordinateur hôte de ce service sur votre réseau*, saisissez l'adresse IP de l'ordinateur qui bénéficiera de ce service. Si c'est pour l'ordinateur qui accueille la connexion, saisissez 127.0.0.1 ; si c'est pour un ordinateur avec lequel vous partagez votre connexion Internet, relevez son adresse IP et saisissez-la dans cette zone de texte.

6. Dans la zone de texte *Numéro du port externe de ce service*, saisissez le numéro du port 5060.

7. Dans la zone de texte *Numéro du port interne de ce service*, saisissez le numéro du port 5060.

8. Cochez le bouton d'option *UDP* et validez en cliquant sur le bouton OK.

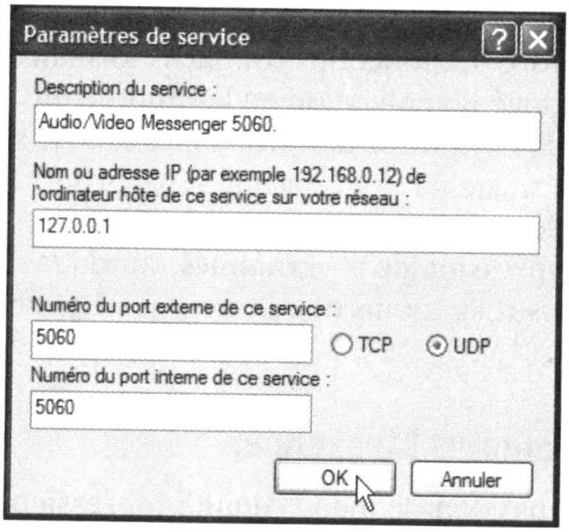

Figure 13.39 :
La boîte de dialogue Paramètres de service

9. Répétez cette action avec tous les ports que vous souhaitez mapper, suivant les fonctions de Messenger que vous voulez utiliser.

Tableau 13-2 : Liste des ports à mapper pour l'utilisation de Messenger		
Application	**Numéro du port**	**Protocole TCP/UDP**
Tableau blanc	1503	TCP
Connexion à Messenger Service	1863	TCP
Assistance et Bureau à distance	3389	TCP
Audio et Vidéo	5004 à 65535 en principe 5060	UDP
Transfert de fichiers	6891-6900	TCP

Des fiches techniques sur le sujet

Le réglage de partage de connexion ou de pare-feu ainsi que des routeurs peut très vite devenir compliqué. Si vous souhaitez plus d'informations sur le sujet, voici quelques adresses utiles.

Utilisation de Windows Messenger avec des pare-feu et des périphériques de traduction d'adresses : www.microsoft.com/france/technet/themes/km/info/info .asp?mar=/france/technet/themes/km/info/worki01.html.

Le guide de l'administrateur réseau : http://messenger.msn.fr/support/firewall.asp.

627. Désinstaller/Réinstaller Windows Messenger

Il est préférable de désactiver Windows Messenger plutôt que de le désinstaller car vous risquez de perdre des fonctions comme l'assistance à distance, le Tableau blanc et le partage d'application en le supprimant complètement. Si, malgré tout, vous rencontrez des problèmes lors de son utilisation et si vous souhaitez le désinstaller pour ensuite repartir sur une installation saine, sachez que Windows Messenger est désinstallable directement via le menu **Ajout/Suppression de programmes**, rubrique *Composants Windows*, si vous disposez au moins du service Pack 1 pour Windows XP.

Désinstaller manuellement Windows Messenger

Si Windows Messenger n'apparaît pas dans le menu **Ajout/Suppression de programmes** de Windows XP, procédez ainsi pour le désinstaller :

1. Fermez toutes les applications et cliquez sur le bouton **Démarrer**, puis sélectionnez la commande **Exécuter**. Dans la zone de texte *Ouvrir* de la boîte de dialogue **Exécuter**, saisissez RunDll32 advpack.dll,LaunchINFSection %windir%\inf\msmsgs.inf,BLC.Remove.

2. Cliquez sur le bouton **Oui** et attendez que la désinstallation se finisse. Dans la boîte de dialogue vous signalant que Windows Messenger a été correctement désinstallé, cliquez sur le bouton OK et redémarrez votre ordinateur.

Réinstaller Windows Messenger

Pour réinstaller Windows Messenger, vous devez d'abord le retélécharger. Pour cela, rendez-vous à cette adresse http://messenger.msn.fr/download/ download.asp?client=0 et téléchargez le fichier nécessaire à son installation. Exécutez ensuite son installation et redémarrez votre ordinateur.

628. Réparer, désinstaller MSN Messenger

Si vous avez des problèmes avec MSN Messenger, dans un premier temps essayez d'utiliser la fonction de réparation. Pour cela, reprenez le fichier qui vous a servi à son installation et reexécutez-le. Si vous avez supprimé ce fichier d'installation, retéléchargez-le à cette adresse **http://messenger.msn.fr/ download/download.asp?client=1**. Une fois le fichier d'installation exécuté, celui-ci détecte la présence de MSN Messenger et vous propose alors un menu différent de celui qui a été présenté lors de l'installation. Vous pouvez à partir de là soit réparer MSN Messenger, soit le désinstaller.

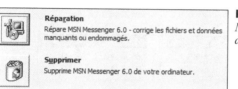

Réparation
Répare MSN Messenger 6.0 - corrige les fichiers et données manquants ou endommagés.

Supprimer
Supprime MSN Messenger 6.0 de votre ordinateur.

Figure 13.40 :
Menu de réparation ou de désinstallation

629. FixMessenger, un outil pour gérer Windows Messenger

Si vous souhaitez effectuer quelques réglages au niveau de la gestion de Windows Messenger sous Windows XP, vous pouvez télécharger FixMessenger. C'est un petit outil gratuit qui vous permettra de désactiver, désinstaller, réinstaller Windows Messenger. Il vous permettra aussi de désactiver Windows Messenger d'Outlook Express, et il gère la désinstallation et la réinstallation de NetMeeting. Vous pourrez le télécharger sur le site de son éditeur à cette adresse **www.technicland.com/ fixmessenger.php3**.

630. Utiliser MSN Messenger sur votre smartphone (téléphone mobile avec Windows)

La technologie des téléphones mobiles évolue sans cesse, et les constructeurs sont en permanence à la recherche d'innovations. Les smartphones sont des téléphones mobiles (cellulaires) livrés avec un système d'exploitation Windows adapté à ce type d'appareil. Ce type de cellulaire commence à être accessible à des prix raisonnables, et si vous ne pouvez plus vous passer de communiquer à toute heure et en tout lieu, les smartphones sont faits pour vous. Ces téléphones mobiles un peu spéciaux sont donc livrés avec quelques logiciels préinstallés, comme Internet Explorer, Windows Media Player et MSN Messenger. Avec le logiciel MSN Messenger présent sur votre smartphone, vous pourrez donc rester en contact et t'chatter avec toutes les personnes inscrites dans votre liste de contacts. Pour vous connecter à MSN Messenger depuis votre smartphone, procédez ainsi :

1. Exécutez MSN Messenger depuis votre smartphone et cliquez sur le bouton **Se connecter**.

2. Saisissez l'adresse e-mail correspondant à votre compte .Net Passport, ainsi que son mot de passe associé, puis cliquez sur le bouton **Se connecter**. Patientez quelques secondes, le temps que la connexion s'établisse.

Figure 13.41 : *Les trois premières étapes lors de la connexion à MSN Messenger depuis un smartphone*

3. Faites un double-clic sur un de vos contacts en ligne ; vous pourrez ainsi t'chatter avec lui.

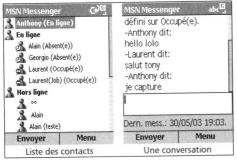

Figure 13.42 :
La liste des contacts MSN Messenger et une fenêtre de conversation sur un smartphone

Des liens et des informations sur les smartphones

Vous trouverez des généralités à propos des smartphones sur le site Internet de Microsoft à cette adresse www.microsoft.com/france/windowsmobile/smartphone.

Pour plus d'informations sur le logiciel MSN Messenger, Pocket Outlook et Pocket Internet Explorer pour smartphones, rendez-vous à cette adresse http://www.microsoft.com/france/windowsmobile/smartphone/download.asp.

Vous pouvez aussi vous rendre sur le site Smartphone France www.smartphonefrance.com, c'est la référence francophone en matière de smartphones.

631. Entraide et dépannage pour MSN et Windows Messenger

Si vous rencontrez des problèmes dans le paramétrage, l'utilisation, ou si vous avez simplement des questions sur les produits MSN et Windows Messenger, rendez-vous sur le newsgroup MSN Messenger de Microsoft France news://msnews.microsoft.com/microsoft.public.fr.msn.messenger. Des MVP et des intervenants réguliers répondront à vos questions. Il existe une FAQ MSN et Windows Messenger en rapport avec ce newsgroup ; elle est accessible à cette adresse http://faq.messenger.free.fr. Si l'anglais n'est pas une barrière pour vous, consultez aussi la FAQ Messenger de Jonathan Kay, MVP MSN Messenger US (United States) à cette adresse http://messenger.jonathankay.com. Retrouvez aussi des informations sur Messenger à cette adresse http://www.messageries-instantanees.net.

13.2 Recevoir des messages instantanés et des alertes sur votre téléphone mobile

632. Principe d'utilisation

Si vous ne disposez pas d'un smartphone mais d'un simple téléphone cellulaire, vous pouvez activer lors de votre absence le renvoi des messages instantanés de MSN Messenger vers votre téléphone mobile. Ce service est gratuit pour les personnes qui envoient un message instantané avec MSN Messenger (sur un ordinateur) vers un téléphone mobile. Quant à la personne qui reçoit le message sur son téléphone mobile, cela lui coûtera à peu près le coup d'un SMS, soit environ 6 centimes d'euro. Le gros avantage de ce type de service, c'est que vous pouvez être joint de n'importe où dans le monde pour le simple prix d'un SMS.

Prévenez vos amis

Comme c'est la personne qui reçoit le message instantané qui paye la réception du message, n'oubliez pas de préciser à vos contacts d'utiliser ce service uniquement si c'est nécessaire, car même si le prix reste raisonnable, cela peut rapidement faire descendre les crédits de votre forfait.

633. S'abonner au service MSN Mobile

Si vous souhaitez recevoir en votre absence les messages instantanés MSN Messenger sur votre téléphone mobile, vous devrez vous abonner au service MSN Mobile, il est gratuit. Pour vous y abonner, procédez ainsi :

1. Exécutez MSN Messenger, cliquez sur le menu **Outils**, puis sur la commande **Options** et sélectionnez l'onglet **Téléphone**.

2. Dans la rubrique *Unité Mobile*, cliquez sur le bouton **Paramètres du mobile**. La page web MSN Mobile doit s'afficher afin que vous puissiez vous abonner au service. Si la page ne fonctionne pas, ouvrez votre navigateur. Pour la France, rendez-vous à cette adresse http://fr-sms .mobile.msn.com ; pour un autre pays, rendez-vous sur cette page http:// mobile.msn.com.

3. Cliquez sur le bouton **Inscrivez-vous** et sélectionnez votre pays et votre fournisseur de services par l'intermédiaire des menus déroulants respectifs. Si votre fournisseur de services n'apparaît pas dans la liste proposée, sélectionnez l'option *Autres*.

4. Cochez la case *Mon périphérique prend en charge les messages de texte* et dans la zone de texte *Tapez votre adresse mobile*, saisissez l'adresse de messagerie fournie par votre fournisseur de services de téléphonie mobile. Le plus souvent, cette adresse est votre_numero_de_téléphone@votre_fournisseur_de_services.com. Si vous ne connaissez pas cette adresse, lisez la notice de votre téléphone mobile, tout cela est en principe expliqué. Ensuite, cliquez sur le bouton **Suivant**.

5. Pensez à allumer votre téléphone mobile. Vous allez recevoir un message du service MSN Mobile qui contiendra le code de confirmation que vous devrez saisir dans la zone de texte *Tapez votre code de confirmation*. Ensuite, cliquez sur le bouton **Suivant**.

6. Si le code que vous venez de saisir est correct, une page de confirmation de votre abonnement auprès du service MSN Mobile s'affichera.

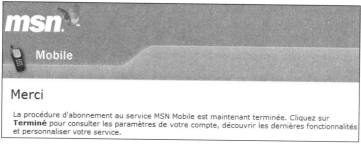

Figure 13.43 : *Confirmation d'abonnement au service MSN Mobile*

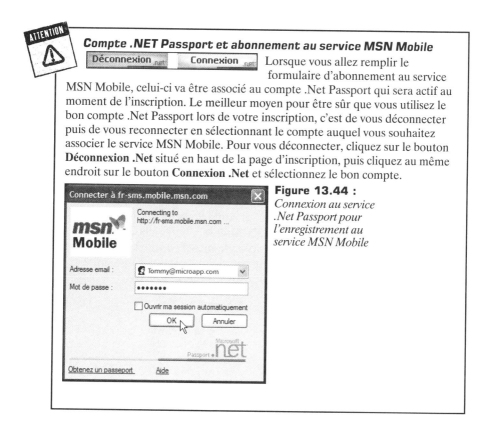

Compte .NET Passport et abonnement au service MSN Mobile

Lorsque vous allez remplir le formulaire d'abonnement au service MSN Mobile, celui-ci va être associé au compte .Net Passport qui sera actif au moment de l'inscription. Le meilleur moyen pour être sûr que vous utilisez le bon compte .Net Passport lors de votre inscription, c'est de vous déconnecter puis de vous reconnecter en sélectionnant le compte auquel vous souhaitez associer le service MSN Mobile. Pour vous déconnecter, cliquez sur le bouton **Déconnexion .Net** situé en haut de la page d'inscription, puis cliquez au même endroit sur le bouton **Connexion .Net** et sélectionnez le bon compte.

Figure 13.44 :
Connexion au service .Net Passport pour l'enregistrement au service MSN Mobile

634. Activer la réception des messages instantanés sur votre téléphone mobile

Si vous vous connectez à MSN Messenger avec votre ordinateur sous le compte .Net Passport lié au service MSN Mobile que vous venez de souscrire, vous pourrez activer l'option qui permettra à vos contacts de vous envoyer un message instantané sur votre téléphone mobile lorsque vous serez hors connexion. Voici comment procéder pour activer cette option :

1. Exécutez MSN Messenger. Cliquez sur le menu **Outils**, puis sur la commande **Options** et sélectionnez l'onglet **Téléphone**.

2. Dans la rubrique *Unité Mobile*, cochez la case *Permettre aux personnes de ma liste de contacts d'envoyer des messages sur mon unité mobile* et cliquez sur le bouton OK. Si cette option est grisée, c'est que le service MSN Mobile n'est pas associé à votre compte .Net Passport. Réenregistrez-vous auprès du service MSN Mobile.

635. Envoyer un message instantané à un téléphone mobile

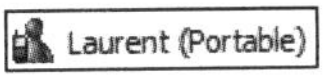

Laurent (Portable) Si un de vos contacts a activé la réception des messages instantanés sur son téléphone mobile, lorsqu'il sera hors ligne, l'icône de son contact apparaîtra en rouge avec un petit symbole de téléphone.

Pour envoyer un message instantané à un contact qui apparaît hors connexion et qui a activé le service MSN Mobile, double-cliquez sur l'icône le représentant. La fenêtre de conversation habituelle s'affiche, mais un message vous signale que vous allez envoyer le message vers une unité mobile. Saisissez un texte bref et cliquez sur le bouton **Envoyer**.

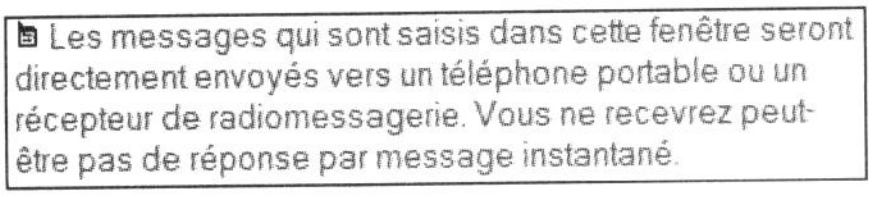

Les messages qui sont saisis dans cette fenêtre seront directement envoyés vers un téléphone portable ou un récepteur de radiomessagerie. Vous ne recevrez peut-être pas de réponse par message instantané.

Figure 13.45 :
Message vous signifiant que vous allez envoyer un message vers une unité mobile

Le message qui s'affichera sur le cellulaire de votre correspondant aura comme en-tête alert@mobile.msn.com. Le contenu du message sera précédé du nom que vous aurez renseigné dans les options MSN

Messenger. N'utilisez donc pas un nom trop long car les messages reçus sur les cellulaires sont limités en nombre de caractères.

Figure 13.46 :
Réception d'un message instantané sur un cellulaire

Utilisation avec Windows Messenger

Windows Messenger gère aussi ce type de service, mais il ne le fait pas nativement. Vous devrez donc installer le complément MSN pour Windows Messenger, disponible à cette adresse **http://messenger.microsoft.com/FR/download/ addindownload.asp**. Attention, Windows Messenger n'affiche pas le symbole du téléphone mobile dans la liste de vos contacts. Pour savoir si un de vos correspondants a activé la réception des messages instantanés sur son unité mobile, cliquez du bouton droit sur son contact et regardez si la commande **Envoyer un message à une unité mobile** est disponible ou pas.

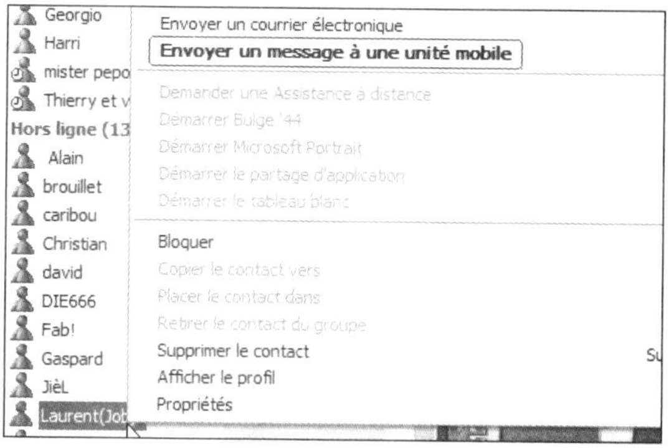

Figure 13.47 :
Dans Windows Messenger, la commande Envoyer un message à une unité mobile est disponible sur le contact Laurent, alors que l'icône représentant son contact n'indique pas qu'il a activé le service

636. Gérer la réception de vos messages et alertes sur votre téléphone mobile

En plus des messages instantanés, vous pouvez si vous le souhaitez recevoir des alertes sur votre téléphone mobile. Les alertes sont des avertissements sur des nouvelles en rapport avec un sujet que vous aurez prédéfini. Par exemple, vous pouvez recevoir des alertes concernant le sport, la météo, l'horoscope, la Bourse, en fait tout ce qui peut vous intéresser. Pour paramétrer ces alertes et toutes les autres fonctions qui ont un rapport avec votre téléphone mobile, procédez ainsi :

1. Rendez-vous sur le site MSN Mobile, accessible à cette adresse http:// msn.mobile.com. Dans le menu de gauche de la page web, cliquez sur le lien correspondant à votre pays.

2. Cliquez ensuite sur le bouton **Connexion** situé en haut à droite de la page et saisissez les informations en rapport avec votre compte .Net Passport. Attention, connectez-vous avec le compte .Net Passport lié à votre abonnement MSN Mobile.

3. Une fois connecté, vous entrez dans votre espace MSN Mobile. Tous les paramètres en rapport avec votre téléphone mobile sont ajustables depuis le menu situé en haut de la page. Cliquez sur le lien *Alertes*.

Figure 13.48 : *Le menu MSN Mobile*

4. À partir de la page qui s'affiche, vous pourrez configurer les alertes et la fréquence de leur réception sur votre cellulaire. Voici une brève description des différents menus :

  - **MSN Hotmail** : permet de configurer la réception de votre courrier Hotmail sur votre cellulaire.

  - **Manchettes** : permet d'activer la réception des informations (nouvelles nationales, internationales, sport…).

  - **Sports** : permet de recevoir en temps réel des informations concernant les résultats sportifs. Vous pouvez choisir votre sport préféré ainsi qu'une équipe et vous recevrez une alerte dès que le score évoluera pendant une partie.

– **Météo** : choisissez une région et une ville et soyez informé du temps des prochains jours.

– **Horoscope** : sélectionnez votre signe astrologique et chaque jour vous recevrez des prévisions.

> **ATTENTION**
>
> **MSN Hotmail**
> Surtout, si vous activez la réception de vos courriers Hotmail sur votre cellulaire, pensez à créer des règles antispam ou alors n'autorisez que les contacts qui sont dans votre liste à vous envoyer des messages, car si vous recevez tous les mails publicitaires sur votre téléphone mobile, en plus du dérangement que cela peut occasionner, vous risquez d'épuiser rapidement votre forfait.

13.3 Conversation vocale jusqu'à 5 personnes simultanément

Skype est un nouveau logiciel de Messagerie instantanée. Il est très facile à mettre en œuvre et il offre la possibilité d'établir une conversation vocale jusqu'a 5 participants simultanément ce qui, jusqu'à présent, est impossible sous tous les autres clients de messagerie instantanée. Vous pourrez télécharger gratuitement le logiciel Skype à cette adresse : **www.skype.com**.

13.4 ICQ

 ICQ est un programme de messagerie instantanée un peu comme Messenger ou AIM. Il indique en temps réel votre état à vos contacts (en ligne, occupé, déconnecté) et permet de communiquer instantanément avec eux. Il permet le partage de fichier. Avec l'ajout d'un add-on, vous pourrez avoir une conversation vocale avec votre correspondant. Un atout majeur d'ICQ (prononcez "ail sik iou", ce qui veut dire en anglais I seek you : je te recherche) est que chaque caractère que vous saisissez s'affiche simultanément sur l'écran de vos correspondants, et vice versa. Fini les temps morts où vous et votre interlocuteur vous demandiez si quelqu'un était en train de rédiger…

Par défaut, ICQ communique sur le port 1080 (configurable). Serveur ICQ : login.icq.com (port 5190).

637. Installer et paramétrer ICQ

Vous pouvez télécharger et installer au choix une des deux versions d'ICQ (les deux versions sont gratuites) :

- ICQ Lite (en français), une version allégée d'ICQ à partir de la page www.icq.com/download (1,74 Mo).

- ICQ Pro 2003b est la version complète en anglais d'ICQ sur www.icq .com/download (4,39 Mo).

- Le pack langage Lingoware pour traduire en français ICQ Pro. www .icq.com/download/pro_languages.html (2,60 Mo).

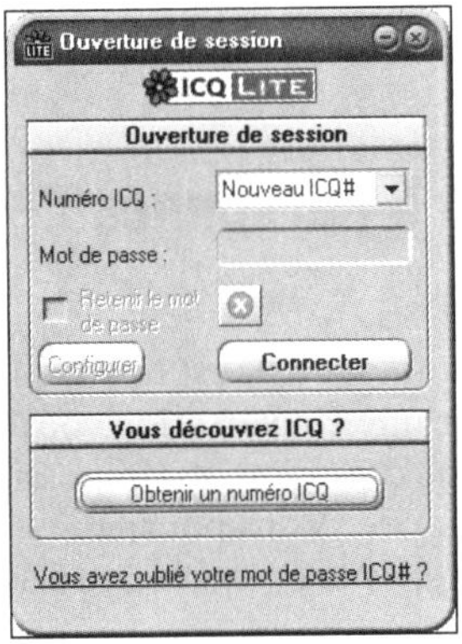

Figure 13.49 :
Accueil d'ICQ Lite en français

Après avoir installé la version de votre choix, inscrivez-vous afin d'obtenir votre numéro d'ICQ et connectez-vous.

*Indiquez votre état (connecté, déconnecté, désactivé) ICQ sur votre site Internet. Reportez-vous à l'astuce **Afficher son état ICQ** du chapitre **Webmaster**.*

Lingoware n'est pas limité à ICQ

Le logiciel Lingoware, téléchargé en version gratuite comme outil de traduction d'ICQ, sera parfaitement efficace pour traduire d'autres logiciels en anglais. Cliquez sur l'icône en forme de cible rouge dans la zone de notification et faites-la glisser sur un terme anglais dans un programme différent : le mot sera traduit en français (version shareware limitée dans le temps). Voilà le site officiel de Lingoware www.lingocom.com/french/download/index.html.

638. Choisir de ne pas être joint par les personnes ne figurant pas dans votre liste de contacts

ICQ Pro 2003b (traduit par Lingoware)

1. Cliquez sur le bouton **Principal**.

2. Choisissez **Security & Privacy Permissions**.

3. Dans la rubrique *Permissions*, cliquez sur *Niveau de permission* et activez l'option *Elevé*.

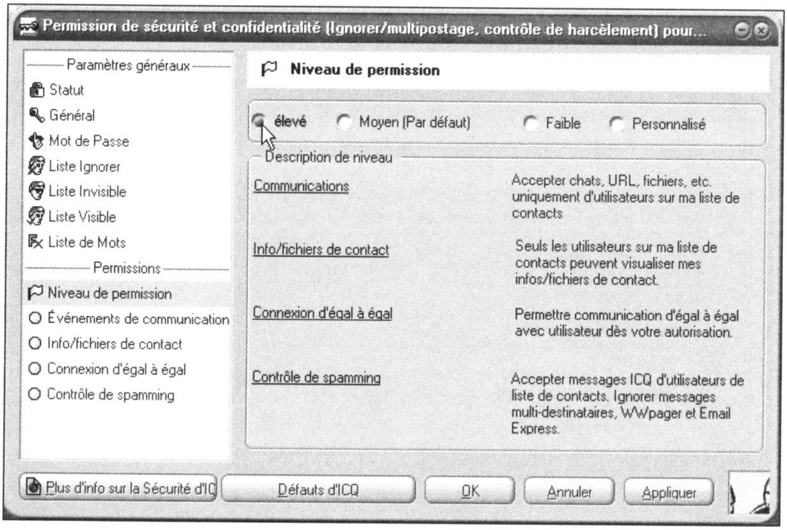

Figure 13.50 : *Permission élevée sur ICQ Pro 2003b*

ICQ Lite

1. Cliquez sur le bouton **Principal**.

2. Choisissez le menu **Contrôle du pollupostage**.

3. Cochez la case *Accepter uniquement les messages d'utilisateurs figurant dans ma liste de contacts*.

639. Inviter des amis à s'inscrire sur ICQ

ICQ Pro 2003b (traduit par Lingoware)

1. Cliquez sur le bouton **Principal**.

2. Sélectionnez **Ajouter/Inviter utilisateurs** puis **Inviter un ami à ICQ**.

3. Inscrivez l'adresse e-mail du contact à qui vous voulez lancer l'invitation dans la zone de saisie *Entrez adresse électronique valide de votre ami*.

4. Ajoutez éventuellement un message personnel.

5. Cliquez sur le bouton **Envoyer une invitation!**.

Figure 13.51 :
Exemple d'invitation sur ICQ Pro

ICQ Lite

1. Cliquez sur le bouton **Principal**.

2. Sélectionnez **Ajouter/Inviter des utilisateurs** et **Inviter un ami sur ICQ**.

3. Inscrivez l'adresse e-mail du contact à qui vous voulez lancer l'invitation. Ajoutez éventuellement un message personnel et validez la case *Envoyer une invitation en français* (cette option n'est pas encore trop au point, mais va sûrement être corrigée).

4. Cliquez sur le bouton **Envoyer l'invitation!**.

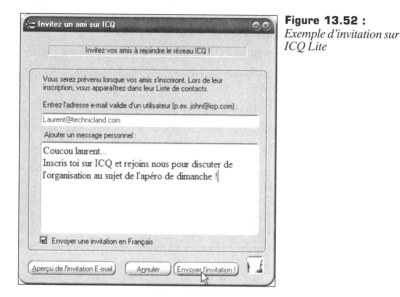

Figure 13.52 :
Exemple d'invitation sur ICQ Lite

640. Vérifier et modifier vos caractéristiques ICQ

ICQ Pro 2003b (traduit par Lingoware) et ICQ Lite

1. Cliquez sur le bouton **Principal**.

2. Sélectionnez **Voir/Changer mes coordonnées**.

3. Pour chacune des rubriques de gauche, renseignez les champs de votre choix dans la partie droite.

4. Cliquez sur OK pour prendre en compte les modifications.

641. Retrouver son mot de passe ICQ

Vous avez oublié votre mot de passe ou votre numéro ICQ ? Rendez-vous directement à l'adresse **https://web.icq.com/secure/password** pour les retrouver.

642. Modifier les sons ICQ

Vous pouvez modifier les sons pour chaque événement de ICQ Pro 2003b (description d'après la version traduite par Lingoware).

1. Cliquez sur le bouton **Principal**.

2. Choisissez l'option *Pour passer au Mode Avancé* (en effet, le mode simple n'offre pas la possibilité de modifier les sons).

3. Cliquez encore sur le bouton **Principal**, puis sur **Préférences**.

4. Dans la liste de gauche, choisissez *History, Alerts & Sounds*, puis l'onglet **Sons** dans la partie droite.

5. Dans la liste déroulante *Modèle de sons*, choisissez *Mes paramètres*.

6. Sélectionnez le son à modifier de la rubrique *Evénements* et cliquez sur le bouton **Sélectionner** pour désigner un nouveau son.

Téléchargez des packs son

Choisissez la facilité : à l'adresse **www.icq.com/sounds/sound-schemes.html**, écoutez, choisissez et téléchargez un pack sonore. Il s'agit de fichiers au format *.scm* qui s'intégreront directement dans ICQ.

13.5 AOL Instant Messenger (AIM)

Avec Messenger (Microsoft) et ICQ (Mirabilis), AIM (*America Online AOL*) est l'un des trois programmes de messagerie instantanée les plus utilisés. La communication vidéo n'est pas possible avec AIM.

Site Internet : **www.aim.aol.fr.** (français) ou **www.aim.com/index .adp?language=l** (anglais).

Configuration du port et du protocole par défaut : port 5190 ou 80. DNS : login.oscar.aol.com.

643. Installer et paramétrer AIM

1. Rendez-vous sur la page **http://gulliver.aol.fr/aires/aim/telecharger.htm** et renseignez un pseudo, un mot de passe et votre adresse e-mail.

2. Téléchargez et installez AIM (*AOL Instant Messenger*).

3. Dans la boîte de dialogue **Connexion**, sélectionnez votre nom d'utilisateur et inscrivez votre mot de passe.

   – Cochez la case *Enregistrer le mot de passe* si cela vous semble approprié.

– Choisissez éventuellement *Connexion automatique* pour vous connecter automatiquement au démarrage de Windows.

Figure 13.53 :
La boîte de dialogue Connexion d'AIM

**Affichez sur votre site Internet votre télécommande AIM.
Reportez-vous à l'astuce *Ajouter sa barre d'outils AIM* du chapitre *Webmaster*.**

644. Configurer les premiers réglages d'AIM

1. Cliquez sur le menu **Options**, puis sur **Préférences** et **Modifier les préférences** (ou appuyez sur la touche de fonction F3).

2. Sélectionnez *Confidentialité* dans la liste *Catégorie*.

– Dans la rubrique *Qui peut me contacter*, sélectionnez les utilisateurs habilités à vous contacter (choisissez *Ceux de ma liste de contact* pour limiter l'accès aux seuls contacts de votre liste).

– Validez la case à cocher *... que je saisis une réponse* (option plus conviviale lors d'un t'chat).

3. Sélectionnez *Message d'inactivité* dans la liste *Catégorie* et choisissez si besoin d'inscrire un message personnalisé qui s'affichera en cas d'inactivité. Validez l'affichage de ce message en cochant la case *En cas d'inactivité, répondre automatiquement par:*.

4. Sélectionnez *Message d'absence* dans la liste *Catégorie* et choisissez si besoin d'inscrire un message personnalisé qui s'affichera en cas d'absence.

5. Validez en cliquant sur le bouton OK.

6. Cliquez sur **Carte de visite** du menu **Options**.

7. Remplissez les champs du formulaire que vous voulez diffuser, cliquez sur le bouton **Suivant** pour compléter des informations vous concernant. Cochez éventuellement la case *Permettre aux utilisateurs de me retrouver*.

Servez-vous de l'assistant

Cliquez sur **Assistant AIM** du menu **Aide** pour avoir un aperçu des fonctions du logiciel, ainsi qu'un assistant de configuration rapide.

645. Inviter des amis à s'inscrire sur AIM

Rendez-vous à l'adresse **www.aim.aol.fr/ami.htm**, renseignez le formulaire et cliquez sur le bouton **Envoyer**.

646. Retrouver son mot de passe AIM

Vous avez oublié votre mot de passe AIM ? Rendez-vous directement à l'adresse www.aim.aol.fr/oubli.htm pour le retrouver.

647. Personnaliser AIM

1. Allez à l'adresse www.aim.aol.fr/univers/index.htm.

2. Dans la liste de gauche, choisissez un univers et cliquez sur le bouton OK.

3. Cliquez sur le bouton **Oui** à la question "Vous venez de télécharger un nouvel univers AIM. Voulez-vous l'utiliser ?".

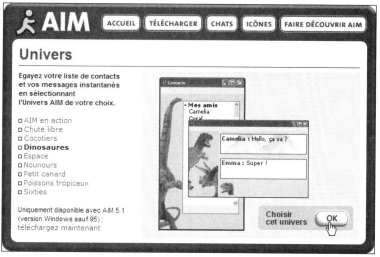

Figure 13.54 : *Choix de l'univers Dinosaure*

4. Immédiatement, le nouvel univers se met en place dans AIM.

- Vous accédez à la gestion des univers AIM en choisissant *Univers AIM* du menu **Options/Préférences/Modifier les préférences**.

Figure 13.55 :
Écran AIM original

Figure 13.56 :
Écran AIM original avec l'univers Dinosaure

648. Modifier les sons AIM

1. Cliquez sur le menu **Options**, puis sur **Préférences** et **Modifier les préférences** (ou appuyez sur la touche de fonction F3).

2. Sélectionnez **Message/Chat** dans la liste *Catégorie*.

3. Cliquez sur le bouton **Sons** de la rubrique *Fenêtre de message* ou *Fenêtre de chat*.

4. Dans les listes déroulantes, vérifiez que l'univers en cours est bien celui qui est sélectionné. Pour chaque action à laquelle vous voulez ajouter/personnaliser un son, validez la case à cocher correspondante et sélectionnez le son désiré.

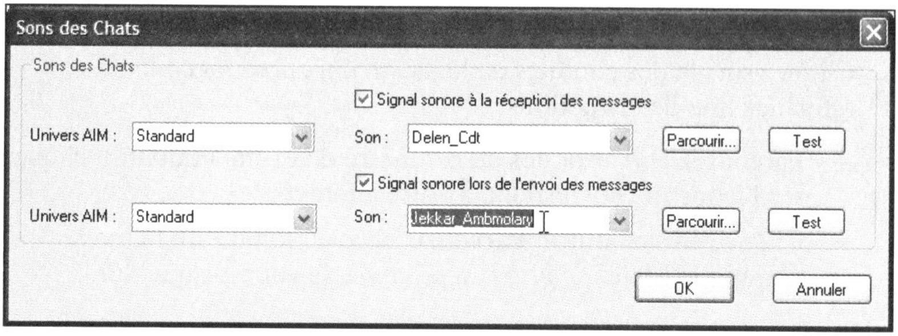

Figure 13.57 : *Mise en place de sons personnalisés*

649. Par AIM, afficher les titres de l'actualité

AIM vous offre la possibilité d'afficher un bandeau déroulant avec les titres de l'actualité, selon quatre grandes rubriques : France, Économie, International, Sport. Cliquez sur le titre de l'actualité qui vous intéresse pour ouvrir l'article correspondant dans votre navigateur.

1. Dans le menu **Options**, cliquez sur **Ticker Info** pour afficher une liste déroulante des titres de l'actualité.

2. À gauche de cette nouvelle fenêtre, l'icône *Afficher les titres dans une fenêtre séparée* affiche tous les titres.

3. L'icône *Préférence du Ticker Infos* ouvre la boîte de dialogue **Préférences d'AIM** à la partie Ticker Infos.

4. Choisissez les rubriques qui vous intéressent, la vitesse de défilement et l'affichage du Ticker Infos dès la connexion à AIM.

Figure 13.58 : *Le Ticker Infos d'AIM*

650. Servez-vous des icônes d'AIM

Affectez-vous une icône et faites de même pour symboliser vos contacts. Lorsque vous serez en communication avec eux, l'icône choisie pour votre correspondant s'affichera dans la fenêtre de t'chat.

1. Cliquez sur le menu **Options**, puis sur **Préférences** et **Modifier les préférences** (ou appuyez sur la touche de fonction F3).

2. Sélectionnez *Icônes* dans la liste *Catégorie*.

3. Cliquez sur un des contacts de la liste *Icônes pour les contacts* et effectuez une de ces actions :

- Parcourez les rubriques de la fenêtre de droite et double-cliquez sur l'icône qui correspond à votre contact.

- Cliquez sur le bouton **Parcourir** et sélectionnez un fichier graphique (*.bmp*, *.jpg*, *.gif*, *.ico*, *.xbm*) de votre disque dur.

4. Validez en cliquant sur le bouton OK.

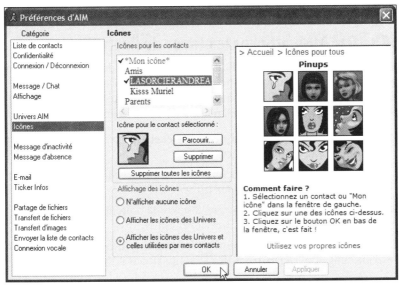

Figure 13.59 : *Attribution d'une icône à un contact*

Choisissez votre propre icône
Dans la liste *Icône pour les contacts*, sélectionnez et définissez-vous une icône qui sera envoyée à vos contacts.

13.6 Le t'chat

651. Généralités sur l'IRC (t'chat)

L'IRC (*Internet Relay Chat*) existe quasiment depuis la naissance d'Internet. Cette technique permet à différents utilisateurs de se réunir dans des espaces virtuels appelés salles de conversation. Comme chaque salle aborde un thème différent, tout le monde trouve en principe un espace pour s'exprimer et partager ses idées, ainsi que ses passions.

Il existe différentes façons de rejoindre des salles de conversation pour t'chatter.

1. La première méthode, qui est aussi la plus répandue, est utilisée par les sites Internet qui offrent des espaces de t'chat. Dans ce cas-là, l'interface du t'chat est réalisée la plupart du temps en langage Java et vous t'chattez donc au travers de votre navigateur.

2. La seconde méthode, moins connue mais beaucoup plus agréable, consiste à installer un client IRC (logiciel). Ensuite, il ne vous reste plus qu'à vous connecter en saisissant l'adresse d'un serveur IRC et son canal (salle de conversation). Cette méthode vous offre la possibilité d'enregistrer des salles de conversation afin de vous y rendre facilement. Vous disposez aussi de beaucoup de commandes accessibles sous forme graphique et vous ne recevez aucune pub, contrairement au t'chat mis à disposition sur les sites.

Lorsque vous rejoignez un canal (ou une salle de conversation), vous remarquez des personnes qui sont en principe chargées de modérer la conversation (le pseudo est précédé du symbole arobase @) afin que celle-ci ne dévie pas du thème initial. Ces personnes sont appelées modérateurs ou opérateurs ; elles ont les droits nécessaires pour exclure, renommer ou même bannir quelqu'un de la salle de conversation. Un modérateur dispose en principe des droits nécessaires pour promouvoir un utilisateur en modérateur afin de l'aider dans sa tâche.

Internet et les t'chats n'étant pas une zone de non-droit, il existe des règles de conduite à respecter. Ces règles qui régissent la plupart des t'chats sont connues sous le nom de netiquette. Vous pouvez consulter un exemple de netiquette à cette adresse **www.hiersay.net/netiquette.asp**.

Les t'chats des sites accessibles avec des clients IRC

Il est bon de savoir que la plupart des t'chats accessibles via le navigateur Internet sont aussi accessibles avec des clients IRC. Pour cela, il suffit de vous renseigner sur l'adresse du serveur IRC et sur le canal à rejoindre. Le mot canal est utilisé pour désigner un salon de conversation, car en principe un serveur IRC héberge plusieurs salons de conversation (canal, ou channel en anglais).

652. Les bons coins où t'chatter

La connexion à la plupart des salons de conversation est très simple, surtout lorsque vous y accédez par l'intermédiaire de votre navigateur. Voici quelques adresses de sites spécialisés dans le t'chat et l'IRC :

Epiknet **www.epiknet.org** est l'un des meilleurs sites d'IRC francophones. Vous pourrez directement vous connecter pour t'chatter en sélectionnant votre salon de conversation via le menu **Canaux Chat** du site.

Hiersay **www.hiersay.net**. Si vous débutez dans le monde de l'IRC et du t'chat, ne manquez pas de vous rendre sur ce site, les documentations sont d'une qualité exceptionnelle. Ce n'est pas pour rien qu'il est référencé comme étant le guide de l'IRC francophone. Via le menu **Direct Chat** du site, vous accéderez à de nombreuses salles de conversation.

Canalchat **www.canalchat.com** est un site de t'chat et de forum sur l'actualité musicale ou cinématographique. Des t'chats sont aussi organisés avec des personnalités présentes.

Tchatche **www.tchatche.com** n'est pas vraiment un site de t'chat conventionnel, car vous vous connectez sous un pseudo et vous ne discutez pas avec tout le monde, mais seulement avec une personne qui vous aura ou que vous aurez contactée.

653. Les clients IRC

Malgré l'apparition de clients de messageries instantanées d'un nouveau genre incluant l'audio et la vidéo, comme MSN et Windows Messenger, il existe toujours de nombreux clients IRC dont la fonction principale reste le t'chat. Le plus connu d'entre eux est le logiciel mIRC. Voici une liste de quelques clients IRC et les liens pour les télécharger.

Tableau 13-3 : Liste de quelques clients t'chat	
Client IRC	Adresse
mIRC	Page de téléchargement : www.mirc.co.uk/get.html Documentation en français : www.mirc.co.uk/translations/french.html
F-IRC (logiciel français)	Page de téléchargement : www.f-irc.com/telecharger.php Documentation en français : www.f-irc.com/faq
BersIRC	www.bersirc.com/downloads.php
Icechat	www.icechat.net
Klient	www.klient.com/download.php

654. Trillian, un client polyvalent

La plupart des clients de messageries instantanées (MSN Messenger, Yahoo Messenger, Eye ball, AIM) sont incompatibles, ce qui est vraiment gênant car si vos amis n'utilisent pas le même logiciel que vous, vous ne pourrez pas les contacter. La solution afin de pouvoir contacter tout le monde serait d'installer tous les logiciels de messageries instantanées, puis de les exécuter. Heureusement, la société Cerulean studios a développé Trillian. Ce logiciel vous permettra de vous connecter sous une interface unique simultanément à AIM, ICQ, MSN Messenger et Yahoo Messenger, et à plusieurs canaux de t'chat. La version standard du logiciel est gratuite, vous pourrez la télécharger à cette adresse www.ceruleanstudios.com/trillian/download.htm. Vous trouverez une traduction du logiciel sur le portail de la communauté francophone Trillian www.darkcristal.com/trillian. Il existe aussi une version pro de Trillian qui offre plus d'options, mais qui est payante.

REMARQUE

Logiciel analogue

Eyeball est un logiciel un peu comparable à Trillian. Vous le trouverez à cette adresse www.eyeball.com. Il intègre en plus un système audio/vidéo spécifique et il gère très bien le partage de connexion Internet, que ce soit par l'intermédiaire d'un PC ou d'un routeur.

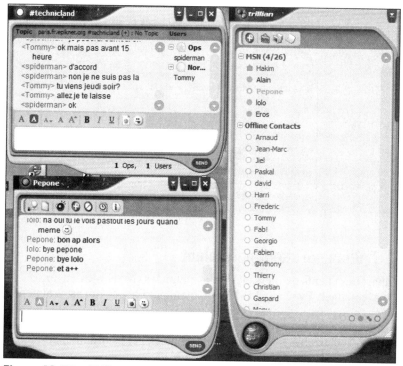

Figure 13.60 : *Trillian connecté à MSN Messenger et à un canal de t'chat*

655. Les principales commandes de t'chat

Si vous utilisez des clients IRC qui ne sont pas très évolués, il peut être intéressant de connaître les principales commandes de t'chat. Ces commandes s'exécutent en principe dans la zone de texte où vous saisissez vos commentaires. Il suffit de placer devant la commande le symbole slash pour indiquer au système que ce ne sont pas des lignes de conversation.

Tableau 13-4 : Liste des principales commandes de t'chat	
Description de la commande	**Commande à saisir**
Joindre un salon ou un canal	/join #nom_du_salon
Quitter un salon ou un canal	/part #nom_du_salon

Tableau 13-4 : Liste des principales commandes de t'chat	
Description de la commande	**Commande à saisir**
Lister les canaux présents sur le serveur IRC	/list
Réserver le nom ou le pseudo sous lequel vous êtes connecté	/msg nickserv REGISTER motdepasse adresse@email.com
Valider l'utilisation d'un pseudo réservé, en saisissant son mot de passe	/msg nickserv identify mot_de_passe
Activer la protection de son pseudo	/msg Nickserv SET KILL ON
Désactiver la protection de son pseudo sur un salon	/msg Nickserv SET KILL OFF
Créer un salon	/msg chanserv REGISTER #salon motdepasse description
Obtenir des informations sur un utilisateur	/whois nom_utilisateur
Passer un utilisateur en modérateur ou opérateur	/mode #nom_du_salon +o nom_utilisateur
Rabaisser un opérateur en utilisateur	/mode #nom_du_salon −o nom_utilisateur
Bannir un utilisateur	/ban nom_de_la_personne_à_bannir
Changer de nom ou de pseudo	/Nick nouveau_nom
Inviter un utilisateur sur un canal (salon)	/#nom_utilisateur #salon

CHAPITRE

14

Messagerie Outlook Express

CHAPITRE
14

Messagerie Outlook Express

Certaines astuces, notamment celles relatives aux fichiers *.dbx*, nécessitent que Windows puisse afficher les fichiers système.

Consultez l'astuce **Afficher les fichiers système du chapitre Chapitre commun**.

Il est également conseillé, toujours pour la bonne exécution de certaines astuces de ce chapitre, de ne pas cacher l'extension des fichiers dont le type est connu.

Reportez-vous à l'astuce **Ne plus masquer des extensions de fichiers du chapitre Chapitre commun**.

14.1 Configuration/installation/réparation

Étant donné qu'Outlook Express est un programme de messagerie, sa principale fonction sera, vous vous en doutez, de recevoir et d'envoyer des courriers électroniques. Pour être plus précis, Outlook Express va communiquer avec votre serveur de messagerie, car c'est sur ce serveur que la messagerie transite.

Par exemple, vous avez créé une boîte aux lettres sur www.laposte.net. Cela signifie que, lorsque vous envoyez un courrier avec cette adresse, le courrier partira de votre logiciel de messagerie pour aller sur le serveur SMTP de La Poste dans un premier temps, puis sera transmis sur le serveur de votre destinataire. À la réception, c'est un peu la même chose : votre courrier vous arrive dans votre boîte aux lettres sur le serveur (POP ou IMAP) de La Poste. Votre logiciel de messagerie (dans ce chapitre, Outlook Express, mais cela est valable pour tous les logiciels de ce type) interroge le serveur et rapatrie les éventuels messages vers votre ordinateur. Voilà pourquoi votre courrier "attend" bien sagement que vous vous connectiez pour aller le récupérer.

656. Configurer un compte de courrier

La configuration d'un compte courrier consiste à indiquer à Outlook Express à quels serveurs il doit se connecter pour l'envoi et la réception de courriers. Avant de commencer, vous devez savoir quel type de compte vous allez interroger et connaître les serveurs relatifs à ceux-ci. Voici la liste des principaux serveurs.

Liste des principaux serveurs POP, SMTP et IMAP			
AOL	/	smtp.fr.aol.com	imap.fr.aol.com
Chez.com	mail.chez.com	/	/
Club-Internet	pop3.club-internet.fr	mail.club-internet.fr	imap4.club-internet.fr
Free	pop.free.fr	smtp.free.fr	imap.free.fr
Freesurf	pop.freesurf.fr	smtp.freesurf.fr	/
ifrance	pop.ifrance.com	smtp.ifrance.com	/
La Poste	pop.laposte.net	smtp.laposte.net	imap.laposte.net
Liberty Surf	pop.libertysurf.fr	smtp.libertysurf.fr	/
M6Net	pop.m6net.fr	mail.m6net.fr	/
Magic Online	pop.magic.fr	smtp.magic.fr	/
Netcourrier	mail.netcourrier.com	/	mail.netcourrier.com
Oreka	pop.oreka.com	smtp.oreka.com	/
Sympatico (avant 5/10/99)	pop1.sympatico.ca	smtp1.sympatico.ca	/
Sympatico (5/10/99 au 3/5/2000)	pop2.sympatico.ca	smtp1.sympatico.ca	/
Sympatico (depuis 3/5/2000)	pop6.sympatico.ca	smtp1.sympatico.ca	/
Tiscali	pop.tiscali.fr	smtp.tiscali.fr	/
Tele2	pop.tele2.fr	smtp.tele2.fr	/
Wanadoo	pop.wanadoo.fr	smtp.wanadoo.fr	/
Yahoo !	pop.mail.yahoo.com	smtp.mail.yahoo.com	/

Tableau 14-1 : Les serveurs HTTP	
Serveur	**Adresse**
Hotmail	http://services.msn.com/svcs/hotmail/httpmail.asp
MSN	http://oe.msn.msnmail.hotmail.com/cgi-bin/hmdata

Pour configurer Outlook Express :

1. Cliquez sur le menu **Outils** puis **Comptes** d'Outlook Express.

2. Cliquez sur le bouton **Ajouter** puis choisissez **Courrier** pour exécuter l'assistant Configuration de nouveau compte.

3. Dans la zone de saisie *Nom complet*, inscrivez le nom tel qu'il apparaîtra dans le champ *De* chez vos destinataires. Cliquez sur le bouton **Suivant**.

4. Inscrivez votre adresse de messagerie et cliquez sur le bouton **Suivant**.

5. Dans la liste déroulante, choisissez le type de serveur du courrier entrant (POP3, IMAP, HTTP).

– S'il s'agit d'un compte POP3 ou IMAP, renseignez le nom des serveurs de courrier entrant et sortant puis cliquez sur le bouton **Suivant**.

– S'il s'agit d'un compte HTTP, entrez l'adresse unique du compte (celui-ci servant à la fois pour l'émission et la réception). Notez que vous pouvez indifféremment choisir dans la liste déroulante le compte *Hotmail* ou inscrire l'adresse HTTP Hotmail dans la zone de saisie texte. Cliquez ensuite sur le bouton **Suivant**.

6. Renseignez le nom du compte de courrier, inscrivez éventuellement son mot de passe et validez la case *Mémoriser le mot de passe* afin de ne pas avoir à saisir le mot de passe à chaque accès au serveur de courrier. Cliquez sur le bouton **Suivant**.

7. Cliquez sur le bouton **Terminer** pour enregistrer ces nouveaux paramètres de compte.

657. Avantages et inconvénients des serveurs de courrier IMAP et POP

IMAP et POP sont des fonctions de gestion de boîte aux lettres électronique distante. Lorsque le choix est possible, il peut être judicieux de choisir de relever son courrier sur un serveur de messagerie POP ou un serveur IMAP. La différence entre eux est le protocole utilisé pour communiquer entre votre ordinateur et le serveur de courrier.

POP signifie Post Office Protocol et communique par défaut sur le port 110

Lors de l'interrogation du serveur de messagerie, les messages sont rapatriés dans leur intégralité les uns à la suite des autres vers votre PC. Une erreur sur un des messages (ou un message trop gros) peut aboutir à une impossibilité de rapatrier son courrier !

L'avantage de ce protocole dans Outlook Express est de pouvoir appliquer des règles de courrier à ces messages, ce qui n'est pas faisable avec le protocole IMAP.

IMAP signifie Internet Mail Access Protocol et communique par défaut sur le port 143

Avec ce protocole, vous pouvez charger les en-têtes de messages (sujet d'un e-mail) indépendamment de l'e-mail lui-même. Par exemple, pourquoi perdre du temps de connexion à charger un message publicitaire qui n'a pas été sollicité ?

658. Laisser une copie de message sur le serveur de messagerie

Il n'est pas possible de partager Outlook Express dans le sens où le mot partage est entendu en informatique. Un même fichier banque de message (fichier *nom du dossier.dbx*) ne peut pas être ouvert simultanément par plusieurs instances d'Outlook Express. Il y a néanmoins cette possibilité de partager la même adresse de réception simultanément par plusieurs utilisateurs en laissant une copie des messages reçus sur le serveur. Ainsi, plusieurs ordinateurs différents peuvent charger les messages reçus. Attention, toutefois, cela n'est possible que sur des comptes de messagerie POP3.

1. Exécutez Outlook Express.

2. Choisissez dans le menu la commande **Outils** puis **Comptes**. Sélectionnez le compte à partager puis cliquez sur **Propriété/Avancé**. Validez la case à cocher *Conserver une copie des messages sur le serveur*.

3. Choisissez la manière dont les messages seront détruits du serveur :

   – Après un nombre de jours variant de 1 à 100 en validant la case à cocher *Supprimer du serveur après XXX jours*.

   – Après suppression dans éléments supprimés en validant la case à cocher correspondante. Intuitivement, vous comprenez que les messages seront supprimés du serveur lorsqu'ils seront supprimés définitivement par l'un des utilisateurs d'Outlook Express.

4. Répétez ce réglage sur chaque PC à configurer.

Figure 14.1 :
Conserver ses messages sur le serveur est le moyen le plus simple de partager sa messagerie

659. Définir Outlook Express comme messagerie par défaut

Bien souvent, le dernier programme de messagerie installé s'impose comme client de messagerie par défaut. Le programme par défaut est celui qui va s'exécuter lorsque, par exemple, vous cliquez sur le lien Mailto d'un site ou, lorsque vous cliquez avec le bouton droit de la souris sur un fichier, puis que vous sélectionnez les commandes du menu contextuel **Envoyer vers/Destinataire**. Voici comment désigner Outlook Express comme principal programme de messagerie.

1. Exécutez Internet Explorer. Choisissez les options de menu **Outils/Options Internet/Programme**. Dans la liste déroulante *Messagerie*, sélectionnez *Outlook Express*.

2. Validez le changement en cliquant sur le bouton OK.

Ou

1. Exécutez Outlook Express.

2. Cliquez sur le menu **Outils** puis **Comptes**, dans la rubrique *Programmes de messagerie par défaut*, cliquez sur les boutons **Utiliser par défaut** des lignes *Cette application est le gestionnaire de courrier par défaut* et *Cette application est le gestionnaire de news par défaut*.

14.2 Personnaliser le son lors de la réception d'un message

Il peut être beaucoup plus plaisant de personnaliser la notification sonore d'arrivée d'un nouvel e-mail.

1. Exécutez Outlook Express. Choisissez les options de menu **Outils/Options**. Dans l'onglet **Général**, assurez-vous d'avoir validé la case à cocher *Émettre un son lors de l'arrivée de nouveaux messages*. Refermez Outlook Express.

2. Ouvrez le module *Sons et périphériques audio* du panneau de configuration.

3. Sélectionnez l'onglet **Sons**, et sélectionnez *Avis de nouveau message*. Cliquez sur le bouton **Parcourir** pour désigner le fichier son que vous voulez exécuter pour cet événement.

Figure 14.2 :
Choix du son lors de la réception d'un nouveau message

660. Modifier rapidement la taille de police de caractères lors de la lecture d'un e-mail

Comme pour beaucoup d'applications Microsoft, le moyen le plus rapide de modifier la taille de la police de caractères affichée est d'appuyer sur la touche [Ctrl] tout en actionnant la roulette de votre souris.

661. Modifier la police de composition

Vous pouvez spécifier la police de caractères utilisée par défaut lors de la composition d'un e-mail en HTML.

1. Exécutez Outlook Express.

2. Cliquez sur le menu **Outils** puis choisissez **Options** et l'onglet **Message**.

3. Dans la rubrique *Police de composition*, choisissez la police de caractères par défaut pour la rédaction des e-mails et des news.

Figure 14.3 : *Choix de la police de composition des courriers et des posts en HTML*

662. Gérer la police en texte brut

Les e-mails et posts en texte brut ne laissent présumer d'aucune manière sur la police de caractères utilisée lors de la composition. Ainsi, vous pouvez écrire un e-mail en texte brut avec la police de caractères Tahoma, cet e-mail sera lu avec la police choisie chez le destinataire.

Il est utile de savoir que ce réglage de police est valide pour la lecture, l'écriture et également pour l'impression des e-mails en texte brut.

1. Exécutez Outlook Express.

2. Cliquez sur le menu **Outils** puis choisissez **Options** et l'onglet **Lecture**. Cliquez sur le bouton **Polices**.

3. Choisissez votre police de caractères dans la liste déroulante *Police proportionnelle*.

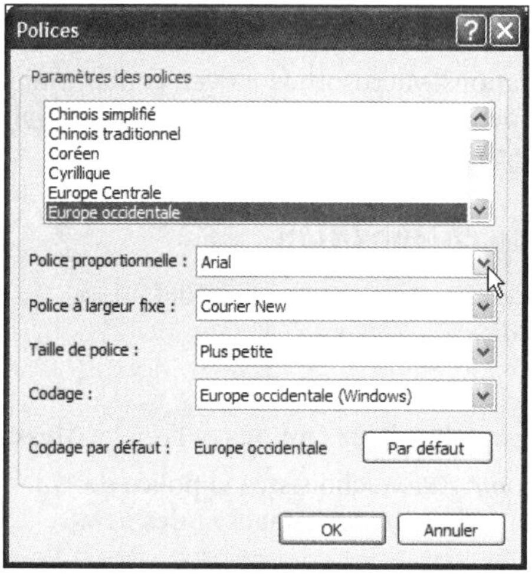

Figure 14.4 :
Choix de la police de composition des messages en texte brut

663. Bien paramétrer le format d'envoi des messages

Les paramètres par défaut d'Outlook Express concernant le format d'envoi des messages ne sont pas optimaux.

1. Exécutez Outlook Express. Choisissez les options de menu **Outils/Options**.

2. Dans l'onglet **Envoi**, cliquez sur le bouton **Paramètres HTML** de la rubrique *Format d'envoi du courrier*. Dans la boîte **Paramètres HTML**, réglez les options de cette sorte :

- coder le texte en utilisant *Aucun* ;
- *Autoriser les caractères 8 bits dans les en-têtes* ;
- *Envoyer des images avec les messages* ;
- *Mettre en retrait le message lors de la réponse* ;
- *Retour à la ligne automatique après 76 caractères lors de l'envoi*.

Figure 14.5 :
Paramètres d'envoi du courrier en HTML

Paramètres de texte brut :

- format du message *MIME* ;
- coder le texte en utilisant *Aucun* ;
- *Permettre les caractères 8 bits dans les en-têtes* ;
- *Retour à la ligne automatique après 76 caractères lors de l'envoi* ;
- *Mettre en retrait le texte d'origine avec > lors de la réponse ou du transfert.*

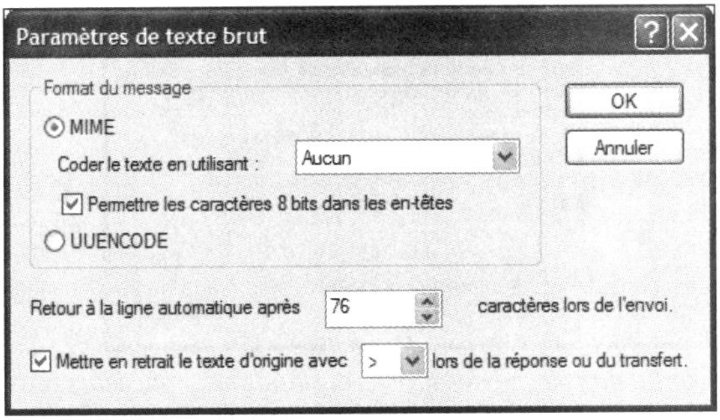

Figure 14.6 :
Paramètres d'envoi du courrier en texte brut

3. Répétez les mêmes réglages pour le paragraphe *Format d'envoi des news*.

4. Sélectionnez l'option *Texte brut* en *Format d'envoi des news*.

664. Utiliser le symbole euro dans les messages HTML

Il n'y a aucun souci à utiliser le symbole euro dans un message HTML. Le tout est que ce symbole fasse partie de la police de caractères employée.

Pour insérer ce symbole dans un document HTML, vous devriez utiliser l'entité euro (& euro; sans espace), car les entités HTML doivent pouvoir s'afficher quel que soit le type d'ordinateur (PC, Mac...) ou d'O.S.

(Opérating System : Windows, Linux…) du destinataire. Cela est contraignant, et vous pouvez utiliser par facilité le symbole Euro du clavier :

1. Exécutez Outlook Express.

2. Choisissez les options du menu **Fichier** puis **Nouveau/Message de courrier** (ou **Nouveau/Message de news**).

3. Lors de la composition du courrier, appuyez sur la combinaison de touches ⸨Alt Gr⸩+⸨e⸩ là où vous voulez insérer le symbole euro €.

4. Si le symbole euro ne fait pas partie de votre police de caractères par défaut, Outlook Express affiche à l'envoi de l'e-mail une boîte de dialogue de *Conflit dans le jeu de caractères du message*. Vous pouvez raisonnablement choisir **Envoyer comme message Unicode** car il y a de grandes chances pour que votre correspondant puisse aussi afficher ce symbole.

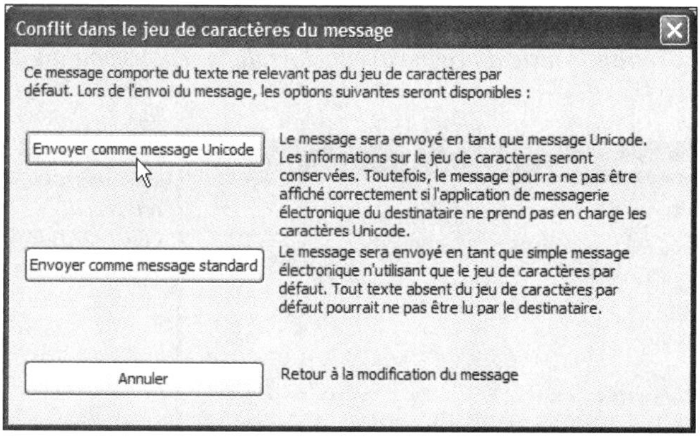

Figure 14.7 : *Conflit dans le jeu de caractères standard… plusieurs possibilités*

665. Utiliser le symbole euro dans un message en texte brut

La procédure de rédaction et d'envoi est la même que celle décrite pour l'envoi du caractère dans un message HTML :

1. Lors de la composition du courrier, appuyez sur la combinaison de touches ⸨Alt Gr⸩+⸨e⸩ là où vous voulez insérer le symbole euro €.

2. Si le symbole euro ne fait pas partie de votre police de caractères par défaut, Outlook Express affiche à l'envoi de l'e-mail une boîte de

dialogue de *Conflit dans le jeu de caractères du message*. Vous pouvez raisonnablement choisir **Envoyer comme message Unicode** car il y a de grandes chances pour que votre correspondant puisse aussi afficher ce symbole.

La norme d'envoi de messages, qui permet notamment l'envoi correct des caractères €, du caractère œ (e dans l'o), est 8859-15. Ce codage 8859-15 n'a pas été prévu par Outlook Express, mais il est néanmoins possible de l'utiliser :

1. Dans la boîte de dialogue **Exécuter** (par **Démarrer/Exécuter** ou (Windows)+(R)), saisissez l'URL http://club.euronet.be/frederique.bouras/oe58859e.exe pour charger et exécuter l'utilitaire d'installation de codage 8859-15 (de 117 Ko) de Denis Liégeois.

2. Dans la boîte de dialogue de téléchargement de fichier, cliquez sur le bouton **Ouvrir**.

3. Quittez les programmes en cours, et cliquez sur le bouton **Install**.

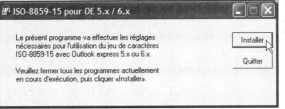

Figure 14.8 :
L'installation va commencer

4. Cliquez sur **Accept** après avoir lu la licence d'utilisation.

5. Validez par OK la boîte de dialogue informant du bon déroulement de l'installation du programme.

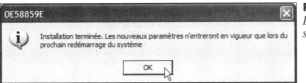

Figure 14.9 :
L'installation s'est bien déroulée

6. Redémarrez votre ordinateur.

7. Exécutez Outlook Express.

8. Choisissez les commandes du menu **Outils** puis **Option/Envoi**. Cliquez sur le bouton **Paramètres internationaux**.

9. Dans le champ déroulant *Codage par défaut*, choisissez Latin 9 (ISO) pour passer en codage 8859-15. (Latin 9 et ISO 8859-15 sont des synonymes).

10. Fermez successivement la boîte de dialogue **Paramètres d'envoi internationaux** et la boîte de dialogue **Options** en cliquant sur les boutons OK.

Figure 14.10 :
Le codage Latin 9 (ISO) correspond à la norme ISO 8859-15.

Enfin, pour être sûr d'envoyer avec le codage 8859-15, vérifiez-le dans l'entête d'un message émis :

1. Sélectionnez le dossier *Éléments envoyés* dans la partie gauche d'Outlook Express.

2. Cliquez du bouton droit sur le dernier message émis, qui s'affiche dans la fenêtre des messages.

3. Choisissez les commandes du menu contextuel **Propriétés** puis **Détail**.

4. Recherchez la ligne Content-Type. L'indicateur Charset renseigne le codage utilisé. Par exemple :

```
charset="utf-8"
charset="iso-8859-1"
charset="iso-8859-15"
```

Figure 14.11 :
Effectivement, le message a bien été transmis en texte brut avec le codage 8859-15

Un euro farceur

La police de caractères ISO 8859-15 est une police contenant le symbole Euro. C'est le seul codage officiel actuel contenant ce symbole, mais ce n'est pas la codage par défaut utilisé par les francophones. En envoyant un message avec 8859-15, le codage du symbole Euro est effectivement correctement transmis mais il faudra que le destinataire puisse afficher ce type de codage pas forcément installé sur son système. Le symbole euro peut également exister dans les autres types de codages (même le 8859-1), si vous avez spécifié que ce symbole Euro est le symbole monétaire du système. En effet, ce symbole occupera alors la place 164 (entité & curren; sans espace).

Pour en savoir plus...

Consultez la page de Philippe Ladame et des Aminautes à l'adresse www .aminautes.org/forums/configurer/oe/oelatin9.html.

*N'oubliez pas non plus de configurer les paramètres d'envoi de courrier comme décrits à l'astuce **Bien paramétrer le format d'envoi des messages** de ce chapitre.*

666. Paramétrer une adresse de réponse

Vous pouvez opter pour une adresse de réponse différente de celle qui a servi à l'envoi d'un message, d'un post.

1. Dans Outlook Express, choisissez les commandes de menu **Outils** puis **Comptes**.

2. Sélectionnez le compte de courrier ou de news pour lequel vous voulez modifier l'adresse de réponse et cliquez sur le bouton **Propriétés**.

3. Sur la feuille *Propriétés Nom_du_comptes*, remplissez la zone de texte *Adresse de réponse*.

4. Validez en cliquant sur le bouton OK.

Figure 14.12 :
Mise en place d'une adresse de réponse

667. Demander un accusé de réception

Il est toujours possible de demander un accusé de réception pour un e-mail, mais la non-réception de celui-ci ne veut absolument pas dire que le destinataire ne l'a pas reçu : c'est ce dernier qui choisit librement d'envoyer ou non cet accusé de réception.

Pour demander un accusé de réception, cliquez, dans une fenêtre de rédaction de message, sur le menu **Outils** puis choisissez **Demander une confirmation de lecture**.

Pour demander un accusé à tous les messages émis :

1. Ouvrez Outlook Express. Choisissez les commandes de menu **Outils/options**. Cliquez sur l'onglet *Confirmation de lecture*.

2. Validez la case à cocher *Demander une confirmation de lecture pour tous les messages envoyés*.

Un autre type d'accusé de réception

La méthode utilisée par les *spammeurs* pour vérifier la validité de votre adresse e-mail et la consultation de votre boîte aux lettres est mises en œuvre *via* une commande PHP accessible par l'affichage d'une image.

Pour en savoir plus sur la technique de confirmation de lecture au moyen d'un script dynamique et d'une base de données, reportez-vous à l'astuce Être sûr de l'ouverture d'un e-mail envoyé de ce chapitre.

668. Envoyer un accusé de réception

Lorsque votre correspondant sollicite un accusé de réception, Outlook Express vérifie vos préférences à ce sujet et agit en conséquence.

1. Exécutez Outlook Express.

2. Dans le menu **Outils**, choisissez la commande **Options/Confirmation de lecture**.

3. Dans la rubrique *Renvoi de confirmation de lecture*, vous avez trois options :

■ *Ne jamais envoyer de confirmation de lecture*. Outlook Express ignore toute demande d'envoi d'accusé de réception.

■ *Être averti à chaque confirmation de lecture*. Au cas par cas, une boîte de dialogue vous propose dès l'ouverture du message d'envoyer ou non l'accusé de réception Il s'agit d'un choix unique, c'et à dire que quoi que vous choisissiez, la question ne sera plus posée sur ce même message.

■ *Toujours envoyer une confirmation de lecture*. L'envoi de l'accusé de réception est automatique si l'expéditeur l'a sollicité. Si vous choisissez cette option, vous pourrez préciser de ne pas envoyer l'accusé de réception dès lors que la demande est émise par une liste de publipostage et que vous n'êtes pas dans la ligne *A* ou *CC* en validant la case à cocher correspondante.

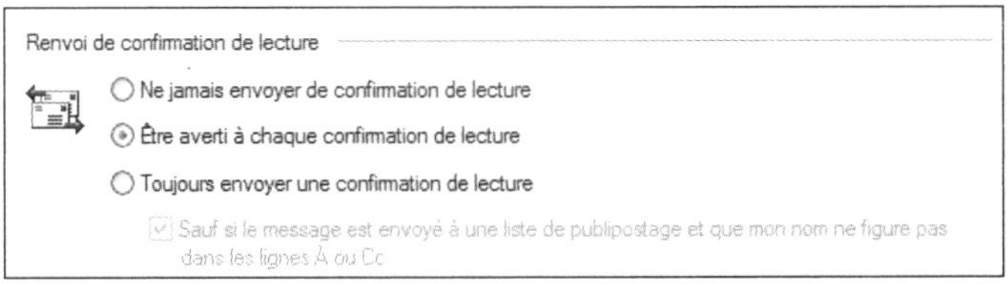

Renvoi de confirmation de lecture

○ Ne jamais envoyer de confirmation de lecture
⊙ Être averti à chaque confirmation de lecture
○ Toujours envoyer une confirmation de lecture
☑ Sauf si le message est envoyé à une liste de publipostage et que mon nom ne figure pas dans les lignes A ou Cc

Figure 14.13 : *Confirmation de lecture dans les options d'Outlook Express*

669. Afficher les images des e-mails HTML

Si, à la place des images, vous trouvez des icônes représentant des petites croix rouges, vous êtes face au problème d'images non affichées dans un e-mail HTML.

Cela se produit :

■ Lorsque les images sont sur Internet et que votre connexion est coupée. Par exemple, l'image n'est pas dans l'e-mail, mais elle est appelée par le code source du message (*via* la balise HTML <IMG src="chemin de l'image sur le Web">). Si votre connexion est coupée, l'image ne pourra pas être affichée, et vous verrez par défaut affichée la petite croix rouge représentant un défaut d'affichage d'image.

■ Lorsque l'image n'a pas été correctement encapsulée dans l'e-mail HTML. Par exemple, vous rédigez un e-mail en HTML et encapsulez des images dans celui-ci par action sur le bouton **Insérer une image** de la fenêtre de rédaction de messages HTML d'Outlook Express. Sous certaines conditions, l'image ne sera pas encapsulée dans l'e-mail, et celui-ci sera expédié sans l'image. Pour vous assurer que l'image soit bien encapsulée dans le corps de l'e-mail, assurez-vous au moins que celle-ci soit sur le même disque que le disque d'installation d'Outlook Express et également d'avoir validé la case à cocher *Envoyer des images avec les messages*, disponible dans le menu **Outils/Options/Envois/Paramètres HTML**.

■ Lorsque l'expéditeur a encapsulé plusieurs fois la même image dans un message (bug apparu depuis l'application du patch Q331923, version OE 6.00.2800.1123). Il devrait encapsuler plusieurs fois la même image comme s'il s'agissait d'images différentes.

REMARQUE

Bug du patch Microsoft Q331923

L'application du patch Q331923 de Microsoft (non répertorié dans Windows Update) comble de sérieuses lacunes d'Outlook Express, mais l'application de ce patch empêche l'encapsulation de plusieurs mêmes images dans un e-mail. Le patch Q331923 est à l'adresse http://support.microsoft.com/default.aspx?scid=kb;fr;331923.

RENVOI

Pour plus d'information à propos de l'encapsulation, reportez-vous à l'astuce **Encapsuler une image** *de ce chapitre.*

670. Non-exécution des contrôles ActiveX dans un e-mail

À la lecture d'un e-mail, Outlook Express affiche le message d'erreur "Vos paramètres de sécurité ne vous permettent pas d'exécuter les contrôles ActiveX de cette page". (Pour être plus précis, remarquez que ce message provient d'Internet Explorer.) Cela peut être parfaitement normal et est en application des paramètres de sécurité que vous avez définis. Bien que ce soit déconseillé, vous pouvez baisser vos paramètres de sécurité, mais cette action vous expose à exécuter d'éventuels vers, virus et codes malveillants que vous pourriez recevoir par e-mail.

Figure 14.14 : *Erreur provoquée par un message dont le contenu est contraire aux paramètres de sécurité en cours*

1. Exécutez Outlook Express.

2. Dans le menu **Outils**, choisissez **Options** puis l'onglet **Sécurité**.

3. Dans le paragraphe *Protection antivirus*, choisissez l'option *Zone Internet*. Validez en cliquant sur OK.

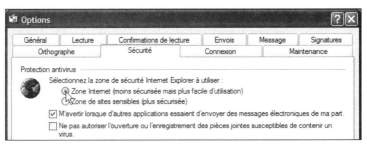

Figure 14.15 : *Désignation de la zone de sécurité Internet Explorer à utiliser lors de la lecture des messages OE*

Si le niveau de sécurité défini pour les zones de sites Internet est encore trop élevé pour exécuter les contrôles ActiveX de votre e-mail, vous pouvez baisser ceux-ci en agissant dans Internet Explorer :

1. Exécutez Internet Explorer.

2. Choisissez les options du menu **Outils/Options Internet**. Cliquez sur l'onglet **Sécurité** et sélectionnez l'icône représentant la zone Internet. Pour cette zone, le niveau de sécurité est réglé à *Moyen*. Vous pouvez baisser ce niveau en faisant glisser le curseur vers le bas ou modifier au cas par cas les événements autorisés dans la boîte de dialogue **Paramètres de sécurité** accessible en cliquant sur le bouton **Personnaliser le niveau**. Une nouvelle fois, il faut insister sur la vulnérabilité qu'occasionneront des paramètres de sécurité peu élevés appliqués à votre messagerie !

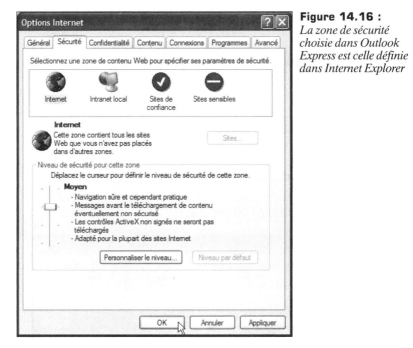

Figure 14.16 :
La zone de sécurité choisie dans Outlook Express est celle définie dans Internet Explorer

---

REMARQUE

Autre cause d'erreur ActiveX

Le message d'erreur lié à la non-exécution des contrôles ActiveX peut provenir d'un problème avec le fichier *Comcat.dll*. La version 5 de ce fichier semble être incompatible avec certains autres fichiers librairies. Restaurez une version antérieure du fichier *Comcat.dll*.

La note de Microsoft qui décrit et résout ce problème (en anglais) est à l'adresse **http://support.microsoft.com/default.aspx?scid=kb;fr;251365**.

671. Faire connaissance avec les en-têtes de colonnes

Vous pouvez personnaliser les colonnes de la fenêtre des messages d'Outlook Express selon vos goûts. La personnalisation de ces colonnes n'est pas à négliger car il s'agit d'un moyen de tri extrêmement rapide et facile à mettre en œuvre.

La fenêtre des messages contient la liste des messages dans tous les dossiers d'Outlook Express.

Tableau 14-2 : Liste des dossiers différents dans Outlook Express
Dossiers
Boîte de réception.
Boîte d'envoi.
Éléments envoyés.
Éléments supprimés.
Brouillons.
Tous les dossiers personnels créés par l'utilisateur.
Dossiers des comptes Hotmail, comptes IMAP.
Groupes de discussion.

Il n'y a pas autant de sauvegardes d'en-tête de colonnes qu'il y a de dossiers. Les en-têtes sont regroupés et sauvegardés par catégories de dossiers. Cela veut dire que vous ne pouvez pas définir des en-têtes différents pour la même catégorie. Par exemple, si vous modifiez les en-têtes de colonnes des types de dossiers comptes *POP Boîte d'envoi*, les en-têtes de colonnes pour les dossiers *POP Éléments envoyés* et *POP Brouillons* seront également modifiés.

Tableau 14-3 : Catégories de dossiers pour la sauvegarde des en-têtes de colonnes	
Type de dossier	**Dossiers**
Dossiers de comptes POP	Boîte de réception, Éléments supprimés, Dossiers personnels créés par l'utilisateur.

Tableau 14-3 : Catégories de dossiers pour la sauvegarde des en-têtes de colonnes

Type de dossier	Dossiers
Dossiers de comptes POP	Boîte d'envoi, Éléments envoyés, Brouillons.
Dossiers de comptes Hotmail	Boîte de réception, Éléments supprimés, Avertissements MSN, Courrier indésirable.
Dossiers de comptes Hotmail	Éléments envoyés.
Dossiers de comptes IMAP	Boîte de réception, Brouillons, Dossiers personnels créés par l'utilisateur.
Dossiers de comptes IMAP	Éléments envoyés.

Tableau 14-4 : Liste des en-têtes disponibles (selon la fenêtre de message)

En-tête	Description
Priorité	Spécifie la priorité : Élevé, Normal, Basse.
Pièce jointe	Indique la présence d'une pièce jointe.
Marquer	Lorsque le message porte un indicateur (défini par le lecteur).
De	Indique l'expéditeur.
Objet	Titre, sujet du message ou du post.
Reçu	Date et heure de réception.
Compte	Compte de messagerie ayant servi pour la réception ou l'émission.
Taille	Taille du message (en kilo-octets).
Envoyé	Date et heure d'envoi.
A	Destinataire du message.
Effectuer le suivi/Ignorer	Indique si le message est suivi ou ignoré.
Marquer pour traitement hors connexion	Indique si le message doit être téléchargé lors de la prochaine synchronisation.
Lignes	Longueur du message (en lignes).

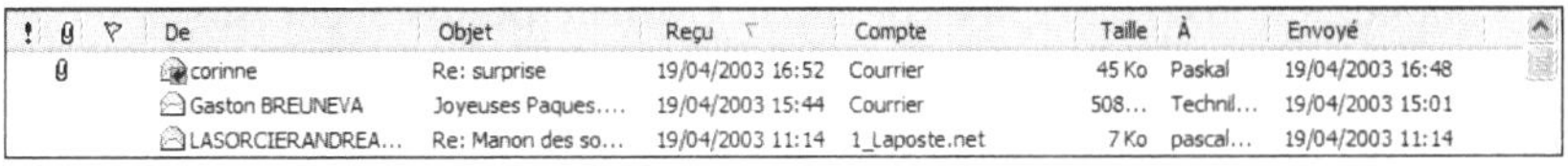

!	θ	▽	De	Objet	Reçu	▽	Compte	Taille	À	Envoyé	
	θ		corinne	Re: surprise	19/04/2003 16:52		Courrier	45 Ko	Paskal	19/04/2003 16:48	
			Gaston BREUNEVA	Joyeuses Paques....	19/04/2003 15:44		Courrier	508...	Technil...	19/04/2003 15:01	
			LASORCIERANDREA...	Re: Manon des so...	19/04/2003 11:14		1_Laposte.net	7 Ko	pascal...	19/04/2003 11:14	

Figure 14.17 : *En-têtes de colonnes pour les dossiers de la catégorie Boîte de réception*

672. Ajouter et enlever des en-têtes de colonnes

L'ajout ou la suppression des en-têtes de messages est extrêmement facile :

1. Cliquez avec le bouton droit de la souris sur la ligne des en-têtes de colonnes.

2. Choisissez l'option du menu contextuel **Colonnes**.

3. Validez les cases à cocher des colonnes dont vous voulez vous servir.

Pour chaque colonne, un clic sur son en-tête triera une fois sur deux les messages dans l'ordre croissant ou décroissant, avec les propriétés spécifiques de la colonne.

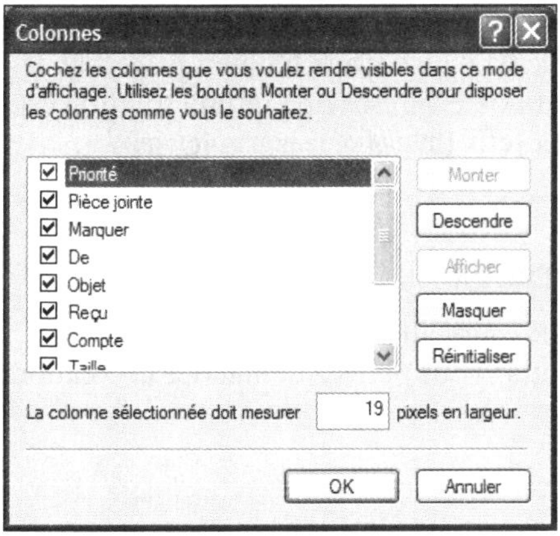

Figure 14.18 :
Boîte de dialogue de gestion des colonnes

673. Forcer la mise en retrait du texte d'origine avec >

Si, lors de la réponse à un message en texte brut, le message d'origine n'est pas mis en retrait avec le signe >, vérifiez déjà que vous l'avez correctement paramétré à Outlook Express :

1. Exécutez Outlook Express.

2.   Cliquez sur les commandes de menu **Outils/Options** et choisissez l'onglet **Envois**.

3.   Vérifiez que la case à cocher *Inclure le message d'origine dans la réponse* est validée.

4.   Décochez la case *Répondre aux messages en utilisant leur format d'origine*.

5.   Répétez successivement ces réglages dans les rubriques *Format d'envoi du courrier* et *Format d'envoi des news* :

–   choisir l'option *Texte brut* ;

–   format du message *MIME* ;

–   coder le texte en utilisant *Aucun* ;

–   *Permettre les caractères 8 bits dans les en-têtes* ;

–   *Retour à la ligne automatique après 76 caractères lors de l'envoi* ;

–   *Mettre en retrait le texte d'origine avec > lors de la réponse ou du transfert*.

Malgré ces réglages, si la mise en retrait n'est pas appliquée, cela est sûrement dû au format d'envoi du message original. En effet, si l'expéditeur envoie le message avec le type de codage Quoted-printable, la mise en retrait ne se fera pas par Outlook Express. Une ultime solution est l'emploi du programme tiers OE-Quotefix (http://home.in.tum.de/~jain/software/oe-quotefix/).

674. Créer des fichiers journaux

Vous avez un problème ou vous voulez surveiller ce qu'Outlook Express envoie ou reçoit des différents serveurs ; vous pouvez demander la création de journaux de dépannage.

1.   Exécutez Outlook Express.

2.   Cliquez sur le menu **Outils** puis choisissez **Options/Maintenance**.

3.   Dans la rubrique *Dépannage*, validez la case à cocher correspondante aux serveurs de messagerie à auditer. Les fichiers journaux sont créés dans le dossier de stockage en cours (cliquez sur le bouton **Dossier de stockage** pour en connaître l'emplacement).

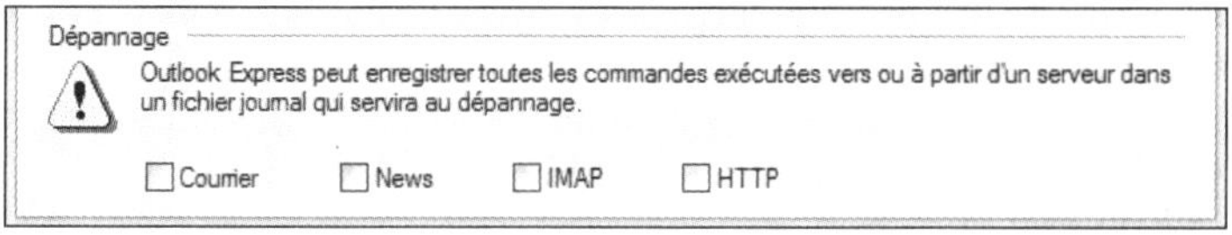

Dépannage

⚠ Outlook Express peut enregistrer toutes les commandes exécutées vers ou à partir d'un serveur dans un fichier journal qui servira au dépannage.

☐ Courrier   ☐ News   ☐ IMAP   ☐ HTTP

Figure 14.19 : *Demande de création des journaux de dépannage*

Tableau 14-5 : Correspondance entre les cases à cocher, les serveurs audités et les journaux créés		
Case à cocher	**Serveur**	**Fichier journal**
Courrier	Pop3, SMTP	Pop3.log, Smtp.log
News	Serveur de news sollicité	Cleanup.log, fichier nom du serveur.log
IMAP	Serveur IMAP	Imap4.log
HTTP	Serveur HTTP	HTTPMail.log

Pour l'analyse détaillée de ces fichiers journaux, reportez-vous aux notes RFC 2518, par exemple, ici, **www.ietf.org/rfc/rfc2518.txt** (en anglais), **www.webdav.org/specs/rfc2518.fr.html** ou **http://xmlfr.org/ietf/rfc2518.htm**.

⚠ ATTENTION

Sécurité

La mise en place de création de fichiers journaux peut être faite dans un but d'espionner l'activité et les adresses avec lesquelles vous avez correspondu (en envoi et en réception). En effet, dans ces journaux sont retranscrits les dates et heures d'envoi, de réception ainsi que les adresses e-mail des destinataires ou des expéditeurs de votre correspondance.

Si vous envoyez un e-mail puis que vous l'effaciez, que vous vidiez la boîte d'éléments supprimés et que vous compactiez ensuite vos dossiers, vérifiez également que la création de fichiers journaux n'a pas été demandée, sinon vous devriez éditer ces journaux afin de supprimer les informations confidentielles.

675. Afficher l'icône annonçant l'arrivée du courrier

 Lorsque Outlook Express est exécuté, Windows XP affiche une petite icône représentant une enveloppe dans le systray (la zone à côté de l'heure, par défaut en bas à gauche de l'écran). Lorsque cette icône s'affiche, un double-clic dessus ouvre Outlook Express et sélectionne le dernier message chargé.

Voici la procédure pour récupérer cette petite icône au cas où elle ne s'afficherait plus :

1. Cliquez du bouton droit sur une partie vide du systray (zone à côté de l'heure).
2. Choisissez l'option du menu contextuel **Personnaliser les notifications**.
3. Parcourez la liste des notifications. En regard de l'élément *Vous avez du nouveau courrier électronique*, choisissez l'option de la liste déroulante *Toujours afficher*.

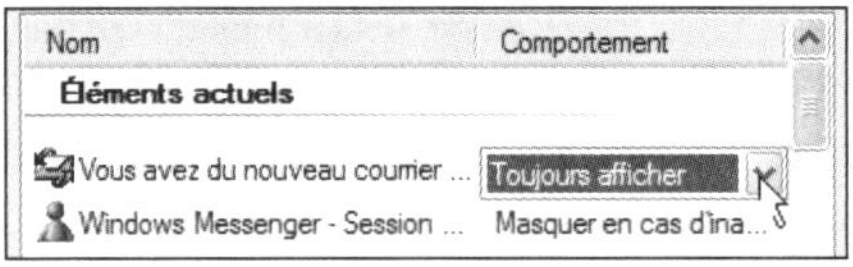

Figure 14.20 :
Retrouvez l'avis de nouveau courrier électronique

676. Agrandir définitivement la fenêtre de rédaction

Pour qu'Outlook Express mémorise la taille et l'emplacement d'une fenêtre de rédaction, il faut procéder comme pour toute fenêtre de Windows : agrandir et déplacer la fenêtre manuellement, puis quitter cette fenêtre au moyen du menu.

1. Dans Outlook Express, cliquez sur le menu **Fichier** puis sur **Nouveau/Message de courrier**.
2. À l'aide de la souris, déplacez et dimensionnez la fenêtre aux dimensions souhaitées. (Si vous voulez que la fenêtre occupe la totalité de l'écran, agrandissez sa taille en élargissant les bords, mais ne vous servez pas du bouton **Agrandir** de la barre de titre.)
3. Quittez la fenêtre en choisissant **Fichier/Fermer**.

Ou :

1. Cliquez sur le menu **Fichier** puis sur **Nouveau/Message de courrier**.
2. Réduisez en icône toutes les fenêtres et cliquez dans la barre des tâches sur la fenêtre du nouveau message.
3. Faites un clic droit sur une partie vide de la barre des tâches et choisissez **Mosaïque horizontale**.

4. Fermez maintenant cette fenêtre. La prochaine fois que vous créerez un message, il aura la dimension maximale.

677. Connaître le dossier racine d'Outlook Express

À gauche de l'écran d'Outlook Express, dans la fenêtre des dossiers, si vous cliquez sur le dossier racine, c'est-à-dire l'icône d'Outlook Express, vous affichez dans l'écran de droite la page d'accueil d'Outlook Express. À partir de cette page, vous pouvez :

- aller dans votre boîte de réception, Créer un nouveau courrier.
- accéder à votre compte de news par défaut, créer un nouveau message de news ;
- ouvrir le carnet d'adresses, rechercher des personnes ;
- rechercher un message, gérer les identités ;
- lire l'astuce du jour, visualiser une astuce différente (en cliquant sur les liens *Précédente/Suivante* en bas à droite de l'écran).

Modifier la page du dossier racine
Cette page est un simple document HTML nommé *Frntpage.htm* qui se situe dans le fichier *Msoeres.dll*. Un éditeur de ressources comme Resource Hacker (**www.users.on.net/johnson/resourcehacker**) permet de modifier le contenu de cette page. Attention, toutefois, la modification des fichiers ressources Windows est faite à vos risques et périls !

Pour en savoir plus à propos de la page racine, consultez l'astuce Modifier la page racine d'Outlook Express du chapitre Modifier la base de registre pour Outlook Express.

678. Masquer ou afficher le volet d'informations

Le volet d'informations est la partie en bas de l'écran d'Outlook Express. Par défaut, le volet n'est pas affiché car son contenu est vide. Il est possible, selon votre fournisseur d'accès, que celui-ci y mette de la publicité ou tout autre message lui semblant approprié. Dès lors, le volet s'affichera.

Pour afficher ou cacher le volet, cochez ou libérez la case *Afficher le volet de visualisation*, que vous trouverez en cliquant dans la barre de menu **Affichage**, puis **Disposition**.

Absence de la case à cocher Volet d'informations

Si la case à cocher *Volet d'informations* n'est pas présente, cela est dû à l'absence de la clé BodyBarPath ou à l'absence d'un contenu (clé existante mais vide).

*Vous pouvez vous reporter à l'astuce **Modifier le contenu du volet d'informations** du chapitre **Modifier la base de registre pour Outlook Express.***

679. Afficher la barre Outlook

La barre Outlook n'est pas très pratique et probablement peu utilisée, mais elle existe. Il s'agit d'une barre verticale qui se place dans la partie gauche d'Outlook Express. Elle offre une nouvelle façon d'accéder aux différents dossiers d'Outlook Express : *Boîte de réception*, *Boîte d'envoi*, *Éléments envoyés*... et accepte la création de raccourcis vers de nouveaux dossiers. Pour afficher la barre Outlook :

1. Cliquez sur le menu **Affichage** puis **Disposition** du menu d'Outlook Express.

2. Validez la case à cocher *Barre Outlook*. Et cliquez sur le bouton OK.

Initialement, la barre Outlook se compose des raccourcis vers les dossiers suivants :

- *Boîte de réception* ;
- *Boîte d'envoi* ;
- *Éléments envoyés* ;
- *Éléments supprimés* ;
- *Brouillons* (voir fig. 14.21).

Si vous optez pour l'utilisation de la barre Outlook, vous préférerez probablement ôter la liste des dossiers, surtout en sachant que vous pouvez l'afficher en cliquant sur le raccourci du nom de dossier ouvert.

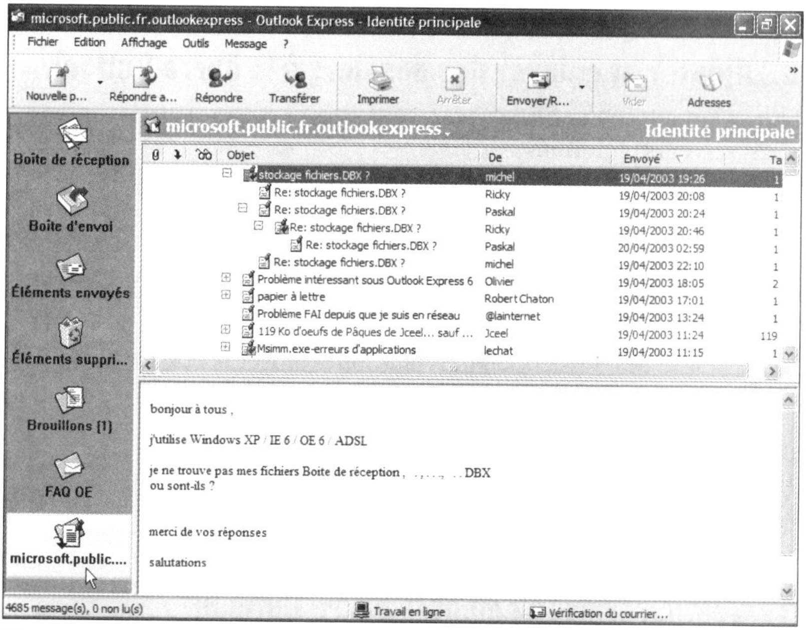

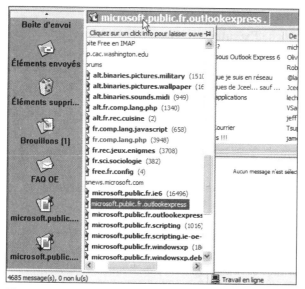

Figure 14.21 : *La barre Outlook en plus, la liste des dossiers en moins*

Figure 14.22 : *Affichage rapide de la liste des dossiers*

680. Ajouter et enlever des dossiers à la barre Outlook

La barre Outlook étant affichée, vous voulez créer des raccourcis vers vos dossiers, serveurs ou forums :

1. Cliquez du bouton droit sur la barre Outlook.

2. Choisissez **Nouveau raccourci dans la barre Outlook**.

3. Dans la boîte de dialogue, choisissez le dossier pour lequel vous voulez créer le raccourci, puis cliquez sur le bouton OK.

Ou, dans la liste des dossiers, cliquez puis faites glisser le dossier désiré de la liste des dossiers vers la barre Outlook.

Pour enlever des dossiers de la barre Outlook :

1. Cliquez du bouton droit sur le dossier à retirer.

2. Dans le menu contextuel, choisissez **Supprimer de la barre Outlook**.

681. Restaurer rapidement la barre Outlook

Voici un moyen rapide de restaurer la barre Outlook à son état initial :

1. Quittez Outlook Express.

2. Dans la boîte de dialogue **Exécuter** (par **Démarrer/Exécuter** ou Windows+R), saisissez regedit pour exécuter l'éditeur du registre de Windows.

3. Déroulez l'arborescence de l'éditeur du registre pour rechercher la valeur de la clé *HKEY_CURRENT_USER\Identities\Last User ID* (il s'agit d'un nombre en hexadécimal composé de 32 caractères et délimité par des accolades).

4. Notez ce nombre comme étant le numéro USER_ID correspondant à votre identité Outlook Express.

5. Recherchez et sélectionnez, toujours dans le registre, la valeur REG_BINARY *HKEY_CURRENT_USER\Identities\{USER ID}\Software\Microsoft\Outlook Express\5.0\Outlook Bar Settings*.

6. Choisissez **Supprimer** du menu **Édition** (ou appuyez sur la touche Suppr) afin de supprimer la valeur *Outlook Bar Settings*.

7. À l'exécution suivante d'Outlook Express, la barre Outlook retrouvera ses dossiers initiaux.

682. Personnaliser la barre d'outils Outlook Express

Vous avez deux manières différentes de personnaliser la barre d'outils d'Outlook Express :

■ en modifiant la taille de l'icône, l'emplacement du texte associé ;

■ en choisissant les icônes dont vous vous servez le plus souvent.

Modifier la taille de l'icône et sa légende

1. Choisissez les commandes du menu **Affichage/Disposition** puis cochez la case *Barre d'outils*. Validez en cliquant sur le bouton OK.

2. Cliquez du bouton droit sur la barre d'outils et choisissez la commande du menu contextuel **Personnaliser**.

3. Dans la liste déroulante *Options de texte*, vous pouvez choisir :

   – *Aucune étiquette de texte*. Les icônes ne sont pas légendées.

   – *Étiquettes texte à droite des icônes*. La légende est à droite des icônes.

   – *Étiquettes texte sous les icônes*. La légende est sous les icônes.

4. En arrière-plan, vous remarquez qu'Outlook Express effectue la modification en temps réel.

5. Quittez la boîte **Personnalisation de la barre d'outils** en cliquant sur le bouton **Fermer**.

Tableau 14-6 : Combinaisons possibles d'affichage graphique de la barre d'outils		
	Étiquettes texte sous les icônes	Étiquettes texte à droite des icônes	Aucune étiquette texte
Grandes icônes			
Petites icônes			

Modifier les icônes de la barre d'outils

1. Choisissez les commandes du menu **Affichage/Disposition** puis cochez la case *Barre d'outils*. Validez en cliquant sur le bouton OK.

2. Cliquez avec le bouton droit de la souris sur la barre d'outils et choisissez la commande du menu contextuel **Personnaliser**.

3. Choisissez les boutons présents dans la barre d'outils en les affichant ou en les supprimant de la liste correspondante.

   – Pour enlever un bouton, sélectionnez-le dans la fenêtre de droite et cliquez sur le bouton <- **Supprimer**.

   – Pour ajouter un bouton, cliquez sur celui désiré dans la fenêtre de gauche (boutons disponibles), et cliquez sur le bouton **Ajouter ->**.

4. Lorsque les boutons désirés sont dans la fenêtre de droite, déplacez chacun d'eux le long de la barre d'outils en le sélectionnant, puis en agissant sur les boutons **Monter** et **Descendre**. Tout au long de ces manipulations, la barre d'outils Outlook Express se modifie en temps réel en arrière-plan.

5. Quittez la boîte **Personnalisation** de la barre d'outils en cliquant sur le bouton **Fermer**.

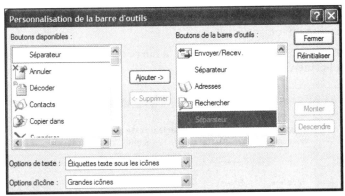

Figure 14.23 : *Personnalisation de la barre d'outils*

683. Personnaliser l'affichage en cours

Vous pouvez appliquer des règles d'affichage afin de cibler au mieux parmi les messages qui vous intéressent. L'application de ces règles d'affichage se fait par le biais de la barre d'affichage (menu **Affichage/Disposition** et case à cocher *Barre d'affichage*) ou en appliquant directement l'affichage choisi (menu **Affichage/Affichage en cours** et choisissez l'affichage à appliquer).

Trois règles d'affichage sont définies à l'installation d'Outlook Express :

- afficher tous les messages ;
- masquer les messages lus ;
- masquer les messages lus ou ignorés.

Vous pouvez définir vos propres affichages en fonction de vos besoins :

1. Cliquez sur le menu **Affichage**, puis **Affichage en cours/Personnaliser l'affichage en cours**.

2. Dans la rubrique *1. Sélectionnez des conditions pour votre affichage*, enlevez la coche dans la case *Pour tous les messages* et désignez les critères d'affichage désirés.

3. Dans la rubrique *2. Description de l'affichage*, choisissez d'afficher ou de masquer les messages correspondant aux critères précédemment définis.

4. Dans la rubrique *3. Nom de l'affichage*, saisissez un nom adapté à votre nouvelle règle d'affichage.

5. Validez la création en cliquant sur le bouton OK.

Si vous voulez essayer de modifier ces règles de la manière décrite dans le chapitre *Modifier la base de registre pour Outlook Express*, sachez qu'elles sont créées dans le registre à l'endroit *HKEY_CURRENT_USER\Identities\{USER ID}\Software\Microsoft\Outlook Express\5.0\Rules\Filter*.

À propos des règles d'affichage et de courrier, reportez-vous à l'astuce **Syntaxe et construction des règles dans le registre** du chapitre **Modifier la base de registre pour Outlook Express.**

684. Les règles de message

Les règles de message dans Outlook Express ont été créées dans le but de filtrer et de classer les messages reçus. Chaque message entrant d'un compte POP est analysé selon un ou plusieurs critères définis et sera éventuellement traité en conséquence.

Les règles sont souvent utilisées pour :

- Classer, trier les e-mails vers des dossiers spécifiques suivant leur expéditeur. Par exemple, les messages reçus d'un même expéditeur sont tous rangés dans le même dossier.

- Classer les e-mails selon leur destinataire. Par exemple, vous avez plusieurs adresses e-mails dans la même session Outlook Express, vous mettrez en place un tri d'après l'adresse de destinataire sur du courrier entrant.

- Marquer d'une couleur ou d'un attribut les messages selon leurs expéditeurs, tout en les laissant dans une boîte de réception commune.

- Trier des messages d'après des mots clés.

Deux particularités importantes à connaître à propos des règles de message :

- Les règles sont exécutées par ordre de classement (du haut vers le bas) sur les messages entrants des comptes POP (ne fonctionne pas sur les comptes IMAP ou HTTP).

- Les règles effectuant un tri d'après des mots contenus dans le sujet ou dans le corps de l'e-mail ne tiennent pas compte de l'isolement du mot. Par exemple, une règle avec un tri sur le mot SAGE sera prise en compte sur un mot comme MESSAGERIE. Aucune casse n'est prise en compte : les mots Sage, SAGE, sage, message, MESSage… seront pris en compte de la même façon.

Vous accédez aux règles de message par le menu **Outils/Règles de message**.

Pour en savoir plus au sujet des règles de message, consultez l'astuce Syntaxe et construction des règles dans le registre du chapitre Modifier la base de registre pour Outlook Express.

685. Supprimer du serveur les messages trop gros

Un message trop gros qui ne peut pas être chargé sur votre ordinateur peut vous bloquer complètement la messagerie, dans le cas où celle-ci est relevée par le protocole POP3 ! Si vous voyez la barre de progression de chargement d'Outlook Express avancer très lentement, puis s'arrêter et indiquer un message d'erreur lié à une grande période d'inactivité, vous devez vérifier qu'un gros message ne vous bloque pas votre messagerie. Cela est d'autant plus important que vous perdez le bénéfice des messages déjà chargés. C'est-à-dire que, si vous avez cinq messages sur votre serveur de messagerie et que le troisième est trop gros (à partir de 1 Mo, le message est généralement considéré comme de grande taille, il pourra être difficile de le charger surtout si vous avec une connexion modem classique RTC), Outlook Express va indiquer une erreur pendant le chargement du troisième message, mais ne vous permettra pas de lire les deux premiers messages, qui, eux, ont été correctement chargés.

Vous pouvez, au cas par cas, supprimer ponctuellement un message trop gros de votre serveur de messagerie en allant gérer votre messagerie par l'interface web de votre hébergeur de messagerie. Vous pouvez aussi mettre en place une règle de message qui va automatiquement détruire du serveur les messages supérieurs à la taille désignée.

1. Ouvrez Outlook Express.

2. Dans le menu **Outils/Règles de message**, choisissez la commande **Courrier**.

3. Cliquez sur le bouton **Nouveau** afin de créer une nouvelle règle de message.

4. Dans le paragraphe *Sélectionnez les conditions pour votre règle*, cochez la case *Lorsque la taille du message est supérieure à taille*.

5. Dans le paragraphe *Sélectionnez les actions pour votre règle*, cochez la case *Le supprimer du serveur*.

6. Dans le paragraphe *Description de la règle*, cliquez sur le lien *taille*.

7. Entrez dans la zone de texte la taille du message à partir de laquelle la règle va s'exécuter. Validez ensuite par OK. La taille à entrer est en kilo-octets. Pour rappel :

   - 512 Ko pour 0,5 Mo ;
   - 1 024 Ko pour 1 Mo ;
   - 1 536 Ko pour 1,5 Mo ;
   - 2 048 Ko pour 2 Mo.

8. Vérifiez que la zone texte désigne correctement la règle de message. Celle-ci doit être dans le genre :

   - appliquer cette règle après la réception du message ;
   - lorsque la taille du message est supérieure à 1 024 Ko (selon la taille désignée précédemment), le supprimer du serveur.

9. Entrez un nom évocateur pour désigner cette règle de message, par exemple Suppression des messages supp à 1Mo.

10. Validez la création de la règle en cliquant sur le bouton OK.

Figure 14.24 :
Création d'une règle de message visant à supprimer du serveur des courriers trop gros

11. Vous voilà revenu dans la boîte de dialogue **Règles de message**. Si vous avez déjà créé d'autres règles, cliquez sur le bouton **Monter** pour que cette nouvelle règle soit placée en haut de la liste. En effet, les règles qui effacent les messages du serveur doivent être exécutées en premier.

12. Validez la règle et son exécution en cliquant sur le bouton OK.

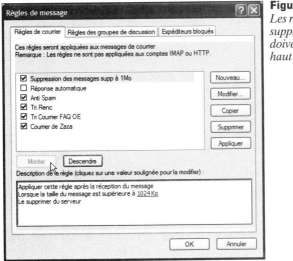

Figure 14.25 :
Les règles qui suppriment du serveur doivent être placées en haut de la liste !

Vous pouvez activer cette règle ponctuellement, dès que vous êtes sûr qu'un gros message vous bloque la messagerie. Il suffit d'agir sur la case à cocher à gauche de la règle dans la boîte de dialogue **Règles de messages**.

686. Appliquer une règle aux messages déjà chargés

Vous venez de définir une nouvelle règle de message et voulez qu'elle s'applique aux messages déjà chargés. Par exemple, vous avez choisi de colorer les e-mails d'un expéditeur particulier pour mieux les retrouver dans la boîte de réception, et vous voulez que la règle s'applique aux messages déjà chargés.

1. Lancez Outlook Express.

2. Sélectionnez les commandes du menu **Outils/Règles de message/Courrier** et créez votre nouvelle règle.

3. Lorsque la nouvelle règle est créée, cliquez sur le bouton **Appliquer**.

4. Dans la rubrique *Sélectionner les règles à appliquer*, cliquez sur la règle à exécuter. Vous remarquez qu'une fois sur deux l'action de cliquer sur la règle la sélectionne ou la libère. Dans le même temps, la composition de cette règle apparaît dans le cadre *Description de la règle*.

5. Cliquez sur le bouton **Parcourir** pour désigner le ou les dossiers dans lesquels va s'appliquer immédiatement la règle. Sélectionnez le dossier et validez par OK.

6. Cliquez sur le bouton **Appliquer** pour exécuter la tâche.

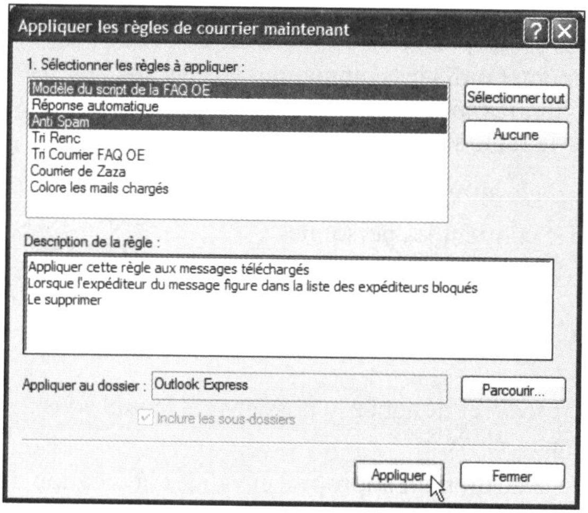

Figure 14.26 :
Application immédiate des règles de courrier

687. Appliquer une règle aux messages envoyés

Contrairement à Outlook Office, Outlook Express ne permet pas l'application de règles de message lors de l'envoi de courrier. Ainsi, si vous voulez trier vos e-mails dans des dossiers spécifiques en fonction des expéditeurs, cela n'est pas faisable… À moins d'appliquer les règles de message *a posteriori*.

Par exemple, vous voulez regrouper dans un nouveau dossier intitulé *Envoi Andrea* tous les e-mails que vous avez envoyés à ce destinataire.

1. Exécutez Outlook Express.

2. Dans le menu **Fichier**, choisissez **Nouveau** puis **Dossier** (ou appuyez sur la combinaison de touches [Ctrl]+[Maj]+[E]). Créez à l'endroit de votre choix (par exemple à l'intérieur même du dossier *Éléments envoyés*) le dossier *Envoi Andréa* et cliquez sur le bouton OK.

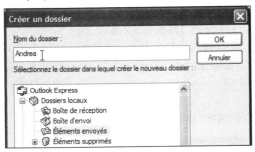

Figure 14.27 :
Remarquez que le dossier sera créé à l'intérieur du dossier Éléments envoyés

3. Choisissez dans le menu **Outils** les commandes **Règles de message/Courrier**. Cliquez sur le bouton **Nouveau** et validez les cases à cocher afin de créer la règle suivante :

   – appliquer cette règle après la réception du message ;

   – lorsque la ligne *À* contient les personnes ;

   – le déplacer vers le dossier spécifié.

4. Cliquez sur le lien *Contient les personnes* et saisissez l'adresse e-mail du destinataire.

5. Cliquez sur le lien *Spécifié* et désignez le dossier vers lequel vous déplacerez les messages envoyés.

6. Nommez cette règle avec un nom approprié et validez la création de cette règle en cliquant sur le bouton OK.

7. De retour dans la boîte de dialogue **Règles de message**, cliquez sur le bouton **Appliquer**.

8. Cliquez sur le bouton **Parcourir** et désignez le dossier *Éléments envoyés* (laissez libre la case à cocher *Inclure les sous-dossiers*). Validez par OK.

9. L'inconvénient de cette manipulation est sa non-automatisation. Vous devrez, pour trier les messages envoyés, cliquer sur le bouton **Appliquer**.

Mails envoyés à Andréa ▼
Description de la règle :
Appliquer cette règle aux messages téléchargés Lorsque la ligne À contient 'andrea@Sorciere.com' Le déplacer vers le dossier Andrea
Appliquer au dossier : Éléments envoyés   [Parcourir...]
☐ Inclure les sous-dossiers
[Appliquer] [Fermer]

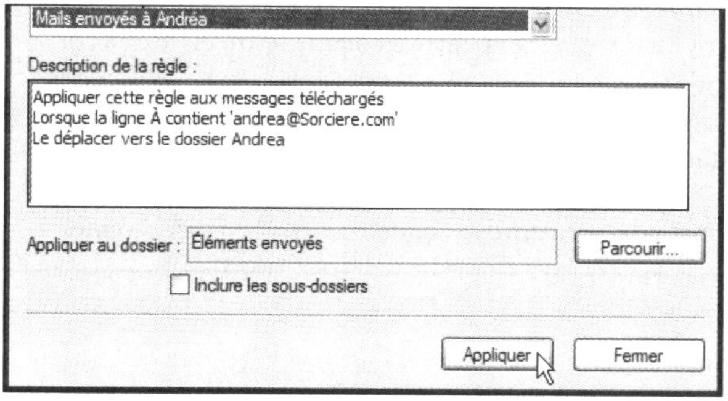

Figure 14.28 :
Application immédiate de la règle

Tri des messages envoyés sur les forums

Vous pouvez essayer d'appliquer cette règle en mettant le nom du forum sur lequel vous avez l'habitude de poster dans le champ *A* pour trier vos envois sur ce newsgroup : la règle ne fonctionnera pas...

En partant du principe que vous avez maquillé votre adresse pour vous protéger des spammeurs qui écument les adresses laissées sur les forums, faites un tri d'après cette adresse antispam. Par exemple, lorsque la ligne *De* contient "votreadresse @FAI.com_pasdespam ", déplacez-la vers le dossier "Envoi vers le forum".

En cas de besoin, consultez l'astuce **Configurer une adresse antispam sur un lecteur de news** *du chapitre* **Accéder et participer aux forums avec Outlook Express**.

688. Répondre automatiquement aux e-mails reçus

Il est possible de faire d'Outlook Express un répondeur automatique afin de renseigner son correspondant d'une indisponibilité ou lui renvoyer un message générique. Attention, toutefois, car cette fonction prouvera la validité et la consultation de votre boîte aux lettres, ce qui peut être gênant si, par exemple, vous êtes victime d'envois publicitaires massifs.

Rédiger le courrier de réponse

> **REMARQUE**
>
> **Format d'envoi du message de réponse**
>
> Selon le format du courrier que vous voulez envoyer, l'expéditeur original recevra un e-mail avec des caractéristiques diverses :
>
> - Un courrier écrit en texte .*txt* sera envoyé comme lettre en texte brut.
> - Une page au format .*htm* ou .*html* sera envoyée comme courrier texte enrichi (HTML).
> - Une lettre portant l'extension .*eml* sera envoyée comme courrier en pièce jointe.
> - Un post au format .*nws* sera envoyé comme courrier en pièce jointe.

Au format .txt

1. Dans la boîte de dialogue **Exécuter** (par **Démarrer/Exécuter** ou Windows+R), saisissez notepad pour exécuter le Bloc-notes de Windows.

2. Rédigez votre courrier, et sauvegardez la lettre en choisissant les commandes du menu **Fichier/Enregistrer sous**. Dans la zone de saisie *Nom du fichier*, choisissez un nom évocateur pour ce courrier. Laissez l'extension .*txt* ainsi que les options par défaut : type *Fichier texte (.txt)* et codage *ANSI*.

Au format .html

1. Rédigez avec le logiciel de votre choix une page .*html* reprenant le courrier que vous enverrez automatiquement. Vous pouvez utiliser :
   - Un éditeur de pages .*html* en WYSIWYG tel que FrontPage, Dreamweaver.
   - Un éditeur de texte brut. Le but n'est pas ici d'apprendre à maîtriser les commandes HTML, mais, si vous devez absolument envoyer une réponse en .*html*, pour simplifier à l'extrême, un document HTML a cette syntaxe :

```
<html>
<body>
Ici, tapez la lettre de réponse. indiquez <br> pour un
saut de ligne ;
</body>
</html>
```

2. Un assistant de fabrication de page *.html* :

- Sous Outlook Express, choisissez les commandes du menu **Message/Nouveau message avec/Sélectionner le papier à lettres**.

- Dans la boîte de dialogue, cliquez sur le bouton **Créer** pour lancer l'assistant de création d'un papier à lettres.

Au format .eml

Il s'agit d'un courrier en texte brut ou en html que vous rédigez avec Outlook Express, par exemple, et que vous sauvegardez lorsqu'il est fini.

1. Dans Outlook Express, cliquez sur **Fichier**, puis sur **Nouveau/Message de courrier** (ou appuyez sur la combinaison de touches Ctrl+N) pour accéder à la fenêtre de rédaction d'un nouveau message.

2. Rédigez normalement votre message, mais il est inutile de remplir les champs.

3. Cliquez sur la commande du menu **Fichier/Enregistrer sous**. Dans la boîte de dialogue **Enregistrer le message sous**, choisissez l'endroit où vous sauvegarderez votre e-mail au format *.eml*.

Au format .nws

Il est totalement inutile de recourir à un post comme message de réponse automatique, mais sachez que cela est tout de même possible. Il s'agit d'un post, d'un e-mail normalement destiné à être envoyé dans un forum de discussion, un *Newsgroup*. Ce post est en texte brut ou en HTML, et vous le rédigez comme un e-mail.

1. Dans Outlook Express, cliquez sur **Fichier**, puis sur **Nouveau/Message de news** pour accéder à la fenêtre de rédaction d'un nouveau post.

2. Rédigez normalement votre message, sans toutefois remplir les champs.

3. Cliquez sur la commande du menu **Fichier/Enregistrer sous**. Dans la boîte de dialogue **Enregistrer le message sous**, choisissez l'endroit où vous sauvegarderez votre e-mail au format *.nws*.

Créer la règle de message pour la réponse automatique

Pour qu'Outlook Express réponde à tous les messages reçus, il faut créer une règle de message. À moins que vous soyez déjà familier avec les règles de message et que vous ayez déjà mis en place un système de tri ou de suppression de certains e-mails sur le serveur, nous allons placer cette règle en tête de liste des règles à exécuter de façon à être sûrs de sa bonne exécution. Vous pourrez ensuite au cas par cas personnaliser et modifier l'ordre d'exécution de vos règles, selon celles que vous avez déjà établies.

1. Exécutez Outlook Express.

2. Cliquez sur le menu **Outils/Règles de message** et choisissez **Courrier**.

3. Cliquez sur le bouton **Nouveau** pour démarrer l'assistant de création d'une nouvelle règle de message.

4. Dans la rubrique *Sélectionnez les conditions pour votre règle*, validez la case à cocher *Pour tous les messages*.

5. Dans la rubrique *Sélectionnez les actions pour votre règle*, validez la case *Répondre en utilisant le message*.

6. Dans la rubrique *Description de la règle*, pointez le lien *message*, qui doit être souligné et écrit en bleu. La boîte de dialogue **Ouvrir** s'affiche.

   - Choisissez dans la liste déroulante *Fichiers de type* le type de message que vous enverrez comme réponse (vous avez le choix entre les formats Mail (*.eml*), News (*.nws*), HTML (*.htm*) et Texte (*.txt*)).

   - Parcourez l'arborescence de votre disque ou de votre réseau afin de sélectionner le message de réponse type que vous avez précédemment créé. Cliquez sur le bouton **Ouvrir** lorsque vous avez sélectionné le fichier contenant le message de réponse.

7. Enfin, dans la zone de saisie de texte *Nom de la règle*, donnez à cette règle un nom évocateur. Par exemple, inscrivez Réponse automatique.

8. Validez la création de la règle en cliquant sur le bouton OK.

9. Votre nouvelle règle est dans la liste de la boîte de dialogue **Règles de message**. Sélectionnez-la et cliquez ensuite sur le bouton **Monter** afin de placer cette règle en première position dans la liste des règles en cours.

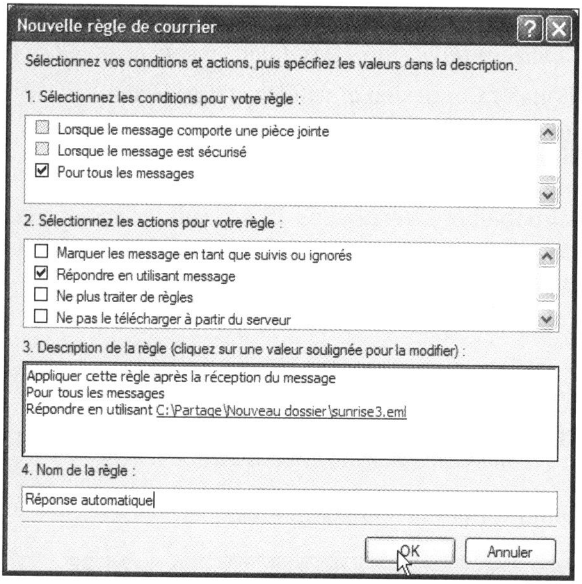

Figure 14.29 : *Création de la règle de réponse automatique*

Régler la connexion et la déconnexion automatiquement

Vous pouvez effectuer des réglages afin que la connexion et la déconnexion soient automatiques. Lorsque les messages ont été relevés et que les réponses ont été envoyées, assurez-vous en premier lieu que votre connexion s'effectue automatiquement, tous les mots de passe étant correctement entrés (pour la messagerie et vos adresses e-mail).

1. Choisissez les options du menu **Outils/Options** d'Outlook Express.

– Dans l'onglet **Général**, validez la case à cocher *Vérifier l'arrivée de nouveaux messages toutes les XXX minutes*. Inscrivez la durée qui vous semble la plus appropriée.

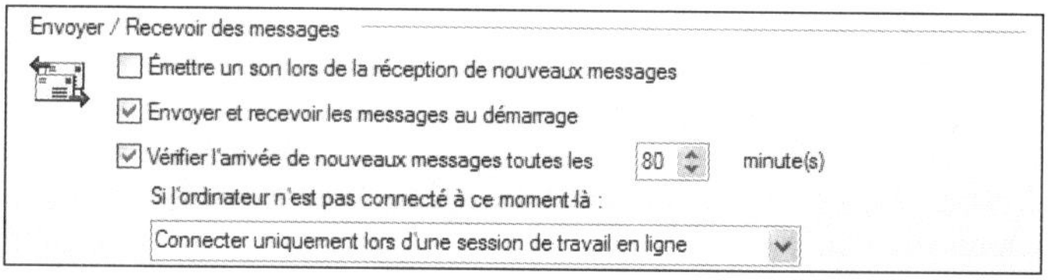

Figure 14.30 : *Vous pouvez inscrire plus de deux chiffres dans la zone de saisie des minutes*

– Toujours dans l'onglet **Général**, choisissez l'option de la liste déroulante *Connecter uniquement lors d'une session de travail en ligne*.

– Cliquez sur l'onglet **Connexion** et validez la case à cocher *Raccrochez après l'envoi et la réception*. Cliquez ensuite sur le bouton **Modifier**. Sur la nouvelle feuille *Propriétés à Internet*, choisissez à nouveau l'onglet **Connexions**. Sélectionnez votre connexion par défaut et assurez-vous d'avoir validé l'option *Établir une connexion s'il n'existe pas de connexion réseau*. Cliquez sur OK pour appliquer et fermer cette boîte de dialogue.

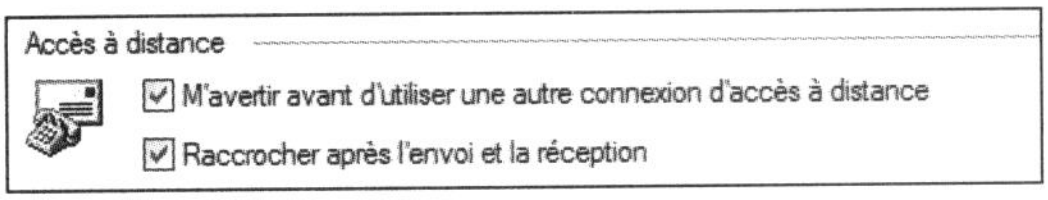

> Accès à distance
> ☑ M'avertir avant d'utiliser une autre connexion d'accès à distance
> ☑ Raccrocher après l'envoi et la réception

Figure 14.31 : *N'oubliez pas de raccrocher après la réception en cas de connexion par un modem classique*

2. Cliquez sur OK pour fermer la boîte d'options.

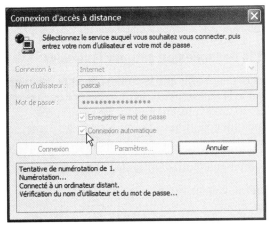

Figure 14.32 :
Connexion automatique en cours d'exécution. Remarquez que la connexion automatique et l'enregistrement du mot de passe ont été préalablement entrés dans les paramètres de Connexion d'accès à distance

Faible fiabilité de ce système

En effet, après de nombreux essais, ce système de connexion/déconnexion se révèle fragile, et un problème lors de l'accès au serveur de messagerie peut empêcher Outlook Express de relever le courrier, donc de se déconnecter ! En plus de l'inefficacité de la procédure engagée, vous risquez de garder votre connexion active (ce qui peut être dramatique selon votre abonnement à Internet).

À noter aussi que la fonction de réponse automatique est un service proposé par certains serveurs de boîte aux lettres. Il ne vous coûte rien sur votre forfait et est complètement sûr !

689. Bloquer un expéditeur

Sans se servir des règles de message, vous pouvez facilement bloquer un expéditeur qui vient de vous envoyer un e-mail. Après l'avoir mis dans votre liste noire, tous ses e-mails seront chargés sur votre PC et automatiquement envoyés dans le dossier *Éléments supprimés*.

1. Ouvrez Outlook Express.
2. Dans la fenêtre des messages, sélectionnez un e-mail dont vous voulez bloquer l'expéditeur.
3. Cliquez sur le menu **Message** puis choisissez **Bloquer l'expéditeur**.
4. Dans la boîte de dialogue qui s'affiche, vérifiez l'adresse e-mail de l'expéditeur à bloquer. Cliquez sur le bouton **Oui** pour envoyer dans la corbeille tous les messages déjà chargés et provenant de cet expéditeur.
5. Validez la confirmation de suppression des messages déjà reçus en cliquant sur le bouton OK.

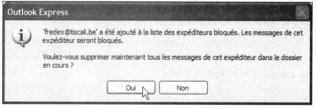

Figure 14.33 : *Blocage d'un expéditeur*

690. Gérer les expéditeurs bloqués

Ajouter une adresse à la liste des expéditeurs bloqués

1. Dans Outlook Express, cliquez sur le menu **Outils** et choisissez **Règles de message/Liste des expéditeurs bloqués**.
2. Choisissez l'onglet **Expéditeurs bloqués** de la boîte **Règles de message**.

3. Cliquez sur le bouton **Ajouter**. Dans la zone de saisie texte *Adresse*, saisissez l'adresse de l'expéditeur que vous voulez bloquer.

4. Validez le bouton d'option correspondant à l'endroit où vous serez susceptible de recevoir les messages en provenance de l'adresse indiquée : sur la messagerie, les forums ou les deux endroits.

5. Validez en cliquant sur le bouton OK.

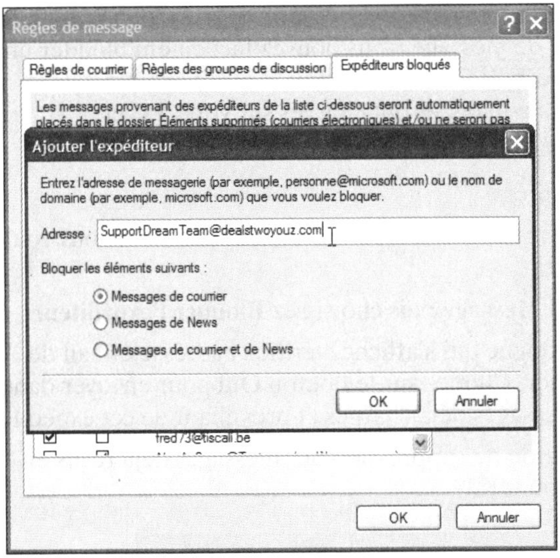

Figure 14.34 : *Ajout d'une adresse à la liste des expéditeurs bloqués*

Modifier une adresse mal renseignée

Si vous avez entré une adresse erronée dans la liste, plutôt que supprimer l'expéditeur bloqué et de le recréer avec la bonne adresse, sélectionnez-le dans la liste et cliquez sur le bouton **Modifier**.

Supprimer une adresse dans la liste des expéditeurs bloqués

1. Exécutez Outlook Express.

2. Cliquez sur le menu **Outils** et choisissez **Règles de message/Liste des expéditeurs bloqués**. Cela vous fait apparaître la boîte **Règles de message** sous l'onglet **Expéditeurs bloqués**.

3. Par un simple clic, sélectionnez l'adresse que vous voulez supprimer de la liste, et cliquez sur le bouton **Supprimer**.

4. Dans la boîte de dialogue, répondez à la confirmation de suppression de l'expéditeur bloqué en cliquant sur le bouton **Oui**.

Figure 14.35 : *La phrase porte à confusion, mais en cliquant sur le bouton Oui vous débloquez l'expéditeur*

691. Accéder rapidement à l'interface web d'Hotmail

Bien qu'Outlook Express soit conçu pour prendre en charge la messagerie Hotmail, il peut être utile de vouloir accéder rapidement au site Internet d'Hotmail, par exemple pour mettre en place un filtre ou pour relever une boîte aux lettres que vous ne voulez pas configurer dans votre messagerie. Dans le menu d'Outlook Express, cliquez sur **?** et sélectionnez **Microsoft sur le Web** puis **Hotmail**.

692. Accéder rapidement à MSN

Dans la famille Microsoft… Voici comment accéder rapidement au site MSN depuis Outlook Express : cliquez sur le menu **?** d'Outlook Express et sélectionnez **Microsoft sur le Web** puis **Retour à MSN**.

693. Accéder à la correction orthographique

L'accès à la correction orthographique dans Outlook Express est automatique après l'installation des programmes du Pack Office Microsoft qui se servent de cette correction.

694. Installer ou réinstaller Outlook Express

Que ce soit pour avoir la dernière version ou dans le but de "réparer" celle déjà en place (la réinstallation du programme sur lui-même ne vous fait pas perdre vos messages ou autres contacts), la première chose à faire est bien sûr de se procurer le programme d'installation. Il s'agit de l'installation d'Internet Explorer car Outlook Express et Internet Explorer sont indissociables à l'installation. Plusieurs solutions existent.

- En téléchargement :
  - Depuis l'adresse **http://download.microsoft.com/download/ie6sp1/finrel/6_sp1/W98NT42KMeXP/FR/ie6setup.exe** pour télécharger le programme d'installation d'Internet Explorer/Outlook Express 6 SP1 (toutes versions Windows sauf Windows 95).
  - Puis recherchez la dernière version sur l'espace de téléchargement de Microsoft à l'adresse **www.microsoft.com/downloads/search.aspx?langid=7&displaylang=fr**.
Internet Explorer 6 est trop long à télécharger ?
Commandez-le !
En le commandant sur un CD d'installation : à partir de la page **www.microsoft.com/france/internet/produits/outlook/outlook-express.asp**, cliquez sur le lien *Commandez-le* de la rubrique *Internet Explorer 6 est trop long à télécharger ?*
- En le récupérant sur les CD gratuits d'abonnement aux différents fournisseurs d'accès, que vous trouverez dans les magazines ou quelquefois dans les rayons informatique de certaines grandes surfaces. Recherchez le programme *Ie6setup.exe* et, lors de l'installation, vérifiez qu'il s'agisse bien de la version désirée d'Internet Explorer/Outlook Express.

ASTUCE

La ligne de commande du programme d'installation

Créez un raccourci du programme *Ie6setup.exe*. Cliquez du bouton droit de la souris sur ce raccourci et choisissez **Propriétés**. Sous l'onglet **Raccourci** se trouve, dans le champ cible, le chemin d'accès au programme. Vous pouvez spécifier des commandes particulières pour l'exécution de ce programme. Découvrez-les en saisissant les caractères espace puis /?.

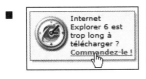

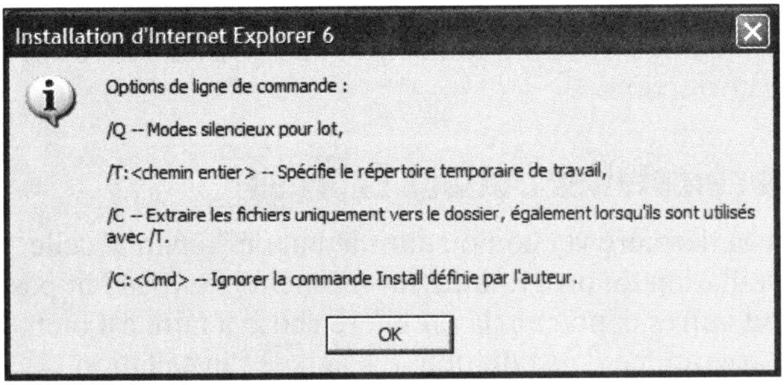

Installation d'Internet Explorer 6
Options de ligne de commande :
/Q -- Modes silencieux pour lot,
/T: <chemin entier> -- Spécifie le répertoire temporaire de travail,
/C -- Extraire les fichiers uniquement vers le dossier, également lorsqu'ils sont utilisés avec /T.
/C: <Cmd> -- Ignorer la commande Install définie par l'auteur.
OK

Figure 14.36 : *Options de la ligne de commande de Ie6setup.exe*

14.3 Impression

695. Paramétrer les propriétés d'impression

Les propriétés d'impression et de mise en page d'e-mails et de posts
Outlook Express sont celles définies dans Internet Explorer. Exécutez
Internet Explorer, choisissez la commande **Fichier/Mise en page**.

*Pour en connaître davantage sur cette impression, reportez-vous
à l'astuce* **Imprimer avec Internet Explorer** *du chapitre* **Internet
Explorer.**

696. Changer la taille des caractères lors de l'impression

La taille des caractères à l'impression est proportionnelle à celle de
l'affichage écran. Pour modifier celle-ci, choisissez dans Outlook Express
les commandes du menu **Outils/Option/Lecture/Polices** et réglez le
dimensionnement dans la liste déroulante *Taille de la police*.

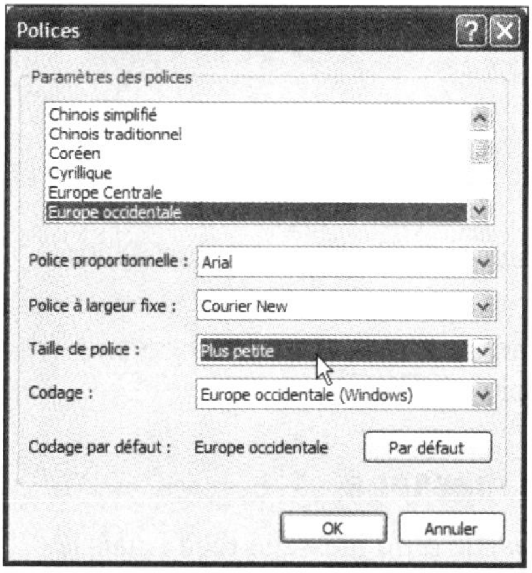

Figure 14.37 :
*La taille de la police lors
de l'impression est
proportionnelle à celle
de l'affichage*

697. Ne pas imprimer la liste des nombreux destinataires d'un message

Il n'existe pas de méthode simple et aisée d'y parvenir. La technique
couramment utilisée consiste à copier/coller la partie à imprimer vers un
logiciel de saisie de texte puis à lancer l'impression.

1. Sélectionnez la partie de l'e-mail que vous voulez imprimer. Cliquez du bouton droit sur une partie sélectionnée et choisissez la commande du menu contextuel **Copier**.

2. Ouvrez un logiciel de saisie de texte, placez le curseur dans la zone de saisie et appuyez sur la combinaison de touches Ctrl+V.

3. Imprimez le document.

Une seconde solution est de copier l'e-mail (ou post) à l'extérieur d'Outlook Express, de modifier son extension *.eml* ou *.nws* par l'extension *.mht*, puis de l'ouvrir. Le message s'affiche comme une archive de page web, sans les mentions d'en-tête.

1. Réduisez Outlook Express de façon à entrevoir une partie du bureau.

2. Cliquez sur le message à imprimer et, tout en maintenant le bouton gauche de la souris enfoncé, faites glisser ce message sur le bureau. Ceci crée un fichier *.eml* dans le cas d'un e-mail ou un fichier *.nws* dans le cas d'un post.

Figure 14.38 : *Modification de l'extension de .eml vers .mht*

3. Renommez l'extension du fichier par *.mht* (confirmez la modification de l'extension) puis double-cliquez sur ce fichier. Le message s'ouvre dans votre navigateur.

4. Imprimez-le *via* les commandes du menu **Fichier/Imprimer** ou en appuyant sur la combinaison de touches Ctrl+P.

698. Imprimer une partie d'un message

Vous pouvez imprimer facilement une partie d'un message reçu (mais les expéditeurs seront toujours à l'impression).

1. Sélectionnez toute la partie du message à imprimer, de manière à voir son affichage en inverse vidéo.

2. Choisissez la commande du menu **Fichier/Imprimer** (ou appuyez sur la combinaison de touches Ctrl+P).

3. Dans la fenêtre **Imprimer**, validez l'option *Sélection*.

Figure 14.39 :
Impression de la sélection

4. Cliquez sur le bouton **Imprimer**.

699. Impression du Carnet d'adresses

Le carnet d'adresses de Windows *Wab.exe* autorise l'impression de sa liste de contacts dans trois formats différents.

1. Dans la boîte de dialogue **Exécuter** (par **Démarrer/Exécuter** ou ⌨Windows+R), saisissez wab pour exécuter l'affichage du Carnet d'adresses de Windows.

2. Cliquez sur **Fichier/Imprimer** (ou appuyez sur la combinaison de touches Ctrl+P).

3. Sous la rubrique *Style d'impression*, choisissez l'option :

- *Mémo* pour imprimer la presque totalité des informations relatives aux onglets **Noms/Domicile/Bureau** ;
- *Carte de visite* pour imprimer la presque totalité de l'onglet **Bureau** et les numéros de téléphone de l'onglet **Domicile** ;
- *Liste téléphonique* pour imprimer les numéros de téléphone des onglets **Domicile** et **Bureau**.

4. Cliquez sur le bouton OK pour lancer l'impression.

700. Création rapide d'un répertoire téléphonique

Les contacts du carnet d'adresses peuvent être imprimés en totalité sous forme d'une liste classée alphabétiquement et qui indique les numéros de téléphone correspondant à chaque contact.

1. Dans la boîte de dialogue **Exécuter** (par **Démarrer/Exécuter** ou ⌨Windows+R), saisissez wab pour exécuter l'affichage du carnet d'adresses de Windows.

2. Choisissez l'option *Tout* de la rubrique *Zone d'impression*.

3. Cliquez sur **Fichier/Imprimer** (ou appuyez sur la combinaison de touches Ctrl+P).

4. Validez l'option *Liste téléphonique* de la rubrique *Style d'impression*.

5. Cliquez sur le bouton OK pour lancer l'impression.

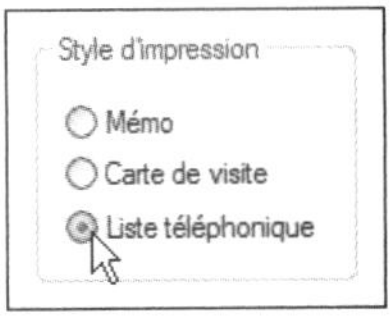

Figure 14.40 :
Création rapide d'un répertoire téléphonique

14.4 Identité/sécurité

701. Problème de changement d'identité depuis la version OE/IE6_SP1

La version d'Outlook Express 6_SP1 (numéro 6.00.2800.1106) a un problème à ce niveau : vous ne pouvez pas changer directement d'identité.

Parmi les solutions pour régler ce problème, vous pouvez opter pour l'installation du patch correctif Q331923 de Microsoft.

1. Assurez-vous d'être connecté à Internet.

2. Dans la boîte de dialogue **Exécuter** (par **Démarrer/Exécuter** ou [Windows]+[R]), saisissez l'URL http://download.microsoft.com/download/outlookexp/oe6sp1pa/6/W98NT42KMeXP/FR/q331923.exe.

3. Dans la boîte de dialogue de téléchargement, choisissez **Ouvrir**. Le patch correctif se charge et s'installe.

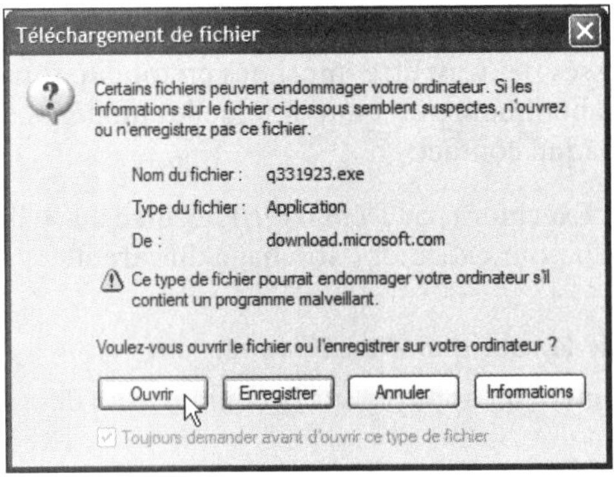

Figure 14.41 :
Installation du patch Q331923 de Microsoft

Bug du patch correctif !
Ce patch correctif a aussi un problème : vous ne pourrez plus encapsuler plusieurs images identiques dans le corps d'un e-mail HTML.

Une autre solution est de demander à choisir l'identité à chaque démarrage d'Outlook Express. Ainsi, vous devrez non plus changer d'identité, mais quitter Outlook Express en vous déconnectant de la précédente identité.

1. Assurez-vous de ne pas avoir validé la case à cocher *Utiliser cette identité au démarrage d'un programme* accessible par **Fichier/Identité/Gérer les identités**.

Figure 14.42 :
Ne pas spécifier d'identité au démarrage

2. Vous devrez toujours quitter Outlook Express par la commande du menu **Fichier/Quitter et se déconnecter**.

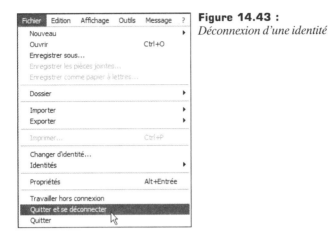

Figure 14.43 :
Déconnexion d'une identité

702. Supprimer une identité sans en connaître le mot de passe

Il va falloir supprimer manuellement dans le registre et sur le disque les informations relatives à cette identité.

1. Dans la boîte de dialogue **Exécuter** (par **Démarrer/Exécuter** ou (Windows)+(R)), saisissez regedit pour exécuter l'Éditeur du registre de Windows.

2. Parcourez l'arborescence du registre pour arriver à la clé *HKEY_CURRENT_USER\Identities*. Les sous-clés sont des numéros USER_ID composés de 32 caractères hexadécimaux (caractères 0 à 9 et A à F) dans la forme xxxxxxxx-xxxx-xxxx-xxxx-xxxxxxxxxxxx. Successivement, dans la fenêtre de gauche, sous *Identities*, sélectionnez le premier numéro USER_ID. Parallèlement, regardez dans la fenêtre de droite la valeur chaîne *Username*. Lorsque cette valeur a le nom de l'identité à supprimer, notez le numéro USER_ID.

3. Recherchez dans le registre la valeur *HKEY_CURRENT_USER\Identities\{Numéro USER_ID précédemment trouvé}\Software\Microsoft\Outlook Express\5.0\Store root* et notez son contenu. Il s'agit d'une arborescence sur le disque dur ou le réseau.

4. Recherchez les valeurs *HKEY_CURRENT_USER\Identities\Start As* et *HKEY_CURRENT_USER\Identities\Default User ID*. Si celles-ci ont la valeur ID de l'identité à supprimer, effacez aussi ces valeurs *Default User ID* et *Start As*.

5. Supprimez la clé de registre du numéro USER_ID précédemment relevé, ainsi que tout ce qu'elle contient. Fermez l'Éditeur du registre.

6. Exécutez l'explorateur de Windows et allez sur le dossier de stockage de l'identité que vous venez de détruire. Supprimez le dossier ainsi que tous les fichiers qui s'y trouvent.

703. Renommer une identité sans en connaître le mot de passe

1. Dans la boîte de dialogue **Exécuter** (par **Démarrer/Exécuter** ou Windows+R), saisissez regedit pour exécuter l'Éditeur du registre de Windows.

2. Parcourez l'arborescence du registre pour arriver à la clé *HKEY_CURRENT_USER\Identities*. Les sous-clés sont des numéros USER_ID composés de 32 caractères hexadécimaux (caractères 0 à 9 et A à F) dans la forme 8-4-4-4-12. Successivement, dans la fenêtre de gauche, sous *Identities*, sélectionnez le premier numéro USER_ID. Parallèlement, regardez dans la fenêtre de droite la valeur chaîne *Username*.

3. Lorsque cette valeur a le nom de l'identité dont vous voulez changer le nom, double-cliquez dessus afin de pouvoir en modifier le contenu.

4. Dans la zone de saisie *Données de la valeur*, saisissez le nouveau nom de l'identité puis validez en cliquant sur le bouton OK.

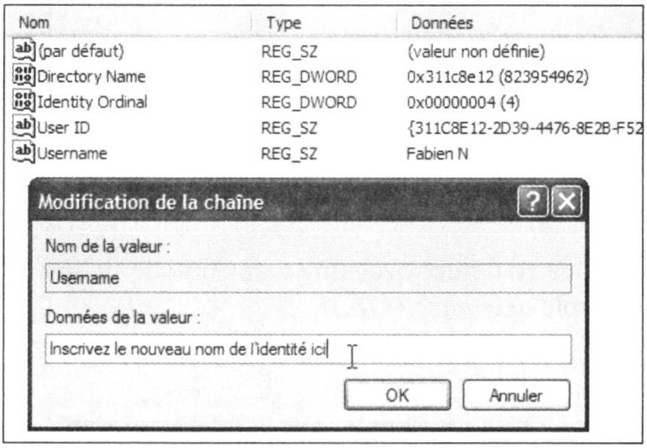

Figure 14.44 :
Modification de la chaîne contenant le nom de l'identité

704. Forcer Outlook Express à se déconnecter d'une identité

Il est entendu par là qu'à chaque ouverture d'Outlook Express l'identité précédente ne soit pas prise en compte. Si, par exemple, vous entrez dans une identité avec un mot de passe, que vous quittiez Outlook Express, la prochaine exécution du programme de messagerie s'ouvrira sur la dernière identité, sans demande de mot de passe ! Plusieurs solutions existent.

Se déconnecter en quittant Outlook Express

Quittez Outlook Express par la commande **Fichier/Quitter et se déconnecter**.

Se déconnecter par un script VBS

Ce script efface dans le registre les paramètres du dernier utilisateur et de l'identité à ouvrir lors de l'exécution d'Outlook Express, puis ouvre Outlook Express.

1. Dans la boîte de dialogue **Exécuter** (par **Démarrer/Exécuter** ou (Windows)+(R)), saisissez notepad pour exécuter le Bloc-notes de Windows.

2. Saisissez les lignes de code suivantes :

```
Dim WSHShell
Set WshShell = CreateObject("WScript.Shell")
WshShell.regwrite "HKCU\Identities\Start
⤸ As","{00000000-0000-0000-0000-000000000000}","REG_SZ"
WshShell.regwrite "HKCU\Identities\Last User
⤸ ID","{00000000-0000-0000-0000-000000000000}","REG_SZ"
WshShell.run "msimn.exe"
Set WshShell=Nothing
```

3. Sauvegardez ce fichier avec une extension de fichier *.vbs* (par exemple *deconnecteOE.vbs*).

deconnecteOE.v
bs

4. Remplacez les raccourcis Outlook Express sur le bureau et dans le menu **Démarrer** par un raccourci de ce fichier.

5. S'agissant d'un raccourci, modifiez son icône pour désigner celle du programme d'Outlook Express (*C:\Program Files\Outlook Express\msimn.exe*) et modifiez le nom du raccourci comme *Outlook Express.vbs*.

Figure 14.45 :
Modification de l'icône du raccourci Outlook Express

Vous devez avoir désactivé le masquage des extensions dont le type (de fichier) est connu. **Reportez-vous** à l'astuce **Désactiver le masquage des extensions dont le type est connu** du chapitre Généralités.

Utiliser un programme tiers

Planifiez l'effacement des paramètres du dernier utilisateur et de l'identité à ouvrir lors de l'exécution d'Outlook Express dans le registre au moyen d'un programme tiers.

Par exemple, téléchargez et exécutez le programme *Outlook Express Launcher* à l'adresse **http://olab.free.fr/OLab/**.

705. Lire un message sans en exécuter le code HTML

Depuis la version d'Outlook Express IE/OE6_SP1 : activez la lecture des e-mails en texte brut en validant la case à cocher *Lire tous les messages en texte clair*, que vous trouverez à **Outils/Options/Lecture**.

ASTUCE

Se faciliter le passage Texte brut/HTML

Parmi les boutons que le programme OE Tool ajoute dans la barre d'affichage, vous en avez un qui vous permet de passer rapidement en mode HTML ou en texte brut. Vous trouverez ce programme de Steve Cochran sur son site **www.oehelp.com** ou, avec une documentation française, sur la page de J.-C. Labracherie **http://jceel.free.fr**.

Pour les versions précédentes d'Outlook Express :

1. Ôtez le volet de visualisation en laissant libre la case à cocher *Afficher le volet de visualisation* dans **Affichage/Disposition**.

2. Cliquez du bouton droit sur le message à lire, et sélectionnez l'option du menu contextuel **Propriétés**.

3. Cliquez sur l'onglet **Détail**, puis sur le bouton **Source du message...**

4. Agrandissez la fenêtre pour en lire le contenu.

706. Lire un message sans en exécuter les commandes de script

Voilà une très sage décision, car les virus et autres vers se transmettent très volontiers *via* les scripts contenus dans les messages HTML.

1. Validez l'option *Zone de sites sensibles* dans **Outils/Option/Sécurité**.

2. Ouvrez Internet Explorer, sélectionnez l'icône *Sites sensibles* dans **Outils/Options Internet/Sécurité**. Si le bouton **Niveau par défaut** est valide, cliquez dessus. Confirmez en cliquant sur OK.

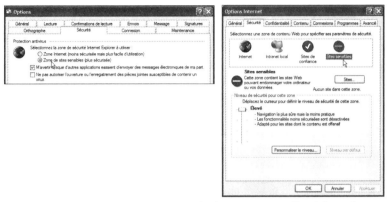

Figure 14.46 : *Les zones de sécurité Outlook Express sont celles définies dans Internet Explorer*

> **REMARQUE**
>
> **Désactiver l'exécution des scripts ne protège pas complètement**
> En effet, l'affichage des images en ligne dans un message HTML peut être la source d'informations renvoyées à un spammeur ; les feuilles de style et certaines autres commandes peuvent être exécutées…

707. Restreindre l'accès de la messagerie par un mot de passe

Il faut tout simplement paramétrer ses comptes de messagerie dans une identité protégée par un mot de passe.

1. Dans le menu **Fichier**, choisissez la commande **Identités/Ajouter une identité**. Nommez l'identité et validez la case à cocher *Exiger un mot de passe*.

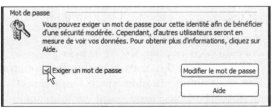

Figure 14.47 :
Exigez un mot de passe pour l'identité

2. Entrez à deux reprises le mot de passe dans les zones de texte appropriées.

3. Validez le mot de passe en cliquant sur le bouton OK. Validez la création de cette nouvelle identité en validant à nouveau le bouton OK.

4. Vous disposez à présent d'une nouvelle identité protégée par un mot de passe dans Outlook Express. Lors de votre premier accès à cette identité, vous configurerez les comptes de courrier comme lors de la première exécution d'Outlook Express.

ATTENTION

Ne pas oublier de se déconnecter de son identité restreinte
Outlook Express s'ouvrira sur la dernière identité et ne demandera pas le mot de passe si l'identité a déjà été utilisée dans la même session Windows. Pour cette raison, quittez toujours Outlook Express par la commande **Fichier/Quitter et se déconnecter**.

RENVOI

Pour forcer Outlook Express à se déconnecter d'une identité, consultez l'astuce Forcer Outlook Express à se déconnecter d'une identité de ce chapitre.

708. Récupérer les messages d'une identité dont le mot de passe est ignoré

Il existe plusieurs façons d'y parvenir. La méthode décrite ci-après place le chemin d'accès aux fichiers banque de message d'une identité dont le mot de passe est ignoré sur une nouvelle identité.

1. Ouvrez Outlook Express et créez une nouvelle identité en choisissant les commandes du menu **Fichier/Identités/Ajouter une identité**. Nommez-la et, au besoin, assignez-lui un mot de passe. Choisissez de passer à cette nouvelle identité.

2. Dans la boîte de dialogue **Exécuter** (par **Démarrer/Exécuter** ou (Windows)+(R)), saisissez regedit pour exécuter l'Éditeur du registre de Windows.

3. Parcourez l'arborescence du registre pour arriver à la clé *HKEY_CURRENT_USER\Identities*. Les sous-clés sont des numéros USER_ID composés de 32 caractères hexadécimaux (caractères 0 à 9 et A à F) dans la forme 8-4-4-4-12. Successivement, dans la fenêtre de gauche, sous *Identities*, sélectionnez le premier numéro USER_ID. Parallèlement, regardez dans la fenêtre de droite la valeur chaîne *Username*. Lorsque cette valeur a le nom de l'identité dont vous avez

perdu le mot de passe, notez le numéro USER_ID (il s'agit du numéro USER_ID de l'identité dont le mot de passe est ignoré).

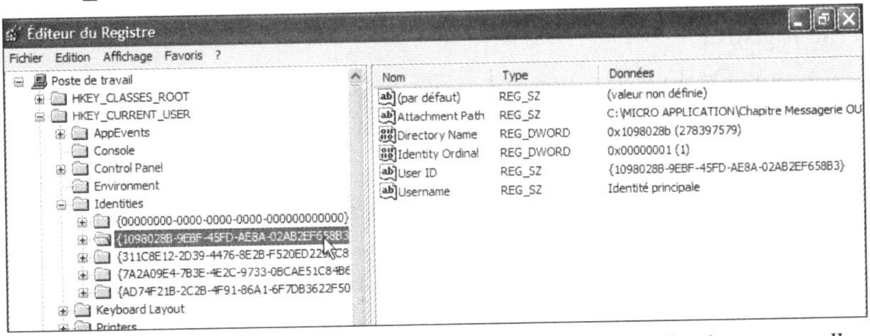

Figure 14.48 : *Parcours des clés contenues dans Identities afin de trouver celle dont la valeur Username correspond à la nouvelle identité*

4. Toujours dans le registre, notez la valeur chaîne contenue dans *HKEY_CURRENT_USER\Identities\Last User ID*. C'est votre numéro USER_ID pour l'identité Outlook Express actuelle.

5. Vous avez donc noté le numéro USER_ID de l'identité dont le mot de passe est ignoré et le numéro USER_ID de l'identité nouvellement créée. Toujours dans le registre, double-cliquez sur la valeur chaîne contenue dans *HKEY_CURRENT_USER\Identities\{numéro USER_ID de l'identité dont le mot de passe est ignoré}\Software\Microsoft\Outlook Express\5.0\Store Root*. Le chemin d'accès aux fichiers banque de message Outlook Express est sélectionné dans la fenêtre **Modification de la chaîne**. Appuyez sur la combinaison de touches [Ctrl]+[C] pour copier le contenu de cette chaîne dans le Presse-papiers de Windows. Fermez la fenêtre de modification de la chaîne en cliquant sur le bouton **Annuler**.

Figure 14.49 :
Lorsque la valeur contenue est sélectionnée, vous pouvez la copier dans le Presse-papiers

6. Double-cliquez sur la valeur chaîne contenue dans *HKEY_CURRENT_USER\Identities\{numéro USER_ID de l'identité nouvellement créée}\Software\Microsoft\Outlook Express\5.0\Store Root*. Le chemin d'accès aux fichiers banque de message Outlook Express est sélectionné dans la fenêtre **Modification de la chaîne**. Appuyez sur la combinaison de touches Ctrl+V pour y copier le contenu du Presse-papiers. Validez le changement en cliquant sur le bouton OK. Quittez le registre.

7. Ouvrez Outlook Express sur la dernière identité créée. Les messages de l'identité dont le mot de passe est ignoré seront accessibles.

Pour lire rapidement le contenu d'un fichier .dbx

A l'exception du fichier *Folders.dbx*, les fichiers *.dbx* sont les fichiers banque de message Outlook Express, et c'est à l'intérieur de ceux-ci que sont sauvegardés les messages reçus, émis, stockés... L'ouverture de ces fichiers avec le Bloc-notes de Windows vous permet de lire facilement le texte des messages en texte brut.

709. Configurer Outlook Express afin d'éviter à un utilisateur de propager un virus qu'il recevrait par e-mail

Choisissez d'être averti lorsqu'un autre logiciel tente d'envoyer un courrier. Ainsi, si une autre application tente de se reproduire en se diffusant, vous pourrez vous en apercevoir. Sélectionnez la case à cocher *M'avertir lorsque d'autres applications essaient d'envoyer des messages électroniques de ma part* dans **Outils/Options/Sécurité**.

710. Partager Outlook Express entre plusieurs utilisateurs

Le partage d'Outlook Express par plusieurs utilisateurs (sans parler de partage de mêmes banques de message) est réalisable *via* les identités Outlook Express. Vous pouvez en effet créer une identité pour chaque utilisateur d'Outlook Express, afin que celui-ci puisse relever son ou ses adresses e-mails. La définition d'un mot de passe pour l'accès à une identité est prévue. Ouvrez Outlook Express et créez une nouvelle identité en choisissant les commandes du menu **Fichier/Identités/Ajouter une identité**. Nommez-la et, selon votre besoin, assignez-lui un mot de passe.

711. Afficher le code source d'un message HTML

Par affichage proprement dit du code HTML

1. Affichez le volet de visualisation en validant la case à cocher *Afficher le volet de visualisation* dans **Affichage/Disposition**.

2. Sélectionnez le message à traiter, et appuyez sur la combinaison de touches [Ctrl]+[F2].

Par affichage des propriétés du message

1. Cliquez du bouton droit sur le message à traiter et sélectionnez l'option du menu contextuel **Propriétés**.

2. Cliquez sur l'onglet **Détail**, puis sur le bouton **Source du message...**

3. Agrandissez la fenêtre pour en lire le contenu.

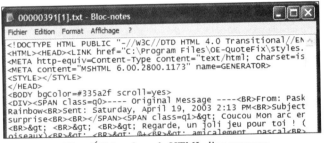

Figure 14.50 : *Édition du code HTML d'un message*

Ou :

1. Affichez le volet de visualisation en validant la case à cocher *Afficher le volet de visualisation* dans **Affichage/Disposition**.

2. Sélectionnez le message à traiter, et appuyez sur la combinaison de touches [Ctrl]+[F3].

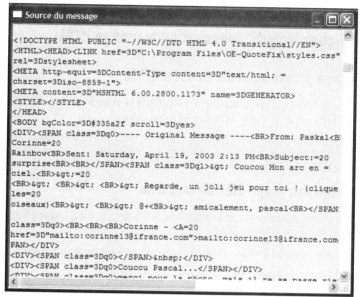

Figure 14.51 : *Moins pratique : l'affichage de la source pour lire le code HTML*

14.5 Une correspondance en toute confidentialité

712. Le cryptage avec Outlook Express

Peut-être auriez-vous besoin de protéger votre courrrier ? Outlook Express permet l'utilisation d'un système de chiffrement asymétrique à plusieurs clés. Avec l'obtention d'un certificat de sécurité, vous serez en mesure :

- de signer numériquement un message (pour rassurer votre correspondant de l'intégrité du message transmis) ;
- de décrypter un message reçu.

Contrairement à un système de codage symétrique, le système de codage asymétrique ne fait pas appel à la même clé pour coder ou décoder un message. Il y a deux types de clés :

- Une clé privée confidentielle (et unique) qui permet de décrypter les messages que vos correspondants vous envoient.
- Une clé publique que vous aurez transmise à vos correspondants et qui leur permet de crypter les messages à votre intention.

Pour en savoir plus sur le cryptage RSA et la sécurité

Le dossier cryptographie du site Microsoft Sécurité est extrêmement bien fait ; consultez-le à l'adresse **www.microsoft.com/france/securite/grandpublic/ dossiers/cryptographie/default.asp**.

Pour en savoir plus sur le chiffrement RSA, reportez-vous à la page web **www .security-labs.org/index.php3?page=6**.

713. Obtenir gratuitement un certificat de sécurité permanent

Inscrivez-vous et demandez un certificat S/MIME gratuit Thawte Freemail sur le site de Thawte, **www.fr.thawte.com**. Voici différentes étapes de ce dédale.

1. Partez de l'adresse Internet **www.thawte.com** puis cliquez sur le lien *email certificate* de la rubrique *Products*.

2. En bas de la nouvelle page, dans le dernier paragraphe, cliquez sur le lien *Act Now*.

3. Une série de pages pop-up en anglais et en français va être présentée successivement pour procéder à l'enregistrement du certificat. Lisez les **Termes et conditions de la certification personnelle** puis cliquez su le lien *Next*.

4. Choisissez le codage *ISO 8859-1 (latin 1)* de la liste déroulante *Jeu de caractères pour les saisies* puis renseignez votre nom, prénom, date de naissance et nationalité. Cliquez ensuite sur *Next*.

5. Inscrivez un numéro d'identification dans la zone *French National Identification Number*. Ce peut être un numéro (assez long) quelconque, par exemple votre numéro de sécurité sociale. Sélectionnez le type de numéro saisi (*Social security number* pour le numéro de SS). Enfin, inscrivez votre adresse e-mail dans la zone de saisie texte en bas de page puis cliquez sur *Next*.

6. Laissez les préférences de langage par défaut (utilisez les réglages de mon navigateur) et cliquez sur *Next*.

7. Choisissez un mot de passe de certification personnelle (entre 6 et 20 caractères) puis cliquez sur *Next*.

8. Renseignez un numéro de téléphone où il est possible de vous joindre, et répondez à 5 questions du formulaire (vous pouvez inscrire des questions personnelles). Cliquez ensuite sur *Next*.

9. Vérifiez les paramètres du formulaire et cliquez sur Next.

10. La première phase est terminée, vous devriez recevoir un message à l'adresse e-mail que vous avez mentionnée. Fermez cette dernière fenêtre de l'explorateur.

1. Accédez à votre programme de messagerie (Outlook Express) et consultez le message de Thawte (adresse personal-cert-system@thawte.com). Vous trouverez à l'intérieur :

   – Un numéro Probe.

   – Un numéro Ping

   – Le lien vers l'étape d'enregistrement suivante (**https://www.thawte .com/cgi/enroll/personal/step8.exe**).

2. Cliquez sur le lien du mail et inscrivez vos numéros Probe et Ping. Cliquez ensuite sur *Next*.

3. Vous êtes désormais correctement enregistré chez Thawte. Votre nom d'utilisateur est l'adresse mail que vous avez renseignée précédemment. Cliquez sur *Next*.

4. Une boîte de dialogue de Windows s'affiche et vous demande votre nom et mot de passe d'utilisateur.

   – Votre nom est l'adresse email que vous avez inscrite.

   – Le mot de passe est celui désigné dans l'étape 7 du paragraphe précédent : il s'agit du mot de passe de certification personnelle.

5. Validez vos identifiants pour accéder à votre zone sécurisée Thawte.

Dans votre Zone personnelle sécurisée.

1. C'est à partir de la page *personal certificates* que vous accéder (entre autres) à le demande de certificat gratuit pour le courrier. Cliquez sur *Request* de la rubrique *X.509 Format Certificates*.

2. Laissez sélectionné *Microsoft Internet Explorer, Outlook and Outlook Express* dans la fenêtre **Certificates available for request** et cliquez sur *Request*.

3. Vous ne pouvez pas modifier le nom du certificat (pour l'instant) ni l'emploi. Cliquez sur *Next*.

4. Validez la case en regard de votre adresse e-mail et cliquez sur *Next*.

5. Lisez les informations de la nouvelle fenêtre et cliquez sur *Next*.

6. Cliquez sur *Accept* pour valider les options par défaut du certificat (ou choisissez *Configure* pour paramétrer plus précisément des options liées aux certificats).

7. Laissez le choix *Microsoft Enhanced Cryptographic provider 1.0* et cliquez sur le bouton **Suivant**.

8. Une boîte de dialogue de Windows vous invite à demander un certificat de sécurité. Cliquez sur le bouton **Oui**.

9. La boîte de dialogue **Création d'une nouvelle clé d'échange RSA** s'affiche.

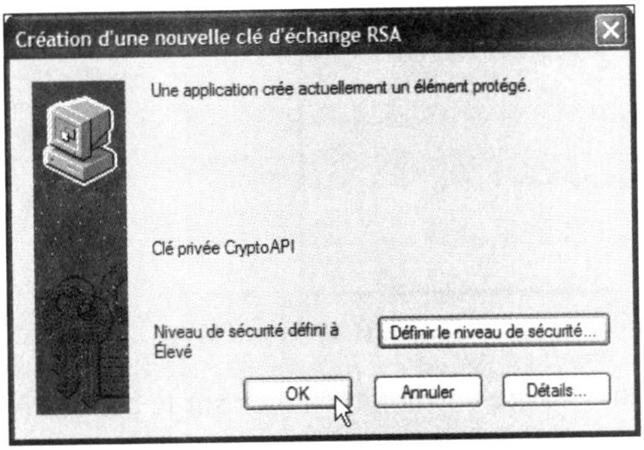

Figure 14.52 :
La demande de certificat prend fin

– Cliquez sur le bouton **Définir le niveau de sécurité** puis sélectionnez *Haut* et cliquez sur **Suivant**.

– Saisissez à deux reprises un mot de passe et cliquez sur le bouton **Terminer** pour revenir à la boîte de dialogue précédente.

Figure 14.53 :
Préférez un niveau de sécurité élevé

10. Vous avez choisi un niveau de sécurité élevé. Cliquez sur Ok.

11. La demande de création se termine : Cliquez sur *Finish*.

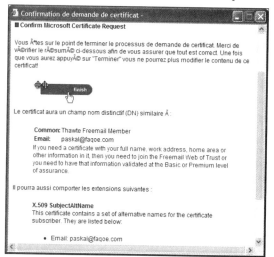

Figure 14.54 : *La création du certificat n'est pas tout à fait finie…*

12. Pour demander la création de votre certificat, cliquez sur le bouton *Next*.

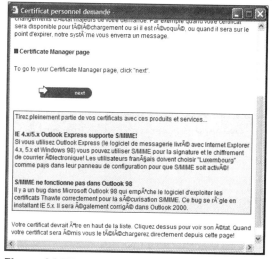

Figure 14.55 : *La demande a été transmise. Remarquez le conseil (obsolète sous XP/OE6SP1) de changer ses paramètres régionaux pour le Luxembourg !*

13. Vous êtes ramené vers la page de gestion de votre compte Thawte tandis qu'un mail vous est transmis pour vous informer que le certificat sera envoyé dès que possible. Lorsque le certificat est créé et disponible, vous recevez un second message (objet : Thawte Personal Cert Issued). Cliquez sur le lien à l'intérieur de ce nouveau message.

14. Vous êtes dirigé sur une page titrée Install Your MSIE Certificate. Cliquez sur le bouton **Install your cert**. Une fenêtre de Windows -Internet Explorer (Violation de script potentielle) s'affiche. Cliquez sur **Oui**. Une seconde boîte de dialogue s'affiche et propose d'ajouter les certificats. Cliquez également sur le bouton **Oui**.

15. Une ultime boîte de dialogue (VBScript : Certificate Installation Complete!) vous informe de l'installation du certificat sur votre ordinateur. Cliquez sur Ok. Vous êtes arrivé au bout de vos peines : le certificat est installé et vous pouvez vous en servir dans Outlook Express sur l'adresse de messagerie désignée.

714. Installer votre certificat

Votre certificat de sécurité installé, vous devez l'installer sur le compte pour lequel le certificat a été délivré.

1. Exécutez Outlook Express.

2. Choisissez le menu **Outils/Comptes**. Sous l'onglet **Courrier**, sélectionnez le compte Mail relatif au certificat à mettre en place et cliquez sur le bouton **Propriétés**.

3. Dans la nouvelle boîte de dialogue, sélectionnez l'onglet **Sécurité**.

4. Dans les rubriques *Certificat de signature* et *Préférences de cryptage*, cliquez sur le bouton **Sélectionner** pour désigner votre certificat de sécurité (voir fig. 14.56).

5. Vous avez accès aux propriétés du certificat en cliquant sur le bouton **Afficher le certificat**. Une nouvelle boîte de dialogue apparaît :

- L'onglet **Général** vous délivre des informations globales à propos du certificat (voir fig. 14.57).

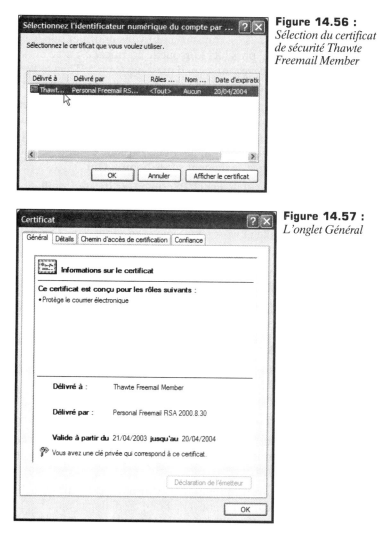

Figure 14.56 :
Sélection du certificat de sécurité Thawte Freemail Member

Figure 14.57 :
L'onglet Général

- L'onglet **Détails** contient les propriétés et paramètres du certificat. Deux boutons vous permettent de modifier certains détails ou d'exécuter l'assistant Exportation de certificat (voir fig. 14.58).

- L'onglet **Chemin d'accès de certification** est une chaîne de certificats associés.

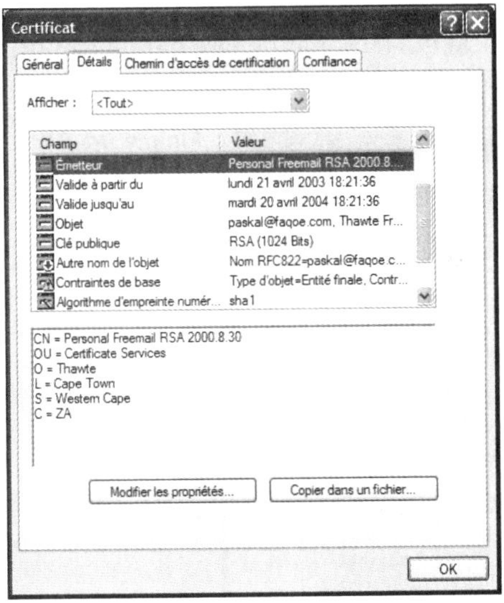

Figure 14.58 :
L'onglet Détails

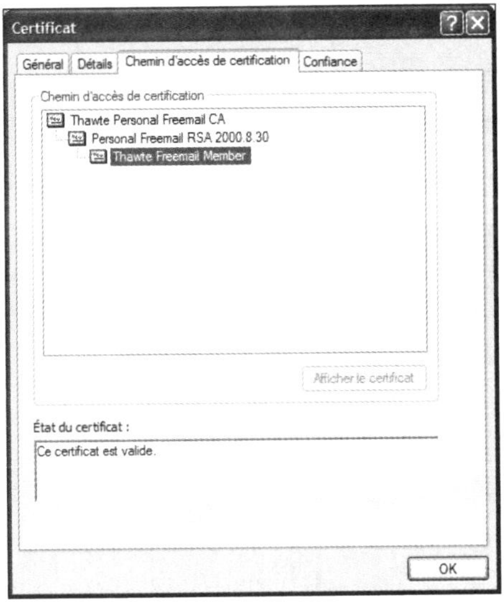

Figure 14.59 :
L'onglet Chemin d'accès de certification

■ L'onglet **Confiance** comprend trois options :

– *Hériter de la confiance de l'émetteur* est la validation de la chaîne de certification (par défaut).

– *Refuser explicitement d'accorder votre confiance à ce certificat* permet de refuser catégoriquement certains certificats.

- *Accorder votre confiance à ce certificat de manière explicite* force la confiance à un certificat qui n'est pas délivré par une autorité de confiance.

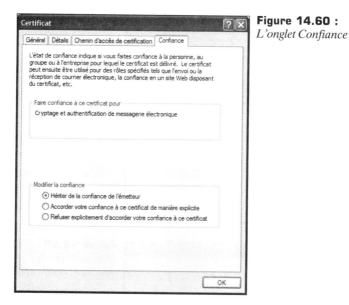

Figure 14.60 :
L'onglet Confiance

6. Validez la prise en compte des certificats en cliquant sur le bouton OK.

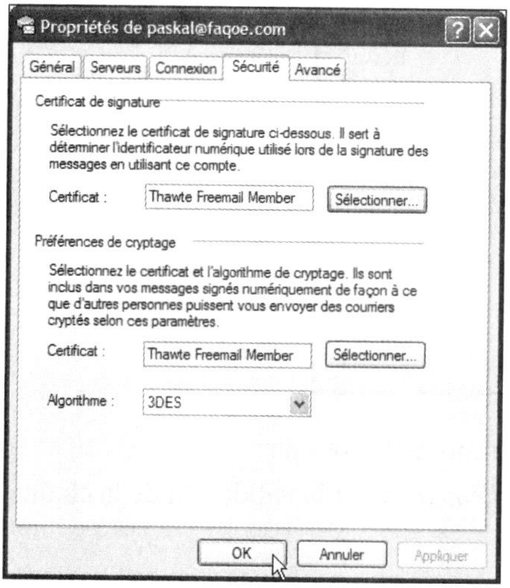

Figure 14.61 :
Les certificats sont désignés

715. Signer numériquement un message

En signant numériquement un message, vous informez votre correspondant que vous êtes le réel expéditeur de celui-ci, et vous prévenez tout risque de modification du message qui se produirait à votre insu.

1. Exécutez Outlook Express et affichez une fenêtre de rédaction d'e-mail ou de post (menu **Fichier/Nouveau/Message de courrier** ou **Message de news**).

2. Dans le menu **Outils**, cliquez sur **Signer numériquement**.

3. Transmettez normalement le message en cliquant sur le bouton **Envoyer** (ou appuyez sur la combinaison de touches Alt+S).

4. Selon les paramètres que vous avez définis lors de la création du certificat (mot de passe Clé d'échange RSA), il peut vous être demandé un mot de passe.

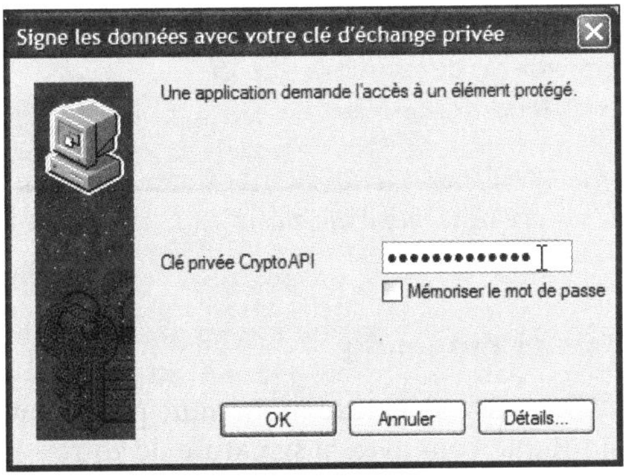

Figure 14.62 :
Saisie du mot de passe
Clé d'échange RSA

Signer numériquement un message a aussi une fonction très importante : il va transmettre à votre correspondant votre clé publique. C'est à l'aide de cette clé que votre correspondant pourra vous écrire en crypté.

*Pour en savoir davantage, reportez-vous à l'astuce **Diffuser ses clés publiques** de cette section.*

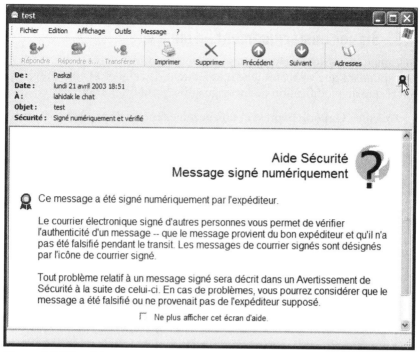

Figure 14.63 : *Réception d'un message signé numériquement*

716. Crypter et envoyer un message

Il n'est pas nécessaire de posséder votre signature numérique pour pouvoir envoyer un e-mail crypté. Il suffit que vous ayez la signature de votre correspondant. (sa clé publique).

> *Pour en savoir plus sur l'échange de clés publiques, reportez-vous à l'astuce Diffuser ses clés publiques de ce chapitre.*

Dès lors, en choisissant comme destinataire le contact qui possède la signature numérique (clé publique), vous pourrez lui envoyer un message crypté ; mais, étant donné qu'il faut la clé privée pour pouvoir le décrypter et le lire, vous ne pourrez par exemple plus le relire depuis les éléments envoyés.

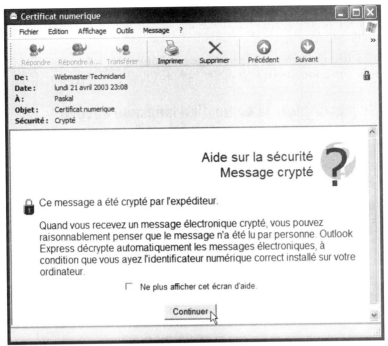

Figure 14.64 : *Réception d'un message crypté. Remarquez l'icône du cadenas à droite du nom de l'expéditeur*

1. Exécutez Outlook Express et affichez une fenêtre de rédaction de courrier (menu **Fichier/Nouveau/Message de courrier**).

2. Dans le menu **Outils**, choisissez la commande **Sélectionner les destinataires** (ou cliquez sur les boutons **A**, **Cc** ou **Cci**).

3. Choisissez un contact pourvu d'une signature numérique dans la liste des contacts, ajoutez-le comme destinataire du message, et cliquez sur le bouton OK.

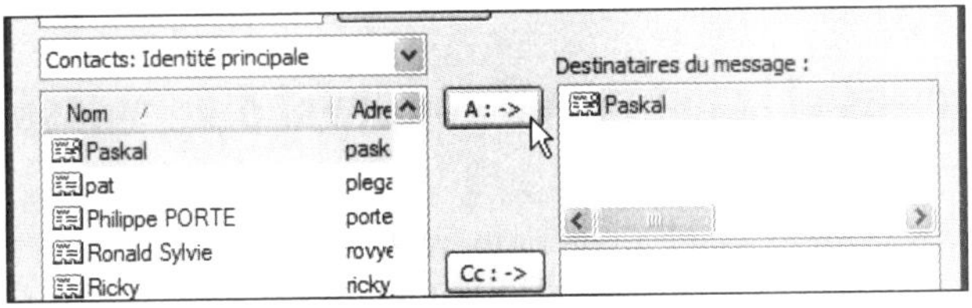

Figure 14.65 : *Sélection d'un destinataire pourvu d'une clé publique*

4. Sélectionnez dans le menu **Outils** la commande **Crypter**. Une icône représentant un cadenas bleu apparaît à droite des champs d'en-tête du message.

5. Transmettez normalement le message en cliquant sur le bouton **Envoyer** (ou appuyez sur la combinaison de touches [Alt]+[S]).

717. Ne pas crypter la copie d'un message envoyé

Lors de l'envoi du courrier, il se peut qu'une boîte de dialogue vous informe que le message sera correctement crypté et transmis, mais que vous ne pourrez plus le lire depuis vos éléments envoyés. Pour éviter cela, vous pouvez choisir de ne pas crypter la copie du message.

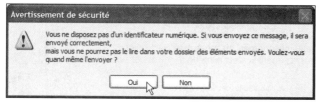

Figure 14.66 : *Le codage sera correctement appliqué, mais la relecture du message deviendra impossible*

1. Dans Outlook Express, parcourez les commandes du menu **Outils/Option/Sécurité** et cliquez sur le bouton **Avancé**.

2. Laissez libre la case à cocher *Toujours crypter ma copie lors de l'envoi de courrier crypté*.

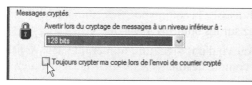

Figure 14.67 :
Laissez libre cette case à cocher afin de ne pas crypter la copie des messages restant dans les éléments envoyés

718. Diffuser ses clés publiques par envoi d'un message signé

Lorsque vous envoyez un message signé numériquement, votre correspondant peut récupérer votre clé publique. Lors de la réception du message, voici ce que le destinataire doit effectuer afin d'enregistrer votre signature numérique :

1.  Cliquez sur l'icône de signature numérique du message.

2. Sous l'onglet **Sécurité**, cliquez sur le bouton **Afficher les certificats** puis sur **Ajouter au carnet d'adresses**.

3. Validez la boîte de dialogue vous informant du bon déroulement de l'opération.

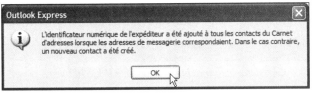

Figure 14.68 : *La signature numérique a été ajoutée dans un contact du carnet d'adresses*

4.  Vous remarquerez que l'icône du contact porte une marque distinctive indiquant que vous pouvez crypter les messages pour ce destinataire.

719. Diffuser ses clés publiques par export/import de son identificateur numérique

Export de la clé publique

1. Dans Outlook Express, choisissez les commandes du menu **Outils/Options/Sécurité** et cliquez sur le bouton **Identificateurs numériques**.

2. Dans la boîte de dialogue **Certificats**, sous l'onglet **Personnel**, sélectionnez le certificat que vous voulez diffuser et cliquez sur le bouton **Exporter** pour exécuter l'assistant Exportation de certificat.

3. Cliquez sur le bouton **Suivant** pour passer la page d'accueil de l'assistant Exportation de certificat.

4. Choisissez l'option *Non, ne pas exporter la clé privée* et cliquez sur le bouton **Suivant**.

Voulez-vous exporter la clé privée avec le certificat ?

○ Oui, exporter la clé privée

◉ Non, ne pas exporter la clé privée

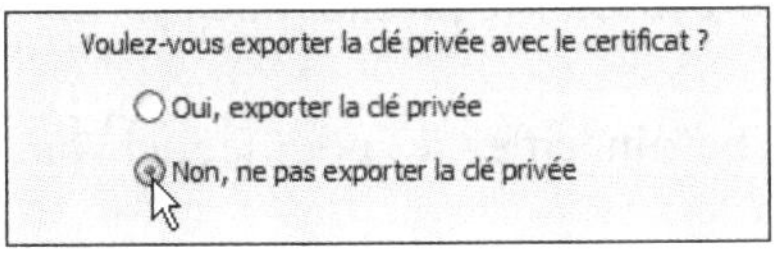

Figure 14.69 :
N'exportez pas la clé privée

5. Comme format de fichier d'exportation, choisissez le format binaire codé DER X.590 (cer) et continuez l'assistant en cliquant sur le bouton **Suivant**.

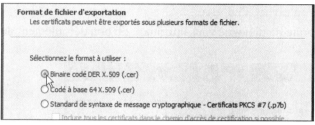

Format de fichier d'exportation
Les certificats peuvent être exportés sous plusieurs formats de fichier.

Sélectionnez le format à utiliser :
- ◉ Binaire codé DER X.509 (.cer)
- ○ Codé à base 64 X.509 (.cer)
- ○ Standard de syntaxe de message cryptographique - Certificats PKCS #7 (.p7b)
- ☐ Inclure tous les certificats dans le chemin d'accès de certification si possible

Figure 14.70 : *Choisissez le format binaire codé DER X.590 (cer)*

6. Spécifiez le nom du fichier à exporter ainsi que son emplacement. Il s'agit d'un fichier *.cer* qui n'a aucun caractère de confidentialité, car il est destiné à être distribué. Votre choix accompli, cliquez sur le bouton **Suivant**.

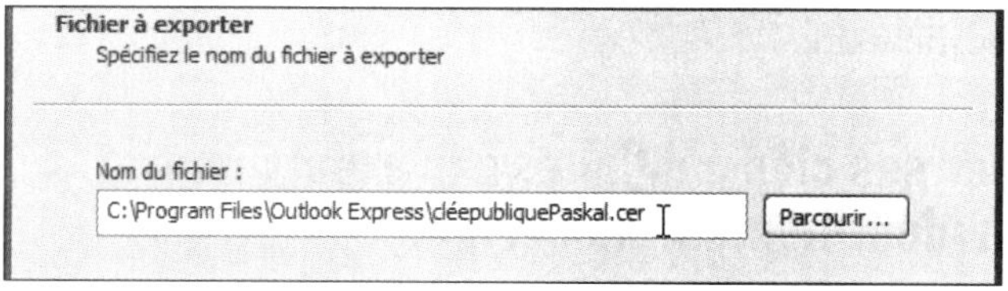

Fichier à exporter
Spécifiez le nom du fichier à exporter

Nom du fichier :
C:\Program Files\Outlook Express\cléepubliquePaskal.cer   [Parcourir...]

Figure 14.71 : *Choix du nom de fichier et de son emplacement*

7.  Validez la création du fichier en cliquant sur le bouton **Terminer**. Une boîte de dialogue vous informe que l'exportation s'est effectuée correctement. Vous trouverez dans le répertoire choisi le fichier *.cer* contenant la clé publique.

Import de la clé publique

Transmettez et diffusez votre clé *.cer* comme n'importe quel fichier de Windows, y compris par téléchargement depuis un site web ou intranet. Le destinataire importera le certificat de cette façon :

1. Dans la boîte de dialogue **Exécuter** (par **Démarrer/Exécuter** ou (Windows)+(R)), saisissez WAB pour exécuter le programme *Carnet d'adresses* de Windows.

2. Double-cliquez sur le contact (au besoin, créez-le) pour lequel vous voulez enregistrer la clé publique.

3. Sous l'onglet **Identificateurs numériques**, cliquez sur le bouton **Importer**. Désignez la clé contenue dans le fichier *.cer* et cliquez sur le bouton **Ouvrir**.

4. L'identificateur s'associe automatiquement à ce contact. Si, toutefois, le nom du contact n'est pas celui de l'identificateur, une boîte de dialogue vous propose différents choix. Agissez de manière appropriée.

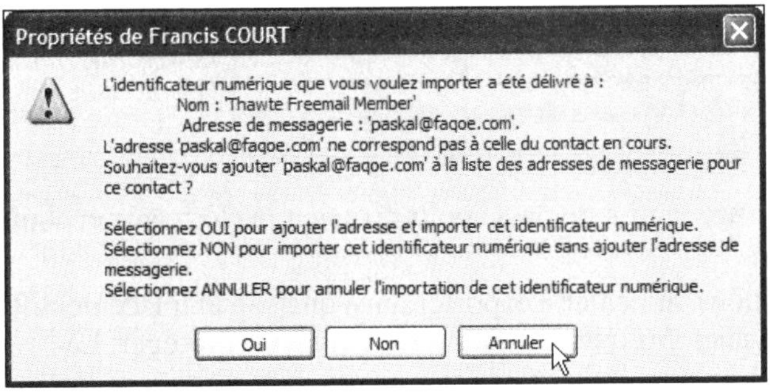

Figure 14.72 : *Lorsque l'adresse e-mail de l'identificateur n'est pas la même que celle du contact où il est prévu de l'installer*

720. Sauvegarder sa clé privée

La clé privée est vraiment ce qu'il convient de ne surtout pas perdre. Sachez également qu'elle est unique et qu'après vous l'avoir transmise l'organisme qui vous l'a délivrée ne la conserve pas. Inutile donc d'écrire à celui-ci si vous l'avez perdue.

Pour ces raisons, il peut être judicieux et prudent de la sauvegarder (quelques kilo-octets seulement), si, toutefois, vous pouvez la placer dans un endroit sûr (sur une disquette et dans un coffre ?).

1. Dans Outlook Express, choisissez les commandes du menu **Outils/Options/Sécurité** et cliquez sur le bouton **Identificateurs numériques**.

2. Dans la boîte de dialogue **Certificats**, sous l'onglet **Personnel**, sélectionnez le certificat que vous voulez sauvegarder et cliquez sur le bouton **Exporter** pour exécuter l'assistant Exportation de certificat.

3. Cliquez sur le bouton **Suivant** pour passer la page d'accueil de l'assistant Exportation de certificat.

4. Choisissez l'option *Oui, exporter la clé privée* et cliquez sur le bouton **Suivant**.

5. Comme format de fichier d'exportation, choisissez le format Échange d'informations personnelles - PKCS #12 (*.pfx*) et validez la case à cocher *Activer la protection renforcée* (cela nécessite IE5.0, NT 4.0 SP4 ou supérieur). Continuez l'assistant en cliquant sur le bouton **Suivant**.

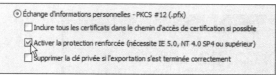

Figure 14.73 :
Même pour une simple sauvegarde, choisissez la protection renforcée

6. Entrez un nouveau mot de passe pour protéger la clé privée et cliquez sur **Suivant**.

7. Spécifiez le nom du fichier à exporter ainsi que son emplacement. Il s'agit d'un fichier *.pfx* que vous devrez absolument protéger. La meilleure solution peut être de le sauvegarder sur un support amovible. Votre choix accompli, cliquez sur le bouton **Suivant**.

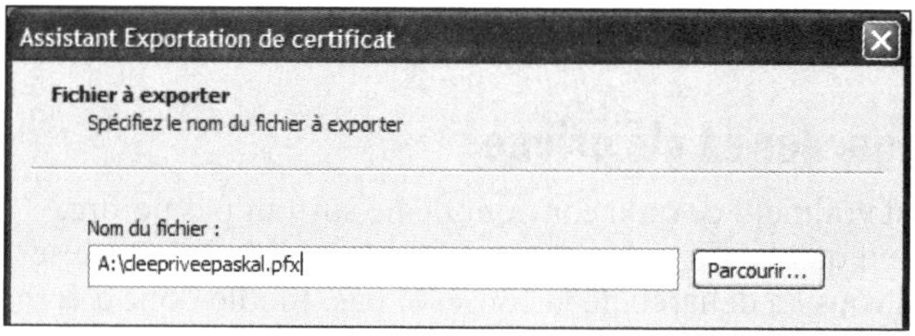

Figure 14.74 : *Ne laissez surtout pas traîner votre clé privée !*

8. Validez la création du fichier en cliquant sur le bouton **Terminer**. Selon les paramètres que vous avez définis lors de la création du certificat (mot de passe Clé d'échange RSA), il peut vous être demandé un mot de passe.

9. Une boîte de dialogue vous informe que l'exportation s'est correctement effectuée.

10.  Vous trouverez dans le répertoire choisi le fichier *.pfx* contenant la clé privée.

721. Vérifier son niveau de codage

Pour connaître votre niveau de cryptage, exécutez Internet Explorer, cliquez sur le menu **?/À propos de Internet Explorer**.

Figure 14.75 :
*Le niveau de cryptage
Outlook Express est
celui d'Internet Explorer*

Pour en savoir plus sur la sécurité Internet Explorer/Outlook Express, reportez-vous à l'astuce **Comment récupérer un cryptage à 128 bits** *du chapitre* **Internet Explorer**.

14.6 Connexion/déconnexion

722. Couper automatiquement la connexion à Internet

Dans Outlook Express, il est très aisé de se déconnecter après l'envoi ou la réception des messages électroniques.

1. Lancez Outlook Express.

2. Cliquez sur les commandes du menu **Outils/Options**. Cliquez sur l'onglet **Connexion**.

3. Validez la case à cocher *Raccrocher après l'envoi et la réception*.

Un problème récurrent d'impossibilité de sauvegarder les mots de passe dans Outlook Express se rencontre chez les utilisateurs de Wanadoo qui ont installé le kit de connexion. D'une manière générale, évitez au maximum d'installer ce type de programme et choisissez si possible de configurer votre connexion via les outils d'accès réseau à distance de Windows.

723. Éviter la déconnexion intempestive lors de chaque interrogation de compte de messagerie

Il peut arriver qu'Outlook Express coupe la connexion à chaque interrogation de compte de messagerie. Cela est dû à un mauvais réglage qu'il convient de rectifier de cette manière :

1. Exécutez Outlook Express. Choisissez les commandes de menu **Outil/Options/Connexion**. Cliquez sur le bouton **Modifier**. Sous l'onglet **Connexions**, cliquez sur votre connexion par défaut.

2. Assurez-vous de ne surtout pas avoir coché l'option *Toujours établir la connexion par défaut*.

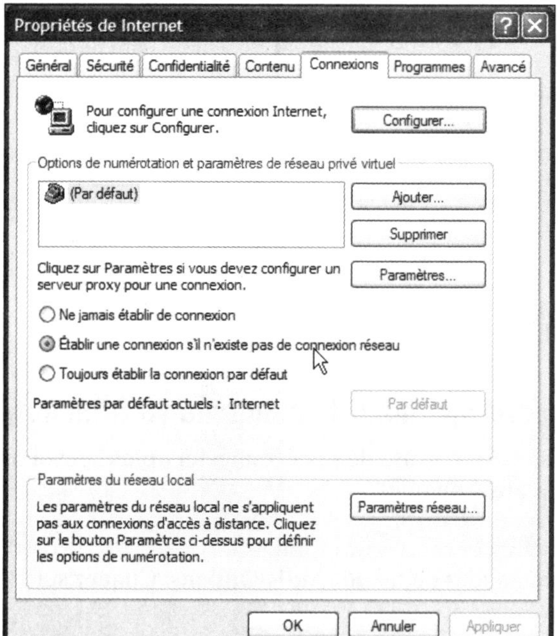

Figure 14.76 : *Ne validez pas Toujours établir la connexion par défaut*

724. Rendre valide la case à cocher Enregistrer le mot de passe

Il se peut que la case à cocher *Enregistrer le mot de passe* de connexion Internet ne puisse pas être validée car grisée. Cela se produit généralement si vous cliquez sur **Annuler** ou appuyez sur la touche (Esc) au démarrage de Windows 95, 98 ou Me lors du Login. Il est nécessaire de se connecter pour pouvoir accéder à cette case à cocher.

14.7 Erreurs et problèmes

725. Outlook Express devient lent

En tout premier lieu, il convient de compacter les dossiers d'Outlook Express. Cela va consister à réduire la taille des fichiers banque de message.

Cliquez sur le menu **Fichier** puis sélectionnez successivement **Dossier/Compacter tous les dossiers**. Ensuite, ce problème a plusieurs causes possibles et autant de solutions. Le détail de la manipulation pour restaurer un fichier système n'est pas décrit car cela relève de la pratique de Windows et est sans doute hors sujet pour un livre sur Internet.

Problème dû au programme de chat Messenger

- Cause : l'ouverture est ralentie par la recherche de réseau de Messenger.
- Solution : dissociez l'exécution de Messenger lors de l'ouverture d'Outlook Express.

*Reportez-vous à l'astuce **Enlever Messenger à chaque démarrage d'Outlook Express** du chapitre **Modifier la base de registre pour Outlook Express**.*

Problème avec le fichier Imagehlp.dll

- Cause : le fichier *Imagehlp.dll* est manquant ou endommagé.

- Solution : écrasez ou ajoutez le fichier *Imagehlp.dll* (dans le répertoire *C:\Windows\System*) avec un fichier sain (que vous trouverez par exemple sur le CD d'installation de Windows).

Problème dû au fichier Pstores

- Cause : le fichier *Pstores.exe* et les fichiers d'extension *.dll* associés sont altérés ou leurs versions sont incorrectes.

- Solution : effacez le fichier *Pstore.log* puis réinstallez Internet Explorer/Outlook Express.

Problème dû à une clé du registre

- Cause : les paramètres de clé du registre ProtectedStorage sont incorrects.

- Solution : supprimez et recréez la clé du registre ProtectedStorage.

  - Pour la supprimer (ou la renommer), elle se trouve à l'endroit suivant du registre : *HKEY_LOCAL_MACHINE\SYSTEM\ CurrentControlSet\Services\ProtectedStorage*.

  - Pour la recréer, dans la boîte de dialogue **Exécuter** (par **Démarrer/Exécuter** ou Windows + R), saisissez cmd.exe. En mode DOS, tapez la commande c:\windows\system\pstores.exe -install (cette commande recrée la clé du registre ProtectedStorage correcte). Il faut redémarrer le PC après cette réinstallation.

Problème causé par un conflit de versions de l'antivirus McAfee

- Cause : désinstallation d'une version antérieure de McAfee avec installation d'une nouvelle.

- Solution : consultez la rubrique (en anglais) "Product Knowledge Center" du site Web de McAfee, www.mcafee.com.

Problème causé par la saisie semi-automatique d'Internet Explorer

- Cause : l'historique de la saisie semi-automatique est endommagé.

- Solution : sous Internet Explorer, choisissez les options du menu **Outils/Options Internet/Contenu/Saisie semi-automatique** et cliquez sur les boutons **Effacer les formulaires** et **Effacer les mots de passe**.

Problème lié à la taille des fichiers journaux

■ Cause : les fichiers journaux d'Outlook Express sont trop volumineux.

■ Solution :

   – Dans Outlook Express, choisissez le menu **Outils/Options/Maintenance**. Décochez toutes les cases à cocher de la rubrique *Dépannage*.

   – Faites une recherche de fichiers (par la commande **Démarrer/Rechercher/Des fichiers ou des dossiers**) sur votre disque dur ou sur votre réseau pour supprimer les fichiers *Smtp.log*, *Pop3.log* et *Cleanup.log*.

INTERNET

Consulter la documentation officielle de Microsoft

N'hésitez pas à consulter les articles suivants de la base de connaissance de Microsoft qui décrivent des problèmes de lenteur sous Outlook Express.

■ Q311030 OLEXP : *Outlook Express Is Slow to Open Mail Messages and Links to Web Pages* à l'adresse http://support.microsoft.com/default .aspx?scid=kb;fr;311030.

■ F251787 - *Réponse différée lors de l'édition de formulaires sous Internet Explorer et ralentissement du démarrage de Microsoft Outlook Express* à l'adresse http://support.microsoft.com/default.aspx?scid=kb;fr;251787.

■ F271510 - OLEXP : *Outlook Express s'exécute avec une lenteur excessive* à l'adresse http://support.microsoft.com/default.aspx?scid=kb;fr;271510.

■ F235300 - OLEXP : *Microsoft Outlook Express 5 démarre très lentement* à l'adresse http://support.microsoft.com/default.aspx?scid=kb;fr;235300.

---

726. Lecture impossible des pièces jointes d'Outlook Office

Alors que vous n'avez aucun autre problème pour la réception et la lecture des pièces jointes, celles envoyées par Outlook Office vous paraissent cryptées et illisibles. Votre correspondant doit vous écrire les messages en format texte brut et, éventuellement, en HTML, mais jamais en *.rtf*, qui n'est pas lisible par Outlook Express.

Consulter la documentation officielle de Microsoft

N'hésitez pas à consulter les articles suivants de la base de connaissance de Microsoft :

- F197066 - OL2000 : *Pièces jointes non visibles par les destinataires lorsque le format TNEF est utilisé* à l'adresse http://support.microsoft.com/default .aspx?scid=kb;fr;197066.

- F290809 - OL2002 : *Incidence des formats de messages sur la messagerie Internet* à l'adresse http://support.microsoft.com/default.aspx?scid=kb;fr;290809.

727. Corriger l'erreur CNXMON.EXE

Cette erreur très fréquente concerne principalement les abonnés Wanadoo qui se servent du kit de connexion. Celui-ci génère une erreur avec certaines versions d'Outlook Express.

D'une manière générale, il est de toute façon largement conseillé de ne pas se connecter via les lanceurs des différents fournisseurs d'accès à Internet.

728. Les lettres accentuées se transforment en signes du genre E=20

Car le message a été codé et envoyé selon une technique appelée Quoted Printable, ou QP ou encore Imprimable Guillemetté. Cela est donc dû à un mauvais format d'envoi du message depuis l'expéditeur du mail.

Ce codage permet de transformer des caractères codés sur 8 bits (les caractères accentués, certains signes et lettres particuliers) en 3 caractères sur 7 bits. Le premier caractère est le signe =, les deux chiffres suivants sont les deux chiffres en hexadécimal du code ASCII du caractère.

*Conseillez-lui, s'il se sert d'**Outlook Express**, d'adopter les réglages mentionnés dans l'astuce **Bien paramétrer le format d'envoi des messages** présente dans ce chapitre.*

Les lettres accentuées sont remplacées par la lettre X

Certains serveurs de messagerie du fournisseur d'accès et hébergeur Wanadoo remplacent, dans les titres de messages, les lettres accentuées par la lettre X majuscule. Vous ne pouvez rien faire d'autre que subir ce désagrément, aucun paramètre n'est à modifier dans Outlook Express.

729. Débloquer la boîte d'envoi

Vous avez rédigé un message et avez tenté de l'envoyer mais celui-ci refuse de partir. En outre, vous ne pouvez pas l'effacer de la boîte d'envoi. La solution est de supprimer le fichier contenant ce message.

1. Exécutez Outlook Express.

2. Cliquez du bouton droit de la souris sur le dossier *Boîte d'envoi* dans la fenêtre des dossiers d'Outlook Express et sélectionnez la commande du menu contextuel **Propriétés**.

3. Dans la boîte **Propriétés de la boîte d'envoi**, notez l'emplacement du fichier banque de message *.dbx* contenu dans le chemin sous la phrase : *Ce dossier est stocké dans le dossier suivant*.

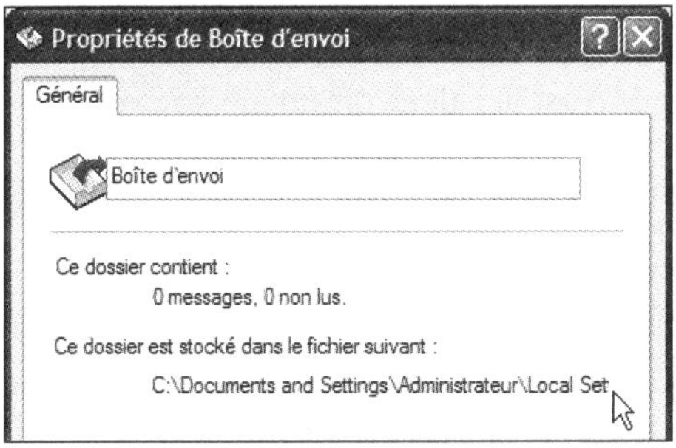

Figure 14.77 : *Découverte de l'emplacement du fichier correspondant au dossier OE boîte d'envoi.dbx*

4. Fermez la boîte de dialogue en cliquant sur le bouton OK.

5. Quittez le logiciel Outlook Express.

6. Dans la boîte de dialogue **Exécuter** (par **Démarrer/Exécuter** ou (Windows)+(R)), saisissez explorer pour exécuter l'explorateur de Windows.

7.  Parcourez l'arborescence du disque ou du réseau pour atteindre le fichier dont vous venez de noter l'emplacement.

8. Sélectionnez le fichier *Boîte d'envoi.dbx* et supprimez-le en appuyant sur la touche (Del). Confirmez sa suppression en cliquant sur le bouton **Oui**.

9. Exécutez Outlook Express. Une nouvelle boîte d'envoi avec son fichier *Boîte d'envoi.dbx* correspondant est automatiquement créé.

730. Effacer un message sur le serveur

Un de vos correspondants vous a envoyé un message trop volumineux que vous ne parvenez pas à charger. Votre compte est un compte POP3, et, sans charger ce fichier, vous n'avez accès à aucun autre message. Il vous faut supprimer ce message directement sur votre serveur de messagerie.

Plusieurs solutions sont envisageables. Les plus simples sont de supprimer le message depuis l'interface Web de consultation de votre courrier. Il y a de fortes chances en effet pour que vous puissiez consulter votre courrier depuis le site Internet correspondant à votre serveur de messagerie. Dans ces cas, regardez la taille des messages reçus et supprimez les messages les plus volumineux.

Uns seconde solution est de mettre en place une règle de message dans Outlook Express qui supprime du serveur les messages supérieurs à une certaine taille. Dans le doute, 1 Mo est la valeur maximale que vous devriez pouvoir charger.

1. Exécutez Outlook Express.

2. Cliquez sur le menu **Outils** et choisissez les commandes **Règles de message/Courrier**. Cliquez sur le bouton **Nouveau**.

3. Dans la rubrique 1, *Sélectionnez les conditions pour votre règle*, cochez la case *Lorsque la taille du message est supérieure à taille*.

4. Dans la rubrique 2, *Sélectionnez les actions pour votre règle*, cochez la case *Le supprimer*.

5. Dans la rubrique 3, *Description de la règle*, cliquez sur le lien *taille* pour accéder à la boîte de dialogue **Taille des messages**. Entrez le chiffre 1024 pour filtrer les messages de 1 Mo (1 Mo = 1 024 Ko). Selon le cas, vous pouvez choisir d'augmenter ou de diminuer cette valeur. Appuyez sur le bouton OK pour valider la valeur choisie.

6. Dans la rubrique *Nom de la règle*, donnez un nom évocateur pour cette règle de news. Par exemple, inscrivez : Tri des messages trop volumineux.

7. Cliquez sur le bouton OK pour valider la création de cette règle de courrier.

8. Dans la boîte **Règles de message**, vérifiez que la règle est bien celle que vous venez de créer. À l'aide du bouton **Monter**, placez cette règle de news en haut de la liste des éventuelles autres règles déjà présentes.

14.8 Pièces jointes

731. Retrouver l'accès aux pièces jointes

Vous ne pouvez pas ouvrir certaines pièces jointes, et le message suivant apparaît : "Outlook Express a supprimé l'accès aux pièces jointes suivantes de votre messagerie électronique, jugées non fiables", suivi du nom de la pièce jointe bloquée.

Cette question est très souvent évoquée dans les forums ; le problème est dû à un paramètre de sécurité validé par défaut dans Outlook Express. Si vous tenez à ouvrir toutes les pièces jointes de vos messages, en dépit des risques que vous encourez, suivez ces indications :

1. Exécutez Outlook Express.

2. Cliquez sur le menu **Outils** puis choisissez **Options**, onglet **Sécurité**.

3. Décochez la case *Ne pas autoriser l'ouverture ou l'enregistrement des pièces jointes susceptibles de contenir un virus.*

Figure 14.78 : *En décochant cette case, vous aurez accès à toutes les pièces jointes ; faites attention d'avoir le cerveau plus rapide que le double-clic*

732. Liste des extensions de pièces jointes bloquées

Outlook Express bloque les pièces jointes dont l'extension figure dans le tableau suivant.

Tableau 14-7 : Ajout des extensions de fichiers déclarées comme non sûres par Outlook Express	
Extension	**Type de fichier**
.ad	Extension de projet Microsoft Access.
.adp	Projet Access.
.crt	Certificat de sécurité.
.ins	WINS (Internet Naming Service).
.mdb	Programme Access.
.mde	Base de données Access MDE.
.msc	Document de console commune Microsoft.
.msp	Patch Microsoft Windows Installer.
.sct	Composant script Windows.
.shb	Objet bribes de l'environnement.
.vb	Fichier VBScript.
.wsc	Composant script Windows.
.wsf	Fichier script Windows.
.cpl	Extension du Panneau de configuration.
.shs	Objet bribes Shell.
.vsd	Type de fichier Microsoft Visio.
.vst	Type de fichier Visio.
.vss	Type de fichier Visio.
.vsw	Type de fichier Visio.

En complément de ces extensions spécifiques à Outlook Express, les extensions déclarées sensibles dans Internet Explorer sont également bloquées. Voici la liste.

Tableau 14-8 : Extensions des fichiers sensibles d'Internet Explorer	
Extension	Type de fichier
.asp	Active Server Document.
.bas	Visual Basic Module ; Basic.
.bat	Fichier de commandes DOS.
.chm	Fichier HTML compilé.
.cmd	Fichier de commandes DOS/Windows.
.com	Fichier de commande (VMS) / Application Dos.
.exe	Fichier exécutable.
.hlp	Fichier d'aide.
.hta	Fichier HTACCESS (Hyper Text Application).
.inf	Informations de configuration.
.isp	Paramètres de communication Internet.
.js	JScript Script File (JavaScript).
.jse	JScript Encoded Script File.
.lnk	Raccourci.
.msi	Package Windows Installer.
.mst	Setup script (MS Windows SDK).
.pcd	P-Code compilé.
.pif	Program Information File.
.reg	Inscription dans le registre.
.scr	Exécutable : économiseur d'écran.
.url	Raccourci Internet.
.vbe	VBScript Encoded Script File.
.vbs	VBScript Script File.
.ws	

Tableau 14-8 : Extensions des fichiers sensibles d'Internet Explorer	
Extension	**Type de fichier**
.wsh	Windows Script Host Settings File.

Consulter la documentation officielle de Microsoft

N'hésitez pas à consulter l'article suivant de la base de connaissance de Microsoft : *Informations sur la liste des fichiers non sûrs dans Internet Explorer 6*, à l'adresse http://support.microsoft.com/default.aspx?scid=kb;fr;291369.

733. Ajouter une extension comme étant sensible

Comment définir une extension de fichier comme étant sensible et en empêcher l'ouverture accidentelle sous Outlook Express ? En premier lieu, vous devez vous assurer de bien avoir bloqué l'ouverture ou l'enregistrement des pièces jointes susceptibles de contenir un virus.

1. Cliquez sur le menu **Outils** puis choisissez **Options**, onglet **Sécurité**.

2. Validez la case à cocher *Ne pas autoriser l'ouverture ou l'enregistrement des pièces jointes susceptibles de contenir un virus*.

En second lieu, empêchez l'ouverture d'un nouveau type de fichier, de la façon suivante :

1. Dans la boîte de dialogue **Exécuter** (par **Démarrer/Exécuter** ou [Windows]+[R]), saisissez explorer pour exécuter l'explorateur de Windows.

2. Cliquez sur le menu **Outils** puis sur **Options des dossiers**. Choisissez l'onglet **Types de fichiers**.

3. Parcourez la liste et sélectionnez le type de fichier que vous voulez bloquer.

4. Cliquez sur le bouton **Avancé** et validez la case à cocher *Confirmer l'ouverture après le téléchargement*. Cliquez sur le bouton OK.

5. Cliquez sur le bouton **Fermer**.

Figure 14.79 :
Ajout d'une extension comme étant celle d'un fichier sensible

Consulter la documentation officielle de Microsoft

N'hésitez pas à consulter l'article suivant de la base de connaissance de Microsoft : OLEXP : *Utilisation des fonctionnalités antivirus dans Outlook Express 6*, à l'adresse http://support.microsoft.com/default.aspx?scid=kb;FR;291387.

734. Enregistrer les pièces jointes d'un message reçu

Très intuitive à réaliser lorsqu'il s'agit d'une image ou d'un fichier, l'opération se complique lorsque vous voulez, par exemple, enregistrer l'arrière-fond sonore d'un message ou tout autre objet inclus dans le corps du message.

1. Exécutez Outlook Express et réduisez-le de manière à laisser apparaître une partie du bureau de Windows en arrière-plan.

2. Cliquez sur le menu **Outils** puis choisissez **Options** et l'onglet **Envoi**.

3. Dans la rubrique *Envoi*, laissez libre la case à cocher *Répondre aux messages en utilisant leur format d'origine*. Sous la rubrique *Format d'envoi du courrier*, validez l'option *Texte brut*. Fermez la fenêtre en cliquant sur le bouton OK.

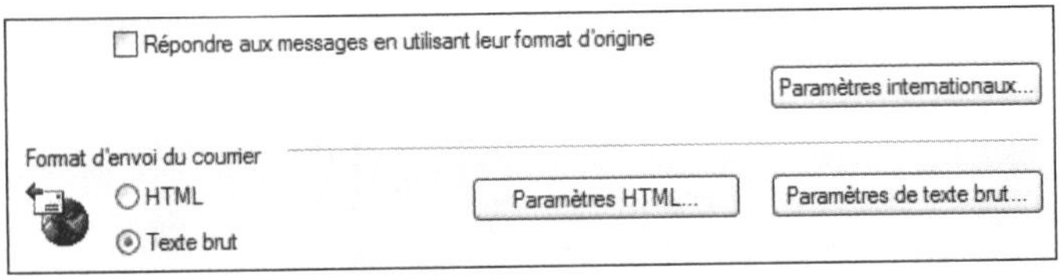

☐ Répondre aux messages en utilisant leur format d'origine

Paramètres internationaux...

Format d'envoi du courrier

○ HTML

Paramètres HTML...   Paramètres de texte brut...

◉ Texte brut

Figure 14.80 : *Configuration pour transmettre en texte brut*

4. Sélectionnez le message dont vous voulez sauvegarder les pièces jointes.

5. Cliquez sur le bouton **Transférer** (ou utilisez les touches Ctrl+F).

6. Une nouvelle fenêtre de ce message apparaît, les pièces jointes sont listées dans le champ *Joindre*.

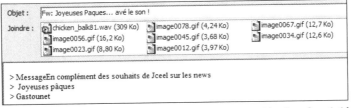

Objet :   Fw: Joyeuses Paques... avé le son !

Joindre :   chicken_balk81.wav (309 Ko)   image0078.gif (4,24 Ko)   image0067.gif (12,7 Ko)
           image0056.gif (16,2 Ko)   image0045.gif (3,68 Ko)   image0034.gif (12,6 Ko)
           image0023.gif (8,80 Ko)   image0012.gif (3,97 Ko)

> MessageEn complément des souhaits de Jceel sur les news
> Joyeuses pâques
> Gastounet

Figure 14.81 : *Les pièces jointes qui étaient encapsulées dans le précédent message apparaissent lors du transfert en texte brut*

7. Cliquez et faites glisser la ou les pièces jointes désirées sur le bureau de Windows.

735. Supprimer les pièces jointes d'un message reçu

Pour archive ou simplement pour ne pas encombrer inutilement son espace de stockage, un utilisateur peut vouloir garder la partie texte d'un message sans les fichiers joints qui l'accompagnent. La manipulation pour y arriver n'est pas très simple, mais des solutions existent. Parmi celles-ci, la plus rapide est celle par transfert à soi-même.

1. Exécutez Outlook Express et réduisez-le de manière à laisser apparaître une partie du bureau de Windows en arrière-plan.

2. Cliquez sur le menu **Outils** puis choisissez **Options** et l'onglet **Envoi**.

3. Dans la rubrique *Envoi*, laissez libre la case à cocher *Répondre aux messages en utilisant leur format d'origine*. Sous la rubrique *Format d'envoi du courrier*, validez l'option *Texte brut*. Fermez la fenêtre en cliquant sur le bouton OK.

4. Sélectionnez le message dont vous voulez supprimer les pièces jointes.

5. Cliquez sur le bouton **Transférer** (ou utilisez les touches Ctrl+F).

6. Cliquez sur l'une des pièces jointes dans la zone *Joindre*, puis appuyez sur les touches Ctrl+A afin de toutes les sélectionner.

7. Appuyez ensuite sur la touche Suppr.

8. Deux alternatives :

– Dans le champ *A:*, inscrivez votre adresse de messagerie, et expédiez-vous le message.

– Choisissez la commande du menu **Fichier/Enregistrer** (ou appuyez sur la combinaison de touches Ctrl+S). Fermez la fenêtre de rédaction de transfert. Votre message, débarrassé des pièces jointes, est dans le dossier *Brouillons*. Cliquez dessus et faites-le glisser vers votre dossier de destination, par exemple le dossier *Boîte de réception*.

14.9 Carnet d'adresses

736. Les groupes

Les groupes dans le carnet d'adresses sont une manière de réunir plusieurs contacts qui ont un point commun. Par exemple, vous réunissez tous les contacts de votre famille dans un groupe que vous créez et qui se nomme Famille.

L'avantage de définir des groupes est de pouvoir écrire rapidement à un groupe donné sans être obligé de toujours entrer les contacts qui le composent. Par exemple, vous avez créé un groupe Collègues de travail, et, lorsque vous voulez envoyer un e-mail à tous les contacts de ce groupe, il suffit de désigner dans la fenêtre de rédaction du message le groupe Collègues de travail à la place du destinataire (dans le champ *A*, *Cc* ou *CCi*).

La création d'un groupe se fait ainsi :

1. Dans la boîte de dialogue **Exécuter** (par **Démarrer/Exécuter** ou Windows+R), saisissez wab pour exécuter le carnet d'adresses de Windows.

2. Cliquez sur la commande du menu **Fichier/Nouveau groupe** (ou appuyez sur la combinaison de touches Ctrl+G).

3. Dans la zone de saisie texte *Nom du groupe*, donnez un nom évocateur à ce nouveau groupe.

4. Cliquez sur le bouton **Sélectionner les membres**. Parcourez la liste de gauche et, tout en maintenant le bouton [Ctrl] enfoncé, sélectionnez avec la souris tous les contacts devant être intégrés au groupe. Lorsque vous les avez tous sélectionnés, lâchez le bouton [Ctrl] puis cliquez avec la souris sur le bouton **Sélectionner**. Validez la sélection des contacts du groupe en cliquant sur le bouton OK.

5. Vous voilà de nouveau dans la fenêtre de propriétés du groupe. Vous pouvez modifier la liste des contacts en cliquant sur les boutons **Sélectionner les membres** ou **Supprimer**. Sous l'onglet **Détails du groupe**, vous pouvez entrer des informations spécifiques à tous les membres de ce groupe.

6. Validez la création du groupe en cliquant sur le bouton OK.

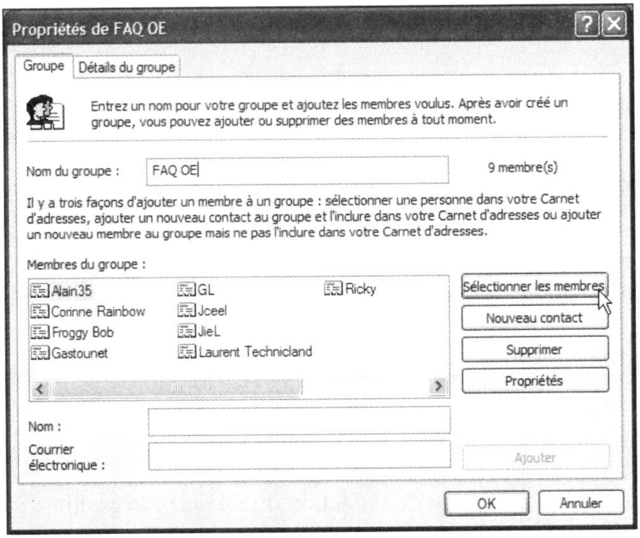

Figure 14.82 : *Le groupe est créé*

7. Dans le carnet d'adresses, le groupe est désigné par une icône représentant deux visages.

Suppression d'un groupe

Lors de la suppression d'un groupe, les contacts individuels ne sont pas supprimés de votre carnet d'adresses.

Figure 14.83 :
Le groupe peut être adressé comme un simple contact

737. Les dossiers

Les dossiers du carnet d'adresses servent seulement à trier et à classer les contacts. Créez des dossiers et placez-y les contacts selon les critères de votre choix. Les dossiers ne seront pas visibles lors de la consultation du carnet d'adresses depuis une fenêtre de rédaction de messages. C'est-à-dire que, lorsque vous appelez le carnet d'adresses pour désigner un destinataire à votre message, aucun détail ne laisse supposer qu'un contact fasse partie ou non d'un dossier. Pour créer un dossier :

1. Dans la boîte de dialogue **Exécuter** (par **Démarrer/Exécuter** ou
   [Windows]+[R]), saisissez wab pour exécuter le carnet d'adresses de
   Windows.

2. Dans la fenêtre de gauche, sélectionnez l'endroit dans lequel vous
   voulez créer un nouveau dossier.

3. Cliquez sur la commande du menu **Fichier/Nouveau dossier** (ou
   appuyez sur la combinaison de touches [Ctrl]+[R]).

4. Dans la boîte de dialogue **Propriétés**, donnez un nom évocateur à ce
   nouveau dossier et validez en cliquant sur le bouton OK.

5. Le dossier est créé. Vous pouvez y placer vos contacts par
   glisser/déposer depuis vos contacts partagés ou ceux spécifiques à votre
   session.

Figure 14.84 :
Les dossiers permettent de classer les contacts seulement dans le carnet d'adresses

Suppression d'un dossier
Lors de la suppression d'un dossier, vous supprimez tous les contacts à l'intérieur de celui-ci.

738. Le partage sur un même PC

Il est possible de partager certains contacts dans le carnet d'adresses de Windows. Lorsque vous êtes dans le carnet d'adresses, vous voyez à gauche une icône nommée *Contacts partagés*. C'est ici que vous devez placer les contacts utiles à tous les utilisateurs de votre PC.

En dessous de ces contacts partagés, vous voyez une icône représentant un dossier et nommée *Contacts*, suivi du nom de l'identité ouverte sous Outlook Express. Par exemple, Contacts : Identité principale. Dans ce "dossier" se trouvent les contacts visibles seulement lorsque vous êtes connecté à Outlook Express sous l'Identité principale.

Modifiez l'emplacement des contacts selon qu'ils doivent être partagés ou non en les faisant glisser depuis la liste de la fenêtre de droite vers le dossier voulu à gauche.

Figure 14.85 : *Dans le même carnet d'adresses, les contacts spécifiques à une identité et les contacts partagés entre toutes les identités*

Dossier et dossier
L'icône est identique, mais ne confondez pas les dossiers contacts qui désignent les contacts accessibles selon l'identité en cours dans Outlook Express et les dossiers personnalisés créés par la commande [Ctrl]+[R].

739. Afficher les informations de toutes les identités

Il est possible (et extrêmement simple) d'afficher simultanément les contacts de toutes les identités, même celles dont vous ignorez le mot de passe :

1. Dans la boîte de dialogue **Exécuter** (par **Démarrer/Exécuter** ou [Windows]+[R]), saisissez wab pour exécuter le carnet d'adresses de Windows.

2. Dans le menu **Fichier**, choisissez **Afficher tout le contenu**. Vous aurez accès à tous les contacts de toutes les identités.

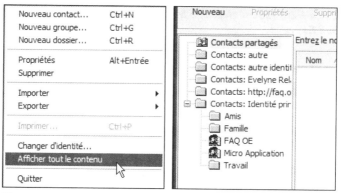

Figure 14.86 : *L'affichage de tous les contacts du carnet d'adresses*

740. Modifier l'emplacement du carnet d'adresses

Pour modifier l'emplacement du carnet d'adresses ou désigner un carnet d'adresses différent, la procédure est identique.

1. Dans la boite de dialogue **Exécuter** (par **Démarrer/Exécuter** ou [Windows]+[R]), saisissez regedit pour exécuter l'éditeur du registre de Windows.

2. Déroulez l'arborescence du registre et recherchez la valeur clé contenue à *HKEY_CURRENT_USER\Software\Microsoft\WAB\WAB4\Wab File Name*.

3. Double-cliquez sur la valeur clé *(par défaut)* pour en éditer le contenu. Inscrivez le chemin d'accès au nouveau carnet d'adresses et validez en cliquant sur le bouton OK.

REMARQUE

Partage du carnet d'adresses

Il est tout à fait possible de désigner un chemin sur le réseau, le carnet d'adresses sera accessible à plusieurs utilisateurs simultanément. Veillez seulement à placer les contacts dans le dossier Contacts partagés afin qu'ils soient accessibles par tous vos utilisateurs.

*Si vous avez créé plusieurs carnets d'adresses, vous pouvez consulter l'astuce **Choisir le carnet d'adresses au démarrage d'Outlook Express** du chapitre **Modifier la base de registre pour Outlook Express.***

741. Exporter le carnet d'adresses pour d'autres applications

Exporter les contacts sous forme d'un fichier texte avec les différents champs, les différentes valeurs séparées par des virgules peut être utile pour un traitement avec d'autres applications.

1. Ouvrez Outlook Express.

2. Cliquez sur le menu **Fichier** puis sur **Exporter** et sélectionnez **Carnet d'adresses**.

3. Sélectionnez *Fichier texte (valeurs séparées par des virgules)*, puis cliquez sur **Exporter**.

4. Cliquez sur **Parcourir**, sélectionnez le bureau de Windows. Saisissez comme nom de sauvegarde sauvegarde carnet adresses. Validez par **Enregistrer**. Cliquez sur le bouton **Suivant**.

5. Dans la fenêtre **Sélectionner les champs à exporter**, validez les cases à cocher pour lesquelles vous voulez avoir le renseignement.

6. Confirmez la sauvegarde en cliquant sur le bouton **Terminer**. Le fichier *Sauvegarde carnet adresses.csv* se crée sur le bureau Windows.

742. Importer les contacts d'Outlook Office

La solution est d'exporter le carnet d'adresses d'Outlook Office comme fichier texte séparé par des virgules et de l'importer dans Outlook Express.

Exportation des contacts d'Outlook Office

1. Exécutez Outlook Office.

2. Cliquez sur le menu **Fichier** puis **Importer et exporter**. Dans la liste des actions à exécuter, choisissez **Exporter des données vers un fichier** et cliquez sur le bouton **Suivant**.

3. Dans la nouvelle boîte de dialogue, choisissez **Valeurs séparées par des virgules (Windows)** et cliquez sur le bouton **Suivant**.

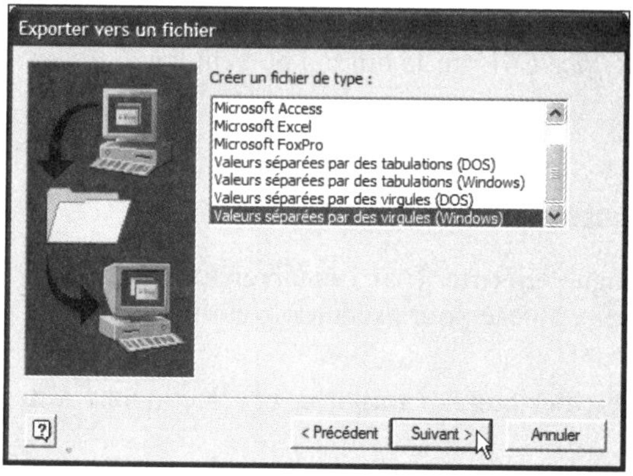

Figure 14.87 :
*Dans Outlook,
l'exportation vers un
fichier*

4. Lors de la sélection du dossier à exporter, sélectionnez le dossier *Contacts* et cliquez sur le bouton **Suivant**.

5.  Cliquez sur le bouton **Parcourir** et désignez le bureau de Windows. Entrez un nom évocateur au fichier texte qui va être créé (par exemple, *ContactsOffice.CSV*). Validez en cliquant successivement sur les boutons OK et **Suivant**.

- L'appui sur le bouton **Champs personnalisés** vous permet de choisir les champs qui seront renseignés dans le fichier .csv. Vous pouvez laisser les valeurs par défaut.

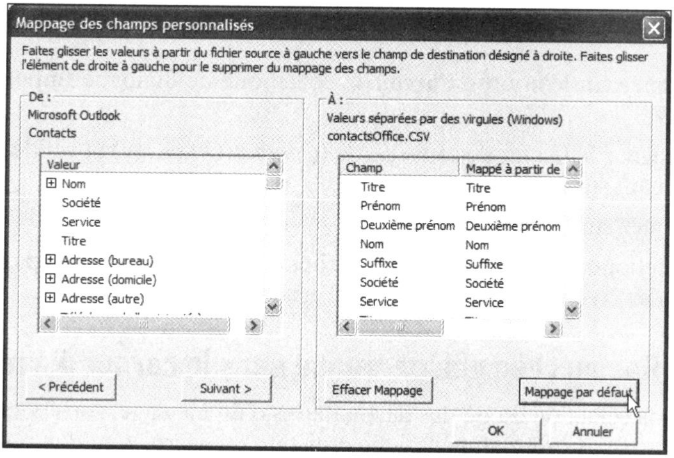

Figure 14.88 : *Le mappage par défaut est adapté pour nos besoins*

6. Cliquez sur le bouton **Terminer** pour créer le fichier *ContactsOffice.CSV* sur le bureau de Windows.

Importation des contacts dans Outlook Express

1. Dans la boîte de dialogue **Exécuter** (par **Démarrer/Exécuter** ou (Windows)+(R)), saisissez wab.exe pour exécuter le carnet d'adresses de Windows.

2. Cliquez sur le menu **Fichier** puis sur **Importer** et sélectionnez **Autre carnet d'adresses**.

3. Sélectionnez *Fichier texte (valeur séparée par des virgules)*, puis validez en cliquant sur le bouton **Importer**.

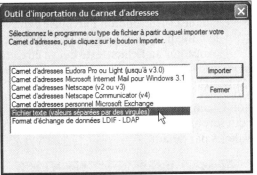

Figure 14.89 :
Outil d'importation du carnet d'adresses. Choisissez Fichier texte

4. Cliquez sur le bouton **Parcourir** de la boîte de dialogue **Importation CSV**.

5. Désignez le fichier de sauvegarde (*ContactsOffice.csv*) et validez en cliquant sur le bouton **Ouvrir**.

6. Cliquez sur le bouton **Suivant**.

7. Sélectionnez toutes les cases à cocher du mappage des champs et validez en cliquant sur le bouton **Terminer**.

743. Rechercher une personne dans le carnet d'adresses

Lors de la sélection du ou des destinataires d'un message, vous pouvez trier les contacts par ordre alphabétique croissant ou décroissant d'après le nom ou l'adresse. Ceci pour les contacts partagés ou ceux de l'identité en cours.

1. Exécutez Outlook Express et affichez une fenêtre de rédaction d'e-mail. Par exemple en choisissant les options du menu **Fichier/Nouveau** puis **Message de courrier**.

2. Cliquez sur l'icône *A:* en regard du champ du même nom pour faire apparaître la boîte de dialogue **Sélectionner les destinataires**.

   – Vous pouvez spécifier dans quelle partie du carnet d'adresses se trouve le contact. Parcourez la liste déroulante *Contacts :* nom de l'identité en cours et *Contacts partagés*.

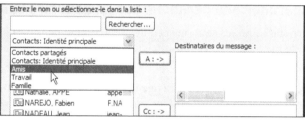

Figure 14.90 : *En plus de choisir l'emplacement des contacts (spécifiques à votre identité ou partagés), vous pouvez regarder dans vos dossiers du carnet d'adresses*

   – Pour trier les contacts, cliquez sur l'en-tête de colonne *Nom*, *Adresse de messagerie*, *Téléphone professionnel* ou *Téléphone personnel*. Un triangle apparaîtra à côté du nom de la rubrique pour indiquer l'ordre. Un second clic trie dans l'ordre inverse.

744. Configurer la connexion à un annuaire LDAP

La connexion à un annuaire LDAP permet de faire des recherches de personnes auprès d'un annuaire électronique, un peu comme s'il s'agissait d'un grand carnet d'adresses partagé. Cela est toutefois accessible seulement en consultation. Un service LDAP est plus précisément un protocole d'accès et d'interrogation à un annuaire, et cela par l'intermédiaire du TCP/IP. Il s'agit de l'acronyme de *Lightweight Directory Access Protocol*, qui signifie potocole allégé d'accès à un annuaire.

Dans Outlook Express, vous pouvez rajouter plusieurs services d'annuaires LDAP *via* la commande **Comptes** :

1. Exécutez Outlook Express.

2. Cliquez sur les commandes du menu **Outils/Comptes**. Pointez ensuite sur le bouton **Ajouter** et choisissez *Service d'annuaire*.

3. Inscrivez dans la zone de saisie *Serveur d'annuaire Internet (LDAP)* le serveur LDAP auquel vous voulez vous connecter et cliquez sur le bouton **Suivant**.

4. Préférez l'option *Non* pour ne pas vérifier les adresses à partir de cet annuaire et cliquez sur le bouton **Suivant**.

5. Cliquez sur le bouton **Terminer** pour valider la configuration de cet annuaire.

745. Rechercher une personne sur un annuaire LDAP

Depuis le carnet d'adresses seul ou si celui-ci est appelé par la fenêtre de composition de messages, vous consultez un annuaire LDAP de deux manières. Vous le consultez à partir d'une fenêtre de rédaction d'e-mail :

1. Exécutez Outlook Express et affichez une fenêtre de rédaction d'e-mail. Par exemple en choisissant les options du menu **Fichier/Nouveau/Message de courrier**.

2. Cliquez sur l'icône *A :* en regard du champ du même nom pour faire apparaître la boîte de dialogue **Sélectionner les destinataires**.

3. Cliquez sur le bouton **Rechercher**. Dans la liste déroulante *Regarder dans*, choisissez l'annuaire LDAP que vous avez configuré.

4. Vous pouvez rechercher d'après un nom ou une adresse e-mail. (Si vous n'êtes pas sûr de l'orthographe du nom à rechercher, aidez-vous des signes * et ? comme caractères universels (Jokers).)

   – Sous l'onglet **Personne**, renseignez le champ relatif au critère à rechercher et cliquez sur le bouton **Rechercher maintenant**.

   – Sous l'onglet **Avancé**, choisissez les critères de tri dans les deux listes déroulantes et inscrivez puis ajoutez le ou les paramètres dans la zone de saisie à droite de ces listes. La recherche débute lorsque vous cliquez sur le bouton **Rechercher maintenant**.

5. La liste des personnes trouvées apparaît dans la partie inférieure de la boîte de dialogue. Vous pouvez le placer directement comme destinataire de votre e-mail en sélectionnant *A*, *Cc* ou *Cci* ou l'importer dans votre carnet d'adresses en cliquant sur le bouton **Ajouter au carnet d'adresses**.

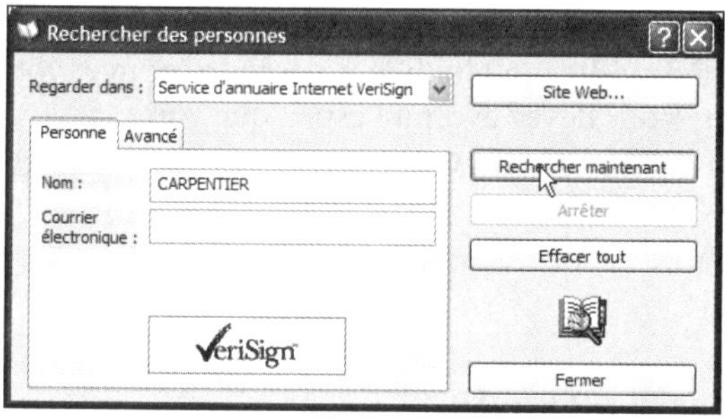

Figure 14.91 :
Recherche simple d'une personne dans un annuaire LDAP

Vous pouvez aussi consulter un annuaire LDAP à partir du carnet d'adresses :

1. Dans la boîte de dialogue **Exécuter** (par **Démarrer/Exécuter** ou Windows+R), saisissez wab.exe pour exécuter le carnet d'adresses de Windows.

2. Cliquez sur le bouton de la barre d'outils **Rechercher des personnes** (ou sélectionnez les commandes du menu **Édition/Rechercher des personnes** ou encore appuyez sur la combinaison de touches Ctrl+F) pour faire apparaître la boîte de dialogue de recherche. La consultation de l'annuaire se déroule de la même façon que lorsqu'il est appelé depuis une fenêtre de rédaction. Notez toutefois qu'après avoir trouvé votre contact votre seule possibilité est de l'ajouter dans votre carnet d'adresses.

746. Établir une carte de visite

Vous pouvez établir une carte de visite et l'envoyer au choix dans un e-mail ou un post pour vous présenter à votre correspondant. Dans votre carte de visite, vous disposez de tous les champs d'un contact classique pour y inscrire les données personnelles que vous voulez communiquer. Votre correspondant pourra consulter cette carte ou l'ajouter à son carnet d'adresses.

Faire une carte de visite est très simple : il s'agit seulement d'un nouveau contact de votre carnet d'adresses.

1. Dans la boîte de dialogue **Exécuter** (par **Démarrer/Exécuter** ou Windows+R), saisissez wab.exe pour exécuter le carnet d'adresses de Windows.

2. Choisissez les commandes du menu **Fichier/Nouveau contact** ou appuyez sur la combinaison de touches Ctrl+N.

3. Renseignez tous les champs que vous voulez communiquer au destinataire de la carte de visite, en n'oubliant pas votre nom et votre adresse de messagerie. Vous devez avoir à l'esprit que votre correspondant pourra intégrer toutes ces données que vous renseignez dans son carnet d'adresses.

4. Cliquez sur le bouton OK lorsque vous avez fini de remplir la carte de visite.

747. Envoyer une carte de visite

Après avoir rédigé votre carte de visite, il faut la déclarer à Outlook Express. Étant donné que vous ne voulez peut-être pas donner les mêmes renseignements à un correspondant privé qu'à un groupe de lecteurs sur un forum, vous pouvez désigner deux cartes de visite différentes : une pour les e-mails et une pour les posts.

1. Exécutez Outlook Express.

2. Choisissez les options du menu **Outil/Options**. Sélectionnez l'onglet **Message** et validez les deux cases à cocher *Courrier* et *News* dans la rubrique *Cartes de visite*.

3. Successivement pour *Courrier* et *News*, sélectionnez dans la liste déroulante jointe votre carte de visite.
   - Si vous voulez que votre carte de visite soit jointe automatiquement à la rédaction d'un e-mail ou d'un post, laissez validée la case correspondante, sinon décochez-la.
   - Si vous n'avez pas opté pour un envoi automatique de votre carte de visite, en rédaction d'e-mail ou de post, vous rajouterez celle-ci lors de la rédaction du courrier en choisissant les commandes du menu **Insertion/Ma carte de visite**.

Cartes de visite
Inclure ma carte de visite lors de la création de messages.

☐ Courrier : Pascal GASTALDI   Modifier...

☐ News :   Modifier...

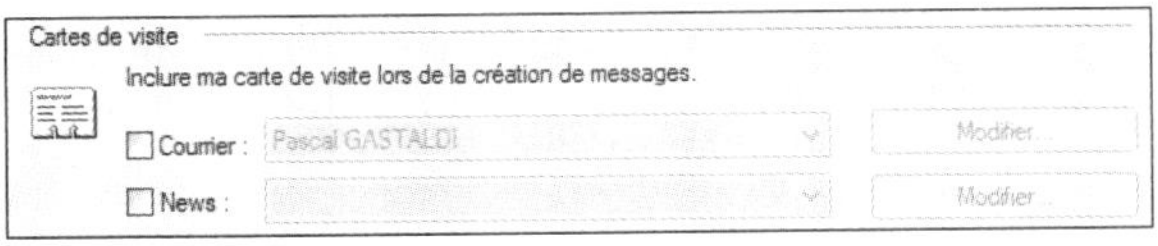

Figure 14.92 : *Définition d'une entrée Contact comme carte de visite*

REMARQUE

La commande Insertion/Ma carte de visite est grisée
En effet, cette commande est accessible seulement si vous avez renseigné une carte dans le champ *Courrier/News* de la rubrique *Cartes de visite*, même si vous n'avez pas opté pour l'envoi automatique.

748. Le champ Cci

La visualisation de tous les champs d'une fenêtre de rédaction de message fait apparaître le champ *Cci*.

Pour rappel, le champ *Cc* signifie Copie conforme (ou encore Copie de courtoisie) : le message est envoyé au(x) destinataire(s) du champ *A*, et une copie du message est transmise aux destinataires du champ *Cc*.

Le champ *Cci* signifie Copie carbone invisible : une copie du message est envoyée aux destinataires du champ *Cci*, mais ces destinataires Cci sont invisibles à la réception.

Par exemple, vous voulez transmettre le même message à plusieurs destinataires, mais ne voulez pas que les adresses de vos destinataires soient visibles par tous ceux-ci.

■ Dans le champ *A*, mettez votre adresse de messagerie (cela vous assurera que le message a bien été transmis et évitera l'éventuel disgracieux *Undisclose recipient* lorsque le champ *A* est vide).

■ Dans le champ *CcI*, mettez tous les destinataires du message.

Pour faire apparaître le champ *Cci* :

1. Exécutez Outlook Express et affichez une fenêtre de rédaction d'e-mail. Par exemple en choisissant les options du menu **Fichier/Nouveau/Message de courrier**.

2. Choisissez l'option du menu **Affichage** puis sélectionnez **Tous les en-têtes**.

749. Supprimer les doublons

Cela n'a pas été prévu dans Outlook Express. Mais il est possible d'arriver à ce résultat en exportant les contacts sous forme d'un fichier *.csv*, puis d'éliminer les doublons (par exemple avec Excel) et enfin de réintégrer la liste dans un nouveau carnet d'adresses. Cette manipulation lourde à mettre en œuvre vous fera perdre les groupes et dossiers que vous aviez créés. En outre, cela se complique si vous avez plusieurs identités.

Exporter le carnet d'adresses sous forme d'un fichier texte

Effectuez la manipulation selon la procédure indiquée dans l'astuce Exporter le carnet d'adresses pour d'autres applications de ce chapitre.

Suppression des doublons

1. Ouvrez le fichier *.csv* en double-cliquant dessus. Normalement, si votre installation contient Excel Office, il s'ouvre et se déploie dans une nouvelle feuille Excel.

2. Sélectionnez une cellule vide.

3. Dans le menu **Données**, choisissez la commande **Filtrer** puis **Filtre élaboré**.

– Vérifiez que l'option *Filtrer la liste sur place* est activée.

– Cliquez sur l'une des cellules contenant les données.

– Validez la case à cocher *Extraction sans doublons*.

– Commencez la suppression des doublons en cliquant sur le bouton OK.

4. Sauvegardez les modifications en choisissant les commandes du menu **Fichier/Enregistrer**. Dans la boîte de dialogue de conservation du format de classeur, validez en cliquant sur le bouton **Oui**.

5. Quittez Excel.

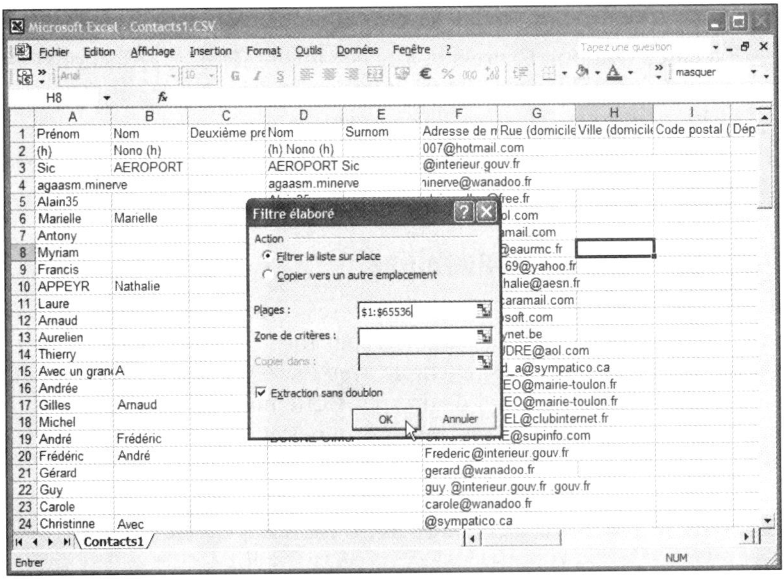

Figure 14.93 : *Suppression des doublons par le tableur Excel (Pack Office, Microsoft)*

Création d'un nouveau carnet d'adresses

1. Dans la boîte de dialogue **Exécuter** (par **Démarrer/Exécuter** ou ⟨Windows⟩+⟨R⟩), saisissez wab /new pour créer un nouveau carnet d'adresses Windows.

2. Nommez ce nouveau carnet d'adresses dans la zone de saisie texte *Nom du fichier* et parcourez l'arborescence afin de désigner l'endroit où il va être créé. Validez sa création en cliquant sur le bouton **Ouvrir**.

3. Vous êtes dans le nouveau carnet d'adresses. Dans le menu **Fichier**, choisissez **Importer** puis **Autre carnet d'adresses**. Dans la liste des différents formats, sélectionnez **Fichier texte (valeurs séparées par des virgules)** puis cliquez sur le bouton **Importer**.

4. Cliquez sur le bouton **Parcourir** et désignez le fichier **.csv* que vous venez de sauvegarder depuis Excel. Cliquez sur les boutons **Ouvrir** puis **Suivant**.

5. Vérifiez par précaution, mais les champs ne doivent pas être rectifiés. Cliquez sur le bouton **Terminer** : une boîte de dialogue vous informe du bon déroulement de l'importation.

Définir le carnet d'adresses

À présent, définissez ce nouveau carnet d'adresses pour Outlook Express.

Reportez-vous à l'astuce **Modifier l'emplacement du carnet d'adresses** *afin de désigner le nouveau carnet d'adresses comme étant celui d'***Outlook Express** *de ce chapitre.*

750. Synchroniser ses contacts

Si vous avez un compte Hotmail, vous pouvez synchroniser votre carnet d'adresses *.wab* avec vos contacts Hotmail de manière à avoir exactement les mêmes contacts des deux côtés.

1. Ouvrez Outlook Express sous l'identité désirée.

2. Affichez le carnet d'adresses par la commande **Outils/Carnet d'adresses** (ou appuyez sur la combinaison de touches ⟨Ctrl⟩+⟨Maj⟩+⟨B⟩).

3. Dans le carnet d'adresses, cliquez sur **Outils** puis **Synchroniser maintenant**.

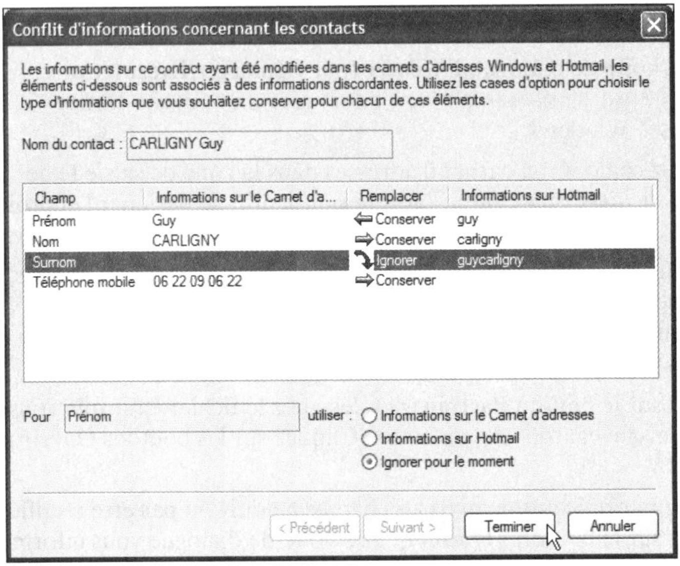

Conflit d'informations concernant les contacts

Les informations sur ce contact ayant été modifiées dans les carnets d'adresses Windows et Hotmail, les éléments ci-dessous sont associés à des informations discordantes. Utilisez les cases d'option pour choisir le type d'informations que vous souhaitez conserver pour chacun de ces éléments.

Nom du contact : CARLIGNY Guy

Champ	Informations sur le Carnet d'a...	Remplacer	Informations sur Hotmail
Prénom	Guy	⇐ Conserver	guy
Nom	CARLIGNY	⇒ Conserver	carligny
Surnom		Ignorer	guycarligny
Téléphone mobile	06 22 09 06 22	⇒ Conserver	

Pour Prénom   utiliser :
- ○ Informations sur le Carnet d'adresses
- ○ Informations sur Hotmail
- ◉ Ignorer pour le moment

[< Précédent] [Suivant >] [**Terminer**] [Annuler]

Figure 14.94 : *Conflit : le même contact existe dans les deux carnets d'adresses, mais ne contient pas les mêmes informations. Pour chaque champ, choisissez les données à conserver*

Sauvegarde/restauration rapide du carnet d'adresses
Plutôt que de sauvegarder votre carnet d'adresses par sauvegarde du fichier *.wab* ou par l'exportation en fichier texte séparé par des virgules, il peut être avantageux de se servir de la synchronisation sur un compte Hotmail comme moyen de sauvegarde puis de restauration. En outre, vous garderez les groupes de contacts.

14.10   Messagerie

751. Rédiger en texte enrichi (HTML)

Vous le savez, vous avez, sur Outlook Express, deux formats de message possibles : le format Texte brut et le format HTML (texte enrichi).

Lors de la composition d'un courrier au format HTML, une minibarre d'outils vous donne accès à différents paramètres qui sont : *Police, Taille de police, Style de paragraphe, Gras, Italique, Souligné, Couleur de la police,*

Numéros de mise en forme, Puces de mise en forme, Réduire le retrait, Augmenter le retrait, Aligner à gauche, Centrer, Aligner à droite, Justifier, Insérer une ligne horizontale, Créer un lien hypertexte, Insérer une image.

Vous vous êtes sûrement déjà largement servi de toutes ces fonctions, mais saviez-vous que vous pouvez facilement dépasser les 16 couleurs de police d'écriture sans pour autant éditer le code source du message ?

1. Ouvrez une fenêtre de rédaction de message en texte enrichi.

2. Dans le menu **Format**, choisissez **Police**. Cliquez sur le bouton à droite de la liste déroulante *Couleur*.

3. Sélectionnez une des 48 couleurs ou cliquez sur le bouton **Définir les couleurs personnalisées** si vous voulez des nuances différentes. Votre choix effectué, cliquez sur le bouton OK.

Figure 14.95 : *Minibarre d'outils HTML*

752. Stocker des modèles de messages

Les modèles de messages sont en fait des papiers à lettres que vous créez en HTML.

1. Créez un document HTML ou HTM qui vous servira de modèle.

2. Sauvegardez ce document sur votre disque dur à *C:\Program Files\Fichiers communs\Microsoft Shared\Papier à lettres*. S'il comprend des images, placez-les dans ce même dossier.

3. Pour rédiger un message avec ce modèle, sélectionnez le menu **Messages** puis désignez **Nouveau message avec/Sélectionner le papier à lettres**. Dans la boîte de dialogue, désignez le document modèle et cliquez sur le bouton OK.

Une autre technique consiste à créer votre modèle comme un message ordinaire. À l'issue de la rédaction, dans le menu **Fichier**, choisissez **Enregistrer sous** (sauvegarde au format *.eml*). À présent, depuis l'explorateur de Windows, il vous suffit de double-cliquer sur votre message *.eml* autant de fois que vous voulez pour le trouver dans la fenêtre de rédaction.

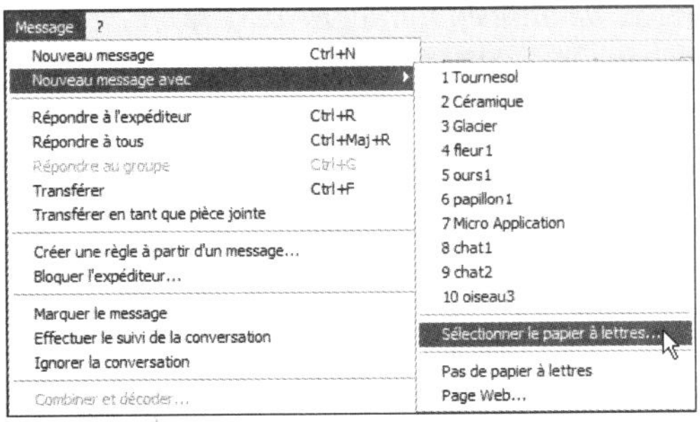

Figure 14.96 : *Sélection d'un papier à lettres. Remarquez que vous pouvez aussi choisir parmi les dix précédents papiers à lettres utilisés*

753. Encapsuler une image

L'encapsulation est l'intégration d'un fichier binaire dans un courrier au format HTML. Elle est différente de la transmission par pièce jointe : dans l'encapsulation, le fichier fait partie intégrante du courrier, il est intégré au code source. Elle ne peut donc pas être effectuée sur un message en texte brut.

Pour bien comprendre la différence qu'il y a entre la transmission d'un fichier et son encapsulation, prenons un exemple. Vous rédigez un courrier en format Texte enrichi (HTML), et vous voulez transmettre une image. Deux choix :

■ La pièce jointe, par le menu du fichier **Insertion/Pièce jointe**. Si vous affichez le code source du message html, il n'est fait aucune mention de cette image.

■ L'encapsulation. Dans le menu **Insertion**, choisissez **Image**. En affichant le code source du message, vous devriez voir le lien de votre fichier encapsulé. Dans le cas d'une image intégrée par Outlook Express, il s'agit de la ligne <IMG SRC="chemin d'accès à l'image">.

Il arrive quelquefois que le message soit transmis sans que l'encapsulation soit faite, c'est-à-dire que le message est transmis avec le lien du fichier à encapsuler (probablement un fichier de votre disque dur). Vous ne comprendrez d'ailleurs pas pourquoi le message s'affiche correctement sur votre configuration, mais non chez votre correspondant !

Voilà une manière de vérifier l'encapsulation d'une image dans un e-mail (cette même manœuvre fonctionne pour d'autres types de fichiers encapsulables).

1. Exécutez Outlook Express et affichez une fenêtre de rédaction d'e-mail. Par exemple en choisissant les options du menu **Fichier/Nouveau/Message de courrier** (ou appuyez sur la combinaison de touches Ctrl+N).

2. Dans le menu **Format**, assurez-vous d'être en format HTML et, sous le menu **Affichage**, cochez l'option *Modifier la source*.

3. Insérez une image en choisissant le menu **Insertion/Image**. Désignez votre image en cliquant sur le bouton **Parcourir**.

- La zone de saisie *Texte de légende* permet de spécifier le texte qui sera affiché dans l'info-bulle lors du survol de l'image par le curseur de la souris.

- La liste déroulante *Alignement* définit l'alignement du texte par rapport à l'image. (L'alignement de l'image elle-même est celui du paragraphe dans lequel elle se trouve : **Aligner à gauche**, **Centrer**, **Aligner à droite**, **Justifier**).

- *Épaisseur de bordure* définit l'épaisseur éventuelle d'un cadre qui entoure votre image.

- *Horizontal* et *Vertical* sont les zones horizontales et verticales qui resteront toujours libres autour de l'image.

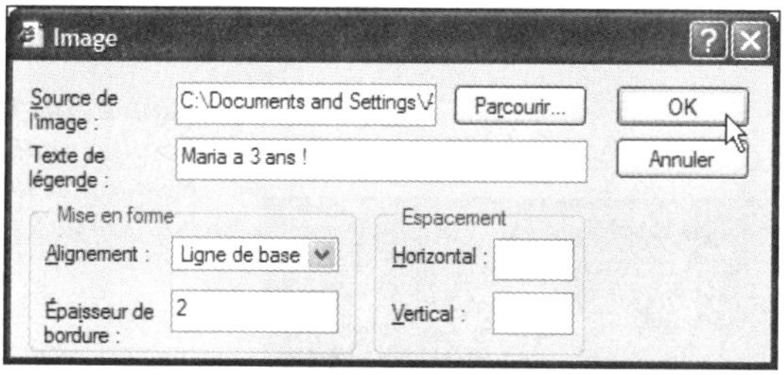

Figure 14.97 : *Insertion d'une image dans un courrier Html*

4. Validez en cliquant sur le bouton OK.

```
<!DOCTYPE HTML PUBLIC "-//W3C//DTD HTML 4.0 Transitional//EN">
<HTML><HEAD>
<META http-equiv=Content-Type content="text/html; charset=iso-8859-15">
<META content="MSHTML 6.00.2800.1126" name=GENERATOR>
<STYLE></STYLE>
</HEAD><FONT face=Arial><FONT size=2>
<BODY>
<DIV><IMG alt="Maria a 3 ans !" hspace=0
src="C:\Documents and Settings\Administrateur\Bureau\maria_ballon_small2.jpg"
align=baseline border=2></DIV></BODY></HTML></FONT></FONT>
```

Figure 14.98 : *Détail du code source désignant l'image à encapsuler*

5. Enregistrez le message en sélectionnant **Fichier/Enregistrer** (ou appuyez sur la combinaison de touches [Ctrl]+[S]).

6. Quittez la fenêtre de rédaction par **Fichier/Fermer** (ou en appuyant sur la combinaison de touches [Alt]+[F4], ou même en cliquant sur le bouton **Fermer** de la barre de titre).

7. Ce message étant sauvegardé, retrouvez-le et ouvrez-le depuis le dossier *Brouillons*.

8. En bas de la fenêtre de rédaction, cliquez sur l'onglet **Source**. Si les chemins d'accès aux pièces à encapsuler commencent par cid:, vos pièces ont bien été encapsulées dans le message. Par exemple, la balise html <IMG SRC="chemin d'accès à l'image"> deviendrait <IMG SRC="cid:numéro">.

```
<!DOCTYPE HTML PUBLIC "-//W3C//DTD HTML 4.0 Transitional//EN">
<HTML><HEAD>
<META http-equiv=Content-Type content="text/html; charset=iso-8859-15">
<META content="MSHTML 6.00.2800.1126" name=GENERATOR>
<STYLE></STYLE>
</HEAD>
<BODY bgColor=#ffffff><FONT face=Arial><FONT size=2>
<DIV><IMG alt="Maria a 3 ans !" hspace=0
src="cid:005c01c3078c$44d261c0$8490c2d4@paskal" align=baseline
border=2></DIV></FONT></FONT></BODY></HTML>
```

Figure 14.99 : *Détail du source désignant l'image encapsulée : le lien vers l'objet binaire est précédé de cid:*

Figure 14.100 : *Résultat final. Remarquez la bordure de l'image et l'info-bulle*

754. Renvoyer un message déjà transmis (sans transfert)

Vous avez envoyé un message, mais vous avez oublié un destinataire. Bien que ce message soit dans la boîte d'éléments envoyés, vous ne savez pas comment l'envoyer à nouveau et voudriez éviter d'utiliser la commande **Transférer**.

1. Exécutez Outlook Express et réduisez-le de manière à laisser apparaître en arrière-plan une partie du bureau de Windows.

2. Dans Outlook Express, cliquez sur le message dans la boîte d'éléments envoyés. Tout en maintenant le bouton de la souris enfoncé, faites glisser le message sur le bureau de Windows puis relâchez le bouton. Le message est copié sur le bureau sous forme d'un fichier dont le nom est le titre du message.

3. Cliquez sur ce nouveau fichier pour le sélectionner, puis enfoncez le bouton [Maj] et cliquez à nouveau du bouton droit sur le fichier. Dans le menu contextuel apparaît la commande **Ouvrir avec**. Désignez cette commande et choisissez le programme *Notepad.exe*. Le message s'édite intégralement dans le Bloc-notes de Windows.

4. Rajoutez, en première ligne du message, la ligne X-Unsent:1. Sauvegardez la modification en choisissant dans le menu **Fichier** la commande **Enregistrer** (ou appuyez sur la combinaison de touches [Ctrl]+[S]) puis fermez le Bloc-notes.

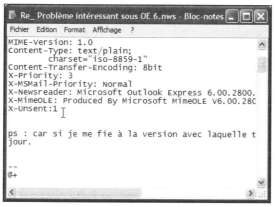

Figure 14.101 : *Rajout de la ligne X-Unsent:1 dans l'en-tête d'un message*

5.  [icône Envoyer] Double-cliquez sur le message modifié. Celui-ci s'ouvre dans une nouvelle fenêtre où l'envoi est valide. Expédiez le message en cliquant sur le menu **Fichier/Envoyer le message** ou appuyez sur la combinaison de touches [Alt]+[S].

755. Insérer un son dans un e-mail

Extrêmement facile pour les formats .*wav*, .*snd*, .*au*, .*aif*, .*aifc*, .*aiff*, .*wma*, .*mp3*, .*mid*, .*mi*, .*midi* (avec la dernière version d'Outlook Express mises à jour.), car cela est une option de menu.

1. Exécutez Outlook Express et affichez une fenêtre de rédaction de mail. Par exemple en choisissant les options du menu **Fichier/Nouveau/Message de courrier** (ou pressez la combinaison des touches [Ctrl]+[N]).

2. Dans le menu **Format**, assurez-vous d'être en format **HTML**.

3. Toujours dans le menu **Format**, sélectionnez **Arrière plan** et choisissez **Son**.

4. Cliquez sur le bouton **Parcourir** pour désigner le fichier son désiré. Au moment de la réception, le son sera audible dès l'ouverture du message.

5. Dans le paragraphe *Paramètres de répétition*, validez le bouton d'option correspondant au nombre de fois où sera joué le son. Vous pouvez le jouer indéfiniment (option **En continu**) ou selon le nombre de fois spécifié dans la zone de texte correspondant à l'option **Lire le son**.

6. Validez l'insertion du fichier audio en cliquant sur le bouton Ok.

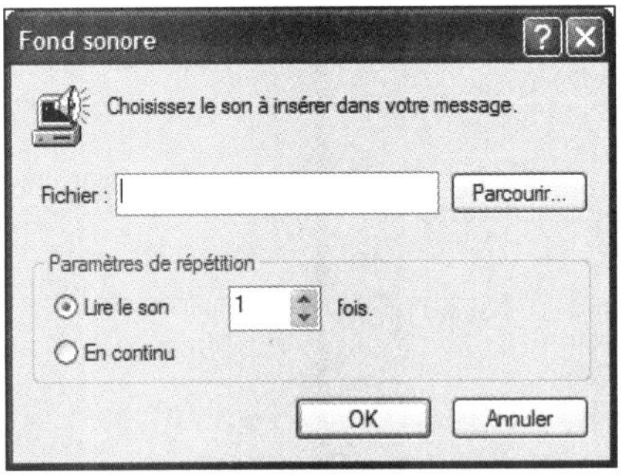

Figure 14.102 :
Boite de dialogue d'insertion d'un fond sonore

Encapsulation capricieuse

Si au moment du départ du message, Outlook Express vous affiche la boite de dialogue : "Certaines images de ce message sont introuvables. Elles ne seront pas incluses lors de l'envoi de ce message. Voulez vous vraiment envoyer ce message ?", c'est que le son n'a pas été encapsulé. Essayez en mettant le fichier audio sur disque dur système.

*En cas de problème ou d'encapsulation difficile, ou simplement pour en savoir plus, reportez vous à l'astuce "Encapsuler un son" dans le chapitre **Programmes Externes Outlook Express.***

756. Être sûr de l'ouverture d'un e-mail envoyé

Sous certaines conditions, vous pourrez être sûr que votre correspondant a bien ouvert un e-mail, même s'il ne vous a pas envoyé de confirmation de lecture. Attention, le fait de ne pas recevoir ce "signal" ne signifiera pas que votre correspondant ne l'a pas lu, mais la réception de ce signal ne vous laissera aucun doute sur son ouverture. Quelques impératifs :

- Vous devez avoir un hébergement sur un serveur Apache.
- Vous devez avoir activé une base de données MySQL (généralement avec le serveur Apache).
- Le message e-mail doit être rédigé et lu en HTML.
- Votre correspondant doit être connecté pendant l'ouverture du message.

Cette astuce est une technique employée par les *spammeurs* pour vérifier la validité de votre adresse e-mail et pour vérifier que vous relevez bien votre courrier. La seule façon de s'en prévenir est de lire le message par ses propriétés, afin de repérer si cette méthode est employée. Vous pouvez aussi lire vos messages hors connexion, mais les images ou autres fichiers (fichier audio en streaming, par exemple) légitimes ne seront pas affichés.

Le principe de fonctionnement est le suivant : la balise html d'affichage d'image <IMG SRC> va pointer non pas sur une image, mais sur un script dynamique. Celui-ci va récupérer un signal émis par la balise et l'inscrire dans une base de données avec l'heure et la date auxquelles la balise a été envoyée.

Astuce technique

Il est préférable d'avoir quelques notions de gestion d'une base de données MySQL, notamment pour sa création et la connexion à celle-ci.

Trouver un serveur Apache et activer la base de données

Rien de bien compliqué en fait. Sans entrer dans les détails, sachez qu'une majorité des sites web sont hébergés sur des serveurs Apache, ceux-ci ayant le langage PHP comme langage dynamique et la base de données MySQL à disposition. Il y a fort à parier que votre fournisseur d'accès tienne à votre disposition un espace d'hébergement d'où vous pourrez activer la base de données. Si votre hébergeur en est démuni, vous pourrez vous abonner chez un hébergeur gratuit et activer cette base de données.

Créez une base de données intitulée BDDPerso et créez à l'intérieur une table que vous nommez arriveemail.

Cette table arriveemail est composée :

■ d'un champ Arrivee de type Varchar, longueur 255 ;

■ d'un champ Message de type Varchar, longueur 255.

vérifie l'arrivée de mails						
Champ	**Type**	**Attributs**	**Null**	**Défaut**	**Extra**	**Action**
□ arrivee	varchar(255)		Non			Modifier Supprimer Primaire Index Unique Texte entier
□ message	varchar(255)		Non			Modifier Supprimer Primaire Index Unique Texte entier
⌐— Pour la sélection :	Modifier	Ou	Supprimer			

Figure 14.103 : *Détail de la table arriveemail sous PHPmyAdmin*

Création du script en PHP

Pour créer du script qui va récupérer le signal et l'inscrire avec la date et l'heure dans la base de données :

1. Dans le Bloc-notes de Windows (*notepad*), saisissez le code *PHP* suivant :

```
<?
// Connexion à la base de données.Celle-ci vous est spécifique !
$host = "";
$user = "";
$password = "";
```

```
$bdd = "BDDPerso";
$db=mysql_connect($host, $user, $password) or die ("impossible
⌐< de se connecter au serveur"); //Connexion à la Base
mysql_select_db($bdd) or die ("impossible de se connecter a la
⌐< base de donnees"); //Connexion à la Table
$d = date("l dS of F Y h:i:s A"); //Récupère la date et
⌐< l'heure en cours
mysql_query("INSERT INTO arriveemail
⌐< VALUES(\"$d\",\"$mail\")"); //Inscrit les coordonnées
⌐< temporelles ainsi que le signal émis par le mail.
mysql_close($db); //Referme la requete
?>
```

2. Sauvegardez ce script sous le nom *Compteur.php* et placez-le sur votre espace web.

ATTENTION

Connexion à votre base de données

Les paramètres dans host, user et password vous sont propres et dépendent de votre hébergeur. Si vous avez des difficultés pour mettre en œuvre la connexion, adressez-vous à votre hébergeur.

Rédaction de l'e-mail

Rédigez un e-mail en HTML, insérez à l'intérieur la balise : <img src='URL/compteur.php?mail=signal' width=1 height=1>.

- Au lieu de l'URL, saisissez le chemin d'accès à votre espace web, de manière à pointer sur votre script en PHP.

- À la place de signal, vous pouvez inscrire un mot, un numéro qui fera référence à votre destinataire. Vous pourrez envoyer ainsi plusieurs messages différents en changeant ces signaux. Par précaution, évitez dans le signal les caractères spéciaux, les espaces, les guillemets...

```
<!DOCTYPE HTML PUBLIC "-//W3C//DTD HTML 4.0 Transitional//EN">
<HTML><HEAD>
<META http-equiv=Content-Type content="text/html; charset=iso-8859-15">
<META content="MSHTML 6.00.2800.1126" name=GENERATOR>
<STYLE></STYLE>
</HEAD><FONT face=Arial><FONT size=2>
<BODY><img src='www.mon_URL.com/compteur.php?mail=73115651604030720' width=1 height=1>
<DIV> </DIV></BODY></HTML></FONT></FONT>
```

Figure 14.104 : *"Piégeage" d'un message*

À l'ouverture d'un message, si l'utilisateur est en ligne et qu'il tente d'afficher l'image par la commande HTML, le script inscrit la date, l'heure et le signal correspondant. Il vous suffit de consulter votre base de données et de regarder si les messages ont été reçus.

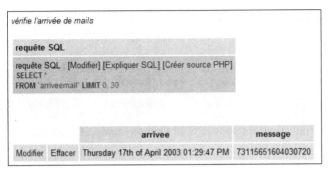

Figure 14.105 : *Nous sommes certains que le message a été ouvert, nous connaissons même la date et l'heure*

Le piégeur piégé

Dès que vous avez inséré la balise <img src qui pointe sur le script, et étant donné qu'il y a de grandes chances pour que vous rédigiez votre e-mail en HTML, vous activerez sûrement le signal et l'inscription dans la base de données. Après l'envoi du message, allez vérifier et au besoin supprimer le signal "parasite" que vous aurez vous-même envoyé.

Automatiser l'intégration de la balise <img src...

En créant une signature HTML contenant la balise <IMG SRC= suivie de l'adresse de votre script, vous gagnerez énormément de temps, et il deviendra très confortable de l'intégrer.

757. Transmettre et recevoir un gros fichier

L'espace alloué par le serveur de courrier est peut-être limité ; en général, il varie de 1,5 à 3 Mo. Au-delà, votre boîte aux lettres risque de refuser les courriers entrants. En plus de cette limite, un délai de chargement trop long peut, dans le cas d'une connexion par modem classique (RTC), être interprété comme une période d'inactivité. Cela provoque un message d'erreur et annule les données déjà chargées. Dans ce dernier cas, la solution peut être d'allonger la durée de connexion.

1. Lancez Outlook Express.

2. Cliquez dans le menu **Outils** puis choisissez **Comptes**.

3. Sélectionnez le compte de messagerie pour lequel vous voulez allonger la durée de connexion, et cliquez sur le bouton **Propriétés**.

4. Dans la boîte de dialogue **Propriétés de**, sélectionnez l'onglet **Avancé**.

5. Sous la rubrique *Délai d'expiration du serveur*, déplacez le curseur pour que celui-ci soit à l'extrémité droite.

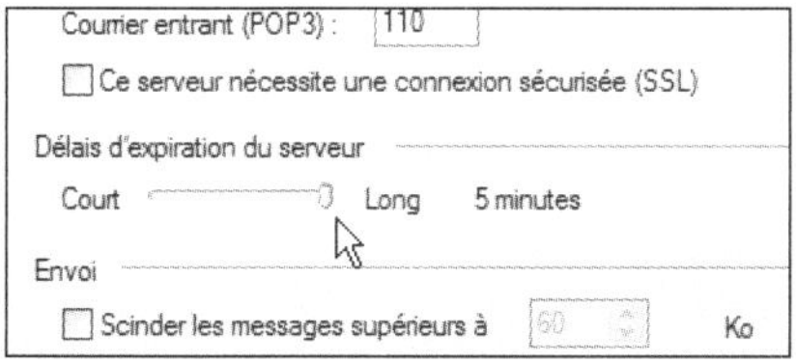

Figure 14.106 : *Allongez le délai d'expiration en cas de problème de rapatriement d'un gros message*

6. Validez en cliquant sur le bouton OK et fermez la boîte de dialogue **Comptes Internet** en cliquant sur le bouton **Fermer**.

Il existe plusieurs solutions pour transmettre un gros fichier. Les deux façons le plus souvent employées sont de passer par un serveur FTP ou de placer le gros fichier dans l'espace alloué par un hébergeur. Transmettez ensuite le lien de votre fichier à votre correspondant pour que celui-ci le télécharge.

L'autre solution est de scinder le gros fichier en plusieurs parties plus petites. Par exemple, vous scindez un fichier de 2 Go en quatre parties de 0,5 Go chacune. Pour cela, vous pouvez le faire directement depuis Outlook Express.

1. Exécutez Outlook Express.

2. Cliquez dans le menu **Outils** puis choisissez **Comptes**.

3. Sélectionnez le compte de messagerie pour lequel vous voulez scinder les gros fichiers, et cliquez sur le bouton **Propriétés**.

4. Dans la boîte de dialogue **Propriétés de**, sélectionnez l'onglet **Avancé**.

5. Sous la rubrique *Envoi*, validez la case à cocher *Scinder les messages supérieurs à*. Dans la zone de texte correspondante, saisissez par exemple :

   – 512 Ko pour limiter les pièces jointes à 0,5 Mo ;

   – 1024 Ko pour limiter les pièces jointes à 1 Mo ;

   – 1536 Ko pour limiter les pièces jointes à 1,5 Mo ;

   – 2048 Ko pour limiter les pièces jointes à 2 Mo.

6. Validez en cliquant sur le bouton OK et fermez la boîte de dialogue **Comptes Internet** en cliquant sur le bouton **Fermer**.

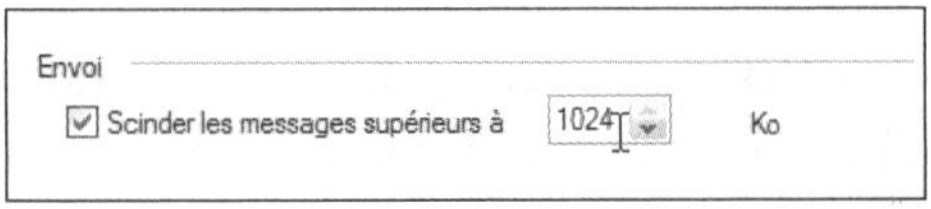

Envoi
☑ Scinder les messages supérieurs à 1024 ▾ Ko

Figure 14.107 :
Scindez les messages supérieurs à une taille définie

Lors de l'envoi, si la taille du message est supérieure à la taille spécifiée, le message est découpé en morceaux de la taille spécifiée. À la réception, le message se reforme automatiquement sans intervention du destinataire. Attention, toutefois, assurez-vous que le programme de messagerie du destinataire puisse recomposer les messages !

REMARQUE

Scinder les messages pour les forums
Lors d'envoi des messages sur les forums dédiés, cette même technique est employée ; néanmoins, la recomposition des pièces jointes n'est pas automatique.

RENVOI

*Pour en savoir plus avec le fractionnement des messages et Outlook Express, reportez-vous aux astuces **Les binaries, Scinder un message Binaries, Reconstituer des posts de Binaries** du chapitre **Accéder et participer aux forums avec Outlook Express.***

758. Basculer facilement entre tous ses messages non lus

Un petit raccourci extrêmement futé est accessible par la combinaison de touches [Ctrl]+[U], qui affiche le message non lu suivant dans le même dossier. Lorsque les messages non lus ont tous été marqués comme lus, il vous est proposé de passer au dossier suivant. Une seconde possibilité consiste à se servir de la barre d'affichage :

1. Dans le menu **Affichage**, cliquez sur **Disposition** et validez la case à cocher *Barre d'affichage*.

2. Dans la liste déroulante qui apparaît, choisissez selon les messages que vous voulez afficher :

- *Afficher tous les messages* ;
- *Masquer les messages lus* ;
- *Masquer les messages lus ou ignorés.*

759. L'assistant papier à lettres

Saviez-vous qu'Outlook Express comprend un mini-éditeur de pages web ? Celui-ci est utilisé pour la fabrication de nouveaux papiers à lettres. Vous pouvez, sans aucune connaissance des balises HTML, créer vos propres papiers à lettres !

1. Exécutez Outlook Express.

2. Dans le menu **Messages**, choisissez **Nouveau Message avec/Sélectionner le papier à lettres**.

3. En bas à droite de la boîte de dialogue **Sélectionner le papier à lettres**, cliquez sur le bouton **Créer** pour exécuter l'assistant papier à lettres d'Outlook Express.

4. Passez l'écran d'accueil en cliquant sur le bouton **Suivant**.

Figure 14.108 : *Connaissiez-vous l'assistant de création de papier à lettres d'Outlook Express ?*

5. Suivez les options et rubriques en renseignant tour à tour celles qui vous intéressent. Voici les différentes rubriques :
   - *Arrière-plan*. Choisissez d'afficher une image d'arrière-plan et/ou une couleur unie. Pour l'image, vous pouvez spécifier sa réorganisation, sa position.

   - *Police*. Sélectionnez la police de caractères à employer et spécifiez sa taille, sa couleur et ses attributs (gras, italique).

   - *Marges*. Définissez les marges de gauche et supérieure.

6. Dans la dernière boîte de dialogue, nommez votre papier à lettres et validez sa création en cliquant sur le bouton **Terminer**.

Vous remarquez que ce nouveau papier à lettres est désormais accessible sous la forme d'un fichier *.htm* dans le répertoire de stockage des papiers à lettres. Vous pouvez d'ailleurs vous en servir immédiatement en le sélectionnant dans la boîte de dialogue **Sélectionner le papier à lettres** puis en cliquant sur le bouton OK.

Accès à l'assistant papier à lettres
Vous pouvez aussi accéder à l'assistant papier à lettres depuis le menu **Outils/Options**, en choisissant l'onglet **Messages** et en cliquant sur le bouton **Créer**.

760. Choisir un papier à lettres

Vous voulez envoyer un e-mail avec un de vos papiers à lettres. Ceux-ci sont par défaut stockés sur le disque dur à *C:\Program Files\Fichiers communs\Microsoft Shared\Papier à lettres*.

1. Exécutez Outlook Express.

2. Sélectionnez le menu **Messages** puis désignez **Nouveau message avec/Sélectionner le papier à lettres**. Dans la boîte de dialogue, désignez le document modèle et cliquez sur le bouton OK. Lors de la sélection du papier à lettres, vous pouvez en avoir un aperçu en validant la case à cocher *Afficher l'aperçu*.

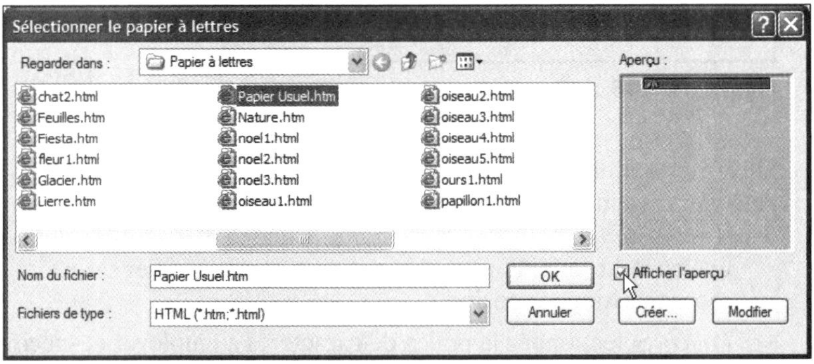

Figure 14.109 : *La boîte de sélection du papier à lettres est munie d'une fenêtre de prévisualisation*

761. Sélectionner rapidement un de ses derniers papiers à lettres

Vous voulez créer un message HTML avec un papier à lettres dont vous vous êtes servi dernièrement. Pour cela, inutile de parcourir le dossier de stockage des papiers peints : vous pouvez accéder rapidement à un des dix derniers papiers dont vous vous êtes servi :

■ Par la barre d'outils. Cliquez sur le bouton fléché **Créer un message**. Outre les dix derniers papiers à lettres à sélectionner, vous pouvez aussi choisir parmi les commandes suivantes disponibles : **Sélectionner le papier à lettres**, **Pas de papier à lettres** ou **Page web**.

■ Par l'option du menu **Message/Nouveau message avec**. Vous avez accès au même menu que précédemment : le choix d'un des dix derniers papiers à lettres utilisés, et les commandes **Sélectionner le papier à lettres**, **Pas de papier à lettres** ou **Page web**.

762. Papier à lettres par défaut

Lors de la composition d'un nouveau message ou d'un nouveau post, vous voulez que la fenêtre de rédaction s'ouvre avec un papier à lettres déjà chargé. Bien sûr, vous devez avoir au moins un papier à lettres créé, mais rassurez-vous car Outlook Express en installe par défaut une dizaine.

1. Ouvrez Outlook Express.

2. Dans le menu **Outils**, choisissez **Options**, puis l'onglet **Message**.

3. Sous la rubrique *Papier à lettres*, validez la case à cocher correspondante au type de courrier dont vous voulez appliquer automatiquement le papier à lettres : *Courrier* pour la messagerie ou *News* pour les forums.

4. En regard de la case à cocher que vous avez sélectionnée, le bouton **Sélectionner** devient actif. Cliquez dessus pour pouvoir sélectionner le papier à lettres. Cliquez ensuite sur le bouton OK pour prendre en compte cette modification.

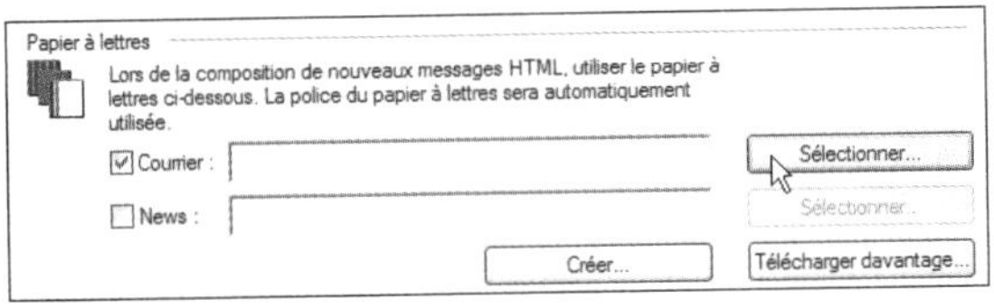

Figure 14.110 : *Choix du papier à lettres par défaut*

Hiérarchie des préférences

Même si vous avez opté pour une rédaction des e-mails en texte brut dans **Outils/Options/Envoi/Format d'envoi du courrier** ou **Format d'envoi des News**, le message partira avec le papier à lettres dès lors qu'il est spécifié.

763. Télécharger des papiers à lettres supplémentaires

Lorsque vous aurez pris l'habitude de vous servir des papiers à lettres pour égayer vos e-mails, vous chercherez sûrement à augmenter votre liste de modèles. Vous pouvez en télécharger directement sur le site de Microsoft. Toutes les pages sont sur le site américain de Microsoft et sont rédigées en anglais. Néanmoins, en suivant ces étapes, vous chargerez et utiliserez facilement les nouveaux papiers à lettres.

1. Dans le menu **Outils** d'Outlook Express, choisissez **Options**, puis l'onglet **Message**. Cliquez ensuite sur le bouton **Télécharger davantage**. (Ou, dans la boîte de dialogue **Exécuter** — par **Démarrer/Exécuter** ou Windows + R —, saisissez **www.microsoft.com/windows/oe/features/ stationery/default.ASP** pour accéder à la page web de téléchargement.)

2. Cliquez sur le lien *Download more stationery here*.

3. Dans la liste déroulante *Download*, choisissez le thème qui vous intéresse. La traduction des différents thèmes est donnée dans le tableau.

4. Cliquez sur le bouton **Download Now** (voir fig. 14.111).

5. Dans la boîte de dialogue **Téléchargement de fichiers**, cliquez sur le bouton **Ouvrir** pour charger et installer les nouveaux papiers à lettres.

6.  Cliquez sur le bouton **Oui** à la question "You're about to install a new stationery ! Would you like to continue ?" dans la boîte de dialogue **Microsoft Outlook Express Stationery**.

7. Lisez (en anglais...) et acceptez la licence en cliquant sur le bouton **Yes**. L'installation correcte des papiers à lettres est clôturée par une nouvelle boîte de dialogue vous remerciant d'avoir choisi Outlook Express ("Thank you for choosing Microsoft Outlook Express !"). Cliquez sur le bouton OK (voir fig. 14.112).

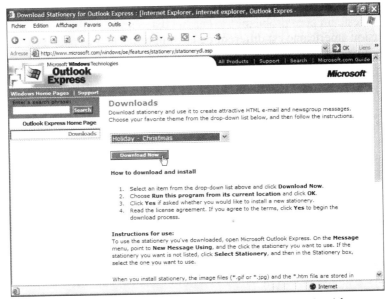

Figure 14.111 : *La page de téléchargement de nouveaux papiers à lettres*

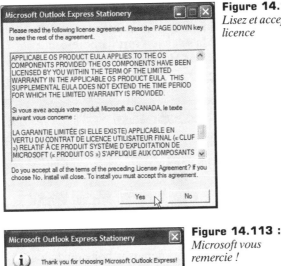

Figure 14.112 :
Lisez et acceptez la licence

Figure 14.113 :
Microsoft vous remercie !

Les papiers à lettres ont été correctement installés sur votre ordinateur, mais il reste un petit problème : le chemin d'accès aux papiers à lettres sur la version américaine est différent du chemin français. Vos papiers à lettres ne sont pas au bon endroit de votre disque dur !

■ Chemin version française : *C:\Program Files\Fichiers communs\Microsoft Shared\Papier à lettres*.

■ Chemin version américaine : *C:\Program Files\Common Files\Microsoft Shared\Stationery*.

En désignant dans la boîte de dialogue l'emplacement américain, les papiers à lettres seront pris en compte sans aucun problème, mais autant tout regrouper à l'endroit par défaut pour Outlook Express.

1. Dans la boîte de dialogue **Exécuter** (par **Démarrer/Exécuter** ou [Windows]+[R]), saisissez explorer pour exécuter l'explorateur de Windows.

2. Parcourez l'arborescence afin d'afficher le contenu du dossier *C:\Program Files\Common files\Microsoft Shared\Stationery*.

3. Sélectionnez un des fichiers du répertoire et appuyez sur la combinaison de touches [Ctrl]+[A] pour étendre la sélection à l'ensemble des fichiers et des dossiers.

4. Cliquez sur un élément sélectionné et, tout en maintenant le bouton de la souris enfoncé, faites glisser la sélection vers l'arborescence à *C:\Program Files\Fichiers communs\Microsoft Shared\Papier à lettres*.

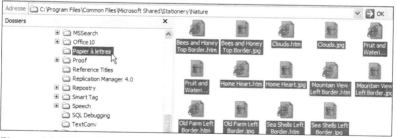

Figure 14.114 : *Transfert des papiers à lettres du chemin de l'arborescence américain vers le chemin français*

5. Les papiers à lettres seront accessibles depuis la boîte de dialogue **Sélectionner le papier à lettres**, accessible par le menu **Message/Nouveau message avec/Sélectionner le papier à lettres**.

Tableau 14-9 : Liste des thèmes de papiers à lettres disponibles sur le site de Microsoft.

Thème en anglais	Thème	Nom du fichier
Holiday - Christmas	Vacances : Noël	Christmas.exe (285 Ko)
Holiday - Easter	Vacances : Pâques	Easter.exe (153 Ko)
Holiday - Father's Day	Vacances : fête des Pères	Fathers.exe (122 Ko)
Holiday - Halloween	Vacances : Halloween	Halloween.exe (268 Ko)
Holiday - Valentines	Vacances : Saint-Valentin	valentines.exe (151 Ko)
Special Occasions - Anniversaries	Événements : anniversaire de mariage	anniversaries.exe (141 Ko)
Special Occasions - Babies	Événements : naissances	Babies.exe (180 Ko)
Special Occasions - Birthdays	Événements : anniversaires	Birthdays.exe (152 Ko)
Special Occasions - Family Events	Événements : événements familiaux	Family.exe (128 Ko)
Special Occasions - Get Well	Événements : rétablissements	GetWell.exe (125 Ko)
Special Occasions - Invitations	Événements : annonces	Invitations.exe (168 Ko)
Special Occasions - Moving	Événements : déménagements	moving.exe (142 Ko)
Special Occasions - Thank You	Événements : remerciements	thankyou.exe (160 Ko)
Seasons - Summer	Saisons : été	summer.exe (191 Ko)
Angels Stationery	Anges	angels.exe (180 Ko)
Artsy Stationery	Artistique	Artsy.exe (208 Ko)
Black or Dark Stationery	Papiers sombres ou noirs	BlackorDark.exe (244 Ko)
Blue Stationery	Tons bleus	Blue.exe (319 Ko)
Brown Stationery	Tons marron	Brown.exe (218 Ko)
Flowers Stationery	Fleurs	flowers.exe (512 Ko)
Gold n' Yellow Stationery	Tons jaunes et or	goldnyellow.exe (187 Ko)

Tableau 14-9 : Liste des thèmes de papiers à lettres disponibles sur le site de Microsoft.

Thème en anglais	Thème	Nom du fichier
Gray Stationery	Tons gris	gray.exe (259 Ko)
Green Stationery	Tons verts	green.exe (193 Ko)
Literary Stationery	Littéraire	Literary.exe (151 Ko)
Nature Stationery	Nature	Nature.exe (222 Ko)
Pinks and Reds Stationery	Tons rouges et roses	pinksandreds.exe (249 Ko)
Purple Stationery	Tons violets	purple.exe (210 Ko)
Wild Stationery	Psychédélique	wild.exe (166 Ko)
Work Type Things Stationery	Divers	work.exe (165 Ko)

REMARQUE

De gros fichiers d'installation !
Il y a une grosse différence entre la taille du programme d'installation et la taille cumulée des fichiers installés. Cela semble être dû au programme d'installation/décompression, qui peut être plus volumineux que les fichiers qu'il décompresse.

764. Envoyer une page web

La façon la plus usuelle d'envoyer une page web est de le faire depuis la page en question ; avec Internet Explorer, vous choisissez les commandes du menu **Fichier/Envoyer/Page par courrier électronique**.

Le site **www.miracle.qc.ca/ideatric.ca** se sert de cette fonction pour proposer des papiers à lettres : choisissez un fond d'écran, envoyez-le par courrier électronique pour voir son contenu dans une fenêtre de rédaction d'e-mail. Tapez votre courrier et envoyez votre e-mail.

Si vous avez des difficultés ou si vous transmettez toujours la même page, par exemple une page spécifique de votre site, il peut être contraignant et inutile d'ouvrir votre explorateur. Voici comment envoyer une page web depuis Outlook Express :

1. Lancez Outlook Express.
2. Cliquez sur le menu **Message** puis sur **Nouveau message avec/Page web**.
3. Dans la boîte de dialogue **Envoyer une page web**, saisissez l'URL (l'adresse) de la page à envoyer et validez en cliquant sur le bouton OK.

765. Recevoir le courrier d'un seul compte

Vous avez paramétré plusieurs comptes de messagerie, mais vous ne voulez vérifier le courrier que sur un compte précis. Vous pouvez interroger le compte de votre choix en cliquant sur le bouton fléché de la barre d'outils à droite du bouton **Envoyer et recevoir tout**. Vous pouvez aussi accéder à un compte précis en choisissant dans le menu **Outils** la commande **Envoyer et recevoir**. Choisissez ensuite le compte désiré.

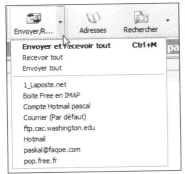

Figure 14.115 :
Ce bouton fléché permet l'accès à un compte en particulier

766. La boîte de chargement de messages

Lors de l'envoi ou de la réception du courrier apparaît la boîte de progression. Celle-ci contient les éléments suivants :

- Le bouton **Masquer**, qui cache la boîte.

- Le bouton **Arrêter**, qui interrompt l'envoi, la réception, la synchronisation.

- La case à cocher *Raccrocher une fois terminé*. Lorsqu'elle est validée, la connexion se ferme après l'envoi et la réception des différents comptes.

- Le bouton **Détail**, qui affiche ou cache un menu avancé de cette boîte de dialogue. Dans ce menu avancé :

– L'onglet **Tâches** liste les différentes actions à accomplir, réception du courrier, vérification et téléchargement des e-mails de messagerie, des posts de forums. Les tâches s'accomplissent les unes après les autres, dans l'ordre de la liste de haut en bas. Lorsque le traitement d'une tâche est fini, un indicateur à gauche de celle-ci indique le résultat : une coche verte indique que l'action s'est correctement déroulée. Une croix rouge indique une erreur.

Outre le suivi visuel de l'exécution de ces tâches, si vous laissez le pointeur de la souris sur une tâche en cours d'exécution, une info-bulle s'affiche qui vous donne des renseignements supplémentaires. Par exemple, lors du téléchargement d'une boîte au protocole POP3, l'info-bulle vous renseignera sur le nombre de messages dans la boîte de réception de votre serveur et le poids total de tous vos messages.

– L'onglet **Erreurs** affiche le détail des différentes erreurs qui se sont éventuellement produites pendant l'exécution des différentes tâches.

– L'icône en forme de punaise en bas à droite de la fenêtre laisse, lorsqu'elle est enfoncée, la fenêtre affichée quand toutes les tâches ont été effectuées.

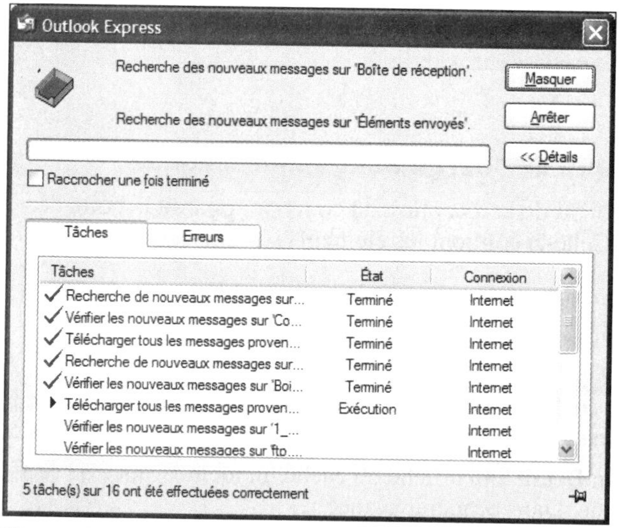

Figure 14.116 : *La boîte de progression des tâches*

767. La fonction de recherche d'Outlook Express

Un puissant moteur de recherche interne à Outlook Express vous permet de filtrer vos messages reçus et chargés d'après plusieurs critères et d'afficher les réponses.

1. Exécutez Outlook Express.

2. Cliquez sur le menu **Édition** puis choisissez **Rechercher/Message** (ou appuyez sur la combinaison de touches Ctrl+Maj+F).

— Cliquez sur le bouton **Parcourir** pour désigner le dossier dans lequel vous voulez effectuer votre recherche. La case à cocher *Inclure les sous-dossiers* vous permet d'étendre votre recherche aux sous-dossiers du dossier désigné. Pour une recherche dans l'ensemble des dossiers, par exemple, sélectionnez comme dossier *Outlook Express*, et validez la case à cocher *Inclure les sous-dossiers*.

— Parmi les critères de tri, vous pouvez spécifier de rechercher parmi le champ *Expéditeur*, *Destinataire*, *Objet* ou dans le corps même du message en renseignant la zone de saisie texte correspondante.

— Au besoin, validez et renseignez la date du message avant laquelle vous voulez effectuer la recherche. Il s'agit de la case à cocher *Reçu avant le*.

— Au besoin, validez et renseignez la date du message après laquelle vous voulez effectuer la recherche. Il s'agit de la case à cocher *Reçu après le*.

— Si vous voulez effectuer une recherche parmi les messages comprenant au moins une pièce jointe, validez la case à cocher *Le message comporte une ou plusieurs pièces jointes*.

— Si vous voulez effectuer une recherche parmi les messages ayant un indicateur, validez la case à cocher *Message avec indicateur* (icône en forme de petit drapeau rouge).

3. Cliquez sur le bouton **Rechercher** pour exécuter la requête. Le résultat s'affiche sous la forme d'une liste dans la partie basse de la fenêtre. Le bouton **Nouvelle recherche** efface les champs renseignés.

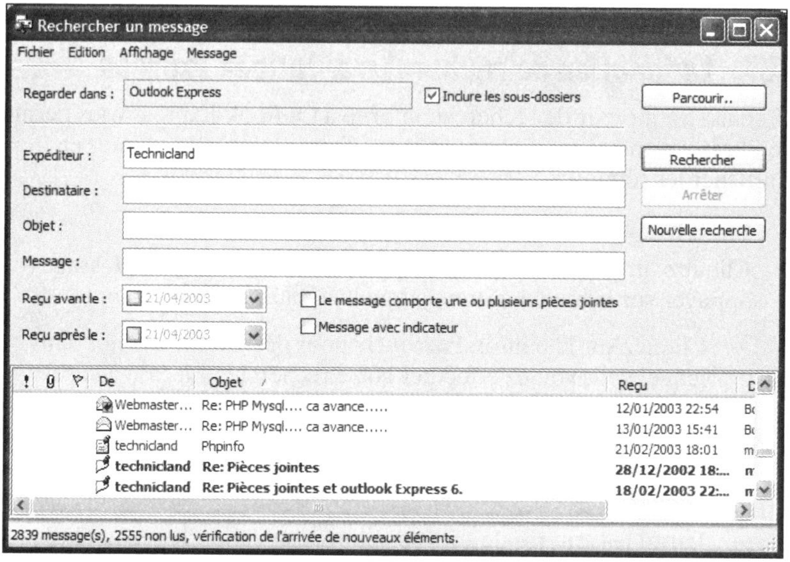

Figure 14.117 : *Une recherche fructueuse !*

ASTUCE

Tri dans le tri

Vous pouvez classer les messages trouvés en cliquant sur les en-têtes de colonnes. N'hésitez pas à utiliser cette fonction, car vous pouvez même ajouter des colonnes en cliquant du bouton droit de la souris sur la ligne d'entête de colonne et en choisissant la commande du menu contextuel **Colonnes**.

---

768. Définir le caractère d'urgence d'un courrier

Vous pouvez, lors de la composition et de l'envoi d'un courrier, placer un attribut d'importance. Une petite icône rouge en forme de point d'exclamation indique qu'un message est marqué comme prioritaire. Il existe trois critères de priorité d'un e-mail.

Tableau 14-10 : Critères de priorité d'un e-mail		
Priorité	**Icône**	**Message**
Élevé	 ❗	Ce message a une priorité haute.

Tableau 14-10 : Critères de priorité d'un e-mail		
Priorité	**Icône**	**Message**
Normal	Aucune icône	Aucun message.
Basse	 ⬇	Ce message a une priorité basse.

Pour définir la priorité :

1. Exécutez Outlook Express et affichez une fenêtre de rédaction d'e-mail (le caractère de priorité n'est pas fonctionnel avec les posts). Par exemple en choisissant les options du menu **Fichier/Nouveau/Message de courrier** (ou en appuyant sur la combinaison de touches Ctrl+N).

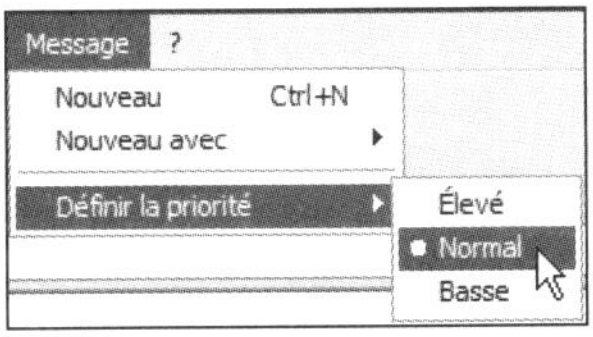

Figure 14.118 :
Définition du critère de priorité d'un e-mail

2. Cliquez sur le menu **Messages**, puis sur **Définir la priorité**, et choisissez **Élevé**, **Normal** ou **Basse** selon votre besoin. Une nouvelle ligne entre la barre d'outils et le champ *De* vous indique lorsque le message est marqué avec une priorité basse ou haute. La priorité par défaut est normale et ne porte aucun signe distinctif.

769. Rédiger un lien MAILTO

Ce n'est pas spécifique à Outlook Express : un raccourci MAILTO ouvre la fenêtre de rédaction de message de votre logiciel de messagerie par défaut et peut remplir certains renseignements tels que destinataire, destinataire de copie carbone, destinataire de copies carbones invisibles, sujet et corps de l'e-mail.

Ce raccourci MAILTO se présente comme un lien : vous pouvez en faire usage dans un courrier HTML ou texte brut, une page web ou l'inscrire dans un champ URL.

La syntaxe est : MAILTO:adresse de messagerie.

Par exemple, MAILTO:pascal@hotmail.com. Ceci sous forme de lien de la façon : <A HREF=" MAILTO:pascal@hotmail.com">Ecrivez moi</A>.

Vous pouvez agrémenter le lien MAILTO en définissant plusieurs adresses e-mails, plusieurs destinataires : il suffit de placer les adresses e-mails à la suite, en les séparant par des points-virgules.

Par exemple, MAILTO:pascal@hotmail.com;michel.blaise@laposte.net.

Vous pouvez spécifier ensuite un ou plusieurs champs parmi ceux ci-dessous.

Tableau 14-11 : Commandes possibles MailTo	
Champ	**Commande MailTo**
Copie conforme	**cc**
Copie conforme invisible	**bcc**
Sujet de l'e-mail	**Subject**
Corps de l'e-mail	**Body**

N'oubliez pas ces détails :

- Le premier de ces champs doit être précédé par le signe ? (point d'interrogation). Par exemple, MAILTO:pascal@hotmail.com?Subject=Livraison.

- Le ou les champs supplémentaires après le premier précédé par le point d'interrogation sont introduits par le signe & (Et commercial). Par exemple, MAILTO:pascal@hotmail.com?cc=michel.blaise@laposte .net&Subject=Livraison.

- Inscrivez certains caractères spéciaux sous la forme % : il s'agit du symbole % suivi du code caractère ASCII en hexadécimal à afficher. Aidez-vous du petit tableau joint.

Tableau 14-12 : Code "pourcentage" de quelques caractères particuliers		
Caractère typographique	Signification	Code
	Saut de ligne	%0a
	Espace	%20
"	Guillemet	%22
%	Signe pourcentage	%25
&	Signe Et commercial	%26
'	Apostrophe	%27
<	Inférieur	%3c
>	Supérieur	%3e
?	Point d'interrogation	%3f

MAILTO en HTML

Si, dans Outlook Express, vous avez défini par défaut le format d'envoi du courrier en html (dans **Outils/Options/Envoi/Format d'envoi du courrier**), vous pouvez placer quelques balises HTML dans le corps du raccourci MAILTO. Le nombre de ces balises est extrêmement limité, mais la possibilité existe. Il suffit de placer les balises <HTML> et </HTML> en début et en fin du champ *Body*. Par exemple, <HTML><B>Coucou</B><I>Coucou</I></HTML> crée un message HTML et affiche les mots Coucou avec attributs Gras puis Italique.

770. Modifier le code source d'un message HTML

Cela est nécessaire pour poster un message avec des balises HTML, scripts ou styles personnalisés ; intégrez-les directement dans le code source de l'e-mail (ou du post).

1. Exécutez Outlook Express, affichez une fenêtre de rédaction d'e-mail, par exemple en choisissant les options du menu **Fichier/Nouveau/Message de courrier**. (La même manipulation fonctionne pour les posts avec **Fichier/Nouveau/Message de news**.)

2. Cliquez sur **Format**, puis sur **Texte enrichi** pour rédiger votre message en HTML.

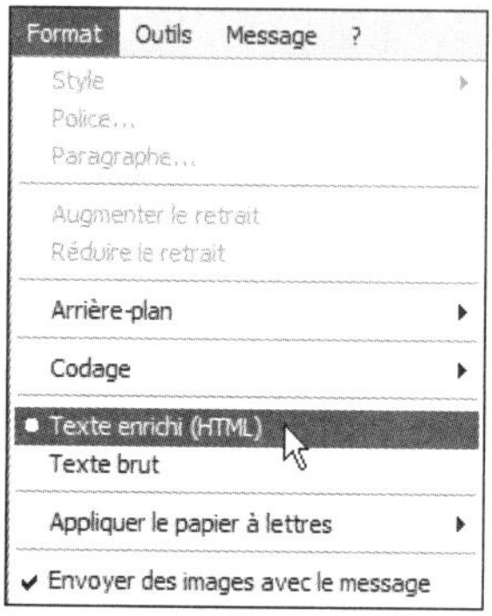

Figure 14.119 :
La source n'est bien sûr accessible que pour les messages Texte enrichi (HTML)

3.  Dans le menu **Affichage**, cochez **Modifier la source**.

4. En bas du message apparaissent trois nouveaux onglets :

– **Modifier**, qui permet d'écrire dans le message comme s'il s'agissait d'un logiciel WYSIWYG.

– **Source**, qui vous donne accès au source html du message. Vous pouvez y intégrer des scripts et des fonctions de style (CSS).

– **Aperçu**, qui vous permet d'avoir un aperçu du résultat final.

Figure 14.120 :
Onglets de gestion du code source du message

Envoi du message

Vous devez absolument être sous l'onglet **Modifier** pour transmettre un message.

771. Atteindre une page web à l'ouverture d'un message

Vous voulez qu'à l'ouverture du message le correspondant charge une page web, désignée par une URL. Pour cela, plusieurs conditions sont nécessaires, dont au moins les suivantes :

- Dans ses paramètres de sécurité, votre correspondant accepte l'exécution des scripts.
- À l'ouverture du message, la connexion doit être active.
- Le message doit être au format HTML.

La solution consiste à insérer dans l'en-tête du message HTML un programme JavaScript qui ouvre dans une fenêtre de l'explorateur une adresse Internet déterminée.

1. Exécutez Outlook Express, affichez une fenêtre de rédaction d'e-mail, par exemple en choisissant les options du menu **Fichier/Nouveau/Message de courrier**. (La même manipulation fonctionne pour les posts avec **Fichier/Nouveau/Message de news**.)

2. Cliquez sur **Format**, puis sur **Texte enrichi** pour rédiger votre message en HTML.

3. Dans le menu **Affichage**, cochez **Modifier la source**.

4. Cliquez sur le nouvel onglet **Source** en bas du message.

5. Recherchez visuellement la balise HTML </HEAD> et saisissez juste avant la ligne de code suivante : <script language="Javascript">window .open("www.monurl.com")</script> (changez l'adresse URL **www .monurl.com** par l'adresse Internet désirée).

6. Revenez en mode de création en cliquant sur l'onglet **Modifier**.

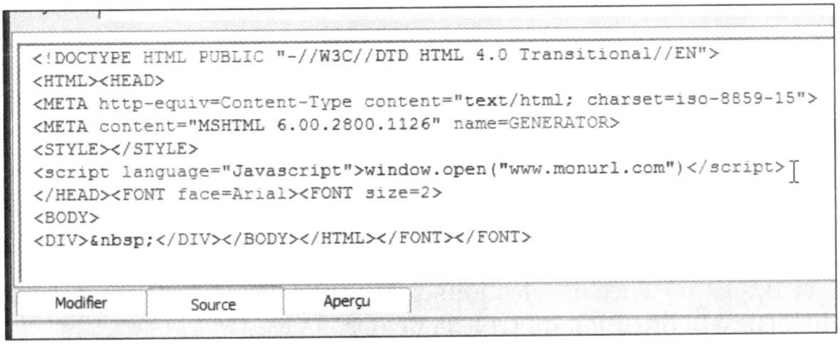

```
<!DOCTYPE HTML PUBLIC "-//W3C//DTD HTML 4.0 Transitional//EN">
<HTML><HEAD>
<META http-equiv=Content-Type content="text/html; charset=iso-8859-15">
<META content="MSHTML 6.00.2800.1126" name=GENERATOR>
<STYLE></STYLE>
<script language="Javascript">window.open("www.monurl.com")</script>
</HEAD><FONT face=Arial><FONT size=2>
<BODY>
<DIV> </DIV></BODY></HTML></FONT></FONT>
```

| Modifier | Source | Aperçu |

Figure 14.121 : *Insertion manuelle du script*

751

772. Restaurer un lien MAILTO avec Outlook Express

La commande HTML MAILTO permet de définir un lien vers la fenêtre de rédaction de nouveau message de votre messagerie par défaut. Lorsque le clic sur un lien MAILTO n'exécute pas l'action demandée, vérifiez les paramètres suivants.

Protocole MailTo

1. Dans la boîte de dialogue **Exécuter** (par **Démarrer/Exécuter** ou (Windows)+(R)), saisissez explorer pour exécuter l'explorateur de Windows.

2. Cliquez successivement sur **Outils/Options des dossiers/Types de fichiers**.

3. Dans la liste déroulante *Type de fichiers enregistrés*, sélectionnez la ligne :
   - Extensions (AUCUN) ;
   - Type de fichiers URL : protocole MailTo.

4. Cliquez sur le bouton **Avancé**.

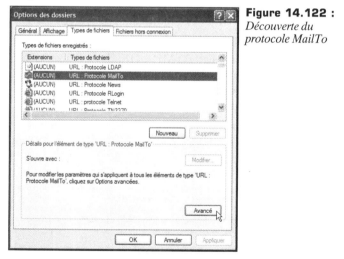

Figure 14.122 :
Découverte du protocole MailTo

5. Vérifiez la présence et sélectionnez l'action *Open* de la boîte de dialogue **Modification du type de fichier**.

6. Cliquez sur le bouton **Modifier**.

7. Vérifiez que les différents champs soient remplis de cette façon :

- action : open ;
- application utilisée pour exécuter cette action : "C:\Program Files\Outlook Express\msimn.exe" /mailurl:%1 ;
- message DDE ;
- application : msimn ;
- application DDE inactive ;
- rubrique : System.

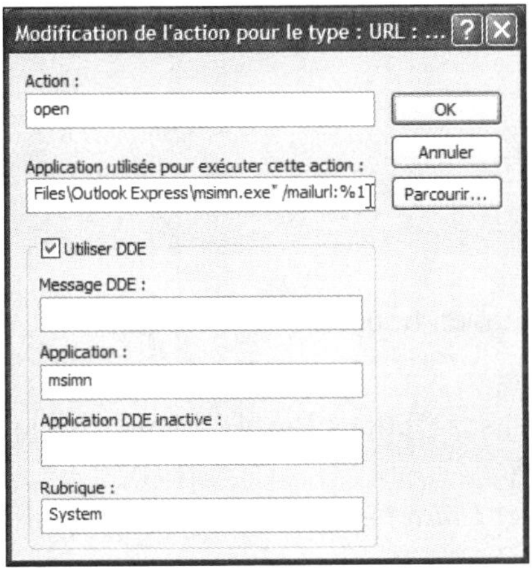

Figure 14.123 :
Paramètres de l'action Open du protocole MailTo

OE comme programme de messagerie par défaut

1. Cliquez du bouton droit sur l'icône d'Internet Explorer et choisissez la commande du menu contextuel **Propriétés**.

2. Sélectionnez l'onglet **Programmes** et, dans la liste déroulante *Messagerie*, désignez Outlook Express.

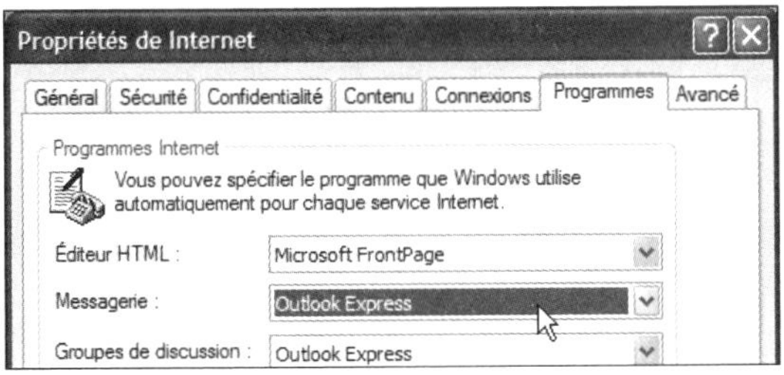

Figure 14.124 :
Désignation d'Outlook Express comme programme de messagerie par défaut

*Pour en savoir davantage sur la mise en œuvre d'un lien **MAILTO**, consultez l'astuce **Rédiger un lien MAILTO** de ce chapitre.*

773. Traduire les en-têtes From, To, Sent, Subject...

Lors d'une réponse, du transfert d'un e-mail, le courrier de réponse commence par :

----- *Original Message* ----- suivi ligne après ligne des en-têtes du message initial suivant :

- From:
- To: ou Newsgroups:
- Cc:
- Sent:
- Subject:

Vous pouvez traduire ces en-têtes en français de cette façon :

1. Exécutez Outlook Express.
2. Dans le menu **Outils**, choisissez **Options/Envois**. Cliquez sur le bouton **Paramètres internationaux**.
3. Laissez libre la case à cocher *Utilisez toujours les en-têtes anglais en réponse à un message*.
4. Validez en cliquant sur le bouton OK.

Figure 14.125 :
En laissant libre la case à cocher, les en-têtes seront automatiquement traduits

Les en-têtes anglais sont traduits de la façon suivante :

Tableau 14-13 : Traduction des en-têtes anglais	
En-tête anglais (par défaut)	**En-tête français**
Original Message	Message d'origine
From	De
To	À
Newsgroups	Groupes de discussion
Cc	Cc
Sent	Envoyé
Subject	Objet

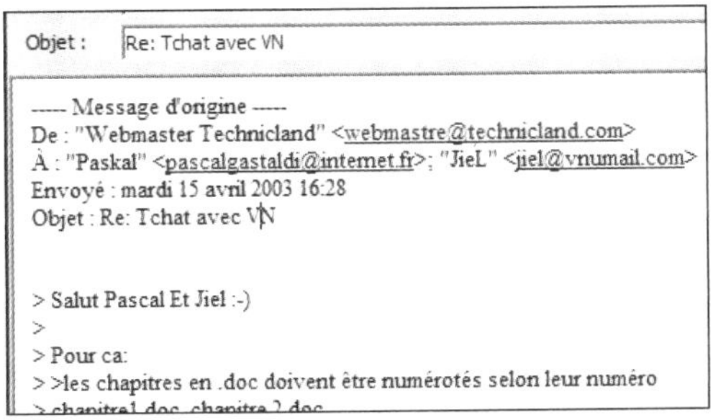

Figure 14.126 :
En-têtes traduits lors d'une réponse à un message

774. Créer ses signatures

Vous pouvez créer des signatures que vous apposerez aux messages envoyés.

1. Exécutez Outlook Express.

2. Cliquez sur le menu **Outils** puis sur **Options**. Sous l'onglet **Signatures**, cliquez sur le bouton **Nouveau**.

3. Dans la rubrique *Modifier la signature*, vous avez deux options :

- Inscrivez le texte de votre signature dans la zone de saisie *Texte*.

- Choisissez l'option *Fichier* et cliquez sur le bouton **Parcourir**. Dans la boîte de dialogue **Ouvrir**, désignez le fichier qui contient le texte de votre signature et validez en cliquant sur le bouton **Ouvrir**.

4. Cliquez sur le bouton **Renommer** et saisissez un nom évocateur pour votre signature.

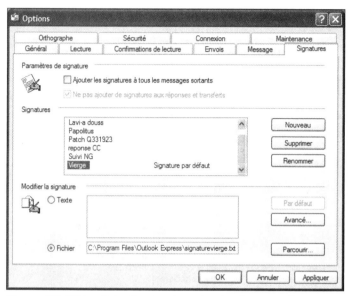

Figure 14.127 : *Boîte d'option de gestion des signatures. Remarquez sur la capture d'écran que certaines signatures sont en fait des réponses préétablies*

775. Créer une signature HTML

Le seul moyen d'y parvenir est de désigner comme signature un fichier *.htm* ou *.html* commençant et finissant par les balises <html> et </html>.

Création de la signature

Créez un document HTML contenant le code de votre signature. Voici un exemple très simple :

1. Dans la boîte de dialogue **Exécuter** (par **Démarrer/Exécuter** ou [Windows]+[R]), saisissez notepad pour exécuter le Bloc-notes de Windows.

2. Saisissez les lignes de code suivantes :

```
<html>
Normal<br>
```

```
<b>Caractères Gras</b><br>
<i>Caractères Italiques</i><br>
<u>Caractères Soulignés</u><br>
<s>Caractères rayés</s><br>
<i><u>exemple de cumul italique et souligné</u></i><br>
</html>
```

3. Cliquez sur **Fichier/Enregistrer sous**. Dans la boîte de dialogue, choisissez un lieu adapté (par exemple *C:\Program Files\Outlook Express*). Dans la zone de saisie texte *Nom du fichier*, inscrivez un nom pour votre signature, suivi de l'extension *.htm*. Par exemple Essaisignature.htm. Cliquez sur le bouton **Enregistrer** et fermez le Bloc-notes de Windows.

*Créez-vous une signature personnalisée qui corresponde à vos besoins. En cas de difficultés, reportez-vous à l'astuce **Les principales balises HTML** du chapitre **Chapitre commun**.*

Désignation de la signature

1. Ouvrez Outlook Express.

2. Cliquez sur le menu **Outils** puis sur **Options**. Sous l'onglet **Signatures**, cliquez sur le bouton **Nouveau**.

3. Dans la rubrique *Modifier la signature*, choisissez l'option *Fichier* et cliquez sur le bouton **Parcourir**.

4. Déroulez la liste déroulante *Fichiers de type* et choisissez *HTML (.htm;.html)*.

5. Parcourez l'arborescence et désignez le fichier HTML qui contient votre signature. Validez en cliquant sur le bouton **Ouvrir**.

6. Cliquez sur le bouton **Renommer** et saisissez un nom évocateur pour votre signature.

Signature par défaut

La signature par défaut est celle qui va s'appliquer dès que vous insérerez une signature, sans en spécifier une en particulier.

Toutefois, vous pouvez définir pour chaque compte la signature qui sera celle par défaut. Pour cela, dans **Outils/Options/Signatures**, sélectionnez la signature désirée et cliquez sur le bouton **Avancé**.

776. Une image en guise de signature

Dans le cas où vous avez opté pour une signature en HTML, vous n'êtes pas obligé de signer seulement avec du texte : vous pouvez par exemple incorporer une image (tel le logo de votre société) au moyen de la balise HTML <IMG SRC="C:\image.gif">, dans laquelle *C:\image.gif* représente l'endroit de votre disque où se trouve l'image. Cela peut également être une photo au format *.jpg*.

Voici le code HTML qui vous affichera votre logo, votre graphique :

1. Dans la boîte de dialogue **Exécuter** (par **Démarrer/Exécuter** ou [Windows]+[R]), saisissez notepad pour exécuter le Bloc-notes de Windows.

2. Saisissez les lignes de code suivantes :

```
<HTML>
<IMG SRC="C:\image.gif" ALT="Inscrivez ici la légende de la
✂ photo">
</HTML>
```

3. Cliquez sur **Fichier/Enregistrer sous**. Dans la boîte de dialogue, choisissez un lieu adapté (par exemple *C:\Program Files\Outlook Express*). Dans la zone de saisie texte *Nom du fichier*, inscrivez un nom pour votre signature, suivi de l'extension *.htm*. Par exemple SignatureLogo.htm. Cliquez sur le bouton **Enregistrer** et fermez le Bloc-notes de Windows.

Inscrivez dans le paramètre alt= la légende de l'image. Celle-ci sera visible dans l'info-bulle qui apparaît lors du passage du curseur de la souris. Désignez ce fichier *.htm* comme votre signature :

1. Dans Outlook Express, cliquez sur le menu **Outils** puis sur **Options**.

2. Sous l'onglet **Signatures**, cliquez sur le bouton **Nouveau**.

3. Dans la rubrique *Modifier la signature*, choisissez l'option *Fichier* et cliquez sur le bouton **Parcourir**.

4. Déroulez la liste déroulante *Fichiers de type* et choisissez *HTML (.htm;.html)*.

5. Parcourez l'arborescence et désignez le fichier HTML qui contient votre signature. Validez en cliquant sur le bouton **Ouvrir**.

6. Cliquez sur le bouton **Renommer** et saisissez un nom évocateur pour votre signature.

777. Définir des modèles de réponse

Si vous vous servez de réponses types ou que vous répondiez en certaines circonstances toujours le même message, servez-vous de l'automatisation d'intégration de texte dans un e-mail au moyen des fonctions signatures : créez une signature texte brut ou HTML qui contienne votre réponse type.

Lors de la réception d'un message, choisissez parmi vos signatures celle qui contient le message de réponse type. Toutefois, n'oubliez pas d'enlever les deux caractères -- qui signifient que le texte venant ensuite est une signature et doit être supprimé lors de la réponse.

778. Comment signer un message

Si vous avez créé des signatures, peut-être voudriez-vous vous en servir ?

Par insertion manuelle

Au moyen du menu :

1. Rédigez normalement votre courrier dans une fenêtre de rédaction de message ou de post.

2. Cliquez sur le menu **Insertion/Signature** et choisissez la signature à afficher.

Figure 14.128 :
Menu Insertion/signature dans une fenêtre de rédaction

Par la barre d'outils

1. Affichez une fenêtre de rédaction de courrier ou d'e-mail (menu **Fichier/Nouveau/Message de courrier** ou **Message de news**).

2. Cliquez du bouton droit sur la barre d'outils et choisissez **Personnaliser**.

3. Dans la liste de gauche, sélectionnez **Insérer une signature**, et cliquez sur le bouton **Ajouter**. Fermez la boîte de dialogue **Personnalisation de la barre d'outils**.

4.  Un simple clic sur le nouveau bouton de votre barre d'outils intégrera la signature par défaut dans votre message. Le bouton fléché permet de choisir une signature différente. Bien sûr, lors de vos messages suivants, il ne sera pas nécessaire de rajouter le bouton dans la barre d'outils : celui-ci y restera tant que vous ne l'enlèverez pas.

Par insertion automatique

1. Exécutez Outlook Express.

2. Cliquez sur le menu **Outils** puis choisissez **Options**. Sous l'onglet **Signatures**, validez la case à cocher *Ajouter les signatures à tous les messages sortants*. Selon votre préférence, vous pouvez valider la case *Ne pas ajouter de signatures aux réponses et transferts*.

Paramètres de signature

☑ Ajouter les signatures à tous les messages sortants

☐ Ne pas ajouter de signatures aux réponses et transferts

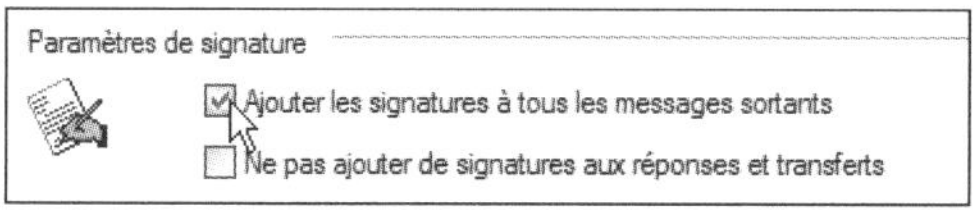

Figure 14.129 : *Insertion automatique de la signature. Au besoin, validez la case à cocher relative aux réponses et transferts*

Les signatures s'intègrent automatiquement lors de la fenêtre de composition de message, et vous pouvez les choisir en fonction du compte employé (comptes de messagerie Pop, Hotmail, IMAP... ou comptes de news). Pour cela, sélectionnez la signature désirée et cliquez sur le bouton **Avancé** pour lui désigner un compte.

Par exemple, vous êtes un contributeur régulier d'un forum particulier, et vous signez tous vos messages avec la même signature, qui est spécifique à vos envois sur ce forum. Sélectionnez votre signature, et cliquez sur le bouton **Avancé** pour lui désigner le serveur de news sur lequel est disponible votre forum. Si vous avez opté pour l'insertion automatique et le rajout des signatures aux réponses et transferts, chaque fenêtre de rédaction de nouveau post ou chaque réponse à un post existant intégrera directement la signature choisie.

REMARQUE

Inconvénient de la signature par défaut

Si vous avez opté pour l'ajout automatique des signatures dans le seul but d'appliquer une réponse automatique à un serveur ou à un compte, vous constaterez qu'Outlook Express oblige à signer tous les messages avec la signature par défaut ! L'astuce pour contourner ce problème est de créer une signature composée d'un caractère espace. Ainsi, pour tous les messages hors du compte pour lequel vous avez désigné une signature particulière, vous aurez l'inconvénient de voir apparaître les deux caractères -- annonçant une signature.

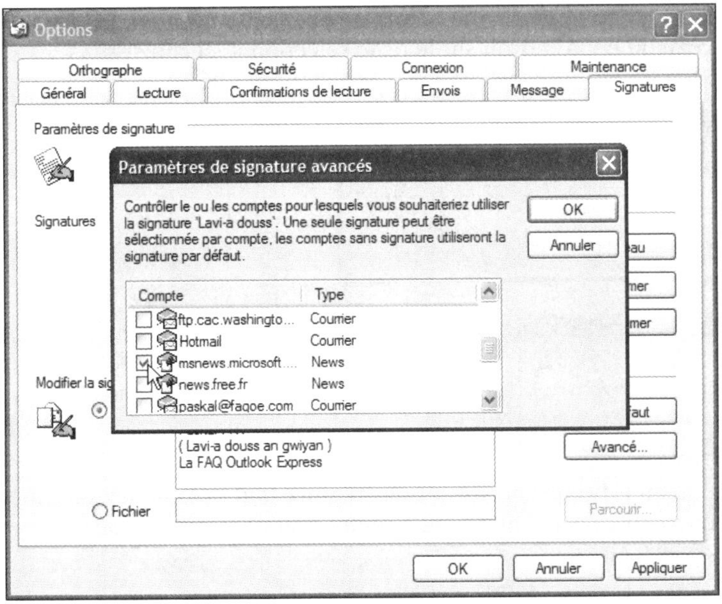

Figure 14.130 : *Désignation d'une signature pour un compte particulier. L'insertion est automatique ; aussi, pour les comptes où la signature ne doit pas être automatique, la seule solution est de définir une signature comprenant un caractère espace seul*

ASTUCE

L'emplacement de la signature

Par défaut, Outlook Express place la signature en haut des messages de réponse. À l'aide du programme OE-Quotefix (http://home.in.tum.de/~jain/index.html), vous pouvez modifier l'emplacement de la signature pour la placer en bas d'un message de réponse.

14.11   Sauvegarde et restauration

779. Sauvegarder ses messages

1. Créez un nouveau dossier dans *Mes documents* que vous nommez *Sauvegarde paramètres courrier*.

2. Dans Outlook Express, cliquez sur le menu **Outils** puis sur **Options** et sélectionnez l'onglet **Maintenance**.

3. Cliquez sur le bouton **Dossier de stockage**.

4. Dans la boîte de dialogue **Emplacement de stockage**, cliquez du bouton droit sur l'adresse affichée, puis choisissez **Sélectionner tout**. Cliquez de nouveau du bouton droit sur le texte sélectionné et choisissez **Copier**. Fermez la boîte en cliquant sur le bouton OK.

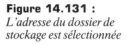

Figure 14.131 :
L'adresse du dossier de stockage est sélectionnée

5.  Dans la boîte de dialogue **Exécuter** (par **Démarrer/Exécuter** ou (Windows)+(R)), appuyez sur les touches (Ctrl)+(V), puis cliquez sur OK.

6. Dans le menu **Édition**, choisissez **Sélectionner tout** (ou cliquez sur un fichier contenu dans la fenêtre puis appuyez sur la combinaison de touches (Ctrl)+(A)).

7. Revenez dans le menu **Édition** et cliquez sur **Copier** (ou appuyez sur la combinaison de touches (Ctrl)+(C)).

8. Entrez dans le dossier *Sauvegarde paramètres courrier* que vous avez créé dans *Mes documents*.

9. Cliquez sur le menu **Édition** puis sur **Coller** (ou appuyez sur la combinaison de touches (Ctrl)+(V)). L'ensemble des fichiers contenus dans le répertoire de stockage est copié dans ce nouveau dossier.

780. Sauvegarder le Carnet d'adresses

Microsoft conseille d'appliquer la procédure suivante, mais cette méthode a l'inconvénient de détruire les groupes et dossiers créés dans le Carnet d'adresses :

1. Dans Outlook Express, cliquez sur le menu **Fichier** puis sur **Exporter** et sélectionnez **Carnet d'adresses**.

2. Sélectionnez *Fichier texte (valeurs séparées par des virgules)*, puis cliquez sur **Exporter**.

3. Cliquez sur **Parcourir**, sélectionnez le dossier *Sauvegarde paramètres courrier* que vous avez préalablement créé dans *Mes documents* et saisissez comme nom de sauvegarde sauvegarde carnet adresses. Validez par **Enregistrer**. Cliquez sur le bouton **Suivant**.

4. Dans la fenêtre **Sélectionner les champs à exporter**, assurez-vous que toutes les cases à cocher soient validées.

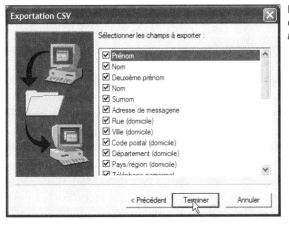

Figure 14.132 :
Choisissez d'exporter tous les champs

5. Confirmez la sauvegarde en cliquant sur le bouton **Terminer**. Le fichier *Sauvegarde carnet adresses.csv* se crée dans le répertoire courant.

À la place de cette manipulation, et dans le cas où le Carnet d'adresses n'est pas partagé avec Outlook Office, il peut être préférable de procéder comme suit :

1. Dans la boîte de dialogue **Exécuter** (par **Démarrer/Exécuter** ou ⌊Windows⌋+⌊R⌋), saisissez WAB pour exécuter le programme *Carnet d'adresses* de Windows.

2. Cliquez sur le menu **?** puis sur **A propos du carnet d'adresses**.

3. Notez le nom du fichier Carnet d'adresses ainsi que son emplacement, qui vous apparaît dans la fenêtre **Fichier**.

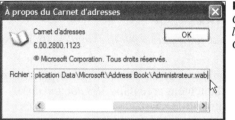

Figure 14.133 :
Chemin de l'emplacement du Carnet d'adresses .wab

4. Dans la boîte de dialogue **Exécuter** (par **Démarrer/Exécuter** ou ⌊Windows⌋+⌊R⌋), saisissez Explorer pour exécuter l'explorateur de Windows.

5. Parcourez l'arborescence de l'explorateur pour rechercher le fichier *.wab* désigné.

6. Cliquez du bouton droit sur ce fichier *.wab* et choisissez la commande du menu contextuel **Copier** (ou sélectionnez le fichier *.wab* et appuyez sur la combinaison de touches ⌊Ctrl⌋+⌊C⌋).

7. Parcourez l'arborescence de l'explorateur pour entrer dans le dossier *Sauvegarde paramètres courrier* que vous avez préalablement créé dans *Mes documents*.

8. Cliquez du bouton droit dans une partie vide du dossier *Sauvegarde paramètres courrier* et choisissez la commande du menu contextuel **Coller** (ou appuyez sur la combinaison de touches ⌊Ctrl⌋+⌊V⌋).

781. Sauvegarder ses comptes de courrier et de news

1. Exécutez Outlook Express.

2. Cliquez sur le menu **Outils** puis sur **Comptes** et sélectionnez l'onglet **Tout**.

3. Pour chaque compte à sauvegarder, sélectionnez celui-ci et cliquez sur le bouton **Exporter**.

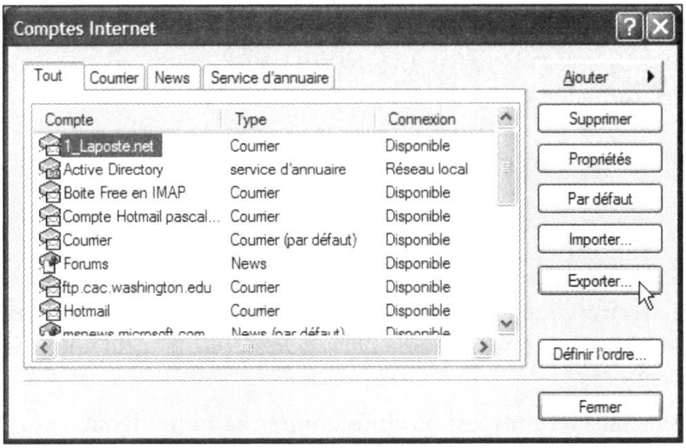

Figure 14.134 : *Choix du compte à exporter*

4. Parcourez l'arborescence de la boîte **Exportation d'un compte Internet** pour entrer dans le dossier *Sauvegarde paramètres courrier* que vous avez préalablement créé. Par défaut, le nom de sauvegarde du compte sera le nom du compte suivi de l'extension de fichier *.iaf*.

5. Cliquez sur le bouton **Enregistrer** pour effectuer la sauvegarde.

6. Répétez en reprenant à l'étape 3 l'opération pour chaque compte à exporter (courrier, news, annuaire).

782. Sauvegarder la liste des expéditeurs bloqués

1. Dans la boîte de dialogue **Exécuter** (par **Démarrer/Exécuter** ou (Windows)+(R)), saisissez regedit pour exécuter l'Éditeur du registre de Windows.

2. Déroulez l'arborescence de l'Éditeur du registre pour rechercher la valeur de la clé *HKEY_CURRENT_USER\Identities\Last User ID* (il s'agit d'un nombre en hexadécimal composé de 32 caractères et délimité par des accolades).

3. Notez ce nombre comme étant le numéro USER_ID correspondant à votre identité Outlook Express.

4. Recherchez et sélectionnez, toujours dans le registre, la clé *HKEY_CURRENT_USER\Identities\Numéro USER_ID\Software\Microsoft\Outlook Express\5.0\Block Senders*.

5. Cliquez sur le menu **Fichier** puis sur **Exporter**.

Figure 14.135 :
Sélection de la branche contenant la liste des expéditeurs bloqués

6. Parcourez l'arborescence de la boîte **Exporter un fichier du registre** pour désigner le dossier *Sauvegarde paramètres courrier* que vous avez préalablement créé.

7. Saisissez le nom Expbloques comme nom de fichier et validez en cliquant sur le bouton **Enregistrer**. La branche du registre contenant les expéditeurs bloqués sera sauvegardée dans le fichier *Expbloques.reg*.

783. Sauvegarder les règles de message

1. Dans la boîte de dialogue **Exécuter** (par **Démarrer/Exécuter** ou (Windows)+(R)), saisissez regedit pour exécuter l'Éditeur du registre de Windows.

2. Déroulez l'arborescence de l'Éditeur du registre pour rechercher la valeur de la clé *HKEY_CURRENT_USER\Identities\Last User ID* (il s'agit d'un nombre en hexadécimal composé de 32 caractères et délimité par des accolades).

3. Notez ce nombre comme étant le numéro USER_ID correspondant à votre identité Outlook Express.

4. Recherchez et sélectionnez, toujours dans le registre, la clé *HKEY_CURRENT_USER\Identities\Numéro USER_ID\Software\Microsoft\Outlook Express\5.0\Rules*.

5. Cliquez sur le menu **Fichier** puis sur **Exporter**.

6. Parcourez l'arborescence de la boîte **Exporter un fichier du registre** pour désigner le dossier *Sauvegarde paramètres courrier* que vous avez préalablement créé.

7. Saisissez le nom Regles comme nom de fichier et validez en cliquant sur le bouton **Enregistrer**. La branche du registre contenant les règles de message sera sauvegardée dans le fichier *Regles.reg*.

784. Sauvegarder les signatures

1. Dans la boîte de dialogue **Exécuter** (par **Démarrer/Exécuter** ou [Windows]+[R]), saisissez regedit pour exécuter l'Éditeur du registre de Windows.

2. Déroulez l'arborescence de l'Éditeur du registre pour rechercher la valeur de la clé *HKEY_CURRENT_USER\Identities\Last User ID* (il s'agit d'un nombre en hexadécimal composé de 32 caractères et délimité par des accolades).

3. Notez ce nombre comme étant le numéro USER_ID correspondant à votre identité Outlook Express.

4. Recherchez et sélectionnez, toujours dans le registre, la clé *HKEY_CURRENT_USER\Identities\Numéro USER_ID\Software\Microsoft\Outlook Express\5.0\Signatures*.

5. Cliquez sur le menu **Fichier** puis sur **Exporter**.

6. Parcourez l'arborescence de la boîte **Exporter un fichier du registre** pour désigner le dossier *Sauvegarde paramètres courrier* que vous avez préalablement créé.

7. Saisissez le nom Signatures comme nom de fichier et validez en cliquant sur le bouton **Enregistrer**. La branche du registre contenant les signatures sera sauvegardée dans le fichier *Signatures.reg*.

> **ASTUCE**
>
> ### Se faciliter la sauvegarde et la restauration des données Outlook Express
>
> Vous pouvez vous servir de programmes qui facilitent la sauvegarde et la restauration des données Outlook Express, par exemple le programme e-Backup d'Inachis, décrit dans l'astuce *Utiliser e-Backup* du chapitre *Programmes externes Outlook Express*.

Vous retrouverez la manière officielle Microsoft pour sauvegarder et restaurer les données Outlook Express dans les articles 270670 et 276511 de la base de connaissance Microsoft. Ces articles sont consultables en ligne aux adresses http://support.microsoft.com/default.aspx?scid=kb;fr;270670 et http://support.microsoft.com/default.aspx?scid=kb;fr;276511.

785. Restaurer ses messages

Plusieurs solutions sont possibles.

Méthode Microsoft

1. Lancez Outlook Express.

2. Dans le menu **Fichier**, choisissez **Importer/Messages**. Sélectionnez l'option *Outlook Express 6* et cliquez sur **Suivant**. Validez l'option *Importer du courrier à partir d'un répertoire de stockage Outlook Express 6* et cliquez sur OK.

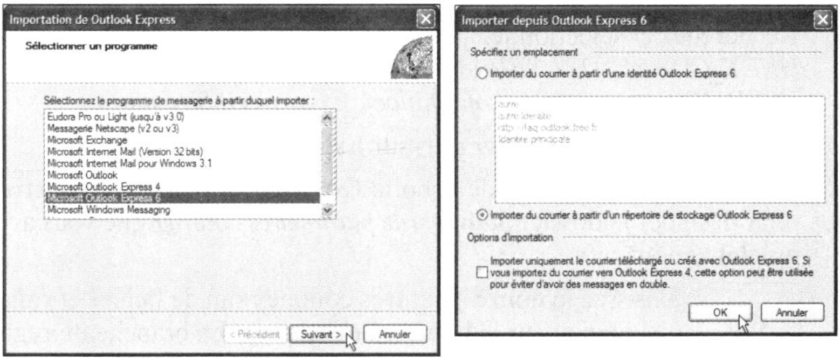

Figure 14.136 : *L'assistant d'import de messages*

3. Parcourez l'arborescence de la boîte *Importation de Outlook Express* pour désigner le dossier *Sauvegarde paramètres courrier* que vous avez préalablement créé dans *Mes documents*.

4. Validez en cliquant sur le bouton **Suivant**.

Méthode par écrasement

1. Exécutez Outlook Express.

2. Cliquez sur le menu **Outils** puis sur **Options** et sélectionnez l'onglet **Maintenance**. Cliquez sur le bouton **Dossier de stockage**.

3. Cliquez du bouton droit sur l'adresse affichée dans la boîte **Emplacement de stockage**, et choisissez la commande du menu contextuel **Sélectionner tout**. Cliquez une nouvelle fois du bouton droit sur le texte sélectionné et choisissez l'option du menu contextuel **Copier**. Fermez la boîte en cliquant sur OK.

4. Dans la boîte de dialogue **Exécuter** (par **Démarrer/Exécuter** ou [Windows]+[R]), appuyez sur la combinaison de touches [Ctrl]+[V], puis cliquez sur OK. Une fenêtre de l'explorateur contenant les fichiers banque de message Outlook Express s'ouvre.

5. Dans la boîte de dialogue **Exécuter** (par **Démarrer/Exécuter** ou [Windows]+[R]), saisissez Explorer pour exécuter l'explorateur de Windows.

6. Déroulez l'arborescence de l'explorateur pour rechercher le dossier *Sauvegarde paramètres courrier* que vous avez préalablement créé.

7. Cliquez sur le menu **Édition** puis sur **Sélectionner tout** (ou cliquez sur un fichier contenu dans la fenêtre puis appuyez sur la combinaison de touches [Ctrl]+[A]).

8. Fermez l'explorateur Windows. La fenêtre d'arrière-plan qui contient les fichiers banque de message d'Outlook Express doit revenir au premier plan.

9. Cliquez sur le menu **Édition** puis sur **Sélectionner tout** (ou cliquez sur un fichier contenu dans la fenêtre puis appuyez sur la combinaison de touches [Ctrl]+[A]).

10. Cliquez sur le menu **Édition** puis sur **Coller** (ou appuyez sur la combinaison de touches [Ctrl]+[V]).

11. Confirmez le remplacement des fichiers existants en cliquant sur le bouton **Tous** dans la boîte **Confirmer le remplacement du fichier**.

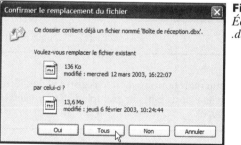

Figure 14.137 :
Écrasement des fichiers .dbx

Méthode de registre

1. Ouvrez puis fermez Outlook Express (afin de vous assurer de son inscription dans le registre).

2. Dans la boîte de dialogue **Exécuter** (par **Démarrer/Exécuter** ou [Windows]+[R]), saisissez Explorer pour exécuter l'explorateur de Windows.

3. Déroulez l'arborescence de l'explorateur pour rechercher le dossier *Sauvegarde paramètres courrier* que vous avez préalablement créé.

4. Au besoin, copiez l'ensemble des fichiers précédemment sauvegardés dans un nouveau dossier de votre disque dur.

5. Dans la boîte de dialogue **Exécuter** (par **Démarrer/Exécuter** ou (Windows)+(R)), saisissez regedit pour exécuter l'Éditeur du registre de Windows.

6. Recherchez la clé *HKEY_CURRENT_USER\Identities\Last User ID* et notez sa valeur (il s'agit d'un nombre en hexadécimal composé de 32 caractères et délimité par des accolades). Ce numéro est le numéro USER_ID correspondant à votre identité Outlook Express.

7. Toujours dans le registre, recherchez la chaîne *HKEY_CURRENT_USER\Identities\Numéro USER_ID\Software\Microsoft\Outlook Express\5.0\Store Root*. Un double-clic sur cette chaîne vous permet de modifier sa valeur : inscrivez le chemin du répertoire dans lequel vous venez de placer les fichiers archive d'Outlook Express.

Figure 14.138 :
Modification de la valeur Store Root, qui désigne l'emplacement du dossier de stockage

---

Vérifier la syntaxe

Lors de l'inscription du chemin du répertoire dans le registre, il peut être utile de finir l'adresse par le signe antislash, par exemple *C:\Documents and Settings\Administrateur\Bureau\vierge*.

Avantage de la méthode de registre

L'avantage de restaurer du courrier par la méthode de registre est de pouvoir désigner un dossier placé sur le réseau.

786. Restaurer le Carnet d'adresses

Méthode Microsoft

1. Exécutez Outlook Express.

2. Cliquez sur le menu **Fichier** puis sur **Importer** et sélectionnez **Autre carnet d'adresses**.

3. Sélectionnez *Fichier texte (valeur séparée par des virgules)*, puis validez en cliquant sur le bouton **Importer**.

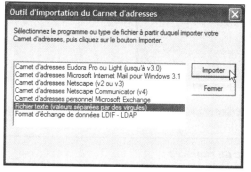

Figure 14.139 :
Outil d'importation du Carnet d'adresses

4. Cliquez sur le bouton **Parcourir** de la boîte de dialogue **Importation CSV**.

5. Désignez le fichier de sauvegarde (format *.csv*) et validez en cliquant sur le bouton **Ouvrir**.

6. Cliquez sur le bouton **Suivant**.

7. Sélectionnez toutes les cases à cocher du mappage des champs et validez en cliquant sur le bouton **Terminer**.

Méthode fichier WAB

1. Exécutez puis fermez Outlook Express (afin de vous assurer de son inscription dans le registre).

2. Copiez le fichier *.wab* précédemment sauvegardé dans un répertoire de votre disque dur.

3. Dans la boîte de dialogue **Exécuter** (par **Démarrer/Exécuter** ou (Windows)+(R)), saisissez regedit pour exécuter l'Éditeur du registre de Windows.

4. Déroulez l'arborescence de l'Éditeur du registre pour rechercher la valeur de la clé *HKEY_CURRENT_USER\Software\Microsoft\WAB\WAB4\wab File Name*. La valeur par défaut de cette clé contient le chemin d'accès au Carnet d'adresses.

5. Double-cliquez sur la valeur de clé *(par défaut)* dans la fenêtre de droite de l'Éditeur du registre.

6. Saisissez le nom ainsi que le chemin entier menant au nouveau fichier *.wab* dans la fenêtre **Modification de la chaîne**.

Modification de la chaîne	? X
Nom de la valeur :	
Données de la valeur :	
ministrateur\Application Data\Microsoft\Address Book\Administrateur.wab	
OK	Annuler

Figure 14.140 :
Modification du chemin d'accès vers le fichier .wab

7. Validez en cliquant sur le bouton OK. Fermez l'Éditeur du registre.

Avantage de la méthode du registre
Les avantages de restauration du Carnet d'adresses *.wab* par le registre sont la possibilité de désigner un fichier placé sur le réseau ainsi que la conservation des groupes et dossiers.

787. Restaurer ses comptes de courrier et de news

La manipulation est extrêmement simple :

1. Exécutez Outlook Express.

2. Cliquez sur le menu **Outils** puis sur **Comptes** et sélectionnez **Importer**.

3. Désignez un compte précédemment sauvegardé (fichiers *.iaf*).

4. Répétez cette manipulation autant de fois que vous avez de comptes à importer.

> **ATTENTION**
>
> ***Être vigilant !***
> Cette méthode d'export et d'import de paramètres de compte peut être dangereuse au niveau de la sécurité : une personne malintentionnée qui a accès à vos comptes peut exporter sur disquette vos paramètres de compte (fichier *.iaf*) et les importer pour s'en servir sur un autre ordinateur. Dès lors, si le choix a été fait de laisser une copie des e-mails sur le serveur, vous ne vous apercevrez jamais qu'une personne lit ou même trie vos e-mails !
> En effet, cette méthode d'export/import de paramètres de compte enregistre dans ses paramètres le mot de passe de messagerie. Un conseil, donc : n'enregistrez pas votre mot de passe, ou quittez toujours Outlook Express par la commande de menu **Fichier/Quitter et se déconnecter** !

788. Restaurer la liste des expéditeurs bloqués

Si la restauration est faite pour la même identité, la simple ouverture (par double-clic) du fichier *.reg* précédemment sauvegardé va inscrire la liste des expéditeurs bloqués dans le registre (en théorie, cette pratique ne sert à rien car, en cas de problème grave entraînant la perte de la liste des expéditeurs bloqués, le numéro USER_ID serait probablement également détruit).

Si la restauration ou l'importation doit être effectuée sous une autre identité ou si elle concerne une nouvelle installation d'Outlook Express, il conviendra d'effectuer les actions suivantes :

1. Exécutez Outlook Express et assurez-vous d'être dans l'identité pour laquelle vous voulez importer la liste des expéditeurs bloqués (ou restez dans l'identité principale si vous n'avez pas créé d'autres identités).

2. Dans la boîte de dialogue **Exécuter** (par **Démarrer/Exécuter** ou [Windows]+[R]), saisissez regedit pour exécuter l'Éditeur du registre de Windows.

3. Déroulez l'arborescence de l'Éditeur du registre pour rechercher la valeur de la clé *HKEY_CURRENT_USER\Identities\Last User ID* (il s'agit d'un nombre en hexadécimal composé de 32 caractères et délimité par des accolades).

4. Notez ce nombre comme étant le numéro USER_ID correspondant à votre identité Outlook Express.

5. Dans la boîte de dialogue **Exécuter** (par **Démarrer/Exécuter** ou [Windows]+[R]), saisissez explorer pour exécuter l'explorateur de Windows.

6. Déroulez l'arborescence de l'explorateur pour rechercher le fichier de sauvegarde des expéditeurs bloqués (normalement, *Expbloques.reg*).

7. Cliquez du bouton droit sur ce fichier de sauvegarde des expéditeurs bloqués et choisissez la commande du menu contextuel **Modifier** afin d'ouvrir le fichier dans le Bloc-notes.

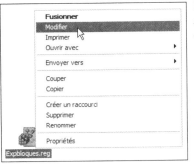

Figure 14.141 :
Modification du fichier .reg

8. Parcourez visuellement ce fichier. Vous trouverez de suite le nombre hexadécimal composé de 32 caractères et sous la forme xxxxxxxx-xxxx-xxxx-xxxx-xxxxxxxxxxxx. Toute l'astuce va consister à remplacer cet ancien numéro USER_ID par le nouveau numéro.

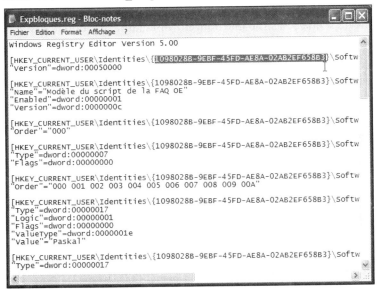

Figure 14.142 : *Découverte de l'ancien USER_ID dans le fichier .reg*

9. Cliquez sur le menu **Édition** puis **Remplacer** (ou appuyez sur la combinaison de touches ⌨Ctrl+⌨H).

10. Dans la zone de texte *Rechercher*, inscrivez l'ancien numéro USER_ID que vous avez trouvé visuellement dans le fichier (inscrivez-le sans les accolades).

11. Dans la zone de texte *Remplacer par*, inscrivez le nouveau numéro USER_ID que vous avez trouvé dans le registre.

12. Validez la fonction **Rechercher/Remplacer** en cliquant sur le bouton **Remplacer tout**.

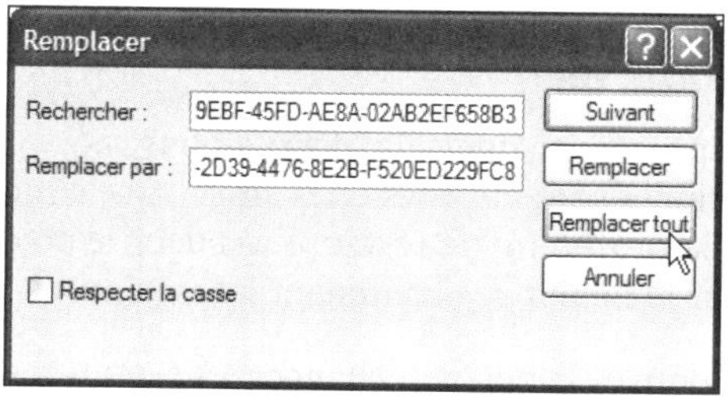

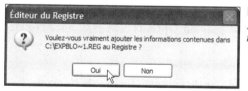

Figure 14.143 :
Remplacement du numéro USER_ID dans le fichier registre

13. Cliquez sur le menu **Fichier** puis **Remplacer** afin de sauvegarder la modification (ou appuyez sur la combinaison de touches ⌨Ctrl+⌨S). Fermez le Bloc-notes.

14. Double-cliquez sur le fichier *Expbloques.reg* ainsi modifié. La liste des expéditeurs bloqués s'inscrit pour la nouvelle identité Outlook Express.

Figure 14.144 :
Fusionnez le fichier modifié dans le registre

ASTUCE

Partager sa liste d'expéditeurs bloqués

Par cette méthode, vous pouvez échanger la liste d'expéditeurs bloqués entre les différentes identités Outlook Express. Il suffit de remplacer dans le fichier les numéros USER_ID.

789. Restaurer les règles de message

La procédure est la même que celle décrite pour la liste des expéditeurs bloqués. Vous devez seulement l'appliquer sur le fichier *.reg* contenant les règles de message.

Là aussi, vous pouvez échanger facilement les règles de message entre plusieurs utilisateurs en modifiant le numéro USER_ID par celui de l'identité pour laquelle vous voulez importer la ou les règles de message.

790. Restaurer les signatures

Là encore, il s'agit de la même procédure que celle décrite pour les expéditeurs bloqués car ces données sont inscrites elles aussi dans le même endroit du registre. Appliquez la procédure de restauration décrite pour la liste des expéditeurs bloqués sur le fichier *.reg* contenant les signatures.

Avec cette manipulation, vous pouvez là encore échanger les signatures sur vos diverses identités mais, s'agissant de signatures, cela ne paraît pas très approprié.

791. Changer le dossier de stockage des fichiers d'Outlook Express

1. Exécutez Outlook Express.

2. Cliquez sur le menu **Outils** puis sur **Options** et sélectionnez l'onglet **Maintenance**.

3. Cliquez sur le bouton **Dossier de stockage**.

4. Cliquez sur le bouton **Modifier** de la boîte **Dossier de stockage**.

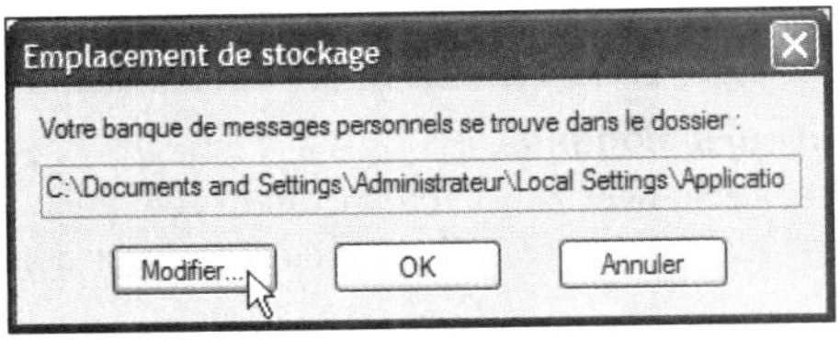

Figure 14.145 :
Modifier le dossier de stockage

5. Déroulez l'arborescence et désignez le nouveau dossier de stockage des fichiers Outlook Express.

792. Réduire la taille des fichiers contenant des messages

Malgré l'effacement de messages, vous pourrez remarquer que la taille du fichier *.dbx* relatif au dossier Outlook Express dans lequel vous avez supprimé le ou les messages n'a pas diminué.

Comme sur un disque dur, Outlook Express n'efface pas complètement le message, mais efface seulement l'entrée désignant ce message. Pour être certain d'effacer le message du fichier, vous assurant par là même un gain de place mais aussi la certitude de ne plus pouvoir consulter ou récupérer ce message, et pour optimiser les fichiers banque de message (fichiers *nom_du_dossier_OE.dbx*), vous devez compacter ces dossiers. Pour compacter un dossier :

1. Exécutez Outlook Express.

2. Cliquez sur le dossier à compacter qui se trouve à gauche, dans la fenêtre des dossiers.

3. Cliquez sur le menu **Fichier**, choisissez **Dossier/Compacter**.

Pour compacter tous les dossiers :

1. Exécutez Outlook Express.

2. Cliquez sur le menu **Fichier** puis pointez sur **Dossier** et sélectionnez **Compacter tous les dossiers**.

Figure 14.146 :
Compactage en cours

Astuce

Automatiser le compactage

Vous pouvez automatiser le compactage des dossiers et des fichiers en validant la case à cocher *Compacter les messages en arrière-plan* du menu **Outils/Options/Maintenance**. Dans le pourcentage d'espace inutilisé, faites attention car une valeur trop basse ralentira la fermeture d'Outlook Express. 50 % paraît être un bon compromis.

793. Intégrer un fichier de messages .dbx

Suite à une sauvegarde ou tout simplement pour lire le contenu d'un fichier *.dbx*, vous avez un fichier (*nom_du_dossier_OE.dbx*) que vous voulez intégrer dans Outlook Express.

1. Dans le menu **Fichier** d'Outlook Express, choisissez la commande **Nouveau/Dossier** (ou appuyez sur la combinaison de touches [Ctrl]+[Maj]+[E]).

2. Rédigez un nouveau message (**Fichier/Nouveau /Message courrier**) en inscrivant à l'intérieur quelques caractères aléatoires.

3. Enregistrez ce message, puis déplacez-le du dossier *Brouillons* vers le dossier nouvellement créé.

4. Toujours sur ce nouveau dossier, cliquez du bouton droit et choisissez la commande du menu contextuel **Propriété**. Notez le nom du fichier ainsi que son chemin d'accès. Fermez Outlook Express.

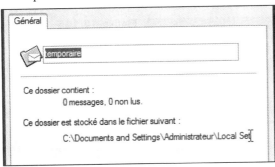

Figure 14.147 : *Découverte du chemin d'accès au nouveau dossier*

5. Cliquez du bouton droit sur le fichier .*dbx* à intégrer dans Outlook Express. Choisissez les options du menu contextuel **Copier**.

6. Placez-vous dans le dossier de stockage dont vous venez de noter le chemin. Et appuyez sur la combinaison de touches Ctrl+V afin d'y copier le fichier .*dbx*.

7. Confirmez l'écrasement du fichier actuel.

8. Le fichier .*dbx* est à présent intégré à Outlook Express.

ASTUCE

Sauvegarde des forums

Les fichiers de banque de message des groupes de discussion sont du même format que les fichiers relatifs à la messagerie. Vous pouvez utiliser la méthode de cette astuce pour "convertir" un groupe de discussion en un dossier, comme s'il s'agissait d'e-mails. Ceci aura l'avantage de vous certifier que vous garderez tous les fichiers chargés.

14.12 Appendice et références

794. Pour aller plus loin : les sites incontournables d'Outlook Express

Les forums de discussion sont souvent imagés comme un immense tableau où chaque question serait écrite sur une feuille et affichée sur le tableau. Tous les utilisateurs peuvent lire ces questions et, éventuellement, y répondre.

Certaines questions sont très fréquentes et répétées sans cesse, d'où la création de FAQ (*Fréquently Asqued Question*, questions les plus fréquemment posées).

■ La FAQ du Forum d'Outlook Express (sur le serveur de Microsoft) est accessible à l'adresse **www.faqoe.com**.

■ Deux FAQ Outlook Express (sur Usenet) sont consultables aux adresses **http://usenetfr.free.fr/faqoe.htm** et **www.usenet-fr.net/fur/comp/usenet/faqoe.html**.

Toujours en français, le site **www.arobase.org** est un site très complet qui traite de tous les programmes de messagerie.

Les sites américains de Tom Koch et de Steve Cochran sont les plus complets et les plus aboutis à propos d'Outlook Express : **http://insideoe** **.tomsterdam.com** et **www.oehelp.com**. Toujours outre-Atlantique, le site **http://** **lettermanstationery.tripod.com/index.htm** fait référence dans le domaine des papiers à lettres, du scripting et d'outils divers pour Outlook Express.

795. Icônes des messages électroniques

Tableau 14-14 : Liste des icônes des messages électroniques	
Icône	**Signification**
	Le message contient un ou plusieurs fichiers joints.
	Le message a été marqué comme de priorité haute par son expéditeur.
	Le message a été marqué comme de priorité faible par son expéditeur.
	Le message a été lu. L'en-tête apparaît en caractères clairs.
	Le message n'a pas été lu. L'en-tête apparaît en caractères gras.
	Une réponse au message a été envoyée.
	Le message a été transféré vers une autre personne.
	Le message est en cours de traitement dans le dossier *Brouillons*.
	Le message est signé numériquement et n'a pas été ouvert.
	Le message est crypté et n'a pas été ouvert.

Tableau 14-14 : Liste des icônes des messages électroniques

Icône	Signification
	Le message est signé numériquement, crypté et n'a pas été ouvert.
	Le message est signé numériquement et a déjà été ouvert.
	Le message est crypté et a déjà été ouvert.
	Le message est signé numériquement, crypté et a déjà été ouvert.
	Le message comprend des réponses qui sont réduites. Cliquez sur l'icône pour afficher toutes les réponses (développer la conversation).
	Le message et toutes ses réponses sont développés. Cliquez sur l'icône pour masquer toutes les réponses (réduire la conversation).
	L'en-tête du message non lu est situé sur un serveur IMAP.
	Le message ouvert est marqué pour suppression sur un serveur IMAP.
	Le message porte un indicateur.
	Le message IMAP est marqué pour téléchargement.
	Le message IMAP et toutes les conversations sont marqués pour téléchargement.
	Le message IMAP séparément (sans conversation) est marqué pour téléchargement.

796. Les raccourcis clavier d'Outlook Express

Vous retrouverez ces raccourcis, qui sont bien utiles et beaucoup plus rapides lorsqu'ils sont mémorisés, dans l'aide d'Outlook Express.

1. Exécutez Outlook Express.

2. Cliquez sur le menu ? et sélectionnez l'entrée *Sommaire et index* (ou appuyez sur la touche de fonction F1).

3. Cliquez dans la fenêtre de gauche sur l'onglet **Sommaire** et sélectionnez successivement *Conseils et astuces* et *Raccourcis clavier de Microsoft Outlook Express*.

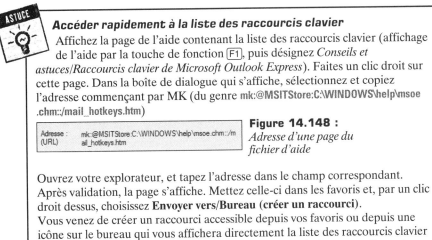

Accéder rapidement à la liste des raccourcis clavier

Affichez la page de l'aide contenant la liste des raccourcis clavier (affichage de l'aide par la touche de fonction [F1], puis désignez *Conseils et astuces/Raccourcis clavier de Microsoft Outlook Express*). Faites un clic droit sur cette page. Dans la boîte de dialogue qui s'affiche, sélectionnez et copiez l'adresse commençant par MK (du genre mk:@MSITStore:C:\WINDOWS\help\msoe .chm::/mail_hotkeys.htm)

Adresse : mk:@MSITStore:C:\WINDOWS\help\msoe.chm::/m
(URL) ail_hotkeys.htm

Figure 14.148 :
Adresse d'une page du fichier d'aide

Ouvrez votre explorateur, et tapez l'adresse dans le champ correspondant. Après validation, la page s'affiche. Mettez celle-ci dans les favoris et, par un clic droit dessus, choisissez **Envoyer vers/Bureau (créer un raccourci)**.

Vous venez de créer un raccourci accessible depuis vos favoris ou depuis une icône sur le bureau qui vous affichera directement la liste des raccourcis clavier d'Outlook Express. Vous pouvez répéter cette manipulation pour n'importe quel fichier d'aide de Windows.

797. Liste des raccourcis clavier

Tableau 14-15 : Fenêtre principale, fenêtre de visualisation des messages et fenêtre d'envoi des messages	
Pour	**Appuyez sur**
Ouvrir les rubriques d'aide	[F1]
Sélectionner tous les messages	[Ctrl]+[A]

Tableau 14-16 : Fenêtre principale et fenêtre de visualisation des messages	
Pour	**Appuyez sur**
Imprimer le message sélectionné	[Ctrl]+[P]

Tableau 14-16 : Fenêtre principale et fenêtre de visualisation des messages	
Pour	**Appuyez sur**
Envoyer et recevoir des messages	Ctrl + M
Envoyer un message électronique	Suppr ou Ctrl + D
Ouvrir ou publier un nouveau message	Ctrl + N
Ouvrir le Carnet d'adresses	Ctrl + Maj + B
Répondre à l'auteur d'un message	Ctrl + R
Transférer le message	Ctrl + F
Répondre à tous	Ctrl + Maj + R ou Ctrl + G (News uniquement)
Accéder à votre Boîte de réception	Ctrl + I
Accéder au message suivant dans la liste	Ctrl + (>) ou Ctrl + Maj + (>)
Accéder au message précédent dans la liste	Ctrl + (<) ou Ctrl + Maj + (<)
Afficher les propriétés du message sélectionné	Alt + Entrée
Actualiser les messages et en-têtes nouveaux	F5
Accéder au message de courrier non lu suivant	Ctrl + U
Accéder au message de groupe de discussion non lu suivant	Ctrl + Maj + U
Accéder à un dossier	Ctrl + Y

Tableau 14-17 : Fenêtre principale	
Pour	**Appuyez sur**
Ouvrir un message sélectionné	Ctrl + O ou Entrée
Marquer un message comme lu	Ctrl + Entrée ou Ctrl + Q

Tableau 14-17 : Fenêtre principale

Pour	Appuyez sur
Se déplacer dans la liste *Dossiers* (si active), la liste des messages, le volet de visualisation et la liste *Contacts* (si active)	[Tab]
Marquer tous les nouveaux messages comme lus	[Ctrl]+[Maj]+[A]
Accéder à un groupe de discussion	[Ctrl]+[W]
Développer une conversation de News (afficher toutes les réponses)	[Flèche gauche] ou signe plus ([+])
Réduire une conversation de News (masquer les messages)	[Flèche droite] ou signe moins ([-])
Accéder au groupe de discussion ou au dossier non lu suivant	[Ctrl]+[J]
Télécharger des News pour leur lecture hors ligne	[Ctrl]+[Maj]+[M]

Tableau 14-18 : Fenêtre des messages — affichage ou envoi

Pour	Appuyez sur
Fermer un message	[Échap]
Rechercher du texte	[F3]
Rechercher un message	[Ctrl]+[Maj]+[F]
Basculer entre les onglets **Édition**, **Source** et **Aperçu**	[Ctrl]+[Tab]

Tableau 14-19 : Fenêtre des messages — envoi uniquement

Pour	Appuyez sur
Vérifier les noms	[Ctrl]+[K] ou [Alt]+[K]
Vérifier l'orthographe	[F7]

Tableau 14-19 : Fenêtre des messages — envoi uniquement	
Pour	**Appuyez sur**
Insérer une signature	Ctrl + Maj + S
Envoyer un message	Ctrl + Entrée ou Alt + S

798. Définition des mots clés employés dans la messagerie

Acronyme / expression	Explication	Signification
Cross posting	Envoyer le même message sur plusieurs NG.	
.dbt	Fichier dbx temporaire (non documenté par Microsoft).	
.dbx	Fichier contenant les messages (sauf le fichier *Folder.dbx*).	
Encapsulation	Envoi d'une pièce binaire dans le corps même d'un message en texte enrichi (HTML).	
FAI	Fournisseur d'accès à Internet.	
FAQ	Questions fréquemment posées.	Frequently Asked Questions.
FU2	Transférer les réponses lors d'un cross posting.	Follow up to.
GUID	User ID.	Globally Unique Identifier.
IE	Internet Explorer (suivi éventuellement de son numéro de version).	Internet Explorer.
IMAP	Protocole de gestion de message directement sur le serveur de messagerie.	Internet Mail Access Protocol.
KB	Base de connaissance de Microsoft.	Knowlegde Base.

Acronyme / expression	Explication	Signification
Cross posting	Envoyer le même message sur plusieurs NG.	
MIME	Format des messages.	Multipurpose Internet Mail Extension.
MSIMN	Nom du fichier programme Outlook Express.	MicroSoft Internet Mail and News.
MSN	Réseau de Microsoft.	MicroSoft Network.
Multiposting	Envoyer des messages semblables sur plusieurs NG (copier/coller).	
NG	Groupe de discussion, forum de discussion.	News Groups.
OE	Outlook Express (suivi éventuellement de son numéro de version).	Outlook Express.
PEBKAC	Le problème se situe entre le clavier et la chaise...	Problem existing between the keyboard and the chair.
POP	Protocole de rapatriement de messages du serveur de messagerie vers son ordinateur.	Post Office Protocol.
POST	Message destiné à un groupe de discussion.	
QP	Codage des caractères 8 bits par des caractères ASCII 7bits.	Quoted Printable.
QUOTE	Partie de l'e-mail précédent incluse lors d'une réponse.	
RFC	Ensemble de normes relatives à Internet et à la communication.	Request For Comments.
RNIS	Transfert des données sur la ligne téléphonique en numérique.	Réseau numérique à intégration de service.
RTC	Transfert des données sur la ligne téléphonique en analogique.	Réseau téléphonique commuté.
SMTP	Transfert de courrier bidirectionnel.	Simple Mail Transfert Protocol.

Acronyme / expression	Explication	Signification
Cross posting	Envoyer le même message sur plusieurs NG.	
S/MIME	Extension sécurisée de MIME.	Secure Multipurpose Internet Mail Extensions.
SPAM	Courrier publicitaire non désiré.	
User ID	Numéro (unique) pour identifier l'utilisateur (32 caractères en hexadécimal).	IDentificateur User.

Programmes externes Outlook Express

799. Visionner et installer les dernières mises à jour des produits Windows

Windows Update vous permet de rester à jour dans vos produits logiciel; vous serez assuré d'avoir en permanence les derniers drivers de périphériques, les derniers patchs et derniers Services Packs édités par Microsoft pour corriger, protéger et les assurer le bon fonctionnement de Windows. Notez cependant que tous les patchs correctifs ne sont pas proposés dans Windows Update.

1. Exécutez votre navigateur.

2. Rendez-vous à l'adresse http://v4.windowsupdate.microsoft.com/fr/default.asp.

3. Acceptez l'installation du programme.

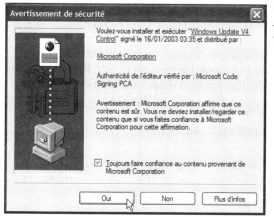

Figure 15.1 :
Acceptez l'installation du programme

4. Dans la fenêtre de gauche, choisissez : **Sélectionner les mises à jour à installer**.

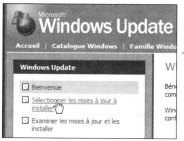

Figure 15.2 :
Préférez cette option Sélectionner les mises à jour et les installer

5. Vous pourrez au cas par cas choisir d'installer ou pas les mises à jour disponible qui s'affichent dans la fenêtre de droite, selon la catégorie choisie :

- Mise à jour critiques et Services Packs.
- Windows XP.
- Mises à jour de pilotes.

6. Installer maintenant   Lorsque vous avez choisi les mises à jour à effectuer, cliquez sur le lien *Examiner les mises à jour et les installer*. Validez le téléchargement et la mise à jour en cliquant sur le bouton **Installer maintenant**.

800. Être notifié de l'arrivée de nouveaux messages

Le programme Outlook Express Launcher permet de réduire Outlook Express dans la barre des tâches (la zone dans le coin de votre écran, à côté de l'heure) tout en le laissant exécuté. Ce petit programme peut vous avertir d'une manière sonore et/ou visuelle de l'arrivée de courrier lorsque Outlook Express est réduit, il gère les identités au démarrage en forçant la déconnexion du dernier utilisateur.

1. Exécutez Outlook Express.

2. Cliquez sur le menu **Outils** puis sur **Options** et sélectionnez l'onglet **Général**.

3. Validez la case à cocher *Émettre un son à l'arrivée de nouveaux messages*.

4. Cliquez sur le bouton Ok. Fermez Outlook Express.

5. Ouvrez le module **Sons** du Panneau de Configuration.

6. Choisissez le son pour la *Notification de nouveaux messages.Windows*.

7. Téléchargez, installez et exécutez Outlook Express Launcher sur le site Internet http://olab.free.fr/OLab/OELauncher.

8. Dans le menu **Démarrer**, choisissez **Programmes/Outlook Express Launcher/Configuration**(ou cliquez avec le bouton droit de la souris sur l'icône de la barre des tâches et choisissez **Configuration**).

9. Cliquez sur l'onglet **Email** Dans la liste déroulante, choisissez l'identité pour laquelle vous voulez entrez les paramètres de comptes. Dans la liste des comptes courrier, validez les cases à cocher relatives à chaque compte à vérifier.

10. Validez les cases à cocher *Afficher une fenêtre de notification* et *Jouer le son par défaut*. Saisissez la valeur en minutes représentant l'intervalle entre chaque vérification d'arrivée de courrier.

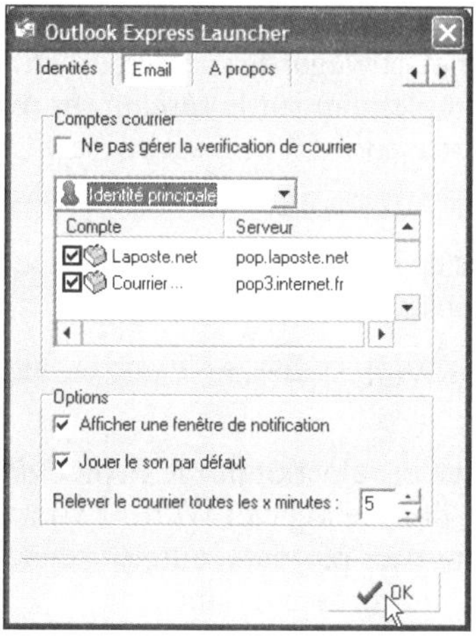

Figure 15.3 :
Configuration pour une notification sonore et visuelle. Cela est d'autant plus utile lorsque le programme est exécuté de manière réduite dans la barre des tâches.

11. Cliquez sur le bouton Ok pour valider les paramètres.

801. Extraire et consulter les messages des fichiers .dbx

Le format de fichier *.dbx* est spécifique à Outlook Express. Il s'agit de l'acronyme de DataBase eXpress. Ces fichiers sont les banques de données d'Outlook Express.

■ Le fichier *Folder.dbx* contient les renseignements propre à l'organisation d'Outlook Express : liste des groupes de discussion, liste des dossiers...

■ Les autres fichiers *.dbx* correspondent aux différents dossiers d'Outlook Express. Ces fichiers peuvent être sauvegardés, archivés et consultés par des programmes tiers qui émancipent le format *.dbx* d'Outlook Express.

La méthode décrite ci-après convient pour sauvegarder rapidement le contenu d'un dossier Outlook Express.

1. Exécutez Outlook Express.

2. Cliquez du bouton droit sur le dossier d'Outlook Express contenant les messages à sauvegarder puis choisissez l'option *Propriétés* du menu contextuel.

3. La boîte de dialogue **Propriétés de** suivi du nom de dossier s'affiche. Notez le nom du fichier de stockage (fichier à l'extension *.dbx*) et son chemin d'accès désigné sous la ligne *Ce dossier est stocké dans le fichier suivant*.

4. Parcourez le disque avec l'explorateur et sauvegardez ce fichier *.dbx* sur un autre endroit de votre disque ou simplement sur le réseau, sur un CD... sur le support de stockage de votre choix. Votre archive est terminée, votre sauvegarde, effectuée.

La lecture et l'extraction d'e-mails à partir de ce fichier sont aisées avec le logiciel Windows Outlook Express 5 Extraction (WOE5Extract).

1. Téléchargez et exécutez le programme WOE5Extract à l'adresse http://perso.club-internet.fr/macallan.

2. Cliquez sur le menu **Files** puis sur **Open** et sélectionnez le fichier *.dbx* à traiter. Le contenu du fichier s'affiche dans le logiciel WOE5Extract. Les messages sont listés et peuvent être triés par date, auteur, sujet, taille, en cliquant sur l'en-tête de colonne correspondant.

3. Dans le menu **Files/Preferences**, inscrivez .mht dans la zone de texte *Message File Type*.

4. Double-cliquez sur le message à extraire : celui-ci s'affiche, avec les images et animations dans votre explorateur par défaut.

Programmeurs, maîtrisez le format de fichier .dbx !

Si vous voulez en connaître un peu plus sur le format de fichier *.dbx*, consultez le site http://oedbx.aroh.de d'Arne Schloh. Celui-ci a effectué un travail de "reverse Ingeenering" sur les fichiers *.dbx* pour découvrir leur structure et a publié ses résultats sur son site. Outre la description du format, des exemples de code en C++ sont même disponibles en téléchargement (site en anglais).

---

802. Extraire toutes les pièces jointes d'un dossier de messages

Il peut être fort utile d'extraire toutes les pièces jointes d'un dossier Outlook Express pour les archiver dans un autre endroit, par exemple. Une autre bonne raison serait de s'abonner à un groupe de discussion Binaries proposant par exemple des *.gifs* ou des musiques *.mid* et d'extraire d'un coup toutes les pièces jointes contenues dans le groupe.

Dans les deux cas, la procédure est la même et fait appel au programme Windows Outlook Express 5 Extraction (WOE5Extract), disponible gratuitement en téléchargement à l'adresse http://perso.club-internet.fr/macallan.

1. Ouvrez Outlook Express.

2. Chargez l'ensemble des messages du groupe de discussion (dans le cas où les pièces jointes à extraire sont celles d'un forum).

3. Cliquez du bouton droit sur le dossier d'Outlook Express qui contient les messages à traiter puis choisissez l'option *Propriétés* du menu contextuel. Notez le nom du fichier de stockage (fichier à l'extension *.dbx*) et son chemin d'accès désigné sous la ligne :

   ■ *Ce dossier est stocké dans le fichier suivant* pour les dossiers Outlook Express ;

   ■ *Ce groupe de discussion est stocké dans le fichier suivant* pour les groupes de discussion.

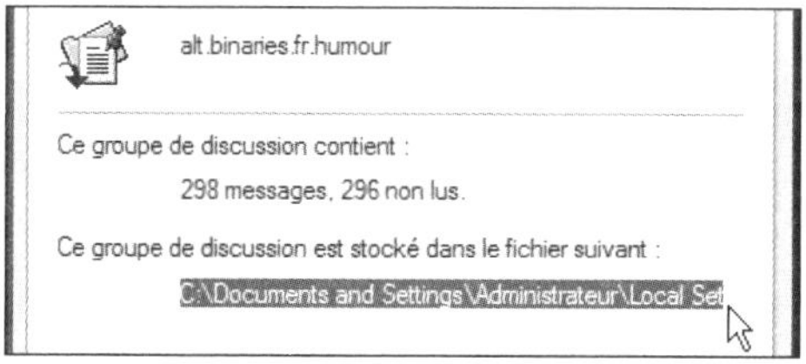

Figure 15.4 : *Découverte de l'emplacement local du fichier contenant les messages d'un dossier Outlook Express. (Ici, le forum alt.binaries.french.humour.)*

4. Quittez Outlook Express.

5. Téléchargez et exécutez le programme WOE5Extract à l'adresse http://perso.club-internet.fr/macallan.

6. Cliquez sur le menu **Files** puis sur **Open** et sélectionnez le fichier *.dbx* dont vous venez de noter le nom et le chemin. Le contenu du fichier s'affiche dans le logiciel WOE5Extract.

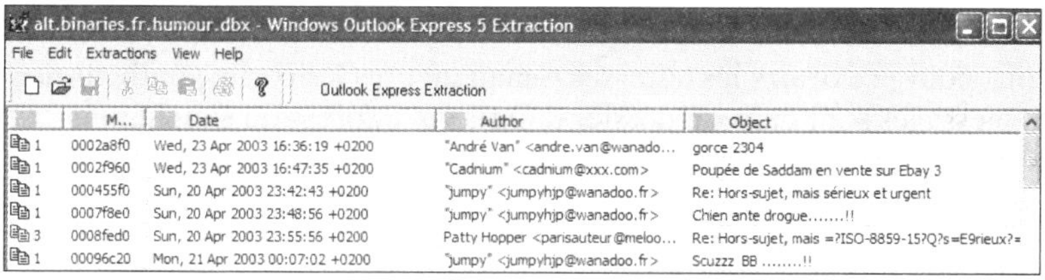

Figure 15.5 : *Extraction des messages dans WOE5Extract*

7. Cliquez sur le menu **Extractions** puis sur **Extract All Attachments**.

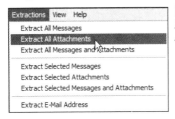

Figure 15.6 :
Extrait toutes les pièces jointes du fichier .dbx chargé

8. Le dossier contenant le fichier *.dbx* traité contient maintenant un sous-dossier du nom de fichier d'où sont extraites les pièces jointes.

9. À l'intérieur de ce nouveau dossier se trouvent les pièces jointes.

Figure 15.7 : *Toutes les pièces jointes du forum ont été extraites !*

803. Extraire toutes les adresses e-mail d'un dossier de messages

Vous pouvez extraire les adresses e-mail de tous les correspondants dont les messages sont dans un dossier d'Outlook Express ou simplement extraire toutes les adresses des contributeurs d'un groupe de discussion.

Dans les deux cas, la procédure est la même et fait appel au programme Windows Outlook Express 5 Extraction (WOE5Extract), disponible gratuitement en téléchargement à l'adresse http://perso.club-internet.fr/macallan.

1. Ouvrez Outlook Express.

2. Chargez l'ensemble des messages du groupe de discussion (dans le cas où les adresses à extraire sont celles envoyées sur un forum).

3. Cliquez du bouton droit sur le dossier d'Outlook Express qui contient les messages à traiter puis choisissez l'option *Propriétés* du menu contextuel. Notez le nom du fichier de stockage (fichier à l'extension *dbx*) et son chemin d'accès désigné sous la ligne :

   ■ *Ce dossier est stocké dans le fichier suivant* pour les dossiers Outlook Express ;

   ■ *Ce groupe de discussion est stocké dans le fichier suivant* pour les groupes de discussion.

4. Téléchargez et exécutez le programme WOE5Extract à l'adresse http://perso.club-internet.fr/macallan.

5. Cliquez sur le menu **Files** puis sur **Open** et sélectionnez le fichier *.dbx* dont vous venez de noter le nom et le chemin. Le contenu du fichier s'affiche dans le logiciel WOE5Extract.

6. Cliquez sur le menu **Extractions** puis sur **Extract All E-Mail address**.

Figure 15.8 :
Extraction des adresses e-mail contenues dans le fichier .dbx chargé

7. Donnez un nom évocateur au fichier qui contiendra les adresses extraites de ce fichier, puis confirmez en cliquant sur le bouton OK.

8. Le dossier contenant le fichier *.dbx* traité contient maintenant le fichier au format *.csv*. Dans un fichier *.csv*, les différentes valeurs sont séparées par un point-virgule. Vous pouvez traiter ce fichier avec Windows Excel pour éliminer les adresses en doublon, puis intégrer ce fichier à votre carnet d'adresses.

Au besoin, consultez l'astuce *Charger l'ensemble des messages d'un groupe de discussion* du chapitre *Accéder et participer aux forums avec Outlook Express*.

*Il est possible d'éliminer les doublons d'un fichier .csv. Reportez-vous à l'astuce **Supprimer les doublons** du chapitre **Messagerie Outlook Express.***

804. Transférer ses messages d'un fichier .dbx à un autre

Un fichier banque de messages *.dbx* défectueux peut avoir des conséquences multiples dans Outlook Express. Les causes les plus communes sont :

- la réception des messages en plusieurs exemplaires ;
- l'impossibilité de supprimer, de déplacer un message ;
- une taille de ce fichier très importante malgré la suppression de tous ces messages et le compactage de celui-ci ;
- l'accès aux messages uniquement sous forme de pièces jointes ;
- une mauvaise correspondance entre les sujets, auteurs de messages et la vraie origine de ceux-ci.

L'emploi du programme DBXTract de Steve Cochran permet d'extraire tous les messages d'un fichier *.dbx*. Une fois cette action effectuée, un copier/coller de ces messages extraits dans un nouveau fichier *.dbx* sain corrigera les problèmes précédemment cités.

1. Cliquez du bouton droit sur un endroit vide du bureau et choisissez les commandes du menu contextuel **Nouveau/Dossier**. Renommez-le dbxtemporaire.

2. Exécutez Outlook Express.

3. Dans la fenêtre des dossiers, cliquez du bouton droit sur le dossier que vous voulez traiter, et choisissez la commande **Propriétés**.

4. Notez le nom et l'emplacement du fichier banque de messages correspondant au dossier à traiter. Il s'agit d'un fichier à l'extension *.dbx*. Quittez Outlook Express.

5. Téléchargez et exécutez DBXTract à l'adresse **www.oehelp.com/ DBXtract**.

6. Vérifiez que la case à cocher *Remove Re* soit sélectionnée et que la case à cocher *Recover Mode* soit libre.

7. Cliquez sur le bouton **Browse** de la rubrique *Input*.

8. Déroulez l'arborescence de la boîte *Parcourir à la recherche d'un dossier*, désignez le répertoire où se situe le fichier *.dbx* à traiter, puis validez en cliquant sur le bouton OK.

9. Actionnez le bouton fléché afin de désigner dans la zone de texte *File* le fichier *.dbx* pour lequel vous voulez extraire tous les messages.

10. Cliquez sur le bouton **Browse** de la rubrique *Output*.

11. Déroulez l'arborescence de la boîte *Parcourir à la recherche d'un dossier*, et désignez le dossier nouvellement créé. Celui-ci devrait se trouver dans *bureau/dbxtemporaire*.

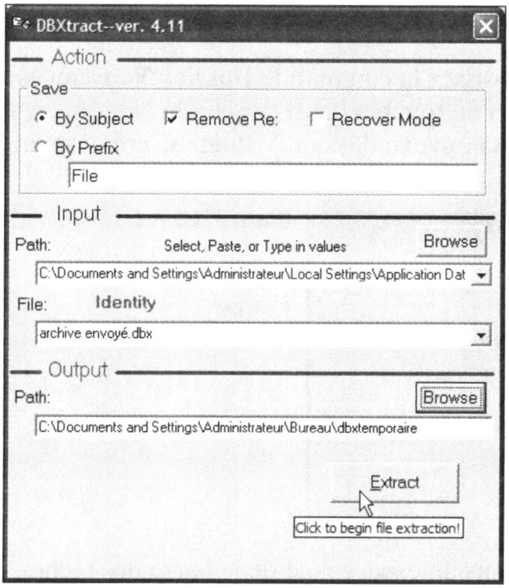

Figure 15.9 :
Configuration de DBXTract

12. Cliquez sur le bouton **Extract**. Tous les messages contenus dans le fichier *.dbx* désignés par la zone de texte *Input/file* s'extraient dans le dossier *dbxtemporaire*. À la fin de l'opération, cliquez OK dans la boîte de dialogue de confirmation DBXTract et fermez ce programme.

13. Exécutez l'explorateur, recherchez et ouvrez le dossier *dbxtemporaire* et assurez-vous qu'il contient les messages du fichier *.dbx*.

14. Exécutez Outlook Express.

15. Cliquez du bouton droit sur le dossier dont vous venez d'extraire les e-mails, et choisissez la commande du menu contextuel **Supprimer**. Quittez, puis exécutez à nouveau Outlook Express.

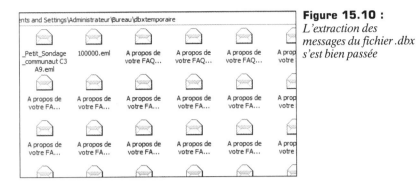

Figure 15.10 :
L'extraction des messages du fichier .dbx s'est bien passée

16. Dans le menu **Fichier**, choisissez la commande **Dossier/Nouveau** (ou appuyez sur la combinaison de touches Ctrl+Maj+E). Nommez et désignez l'emplacement du nouveau dossier. Validez sa création en cliquant sur le bouton OK.

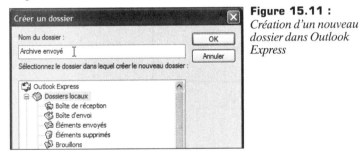

Figure 15.11 :
Création d'un nouveau dossier dans Outlook Express

17. Cliquez du bouton droit dans un espace vide de la barre des tâches, c'est-à-dire dans la zone où se situe l'heure. Choisissez la commande **Mosaïque verticale**. Vous devrez avoir vos deux fenêtres : celle du dossier de l'explorateur où se situent les messages extraits et celle d'Outlook Express où le nouveau dossier est sélectionné.

Figure 15.12 :
Affichez les fenêtres en mosaïque verticale

18. Dans la fenêtre de l'explorateur, cliquez sur un des messages extraits, puis appuyez sur la combinaison de touches [Ctrl]+[A] pour sélectionner tous les fichiers de ce dossier.

19. Cliquez sur un de ces messages et, tout en maintenant le bouton de la souris enfoncé, faites glisser les messages vers le dossier nouvellement créé dans la fenêtre d'Outlook Express.

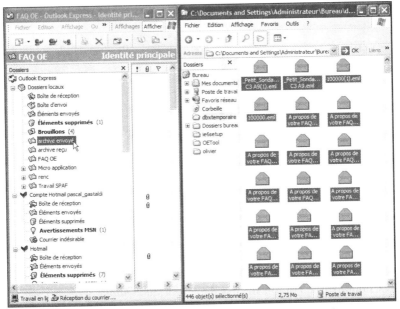

Figure 15.13 : *Glisser/Déposer des messages de l'explorateur vers le nouveau dossier d'Outlook Express*

20. Vous êtes arrivé au bout : les anciens messages sont dans le nouveau fichier *.dbx* !

805. Récupérez les messages effacés du dossier Eléments supprimés

Si vous n'avez pas compacté vos dossiers, et jusqu'à une certaine limite, vous pourrez sûrement récupérer des messages du dossier *Eléments supprimés* :

1. Cliquez du bouton droit sur un endroit vide du bureau et choisissez les commandes du menu contextuel **Nouveau/Dossier**. Renommez-le CorbeilleOE.

2. Exécutez Outlook Express.

3. Dans la fenêtre des dossiers, cliquez du bouton droit sur la Corbeille (dossier *Eléments supprimés*), et choisissez la commande **Propriétés**.

4. Notez le nom et l'emplacement du fichier banque de messages correspondant au dossier à traiter. Il s'agit du fichier *Eléments supprimés.dbx*. Quittez Outlook Express.

5. Téléchargez et exécutez DBXTract à l'adresse **www.oehelp.com/ DBXtract**.

6. Vérifiez que les cases à cocher *Remove Re* et *Recover Mode* soient validées.

Figure 15.14 :
Validez la case à cocher Recover Mode

7. Cliquez sur le bouton **Browse** de la rubrique *Input*.

8. Déroulez l'arborescence de la boîte *Parcourir à la recherche d'un dossier*, désignez le répertoire où se situe le fichier *Eléments supprimés.dbx*. (Vous devriez avoir noté ce répertoire lorsque vous avez cliqué du bouton droit de la souris sur la Corbeille Outlook Express). Validez en cliquant sur le bouton OK.

9. Actionnez le bouton fléché afin de désigner dans la zone de texte *File* le fichier *Eléments supprimés.dbx*.

10. Cliquez sur le bouton **Browse** de la rubrique *Output*.

11. Déroulez l'arborescence de la boîte *Rechercher un dossier*, et désignez le répertoire *CorbeilleOE* précédemment créé sur le bureau (voir fig. 15.15).

12. Cliquez sur le bouton **Extract**. Tous les messages contenus dans le fichier *Eléments supprimés.dbx* désignés par la zone de texte *Input/file* s'extraient dans le répertoire *CorbeilleOE*. À la fin de l'opération, cliquez sur OK dans la boîte de dialogue de confirmation DBXTract et fermez ce programme.

13. Sur le bureau de Windows, ouvrez le répertoire *CorbeilleOE* et assurez-vous qu'il contient les messages récupérés du fichier *Eléments supprimés.dbx* (voir fig. 15.16).

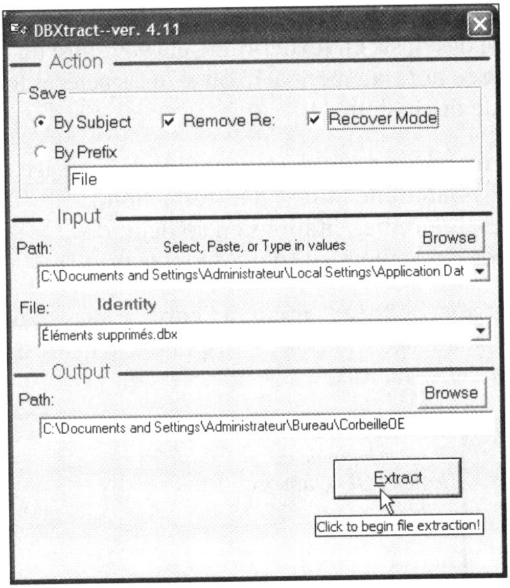

Figure 15.15 :
Configuration du logiciel afin d'extraire les messages supprimés

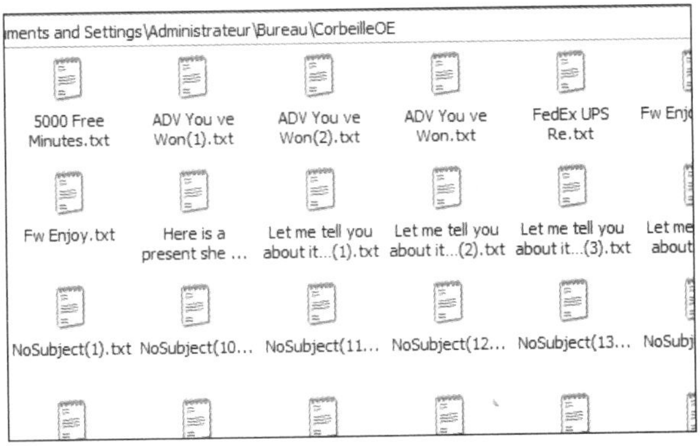

Figure 15.16 :
Extraction réussie des messages effacés du dossier Eléments supprimés

806. Se servir confortablement d'Outlook Express pour lire et écrire ses posts

Il a rarement été rencontré un programme faisant une telle unanimité et ayant été adopté dès son lancement par la quasi-totalité des utilisateurs qui fréquentent les forums. Il est utilisable librement et sans aucune contrainte de temps ni de fonction. Son auteur sollicite seulement un don du montant que vous jugez utile. De plus, sa documentation est disponible en français.

Ce petit bijou de programme se nomme OE-Quotefix et a pour principale qualité de rectifier le quotage des posts en texte brut. Cela veut dire qu'il rectifie la coupure de ligne fixée normalement à 72 ou à 76 caractères lors de réponses sur les groupes de discussion.

Entre autres fonctions, il permet de supprimer la signature du message original lors de sa réponse, d'ajouter une phrase d'introduction personnalisable, de mettre les différentes citations en couleur, de remplacer les smileys texte par des smileys gif (dans du texte brut !)...

Vous le trouverez en téléchargement chez l'auteur, à l'adresse http://home.in .tum.de/~jain/index.html. Le pack langage français est disponible à l'adresse http://home.in.tum.de/~jain/software/oe-quotefix.

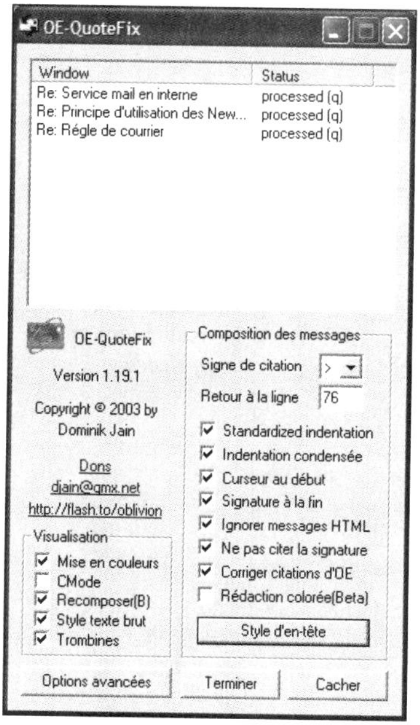

Figure 15.17 :
Page principale du logiciel OE-Quotefix

Ce logiciel n'est pas un freeware

Dominik Jain, le jeune auteur de ce programme, est étudiant. Il a programmé son logiciel sans restriction d'aucune sorte : pas besoin d'enregistrement, et inutile de vouloir acheter la version finale qui a toutes les options. Il en résulte néanmoins l'obligation morale de faire un don à Dominik, don du montant qu'il vous plaît.

807. Découvrir les mots de passe cachés sous les étoiles ou sous les points

Les étourdis peuvent se rassurer : il est tout à fait possible de retrouver les mots de passe de courrier mémorisés par Outlook Express et visibles seulement par un nombre de signes * ou de points (selon votre version de Windows). Les boîtes contenant ces mots de passe sont celles des comptes courrier. Vous y accédez en choisissant les commandes du menu **Outils/Comptes/Sélectionner le compte désiré/Propriété** et l'onglet **Serveurs**.

- La méthode la plus simple et la plus "logique" est sûrement de contacter l'administrateur du serveur de courrier. Si vous avez perdu le mot de passe de votre boîte aux lettres **LaPoste.net**, par exemple, une simple visite sur son site vous dévoilera le lien et la manière de retrouver le mot de passe.

- Le Web regorge de programmes qui retrouvent les mots de passe cachés sous les étoiles ou les astérisques. Le programme RevelationV2, par exemple, téléchargeable à partir du site de l'auteur à l'adresse **www .snadboy.com**, permet par un simple Glisser de retrouver en clair les mots de passe cachés sous les astérisques ou sous les points.

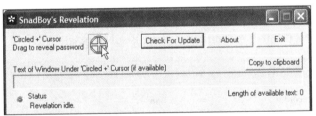

Figure 15.18 : *Le survol des zones de mots de passe avec ce curseur en forme de cible fait apparaître de manière lisible le mot caché*

808. Trier ses messages afin de restreindre la réception de courrier publicitaire non désiré

MailWasher fait partie de la catégorie de programmes "anti-spam". En anglais, mais assez facile à paramétrer, il permet de consulter les en-têtes d'e-mail avant le téléchargement sur votre ordinateur, de mettre en place des règles de message beaucoup plus complètes que beaucoup de logiciels de messagerie, de supprimer l'expéditeur d'un message non désiré (le *bounce* est un message qui fait croire à l'expéditeur que votre adresse e-mail n'est plus valide). À l'heure actuelle, seuls les comptes de courrier POP sont pris en compte. Les versions Hotmail sont livrées avec la version MailWasher Pro à l'adresse **www.firetrust.com/products/mailwasherpro**.

Ce programme est malheureusement en anglais et, tout comme OE-Quotefix, son auteur sollicite un don du montant qu'il vous plaira. Vous pouvez charger MailWasher sur le site de l'auteur à l'adresse **http://www.mailwasher.net/download.php**.

Un autre logiciel très intéressant, SpamPal, entièrement gratuit et sans restriction de durée ou d'utilisation, permet, outre ses fonctions d'anti-spam "classiques", de spécifier dans une liste noire et une liste blanche des adresses e-mail (ou provenant de domaines particuliers) à toujours refuser ou à toujours accepter. Son adresse : **http://spampal.intivia.info**.

809. Convertir ses carnets d'adresses pour une utilisation sur différents logiciels

Il n'est pas toujours évident de convertir son carnet d'adresses pour une utilisation sur un logiciel de messagerie différent. Si l'export/import de son carnet d'adresses *via* un fichier *.csv* (fichier texte avec les valeurs séparées par des virgules) n'est pas pris en compte et si les choix d'export du carnet d'adresses ne sont pas suffisants, il peut être utile de recourir au programme Dawn. Celui-ci reconnaît les formats suivants.

Tableau 15-1 : Formats de carnets d'adresses reconnus par le programme Dawn	
Carnet d'adresses reconnu	**Versions**
Becky!	(Testé sous les versions 2.00.08)
Corel WordPerfect Address Book	8.x
Eudora	(Testé sous les versions 3.0, 4.3, 5.0, 5.1 et 5.2)
ExecMail / Simeon	
Internet Explorer / Outlook Express / Windows Address Book (WAB) 4.0 - 6.0	(Testé sous les versions 4.0, 5.0, 5.5 et 6.0)
Juno 2.0 - 5.0	(Testé sous les versions 2.0.11, 4.3.09, 4.3.11 et 5.0.33)

Tableau 15-1 : Formats de carnets d'adresses reconnus par le programme Dawn	
Carnet d'adresses reconnu	**Versions**
Mozilla	(Testé sous les versions 0.6, 0.7, 0.8, 0.9.2, 0.9.3, 0.9.7, 1.0, 1.2, 1.3)
Netscape 3.0 - 7.0	(Testé sous les versions 3.0, 3.03, 4.0, 4.7, 4.78, 6.0, 6.01, 6.1, 6.2, 6.21, 7.0)
MS Outlook	98 / 2000 / 2002 (Outlook 97 non pris en charge)
Opera	(Testé sous les versions 5.1, 5.2, 6.0, 7.0)
Palm support vers Palm Desktop (en lecture seulement)	(Testé sous les versions 3.01, 4.0, 4.1)
Pegasus Mail	(Testé sous les versions 3.12b, 4.01)
Pine (PC and UNIX) (mailing list non supporté)	/
Autres programmes d'import/export LDAP/LDIF, vCard (.vcf), Comma Separated Value — valeurs texte séparées par des virgules — (.csv), texte brut...	/

Dawn est gratuit pour un usager personnel, mais les dons sont les bienvenus. Vous pourrez le télécharger à l'adresse **www.joshie.com/projects/ dawn/index.html**.

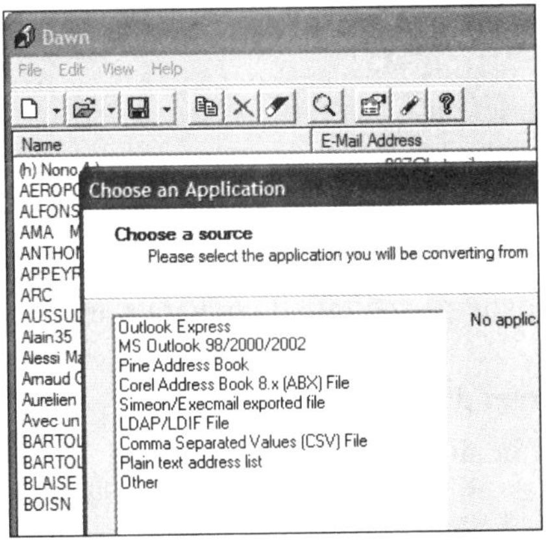

Figure 15.19 :
Programme Dawn en exécution

810. Configurer Outlook Express afin de se servir correctement de ses différents FAI et de ses différentes adresses

Le logiciel MailRoam permet d'envoyer (la réception ne pose jamais de problème) du courrier au départ de n'importe quel compte de messagerie en se connectant chez n'importe quel FAI (fournisseur d'accès à Internet) proposant un serveur SMTP. Par exemple, vous avez une adresse chez le fournisseur d'accès Free et une seconde chez le fournisseur Club-Internet. Vous ne pourrez pas envoyer de courrier par votre serveur SMTP Club-Internet si votre connexion est celle de Free.

MailRoam sélectionne automatiquement le compte SMTP qui correspond à la connexion lors de l'envoi d'un message. Vous pourrez télécharger gratuitement le programme (en anglais) chez Trigon Software à l'adresse **www.trigon.org/index.php**.

Si vous avez des difficultés à paramétrer ce logiciel, consultez la page d'aide en français **www.faqOE.com/configuremailroam.htm**.

811. La ligne de commande du carnet d'adresses Wab

Le carnet d'adresses de Windows Wab n'est pas accessible seulement avec Outlook Express. Vous pouvez facilement en créer de nouveaux ou ouvrir un carnet d'adresses spécifique *via* la ligne de commande de ce programme. Vous exécuterez ces commandes *via* la boîte de dialogue **Exécuter** (par **Démarrer/Exécuter** ou [Windows]+[R]).

Les paramètres de la ligne de commande de *wab.exe* sont les suivants :

- *wab*. Ouvre le carnet d'adresses par défaut.
- *wab /?*. Affiche les paramètres de la ligne de commande.
- *wab /open*. Affiche une boîte de dialogue permettant de sélectionner un fichier carnet d'adresses.
- *wab /new*. Affiche une boîte de dialogue permettant de spécifier un nouveau fichier carnet d'adresses.
- *wab nomfichier*. Ouvre le fichier carnet d'adresses spécifié.
- *wab nomrépertoire*. Ouvre une boîte de dialogue permettant de sélectionner un fichier carnet d'adresses dans le répertoire spécifié.

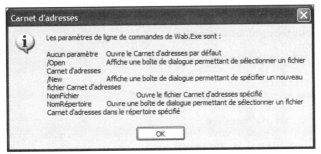

Figure 15.20 : *Paramètres de ligne de commande du carnet d'adresses Wab*

812. Relever avec Outlook Express le courrier sur une adresse AOL

Longtemps impossible, cela est aujourd'hui réalisable en interrogeant un serveur IMAP dont les paramètres sont :

- Serveur de messagerie pour courrier entrant : imap.fr.aol.com
- Serveur de messagerie pour courrier sortant (SMTP) : smtp.fr.aol.com

813. Envoyer un e-mail automatiquement avec une pièce jointe

Une solution pour envoyer un fichier joint est de se servir du programme Blat.exe, dont vous pourrez télécharger un fichier d'aide en *.rtf* à l'adresse **www.dwam.net/docs/blat/blat.rtf**.

Sinon il n'est pas possible de créer une commande MAILTO avec une pièce jointe, mais, si vous avez installé Microsoft Outlook ou si vous avez Windows XP, vous pouvez tenter d'écrire un script qui se sert du CDO et qui transmettra un message avec une pièce jointe.

1. Dans la boîte de dialogue **Exécuter** (par **Démarrer/Exécuter** ou Windows+R), saisissez notepad pour exécuter le Bloc-notes de Windows.

2. Saisissez les lignes de code suivantes, en modifiant selon vos caractéristiques les champs expéditeur, destinataire, titre de l'e-mail, corps du message, chemin... (Attention aux guillemets lors de la rédaction du corps du message.)

```
' Envoi automatique d'un message avec un fichier joint.
```

```
'
On Error Resume Next
 With CreateObject("CDO.Message")
  If Err Then
   MsgBox "CDO non installé"
  Else
 .From="expéditeur"
 .To="destinataire"
 .Subject="Titre du mail"
 .TextBody="Corps du message"
 .AddAttachment("Chemin vers la pièce jointe à joindre au
 ⁀< message (doublez les antislashs\\) ")
 .Send
  If Err Then MsgBox "Le message n'a pas pu être expédié."
 End If
 On Error GoTo 0
 End With
```

3. Sauvegardez le fichier texte en lui désignant une extension *.vbs*.

4. Pour envoyer le message avec la pièce jointe, double-cliquez sur le script que vous venez de créer.

En savoir plus sur le CDO

N'hésitez pas à consulter la documentation Microsoft sur le composant CDO (en anglais).

CDO 1.2 : http://msdn.microsoft.com/library/en-us/cdo/html/_olemsg_overview_of_cdo .asp?frame=true.

CDO for Windows 2000 : http://msdn.microsoft.com/library/en-us/cdosys/html/ _cdosys_about_cdo_for_windows_2000.asp?frame=true.

Créer automatiquement son script CDO en ligne

Un petit programme PHP vous permet de créer rapidement votre script CDO à l'adresse www.faqoe.com/index.php?rep/cs.php3.

814. Créer un nouveau carnet d'adresses Wab

Pour des raisons qui peuvent vous être personnelles ou parce que l'ancien carnet d'adresses est endommagé, vous pouvez avoir besoin de créer un ou plusieurs autres carnets d'adresses.

1. Dans la boîte de dialogue **Exécuter** (par **Démarrer/Exécuter** ou [Windows]+[R]), saisissez wab /new pour lancer la création d'un nouveau carnet d'adresses.

2. Dans la zone de dialogue *Indiquez le nom et le chemin d'accès du nouveau carnet d'adresses*, désignez un emplacement et nommez le nom du nouveau carnet d'adresses. Validez sa création en cliquant sur le bouton **Ouvrir**.

3. Remplissez, paramétrez et utilisez le nouveau carnet d'adresses :

- en ajoutant des contacts par la commande **Fichier/Nouveau contact** (ou en appuyant sur la combinaison de touches [Ctrl]+[N]) ;

- en créant de nouveaux groupes par la commande **Fichier/Nouveau groupe** (ou en appuyant sur la combinaison de touches [Ctrl]+[G]) ;

- en créant de nouveaux dossiers par la commande **Fichier/Nouveau dossier** (ou en appuyant sur la combinaison de touches [Ctrl]+[R]).

4. Quittez le nouveau carnet d'adresses lorsque vous avez fini.

> **REMARQUE**
>
> **Ce carnet ne se substitue pas au précédent**
> La création d'un nouveau carnet d'adresses ne fait pas de ce dernier le carnet d'adresses par défaut.

815. Sauvegarder et restaurer ses paramètres de messagerie

Quantité de programmes disponibles en téléchargement ou à la vente par correspondance permettent de sauvegarder tout ou partie des paramètres d'Outlook Express. Parmi ceux-ci :

Tableau 15-2 : Quelques programmes d'automatisation de sauvegarde et de restauration

Logiciel	Présentation rapide	Donnés complémentaires
e-Backup e-Backup 1.42	Il sauvegarde les identités, les Favoris, le carnet d'adresses et même des dossiers de données autres. Reportez-vous à l'astuce spécifique de ce programme dans ce chapitre, *Utiliser e-Backup*. Site : www.inachis.com.	En anglais, en français et dans beaucoup d'autres langues. La version complète devient payante au-delà de 90 jours d'utilisation, au prix de 15,95 euros.

Tableau 15-2 : Quelques programmes d'automatisation de sauvegarde et de restauration		
Logiciel	**Présentation rapide**	**Donnés complémentaires**
Outlook Express Sauvegardeur	Extrêmement facile d'utilisation, il permet la sauvegarde des courriers, contacts, règles de messages, paramètres de comptes. Adresse : www.microapplication.fr/fiche_produit.cfm?ref_produit=3656	En français, au prix de 14,95 euros.
Outlook Express Backup Wizard OEBW.exe	Pour le nombre d'identités choisies, ce programme effectue une sauvegarde et une restauration de manière extrêmement simple. Sa durée d'essai de 30 jours vous permet de faire une sauvegarde complète avant un formatage, par exemple. La restauration des données est au moins aussi facile que la sauvegarde ! Site : www.outlook-express-backup.com.	En anglais. Version gratuite valable 30 jours. Version payante au prix de 38,54 euros.
Express Assist Express Assist	Sauvegarde, restauration et synchronisation de dossiers dans un fichier *.eaz*. L'interface est conviviale et les dossiers à sauvegarder sont bien détaillés et colorés. Il est nécessaire de quitter Outlook Express avant de procéder à une sauvegarde. Site : www.ajsystems.com/ea7.html.	En anglais. La version de démonstration fonctionne pendant 15 jours. Puis il faut s'enregistrer. Le prix est de 29,95 dollars.
ABF Outlook Express Backup ABF Outlook Express Backup	Deux onglets principaux dans ce programme : la sauvegarde et la restauration. Vous pouvez choisir exactement ceux que vous voulez sauvegarder (sauf les papiers à lettres, à moins qu'ils ne soient dans le chemin d'accès américain "Common Files..."). Site : www.abf-soft.com/outlook-backup.shtml.	En anglais et en français. Une version de démonstration incomplète fonctionne pendant 30 jours (seuls les messages et les favoris pourront être restaurés). Puis il faut s'enregistrer. Le prix est de 29,95 dollars.

Tableau 15-2 : Quelques programmes d'automatisation de sauvegarde et de restauration

Logiciel	Présentation rapide	Donnés complémentaires
Params OE	Ce petit utilitaire de Georges Ledu vous aide à sauvegarder et à restaurer manuellement vos paramètres Outlook Express. Site : www.faqOE.com/index .php?telechargement.htm.	En français, sans aucune limitation d'aucune sorte.

816. Installer et configurer e-Backup

e-Backup est le programme indispensable pour la sauvegarde et la restauration des données Outlook Express. Ce programme est en version gratuite pendant 90 jours. Au-delà de cette période, il continuera à fonctionner normalement, mais vous devrez payer la licence…

1. Téléchargez et installez le programme e-Backup depuis le site www .inachis.com. (Cliquez sur le lien *Download* puis sur *Click here to download…*)

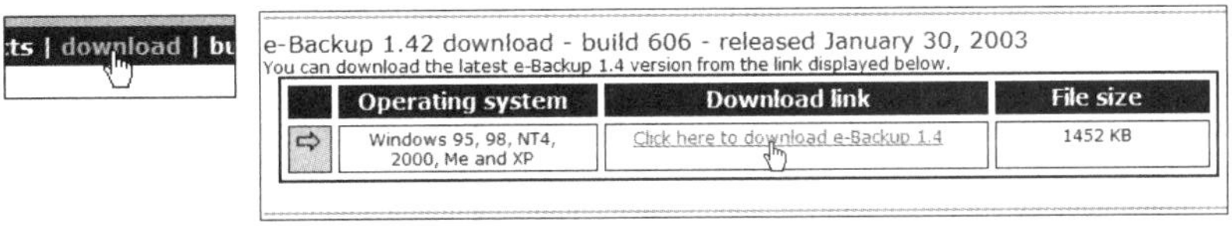

Figure 15.21 : *Accéder au téléchargement du programme e-Backup depuis le site du concepteur vous assure d'avoir la dernière version !*

2.  Installez le logiciel en exécutant le programme chargé.

3.  Après l'installation, exécutez le programme depuis le nouveau raccourci sur le bureau.

4. Dans la rubrique *Settings and tools*, cliquez sur *Advanced configuration options*.

Settings and tools:
Advanced configuration options
Browse the Windows Address Book for all identities

Figure 15.22 :
Rubrique Options et outils

5. Choisissez l'onglet **Other** puis choisissez *Français - Inachis Software* dans la liste déroulante *Select interface language:*. Validez en cliquant sur le bouton OK. Le programme est immédiatement traduit en version française.

817. Sauvegarder avec e-Backup

1. Quittez Outlook Express et fermez Messenger (c'est important !).

2. Exécutez ensuite le programme e-Backup.

3. Dans la rubrique *Options de sauvegarde*, cliquez sur *Créer une nouvelle sauvegarde*.

4. Désignez un emplacement de stockage pour le fichier de sauvegarde qui va être créé. Cliquez ensuite sur le bouton **Enregistrer**.

5. Validez les cases à cocher en fonction des données que vous voulez sauvegarder. Pour sauvegarder les données Outlook Express, seules les cases *Identités Outlook Express* et *Carnet d'adresses Windows* sont nécessaires, mais vous pouvez aussi sauvegarder vos *Favoris Internet Explorer* ou désigner un dossier particulier (par exemple *Mes documents*). Validez en cliquant sur le bouton **Suivant**.

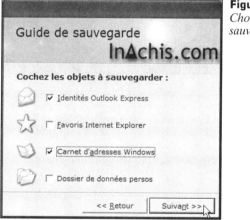

Figure 15.23 :
Choisissez les données à sauvegarder

6. Si vous en avez plusieurs, sélectionnez les identités pour lesquelles vous voulez sauvegarder les paramètres et cliquez sur le bouton **Sauvegarde**.

Figure 15.24 :
Quelles identités doivent être sauvegardées ?

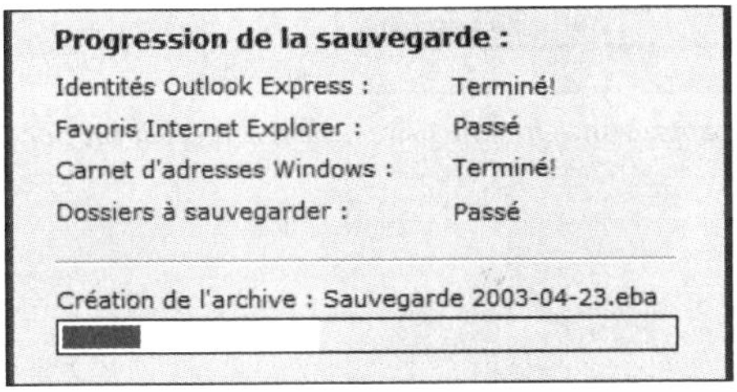

Figure 15.25 :
Suivez la progression de la sauvegarde

7.  Cliquez sur le bouton **Fermer** lorsque la sauvegarde est terminée. Le fichier de sauvegarde est créé (fichier *.eba*).

818. Restaurer une sauvegarde d'e-Backup

1. Quittez Outlook Express et fermez Messenger (c'est important !).

2. Double-cliquez sur la sauvegarde à restaurer.

3. Le logiciel va immédiatement s'exécuter et indiquer les types de données à restaurer. Cliquez sur le bouton **Suivant**.

4. Assurez-vous de restaurer l'identité ou les identités sollicitées et cliquez sur le bouton **Restauration**.

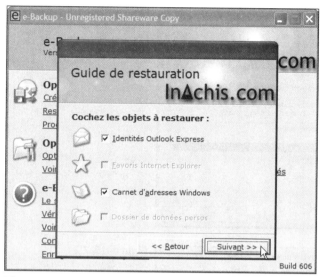

Figure 15.26 : *Ouverture du programme lors de l'exécution directe d'un fichier de sauvegarde*

819. Encapsuler un son

La fonction d'encapsulation de fichier audio, accessible dans le menu d'une fenêtre de rédaction par **Format/Arrière-plan/Son**, a de grosses difficultés avec certains formats audio, par exemple avec les fichiers *.mp3*.

L'utilisation du programme Player Workshop génère un code à insérer dans le code source d'un message au format texte enrichi (HTML). Ce code permet l'encapsulation de tout fichier sonore, même au format *.mp3*.

1. Téléchargez, décompressez et exécutez Player Workshop. Pour cela, rendez-vous sur la page **http://lettermanstationery.tripod.com/playerworkshop .htm** et cliquez sur le lien *Download Player Workshop 37k*.

Figure 15.27 :
Téléchargez le programme Player Workshop en cliquant sur ce lien

2. Cliquez sur le bouton **BGSOUND** de la rubrique *File Selection*.

3. Cliquez ensuite sur le bouton **Local File**. La boîte de dialogue **Select File** vous permet de désigner le fichier audio que vous voulez

encapsuler dans votre message. Lorsque vous l'avez désigné, cliquez sur le bouton **Ouvrir**.

4. Dans la rubrique *BGSOUND*, validez la case à cocher *BGSOUND embed* et cliquez sur le bouton **Test & Generate**. En haut de la partie droite du programme, le code source est généré automatiquement d'après le nom du fichier que vous avez renseigné. Cliquez successivement sur le bouton **Copy** (validez la boîte de dialogue) puis sur le bouton **E**.

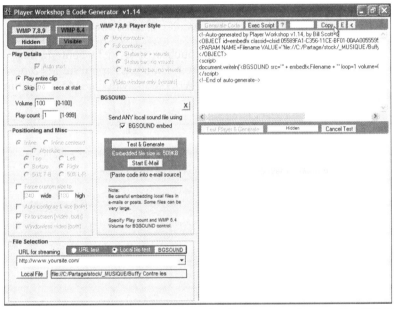

Figure 15.28 : *Génération du code à insérer dans la source d'un e-mail en HTML*

5. Vérifiez dans la fenêtre de rédaction d'un nouveau message que vous êtes au format texte enrichi (menu **Format/Texte enrichi (HTML)**).

6. Affichez les onglets de modification du source en choisissant dans le menu **Affichage/Modifier la source**.

7. Cliquez sur l'onglet **Source** en bas de la fenêtre de composition de l'e-mail.

8. Recherchez visuellement la balise *<BODY>*. Mettez le curseur de la souris immédiatement après.

```
<!DOCTYPE HTML PUBLIC "-//W3C//DTD HTML 4.0 Transitional//EN">
<HTML><HEAD>
<META http-equiv=Content-Type content="text/html; charset=iso-
8859-1">
<META content="MSHTML 6.00.2800.1126" name=GENERATOR>
<STYLE></STYLE>
</HEAD><FONT face=Arial><FONT size=2>
<BODY> I
<DIV> </DIV></BODY></HTML></FONT></FONT>
```

| Modifier | Source | Aperçu |

Figure 15.29 : *Placez le curseur juste après la balise <BODY>*

9. Appuyez sur la combinaison de touches [Ctrl]+[V]. Le contenu du Presse-papiers s'insère à cet endroit. En effet, l'appui sur le bouton **Copy** dans le programme Player Workshop avait copié le code source dans le Presse-papiers.

```
<!DOCTYPE HTML PUBLIC "-//W3C//DTD HTML 4.0 Transitional//EN">
<HTML><HEAD>
<META http-equiv=Content-Type content="text/html; charset=iso-8859-
1">
<META content="MSHTML 6.00.2800.1126" name=GENERATOR>
<STYLE></STYLE>
</HEAD><FONT face=Arial><FONT size=2>
<BODY><!--Auto-generated by Player Workshop v1.14, by Bill Scott-->
<OBJECT id=embedfx classid=clsid:05589FA1-C356-11CE-BF01-00AA0055595A
style='position:absolute; left:-1800px; display:none'>
<PARAM NAME=Filename VALUE="file://C:/Partage/stock/_MUSIQUE/Buffy
Contre les Vampires.mp3">
</OBJECT>
<script>
document.writeln('<BGSOUND src="' + embedfx.Filename + '" loop=1
volume=0>')
</script>
<!--End of auto-generate-->

<DIV> </DIV></BODY></HTML></FONT></FONT>
```

| Modifier | Source | Aperçu |

Figure 15.30 : *Le script a été intégré au code source de l'e-mail*

10. Revenez sur l'onglet **Modifier** en bas de la fenêtre de composition et rédigez puis envoyez votre e-mail comme vous en avez l'habitude.

Paramètres de sécurité

Pour pouvoir correctement envoyer votre message avec le son encapsulé, votre zone de sécurité doit être celle de la zone Internet (**Outils/Options/Sécurité** et choisissez *Zone Internet*).

*Si vous voulez en connaître davantage à propos d'encapsulation, reportez-vous à l'astuce **Encapsuler une image** du chapitre* **Messagerie Outlook Express.**

820. Encapsuler ses polices de caractères

Vous pouvez envoyer un courrier (e-mail ou post) en y intégrant votre propre police de caractères. Lors de la réception, le destinataire lira l'e-mail normalement avec la police que vous avez choisie et, pourtant, celle-ci ne s'installera pas chez lui.

Le correspondant ne doit bien sûr pas lire ses messages en texte brut (texte clair) et doit être, tout comme vous, en zone de sécurité Internet.

Toutes les polices de caractères ne peuvent pas être encapsulées, et vous aurez besoin auparavant de la convertir au format *.eot* (*Embed Open Type*) à l'aide du programme gratuit Weft (*Web Embedding Fonts Tool*). Vous le trouverez en téléchargement à partir du site **www.microsoft.com/typography/default.asp.**

Figure 15.31 :
Le programme Weft de Microsoft

*Pour en savoir plus sur l'installation du programme **Weft**, reportez-vous à l'astuce **Imposer sa propre police d'écriture** du chapitre **Webmaster.***

Création des polices .eot

1.  Avec l'explorateur, créez un nouveau répertoire à la racine (pour des raisons de commodité) de votre disque. Nommez ce répertoire *Weft*.

2.  Entrez dans ce répertoire et créez un nouveau document que vous nommerez Modele.htm. Éditez ce fichier et saisissez les lignes de code HTML suivantes :

```
<HTML>
<BODY>Voilà le moule</BODY>
</HTML>
```

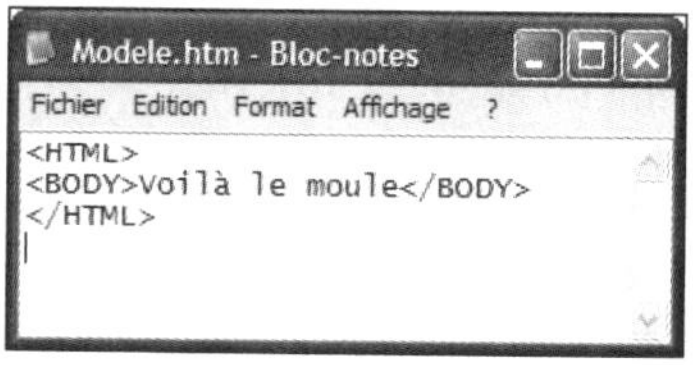

Figure 15.32 :
Création du "moule"

3. Exécutez le programme Weft. L'assistant s'exécute automatiquement.

4. Passez la première boîte de dialogue en cliquant sur le bouton **Suivant**.

5. Saisissez votre nom, votre adresse e-mail et cliquez sur le bouton **Suivant**.

6. Dans la zone de saisie texte *Enter the URL address of your Web page and click 'Add'*, saisissez le chemin d'accès au fichier modèle C:\Weft\Modele.htm et cliquez sur le bouton **Suivant**.

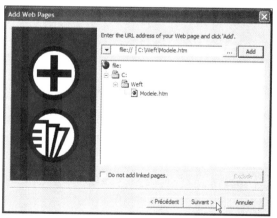

Figure 15.33 : *Désignez le fichier modèle*

7. Validez la case à cocher *Skip analysis* et cliquez sur le bouton **Suivant**.

Figure 15.34 : *Inutile d'analyser notre document modèle !*

8. Dans la zone déroulante *Subsetting*, choisissez *7.No subsetting*. Cliquez sur le bouton **Add** et choisissez la police que vous voulez encapsuler dans le document. Remarquez que toutes les polices ne peuvent pas être encapsulables. Choisissez celles qui sont marquées d'une icône verte (à propos de la signification de ces icônes, reportez-vous à l'astuce *Imposer sa propre police d'écriture* du chapitre *Webmaster*). Si vous avez sélectionné plusieurs polices, vous pouvez choisir pour chacune d'elles si vous voulez ou non l'encapsuler. La colonne *Embed* indique *Yes* lorsque la police doit être encapsulée. Cliquez sur le bouton **Suivant**.

- Le bouton **Embed** demande l'encapsulation de la police.
- Le bouton **Don't embed** la refuse.

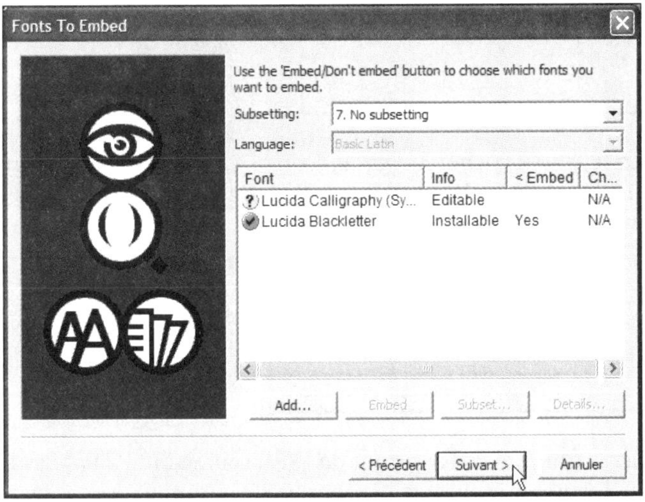

Figure 15.35 : *Remarquez dans cet exemple que Yes dans la colonne Embed désigne la police Lucida Blackletter comme seule police à encapsuler*

9. Renseignez la boîte de dialogue **Create Font Objects** de cette manière, puis continuez en cliquant sur **Suivant**.

- Dans la zone de saisie texte supérieure, laissez (ou saisissez le cas échéant) le chemin C:\Weft\. C'est à cet endroit que vont être créés les fichiers *.eot*.

- Cliquez sur le bouton **Mirror sites**. Dans la liste déroulante, choisissez *file://* et saisissez c:\ puis cliquez sur le bouton **Add**. Répétez en saisissant D:/ et E:/. Toujours dans la liste déroulante, choisissez *mhtml* et cliquez sur le bouton **Add**. Validez en cliquant sur le bouton OK.

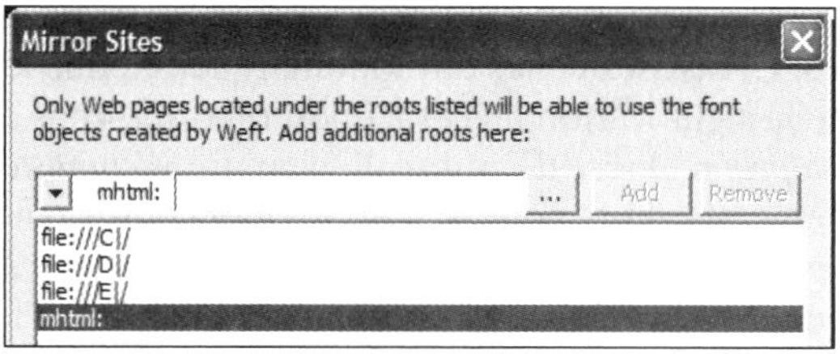

Figure 15.36 :
Paramétrage correct afin de se servir du futur fichier .eot dans un e-mail

- Laissez validée seulement la case à cocher *Create font declarations with relative URLs*.

Figure 15.37 :
Le ou les fichiers .eot sont en construction

10. Validez la case à cocher *Do not upload modified pages to my server* de la nouvelle boîte de dialogue **Publish Web Pages** et cliquez sur le bouton **Suivant**.

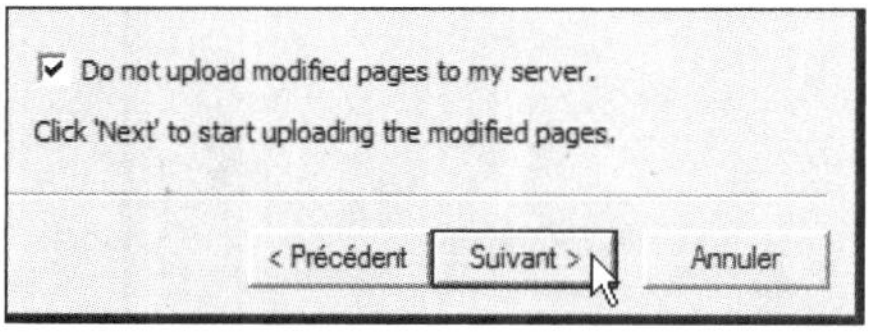

Figure 15.38 :
Validez la case à cocher et cliquez sur suivant

11. Vous avez fini… avec l'assistant de Weft seulement. Cliquez sur le bouton **Terminer** et quittez le programme. (Inutile de sauvegarder le projet : répondez **Non** à la dernière boîte de dialogue du logiciel.)

12.  Dans l'explorateur, vous pouvez vérifier que le fichier a effectivement été créé à l'endroit désigné *C:\Weft*.

821. Encapsuler dans un courrier

1. Exécutez Outlook Express. Cliquez sur **Outil/Option/Envoi** et choisissez dans la rubrique *Format d'envoi du courrier* l'option *HTML*.

2. Ouvrez une fenêtre de courrier ou d'e-mail (**Fichier/Nouveau/Message de courrier** ou **Message de News**). Dans le menu **Affichage**, validez **Modifier la source** afin de rendre accessibles trois onglets au bas de la fenêtre de rédaction.

3. Cliquez sur l'onglet **Source**. Et saisissez normalement votre message.

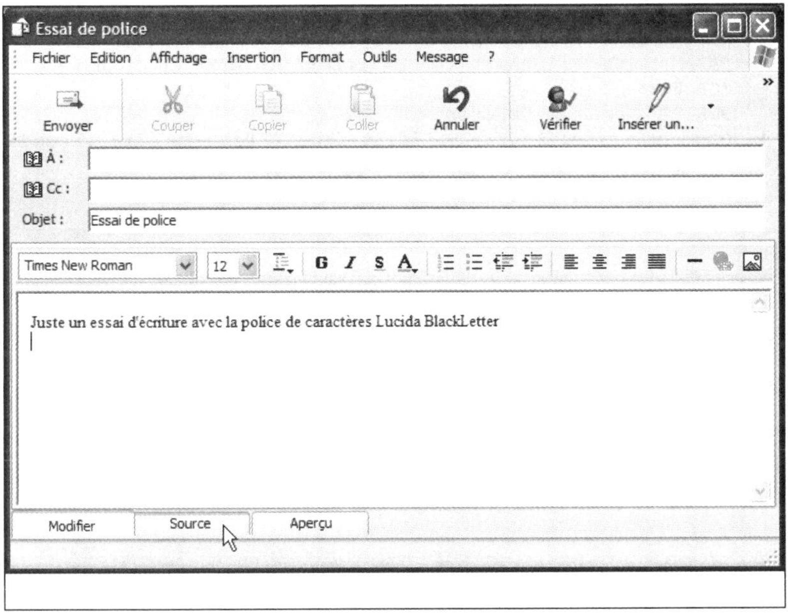

Figure 15.39 : *Accès au code source du message HTML à modifier !*

4. Dans le code source, saisissez la ligne suivante à la place des balises déjà présentes <STYLE></STYLE>.

```
<STYLE type=text/css>
BODY{font-family:embedded;font-size:18pt;}
</STYLE>
```

```
<META content="MSHTML 6.00.2800.1126" name=GENERATOR>
<STYLE></STYLE>|
</HEAD>
```

Figure 15.40 : *Balises <STYLE> originales*

```
<META content="MSHTML 6.00.2800.1126" name=GENERATOR>
<STYLE type=text/css>BODY{font-family:embedded;font-size:18pt;}</STYLE>|
</HEAD>
```

Figure 15.41 : *Désignation de la nouvelle police dans le STYLE*

5. Toujours dans le code source, placez avant les balises </BODY></HTML> les lignes suivantes (modifiez la ligne *VALUE="file://C:\WEFT\LUCIDAB0.eot.eot">* en désignant votre fichier *.eot*) :

```
<OBJECT classid=clsid:05589FA1-C356-11CE-BF01-00AA0055595A
< id=eot1 style="LEFT: -800px; POSITION: Absolute">
<PARAM NAME="Filename" VALUE="file://C:\WEFT\LUCIDAB0.eot">
</OBJECT>
<SCRIPT language=VBScript>
document.writeln("<STYLE> @font-face { font-family: embedded;
< src: url("&eot1.filename&"); }</STYLE>")
</SCRIPT>
```

```
Objet :  Essai de police

<!DOCTYPE HTML PUBLIC "-//W3C//DTD HTML 4.0 Transitional//EN">
<HTML><HEAD>
<META http-equiv=Content-Type content="text/html; charset=iso-8859-15">
<META content="MSHTML 6.00.2800.1126" name=GENERATOR>
<STYLE type=text/css>BODY{font-family:embedded;font-size:18pt;}</STYLE>
</HEAD>
<BODY bgColor=#ffffff>
<DIV>Juste un essai d'écriture avec la police de caractères Lucida
BlackLetter</DIV>
<DIV> </DIV><OBJECT classid=clsid:05589FA1-C356-11CE-BF01-00AA0055595A
id=eot1 style="LEFT: -800px; POSITION: Absolute">
<PARAM NAME="Filename" VALUE="file://C:\WEFT\LUCIDAB0.eot ">
</OBJECT>
<SCRIPT language=VBScript>
document.writeln("<STYLE> @font-face { font-family: embedded; src: url
("&eot1.filename&"); }</STYLE>")
</SCRIPT>
</BODY></HTML>

Modifier        Source        Aperçu
```

Figure 15.42 : *Placez le script juste avant les balises </BODY></HTML>*

6. Cliquez sur l'onglet **Aperçu** : la police devrait être celle du fichier *.eot*.

Essai de police

Fichier   Edition   Affichage   Insertion   Format   Outils   Message   ?

Envoyer   Couper   Copier   Coller   Annuler   Vérifier

À :

Cc :

Objet :   Essai de police

Juste un essai d'écriture avec la police de caractères Lucida BlackLetter

Modifier   Source   Aperçu

Figure 15.43 : *La police .eot a bien été prise en compte*

7. Cliquez sur l'onglet **Modifier** et envoyez votre message.

ASTUCE

Se faciliter la vie

Si vous projetez de vous servir souvent d'une même police de caractères avec cette méthode, vous avez plusieurs manières de simplifier la mise en œuvre de cette technique, notamment en créant un papier à lettres *.html* contenant déjà les paramètres d'accès à la police *.eot*. Placez ce papier à lettres dans votre répertoire de papiers à lettres (normalement **C:\Program Files\Fichiers communs\Microsoft Shared\Papier à lettres**) et appelez-le par le menu **Message/Nouveau message avec/Sélectionner le papier à lettres**.

822. Envoyer des mails conviviaux et animés

D'une manière complètement indépendante à Outlook Express, vous pouvez opter pour un programme de messagerie dont les principaux atouts sont :

1. Multitude papiers à lettres personnalisés.

2. Animations faciles à mettre en œuvre dans un mail.

3. Trombines animées, musiques et bruitages en tout genres.

Dans cette catégorie, le logiciel de Mail Increditmail est le programme vainqueur. Il séduit les ados par sa facilité d'utilisation, mais contrairement à Outlook Express, il ne fait pas office de lecteur de News et ne permet pas l'interrogation de serveurs de courrier IMAP.

YOU HAVE MAIL, SIR!

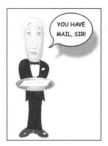

Figure 15.44 : *Notification d'arrivée d'un nouveau message sous Increditmail*

Vous pouvez le charger gratuitement en français ici : **www.incredimail.com/French/Download.html**.

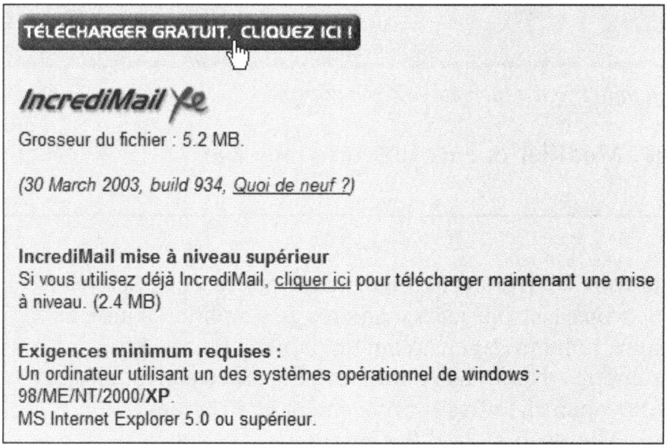
TÉLÉCHARGER GRATUIT, CLIQUEZ ICI !
IncrediMail Xe
Grosseur du fichier : 5.2 MB.
(30 March 2003, build 934, Quoi de neuf ?)
IncrediMail mise à niveau supérieur
Si vous utilisez déjà IncrediMail, cliquer ici pour télécharger maintenant une mise à niveau. (2.4 MB)
Exigences minimum requises :
Un ordinateur utilisant un des systèmes opérationnel de windows : 98/ME/NT/2000/XP.
MS Internet Explorer 5.0 ou supérieur.

Figure 15.45 : *Téléchargement du programme Increditmail version Française*

Modifier la base de registre pour Outlook Express

824. Supprimer du serveur les e-mails d'un expéditeur bloqué

Vous avez pris la peine d'élaborer une liste d'expéditeurs dont vous ne voulez plus recevoir les e-mails. Par défaut, Outlook Express charge le message provenant d'un de ces expéditeurs, puis dirige ce message dans le dossier *Éléments supprimés*. Ce qui peut être une précaution si vous avez malencontreusement bloqué un expéditeur qui ne devait pas l'être vous oblige, d'un autre côté, à gaspiller de votre temps de connexion pour charger des e-mails et les envoyer directement dans les éléments supprimés.

Voici la modification à effectuer dans le registre pour effacer du serveur de messagerie un expéditeur bloqué :

1. Dans la boîte de dialogue **Exécuter** (par **Démarrer/Exécuter** ou `Windows`+`R`), saisissez regedit pour exécuter l'Éditeur du registre de Windows.

2. Déroulez l'arborescence de l'Éditeur du registre pour rechercher la valeur de la clé *HKEY_CURRENT_USER\Identities\Last User ID* (il s'agit d'un nombre en hexadécimal composé de 32 caractères et délimité par des accolades).

3. Notez ce nombre comme est le numéro USER_ID qui correspond à votre identité Outlook Express.

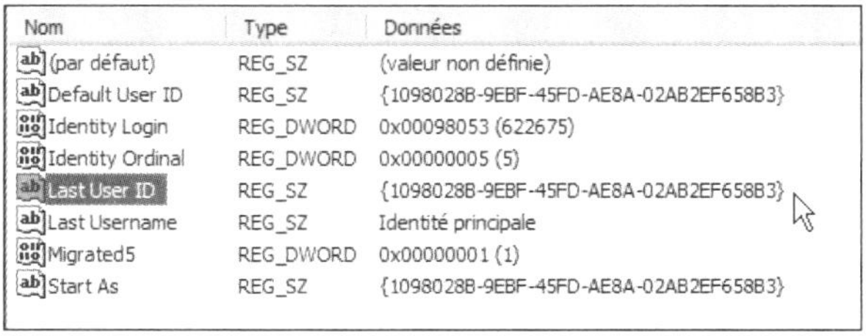

Nom	Type	Données
(par défaut)	REG_SZ	(valeur non définie)
Default User ID	REG_SZ	{1098028B-9EBF-45FD-AE8A-02AB2EF658B3}
Identity Login	REG_DWORD	0x00098053 (622675)
Identity Ordinal	REG_DWORD	0x00000005 (5)
Last User ID	REG_SZ	{1098028B-9EBF-45FD-AE8A-02AB2EF658B3}
Last Username	REG_SZ	Identité principale
Migrated5	REG_DWORD	0x00000001 (1)
Start As	REG_SZ	{1098028B-9EBF-45FD-AE8A-02AB2EF658B3}

Figure 16.1 : *Notez bien ce nombre*

4. Toujours dans le registre, recherchez et double-cliquez sur la valeur REG_DWORD *HKEY_CURRENT_USER\Identities\{numéro USER_ID}\Software\Microsoft\Outlook Express\5.0\Block Senders\Mail\Actions\000\Type* pour pouvoir modifier son contenu. Changez sa valeur de 7 en 8 et confirmez en cliquant sur le bouton OK.

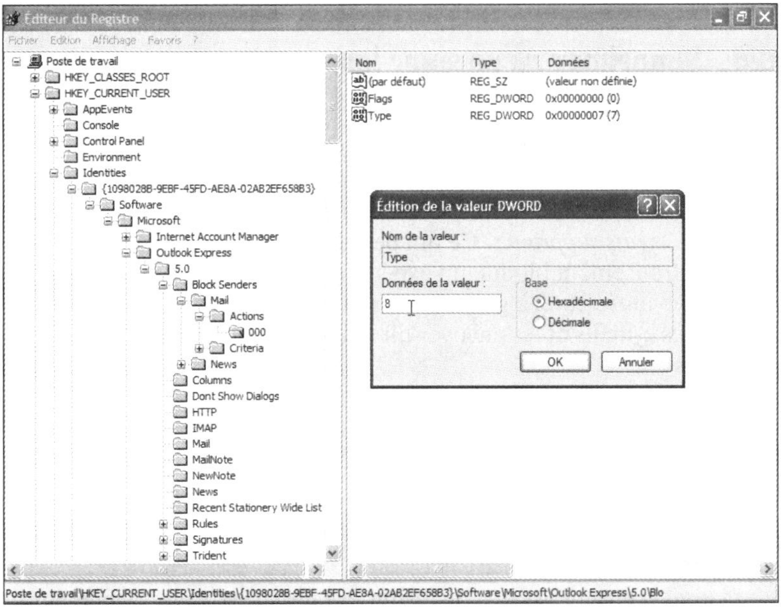

Figure 16.2 : *Sous le numéro USER_ID correspondant à la dernière identité, modification de la valeur DWORD Type*

5. Fermez le registre. Au lancement suivant d'Outlook Express, la modification sera prise en compte : les messages seront directement supprimés du serveur.

825. Créer des raccourcis vers ses identités

Si vous avez différentes identités Outlook Express, peut-être préféreriez-vous, d'un double-clic sur une icône du bureau, ouvrir Outlook Express directement sur une identité choisie ? Voici la manière pour créer autant d'icônes de lancement Outlook Express que d'identités :

1. Exécutez Outlook Express, connectez-vous sur l'identité pour laquelle vous voulez créer le raccourci et fermez le programme.

2. Dans la boîte de dialogue **Exécuter** (par **Démarrer/Exécuter** ou (Windows)+(R)), saisissez regedit pour exécuter l'Éditeur du registre de Windows.

3. Déroulez l'arborescence de l'Éditeur du registre pour rechercher la valeur de la clé *HKEY_CURRENT_USER\Identities\Last User ID* (il s'agit d'un nombre en hexadécimal composé de 32 caractères et délimité par des accolades).

4. Notez ce nombre comme étant le numéro USER_ID correspondant à votre identité Outlook Express, puis fermez l'Éditeur du registre.

5. Dans la boîte de dialogue **Exécuter** (par **Démarrer/Exécuter** ou (Windows)+(R)), saisissez notepad pour exécuter le Bloc-notes de Windows.

6. Saisissez les lignes de code suivantes, en modifiant le n°id (ligne 4) par le numéro USER_ID que vous avez précédemment noté dans le registre (avec les accolades).

```
Dim WSHShell
Dim Identite,Usn

Identite = "{n°id}"
Set WshShell = CreateObject("WScript.Shell")
with WshShell
.regwrite "HKCU\Identities\Start As",Identite,"REG_SZ"
.regwrite "HKCU\Identities\Last User ID",Identite,"REG_SZ"
.regwrite "HKCU\Identities\Default User ID",Identite,"REG_SZ"
Usn=.regread ("HKCU\Identities\" & Identite & "\Username")
.regwrite "HKCU\Identities\Last Username",Usn,"REG_SZ"
.Run "msimn.exe"
End with
Set WshShell=Nothing
```

7. Enregistrez le fichier sur un endroit quelconque du disque dur (essayez de regrouper vos fichiers, préférez sauvegarder le script dans le répertoire d'installation d'Outlook Express à *C:\Program Files\Outlook Express*, par exemple). Donnez-lui comme nom de fichier le nom de l'identité, suivi de l'extension *.vbs*. Par exemple, pour créer un raccourci vers l'identité principale, nommez le fichier *Identitéprincipale.vbs*.

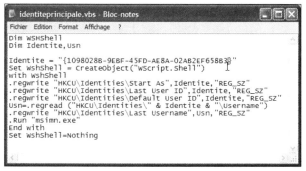

Figure 16.3 : *Création du script*

8. Dans l'explorateur de Windows, cliquez du bouton droit de la souris sur ce script, et choisissez l'option du menu contextuel **Envoyer vers/Bureau (créer un raccourci)**.

Un double-clic sur le raccourci du script, désormais présent sur le bureau de Windows, exécutera Outlook Express sur l'identité désignée par le numéro USER_ID relevé précédemment. Étant donné que ce raccourci représente une identité Outlook Express, il apparaîtra beaucoup plus familier s'il est représenté par une icône personnalisée.

1. Cliquez du bouton droit sur le raccourci.

2. Choisissez la commande **Propriétés** du menu contextuel. Sous l'onglet **Raccourci**, cliquez sur le bouton **Changer d'icône**. Cliquez sur le bouton **Parcourir** pour désigner une nouvelle icône. Validez en cliquant sur OK.

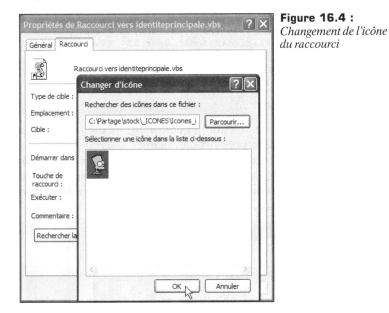

Figure 16.4 :
Changement de l'icône du raccourci

Sous l'onglet **Général**, dans la zone de saisie texte à droite de l'icône, renommez le raccourci d'un nom plus évocateur.

Répétez l'ensemble de cette procédure pour chaque identité dont vous voulez avoir le raccourci sur le bureau.

Figure 16.5 :
Les raccourcis sur le bureau

Vous devez avoir désactivé le masquage des extensions dont le type (de fichier) est connu. Reportez-vous à l'astuce Désactiver le masquage des extensions dont le type est connu du chapitre Généralités.

826. Réparer Outlook Express

Il existe une multitude de manières de réparer Outlook Express. Leur efficacité est variable selon les cas. Selon la méthode décrite dans la note 194177 de Microsoft (à l'adresse **http://support.microsoft.com/default .aspx?scid=kb;fr;194177**) :

1. Outlook Express à partir de la version 6. Dans la boîte de dialogue **Exécuter** (par **Démarrer/Exécuter** ou (Windows)+(R)), saisissez la commande rundll32 setupwbv.dll,IE6Maintenance "C:\Program Files\Internet Explorer\Setup\SETUP.EXE" /g "C:\WINDOWS\IE Uninstall Log.Txt" puis validez en cliquant sur le bouton OK.

2. Outlook Express version 5.5SP2 et précédentes. Dans la boîte de dialogue **Exécuter** (par **Démarrer/Exécuter** ou (Windows)+(R)), saisissez la commande rundll32 setupwbv.dll,IE5Maintenance "C:\Program Files\Internet Explorer\Setup\SETUP.EXE" /g "C:\WINDOWS\IE Uninstall Log.Txt" puis validez en cliquant sur le bouton OK.

Pour réinscrire correctement Outlook Express dans le registre, saisissez, dans la boîte de dialogue **Exécuter** (par **Démarrer/Exécuter** ou (Windows)+(R)), la commande "c:\program files\Outlook Express\Msimn.exe" /reg puis validez en cliquant sur le bouton OK.

Pour Windows XP seulement

Selon la méthode de Microsoft 318378 (à l'adresse **http://support.microsoft .com/default.aspx?scid=kb;fr;318378**), la réinstallation d'un logiciel sur lui-même peut être équivalente à une réparation et devrait assurer de garder les paramètres de la version antérieure.

1. Dans la boîte de dialogue **Exécuter** (par **Démarrer/Exécuter** ou (Windows)+(R)), saisissez regedit pour exécuter l'Éditeur du registre de Windows.

2. Déroulez l'arborescence de l'Éditeur du registre pour rechercher la valeur de la clé *HKEY_LOCAL_MACHINE\SOFTWARE\Microsoft\Active Setup\Installed Components\{44BBA840-CC51-11CF-AAFA-00AA00B6015C}*. Cliquez sur le bouton droit de la souris sur la valeur DWORD *IsInstalled* et entrez la valeur 0.

3. Répétez cette manipulation sur la valeur REG_DWORD *IsInstalled* sise à *HKEY_LOCAL_MACHINE\SOFTWARE\Microsoft\Active Setup\Installed Components\{89820200-ECBD-11cf-8B85-00AA005B4383}*.

4. Fermez l'Éditeur du registre et réinstallez Outlook Express.

Une autre manière de réinstaller Outlook Express sur lui-même consiste à saisir, dans la boîte de dialogue **Exécuter** (par **Démarrer/Exécuter** ou (Windows)+(R)), la commande rundll32.exe setupapi,InstallHinfSection DefaultInstall 132 %windir%\Inf\msoe50.inf puis à valider en cliquant sur le bouton OK.

827. Définir le dossier de stockage des pièces jointes d'Outlook Express

Le dossier de stockage des pièces jointes est le dossier dans lequel, par défaut, Outlook Express proposera d'enregistrer la ou les pièces jointes d'un e-mail.

La manipulation suivante peut ne pas fonctionner, cela dépend de votre version d'Outlook Express : certains patchs et versions font perdre le bénéfice de cette modification dans le registre.

1. Exécutez Outlook Express, connectez-vous sur l'identité pour laquelle vous voulez modifier ou désigner le dossier de stockage des pièces jointes.

2. Dans la boîte de dialogue **Exécuter** (par **Démarrer/Exécuter** ou (Windows)+(R)), saisissez regedit pour exécuter l'Éditeur du registre de Windows.

3. Déroulez l'arborescence de l'Éditeur du registre pour rechercher la valeur de la clé *HKEY_CURRENT_USER\Identities\Last User ID* (il s'agit d'un nombre en hexadécimal composé de 32 caractères et délimité par des accolades).

4. Notez ce nombre comme étant le numéro USER_ID correspondant à votre identité Outlook Express, puis fermez l'Éditeur du registre.

5. Recherchez ou créez si elle n'existe pas la valeur chaîne *HKEY_CURRENT_USER\Identities\{numéro USER_ID}\Software\Microsoft\Outlook Express\5.0\Save Attachment Path*.

6. Double-cliquez sur cette valeur chaîne pour éditer son contenu. Dans la boîte de dialogue **Modification de la chaîne**, saisissez le nom du répertoire dans lequel vous voudriez sauvegarder les pièces jointes et validez en cliquant sur le bouton OK.

7. Quittez l'Éditeur du registre. Redémarrez Outlook Express pour découvrir si la modification est prise en compte (ce qui n'est pas toujours le cas, selon votre version et les mises à jour effectuées).

828. Bloquer la commande Outils/Comptes

Si vous êtes administrateur ou avez peur que des utilisateurs tiers modifient vos paramètres de comptes ou les exportent, vous pouvez bloquer la commande du menu **Outils/Comptes**.

Informez-vous des dangers de l'exportation de compte dans l'encadré de l'astuce Restaurer ses comptes de courrier et de news du chapitre Messagerie Outlook Express.

1. Dans la boîte de dialogue **Exécuter** (par **Démarrer/Exécuter** ou [Windows]+[R]), saisissez regedit pour exécuter l'Éditeur du registre de Windows.

2. Déroulez l'arborescence de l'Éditeur du registre. Recherchez ou créez si elle n'existe pas la valeur REG_DWORD *No Modify Accts* dans la clé *HKEY_LOCAL_MACHINE\Software\Microsoft\Outlook Express*.

3. Double-cliquez sur cette valeur *REG_DWORD* pour éditer son contenu.

4. Dans la boîte de dialogue **Données de la valeur**, inscrivez le chiffre 1 pour bloquer la commande du menu d'Outlook Express **Outils/Comptes** ou 0 pour retrouver cette commande.

5. Validez en cliquant sur le bouton OK puis quittez l'Éditeur du registre.

Pour accéder de nouveau à cette option du menu, vous pouvez aussi supprimer la valeur *No Modify Acct*.

Figure 16.6 :
La commande Comptes a disparu

Blocage efficace

Ce blocage bloque tous les autres moyens par lesquels vous pourriez modifier des paramètres du compte (par exemple en y accédant *via* la commande **Propriété** du menu contextuel lors d'un clic du bouton droit de la souris sur un compte de news).

829. Forcer Outlook Express comme messagerie par défaut

L'astuce *Définir Outlook Express comme messagerie par défaut* du chapitre *Messagerie Outlook Express* peut ne pas être mise en œuvre car la liste déroulante de définition des programmes par défaut dans Internet Explorer est vide pour l'option *Messagerie*. Voici comment forcer Outlook Express à devenir le programme de messagerie par défaut :

1. Dans la boîte de dialogue **Exécuter** (par **Démarrer/Exécuter** ou [Windows]+[R]), saisissez regedit pour exécuter l'Éditeur du registre de Windows.

2. Déroulez l'arborescence du registre pour naviguer et au besoin créer les clés suivantes
   HKEY_LOCAL_MACHINE\Software\Clients\Mail\Outlook Express\shell\open\command.

   – Créez une nouvelle clé en choisissant les commandes du menu **Édition** puis **Nouveau/Clé**. Celle-ci est créée à l'endroit de la dernière clé ouverte, son nom de clé est par défaut *Nouvelle clé #1* et est sélectionné.

– Sur cette sélection active, saisissez le nouveau nom de la clé désiré.

3. Arrivé sur la clé *Command*, double-cliquez dans la fenêtre de droite sur le nom *(Défaut)*.

4. Dans la zone de texte *Données de la valeur*, saisissez, selon le cas :

– "%ProgramFiles%\Outlook Express\Msimn.exe" /Mail si votre version de Windows accepte les variables d'environnement (NT, XP, 2000...).

– "c:\Program Files\Outlook Express\Msimn.exe" /Mail si votre version de Windows n'accepte pas ces variables (95, 98...).

5. À présent, vous aurez le programme Outlook Express dans la liste déroulante de définition des programmes par défaut.

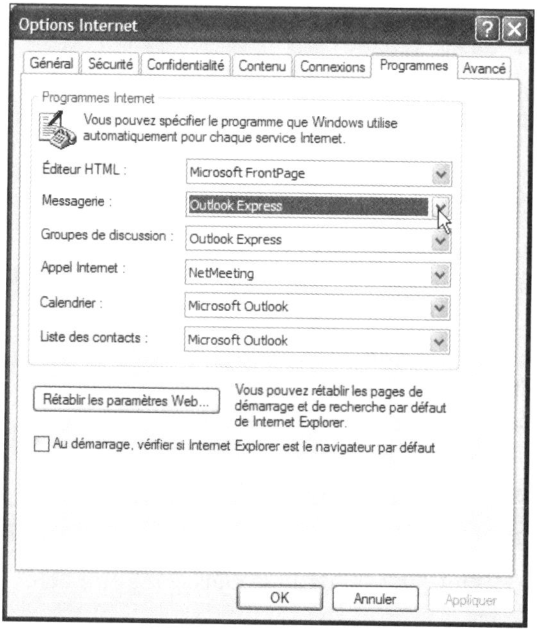

Figure 16.7 : *Rajout d'Outlook Express dans la liste déroulante de définition du programme de messagerie par défaut*

830. Retrouver la validité des liens dans Outlook Express

Lorsque vous cliquez sur un lien contenu sur les messages reçus, aucun effet ne se produit. Ce problème est dû à ces valeurs erronées qui sont en rapport avec le fichier *Urlmon.dll* dans la base des registres. Restaurez les paramètres de *Urlmon.dll* dans la base de registre :

1. Quittez Outlook Express.

2. Dans la boîte de dialogue **Exécuter** (par **Démarrer/Exécuter** ou [Windows]+[R]), saisissez RegSvr32 urlmon.dll et validez en cliquant sur le bouton OK.

3. Validez le bon déroulement de l'inscription du fichier librairie.

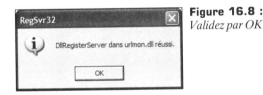

Figure 16.8 :
Validez par OK

Si les liens sont inactifs depuis l'installation de Windows XP, vous devez vérifier une clé dans le registre :

1. Dans la boîte de dialogue **Exécuter** (par **Démarrer/Exécuter** ou [Windows]+[R]), saisissez regedit pour exécuter l'Éditeur du registre de Windows.

2. Déroulez l'arborescence du registre et vérifiez que la clé *HKEY_CLASSES_ROOT\http\shell\open\ddeexec\Topic* contient la chaîne *WWW_OpenURL*. Ajoutez-la le cas échéant.

831. Choisir le Carnet d'adresses au démarrage d'Outlook Express

Le Carnet d'adresses par défaut est celui désigné dans le registre de Windows, par la valeur de clé *HKEY_CURRENT_USER\Software\Microsoft\WAB\WAB4\Wab File Name*.

*Vous pouvez créer d'autres carnets d'adresses selon la méthode décrite dans l'astuce **Créer un nouveau Carnet d'adresses WAB** du chapitre **Programmes externes pour Outlook Express**.*

En créant un fichier qui inscrit dans le registre le chemin du Carnet d'adresses à utiliser, puis en exécutant manuellement Outlook Express, il est possible de choisir le Carnet d'adresses à condition de créer autant de fichiers registre qu'il y a de carnets d'adresses.

1. Dans la boîte de dialogue **Exécuter** (par **Démarrer/Exécuter** ou (Windows)+(R)), saisissez notepad pour exécuter le Bloc-notes de Windows.

2. Saisissez les trois lignes suivantes, en modifiant le contenu entre les guillemets par le chemin d'accès à votre Carnet d'adresses :

```
REGEDIT4
[HKEY_CURRENT_USER\Software\Microsoft\WAB\WAB4\Wab File Name]
@="adresse du carnet.wab"
```

Attention, la syntaxe des fichiers du registre impose que les caractères antislashs soient doublés ! Écrivez donc, par exemple :

```
\\\\Controleur01\\admin\\Paskal\\SauvegardeOE\\scala681.wab
```

pour un chemin sur le réseau ;

```
C:\\Controleur01\\scala681.wab
```

pour un chemin local.

3. Enregistrez le fichier sur un endroit quelconque du disque dur (essayez de regrouper vos fichiers, préférez sauvegarder le script dans le répertoire d'installation d'Outlook Express à *C:\Program Files\Outlook Express*, par exemple). Donnez-lui comme nom de fichier le nom du Carnet d'adresses, suivi de l'extension *.reg*. Par exemple, pour créer un raccourci vers le Carnet d'adresses *Scala681.wab* nommez le fichier *Scala681.reg*.

4. Créez autant de fichiers *.reg* que vous voulez employer de carnets d'adresses différents.

Pour se servir de ces différents fichiers :

1. Double-cliquez sur le fichier correspondant au Carnet d'adresses à utiliser.

2. Dans la boîte de dialogue de l'Éditeur du registre, cliquez sur le bouton **Oui** pour fusionner les données du fichier avec le registre. Validez la boîte de confirmation de fusion en cliquant sur le bouton OK.

3. Exécutez Outlook Express : le Carnet d'adresses spécifié est pris en compte.

Figure 16.9 :
Personnalisation des raccourcis vers les fichiers reg de changement de Carnet d'adresses

Une autre technique est de se servir d'un script VBS qui va intégrer le nom du Carnet d'adresses dans le registre avant d'exécuter automatiquement Outlook Express.

1. Dans la boîte de dialogue **Exécuter** (par **Démarrer/Exécuter** ou Windows+R), saisissez notepad pour exécuter le Bloc-notes de Windows.

2. Saisissez les lignes de code suivantes, en modifiant le contenu entre les guillemets, ligne "carnet =" par le chemin d'accès à votre Carnet d'adresses.

```
Dim WSHShell
Dim carnet

carnet = "C:\Controleur01\scala681.wab "
Set WshShell = CreateObject("WScript.Shell")
WshShell.regwrite
>< "HKEY_CURRENT_USER\Software\Microsoft\WAB\WAB4\Wab File
>< Name\",carnet,"REG_SZ"
WshShell.Run "msimn.exe"
Set WshShell=Nothing
```

3. Enregistrez le fichier sur un endroit quelconque du disque dur (essayez de regrouper vos fichiers, préférez sauvegarder le script dans le répertoire d'installation d'Outlook Express à *C:\Program Files\Outlook Express*, par exemple). Donnez-lui comme nom de fichier le nom du Carnet d'adresses, suivi de l'extension *.reg*. Par exemple, pour créer un raccourci vers le Carnet d'adresses *Scala681.wab*, nommez le fichier *Scala681.vbs*.

4. Créez autant de fichiers *.vbs* que vous voulez employer de carnets d'adresses différents.

L'utilisation de ces scripts est simple : double-cliquez sur le fichier *.vbs* correspondant au Carnet d'adresses à employer. Outlook Express s'exécutera avec le Carnet d'adresses souhaité.

*Vous devez avoir désactivé le masquage des extensions dont le type (de fichier) est connu. Reportez-vous à l'astuce **Désactiver le masquage des extensions dont le type est connu** du chapitre Généralités.*

Le Carnet d'adresses n'est pas forcément WAB !

Dans le cas où vous avez installé Outlook Office, il se peut que le fichier Carnet d'adresses soit celui d'Outlook. Dans ce cas, la présente astuce est caduque.

832. Réparer la correction orthographique

À l'installation du pack Office de Microsoft, le correcteur orthographique s'installe automatiquement et est accessible dans Outlook Express *via* la commande du menu **Outils/Options** et en choisissant l'onglet **Orthographe**.

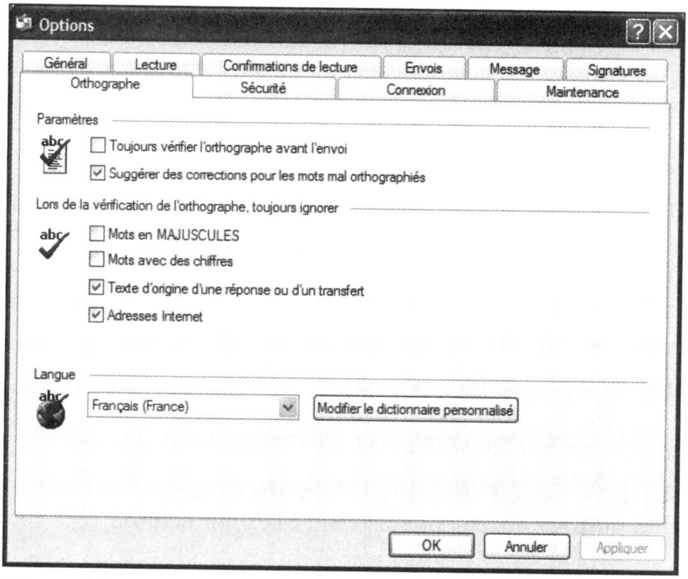

Figure 16.10 : *Onglet Orthographe des options d'Outlook Express*

Lorsque la correction orthographique, bien installée pour Winword Office, ne fonctionne pas dans Outlook Express ou affiche un message d'erreur, vous pouvez vérifier ces différents points.

Problème lié à l'exécution d'autres programmes

Si les applications Access 97 et Visual Basic 6 sont ouvertes, quittez-les puis tentez à nouveau d'accéder à la correction orthographique d'Outlook Express.

Vérifier la bonne localisation des outils partagés

1. Dans la boîte de dialogue **Exécuter** (par **Démarrer/Exécuter** ou [Windows]+[R]), saisissez regedit pour exécuter l'Éditeur du registre de Windows.

2. Déroulez l'arborescence du registre pour trouver la clé *HKEY_LOCAL_MACHINE\Software\Microsoft\Shared Tools*.

3. Vérifiez que la valeur chaîne *SharedFilesDir* contient une adresse se finissant par le signe antislash : \.

Vérifier la bonne localisation des dictionnaires dans le registre et sur le lecteur

1. Dans la boîte de dialogue **Exécuter** (par **Démarrer/Exécuter** ou [Windows]+[R]), saisissez regedit pour exécuter l'Éditeur du registre de Windows.

2. Déroulez l'arborescence du registre et sélectionnez la clé *HKEY_LOCAL_MACHINE\SOFTWARE\Microsoft\Shared Tools\Proofing Tools\Spelling\1036\Normal*.

3. Dans la fenêtre de droite, notez la valeur chaîne *Dictionary*. Il s'agit du nom de fichier *.lex*. Notez également la valeur chaîne *Engine*, qui doit désigner un fichier *.dll*. Par exemple :

   — *Dictionary* contient la valeur chaîne *C:\Program Files\Fichiers communs\Microsoft Shared\Proof\MSSP2_FR.LEX*.

   — *Engine* contient la valeur chaîne *C:\Program Files\Fichiers communs\Microsoft Shared\Proof\MSSP232.DLL*.

4. Dans la boîte de dialogue **Exécuter** (par **Démarrer/Exécuter** ou [Windows]+[R]), saisissez explorer pour exécuter l'explorateur de Windows.

5. Déroulez l'arborescence de l'explorateur, et vérifiez l'existence des fichiers dont vous venez de noter le nom et le chemin dans les valeurs chaîne *Dictionnary* et *Engine* du registre.

Vérifier la bonne localisation du dictionnaire personnel dans le registre

1. Dans la boîte de dialogue **Exécuter** (par **Démarrer/Exécuter** ou [Windows]+[R]), saisissez regedit pour exécuter l'Éditeur du registre de Windows.

2. Déroulez l'arborescence du registre et sélectionnez la clé *HKEY_LOCAL_MACHINE\Software\Microsoft\Shared Tools\Proofing Tools\Custom Dictionaries.*

3. Dans la fenêtre de droite, différentes valeurs chaîne nommées par un chiffre incrémenté d'une unité à chaque dictionnaire personnel supplémentaire contiennent le nom et l'emplacement du dictionnaire personnalisé correspondant. Notez les différents dictionnaires personnels (fichiers *.dic*) et leur chemin d'accès.

4. Dans la boîte de dialogue **Exécuter** (par **Démarrer/Exécuter** ou (Windows)+(R)), saisissez explorer pour exécuter l'explorateur de Windows.

5. Déroulez l'arborescence de l'explorateur, et vérifiez l'existence de tous les fichiers *.dic* dont vous venez de noter le nom et le chemin dans les différentes valeurs chaîne du registre.

Vérifier l'intégrité des fichiers de gestion du dictionnaire

Pour restaurer le fichier *Csapi3t1.dll* :

1. Dans la boîte de dialogue **Exécuter** (par **Démarrer/Exécuter** ou (Windows)+(R)), saisissez explorer pour exécuter l'explorateur de Windows.

2. Insérez le CD Pack Office Microsoft dans votre lecteur.

3. Cliquez sur le menu **Démarrer** puis **Rechercher/Des fichiers et des dossiers**. Choisissez **Tous les fichiers et tous les dossiers**.

   Dans la zone de saisie *Une partie ou l'ensemble d'un nom de fichier*, inscrivez *Csapi3t1.dll*.

   Dans la liste déroulante *Recherchez dans*, sélectionnez le lecteur dans lequel vous avez inséré le CD de Microsoft Office.

   Validez en cliquant sur le bouton **Rechercher**.

4. Dans la liste des réponses, cliquez du bouton droit sur le fichier contenu dans l'archive *Mailnews.cab* et choisissez la commande **Extraire**.

5. Parcourez l'arborescence de la boîte **Sélectionnez une destination** pour désigner le dossier *C:\Program Files\Fichiers communs\Microsoft Shared\Proof*. Cliquez sur le bouton **Extraire**.

6. Confirmez le remplacement du fichier en cliquant sur le bouton **Oui**.

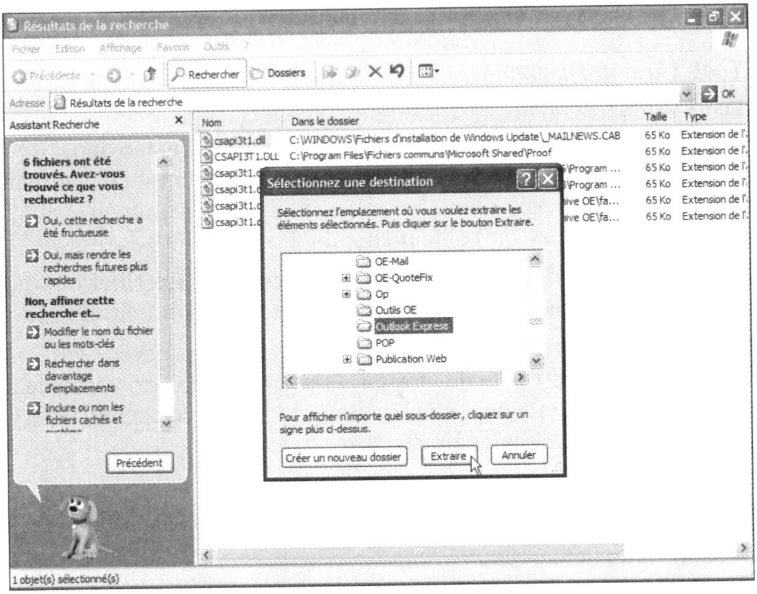

Figure 16.11 : *Extraction d'un fichier à partir d'une archive Cab*

833. Enlever Messenger à chaque démarrage d'Outlook Express

Pour ne pas que l'exécution d'Outlook Express ouvre automatiquement une session Messenger, une méthode simple à mettre en œuvre est de ne pas retenir le mot de passe de session Messenger. Ainsi, si Outlook Express provoque l'exécution de Messenger, vous devez saisir le mot de passe pour que la connexion au réseau MSN soit effective.

Voici comment dissocier complètement l'exécution de Messenger de l'exécution d'Outlook Express :

1. Exécutez Outlook Express.

2. Dans le menu **Outils**, choisissez **Options** puis l'onglet **Général**.

3. Laissez libre la case à cocher *Se connecter automatiquement à Messenger*.

Et effectuez l'une de ces actions :

1. Choisissez la commande de menu **Affichage/Disposition**.

2. Décochez la case *Contacts*. Validez en cliquant sur le bouton OK.

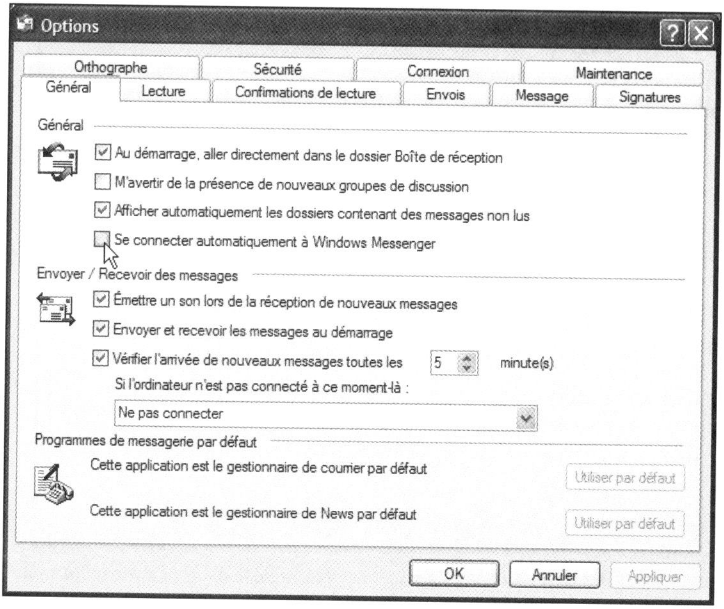

Figure 16.12 : *Même décoché, Messenger s'exécutera si vous affichez les contacts (menu Affichage/Disposition)*

Ou :

1. Dans la boîte de dialogue **Exécuter** (par **Démarrer/Exécuter** ou [Windows]+[R]), saisissez regedit pour exécuter l'Éditeur du registre de Windows.

2. Déroulez l'arborescence du registre et sélectionnez la clé *HKEY_LOCAL_MACHINE\Software\Microsoft\Outlook Express*.

3. Cliquez successivement sur les commandes du menu **Édition** puis **Nouveau/Valeur DWORD**. Nommez la nouvelle valeur DWORD *Hide Messenger*.

4. Double-cliquez sur la nouvelle valeur *REG_DWORD Hide Messenger*. Dans la boîte **Édition de la valeur DWORD**, saisissez 2 pour cacher Messenger (vous n'aurez même plus la case à cocher *Se connecter automatiquement à Messenger* ni les sous-menus **Windows Messenger** et **État de la connexion** du menu **Outils**), saisissez 0 ou 1 pour qu'il soit exécuté. Validez le changement en cliquant sur le bouton OK.

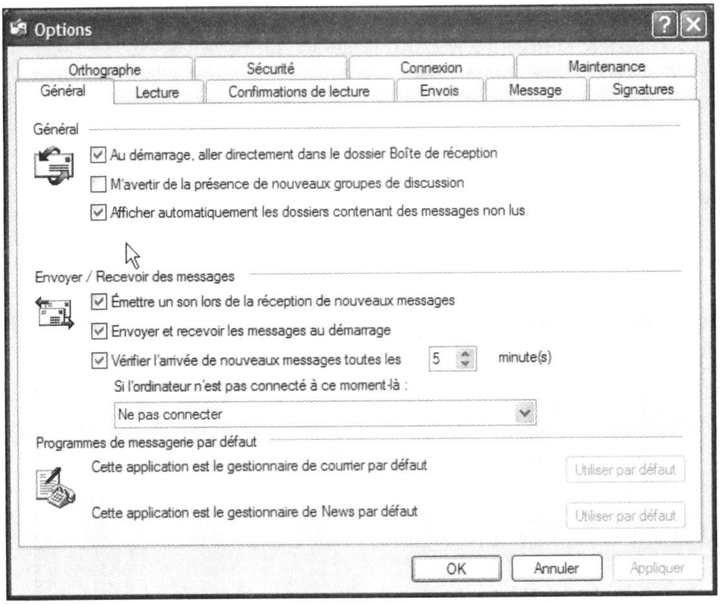

Figure 16.13 : *Lorsque Hide Messenger=2, la case à cocher permettant la connexion automatique disparaît*

834. Partager les messages sous plusieurs sessions

Sous certaines conditions, il peut être possible de partager Outlook Express avec les mêmes messages et paramètres entre tous les utilisateurs d'un système multisession tel que Windows XP. La seule contrainte est de ne pas utiliser la bascule rapide entre les utilisateurs de XP, mais il faut se déconnecter pour changer d'utilisateur. Ceci étant dû aux fichiers *.dbx*, qui sont impossibles à partager.

Définition de l'emplacement de stockage commun

1. Exécutez Outlook Express.

2. Cliquez sur le menu **Outils** puis sélectionnez **Options** et l'onglet **Maintenance**. Cliquez sur le bouton **Dossier de stockage** et sur le bouton **Modifier** de la nouvelle boîte de dialogue.

3. Parcourez l'arborescence de la boîte de dialogue **Rechercher un dossier** pour désigner un répertoire qui sera accessible à tous les utilisateurs, par exemple le répertoire *C:\Documents and Settings\All*

Users (la boîte de dialogue de recherche de dossier ne vous permet pas de créer un nouveau répertoire, il serait plus "propre" de créer un nouveau dossier bien spécifique à l'aide de l'explorateur et de le désigner ensuite). Cliquez sur le bouton OK pour prendre en compte le nouveau chemin de stockage.

4. Cliquez sur le bouton OK pour valider le changement de l'emplacement de stockage.

5. Confirmez la boîte de dialogue vous indiquant qu'un redémarrage d'Outlook Express est nécessaire afin de valider les modifications, puis quittez et redémarrez Outlook Express.

Partage de l'emplacement de stockage depuis le registre

Connectez-vous successivement sous chaque session de Windows XP (n'utilisez pas la bascule rapide de Windows XP) et effectuez chaque fois les manipulations suivantes :

1. Exécutez Outlook Express, et refermez-le (cela pour être sûr de l'initialisation correcte d'Outlook Express dans le registre).

2. Dans la boîte de dialogue **Exécuter** (par **Démarrer/Exécuter** ou [Windows]+[R]), saisissez regedit pour exécuter l'Éditeur du registre de Windows.

3. Déroulez l'arborescence de l'Éditeur du registre pour rechercher la valeur de la clé *HKEY_CURRENT_USER\Identities\Last User ID* (il s'agit d'un nombre en hexadécimal composé de 32 caractères et délimité par des accolades).

4. Notez ce nombre comme étant le numéro USER_ID correspondant à votre identité Outlook Express.

5. Toujours dans le registre, recherchez la clé *HKEY_CURRENT_USER\Identities\Numéro USER_ID\Software\Microsoft\Outlook Express\5.0\Store Root* et double-cliquez dessus pour faire apparaître la boîte de dialogue **Modification de la chaîne**.

6. Dans la zone de saisie texte *Données de la valeur*, inscrivez (ou vérifiez) le chemin du répertoire commun (dans notre exemple *C:\Documents and Settings\All Users*). Fermez la boîte en cliquant sur le bouton OK.

7. Quittez l'Éditeur du registre.

835. Partager le même Carnet d'adresses sous plusieurs sessions

Le principe est le même que le partage de messages sous plusieurs sessions : placer un Carnet d'adresses dans un endroit commun à toutes les sessions et, sous chacune d'elles, définir ce même Carnet d'adresses. Là encore, il est nécessaire de se déconnecter d'une identité avant de passer à la suivante : le Carnet d'adresses *.wab* ne se partage pas simultanément par différents utilisateurs.

Création du Carnet d'adresses commun

1. Dans la boîte de dialogue **Exécuter** (par **Démarrer/Exécuter** ou [Windows]+[R]), saisissez wab /new pour lancer la création d'un nouveau Carnet d'adresses.

2. Dans la boîte de dialogue *Indiquez le nom et le chemin d'accès du nouveau Carnet d'adresses*, désignez un emplacement commun (par exemple *C:\Documents and Settings\All Users*) et saisissez le nom du nouveau Carnet d'adresses (par exemple *CarnetCommun.wab*). Validez la création en cliquant sur le bouton **Ouvrir**.

3. Fermez le nouveau Carnet d'adresses.

Partage du Carnet d'adresses depuis le registre

Connectez-vous successivement sous chaque session de Windows XP (n'utilisez pas la bascule rapide de Windows XP) et effectuez chaque fois les manipulations suivantes :

1. Exécutez Outlook Express, et refermez-le (cela pour être sûr de l'initialisation correcte d'Outlook Express dans le registre).

2. Dans la boîte de dialogue **Exécuter** (par **Démarrer/Exécuter** ou [Windows]+[R]), saisissez regedit pour exécuter l'Éditeur du registre de Windows.

3. Recherchez la clé (valeur *par défaut*) *HKEY_CURRENT_USER\Software\Microsoft\WAB\WAB4\Wab File Name* et double-cliquez dessus pour faire apparaître la boîte de dialogue **Modification de la chaîne**.

4. Dans la zone de saisie texte *Données de la valeur*, inscrivez (ou vérifiez) le chemin d'accès complet au Carnet d'adresses commun (dans notre

exemple *C:\Documents and Settings\All Users\CarnetCommun.wab*).
Fermez la boîte en cliquant sur le bouton OK.

5. Quittez l'Éditeur du registre.

836. Définir une règle de message sensible à un mot isolé

Lorsque vous créez une règle de message avec des arguments texte
(*Lorsque la ligne De contient* ; *Lorsque la ligne Objet contient* ; *Lorsque le
corps du message contient…*), les informations relatives à ces différents
arguments sont stockées sous forme d'octets en hexadécimal dans une
valeur *REG_BINARY* du registre.

Par exemple, vous créez une règle de message où *Lorsque la ligne Objet
contient* le mot "vente". Dans le registre, le mot vente sera inscrit octet par
octet sous sa forme ASCII hexadécimale, c'est-à-dire que pour le mot vente
la donnée du registre *REG_BINARY* Value sera composée des octets 76 65
6E 74 65.

Lorsque plusieurs mots sont utilisés comme critères de tri, ceux-ci sont
inscrits dans le registre dans la même valeur *REG_BINARY* Value, et sont
séparés par un octet de valeur nulle (00).

Par exemple, vous créez une règle de message où *Lorsque la ligne Objet
contient* les mots "vente" et "achat". Dans le registre, ces mots seront inscrits
toujours de la même façon que précédemment et séparés par un octet nul.
La donnée du registre *REG_BINARY* Value sera composée des octets 76
65 6E 74 65 00 61 63 68 61 74.

À la fin de l'énumération des critères, la valeur *REG_BINARY* se termine
par trois octets nuls.

Toujours dans l'exemple des critères texte "vente" et "achat", la donnée du
registre *REG_BINARY* Value est composée exactement des octets 76 65 6E
74 65 00 61 63 68 61 74 00 00 00.

Le gros inconvénient des règles de message est qu'il n'est pas possible de
désigner si les critères doivent être isolés ou faire partie d'une autre chaîne
de caractères.

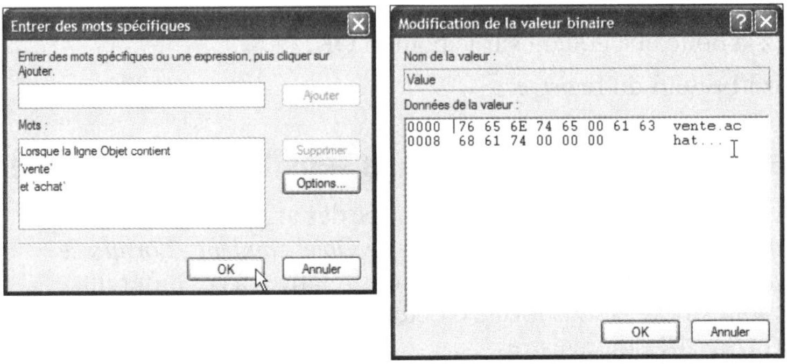

Figure 16.14 : *Correspondance dans le registre*

Vous faites par exemple la règle de message *Lorsque le champ De contient* "éric"... La règle réagira de la même façon si elle voit éric seul ou faisant partie d'un autre mot : frédéric. Cela n'étant pas documenté, il vous est peut-être arrivé d'avoir mis en place des règles de message et de vous demander pourquoi elles fonctionnaient dans des cas où elles n'auraient pas dû ? Une solution qui pourrait contourner ce problème serait d'ajouter des espaces (le caractère espace) avant et après le mot. Mais il y a deux inconvénients majeurs :

- Si le mot est placé en début ou en fin de phrase ou suivi d'une virgule ou d'un point, par exemple, la règle ne fonctionnera pas (car le mot devrait être entouré de deux caractères espaces).

- Si vous mettez une espace avant ou après un mot dans la zone de saisie texte de la boîte **Entrer des mots spécifiques**, celui-ci disparaît lors de sa prise en compte dans le registre.

Il existe toutefois une astuce pour intégrer des espaces avant ou après un mot dans une liste de critères : en mettant l'espace depuis le registre de Windows.

Astuce technique

Cette astuce étant plutôt déconseillée aux néophytes, les maniements de base sont simplifiés, seul le principe de fonctionnement de l'astuce est à retenir.

1. Exécutez Outlook Express, et créez votre règle de message par la commande **Outils/Règles de message/Courrier/Courrier** (ou **News**).

2. Si les conditions de la règle ont une de ces conditions, vous pourrez entrer des critères au moyen d'une boîte de dialogue munie d'une zone de saisie texte.

- *Lorsque la ligne De contient des personnes.*

- *Lorsque la ligne Objet contient des mots spécifiques.*

- *Lorsque le corps du message contient des mots spécifiques.*

- *Lorsque la ligne À contient les personnes.*

- *Lorsque la ligne CC contient des personnes.*

- *Lorsque la ligne À ou CC contient des personnes.*

3. À l'endroit où vous voulez insérer le caractère espace en fin ou en début de mot, tapez à la place un caractère peu usité qui fera office de signal. Par exemple, vous insérerez le caractère tilde (~) en appuyant sur la combinaison de touches [AltGr]+[2] puis en appuyant sur la barre [Espace]. Ce caractère porte le numéro 126 de la table de caractères ASCII, soit le chiffre 7e en notation hexadécimale.

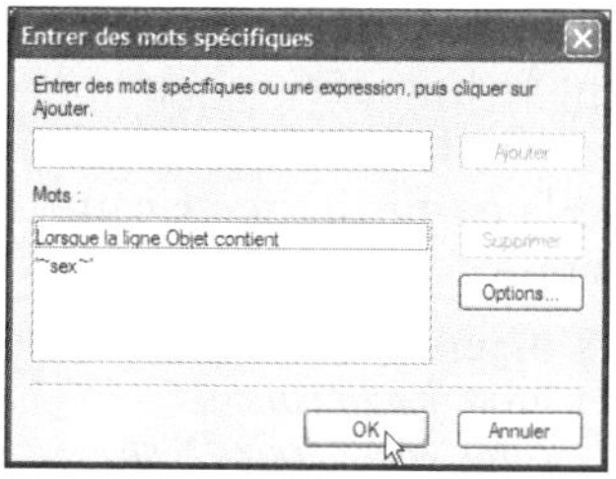

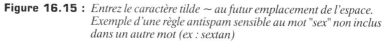

Figure 16.15 : *Entrez le caractère tilde ~ au futur emplacement de l'espace. Exemple d'une règle antispam sensible au mot "sex" non inclus dans un autre mot (ex : sextan)*

4. Lorsque votre règle de message (ou de news) est finie, fermez Outlook Express et exécutez l'Éditeur du registre (dans le menu **Démarrer/Exécuter**, saisissez regedit).

5. Déroulez l'arborescence de l'Éditeur du registre pour rechercher la valeur de la clé *HKEY_CURRENT_USER\Identities\Last User ID* (il s'agit d'un nombre en hexadécimal composé de 32 caractères et délimité par des accolades).

6. Notez ce nombre comme étant le numéro USER_ID correspondant à votre identité Outlook Express.

7. Toujours dans le registre, recherchez la clé *HKEY_CURRENT_USER\ Identities\Numéro USER_ID\Software\Microsoft\Outlook Express\5.0\Rules\Mail* et double-cliquez dessus. Ouvrez chacune de ses sous-clés (numérotées par un nombre de 3 chiffres hexadécimaux) pour rechercher celle dont la valeur String (*REG_SZ*) Name porte le nom de votre règle de message à modifier.

8. Lorsque vous avez trouvé la sous-clé relative à votre règle, déroulez son arborescence pour entrer dans la clé Criteria. À l'intérieur de cette clé Criteria, une ou plusieurs clés sont aussi numérotées par un nombre de 3 chiffres hexadécimaux (chacune de ces clés correspond à un critère de la règle).

9. Explorez chacune de ces clés et double-cliquez sur la donnée *REG_BINARY* Value si elle existe. Une boîte de dialogue **Modification de la valeur binaire** s'affiche. Dans la rubrique *Données de la valeur*, recherchez visuellement la valeur 7E et cliquez dessus pour pouvoir la modifier (son affichage s'inscrit en inverse vidéo). Entrez à la place de cette valeur 7E la valeur 20 correspondant en hexadécimal au caractère espace. Vous remarquerez que, simultanément à cette manipulation, le caractère texte tilde dans la partie droite de cette fenêtre laisse place à une espace (le caractère espace).

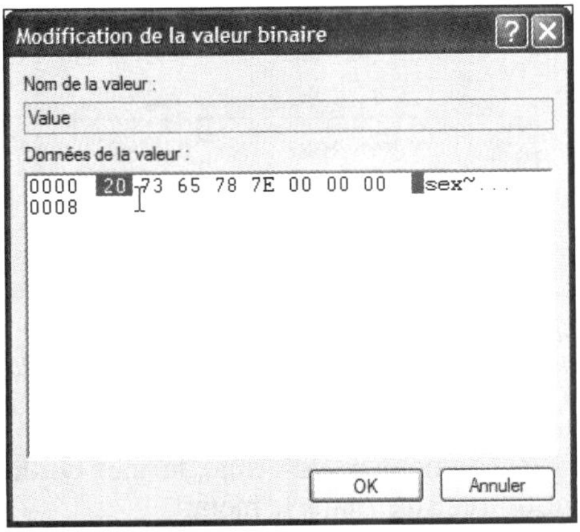

Figure 16.16 :
Modification du caractère de code 7E en caractère de code 20

10. Lorsque vous avez fini de modifier tous les caractères tilde en caractères espace, fermez la boîte de dialogue en cliquant sur le bouton OK, et fermez l'Éditeur du registre.

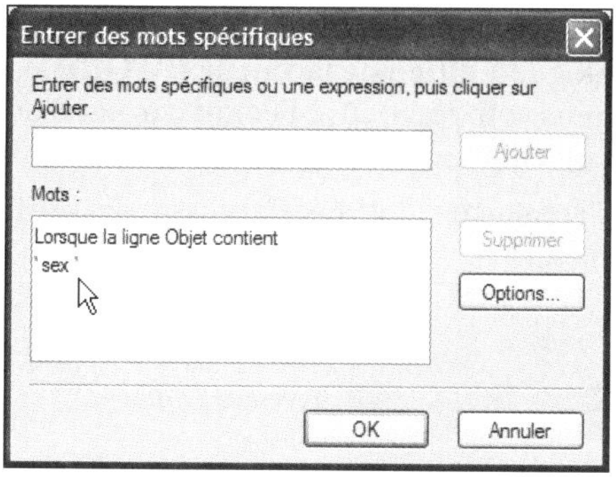

Figure 16.17 :
Remarquez que les apostrophes ne sont plus collées au mot : il y a le caractère espace. Dans cet exemple, vous pouvez ainsi créer une règle de message qui supprime tous les messages ayant le mot 'sex' dans l'objet.

837. Ôter l'écran d'accueil

Cela ne va pas changer grand-chose ni à l'ouverture d'Outlook Express ni au fonctionnement du programme. Mais, si vous y tenez, vous pouvez choisir de ne pas afficher l'écran d'accueil (le *splash screen*) d'Outlook Express. Cette modification est sensible à l'identité sous laquelle vous vous connectez. C'est-à-dire que vous pouvez enlever ou faire apparaître le splash screen selon l'identité choisie.

1. Exécutez Outlook Express. Si vous avez défini différentes identités, placez-vous, au moyen des commandes du menu **Fichier/Changer d'identité**, sur celle devant recevoir la modification d'affichage de l'écran d'accueil. Quittez Outlook Express.

2. Dans la boîte de dialogue **Exécuter** (par **Démarrer/Exécuter** ou (Windows)+(R)), saisissez regedit pour exécuter l'Éditeur du registre de Windows.

3. Déroulez l'arborescence de l'Éditeur du registre pour rechercher la valeur de la clé *HKEY_CURRENT_USER\Identities\Last User ID* (il s'agit d'un nombre en hexadécimal composé de 32 caractères et délimité par des accolades).

4. Notez ce nombre comme étant le numéro USER_ID correspondant à votre identité Outlook Express.

5. Recherchez ou créez si elle n'existe pas la valeur REG_DWORD *HKEY_CURRENT_USER\Identities\{numéro USER_ID}\Software\Microsoft\Outlook Express\5.0\NoSplash*. (Pour créer une nouvelle valeur, choisissez la commande **Edition/Nouveau** du menu de l'Éditeur du registre et cliquez sur **Valeur Dword**.)

6. Double-cliquez sur cette valeur REG_DWORD pour éditer son contenu. Dans la boîte de dialogue **Édition de la valeur DWORD**, saisissez le chiffre 1 pour ne plus voir apparaître l'écran d'accueil ou 0 pour le voir afficher. Validez en cliquant sur le bouton OK.

7. Quittez l'Éditeur du registre. Démarrez Outlook Express pour vérifier la prise en compte de la modification.

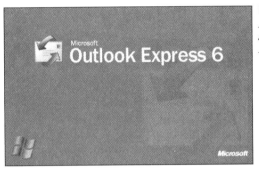

Figure 16.18 :
Écran d'accueil (splash screen) d'Outlook Express

838. Modifier le titre d'Outlook Express

Que ce soit pour enlever la publicité que votre FAI a installée ou seulement pour personnaliser votre Outlook Express, vous pouvez modifier la chaîne de caractères dans la barre de titre. Procédez comme suit :

1. Dans la boîte de dialogue **Exécuter** (par **Démarrer/Exécuter** ou (Windows)+(R)), saisissez regedit pour exécuter l'Éditeur du registre de Windows.

2. Déroulez l'arborescence de l'Éditeur du registre pour rechercher la valeur de la clé *HKEY_CURRENT_USER\Identities\Last User ID* (il s'agit d'un nombre en hexadécimal composé de 32 caractères et délimité par des accolades).

3. Notez ce nombre comme étant le numéro USER_ID correspondant à votre identité Outlook Express.

4. Toujours dans le registre, recherchez et entrez sous la clé *HKEY_CURRENT_USER\Identities\{numéro USER_ID}\Software\Microsoft\Outlook Express\5.0*. Recherchez la valeur chaîne (*REG_SZ*) *WindowTitle*. Plusieurs alternatives peuvent se présenter :

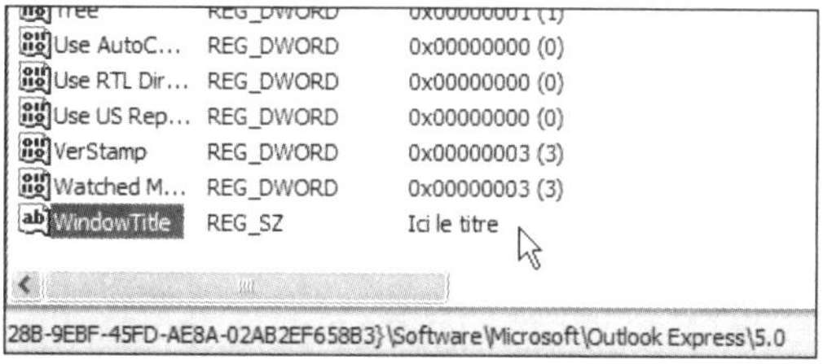

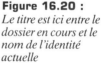

Tree	REG_DWORD	0x00000001 (1)
Use AutoC...	REG_DWORD	0x00000000 (0)
Use RTL Dir...	REG_DWORD	0x00000000 (0)
Use US Rep...	REG_DWORD	0x00000000 (0)
VerStamp	REG_DWORD	0x00000003 (3)
Watched M...	REG_DWORD	0x00000003 (3)
WindowTitle	REG_SZ	Ici le titre

28B-9EBF-45FD-AE8A-02AB2EF658B3}\Software\Microsoft\Outlook Express\5.0

Figure 16.19 :
La valeur string Windowtitle, qui contient le titre de la fenêtre

- Elle existe et vous voulez la modifier ; double-cliquez dessus. Dans la boîte de dialogue **Modification de la chaîne**, entrez le nouveau titre à l'intérieur de la zone de saisie texte. Cliquez ensuite sur le bouton OK.

- Elle existe et vous voulez la supprimer ; cliquez dessus du bouton droit de la souris. Dans le menu contextuel, choisissez la commande **Supprimer**. Confirmez la suppression en cliquant sur le bouton **Oui**.

- Elle n'existe pas et vous voulez la créer ; cliquez sur le menu **Édition**, puis choisissez **Nouveau/Valeur chaîne**. À la place de *Nouvelle valeur #1*, saisissez comme nom de valeur WindowTitle. Double-cliquez ensuite dessus. Dans la boîte de dialogue **Modification de la chaîne**, entrez le nouveau titre à l'intérieur de la zone de saisie texte *Données de la valeur*. Cliquez ensuite sur le bouton OK.

Dossiers locaux - Ici le titre - Identité principale

Fichier   Edition   Affichage   Outils   Message   ?

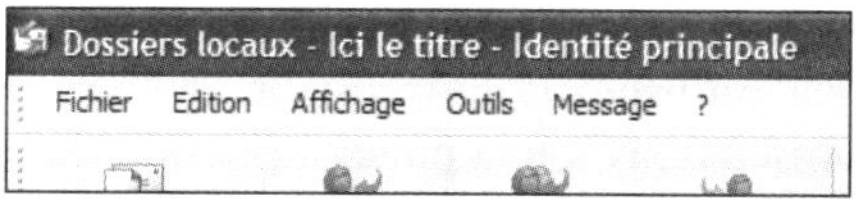

Figure 16.20 :
Le titre est ici entre le dossier en cours et le nom de l'identité actuelle

5. Fermez le registre. Au lancement suivant d'Outlook Express, la modification sera prise en compte.

839. Modifier le contenu du volet d'information

Le volet d'information est le bandeau qui s'affiche en bas d'Outlook Express. C'est la valeur chaîne
KEY_CURRENT_USER\Identities\{userID}\Software\Microsoft\Outlook Express\5.0\BodyBarPath, qui contient le lien ou l'adresse vers le document à afficher dans le volet de visualisation. Cette valeur string peut être un lien vers ou un chemin d'accès vers une image (*.bmp*, *.gif*, *.jpg*), un fichier texte (*.txt*), un document html (sans scripts). Les administrateurs ou les

personnes en charge des ordinateurs peuvent par ce biais afficher le message de leur choix.

1. Dans la boîte de dialogue **Exécuter** (par **Démarrer/Exécuter** ou (Windows)+(R)), saisissez regedit pour exécuter l'Éditeur du registre de Windows.

2. Déroulez l'arborescence de l'Éditeur du registre pour rechercher la valeur de la clé *HKEY_CURRENT_USER\Identities\Last User ID* (il s'agit d'un nombre en hexadécimal composé de 32 caractères et délimité par des accolades).

3. Notez ce nombre comme étant le numéro USER_ID correspondant à votre identité Outlook Express.

4. Toujours dans le registre, recherchez et entrez sous la clé *HKEY_CURRENT_USER\Identities\{numéro USER_ID}\Software\Microsoft\Outlook Express\5.0*. Recherchez la valeur chaîne REG_SZ *BodyBarPath*. Plusieurs alternatives peuvent se présenter :

   — Elle existe et vous voulez la modifier ; double-cliquez dessus. Dans la boîte de dialogue **Modification de la chaîne**, entrez à l'intérieur de la zone de saisie texte la nouvelle adresse du document souhaité. Cela peut être une adresse de votre disque local, votre réseau ou sur Internet. Cliquez ensuite sur le bouton OK.

   — Elle existe et vous voulez la supprimer ; cliquez dessus du bouton droit de la souris. Dans le menu contextuel, choisissez la commande **Supprimer**. Confirmez la suppression en cliquant sur le bouton **Oui**. Cela établira à nouveau la page par défaut d'Outlook Express.

   — Elle n'existe pas et vous voulez la créer ; cliquez sur le menu **Édition**, puis choisissez **Nouveau/Valeur chaîne**. À la place de *Nouvelle valeur #1*, saisissez comme nom de valeur BodyBarPath. Double-cliquez ensuite dessus. Dans la boîte de dialogue **Modification de la chaîne**, entrez à l'intérieur de la zone de saisie texte *Données de la valeur* la nouvelle adresse du document souhaité. Cela peut être une adresse de votre disque local, votre réseau ou sur Internet. Cliquez ensuite sur le bouton OK.

Figure 16.21 :
*Le document affiché
sera ici un gif
disponible sur le
réseau Internet*

5. Assurez-vous que la valeur REG_DWORD *ShowBodyBar* est égale à 1.
Si cela n'est pas le cas, double-cliquez dessus pour l'éditer et entrez la
valeur 1 dans la zone de saisie.

6. Fermez le registre. Au lancement suivant d'Outlook Express, la
modification sera prise en compte.

Figure 16.22 : *Exemple : une simple image gif dans le volet d'information*

840. Modifier la page racine d'Outlook Express

La page racine d'Outlook Express est la page qui s'affiche lorsque vous
cliquez sur l'icône racine dans la fenêtre des dossiers. À cet endroit, vous
pouvez afficher un document html, *.txt* ou une image (*.bmp*, *.gif*, *.jpg*).

1. Dans la boîte de dialogue **Exécuter** (par **Démarrer/Exécuter** ou
[Windows]+[R]), saisissez regedit pour exécuter l'Éditeur du registre de
Windows.

2. Déroulez l'arborescence de l'Éditeur du registre pour rechercher la
valeur de la clé *HKEY_CURRENT_USER\Identities\Last User ID* (il
s'agit d'un nombre en hexadécimal composé de 32 caractères et
délimité par des accolades).

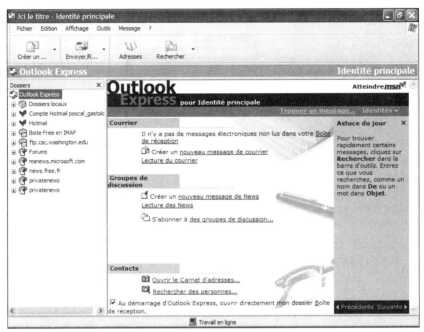

Figure 16.23 : *La page racine par défaut*

3. Notez ce nombre comme étant le numéro USER_ID correspondant à votre identité Outlook Express.

4. Toujours dans le registre, recherchez et entrez sous la clé *HKEY_CURRENT_USER\Identities\{numéro USER_ID}\Software\Microsoft\Outlook Express\5.0*. Recherchez la valeur chaîne (REG_SZ) *FrontPagePath*. Plusieurs alternatives peuvent se présenter :

- Elle existe et vous voulez la modifier ; double-cliquez dessus. Dans la boîte de dialogue **Modification de la chaîne**, entrez à l'intérieur de la zone de saisie texte la nouvelle adresse du document souhaité. Cela peut être une adresse de votre disque local, votre réseau ou sur Internet. Cliquez ensuite sur le bouton OK.

- Elle existe et vous voulez la supprimer ; cliquez dessus du bouton droit de la souris. Dans le menu contextuel, choisissez la commande **Supprimer**. Confirmez la suppression en cliquant sur le bouton **Oui**. Cela établira à nouveau la page par défaut d'Outlook Express.

– Elle n'existe pas et vous voulez la créer ; cliquez sur le menu **Édition**, puis choisissez **Nouveau/Valeur chaîne**. À la place de *Nouvelle valeur #1*, saisissez comme nom de valeur FrontPagePath. Double-cliquez ensuite dessus. Dans la boîte de dialogue **Modification de la chaîne**, entrez à l'intérieur de la zone de saisie texte *Données de la valeur* la nouvelle adresse du document souhaité. Cela peut être une adresse de votre disque local, votre réseau ou sur Internet. Cliquez ensuite sur le bouton OK.

5. Fermez le registre. Au lancement suivant d'Outlook Express, la modification sera prise en compte.

Figure 16.24 : *Une page web en page racine (les liens sont valides !)*

841. Aller plus loin dans l'affichage de la page racine

Le document par défaut qui constitue la page racine d'Outlook express (avant que celui-ci soit modifié) est intégrée dans le fichier *Msoeres.dll* et se nomme *Frntpage.htm*.

Le fichier *Msoeres.dll* (Microsoft Outlook Express Ressources) contient beaucoup plus que la page *Frntpage.htm* : différents graphiques *.gif* et d'autres pages HTML s'y trouvent. A partir de la page racine, vous pouvez accéder à ces ressources en inscrivant le chemin complet de ces ressources (par exemple img src=res://msoeres.dll/oelogo.gif affiche le logo D'outlook Express).

D'autre part, certaines commandes spécifiques permettent de créer des liens vers des fonctionnalités d'Outlook Express les voici :

Tableau 16-1 : Fonctions prédéfinies du fichier Msoeres.dll	
Commande Mseores.dll	**Signification**
oecmd:readmail	Lecture du courrier
oecmd:addrBook	Ouvre le carnet d'adresses
oecmd:findAddr	Recherche des personnes dans votre carnet d'adresses et sur Internet
oecmd:noop	Null
oecmd:findMessage	Recherche les messages dans tous les dossiers
oecmd:newNewsAccount	Crée un nouveau compte de news
oecmd:newMailAccount	Crée un nouveau compte de courrier
oecmd:newMessage	Crée un nouveau message
oecmd:newNewsMessage	Crée un nouveau message de news
oecmd:readNews	Atteint votre serveur de news
oecmd:subscribeNews	Permet de spécifier à quels groupes de discussion s'abonner ou annuler l'abonnement

Par exemple, dans le fichier que vous voulez placer dans la page racine d'Outlook Express, insérez le lien suivant qui affiche la petite icône en forme d'enveloppe et dont l'activation ouvre la fenêtre de composition d'un nouveau message :

```
<img src=res://msoeres.dll/newmail.gif> Créer un <a
href="oecmd:newMessage">nouveau message de courrier</a>
```

Figure 16.25 :
Ce lien ouvre la fenêtre de composition de messages d'Outlook Express

Toujours plus loin : inscrivez l'adresse d'un serveur OWA (Outlook Web Acces) pour afficher dans la page racine d'Outlook Express la connexion au serveur Exchange.

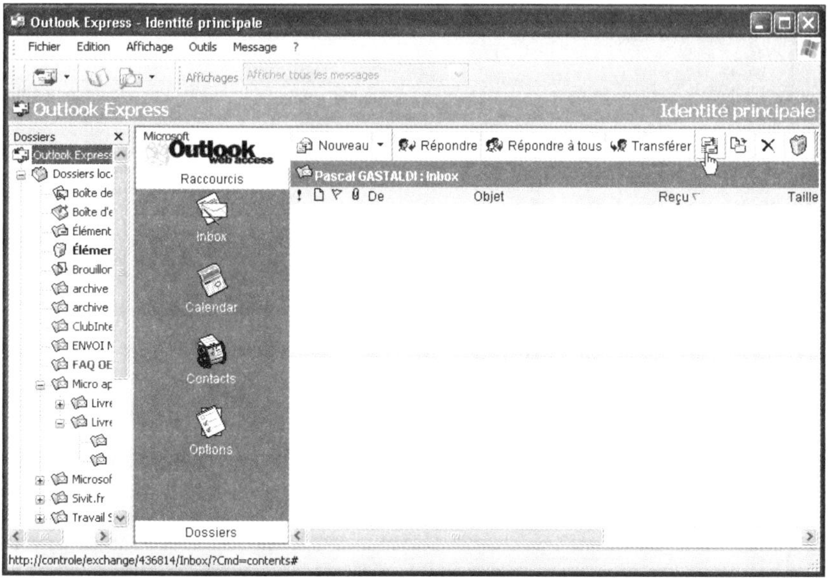

Figure 16.26 : *Affichage de l'interface OWA dans Outlook Express*

842. Une page du fichier d'aide en page racine

Le fichier d'aide (celui que vous appelez en appuyant sur la touche de
fonction F1) est formé de pages HTML. Vous pouvez donc les adresser
comme des liens et les afficher dans la page racine ou le volet
d'information.

1. Exécutez Outlook Express.

2. Dans le menu **?**, choisissez **Sommaire et index** (ou appuyez sur la
   touche de fonction F1).

3. Affichez la page du fichier d'aide dont vous voulez créer le raccourci.

4. Cliquez du bouton droit sur cette page et choisissez la commande du
   menu contextuel **Propriétés**.

5. Cliquez trois fois rapidement sur le texte à droite du mot *Adresse* : c'est
   un lien commençant par *mk:@MSITStore…* Le lien entier doit être
   sélectionné. Appuyez ensuite sur la combinaison de touches Ctrl+C
   pour copier ce lien dans le Presse-papiers de Windows.

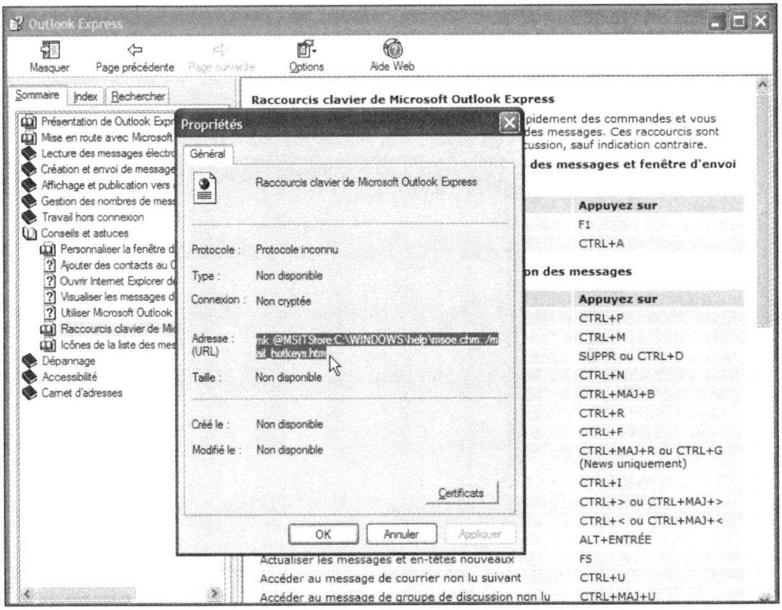

Figure 16.27 : *Adresse d'une page du fichier d'aide*

6. Suivez les astuces *Modifier le contenu du volet d'information* ou *Modifier la page racine d'Outlook Express* selon l'endroit où vous voulez afficher la page du fichier d'aide. Dans la zone de saisie texte *Données de la valeur*, appuyez sur la combinaison de touches Ctrl+V pour copier le contenu du Presse-papiers (celui-ci contenant l'adresse de la page du fichier d'aide).

Figure 16.28 :
Collez l'adresse

7. Redémarrez Outlook Express et affichez la page racine ou le volet d'information pour vérifier la bonne exécution de la modification.

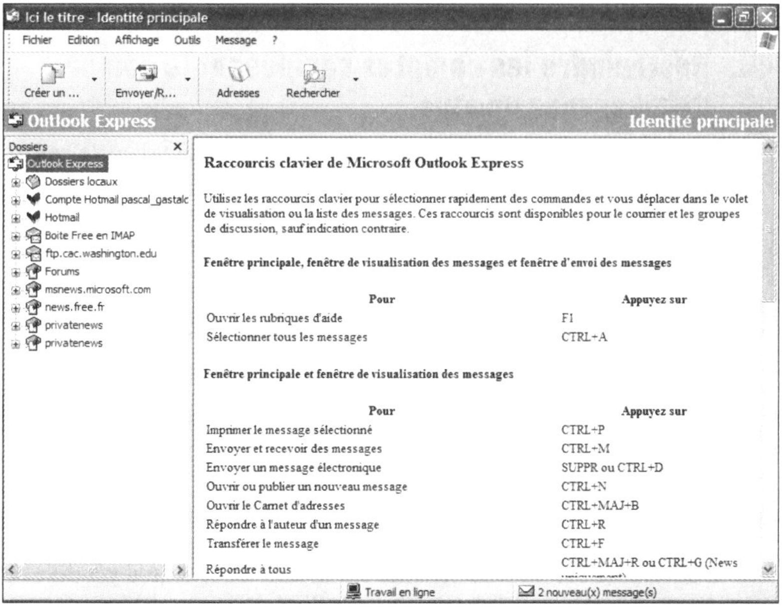

Figure 16.29 : *Affichage d'une page du fichier d'aide dans la page racine*

843. Supprimer le nombre de messages non lus à l'écran d'accueil de Windows XP

Lors de l'affichage de l'écran d'accueil de Windows XP, en dessous de chaque identité est affiché le nombre de messages reçus non lus. Vous pouvez supprimer cet affichage de cette façon :

1. Dans la boîte de dialogue **Exécuter** (par **Démarrer/Exécuter** ou Windows+R), saisissez regedit pour exécuter l'Éditeur du registre de Windows.

2. Déroulez l'arborescence du registre pour rechercher la clé *KEY_CURRENT_USER\Software\Microsoft\Windows\CurrentVersion\ UnreadMail*.

3. Cliquez du bouton droit sur la clé *UnreadMail* et choisissez la commande du menu contextuel **Autorisations**.

4. Sélectionnez le groupe SYSTEM et validez la case à cocher *Refuser* correspondant au *Contrôle total*.

5. Validez en cliquant sur le bouton OK.

844. Restreindre les comptes composant le nombre de messages non lus

Vous pouvez choisir quels comptes de messagerie entrent dans le calcul du nombre des messages non lus qui s'affiche dans l'écran d'accueil de Windows XP ; de plus, seuls les comptes "autorisés" seront affichés lorsque vous cliquerez sur le lien vous indiquant le détail par comptes du nombre de messages non lus.

Vous devez supprimer l'accès à la clé du registre correspondant au compte à ne plus voir apparaître.

1. Dans la boîte de dialogue **Exécuter** (par **Démarrer/Exécuter** ou (Windows)+(R)), saisissez regedit pour exécuter l'Éditeur du registre de Windows.

2. Déroulez l'arborescence du registre pour ouvrir la clé *KEY_CURRENT_USER\Software\Microsoft\Windows\CurrentVersion\UnreadMail*. Dans celle-ci se trouvent autant de clés qu'il y a de comptes de courrier à relever pour Outlook Express et Messenger.

3. Répétez ces actions pour chaque compte dont vous ne voulez plus avoir la référence dans la page d'accueil de Windows XP.

4. Cliquez du bouton droit sur la clé du nom de l'adresse e-mail à traiter et choisissez la commande du menu contextuel **Autorisations**.

5. Sélectionnez le groupe SYSTEM et validez la case à cocher *Refuser* correspondant au *Contrôle total*.

6. Validez en cliquant sur le bouton OK.

845. Configurer Outlook Express pour relever son adresse MSN

Pour une raison obscure (peut-être un oubli ?), la liste déroulante des serveurs http contient HotMail mais ne contient pas MSN. La façon de configurer une adresse MSN sur Outlook Express est d'ajouter l'adresse du serveur dans le registre.

1. Dans la boîte de dialogue **Exécuter** (par **Démarrer/Exécuter** ou (Windows)+(R)), saisissez notepad pour exécuter le Bloc-notes de Windows.

2. Saisissez les lignes de code suivantes :

```
REGEDIT4

[HKEY_LOCAL_MACHINE\Software\Microsoft\Internet
>< Domains\msn.com]
"Config URL"="http://www.microsoft.com/isapi/redir.dll?prd=
>< OutlookExpress&pver=5.0&ar=hotwizconfig"
"Friendly Name"="MSN"
"HTTP Mail Enabled"=dword:00000001
"HTTP Mail
>< Server"="http://oe.msn.msnmail.hotmail.com/cgi-bin/hmdata"
"MSN.COM"=dword:00000001
"Sign up URL"=""
"Use Wizard"=dword:00000000
```

3. Sauvegardez ce fichier avec une extension de fichier *.reg* (par exemple *inscrisMSN.reg*). Double-cliquez sur ce fichier pour en inscrire le contenu dans le registre.

4. La liste déroulante de serveurs http contient désormais le serveur MSN.

Figure 16.30 : *Ajout du serveur http MSN dans la liste déroulante*

Note de Microsoft 268732

Pour tout problème de connexion au serveur MSN, consultez la note n° 268732 de Microsoft intitulée *OL2000 : Outlook ne reçoit pas les messages électroniques MSN* à l'adresse http://support.microsoft.com/default .aspx?scid=kb;fr;268732.

846. Une signature dynamique

Pour mettre en place un système de signature dynamique, une solution est de modifier le texte de la signature dans la base de registre avant l'exécution d'Outlook Express. Dans l'exemple suivant, ce script ajoute dans le registre la date du jour à une signature déjà créée et exécute ensuite Outlook Express. Ainsi, la signature sera modifiée automatiquement dans le registre avant l'exécution du programme.

Création d'une signature

Le script suivant ajoute la date du jour (au moment de son exécution) à la signature 00000000 du registre dans *HKEY_CURRENT_USER\IdentitiesN° User ID\Software\Microsoft\Outlook Express\5.0\Signatures\00000000\text*.

Si vous n'avez pas créé de signature ou si vous en avez déjà effacé au moins une, rédigez-en une autre. En effet, le script prendra la signature 00000000. Les signatures créées par Outlook Express sont numérotées à partir de 00000000 dans *HKEY_CURRENT_USER\Identities\N° User ID\Software\Microsoft\Outlook Express\5.0\Signatures* par ordre chronologique de création. Toutefois, si vous supprimez une signature, la suivante créée prendra le numéro le plus petit disponible.

Par exemple, vous avez créé à la suite quatre signatures. Celles-ci sont donc numérotées dans le registre de 00000000 à 00000003. Vous supprimez la signature 00000001 et en recréez une nouvelle. Cette nouvelle signature viendra combler le manque et aura le numéro de la signature manquante : 00000001.

Reportez-vous à l'astuce **Créer ses signatures** du chapitre **Messagerie Outlook Express**.

Création du script

Ce script va regarder la signature 00000000 dans le registre, lui ajoute la date du jour puis exécute Outlook Express. Il est donné ici à titre didacticiel. Inspirez-vous-en pour créer vos propres signatures dynamiques.

1. Dans la boîte de dialogue **Exécuter** (par **Démarrer/Exécuter** ou (Windows)+(R)), saisissez notepad pour exécuter le Bloc-notes de Windows.

2. Saisissez les lignes du script suivant :

```
' Debut du script --------------------
Dim WSHShell 'Prévoit la place pour l'objet WshShell
Dim identite,signure 'Définit les variables
on error resume next 'continue même en cas d'erreur (gestion
✂ d'erreurs)
Set WshShell = CreateObject("WScript.Shell") 'Crée l'objet
✂ WshShell
with WshShell
identite=.regread ("HKCU\Identities\Last User ID") 'récupère
✂ le N° User ID
signure=.regread ("HKCU\Identities\" & identite &
✂ "\Software\Microsoft\Outlook Express\5
✂ .0\signatures\00000000\Text") 'lit la signature 00000000
✂ dans le regsitre
x=instr(signure,"( Le ") 'si la date existe déjà dans la
✂ signature
signure=left(signure,x-1) 'le script la supprime
signure=signure & "( Le " & day(now()) & "/" & month(now()) &
✂ "/" & year(now()) & " )" 'Fabrique la nouvelle signature :
✂ la vraie signature+la date
.regwrite "HKCU\Identities\" & identite &
✂ "\Software\Microsoft\Outlook Express\5
✂ .0\signatures\00000000\Text",signure,"REG_SZ" 'place la
✂ nouvelle signature dans le registre
.Run "msimn.exe" 'exécute Outlook Express
End with
on error goto 0 'désactive la gestion d'erreur
Set WshShell=Nothing 'libère l'objet.
' Fin du script --------------------------
```

3. Sauvegardez ce fichier avec une extension de fichier *.vbs (par exemple *OEdate.vbs*). Double-cliquez sur ce fichier pour l'exécuter.

*Vous devez avoir désactivé le masquage des extensions dont le type (de fichier) est connu. Reportez-vous à l'astuce **Désactiver le masquage des extensions dont le type est connu** du chapitre Généralités.*

Vous n'êtes pas obligé de copier tout le script

■ Chaque fin de ligne dans ce script à partir du signe ' est un commentaire. Il est ici pour expliquer le fonctionnement ligne par ligne du script.

■ Les instructions Regread et Regwrite peuvent être interprétées à tort par votre antivirus comme potentiellement dangereuses. Dans notre exemple, vous pouvez autoriser l'exécution du script.

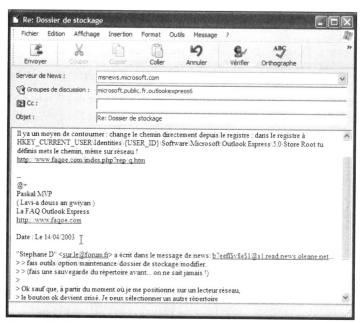

Figure 16.31 : *La date à la fin de la signature est modifiée automatiquement à chaque exécution du script*

847. Syntaxe et construction des règles dans le registre

Les règles de message, les règles des groupes de discussion, la gestion des expéditeurs bloqués et les affichages personnalisés sont construits de la même façon. Elles sont sauvegardées dans des clés, elles-mêmes placées dans la clé spécifique (nommée arbitrairement clé racine de règles) au domaine où elle s'applique (tableau : Emplacement des clés racines de règles), et sont numérotées en hexadécimal par ordre de fabrication à partir de 000 jusqu'à FFF, ce qui donne théoriquement une limite de 4 096 règles. Elles sont donc créées dans un ordre croissant et remplacent automatiquement les règles manquantes.

Par exemple, vous créez trois règles, elles auront les numéros 000, 001 et 002. Vous supprimez la première règle, il vous restera les règles 001 et 002. Les deux prochaines règles que vous créerez auront les numéros 000 (en remplacement de la première manquante) et 003 (dans la suite croissante logique).

Tableau 16-2 : Emplacement des clés racines de règles	
Emplacement dans le registre	**Gère les événements**
HKCU\Identities\{N°ID}\Software\Microsoft\Outlook Express\5.0\Rules\Mail	Courrier
HKCU\Identities\{N°ID}\Software\Microsoft\Outlook Express\5.0\Rules\News	Posts, NG
HKCU\Identities\{N°ID}\Software\Microsoft\Outlook Express\5.0\Rules\Filter	Affichage personnalisé
HKCU\Identities\{N°ID}\Software\Microsoft\Outlook Express\5.0\Block Senders\Mail	Exp. bloqués

La clé racine de règle contient elle-même une valeur REG_DWORD *Version* de valeur $50000 (valeur lue) et une valeur REG_SZ *Order*. La valeur *Order* est une chaîne qui liste de gauche à droite l'ordre dans lequel les règles vont être exécutées, d'après leur numéro de clé séparé par une espace ($20).

Lors de l'exécution, cet ordre d'exécution des règles est important. Par exemple :

- Une règle supprimée du serveur doit toujours se placer en premier.
- Une règle peut faire cesser l'exécution des règles suivantes.

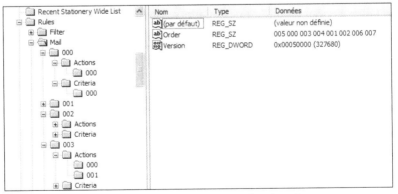

Figure 16.32 : *Inscription des règles de message dans le registre*

Donc, chaque règle est dans une clé numérotée d'après son ordre de création. Cette clé contient trois valeurs :

- *Enabled*, valeur REG_DWORD qui vaut 0 ou 1 selon que la règle est désactivée ou activée.

- *Name*, valeur REG_SZ qui nomme la règle.

- *Version*, peut-être le nombre de fois où cette règle a été modifiée (?).

Cette clé a elle-même deux clés nommées *Action* et *Criteria*. Elles contiennent les actions à accomplir pour des critères donnés.

La clé Criteria

Elle contient les critères d'exécution de la règle.

- Une valeur REG_SZ nommée *Order* spécifie l'ordre d'exécution de ces critères.

- Une clé numérotée d'après son ordre de création. Il s'agit du niveau le plus bas dans la définition des critères.

Cette clé contient :

- Valeur REG_DWORD *Flags*.
- Valeur REG_DWORD *Type*.
- Valeur variable *Value*.
- Valeur REG_DWORD *ValueType*.

Le tableau décrit les différentes valeurs selon le critère employé.

Tableau 16-3 : Valeurs selon le critère employé				
Critère de la règle	D-Flags	D-Type	Value	D-Value Type
Lorsque le message provient du groupe de discussion spécifié	0	1	B-Données correspondant au forum.	$41

Tableau 16-3 : Valeurs selon le critère employé				
Critère de la règle	**D-Flags**		**D-Type**	**Value**	**D-Value Type**
Lorsque la ligne Objet : contient des mots spécifiques	0	contient / ou	8	B-Mots en hexa séparés par 00 terminant par 00 00 00	$41
	1	ne contient pas / ou			
	2	contient / et			
	3	ne contient pas / et			
Lorsque le corps du message contient	0	contient / ou	9	B-Mots en hexa séparés par 00 terminant par 00 00 00	$41
	1	ne contient pas / ou			
	2	contient / et			
	3	ne contient pas / et			
Lorsque la ligne A:	0	contient / ou	$A	B-Adresses en hexa séparées par 00 terminant par 00 00 00	$41
	1	ne contient pas / ou			
	2	contient / et			
	3	ne contient pas / et			
Lorsque la ligne CC:	0	contient / ou	$B	B-Adresses en hexa séparées par 00 terminant par 00 00 00	$41
	1	ne contient pas / ou			
	2	contient / et			
	3	ne contient pas / et			

Tableau 16-3 : Valeurs selon le critère employé					
Critère de la règle	D-Flags		D-Type	Value	D-Value Type
Lorsque la ligne De: contient des personnes	0	contient / ou	$C	B-Adresses en hexa séparées par 00 terminant par 00 00 00	$41
	1	ne contient pas / ou			
	2	contient /et			
	3	ne contient pas / et			
Lorsque le message est marqué comme priorité	0		$D	D-0 : Priorité haute	$13
				D-1 : Priorité basse	
Lorsque le message comprend une P.J.	0		$E	/	/
Lorsque la taille du message est supérieure à	0		$F	D-x : nbre de Ko	$13
Lorsque le message semble être indésirable	0		$12	/	/
Lorsque le message provient du compte	0		$13	S-N° du Compte.	$1E
Pour tous les messages	0		$14	/	/
Lorsque la ligne A: ou CC:	0	contient / ou	$16	B-Adresses en hexa séparées par 00 terminant par 00 00 00	$41
	1	ne contient pas / ou			
	2	contient / et			
	3	ne contient pas / et			
EXP. BLOQUÉS	0		$17	S-Adresse e-mail	$1E

Tableau 16-3 : Valeurs selon le critère employé						
Critère de la règle	D-Flags		D-Type	Value		D-Value Type
Lorsque le corps du message a été / n'a pas été téléchargé	0	A été téléchargé	$19	/		/
	1	N'a pas été téléchargé				
Lorsque le message est suivi ou ignoré	0		$1B	1	Suivi des thèmes	$13
				2	Ignorer les thèmes	
Lorsque le message a été / n'a pas été lu	0	A été lu	$1C	/		/
	1	N'a pas été lu				
Lorsque le nombre de lignes du message est supérieur à lignes	0		$1D	D-x : nbre de lignes		$13
Lorsque les messages ont été envoyés il y a plus de jours	0		$1E	D-x : nbre de jours		$13
Lorsque le message est sécurisé / crypté	0		$1F	D-1	Message signé	$13
				D-2	Message crypté	
Lorsque le message est / n'est pas marqué	0	Avec indicateur	$20	/		/
	1	Sans indicateur				

S-Compte : clé contenant les paramètres du compte désigné par *HKEY_CURRENT_USER\Software\Microsoft\Internet Account Manager\Accounts*

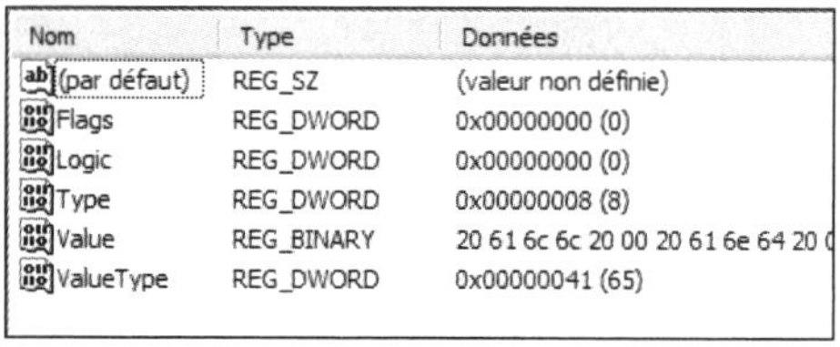

Nom	Type	Données
(par défaut)	REG_SZ	(valeur non définie)
Flags	REG_DWORD	0x00000000 (0)
Logic	REG_DWORD	0x00000000 (0)
Type	REG_DWORD	0x00000008 (8)
Value	REG_BINARY	20 61 6c 6c 20 00 20 61 6e 64 20 0
ValueType	REG_DWORD	0x00000041 (65)

Figure 16.33 :
Valeurs usitées dans les clés Criteria

Les critères sont prévus pour être employés dans les circonstances suivantes.

				Tableau 16-4 : Utilisation des critères selon le type de règle
Mail	**Posts**	**EXP Bloq**	**Affich.**	**Critère de la règle**
	x			Lorsque le message provient du groupe de discussion spécifié
x	x		x	Lorsque la ligne Objet : contient des mots spécifiques
x				Lorsque le corps du message contient
x				Lorsque la ligne A:
x				Lorsque la ligne CC:
x	x		x	Lorsque la ligne De: contient des personnes
x			x	Lorsque le message est marqué comme priorité
x			x	Lorsque le message comprend une P.J.
x				Lorsque la taille du message est supérieure à
?	?	?	?	Lorsque le message semble être indésirable
x	x		x	Lorsque le message provient du compte
x	x		x	Pour tous les messages
x				Lorsque la ligne A: ou CC:

Tableau 16-4 : Utilisation des critères selon le type de règle				
Mail	**Posts**	**EXP Bloq**	**Affich.**	**Critère de la règle**
		x		EXP. BLOQUÉS
			x	Lorsque le corps du message a été / n'a pas été téléchargé
			x	Lorsque le message est suivi ou ignoré
			x	Lorsque le message a été / n'a pas été lu
	x		x	Lorsque le nombre de lignes du message est supérieur à lignes
	x		x	Lorsque les messages ont été envoyés il y a plus de jours
			x	Lorsque le message est sécurisé / crypté
			x	Lorsque le message est / n'est pas marqué

La clé Action

La clé *Action* est construite de la même façon que la clé *Criteria* : une valeur REG_SZ *Order* qui définit l'ordre d'exécution des actions, et autant de sous-clés numérotées par un chiffre d'après leur ordre de création.

Les sous-clés définissant les actions à mettre en place sont semblables à celles des clés *Criteria*, les valeurs qu'elles contiennent sont les suivantes, selon l'action à effectuer.

Tableau 16-5 : Valeur selon l'action employée				
Action	**D-Flags**	**D-Type**	**Value**	**D-Value Type**
Le copier dans le dossier	0	1	B-chaîne	$41
Le transférer à	0	2	S-adresses	$1E

Tableau 16-5 : Valeur selon l'action employée					
Action	D-Flags	D-Type	Value		D-Value Type
Répondre en utilisant le message	0	5	S-x : chemin du message en *htm,*.txt,*.nws,*.eml		$1E
Le déplacer vers le dossier spécifié	0	6	B-chaîne		$41
Le supprimer	0	7	/		/
Le supprimer du serveur	0	8	/		/
Ne pas le télécharger du serveur	0	9	/		/
Le mettre en surbrillance et en couleur	0	$A	D-Couleur(*)		$13
Le marquer	0	$B	/		/
Ne plus traiter de règles	0	$C	/		/
Le marquer comme lu	0	$D	/		/
Le marquer pour téléchargement	0	$E	/		/
Afficher/masquer le message	0	$F	1	Afficher le message	$13
			2	Masquer le message	
Traiter les messages en tant que courrier indésirable	0	$10	/		/
Marquer les messages en tant que suivi ou ignorés	0	$11	1	suivi	$13
			2	ignoré	

Tableau 16-6 : Utilisation des actions selon le type de règle				
Mail	**Posts**	**EXP. Bloq**	**Affich.**	
x				Le copier dans le dossier
x				Le transférer à
x				Répondre en utilisant le message
x				Le déplacer vers le dossier spécifié
x	x	x		Le supprimer
x				Le supprimer du serveur
x				Ne pas le télécharger du serveur
x	x			Le mettre en surbrillance et en couleur
x	x			Le marquer
x	x			Ne plus traiter de règles
x	x			Le marquer comme lu
				Le marquer pour téléchargement
			x	Afficher/masquer le message
?	?	?	?	Traiter les messages en tant que courrier indésirable
x	x			Marquer les messages en tant que suivi ou ignorés

Tableau 16-7 : Signification des symboles	
Symbole	**Signification**
B-	Valeur REG_BINARY
D-	Valeur REG_DWORD
S-	Valeur REG_SZ

Tableau 16-7 : Signification des symboles	
Symbole	Signification
$	Chiffre en hexadécimal

Tableau 16-8 : Valeurs REG_DWORD utilisées dans la clé Action (*) D-Couleur			
Valeur REG_DWORD	Couleur	Valeur REG_DWORD	Couleur
0	Défaut	9	Argenté
1	Noir	$A	Rouge
2	Rouge foncé	$B	Vert
3	Vert	$C	Jaune
4	Marron clair	$D	Bleu
5	Bleu foncé	$E	Fuchsia
6	Violet	$F	Vert d'eau
7	Bleu-vert	$10	Blanc
8	Gris	/	/

Une valeur D-Logic (REG_DWORD) contenue dans *Criteria* et *Action* définit le rapport avec les autres critères ou actions.

Valeur D-Logic :

- 0 : plus de critères.
- 1 : ou (entre plusieurs critères).
- 2 : et (entre plusieurs critères).

À quoi cela sert-il ?

Que l'on soit développeur ou utilisateur, la connaissance de la manière dont les règles sont inscrites dans le registre est utile pour aller plus loin avec Outlook Express. C'est par cette façon qu'a été découverte la manière de supprimer du serveur les expéditeurs bloqués ou de définir des règles de message sensibles à des mots isolés. Les possibilités sont grandes, mais les chances de voir la règle fonctionner ne sont pas toujours assurées.

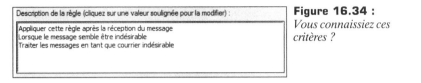

Figure 16.34 :
Vous connaissiez ces critères ?

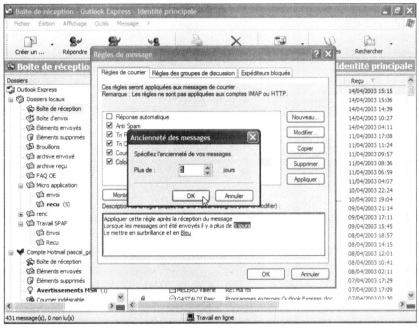

Figure 16.35 : *Cette règle de courrier qui fonctionne pourtant parfaitement bien est impossible à créer sans intervention dans le registre*

CHAPITRE

17

Accéder
et participer
aux forums
avec Outlook
Express

848. Des news gratuites

Les forums de discussion sont des endroits publics ou privés où les contributeurs (utilisateurs de ces forums) échangent des messages sur un thème plus ou moins précis.

Votre fournisseur d'accès met très probablement à votre disposition un serveur de news d'où il héberge lui-même ses groupes de discussion et relaie des forums d'autres serveurs (on dit qu'ils se "feedent" entre eux). Voilà la raison pour laquelle, par exemple, le même forum peut fonctionner plus ou moins bien selon que vous y accédez par un serveur ou un autre.

Le meilleur moyen d'accéder gratuitement aux serveurs de news est de s'y abonner *via* le serveur mis à votre disposition par votre fournisseur d'accès à Internet. Si ce dernier est démuni d'un tel service, vous pouvez souscrire un abonnement chez un fournisseur d'accès gratuit qui vous fera profiter de cet avantage. Le fournisseur d'accès à Internet Free vous permet d'accéder gratuitement à certains de ses forums :

1. Prenez un abonnement "accès gratuit" chez Free (**www.free.fr**).

2. Lors de la réception de vos paramètres de compte, configurez l'accès au serveur de news de Free de la façon suivante.

   – Nom de serveur : **news.free.fr**.

   – Validez l'ouverture de session requise, et inscrivez votre Login et votre mot de passe.

3. Vous pourrez vous connecter à Internet *via* votre FAI habituel et profiter du serveur de news de Free.

REMARQUE

Restriction du serveur gratuit de Free

Free laisse ce serveur à disposition des utilisateurs, même si ceux-ci ne sont pas connectés par leur service. Toutefois, certains groupes de discussion (notamment les Binaries) ne sont pas accessibles.

Figure 17.1 :
*Renseignez l'ouverture
de session*

Vous pouvez aussi vous abonner à des serveurs de news totalement gratuits, mais ceux-ci sont quelquefois assez difficiles à trouver, et certains ont des durées de vie éphémères.

■ Quelques serveurs de news gratuits : **news.guetali.fr**, **news.leibowitz.org**, **news.soyons-zoo.net**, **news.vienneinfo.org**, **news.winpasapas.com**, **msnews .microsoft.com**, **news.zoo-logique.org**, **news.cict.fr**, **news.multimania.com**.

■ Serveurs gratuits, accessibles en lecture seulement : **news.ripco.com**, **news.univ-angers.fr**, **news.wallonie-en-ligne.net**, **news4.euro.net**.

Vous pouvez essayer d'en trouver d'autres sur des sites de recherche de news, **http://directory.google.com/Top/Computers/Usenet/Public_News_Servers/** (en anglais).

849. S'abonner à un serveur de news

Tous les forums ne sont pas libres en lecture et en écriture. Pour l'exemple, nous allons apprendre à configurer Outlook Express pour un abonnement au serveur de Microsoft, ce serveur hébergeant en libre accès total plusieurs groupes de discussion.

1. Vérifiez que vous êtes connecté à Internet.

2. Exécutez Outlook Express.

3. Sélectionnez la commande de menu **Outil/Comptes**.

4. Cliquez sur le bouton **Ajouter** et sélectionnez **News**.

5. Dans la zone de saisie texte *Nom complet*, inscrivez votre nom ou votre pseudo, qui apparaîtra en regard de chacun de vos posts, et cliquez sur le bouton **Suivant**.

6. Votre adresse de messagerie est celle qui sera affichée lorsqu'un contributeur voudra vous répondre en particulier. Pour des raisons de tranquillité, il est prudent de maquiller cette adresse afin d'éviter d'être embêté par le spamming (consultez l'astuce *Configurer une adresse antispam sur un lecteur de news*). Cliquez sur le bouton **Suivant**

7. Dans le champ *Serveur de News (NNTP)*, inscrivez le nom du serveur sur lequel vous voulez vous connecter et cliquez sur le bouton **Suivant**. (Pour notre exemple, inscrivez msnews.microsoft.com.)

8. Cliquez sur le bouton **Terminer** pour valider la connexion à ce serveur de news.

9. Cliquez sur **Fermer** pour clore la fenêtre des comptes d'Outlook Express.

10. L'abonnement étant effectif, Outlook Express vous invite à charger immédiatement les groupes de discussion présents sur le serveur de news qui vient d'être créé.

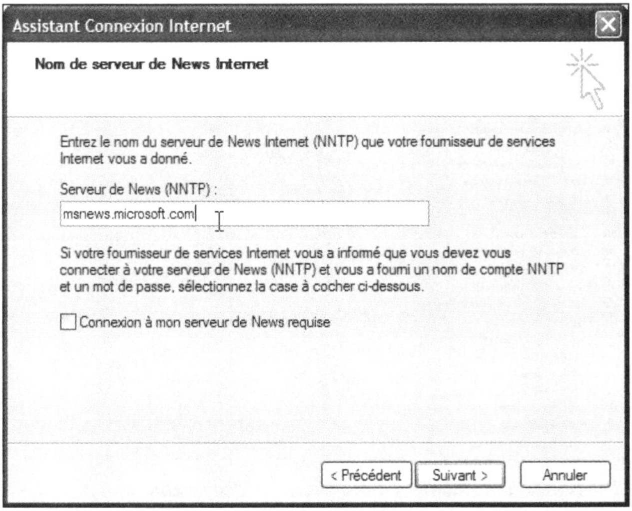

Figure 17.2 : *Saisie d'un serveur de news*

850. S'abonner à un groupe de discussion

L'abonnement à un serveur de news étant effective, vous pouvez vous
abonner aux forums de votre choix hébergés ou relayés par ce serveur.

1. Exécutez Outlook Express.

2. Cliquez sur le menu **Outils/Groupes de discussion** ou appuyez sur la
   combinaison de touches Ctrl+W.

3. La fenêtre **Abonnement aux groupes de discussion** apparaît. Dans la
   partie gauche de celle-ci, intitulée *Compte(s)*, cliquez sur le serveur de
   news désiré.

4. L'ensemble des groupes de discussion disponibles sur le serveur
   désigné s'affiche dans la partie droite de la fenêtre, sous l'onglet **Tout**.
   Choisissez les groupes de discussion auxquels vous voulez vous abonner
   en double-cliquant dessus ou en le sélectionnant puis en cliquant sur le
   bouton **S'abonner**.

5. Lorsque vous avez choisi les forums qui vous intéressent, validez votre
   choix en cliquant sur le bouton OK.

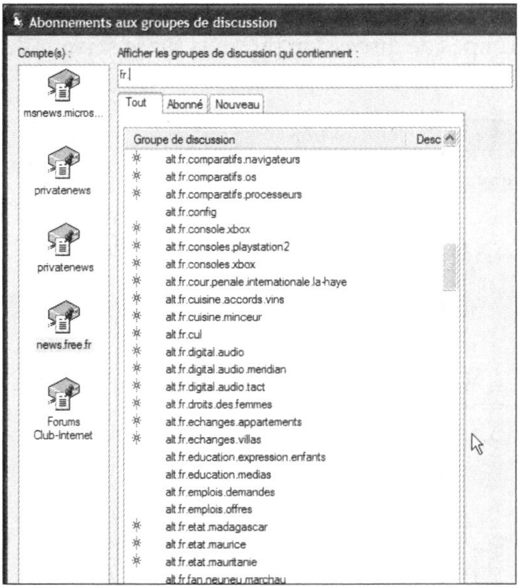

Figure 17.3 : *Boîte d'abonnement aux groupes de discussion*

ASTUCE

Trier dans la liste des groupes

Lorsque le serveur héberge ou relaye beaucoup de groupes de discussion (certaines fois plusieurs milliers), vous pouvez définir des critères de tri. Dans la zone de saisie de texte *Afficher les groupes de discussion qui contiennent*, inscrivez par exemple .fr pour ne rechercher que les groupes de discussion francophones.

---

851. Règles communes d'utilisation des forums

Il n'y a pas de langage particulier aux forums ; les posts sont rédigés d'une manière tout à fait classique, et les abréviations de la messagerie chat ne sont pas d'usage. Elles y sont même plutôt malvenues.

Avant de participer à un forum de discussion, prenez le temps, dans la mesure du possible, de lire pendant un certain temps les échanges qui s'y déroulent : vous apprendrez à connaître les différents acteurs et les contributeurs les plus réguliers. Vous vous imprégnerez de l'ambiance, du ton du newsgroup.

En règle générale, suivez ces conseils, et vous ne devriez pas avoir de problème sur les forums :

- Soyez courtois, humble, respectueux. Un bonjour ou un merci sont appréciés, mais inutile de demander la réception des sentiments les plus dévoués ! En écrivant sur un forum, vous postez un message sur un tableau collectif !

- Évitez d'envoyer un message à une personne en particulier. Soit vous écrivez au groupe, soit vous adressez un e-mail à votre correspondant.

- Avant d'envoyer un post, assurez-vous que votre format de post (html ou texte brut) est admis sur le groupe. En cas de doute, postez votre message en texte brut.

- N'envoyez de pièces jointes que si le groupe en reçoit. Si vous devez envoyer une capture d'écran pour décrire un message d'erreur ou un comportement, convertissez votre image en format *.gif* ou *.jpg*, et n'envoyez que la partie de l'écran qui a un intérêt : trop souvent, des néophytes envoient une image de tout l'écran en *.bmp* pour désigner un petit message d'erreur.

- Ne nourrissez pas le *Troll* ! Vous le trouverez aussi en anglais : *Don't feed the troll*. Par cette phrase, il vous est demandé de ne pas répondre aux provocations d'un individu dont le but est de susciter une polémique, de créer une discorde.

- Il est quasiment toujours d'usage de se tutoyer sur un forum, mais observez les posts avant vous et assurez-vous que cette pratique est admise dans le groupe auquel vous voulez participer.

- Si vous diffusez des propos, images, scripts qui ne sont pas de votre création, n'oubliez pas de citer vos sources.

- Répondre avant ou après la question est aussi selon les habitudes du groupe de discussion. En revanche, pensez à élaguer le texte original lors de votre réponse si celui-ci est trop long.

- Si vous décidez d'effectuer un envoi en crossposting, avec ou sans FU2, indiquez-le à la fin de votre post.

- Évitez le multiposting.

- Évitez de poser une question qui vient d'être traitée. Cela est un signe manifeste du peu de moyens que vous avez mis en œuvre pour trouver la solution. Le forum est là pour aider, pas forcément pour assister.

- Ne demandez surtout pas à recevoir une réponse dans votre boîte aux lettres personnelle : c'est totalement contraire à l'esprit d'aide et de partage mutuel des connaissances.

- Évitez de poster un message de test dans un groupe de discussion ! Des groupes sont dédiés entièrement à cet usage.

852. Créer un raccourci vers un forum

Le but de cette manœuvre est de créer un raccourci qui exécute Outlook Express et l'ouvre sur un groupe de discussion spécifié.

1. Cliquez du bouton droit de la souris sur une partie vide du bureau de Windows.

2. Choisissez les commandes du menu contextuel **Nouveau/Raccourci**.

3. Dans la zone de saisie texte *Entrer l'emplacement de l'élément*, indiquez l'adresse du forum de discussion sous la forme news://nom du serveur/Nom du groupe. Par exemple, news://news.microsoft.com/microsoft.public.fr.outlookexpress pour le forum de discussion Outlook Express sur le serveur de Microsoft.

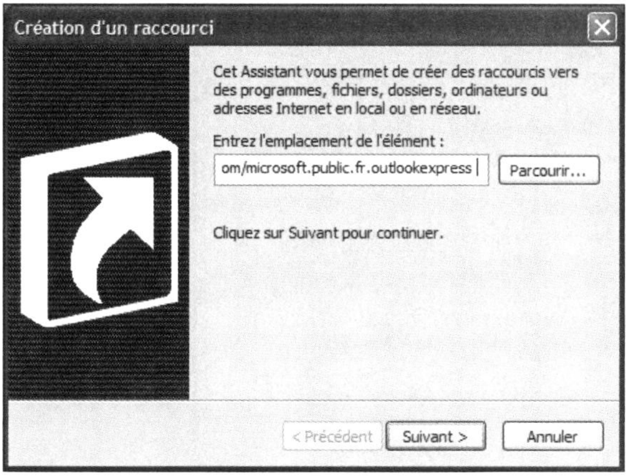

Figure 17.4 :
Création du raccourci

4. Cliquez sur le bouton **Suivant**.

5. Nommez ce raccourci dans la boîte de dialogue qui s'affiche.

6.  Cliquez sur le bouton **Terminer** pour créer le raccourci. Celui-ci sera accessible par une icône.

853. Savoir télécharger les en-têtes d'un forum

Lors du premier abonnement à un groupe de discussion, Outlook Express va rapatrier les sujets des XXX derniers messages depuis le serveur de news.

1. Exécutez Outlook Express.

2. Cliquez sur le menu **Outils/Option** et choisissez l'onglet **Lecture**. Dans la rubrique *News*, vous pouvez choisir le nombre d'en-têtes (de titres de posts) téléchargés à chaque demande. Les valeurs prises en compte sont comprises entre 1 et 1 000. En laissant décochée la case correspondant à cette ligne (*Télécharger XXX en-têtes chaque fois*), vous chargerez la totalité des sujets présents sur le serveur de news. (Cette phrase doit donc plutôt être interprétée comme : *Ne télécharger que XXX en-têtes chaque fois.*)

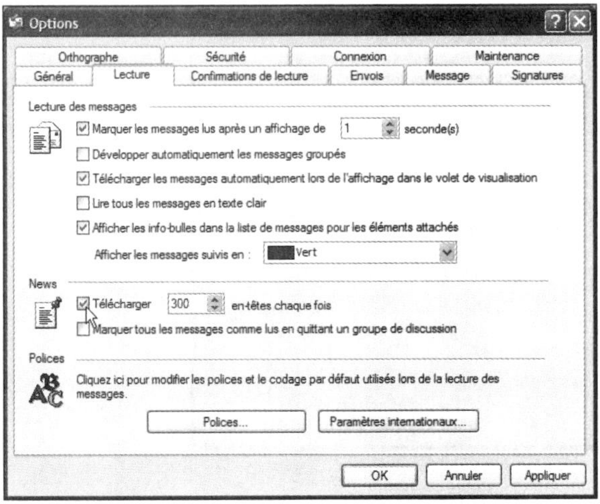

Figure 17.5 : *Définition du nombre d'en-têtes à télécharger*

3. Lors de la demande d'en-têtes, Outlook Express rapatriera le nombre d'en-têtes désiré.

– Si vous n'avez pas opté pour le chargement de tout le groupe de discussion, en laissant cochée la case *Télécharger XXX en-têtes chaque fois* vous rechargerez le nombre d'en-têtes spécifié en cliquant sur le menu **Outils/Obtenir les XXX en-têtes suivants**. Vous pouvez également opter pour l'affichage d'une icône dans la barre de menu (cliquez droit sur la barre de menu, choisissez **Personnaliser**. Dans la liste de gauche, sélectionnez **En-têtes** et cliquez sur le bouton **Ajouter**).

Après le chargement des en-têtes désirés apparaît un chiffre à droite du groupe de discussion, dans la fenêtre des dossiers. Ce chiffre représente le nombre de messages non lus (sur le serveur et/ou chargés). Cliquez sur le nom du groupe de discussion. Dans la barre d'état, vous lirez la phrase : XXX message(s), XXX non lu(s) (où XXX représente un chiffre).

■ Le chiffre *message(s)* représente le nombre de messages ou d'en-têtes de messages chargés sur le PC.

■ Le chiffre *non lu(s)* indique le nombre de messages non lus.

Ou : XXX message(s), XXX non lu(s), XXX non téléchargé(s) (où XXX représente un chiffre).

- Le chiffre *message(s)* représente le nombre de messages ou d'en-têtes de messages chargés sur le PC.

- Le chiffre *non lu(s)* indique le nombre de messages non lus dont l'entête ou le corps ont été chargés.

- Le chiffre *non téléchargé(s)* indique le nombre de messages restant sur le serveur.

Une fois le nombre d'en-têtes désiré chargé, vous pouvez :

- Lire les posts à votre gré. En restant en ligne, le message se charge dès que vous voulez le lire.

- Charger la totalité des messages.

  - Cliquez du bouton droit sur le forum de discussion (dans la liste des dossiers).

  - Cliquez sur la commande **Propriété** du menu contextuel. Choisissez l'onglet **Synchronisation**. Cochez la case *Lors de la synchronisation de ce groupe de discussion, télécharger :* et choisissez l'option *Tous les messages (en-têtes et corps)*. Cliquez sur le bouton **Appliquer**, puis sur le bouton OK lorsque les messages ont été téléchargés.

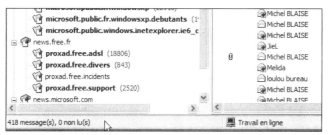

Figure 17.6 : *Compteur de messages non lus, chargés*

Attributs de caractères du nom de groupe de discussion

Dans la fenêtre des dossiers, le nom du groupe de discussion peut revêtir plusieurs formes :

- Police de caractères normale, sans attributs. Les messages chargés ont tous été lus.

- En gras. Des en-têtes ou des messages sont chargés sur votre PC mais n'ont pas encore été lus.

- En gras et en couleur. Des en-têtes ou des messages suivis ou faisant l'objet d'une coloration avec une règle de message sont chargés sur votre PC mais n'ont pas encore été lus.

854. Paramétrer le format d'envoi des posts

Le format d'envoi de posts est le même que celui des e-mails. Selon les groupes auxquels vous êtes abonné, vous choisirez l'option *HTML* ou *Texte brut* dans la rubrique *Format d'envoi des news*.

Consultez l'astuce **Bien paramétrer le format d'envoi des messages** du chapitre **Messagerie Outlook Express.**

855. Configurer une adresse antispam sur un lecteur de news

Le spam est un courrier publicitaire non sollicité qui vous est envoyé dans votre boîte aux lettres. Si cela reste ciblé et raisonnable quand il s'agit de publicités papier dans la boîte aux lettres de votre domicile, il en va tout autrement des e-mails publicitaires car ils ne coûtent absolument rien à l'expéditeur. Ils encombrent la transmission des données et grignotent votre forfait si vous êtes abonné avec une durée de connexion ou un seuil de téléchargement.

Pour ces raisons, les spammeurs (personnes qui pratiquent la technique de spamming) font la course aux adresses e-mails, et une des manières pour un spammeur de récupérer votre adresse est de la récupérer sur un groupe de discussion. En effet, lorsque vous participez à un forum, dès que vous envoyez un post avec votre lecteur de news (comme Outlook Express), votre adresse e-mail est par défaut inscrite dans l'en-tête du message (il s'agit d'un fonctionnement normal, au cas où un contributeur voudrait vous envoyer un message dans votre boîte aux lettres personnelle). Le spammeur se sert de programmes qui extraient toutes les adresses e-mails valides qu'il trouve sur un site web, dans un groupe de discussion. Toute l'astuce consiste à donner une adresse de messagerie différente de celle ayant servi à l'envoi, mais qui puisse être utilisable par un individu qui voudrait vous joindre. Pour cette raison, il est fortement conseillé de maquiller son adresse mail, et plus précisément de modifier le domaine de l'adresse (après le signe @). En effet, en modifiant le domaine, l'adresse sera complètement caduque, alors que si vous modifiez le nom du compte, le mail sera envoyé au serveur de courrier (qui répondra que l'adresse n'existe pas), et ceci crée un trafic inutile.

Exemple :

Voilà l'adresse fictive *compte@fournisseur.com*.

Si vous la modifiez en : *fauxcompte@fournisseur.com*, les éventuels messages publicitaires non sollicités seront reçus par le serveur fournisseur.com, et celui-ci répondra à l'expéditeur que le compte *fauxcompte* n'existe pas.

Si vous modifiez votre adresse en : *compte@fauxfournisseur.com*, l'expéditeur ne pourra même pas résoudre le serveur fournisseur.com, lui économisant ainsi des ressources et de la bande passante.

Voilà comment modifier votre adresse :

Exemple : vous déclarez en adresse de post *compte@fauxfournisseur.com* et informez dans votre signature que votre adresse ne devient valide que si vous enlevez le mot faux....

1. Exécutez Outlook Express.

2. Cliquez du bouton droit sur le serveur de news pour lequel vous voulez installer l'adresse antispam.

3. Dans la zone de texte *Adresse d'email*, inscrivez votre adresse e-mail telle qu'elle sera diffusée sur le forum. Pour reprendre l'exemple, vous taperiez compte@fauxfournisseur.com.

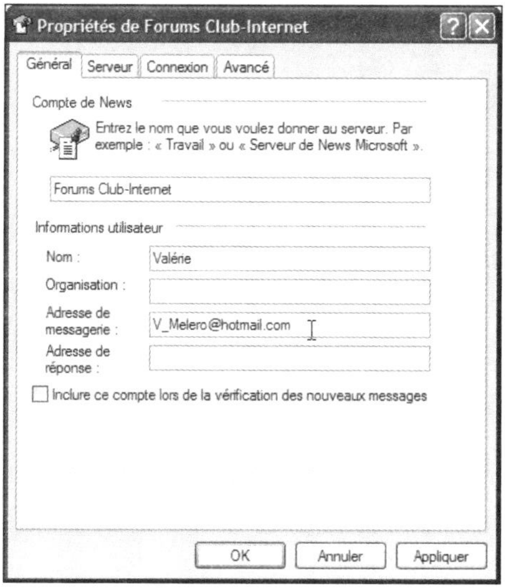

Figure 17.7 :
Propriétés d'un serveur
de news

4. Validez en cliquant sur le bouton OK.

5. Lors de la rédaction d'un post, n'oubliez pas de prévenir que votre adresse e-mail est invalide, et dévoilez la stratégie mise en œuvre pour contourner la protection antispam.

REMARQUE

Antispam

Inutile d'inscrire le mot spam ou antispam dans votre adresse maquillée (par exemple compte@antispamfournisseur.com), car les robots chercheurs d'adresses reconnaissent et ôtent ces mots de votre adresse.

---

856. Repérer ses fils de discussion

Avec l'application du patch Q331923 sur la version 6_SP1 d'Outlook Express, vous pouvez en appuyant sur la combinaison de touches [Ctrl]+[H] basculer entre l'affichage de tous les posts du forum chargés sur votre PC et l'affichage des fils de discussion auxquels vous avez participés.

Vous pouvez télécharger Internet Explorer/Outlook Express 6_SP1 à partir de l'adresse **www.microsoft.com/windows/ie/downloads/critical/ie6sp1/default .asp**.

Le patch Q331923 (toujours pas signalé dans Microsoft Update) est accessible depuis l'adresse **www.microsoft.com/windows/ie/downloads/ recommended/q331923/default.asp**.

857. Archiver ses posts

Les méthodes pour sauvegarder et archiver ses posts sont sensiblement les mêmes que pour les e-mails de la messagerie.

Méthode par le fichier *.dbx

1. Exécutez Outlook Express.

2. Cliquez du bouton droit sur le groupe de discussion dont vous voulez sauvegarder le fichier banque de message correspondant (fichier *.dbx*).

3. Sélectionnez l'option du menu contextuel **Propriétés**. Sous la ligne *Ce groupe de discussion est stocké dans le fichier suivant :*, notez le chemin d'accès et le nom du fichier *.dbx* correspondant au groupe de discussion que vous voulez sauvegarder.

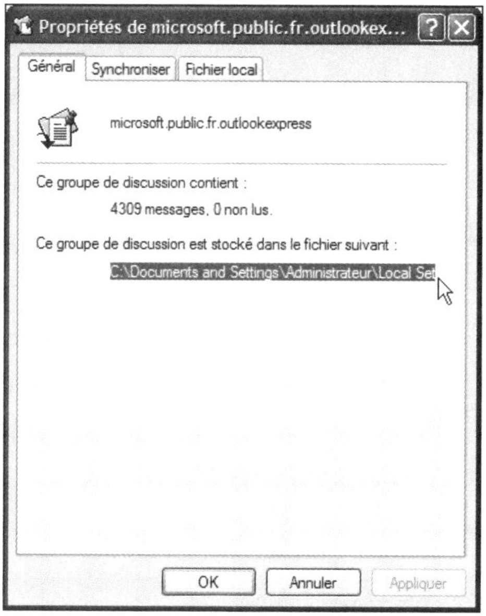

Figure 17.8 :
Récupération de l'emplacement physique d'un fichier dbx

4. Fermez Outlook Express.

5. Dans la boîte de dialogue **Exécuter** (par **Démarrer/Exécuter** ou (Windows)+(R)), saisissez explorer pour exécuter l'explorateur de Windows.

6. Explorez l'arborescence de votre disque dur et entrez à l'intérieur du répertoire dont vous avez noté le chemin dans Outlook Express. Recherchez le fichier *.dbx* désiré : celui-ci contient l'ensemble des messages et en-têtes de messages chargés. Faites une copie de ce fichier pour avoir votre sauvegarde.

> **REMARQUE**
>
> **Lecture d'un fichier .dbx**
>
> Le programme Outlook Express Extraction (WOE5Extract), disponible gratuitement en téléchargement à l'adresse http://perso.club-internet.fr/macallan, permet l'extraction des posts, des pièces jointes de tout fichier *.dbx*.

Méthode par post unique

Vous voulez sauvegarder des posts épars, extraits de leur fil de discussion. Par un cliquer/glisser, vous déplacez le message sur le bureau. Celui-ci est converti en un fichier *.nws. Renommez-le avec l'extension *.mht, et votre archive est finie.

1. Exécutez Outlook Express, et réduisez-le de manière à apercevoir une partie du bureau Windows en arrière-plan.

2. Cliquez sur le post à sauvegarder et, tout en maintenant le bouton de la souris enfoncé, faites glisser le message sur le bureau de Windows. Vous remarquez que, pendant la manipulation, le curseur se transforme en une petite icône en forme de +.

3. Lorsque le message se trouve sur le bureau Windows, lâchez le bouton de la souris. À ce moment, votre post est sauvegardé indépendamment d'Outlook Express.

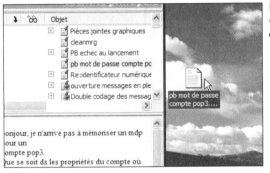

Figure 17.9 :
Cliquer/glisser d'un post d'OE vers le bureau

4. Ce post apparaît comme sélectionné (en bleu). Appuyez sur la touche de fonction F2 du clavier et renommez-le avec l'extension .mht. Ceci aura pour effet de pouvoir visualiser son contenu dans Internet Explorer.

Figure 17.10 : *Transformation du .nws en .mht*

Méthode par fil de discussion

La méthode consiste à regrouper les messages d'un fil de discussion comme s'il s'agissait d'un message unique et à être sauvegardée avec la méthode par post unique (mais en remplaçant *nws* par *eml*).

1. Exécutez Outlook Express, choisissez un fil de conversation.

2. Cliquez sur le premier message du fil de discussion, appuyez sur la touche [Maj], cliquez sur le dernier message du fil de discussion et lâchez la touche [Maj]. Tous les messages compris entre le message initialement sélectionné et le dernier seront sélectionnés.

3. Cliquez du bouton droit sur un des messages sélectionnés et choisissez dans le menu contextuel la commande **Combiner et décoder**.

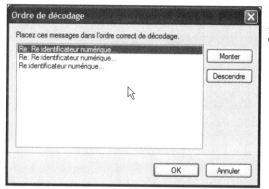

Figure 17.11 :
Boîte de dialogue Ordre de décodage

4. Laissez l'ordre de décodage affiché et cliquez sur le bouton OK.

5. Le fil de discussion apparaît comme un message unique entier. Faites-en une sauvegarde en choisissant les commandes **Fichier/Enregistrer sous**.

858. Transformer un fil de discussion en un message unique

Cette transformation peut être utile par exemple pour l'impression ou pour envoyer à un correspondant le fil entier d'une discussion sur un forum.

1. Exécutez Outlook Express, choisissez un fil de conversation.

2. Cliquez sur le premier message du fil de discussion, appuyez sur la touche [Maj], cliquez sur le dernier message du fil de discussion et lâchez la touche [Maj]. Tous les messages compris entre le message initialement sélectionné et le dernier seront sélectionnés.

3. Cliquez du bouton droit sur un des messages sélectionnés et choisissez dans le menu contextuel la commande **Combiner et décoder**.

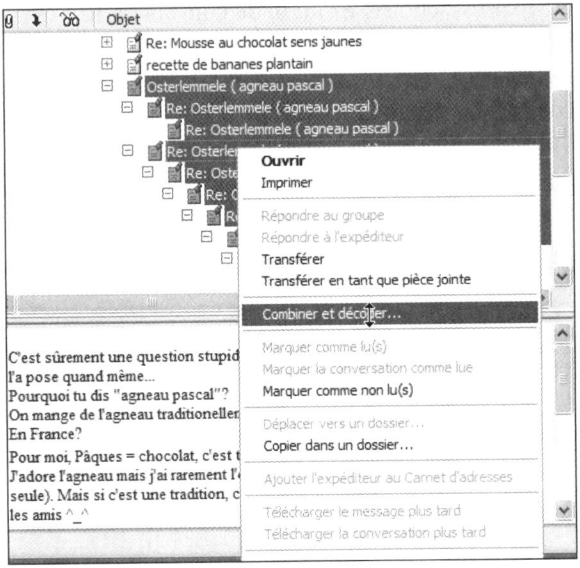

Figure 17.12 :
Commande Combiner et décoder

4. Laissez l'ordre de décodage affiché et cliquez sur le bouton OK.

5. Le fil de discussion apparaît comme un message unique entier. Vous pouvez :

- l'imprimer en choisissant dans le menu **Fichier** la commande **Imprimer** (ou en appuyant sur la combinaison de touches [Ctrl]+[P]) ;

- le transférer en cliquant sur le bouton de la barre d'outils **Transférer** ou en choisissant la commande du menu **Message/Transférer** (ou en appuyant sur la combinaison de touches [Ctrl]+[F]).

859. Effacer les posts chargés dans Outlook Express

Avec la version 6_SP1 d'Outlook Express, la suppression des posts chargés sur votre PC est très aisée : il vous suffit de sélectionner le post à supprimer et d'enfoncer la touche [Suppr] (delete).

1. Exécutez Outlook Express.

2. Sélectionnez le message à supprimer.

3. Appuyer sur le bouton [Suppr] ou appuyez sur la combinaison de touches [Ctrl]+[D].

Téléchargement IE/OE6_SP1
Vous pouvez télécharger Internet Explorer/Outlook Express 6_SP1 à partir
de l'adresse **www.microsoft.com/windows/ie/downloads/critical/ie6sp1/default.asp**.

860. Effacer ses envois sur un serveur de news

Vous avez publié un post, en tant que fil initial ou en tant que réponse.
Celui-ci est visible et accessible par les autres usagers, mais vous voulez le
retirer. Sous réserve que le serveur de news accepte la commande, cela se
déroule de cette façon :

1. Exécutez Outlook Express.

2. Pour le message que vous avez émis, attendez que celui-ci apparaisse
dans la fenêtre des messages (au besoin, appuyez sur la touche [F5] pour
actualiser les messages).

3. Sélectionnez le message à supprimer.

4. Choisissez la commande du menu **Message/Annuler le message**. Un
message spécial est envoyé au serveur de news, dans l'en-tête duquel se
trouve la commande **Cancel** ainsi que le numéro ID du message à
annuler.

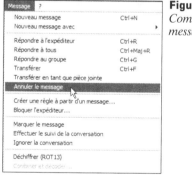

Figure 17.13 :
*Commande Annuler le
message*

À propos des champs de l'en-tête
Consultez la documentation RFC1036 pour connaître les champs que vous
serez susceptible de rencontrer dans l'en-tête d'un message. Par exemple à
l'adresse **www.usenet-fr.news.eu.org/fr-chartes/son-of-rfc1036.html**.

861. Effacer les envois d'un autre contributeur

Cette méthode est parfaitement fonctionnelle et efficace. Attention, toutefois, il est rigoureusement interdit d'effacer les messages corrects dont vous n'êtes pas l'auteur ou si l'auteur original ne l'a pas sollicité !

Cette manipulation est décrite ici car la suppression d'un message sur un serveur de news est extrêmement facile et réalisable par beaucoup de logiciels. Elle permet aussi de comprendre pourquoi certains serveurs de news ont purement et simplement supprimé cette fonction. (Le message Cancel est envoyé au serveur, mais le message n'est pas détruit.)

1. Exécutez Outlook Express.

2. Sélectionnez le message à effacer et appuyez sur la combinaison de touches [Alt]+[Entrée] pour afficher les propriétés du message. Choisissez l'onglet **Détails**.

3. Recherchez le champ *From :* et notez le nom de l'expéditeur du post (entre les guillemets) ainsi que son adresse e-mail (entre les signes < et >). Cliquez sur le bouton **Annuler** pour fermer la fenêtre des propriétés du post.

Figure 17.14 :
Lecture du champ From dans l'en-tête d'un post

4. Dans la fenêtre des dossiers, cliquez du bouton droit sur le serveur de news qui héberge le message à effacer. Choisissez la commande du menu contextuel **Propriétés**.

5. Sous l'onglet **Général**, saisissez dans la zone de saisie *Nom* le nom que vous avez trouvé dans l'en-tête du post à supprimer.

6. Inscrivez dans la zone de saisie *Adresse de messagerie* l'adresse e-mail de l'expéditeur que vous avez précédemment notée. Validez les modifications en cliquant sur le bouton OK.

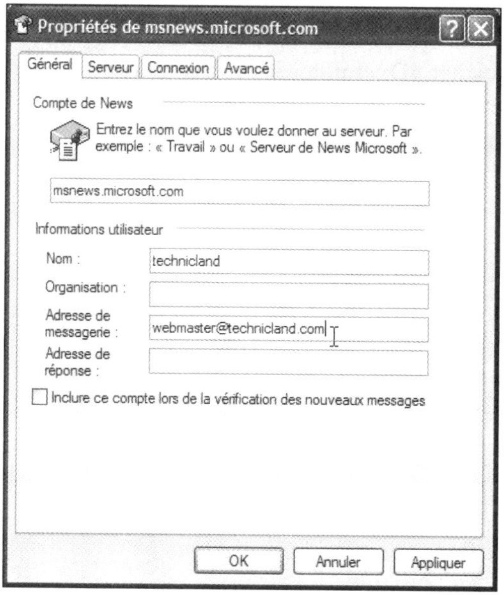

Figure 17.15 :
Saisie des paramètres du contributeur tiers

7. Recherchez et sélectionnez à nouveau le message à effacer. Choisissez ensuite dans le menu **Message** la commande **Annuler le message** (cette commande devient valide).

Apprendre la syntaxe d'un message Cancel
Coupez votre connexion Internet et envoyez un message d'annulation de post : celui-ci ne pourra pas partir, et vous le récupérerez dans la boîte d'éléments envoyés. L'affichage de ses propriétés vous apprendra sa syntaxe.

862. Créer un raccourci vers un post

Vous pouvez créer un lien vers un message de news particulier. Lorsque vous cliquez sur ce lien, le message se charge et s'affiche. Faites tout de même attention, car les posts ne sont pas gardés indéfiniment sur les serveurs de news. Ce genre de raccourci doit être utilisé ponctuellement et dans un temps voisin de la diffusion de l'article original.

1. Exécutez Outlook Express.

2. Sélectionnez le message pour lequel vous voulez créer un raccourci.

3. Appuyez sur la combinaison de touches [Alt]+[Entrée] pour afficher les propriétés du message. Choisissez l'onglet **Détails**.

4. Recherchez la ligne Message ID: et notez les caractères entre les signes < et >. Il s'agit du numéro ID du message.

Figure 17.16 :
Lecture du numéro ID d'un message

5. Rédigez le raccourci de l'une des manières suivantes :

   — news://serveur de news/N°Id du message ;

   — news:N°Id du message (ceci ne fonctionne que sur certains serveurs de news).

Un raccourci en HTML
Vous pouvez placer ce raccourci comme un lien html avec la balise HREF.
Par exemple : <a href="news://serveur de news/N°Id du message">Cliquez ici pour rejoindre l'article</a>.

863. Le codage ROT13

Le codage ROT13 sert à crypter et à décrypter facilement et rapidement des informations qui pourraient être lues d'une manière involontaire. Il s'agit de réponses à une énigme, de la fin d'un film ou d'un livre, de la chute d'une histoire...

Le principe de ce codage est extrêmement simple : dans une chaîne à coder originale, toutes les lettres de A à Z sont remplacées par la treizième lettre suivante. Lorsque cela dépasse la lettre Z, vous continuez en repartant de A.

Par exemple, pour coder la lettre C, vous devez compter 13 lettres après le C, soit la lettre P. Étant donné que l'alphabet compte 26 lettres, une fois sur deux cet algorithme code ou décode la phrase originale.

Correspondance de chaque lettre de l'alphabet (ligne du haut) avec sa treizième lettre suivante (ligne du bas).

```
A B C D E F G H I J K L M N O P Q R S T U V W X Y Z

N O P Q R S T U V W X Y Z A B C D E F G H I J K L M
```

Figure 17.17 :
Codage ROT13 : décalage des lettres de l'alphabet de treize positions

864. Envoyer un post en ROT13

Outlook Express ne permet pas le codage en ROT13 ; vous devez utiliser une application externe pour crypter une phrase, un passage particulier. Voici la description afin d'utiliser le script de codage ROT13, accessible à l'adresse **www.faqoe.com/index.php?rep/cn.htm** :

1. Dans la boîte de dialogue **Exécuter** (par **Démarrer/Exécuter** ou (Windows)+(R)), saisissez www.faqoe.com/index.php?rep/cn.htm pour charger la page web contenue à cette adresse.

2. Dans la zone de saisie texte au milieu de l'écran, inscrivez le texte ou la partie de texte que vous voulez coder.

3. Cliquez sur le bouton **Coder/Décoder**. Le texte se code et se place en mémoire automatiquement dans le Presse-papiers de Windows.

4. Exécutez Outlook Express, rédigez normalement votre post destiné à être envoyé sur un forum de discussion. À l'endroit où vous voulez insérer le texte codé, appuyez sur la combinaison de touches (Ctrl)+(V) pour coller le contenu du Presse-papiers.

Figure 17.18 : *Codage/décodage rapide en ROT13 sur la FAQ OE*

ASTUCE

Accéder rapidement au codage ROT13

Le script de la FAQ Outlook Express www.faqoe.com/index.php?rep/cn.htm a l'avantage d'être écrit en JavaScript et donc exécuté sur votre ordinateur "côté client". Lorsque vous avez chargé et affiché cette page, vous pouvez choisir de sauvegarder celle-ci avec Internet Explorer en choisissant les options du menu **Fichier/Enregistrer sous**. Dans la liste déroulante *Type*, choisissez *Archive Web, fichier seul (*.mht)* et validez en cliquant sur le bouton **Enregistrer**. L'accès à cette page web archivée vous permet l'exécution de son script de codage/décodage, même si vous n'êtes pas connecté.

865. Décoder les parties d'un post en ROT13

Vous voulez lire la partie d'un post codée en ROT13. La manipulation est beaucoup plus aisée que le codage :

1. Sélectionnez le message.

2. Choisissez les commandes du menu **Message/Déchiffrer (ROT13)**.

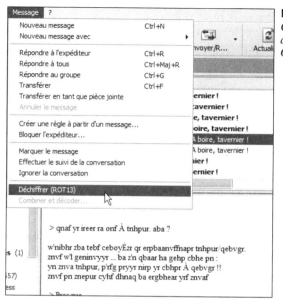

Figure 17.19 :
Commande de décodage ROT13 dans Outlook Express

866. Filtrer la taille des posts reçus

Surtout avec une connexion lente, et selon les forums que vous lisez, vous ne voulez peut-être pas perdre du temps ou de votre forfait pour charger une grosse pièce jointe, un gros fichier envoyé dans un groupe de discussion. Pour cela, vous pouvez définir une règle de message qui va laisser sur le serveur les fichiers les plus volumineux.

1. Exécutez Outlook Express.

2. Cliquez sur le menu **Outils** et choisissez les commandes **Règles de messages/News**.

3. Dans la rubrique 1, *Sélectionnez les conditions pour votre règle*, cochez la case *Lorsque le nombre de lignes du message est supérieur à lignes*.

4. Dans la rubrique 2, *Sélectionnez les actions pour votre règle*, cochez la case *Le supprimer*.

5. Dans la rubrique 3, *Description de la règle*, cliquez sur le lien *lignes* pour accéder à la boîte de dialogue *Définir le nombre de lignes*. Entrez le chiffre 400 pour filtrer les messages d'environ 20 Ko. Selon vos goûts, vous pouvez choisir d'augmenter ou de diminuer cette valeur. Appuyez sur le bouton OK pour valider la valeur choisie.

6. Dans la rubrique *Nom de la règle*, donnez un nom évocateur pour cette règle de news. Par exemple, inscrivez Tri des messages trop volumineux.

7. Cliquez sur le bouton OK pour valider la création de cette règle de news.

8. Dans la boîte **Règles de messages**, vérifiez que la règle est bien celle que vous venez de créer. À l'aide du bouton **Monter**, placez cette règle de news en haut de la liste des éventuelles autres règles déjà présentes.

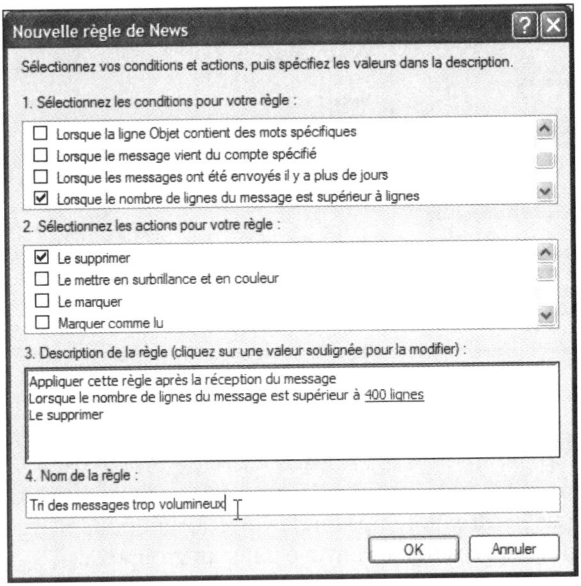

Figure 17.20 :
Définition de la règle de news

867. Marquer ses posts comme lus

Lorsque vous envoyez un post dans un serveur et qu'ensuite vous le rechargez sur votre PC, ce post apparaît comme le message de n'importe quel contributeur : avec l'attribut non lu. Ce qui peut sembler inutile car vous l'avez vous-même rédigé. La règle de message suivante charge vos posts et les marque immédiatement comme des posts lus.

1. Exécutez Outlook Express.

2. Cliquez du bouton droit sur le serveur de news dans la fenêtre des dossiers. Choisissez l'option du menu contextuel **Propriétés**.

3. Dans l'onglet **Général**, double-cliquez sur le nom contenu dans la zone de saisie texte *Nom*. Lorsque le nom est sélectionné, appuyez sur la combinaison de touches Ctrl+C pour le copier dans le Presse-papiers de Windows.

4. Cliquez sur le bouton **Annuler**.

5. Cliquez sur le menu **Outils** et choisissez les commandes **Règles de messages/News**.

6. Dans la rubrique 1, *Sélectionnez les conditions pour votre règle*, cochez la case *Lorsque la ligne De contient des personnes*.

7. Dans la rubrique 2, *Sélectionnez les actions pour votre règle*, cochez la case *Marquer comme lu*.

8. Dans la rubrique 3, *Description de la règle*, cliquez sur le lien *contient des personnes* pour accéder à la boîte de dialogue **Sélectionner des personnes**. Cliquez dans la zone de saisie texte en haut de cette boîte de dialogue, et appuyez sur la combinaison de touches Ctrl+V pour copier le contenu du Presse-papiers. Cliquez sur le bouton **Ajouter** puis appuyez sur le bouton OK pour valider ce choix.

9. Dans la rubrique *Nom de la règle*, donnez un nom évocateur pour cette règle de news. Par exemple, inscrivez Marquer mes posts comme lus.

10. Cliquez sur le bouton OK pour valider la création de cette règle de news.

11. Dans la boîte **Règles de messages**, vérifiez que la règle est bien celle que vous venez de créer.

868. Colorer les posts des contributeurs réguliers

Sur beaucoup de forums, principalement des forums d'aide ou d'échange de renseignements, vous remarquerez qu'un même noyau de contributeurs répond aux questions posées. Très vite, vous saurez rien qu'en regardant l'auteur d'un post s'il s'agit d'une question ou d'une réponse. En partant de ce principe, colorer les messages des personnes les plus avisées vous permet de savoir de suite où est susceptible de se trouver la "vraie" bonne réponse dans un fil aux multiples intervenants.

1. Exécutez Outlook Express.

2. Cliquez sur le menu **Outils** et choisissez les commandes **Règles de messages/News**.

3. Dans la rubrique 1, *Sélectionnez les conditions pour votre règle*, cochez la case *Lorsque la ligne De contient des personnes*.

4. Dans la rubrique 2, *Sélectionnez les actions pour votre règle*, cochez la case *Le mettre en surbrillance et en couleur*.

5. Dans la rubrique 3, *Description de la règle* :

— Cliquez sur le lien *contient des personnes* pour accéder à la boîte de dialogue **Sélectionner des personnes**. Pour chaque contributeur dont vous voulez voir les posts d'une couleur différente, entrez son nom usuel dans la zone de texte en haut de cette boîte de dialogue et cliquez sur le bouton **Ajouter**. Appuyez sur le bouton OK lorsque vous avez inséré tous les contributeurs choisis.

— Cliquez sur le lien *couleur*. La boîte de dialogue **Sélection de la couleur** s'affiche. Choisissez dans la liste déroulante la couleur que vous voulez donner aux posts provenant de ces expéditeurs. Validez en cliquant sur le bouton OK.

6. Dans la rubrique *Nom de la règle*, donnez un nom évocateur pour cette règle de news. Par exemple, inscrivez Colorer les contributeurs réguliers.

7. Cliquez sur le bouton OK pour valider la création de cette règle de news.

8. Dans la boîte **Règles de messages**, vérifiez que la règle est bien celle que vous venez de créer.

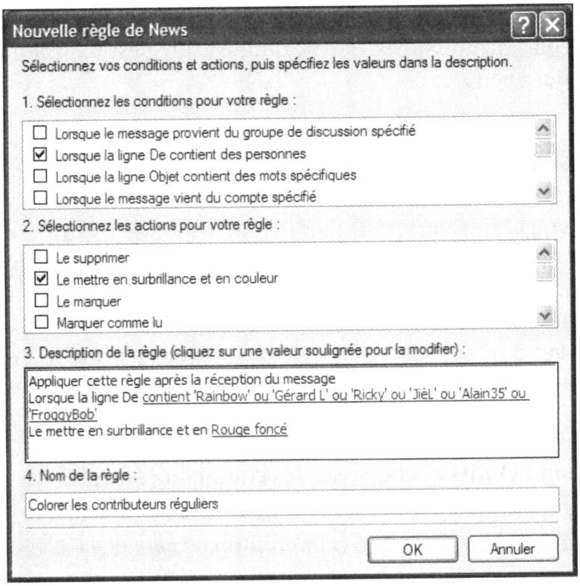

Figure 17.21 :
Définition de la règle de news

869. Envoyer un message en multiposting

Il s'agit d'envoyer un même message, une même question sur différents groupes de discussion sans faire appel au crossposting. La méthode est plutôt déconseillée ; elle a son intérêt uniquement si vous ne voulez pas crossposter sur plusieurs serveurs de news car certains sont privés ou restreints.

1. Exécutez Outlook Express.

2. Cliquez sur le menu **Fichier**, puis choisissez **Nouveau/Message de news**.

3. Choisissez un groupe de discussion unique, remplissez le champ *Objet* et rédigez votre post.

4. Dans la fenêtre de rédaction du post, appuyez sur la combinaison de touches Ctrl+A pour sélectionner l'ensemble du post. Appuyez ensuite sur la combinaison de touches Ctrl+C pour le copier dans le Presse-papiers de Windows.

5. Cliquez sur le bouton **Envoyer** pour publier votre post.

6. Pour chaque autre post que vous enverrez sur un groupe de discussion différent, collez le message du Presse-papiers en appuyant sur la combinaison de touches Ctrl+V.

870. Envoyer un message en crossposting

Le crossposting, ou postage croisé, est l'envoi d'un même message (avec le même numéro ID) sur plusieurs forums. Par exemple, vous envoyez une question à propos d'un nouveau virus informatique qui se transmet par la messagerie, et vous voulez le faire à la fois sur le groupe de discussion qui traite de messagerie et sur le groupe qui traite de sécurité. Les réponses faites dans l'un ou l'autre groupes seront par défaut envoyées également en crossposting et seront donc visibles sur les deux forums.

1. Exécutez Outlook Express.

2. Cliquez sur le menu **Fichier**, puis choisissez **Nouveau/Message de news**.

3. Sélectionnez la commande du menu **Outils/Sélectionner un groupe de discussion**. Pour chaque forum sur lequel vous voulez envoyer votre post, sélectionnez-le dans la fenêtre de gauche et appuyez sur le bouton **Ajouter**. Lorsque vous avez désigné tous les forums sur lesquels vous voulez crossposter, validez en appuyant sur le bouton OK.

4. Remplissez le champ *Objet* et rédigez votre post. Il est de bon ton d'informer, à la fin du post, les lecteurs que le post est un crossposting, en ajoutant par exemple en dernière ligne de celui-ci la phrase Message crossposté sur les groupes suivants : et en énumérant les groupes dans lesquels a été envoyé le post.

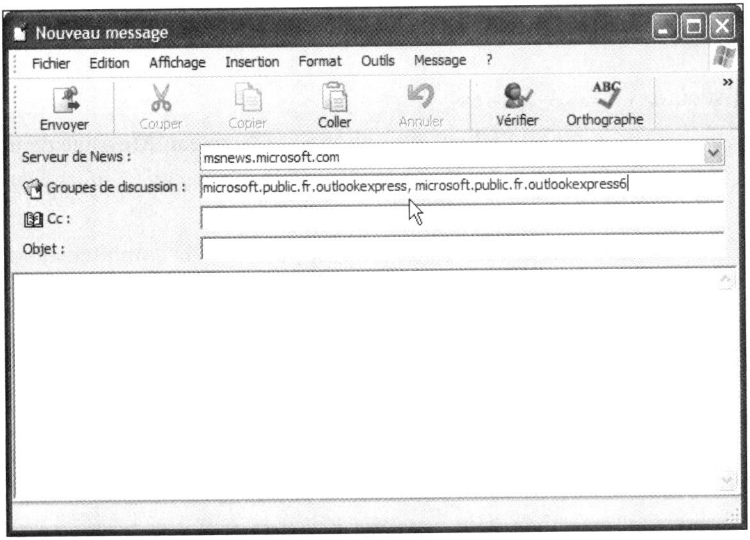

Figure 17.22 : *Préparation d'un crossposting*

871. Faire du crossposting avec un FU2

Il s'agit simplement d'un message crossposté, mais les réponses sont dirigées vers un groupe de discussion unique. FU2 veut dire *Follow-Up to*, ce qui donnerait en traduction quelque chose du genre "faire suivre vers".

Par exemple, vous envoyez une question à propos d'un nouveau virus informatique qui se transmet par la messagerie, et vous voulez le faire à la fois sur le groupe de discussion qui traite de messagerie et sur celui qui traite de sécurité. Ce dernier forum étant plus approprié, les réponses faites sur chacun des groupes seront dirigées uniquement vers le groupe qui traite de sécurité.

1. Exécutez Outlook Express.

2. Cliquez sur le menu **Fichier**, puis choisissez **Nouveau/Message de news**.

3. Dans la fenêtre de rédaction du post, sélectionnez **Affichage** et validez la ligne *Tous les en-têtes*.

4. Sélectionnez la commande du menu **Outils/Sélectionner un groupe de discussion**. Pour chaque forum sur lequel vous voulez envoyer votre post, sélectionnez-le dans la fenêtre de gauche et appuyez sur le bouton **Ajouter**. Lorsque vous avez désigné tous les forums sur lesquels vous voulez crossposter, validez en appuyant sur le bouton OK.

5. Entre les champs *Groupe de discussion* et *Cc*, cliquez sur **Transférer à**. Dans la boîte de dialogue qui apparaît, choisissez un groupe de discussion unique dans la fenêtre de gauche et appuyez sur le bouton **Ajouter**. Validez en cliquant sur le bouton OK.

6. Remplissez le champ *Objet* et rédigez votre post. Il est fortement conseillé d'informer, à la fin du post, les lecteurs que le post est un crossposting avec FU2, en ajoutant par exemple en dernière ligne de celui-ci la phrase Message crossposté avec FU2 sur le groupe : et en désignant le groupe dans lequel seront transférées les réponses. Cette ligne est ici importante car, selon le forum sur lequel le post est lu, le lecteur ne se rendra pas compte que le fil de discussion a déjà commencé, puisqu'il ne verra pas les réponses (celles-ci étant transférées vers un autre forum).

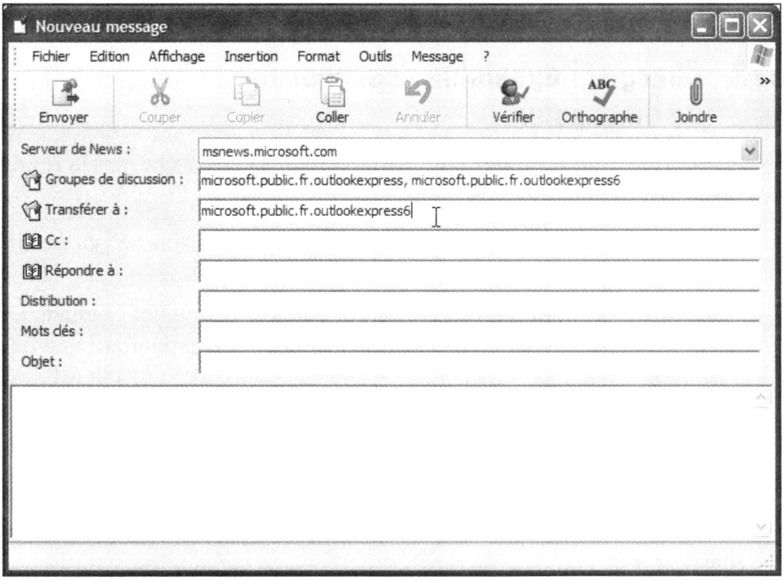

Figure 17.23 : *Préparation d'un crossposting avec FU2*

872. Créer un raccourci vers un serveur de news ou vers un forum

Outre les méthodes d'abonnement à un serveur de news ou à un groupe de discussion, sous réserve que le serveur de news ne requière pas d'ouverture de session particulière, vous pouvez vous abonner en cliquant sur un simple lien. Pour l'exemple :

- S'abonner au serveur de news de Microsoft.

    - Dans la boîte de dialogue **Exécuter** (par **Démarrer/Exécuter** ou [Windows]+[R]), saisissez le lien créé du préfixe news:// puis du serveur nntp. Dans notre exemple, saisissez news://msnews.microsoft.com.

- S'abonner au groupe de discussion d'Outlook Express sur le serveur de news de Microsoft.

    - Dans la boîte de dialogue **Exécuter** (par **Démarrer/Exécuter** ou [Windows]+[R]), saisissez le lien créé du préfixe news:/ puis du serveur nntp et du nom du forum. Dans notre exemple, saisissez news://msnews.microsoft.com/microsoft.public.fr.outlookexpress.

873. Charger l'ensemble des messages d'un groupe de discussion

Vous venez de vous abonner à un forum et vous voulez charger la totalité des posts disponibles sur le serveur.

1. Abonnez-vous à un forum comme indiqué dans l'astuce *S'abonner à un groupe de discussion* de ce chapitre.

2. Cliquez sur le menu **Outils/Option** et choisissez l'onglet **Lecture**. Dans la rubrique *News*, laissez lire la case à cocher correspondant à la ligne *Télécharger XXX en-têtes chaque fois*, vous chargerez ainsi la totalité des sujets présents sur le serveur de news.

3. Toujours dans le menu **Outils**, choisissez **Obtenir de nouveaux en-têtes**.

4. Sélectionnez dans la fenêtre des dossiers le groupe de discussion.

5. Cliquez sur le menu **Outils** et choisissez **Synchroniser les groupes de discussion**.

6. Validez la case à cocher *Obtenir les éléments suivants* et choisissez l'option *Tous les messages*.

7. Débutez le téléchargement en cliquant sur le bouton OK.

Figure 17.24 :
Téléchargement de tous les messages

874. Deviner les noms de forums

Les noms de forums sont souvent formés d'abréviations ou d'acronymes, parfois en anglais ; ils n'obéissent pas toujours à une règle stricte. Pour vous aider, voici une petite liste des différentes parties d'un nom de forum que vous pourrez trouver.

Tableau 17-1 : Signification des abréviations des noms de forums	
Partie d'un nom de forum	**Signification**
Fr	Francophone
Biz	
Comp	Ordinateurs (*Computer*)
Os	Système d'exploitation (*Operating System*)
Sys	Système
Misc	
Talk	Discussions (*talking*)
Sci	Science
Binaries	Fichiers binaires : images, musique, vidéo…
Alt	
Soc	Sujets de société
Rec	

Tableau 17-1 : Signification des abréviations des noms de forums	
Partie d'un nom de forum	**Signification**
Bio	Relatif à la biologie
Lang	Langage de programmation informatique

875. Les Binaries

Les groupes de discussion Binaries sont des groupes dans lesquels il est échangé des fichiers binaires (vidéo, musique…). Certains de ces fichiers ont une telle taille qu'il est nécessaire de les envoyer sur les groupes en plusieurs parties. C'est la raison pour laquelle vous pouvez trouver dans un forum plusieurs posts du même titre suivis de deux chiffres : le numéro d'ordre et le nombre total de parties différentes. Par exemple, pour un message Binaries intitulé Musique et scindé en trois parties, vous verriez sur le forum les messages Musique[1/3], Musique[2/3] et Musique[3/3].

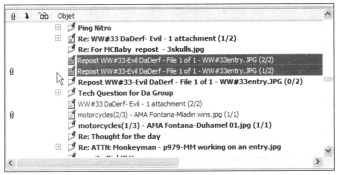

Figure 17.25 : *Message Binaries scindé*

876. Scinder un message Binaries

Voici comment scinder un gros fichier pour un envoi sur un forum :

1. Exécutez Outlook Express.

2. Choisissez les commandes du menu **Outils/Comptes**. Sous l'onglet **News**, sélectionnez le serveur de news sur lequel vous voulez scinder les messages et cliquez sur le bouton **Propriétés**.

3. Dans la boîte de dialogue de **Propriétés** du serveur, cliquez sur l'onglet **Avancé**.

4. Dans la rubrique *Publication*, validez la case à cocher *Scinder les messages supérieurs à* et saisissez dans la zone de texte correspondante la taille des parties du message (500 Ko est un bon compromis).

Figure 17.26 :
Scindez un message

877. Reconstituer des posts de Binaries

Pour reconstituer les posts fractionnés en plusieurs parties :

1. Exécutez Outlook Express.

2. Sélectionnez l'ensemble des messages de la série en maintenant la touche Ctrl enfoncée pour pouvoir effectuer cette sélection multiple.

3. Cliquez du bouton droit sur un des messages sélectionnés et choisissez dans le menu contextuel la commande **Combiner et décoder**.

4. Établissez l'ordre de décodage de manière à classer les posts dans un ordre croissant, listé de haut en bas. Cliquez sur le bouton OK.

5. Le message s'affiche avec sa pièce jointe entière reconstituée.

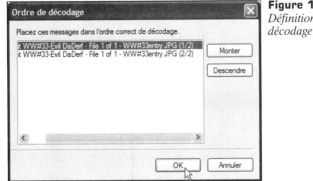

Figure 17.27 :
Définition de l'ordre de décodage

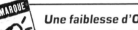

Une faiblesse d'Outlook Express

La fonction **Combiner et décoder** d'Outlook Express est visiblement une fonction de dépannage, car cela est presque impossible à réaliser avec de gros fichiers, pour lesquels il sera préférable de s'orienter vers un logiciel dédié à cette tâche (**www.yenc.org/windows.htm**).

878. Les MVP

Most Valuable Professionnel est un titre décerné par Microsoft aux contributeurs qui ont été remarqués pour leur réponse et le goût dont ils font preuve pour diffuser leur connaissance. Il s'agit d'une récompense qui fidélise et encourage le contributeur qui aide ses pairs.

Le titre MVP est surtout rencontré sur les forums de Microsoft, mais il tend à se généraliser sur Usenet. Outre la reconnaissance et la confiance qu'il apporte au contributeur, le titre est accompagné d'avantages offerts par Microsoft. Consultez la page **http://mvp.support.microsoft.com/** pour avoir plus de renseignements.

879. Automatiser la réception et l'envoi sur des forums

Le programme Hamster, disponible gratuitement, vous permet de gérer plus facilement les groupes de discussion et même de créer les vôtres, si vous avez un petit réseau. Voici ses principales fonctions :

■ Il simule votre PC comme serveur de news, d'e-mail.

- Il relève tous vos forums, même sur plusieurs serveurs, et ceci en multithread, c'est-à-dire qu'il charge les messages non pas les uns après les autres, mais tous en même temps. L'envoi se fait de la même façon, ce qui est un gain de temps de connexion non négligeable : vous chargez sur votre ordinateur les groupes de discussion choisis, ceux-ci deviennent accessibles en "local" et n'ont plus besoin de la connexion Internet. Vous répondez et postez les messages désirés puis vous vous connectez pour les envoyer tous en même temps, en multithread également.

Liens pour Hamster : http://hamster-fr.sourceforge.net/index.php, http://hamsterfr .free.fr.

880. Icônes des messages de news

Tableau 17-2 : Liste des icônes des messages de news

Icône	Signification
⊞	Ce niveau de conversation est réduit. Cliquez sur l'icône pour afficher toutes les réponses (développer la conversation).
⊟	Ce niveau de conversation est développé. Cliquez sur l'icône pour masquer toutes les réponses (réduire la conversation).
	Le message n'a pas été ouvert. L'en-tête s'affiche en caractères gras.
	L'en-tête du message a été marqué comme lu.
	Le message a été marqué comme lu et est stocké dans un fichier de messages sur votre disque dur.
	Le message n'a pas été marqué comme lu et son en-tête et son corps sont stockés dans un fichier de messages sur votre disque dur.
	Le message n'est plus disponible sur le serveur.
↓	Le message de news est marqué pour téléchargement.
⊞↓	Le message de news et toutes les conversations sont marqués pour téléchargement.

Tableau 17-2 : Liste des icônes des messages de news	
Icône	**Signification**
	Le message de news séparément (sans conversation) est marqué pour téléchargement.
	Une réponse au message de news a été envoyée.
	Le message de news a été transféré à une personne.
	Le groupe de discussion est nouveau sur le serveur.
	Le message est en cours de traitement dans le dossier *Brouillons*.
	Le message porte un indicateur.
	La conversation est suivie.
	La conversation est ignorée.

881. Glossaire, abréviations et acronymes

Abréviations, termes que vous pourrez rencontrer sur des forums.

Tableau 17-3 : Glossaire de termes employés sur les forums	
Terme	**Signification**
Contributeur	Participant à un forum.
Crossposting	Poster le même message sur plusieurs forums.
FAI	Fournisseur d'accès à Internet.
FAQ	*Frequently Asqued Questions*, traduit (mal) en foire aux questions. Regroupement des questions le plus souvent posées dans un NG.
Fil (de discussion)	Ensemble des posts composant une discussion.

Tableau 17-3 : Glossaire de termes employés sur les forums	
Terme	**Signification**
Forum (de discussion)	Endroit où les contributeurs échangent des posts.
Fu2 (*Follow Up to*)	Crossposting avec transfert des réponses sur un forum unique.
MDR	Mort de rire.
MS M$ Krosoft	Microsoft.
Multiposting	Même message envoyé sur plusieurs forums.
MVP	Titre honorifique distribué par Microsoft à certains contributeurs.
Newsgroup (NG)	Forum de discussion.
Papolitus, malpolitus	"Virus" qui grignote les premières et dernières lignes d'un post, celles où figurent les mots Bonjour, Merci, s'il vous plaît…
PEBKAC	Le problème se situe entre la chaise et le clavier : le problème vient seulement de l'utilisateur.
Point Godwin	Point perdu par le premier qui compare le fil de discussion où il se sent "censuré" avec le régime nazi. La discussion est alors considérée comme close et totalement finie.
Post	Message dans un groupe de discussion.
Quote	Partie du post précédent incluse lors d'une réponse.
Thread	idem Fil.
Nettiquette	Pour un NG, ensemble des règles à respecter sur celui-ci.
Troll	Personne qui poste dans le seul but de créer une polémique.

Outlook
2002/2003

Outlook 2002/2003

882. Différence entre Outlook et Outlook Express

Outlook est un outil bureautique de travail de groupe qui utilise, de préférence, un serveur Exchange et est parfaitement intégré en entreprise avec son agenda (calendrier avec rendez-vous et réunion), ses tâches (ce que j'ai à faire), ses notes (sorte de Post'it ® mais que l'on ne perd pas) et ses contacts (toutes les informations sur les personnes que vous pouvez joindre par e-mail, fax ou adresse postale) bien plus développés que ceux d'Outlook Express, le tout utilisable en groupe de travail pour définir, par exemple, des réunions entre collaborateurs ou pour affecter une tâche à une personne. C'est aussi un programme bien plus lourd, mais avec beaucoup plus de fonctionnalités. Outlook est un programme payant qu'il faut installer sur sa machine et qui fait partie de la suite Office.

Figure 18.1 : *Outlook 2003*

Outlook Express, tourné exclusivement vers Internet puisque livré d'office avec Internet Explorer, est de fait présent sur toutes les machines et n'a pas du tout les mêmes fonctionnalités que son cousin de nom. C'est d'ailleurs ce nom qui fait que beaucoup de personnes confondent les deux produits, qui, s'ils sont tous les deux des programmes de messagerie, n'en sont pas moins des programmes totalement différents. De toute façon, vous ne devez pas vous débarrasser d'Outlook Express car Outlook a besoin de lui pour certaines tâches. Outlook Express permet de gérer les *newsgroups* en direct, alors qu'Outlook ne sait pas le faire sans passer par un serveur Exchange et une réplication interne très lourde et gourmande en place sur le disque du serveur.

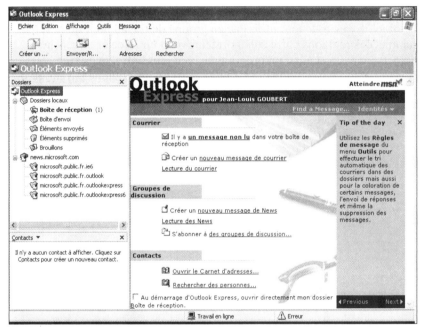

Figure 18.2 : *Outlook Express*

18.1 Configuration/installation/réparation

883. Définir Outlook comme programme de messagerie par défaut

Si vous installez un autre programme de messagerie, ce dernier risque de se définir comme étant le programme de messagerie par défaut, et vous ne parviendrez plus à utiliser les fonctionnalités complètes d'Outlook.

1. Cliquez sur le menu **Outils**, puis sur **Options**.

2. Activez l'onglet **Autre** et cochez la case *Définir Outlook comme le programme par défaut pour la messagerie, les contacts et le calendrier.*

Ou, si vous ne désirez pas qu'Outlook devienne le programme par défaut pour certaines parties que vous désirez laisser à d'autres programmes :

1. Cliquez sur le bouton **Démarrer**, puis sur **Panneau de configuration**.

2. Cliquez sur *Connexion réseau et Internet* puis sur l'icône *Options Internet.*

3. Activez l'onglet **Programmes** et choisissez pour chaque rubrique le programme à utiliser.

4. Cliquez sur le bouton OK.

884. Agrandir/réduire rapidement la taille de la police de caractères

Il n'est pas nécessaire d'entrer dans les options d'Outlook afin de régler la taille de police d'affichage des messages. Cliquez dans le message ou dans l'aperçu, maintenez la touche Ctrl enfoncée et faites simplement tourner la molette de votre souris.

885. Ajouter/enlever des en-têtes de colonnes

Vous pouvez personnaliser l'affichage des colonnes d'Outlook afin d'obtenir des informations importantes sans avoir à ouvrir le message.

1. Cliquez sur le menu **Affichage** puis sur la commande **Réorganiser par** et sur **Personnaliser** ou faites un clic droit sur l'un des en-têtes de colonne et choisissez la commande **Personnaliser**.

2. Cliquez sur le bouton **Champs**.

3. Dans la liste *Sélectionner les champs disponibles dans*, choisissez *Tous les champs Message* afin de voir les champs disponibles.

4. Choisissez le champ à ajouter et cliquez sur le bouton **Ajouter**. Recommencez pour chaque champ que vous désirez afficher.

5. Pour déplacer un champ, cliquez sur son nom dans la liste *Afficher ces champs dans cet ordre* et cliquez sur le bouton **Monter** ou **Descendre**.

6. Cliquez sur le bouton OK puis OK à nouveau.

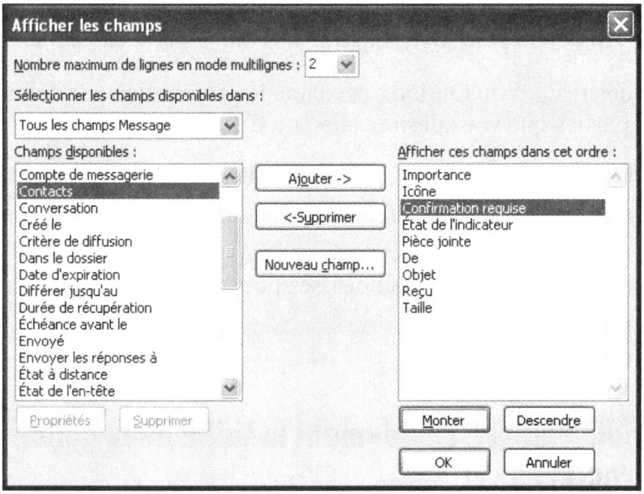

Figure 18.3 : *Choix des colonnes*

886. Laisser une copie de message sur le serveur de messagerie

Vous pouvez récupérer vos messages sur votre ordinateur fixe et avoir besoin d'une copie sur votre portable, par exemple ; ou encore avoir besoin de lire chez vous les messages reçus sur un compte POP au bureau. C'est pourquoi vous aurez besoin de cette procédure :

1. Cliquez sur le menu **Outils**, puis sur la commande **Comptes de messagerie**.

2. Activez l'option *Afficher ou modifier les comptes de messagerie existants*, puis cliquez sur le bouton **Suivant**.

3. Choisissez le compte de messagerie voulu puis cliquez sur le bouton **Modifier**.

4. Cliquez sur le bouton **Paramètres supplémentaires**.

5. Activez l'onglet **Options avancées** et cochez la case *Laisser un exemplaire des messages sur le serveur*.

6. Choisissez la manière dont les messages seront détruits du serveur :

   − *Supprimer du serveur après N jours* permet de supprimer automatiquement les messages au bout de n jours.

  – *Supprimer du serveur après avoir été supprimé du dossier Éléments supprimés* afin de choisir manuellement jusqu'à quand ils doivent être conservés.

7. Cliquez sur le bouton OK pour fermer la boîte de dialogue, puis sur **Suivant**.

8. Cliquez enfin sur le bouton **Terminer**.

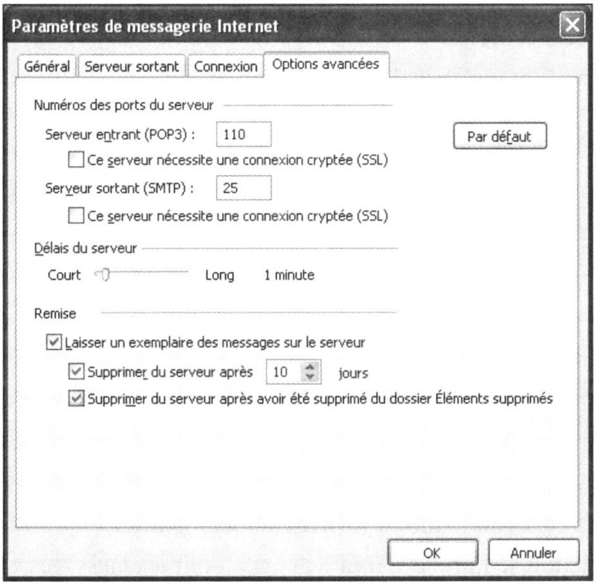

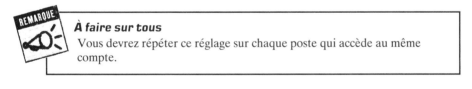

Figure 18.4 :
Laissez sur le serveur

REMARQUE

À faire sur tous
Vous devrez répéter ce réglage sur chaque poste qui accède au même compte.

887. Paramétrer le format d'envoi des messages

Afin d'éviter les messages illisibles et/ou les pièces jointes impossibles à ouvrir, il est impératif de configurer correctement votre messagerie et, de préférence, de connaître la messagerie utilisée par votre destinataire pour éviter les incompatibilités entre sa messagerie et la vôtre.

Pour commencer, sachez que le format RTF d'Outlook n'est compatible qu'avec lui-même et ne devrait donc pas être utilisé avec un destinataire qui aurait un programme de messagerie autre qu'Outlook.

Ensuite, même si Word peut être facilement utilisé en tant qu'éditeur de messagerie, le code HTML généré est très lourd et pas forcément compatible avec tous les programmes de messagerie.

1. Cliquez sur le menu **Outils**, puis sur la commande **Options**, et activez l'onglet **Format du courrier**.

2. Choisissez **Format du message** dans la liste, en sachant que le format universel est le texte brut et que la compatibilité est relativement bien assurée en HTML pour les programmes récents.

3. Cochez ou non les cases qui permettent l'utilisation de Word en tenant compte des conseils ci-dessus.

4. Cliquez sur le bouton **Format Internet**.

   ■ Cochez la case *Quand un message HTML contient des images qui se trouvent sur Internet, envoyer une copie des images plutôt que d'indiquer la référence de l'emplacement*. Cela permettra à votre correspondant de voir les images même en étant déconnecté et aussi si elles ne sont plus disponibles sur Internet. Évidemment, la taille de votre message sera plus importante.

   ■ Choisissez dans la liste la façon de convertir les messages en RFT si vous utilisez ce format, qui est fortement incompatible.

   ■ Indiquez où doit se faire le retour à la ligne pour les messages en texte brut, mais ne cochez pas la case *Coder les pièces jointes au format UUENCODE lors de l'envoi d'un message en texte brut* à cause de l'alourdissement provoqué par ce codage et le faible pourcentage de programmes compatibles en réception.

   ■ Cliquez sur le bouton OK.

5. Cliquez sur le bouton **Options internationales**.

   ■ Cochez la case *Utiliser l'anglais pour les indicateurs de messages* si vous avez besoin d'une compatibilité internationale, et laissez la case vide dans le cas contraire.

   ■ Cochez la case *Utiliser l'anglais dans les en-têtes des messages pour la réponse et le transfert* si vous avez besoin d'une traduction anglaise des champs *De, Envoyé, À* et *Objet*.

- Choisissez dans la liste le codage à utiliser par défaut. Le format *Latin 9 (ISO)* prend en charge le symbole € (euro).

- Cliquez sur le bouton OK.

6. Cliquez sur le bouton OK pour terminer.

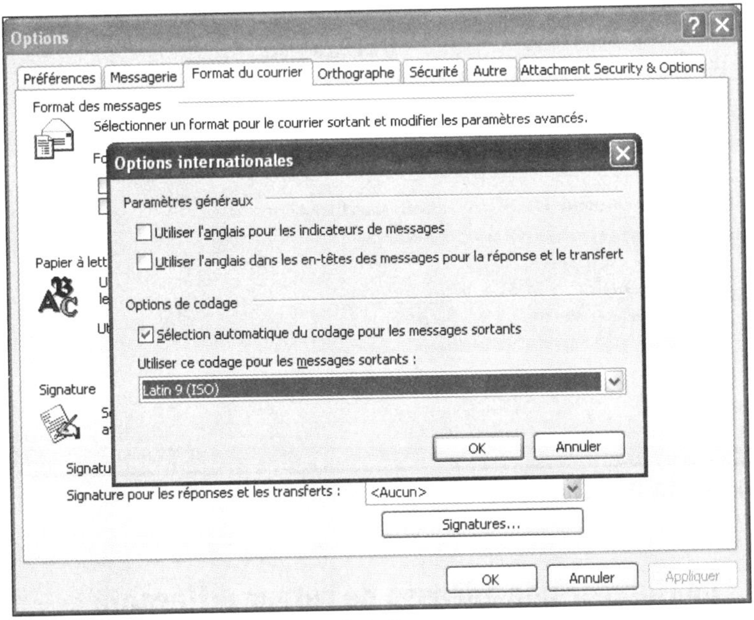

Figure 18.5 : *Utilisation du symbole €*

> ### Anciennes messageries
> Certains anciens programmes de messagerie ne sont pas compatibles avec le format HTML, notamment Outlook 97 et Lotus Notes 4. Le seul format utilisable dans ce cas est le texte brut.

888. Définir temporairement une adresse de retour différente

Vous pouvez diriger automatiquement les réponses aux messages envoyés avec un compte vers un autre à la réception, mais message par message.

1. Cliquez sur le bouton **Options** dans un nouveau message.

2. Cochez la case *Envoyer les réponses à* et choisissez ou saisissez les destinataires.

3. Cliquez sur le bouton **Fermer**, complétez et envoyez votre message.

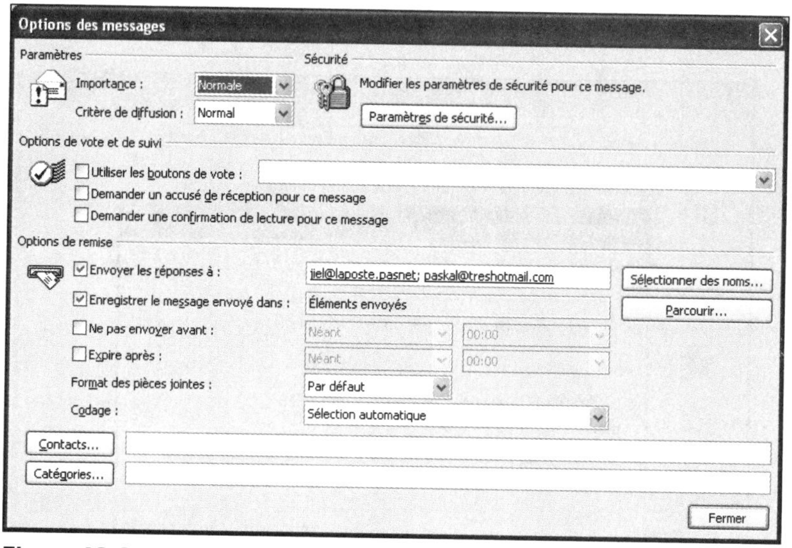

Figure 18.6 : *Adresse de retour différente*

889. Configurer une adresse de retour différente

Vous pouvez diriger automatiquement les réponses aux messages envoyés avec un compte vers un autre à la réception.

1. Cliquez sur le menu **Outils**, puis sur la commande **Comptes de messagerie**.

2. Activez l'option *Afficher ou modifier les comptes de messagerie existants*, puis cliquez sur le bouton **Suivant**.

3. Choisissez le compte de messagerie voulu puis cliquez sur le bouton **Modifier**.

4. Cliquez sur le bouton **Paramètres supplémentaires**.

5. Activez l'onglet **Général** et saisissez l'adresse de réception des réponses dans la zone *Répondre au courrier*.

6. Cliquez sur le bouton OK pour fermer la boîte de dialogue, puis sur **Suivant**.

7. Cliquez sur le bouton **Terminer** pour finir.

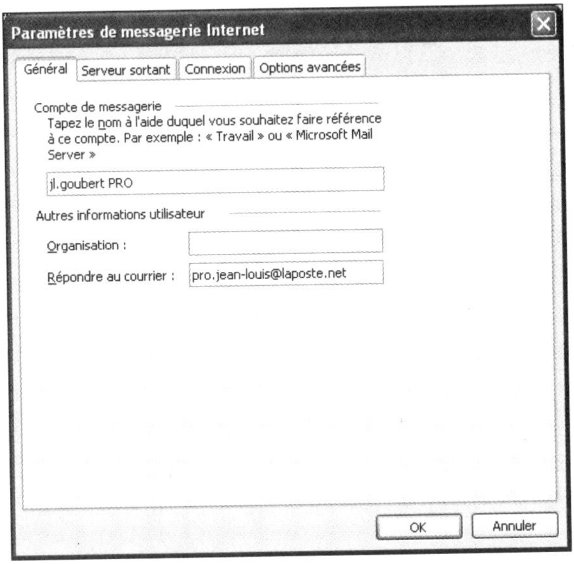

Figure 18.7 :
Adresse de retour toujours différente

Paramètres de messagerie Internet	☒

Général | Serveur sortant | Connexion | Options avancées

Compte de messagerie
Tapez le nom à l'aide duquel vous souhaitez faire référence
à ce compte. Par exemple : « Travail » ou « Microsoft Mail
Server »

jl.goubert PRO

Autres informations utilisateur

Organisation :

Répondre au courrier : pro.jean-louis@laposte.net

OK | Annuler

890. Retarder l'envoi d'un message

Afin de ne pas oublier d'envoyer un message important, vous pouvez d'ores et déjà créer le message et l'envoyer. Outlook le bloquera dans la boîte d'envoi jusqu'à la date définie.

1. Cliquez sur le bouton **Options** dans un nouveau message.

2. Cochez la case *Ne pas envoyer avant* et choisissez la date et l'heure d'envoi du message.

3. Cliquez sur le bouton **Fermer**, complétez et envoyez votre message.

Connexion

Le message sera envoyé à la date définie à condition que vous soyez connecté à cette date-là. Si votre ordinateur ou Outlook est arrêté, le message sera envoyé à la connexion suivante.

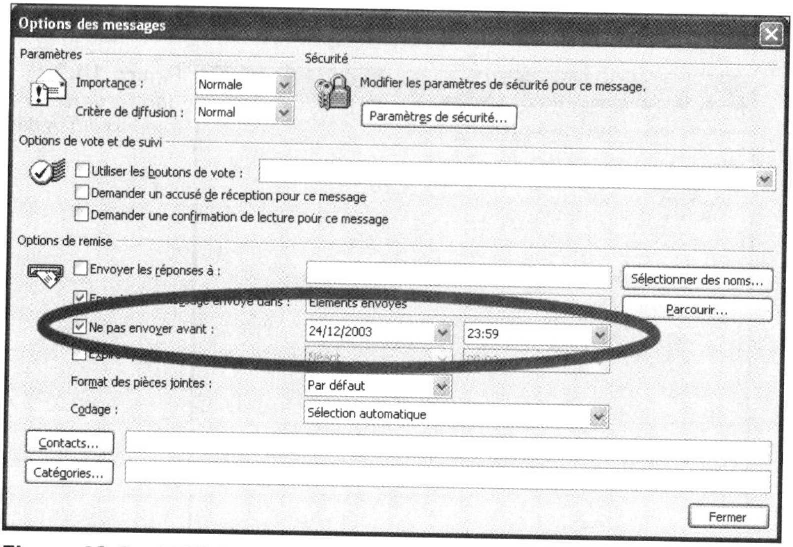

Figure 18.8 : *Différé un envoi*

891. Demander une confirmation de lecture, définir l'importance et le critère de diffusion

Il est possible de prévenir votre correspondant qu'un courrier est plus important qu'un autre et de lui demander éventuellement un accusé de lecture du message.

1. Cliquez sur le bouton **Options** dans un nouveau message.

2. Choisissez l'importance dans la liste.

- *Faible*. Le message est accompagné par une flèche bleue dirigée vers le bas.

- *Normale*. Le message n'a pas de signe particulier.

- *Haute*. Un point d'exclamation rouge accompagne le message.

3. Choisissez le critère de diffusion qui permet de signaler que ce message ne doit pas être diffusé à tout le monde.

4. Cochez la case *Demander un accusé de réception pour ce message* pour être averti que le message est dans le serveur du destinataire, mais non sur son poste.

5. Cochez la case *Demander une confirmation de lecture pour ce message* afin d'être averti que le message a été ouvert chez le destinataire.

6. Cliquez sur le bouton **Fermer**, complétez et envoyez votre message.

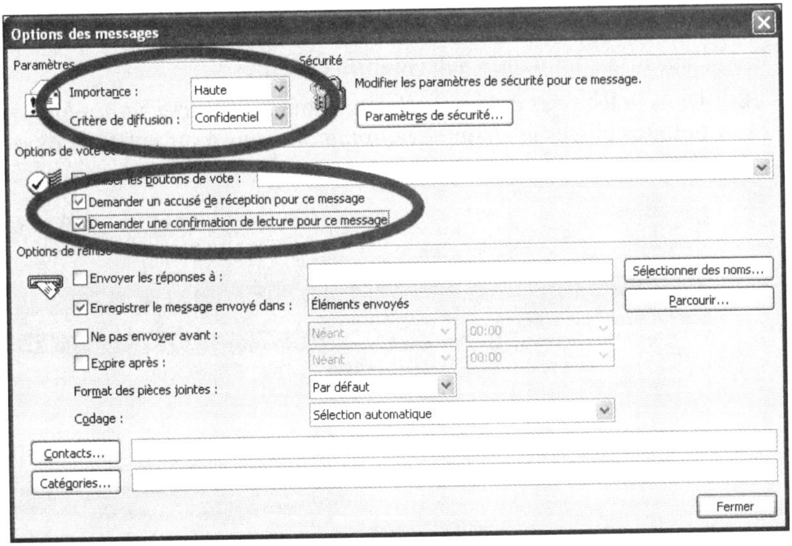

Figure 18.9 : *Confirmation et importance*

REMARQUE

Retour de l'accusé de lecture

Le destinataire peut décider ou non de renvoyer cette confirmation de lecture selon son programme et sa configuration. Vous ne pouvez donc être sûr du retour.

892. Lire un message sans envoyer la confirmation de lecture

Lors de l'ouverture d'un message comprenant une demande de confirmation de lecture, Outlook vous demandera si vous désirez ou non envoyer l'AR. Si vous cliquez sur le bouton **Non**, vous ne pourrez plus changer d'avis. Voici une méthode qui permet de lire le message sans envoyer la confirmation puis de décider s'il faut ou non l'envoyer. Cette méthode fonctionne aussi si vous êtes connecté à un serveur Exchange en réseau local, car vous n'avez alors pas le choix de ne pas envoyer la confirmation. Ceci permet de ne pas valider votre adresse à d'éventuels spammeurs.

- Afin de savoir AVANT de l'ouvrir si un message contient une demande d'accusé de réception, vous devez ajouter la colonne *Confirmation requise* et désactiver le volet de lecture :

  1. Vous devez commencer par masquer l'aperçu du message afin de faire un clic avec le bouton droit sur un en-tête de colonne et choisir la commande **Sélecteur de champ**.

  2. Dans la liste des catégories, sélectionnez *Tous les champs Message* et faites glisser le champ *Confirmation requise* sur la ligne des en-têtes de colonne.

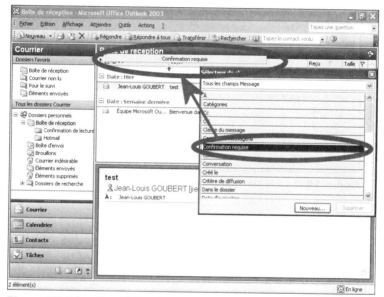

Figure 18.10 : *Ajout de la colonne Confirmation requise*

- Pour ne pas voir et positionner les fenêtres :

  1. Cliquez sur le bouton **Volet de lecture** afin de masquer l'aperçu du message.

  2. Réduisez ensuite légèrement la taille de la fenêtre Outlook afin de voir une partie du bureau.

  3. Faites glisser le message que vous voulez voir sur le bureau.

■ Pour lire le message sans envoyer la confirmation :

1. Faites un double-clic sur le message que vous avez disposé sur le bureau afin de le lire sans déclencher l'envoi de la confirmation.

2. Vous pourrez maintenant décider si vous voulez ouvrir ou non le message qui se trouve dans Outlook afin d'envoyer la confirmation.

893. Obtenir des réponses sous forme d'acceptation ou de refus

Vous pouvez envoyer un message comprenant des boutons de vote de façon à gérer facilement un référendum sans avoir à ouvrir chaque réponse reçue ni à chercher la réponse dans le corps du texte. Votre destinataire doit utiliser Outlook lui aussi.

1. Cliquez sur le bouton **Options** dans un nouveau message.

2. Cochez la case *Utiliser les boutons de vote* et choisissez dans la liste les votes possibles.

Vous pouvez modifier ceux qui existent ou en saisir d'autres. Les destinataires auront simplement à cliquer sur le bouton de leur choix.

3. Cliquez sur le bouton **Fermer**, complétez et envoyez votre message.

Les destinataires vous renverront automatiquement un message sous la forme "Nom du bouton : Objet" dans l'objet du message au lieu de "Re : Objet", en cliquant sur un des boutons. Ce qui permet de trier et de classer rapidement les réponses.

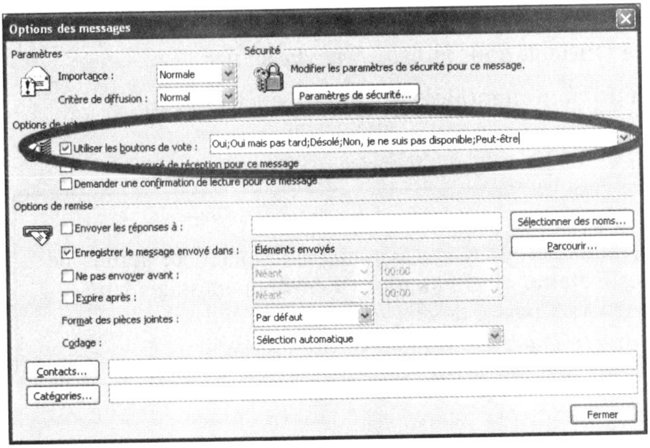

Figure 18.11 : *Répondre par un bouton*

Suivi du message

Un onglet supplémentaire nommé **Suivi** apparaîtra dans le message envoyé afin d'avoir une vision encore plus synthétique et rapide des réponses comptabilisées et des personnes qui n'ont pas encore répondu à votre demande.

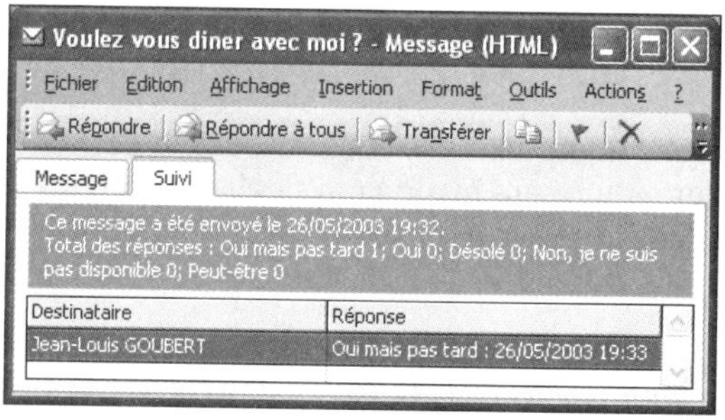

Figure 18.12 :
Suivi des réponses

894. Créer un modèle de message

Afin de ne pas refaire à chaque nouveau message toute la liste des destinataires ainsi que la partie fixe du texte d'un message, il est possible de définir un message en tant que modèle.

1. Créez un message et définissez toutes les données fixes à l'intérieur comme les destinataires, l'objet, le texte fixe, les options d'envoi, etc.

2. Cliquez sur le menu **Fichier**, puis sur la commande **Enregistrer sous**.

3. Choisissez **Modèle Outlook** dans la liste *Type du fichier*.

4. Saisissez le nom à donner au modèle et cliquez sur le bouton **Enregistrer**.

Ne pas confondre...

Ne confondez pas un modèle de message et un papier peint ; ce dernier ne contient pas les destinataires objet et options d'envoi du message. Un modèle de message est stocké dans le dossier *x:\Documents and Settings\[nom_d'utilisateur]\Application Data\Microsoft\Modèles*.

895. Utiliser un modèle de message

Pour ne pas avoir à refaire le même message plusieurs fois, il suffit d'utiliser un modèle et de le compléter avec les données variables. Le modèle restera vierge et réutilisable autant de fois que nécessaire.

1. Cliquez sur le menu **Fichier**, puis sur la commande **Nouveau** et enfin sur **Choisir un formulaire**.

2. Choisissez *Modèles dans le fichier système* dans la liste *Regarder dans*.

3. Cliquez sur le modèle à utiliser, puis sur le bouton **Ouvrir**.

4. Complétez et envoyez votre message, qui est déjà prérempli.

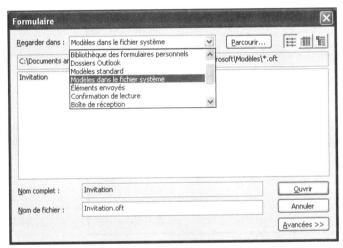

Figure 18.13 : *Choisissez un modèle*

896. Utiliser Word comme éditeur de message

L'éditeur de message d'Outlook dispose de peu de fonctionnalités, et il vous est peut-être plus aisé d'utiliser Word avec ses nombreuses possibilités comme, entre autres, un correcteur orthographique et grammatical direct.

1. Cliquez sur le menu **Outils**, puis sur la commande **Options**, et activez l'onglet **Format du courrier**.

2. Cochez la case *Utiliser Microsoft Office Word 2003 pour modifier des messages électroniques*.

3. Cliquez sur le bouton OK, et créez un nouveau message afin de paramétrer Word.

Dans Word :

1. Cliquez sur le menu **Outils**, puis sur la commande **Options**, et activez l'onglet **Général**.

2. Cliquez sur le bouton **Options de la messagerie**, et définissez les options que vous désirez.

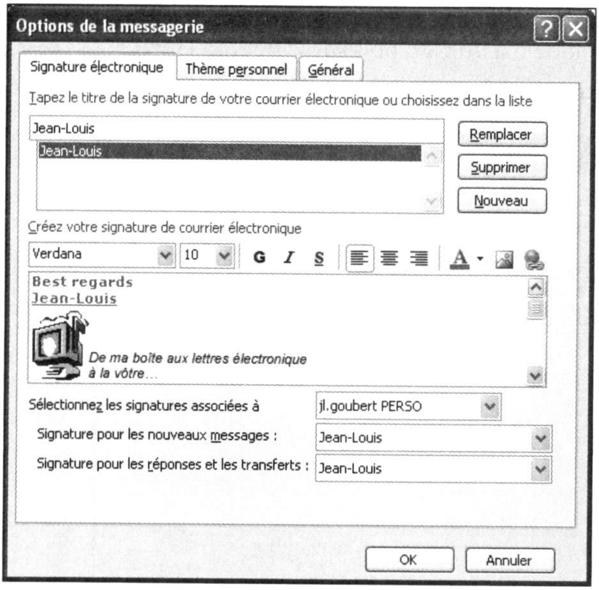

Figure 18.14 :
Options dans Word

897. Configurer un compte Hotmail ou MSN avec Outlook 2002 ou 2003

À partir de la version 2002, il est possible d'ajouter un compte de messagerie de type Hotmail ou MSN.

1. Cliquez sur le menu **Outils**, puis sur la commande **Compte de messagerie**.

2. Choisissez l'option *Ajouter un nouveau compte de messagerie*, puis cliquez sur le bouton **Suivant**.

3. Choisissez l'option *HTTP*, puis cliquez sur le bouton **Suivant**.

4. Dans la liste *Fournisseur de service de messagerie HTTP*, choisissez **MSN** ou **Hotmail** puis indiquez le reste des paramètres de votre compte de messagerie.

5. Cliquez sur le bouton **Suivant**, puis sur **Terminer**.

898. Configurer un compte Hotmail ou MSN avec Outlook 2000

La version 2000 d'Outlook ne permet pas de configurer directement un compte de type HTTP (Hotmail), mais il est possible d'utiliser l'astuce suivante pour passer outre.

Créer un dossier Hotmail

1. Cliquez sur le menu **Fichier**, **Nouveau** puis sur **Dossier**.

2. Saisissez le nom du dossier (par exemple Hotmail) et cliquez sur *Dossiers personnels* dans la liste *Emplacement*.

3. Cliquez sur le bouton OK pour terminer la création du dossier.

Afficher la page web de Hotmail

1. Si les dossiers ne sont pas visibles, cliquez sur le menu **Affichage**, puis sur **Liste des dossiers** pour afficher la liste des dossiers.

2. Cliquez du bouton droit sur le dossier précédemment créé (*Hotmail*), puis sur **Propriétés**.

3. Activez l'onglet **Page d'accueil** et, dans la zone adresse, saisissez http://www.hotmail.fr.

4. Cochez la case *Afficher par défaut la page d'accueil de ce dossier*, puis cliquez sur le bouton OK.

Vous accéderez directement à votre compte Hotmail en cliquant sur le dossier.

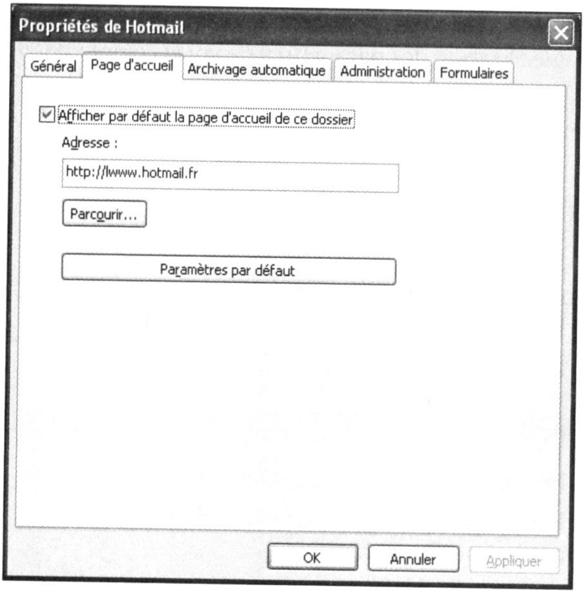

Figure 18.15 :
Hotmail avec Outlook 2000

899. Configurer un compte Laposte.net (ou POP before SMTP)

La Poste (www.laposte.net) vous offre gracieusement une boîte aux lettres indépendante de tout fournisseur d'accès, mais qui demande à ce que la réception se fasse avant l'envoi afin de vous identifier et donc d'autoriser l'envoi de courrier. Il est possible de définir ceci au lieu de faire deux fois l'envoi et la réception.

1. Cliquez sur le menu **Outils**, puis sur la commande **Compte de messagerie**.

2. Choisissez l'option *Afficher ou modifier les comptes de messagerie existants*, puis cliquez sur le bouton **Suivant**.

3. Choisissez le compte de **Laposte.net**, puis cliquez sur le bouton **Modifier**.

4. Cliquez sur le bouton **Paramètres supplémentaires**, puis activez l'onglet **Serveur sortant**.

5. Cochez la case *Mon serveur sortant (SMTP) requiert une authentification*.

6. Cliquez sur *Se connecter au serveur de courrier entrant avant d'envoyer le courrier*.

7. Cliquez sur les boutons OK, **Suivant**, puis sur **Terminer**.

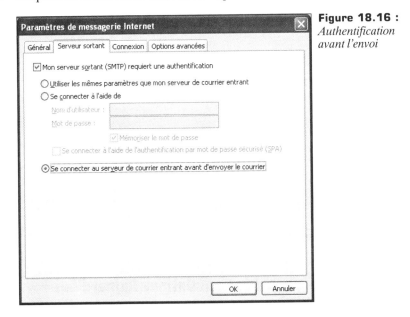

Figure 18.16 :
Authentification avant l'envoi

900. Choisir la page d'accueil Outlook Aujourd'hui

Vous pouvez remplacer la page d'accueil d'Outlook Aujourd'hui par un site ou une page HTML quelconque.

1. Cliquez du bouton droit sur **Dossier Personnel** ou **Outlook Aujourd'hui** et choisissez la commande **Propriétés**.

2. Activez l'onglet **Page d'accueil** et, dans la zone adresse, saisissez l'adresse du site à afficher ou la page HTML stockée sur votre disque dur ou votre intranet.

3. Cochez la case *Afficher par défaut la page d'accueil de ce dossier*, puis cliquez sur le bouton OK.

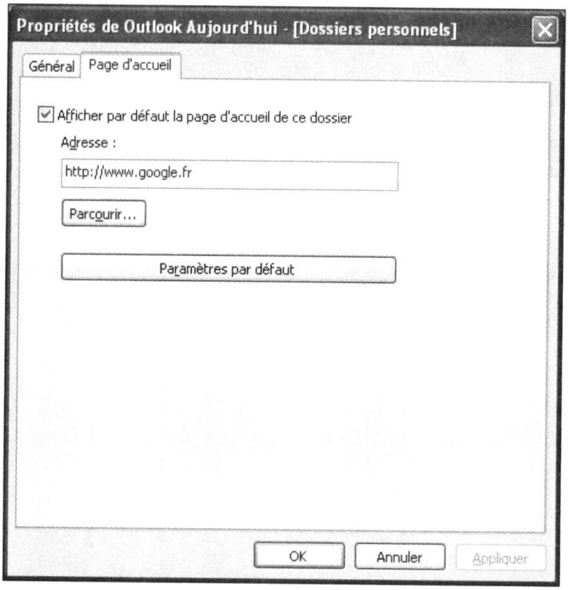

Figure 18.17 :
Choix de la page d'accueil

901. Choisir la page d'accueil Outlook Aujourd'hui (toutes versions)

Il est possible de créer sa propre page d'accueil en remplacement de celle de base d'Outlook. Pour ceci, plusieurs étapes sont nécessaires.

1. Créez votre page HTML avec un éditeur quelconque et enregistrez-la sur le disque dur.

2. Cliquez sur le bouton **Démarrer**, puis sur **Exécuter** (ou les touches (Windows)+(R)).

3. Dans la boîte de dialogue, saisissez regedit et cliquez sur le bouton OK.

4. Cliquez successivement sur les **+** devant les clés suivantes : *HKEY_CURRENT_USER*, *Software*, *Microsoft*, *Office*, *11.0*, *Outlook*, *Today*.

5. Cliquez sur le menu **Édition**, puis sur **Nouveau** et enfin **Valeur chaîne**.

6. Saisissez Url et appuyez sur la touche (Entrée).

7. Faites un double-clic sur *Url*, saisissez file: suivi de l'adresse de la page à afficher (par exemple file:c:\mapage.html) et appuyez sur la touche (Entrée).

8. Quittez l'Éditeur du registre et lancez Outlook pour vérifier le résultat.

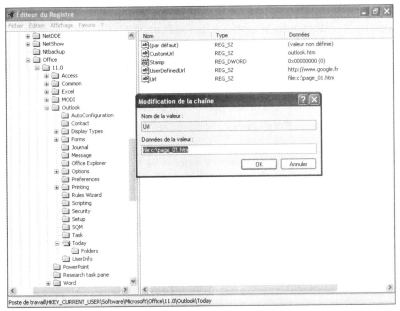

Figure 18.18 : *Modification du registre pour choisir sa page d'accueil*

REMARQUE

Version d'Outlook

Le nombre 11.0 correspond à la version 2003. Pour les autres versions : 10.0 correspond à Outlook 2002, 9.0 à Outlook 2000, 8.0 à Outlook 98 et 7.0 àOutlook 97

902. Personnaliser la page d'accueil Outlook Aujourd'hui

Vous pouvez modifier la page existante afin d'y ajouter certains items manquants. Pour ceci, rendez-vous aux adresses ci-dessous afin d'y télécharger les programmes et exemples qui permettent de personnaliser cette page.

Vous trouverez les programmes *OutToday.exe et OutExmpl.exe à l'adresse* www.microsoft.com/office/ork/2000/Appndx/toolbox.htm#outtoday.

Vous trouverez un complément d'information et une autre façon de faire à l'adresse www.kingnothing.com/archives/000027.php.

903. Jouer un "joli" son lorsque je reçois un message

Vous pouvez demander à Outlook de jouer un son à l'arrivée d'un message et ensuite de choisir ce son.

Demander un signal sonore à l'arrivée d'un message

1. Cliquez sur le menu **Outils**, puis sur la commande **Options**.

2. Activez l'onglet **Préférences** et cliquez sur le bouton **Options de la messagerie**.

3. Cliquez sur le bouton **Options avancées de la messagerie** puis cochez la case *Émettre un signal sonore à l'arrivée d'un nouveau courrier*.

4. Cliquez trois fois consécutivement sur les boutons OK.

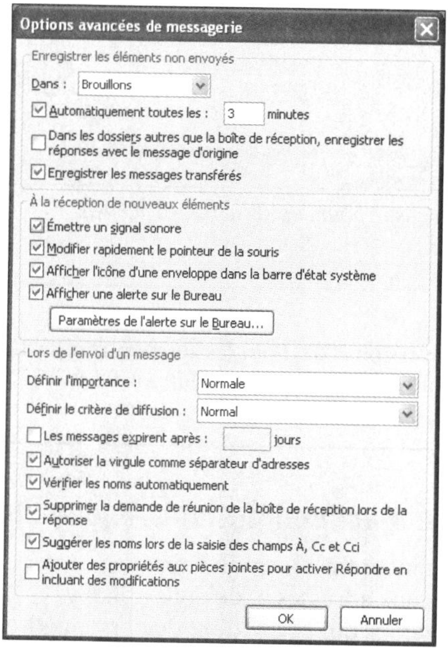

Figure 18.19 :
Notification d'arrivée

Choisir le son à jouer lors de l'arrivée d'un message

1. Cliquez sur le bouton **Démarrer**, puis sur **Panneau de configuration**.

2. Cliquez sur l'icône *Sons, voix et périphériques audio* puis sur l'icône *Sons et périphériques audio*.

3. Activez l'onglet **Sons** et choisissez *Avis de nouveau message* dans la liste *Événements*.

4. Choisissez le son à jouer dans la liste *Sons* ou cliquez sur le bouton **Parcourir** afin de sélectionner le fichier son à votre convenance.

5. Cliquez sur le bouton OK pour terminer.

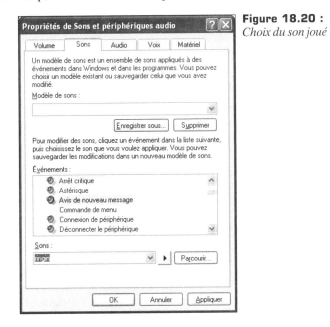

Figure 18.20 :
Choix du son joué

904. Créer un répondeur en cas d'absence

Il s'agit de faire d'Outlook un répondeur automatique afin de renseigner vos correspondants d'une indisponibilité ou de leur renvoyer un message générique. Attention, toutefois, car cette fonction renseignera les éventuels spammeurs de la validité de votre adresse. Voici les trois étapes à suivre afin de créer votre répondeur.

Créer le modèle de réponse type

1. Créez un message comme vous le feriez habituellement en mettant en forme votre réponse et l'objet du message, mais ne mettez pas de destinataire.

2. Cliquez sur le menu **Fichier**, et choisissez la commande **Enregistrer sous**.

3. Saisissez le nom à donner à votre modèle (par exemple Absence) et, dans la liste *Type de fichier*, choisissez *Modèle Outlook (*.oft)*.

4. Cliquez sur le bouton **Enregistrer**.

5. Pour terminer, fermez le message sans enregistrer car le modèle est déjà créé.

Créer la règle de message pour la réponse automatique

1. Cliquez sur le menu **Outils**, puis sur la commande **Règles et alertes**.

2. Cliquez sur le bouton **Nouvelle règle**, choisissez l'option *Démarrer à partir d'une règle vide* et cliquez sur le bouton **Suivant**.

3. Dans la boîte de dialogue **Quelles condition(s) voulez-vous vérifier ?**, ne cochez rien et cliquez sur le bouton **Suivant**. Cliquez sur le bouton **Oui** pour confirmer que la règle s'applique à tous les messages que vous recevrez.

4. Dans la boîte de dialogue **Que voulez-vous faire de ce message ?**, cochez la case *Répondre en utilisant un modèle spécifique*.

5. Dans la zone *Étape 2 : modifiez la description de la règle*, cliquez sur le lien *un modèle spécifique*.

6. Dans la liste *Regarder dans*, choisissez *Modèles dans le fichier système*, choisissez votre modèle (*Absence*) et cliquez sur le bouton **Ouvrir**.

7. Cliquez sur le bouton **Suivant**.

8. Indiquez éventuellement les exceptions que doit traiter Outlook et cliquez sur le bouton **Suivant**.

9. Saisissez le nom de la règle et cliquez sur le bouton **Terminer** puis sur OK.

Régler la connexion et la déconnexion automatiquement

Outlook 2002/2003 ne se connecte pas automatiquement à votre FAI pour vérifier l'arrivée de nouveaux messages. Cette procédure explique comment configurer Outlook pour se connecter automatiquement à celui-ci à intervalles réguliers afin de vérifier l'arrivée de nouveaux messages et couper cette connexion à la fin de la réception.

1. Cliquez sur le menu **Outils**, puis sur la commande **Options** et activez l'onglet **Messagerie**.

2. Cochez la case *Envoyer immédiatement une fois connecté*.

3. Cliquez sur le bouton **Envoyer/Recevoir**.

4. Dans la partie *Quand Outlook est hors connexion*, cochez les cases *Inclure ce groupe dans l'envoi/réception* et *Planifier un envoi/une réception automatique toutes les XX minutes*, puis définissez l'intervalle (XX) de temps.

5. Cliquez sur le bouton **Fermer**.

6. Sous *Connexion à distance*, cochez les cases *Composer automatiquement lors d'une opération Envoyer/recevoir en arrière-plan* et *Raccrocher à la fin d'une opération manuelle d'envoi ou de réception*.

7. Cliquez sur le bouton OK pour terminer.

Fiabilité douteuse de ce système

Pour être honnête, après de nombreux essais, il se révèle que le système de connexion/déconnexion n'est pas toujours très stable, et un problème lors de l'accès au serveur de messagerie peut empêcher Outlook de relever le courrier et de se déconnecter ! Vous risquez donc de garder votre connexion active pendant toute votre absence, ce qui peut être dramatique selon votre abonnement à Internet. De plus, vous devez encore régler votre ordinateur pour qu'il démarre seul, qu'il lance Outlook et qu'il s'arrête en fin de travail. Ou bien vous devez le laisser en fonctionnement tout le temps de votre absence. Avant de faire toute cette procédure, vérifiez que votre fournisseur Internet ne propose pas ce service gratuitement sur son site. Il ne vous en coûtera absolument rien sur votre forfait, et c'est totalement sûr !

Test impossible

Attention à ne pas vous envoyer un message pour tester votre procédure, vous vous feriez parvenir à vous-même le même message en boucle !

Effet boomerang

Si vous lancez cette procédure en oubliant que vous êtes abonné à des listes de diffusion, vous risquez à votre retour de retrouver votre boîte aux lettres saturée de vos propres réponses.

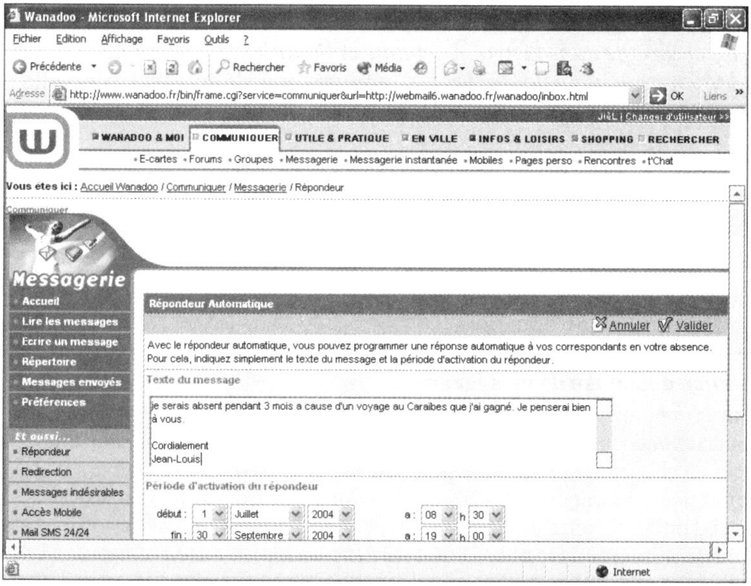

Figure 18.21 : *Répondeur automatique chez Wanadoo*

Figure 18.22 : *Répondeur automatique chez Netcourrier*

18.2 Connexions/déconnexions

905. Configurer la connexion à utiliser pour ses comptes de messagerie

Outlook 2002/2003 ne se connecte pas automatiquement à votre FAI pour vérifier l'arrivée de nouveaux messages. Cette procédure explique comment configurer Outlook pour se connecter automatiquement à celui-ci à intervalles réguliers afin de vérifier l'arrivée de nouveaux messages et couper cette connexion à la fin de la réception.

1. Cliquez sur le menu **Outils**, puis sur la commande **Comptes de messagerie**.

2. Activez *Afficher ou modifier les comptes de messagerie existants*, puis cliquez sur le bouton **Suivant**.

3. Choisissez le compte de messagerie voulu puis cliquez sur le bouton **Modifier**.

4. Cliquez sur le bouton **Paramètres supplémentaires**.

5. Activez l'onglet **Connexion** et choisissez l'option *Se connecter à l'aide de ma ligne téléphonique*.

6. Sélectionnez la connexion à utiliser dans la liste *Utiliser la connexion d'accès réseau à distance*.

7. Cliquez sur le bouton OK pour fermer la boîte de dialogue, puis sur **Suivant**.

8. Cliquez sur le bouton **Terminer** pour finir.

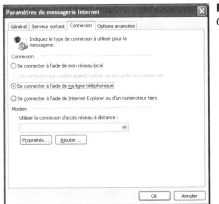

Figure 18.23 :
Connexion par comptes

906. Lancer/couper automatiquement la connexion à Internet

Outlook 2002/2003 ne se connecte pas automatiquement à votre FAI pour vérifier l'arrivée de nouveaux messages. Cette procédure explique comment configurer Outlook pour qu'il se connecte automatiquement à votre FAI à intervalles réguliers afin de vérifier l'arrivée de nouveaux messages et ensuite couper cette connexion à la fin de la réception.

1. Cliquez sur le menu **Outils**, puis sur la commande **Options** et activez l'onglet **Messagerie**.

2. Cochez la case *Envoyer immédiatement une fois connecté*.

3. Cliquez sur le bouton **Envoyer/Recevoir**.

4. Dans la partie *Quand Outlook est en ligne*, cochez la case *Planifier un envoi/une réception automatique toutes les XX minutes*, et définissez l'intervalle (XX) de temps.

5. Cliquez sur le bouton **Fermer**.

6. Sous *Connexion à distance* :

   – Cochez la case *Composer automatiquement lors d'une opération Envoyer/recevoir en arrière-plan*.

   – Cochez la case *Raccrocher à la fin d'une opération manuelle d'envoi ou de réception* pour couper automatiquement la connexion.

7. Cliquez sur le bouton OK pour terminer.

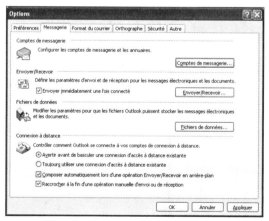

Figure 18.24 : *Connexion automatique*

907. Envoyer/relever le courrier à intervalles réguliers

Il est possible de demander à Outlook de relever ou d'envoyer le courrier à intervalles réguliers, surtout si vous avez une connexion permanente comme l'ADSL ou le câble.

1. Cliquez sur le menu **Outils**, puis sur la commande **Options** et activez l'onglet **Messagerie**.

2. Cliquez sur le bouton **Envoyer/Recevoir**.

3. Cochez la case *Planifier un envoi/une réception automatique toutes les XX minutes* dans la partie *Quand Outlook est en ligne*, et définissez l'intervalle (XX) de temps.

4. Cliquez sur le bouton **Fermer**.

5. Cliquez sur le bouton OK pour terminer.

908. Définir des groupes de comptes à relever

Vous pouvez créer des groupes de comptes afin de (par exemple) relever les messages professionnels et les messages personnels de façon différente ou de choisir pour certains comptes de ne pas télécharger la totalité des messages afin d'épurer les messages inopportuns avant de les recevoir, ce qui permet d'économiser du temps de connexion et de ne pas surcharger sa messagerie avec des SPAM inutiles.

1. Cliquez sur le menu **Outils**, **Envoyer/recevoir**, **Paramètres d'envoi/réception** et enfin sur **Définir les groupes d'envoi/réception**.

2. Cliquez sur le bouton **Nouveau**, donnez un nom au groupe et cliquez sur le bouton OK.

3. Pour chacun des comptes, cochez la case *Inclure le compte sélectionné dans ce groupe*.

4. Cochez une des cases d'options suivantes :

   ■ *Envoyer les éléments du courrier* si vous souhaitez utiliser ce compte pour l'envoi des messages ;

   ■ *Recevoir les éléments du courrier* si vous souhaitez utiliser ce compte pour la réception des messages ;

- *Télécharger les en-têtes uniquement* si vous désirez ne pas télécharger les messages mais juste l'en-tête de celui-ci, afin de choisir s'il doit être téléchargé entièrement ou supprimé sans être téléchargé ;

- ou *Télécharger l'élément complet* y compris les pièces jointes, pour lesquelles vous pourrez définir la taille maximale du message à télécharger automatiquement.

5. Cliquez sur le bouton OK pour terminer.

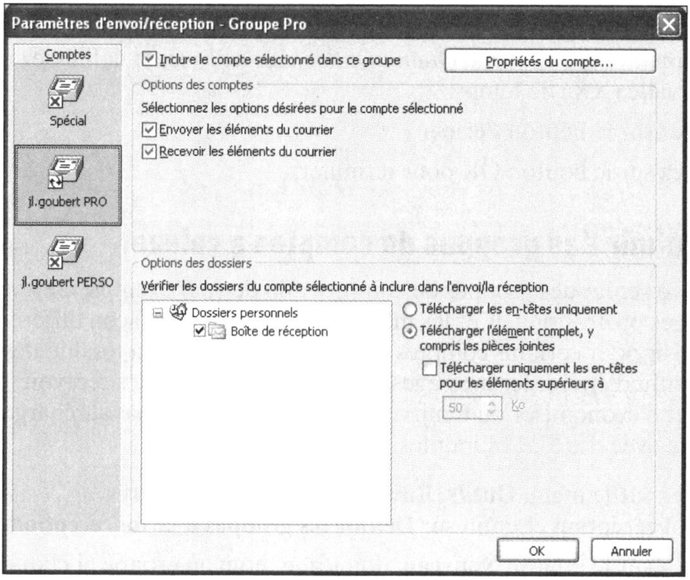

Figure 18.25 : *Groupes de comptes*

18.3 Messages

Dans cette partie, nous aborderons la gestion des messages et différentes astuces pour les gérer.

909. Créer un nouveau message à partir d'un message envoyé/reçu

Si vous désirez renvoyer un message précédemment envoyé sans être obligé de faire un copier/coller ni de le "transférer", Outlook vous propose de modifier un message et de le renvoyer comme s'il était neuf en changeant éventuellement les destinataires.

1. Ouvrez le message, cliquez sur le menu **Actions** puis sur la commande **Renvoyer ce message**.

2. Si vous n'étiez pas l'expéditeur original du message, confirmez votre action en cliquant sur le bouton **Oui**.

3. Complétez et envoyez ensuite ce message comme si vous l'aviez composé de A à Z.

910. Mettre une image en arrière-plan d'un message

Outlook vous offre la possibilité de mettre une image en remplacement du fond blanc du message.

1. Dans un nouveau message, cliquez sur le menu **Format**, puis sur la commande **Arrière-plan** et sur **Image** (**Motif et texture**, onglet **Image** si vous utilisez Word comme éditeur de message).

2. Cliquez sur le bouton **Parcourir** afin de localiser l'image sur votre disque. Cliquez sur le nom du fichier puis sur le bouton **Sélectionner**.

3. Cliquez sur le bouton OK.

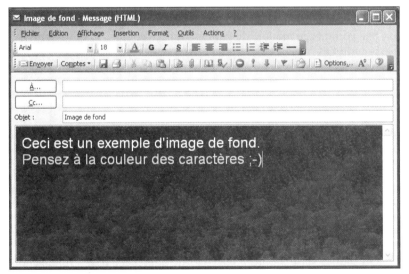

Figure 18.26 : *Image de fond*

Taille de l'image

Si l'image n'est pas assez grande, elle est répétée autant de fois qu'il y a de place.

Couleur de fond

Au lieu de mettre une image, vous pouvez aussi changer la couleur de fond par le menu **Format**, **Arrière-plan** puis **Couleur**.

911. Sélectionner un papier à lettres pour écrire un message

Un papier à lettres permet de définir un fond de message, une police et des "marges" pour écrire un message un peu plus agréable que le fond blanc et les polices standards.

1. Cliquez sur le menu **Action**, puis sur la commande **Nouveau message en utilisant**.

2. Choisissez alors l'un des derniers papiers à lettres utilisés ou cliquez sur **Davantage de papiers à lettres**.

3. Sélectionnez le modèle de papier à lettres voulu et cliquez sur le bouton OK.

912. Définir un papier à lettres par défaut pour tous les messages

Au lieu de choisir pour chaque message le papier à lettres à utiliser, vous pouvez le définir par défaut afin qu'il soit automatiquement actif pour chaque nouveau message.

1. Cliquez sur le menu **Outils**, la commande **Options**, puis sur l'onglet **Format du courrier**.

2. Choisissez le papier à lettres à utiliser dans la liste *Utiliser ce papier à lettres par défaut*.

   Ou cliquez sur le bouton **Sélecteur de papier à lettres** afin de choisir en affichant un aperçu du papier à lettres et cliquez sur le bouton OK pour valider votre choix.

3. Cliquez sur le bouton OK pour terminer.

913. Créer un papier à lettres à partir d'un message reçu

Si vous avez reçu un message (HTML) dont l'image de fond vous plaît, vous pouvez décider de le conserver en tant que papier à lettres.

1. Ouvrez le message en faisant un double-clic dessus.

2. Cliquez sur le menu **Fichier**, puis sur la commande **Enregistrer le papier à lettres**.

3. Saisissez le nom à donner à ce nouveau papier à lettres et cliquez sur le bouton OK.

4. Vous pouvez ensuite fermer votre message.

Figure 18.27 :
Récupération d'un papier à lettres

914. Créer un papier à lettres

Si vous utilisez le format HTML, vous pouvez créer un papier à lettres que vous pourrez ensuite utiliser pour envoyer vos messages.

1. Cliquez sur le menu **Outils**, puis sur la commande **Options**, et activez l'onglet **Format du courrier**.

2. Cliquez sur le bouton **Sélecteur de papier à lettres**, puis sur **Nouveau**.

3. Saisissez le nom de votre nouveau papier à lettres.

4. Sélectionnez la façon dont vous désirez créer ce papier à lettres :

■ *Démarrer avec un papier à lettres vierge* pour le créer de A à Z ;

- *Utiliser le papier à lettres existant comme modèle* pour choisir un exemple et l'adapter à votre goût ;

- *Utiliser ce fichier comme modèle* pour utiliser un fichier HTML comme base de papier à lettres.

5. Cliquez sur le bouton **Suivant**.

6. Sélectionnez la police à utiliser ainsi que l'image de fond ou la couleur voulue

7. Cliquez trois fois consécutivement sur les boutons OK.

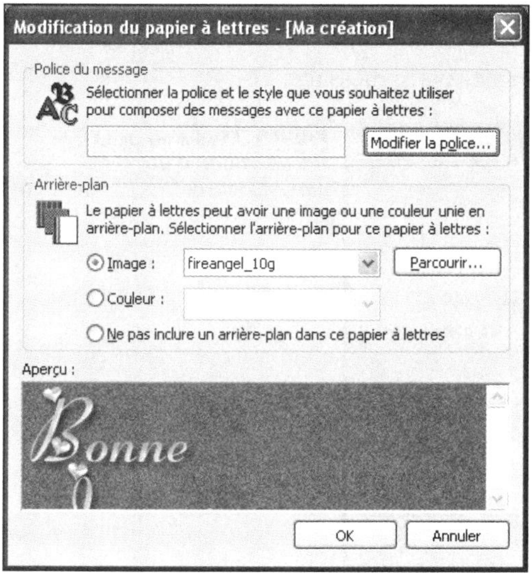

Figure 18.28 :
Création assistée

915. Écrire un message sans lancer Outlook

Si vous devez écrire rapidement un message et qu'Outlook est actuellement fermé, vous pouvez utiliser cette procédure :

1. Lancez l'explorateur Windows, ou Internet Explorer, ou encore ouvrez la boîte de dialogue **Exécuter** (touches [Windows]+[R]).

2. Dans la ligne *Adresse* (ou *Ouvrir*), saisissez mailto: (vous pouvez aussi tapez en plus l'adresse) et appuyez sur la touche [Entrée].

3. La fenêtre de composition de message s'ouvre sans lancer Outlook pour autant.

4. Complétez et envoyez ensuite ce message.

Figure 18.29 :
Création rapide d'un message

Envoi
Le message ne sera réellement envoyé que lors du lancement de la fonction d'envoi d'Outlook.

E-mail prédéfini
Vous pouvez aussi créer des raccourcis sur le bureau avec comme cible la commande **mailto:** suivie de l'adresse de votre correspondant. Un double-clic suffira à créer un nouveau message prérempli.

*Pour avoir la syntaxe complète, reportez-vous à la syntaxe Rédiger un lien **MAILTO** du chapitre **Messagerie Outlook Express.***

916. Rechercher les messages d'un même auteur

Lorsque vous recevez des messages, vous les classez peut-être par type ou par sujet, mais il peut être souhaitable d'afficher tous les messages d'un même auteur quel que soit le dossier dans lequel ces derniers se trouvent.

1. Choisissez un message dans la liste des messages.

2. Cliquez du bouton droit sur celui-ci et choisissez la commande **Rechercher tout**, puis **Message de l'expéditeur**.

3. Outlook affichera, dans une fenêtre **Recherche avancée**, seulement les messages de l'auteur que vous avez sélectionné.

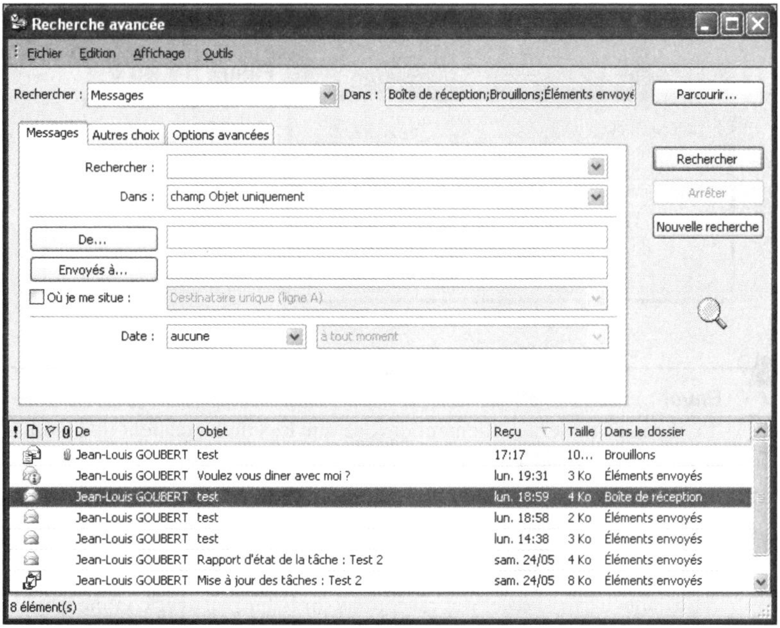

Figure 18.30 : *Liste des messages trouvés*

18.4 Pièces jointes

Lors de la réception ou même de l'envoi de messages, il arrive souvent que ceux-ci soient accompagnés par une pièce jointe. Vous trouverez dans cette partie comment gérer au mieux vos pièces jointes et aussi comment vous en débarrasser de la messagerie.

917. Insérer une image dans un message

Il est possible d'intégrer directement n'importe quelle image sans passer par une pièce jointe de façon qu'elle apparaisse dans le corps du message. Deux solutions sont possibles.

Par insertion

1. Dans un nouveau message, cliquez sur le menu **Insertion**, puis sur la commande **Image**.

2. Cliquez sur le bouton **Parcourir** afin de localiser l'image sur votre disque. Cliquez sur le nom du fichier puis sur le bouton **Ouvrir**.

3. Indiquez les options de mise en forme et de bordure puis cliquez sur le bouton OK.

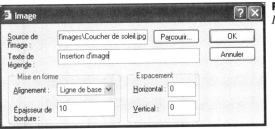

Figure 18.31 :
Insertion d'une image

Par collage

1. Sélectionnez dans un programme de dessin la partie de l'image que vous désirez intégrer dans le message et copiez-la.

2. Dans un nouveau message, placez le curseur où doit apparaître l'image.

3. Cliquez sur le menu **Édition** et choisissez la commande **Coller**.

Redimensionnement
Vous pouvez redimensionner l'image ainsi intégrée en faisant glisser les poignées qui apparaissent de chaque côté.

918. Insérer un élément d'Outlook dans un message

Vous pouvez insérer des éléments d'Outlook comme un rendez-vous, un message, une note ou encore un contact dans un message. Ce n'est pas la peine de l'enregistrer à part pour cela : Outlook vous donne la possibilité d'intégrer n'importe quel élément directement.

1. Dans un nouveau message, cliquez sur le menu **Insertion**, puis sur la commande **Élément**.

2. Choisissez le dossier contenant l'élément à attacher puis cliquez sur cet élément.

3. Cliquez sur le bouton OK.

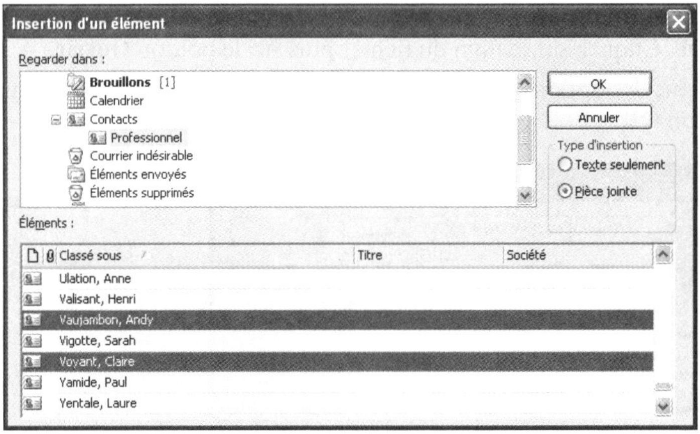

Figure 18.32 : *Envoi d'éléments d'Outlook en pièces jointes*

919. Enregistrer les pièces jointes sur le disque dur

Afin de pouvoir travailler sur le document que vous avez reçu, il est plus sage de l'enregistrer sur le disque afin qu'il soit disponible à partir de l'application qui permet sa consultation, son impression, sa modification, etc.

Une par une

1. Effectuez un clic droit sur la pièce jointe à enregistrer sur le disque et choisissez la commande **Enregistrer sous**. Ou cliquez deux fois sur la pièce jointe et cliquez sur le bouton **Enregistrer**.

2. Choisissez l'emplacement sur votre disque et saisissez éventuellement le nom à donner à ce document.

3. Cliquez sur le bouton **Enregistrer**.

Plusieurs à la fois

1. Ouvrez (en faisant un double-clic) le message contenant les pièces jointes que vous désirez enregistrer sur votre disque.

2. Cliquez sur le menu **Fichier**, puis sur la commande **Enregistrer les pièces jointes**.

3. Choisissez les pièces jointes à enregistrer et cliquez sur le bouton OK.

4. Choisissez l'emplacement sur votre disque et cliquez sur le bouton OK.

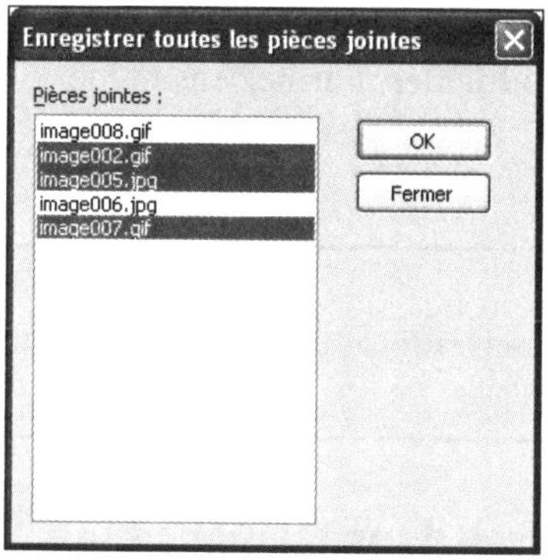

Figure 18.33 :
Choix des pièces jointes
à enregistrer

920. Imprimer une pièce jointe directement

Il n'est pas nécessaire d'ouvrir une pièce jointe pour l'imprimer, Outlook peut se charger de l'opération en passant le document au programme chargé de l'impression et fermer le programme.

1. Ouvrez le message et effectuez un clic droit sur la pièce jointe à imprimer.

2. Choisissez **Imprimer** et cliquez sur le bouton **Ouvrir** pour confirmer l'ouverture, suivie de l'impression du document dans le programme associé.

Besoin du programme associé

Outlook a besoin du programme associé au type de fichier que vous avez reçu. Le document sera ouvert, l'impression, lancée puis le programme, refermé.

921. Modifier une pièce jointe dans un message

Avec Outlook 2003, vous n'êtes pas obligé d'enregistrer les pièces jointes sur votre disque afin de les modifier. Vous pouvez directement faire les modifications avec le programme approprié et les enregistrer dans le document original. Attention, toutefois, vous ne conserverez pas la version de base que vous avez reçue !

1. Double-cliquez sur la pièce jointe et cliquez sur le bouton **Ouvrir** pour confirmer l'ouverture du document.

2. Modifiez le document à votre convenance, puis enregistrez-le par la commande **Enregistrer** dans le menu **Fichier**. Fermez ensuite le programme qui a été lancé.

Modification de l'original

En procédant comme ceci, vous ne conserverez pas de trace du document original qui vous a été envoyé.

---

922. Supprimer les pièces jointes dans un message

Lorsque vous recevez ou envoyez une pièce jointe, quoi que vous fassiez, vous la conservez dans votre messagerie, et la taille de votre fichier de messagerie grossit au fur et à mesure. Si vous n'avez pas besoin de la conserver dans votre messagerie, mais que vous désiriez conserver le message auquel le fichier était joint, vous pouvez simplement le supprimer du message.

1. Ouvrez le message, effectuez un clic droit sur la pièce jointe à supprimer et choisissez la commande **Supprimer**.

2. Fermez ensuite le message et confirmez le changement en cliquant sur le bouton **Oui**.

La taille du fichier de messagerie ne change pas !

Le fait de supprimer un message ne réduit pas la taille du fichier *.pst* qui contient ceux-ci, bien qu'ils ne soient plus accessibles. Vous devez compacter votre fichier afin de récupérer la place précédemment utilisée par le message et/ou sa pièce jointe.

18.5 Impression

923. Ne pas imprimer la liste des (nombreux) destinataires d'un message

Lorsque vous imprimez un message qui a été envoyé à de nombreux destinataires, une grande partie de l'impression est réservée aux adresses des destinataires. Il arrive, dans les cas extrêmes, que la liste soit plus longue que le message lui-même. Voici une méthode qui permet de ne pas imprimer la liste des destinataires tout en gardant l'expéditeur.

1. Ouvrez le message par un double-clic (l'aperçu de ce dernier ne permet pas cette manipulation).

2. Cliquez sur le menu **Actions**, puis sur la commande **Renvoyer ce message**.

3. Cliquez sur le bouton **Oui** pour confirmer l'ouverture du message en tant que nouveau.

4. Cliquez sur le menu **Fichier**, puis sur **Imprimer**.

5. Choisissez l'imprimante ainsi que les options d'impression et cliquez sur le bouton **Imprimer**.

6. Vous pouvez ensuite refermer le nouveau message sans l'enregistrer ainsi que le message original.

924. Modifier la police et la taille des caractères imprimés dans l'en-tête

Lors de l'impression d'un objet quelconque, il est possible de définir la taille et la police de caractères à utiliser dans l'en-tête de l'impression.

1. Sélectionnez les objets à imprimer.

2. Cliquez sur le menu **Fichier**, puis sur la commande **Imprimer**.

3. Choisissez le style à utiliser, puis cliquez sur le bouton **Mise en page**.

4. Cliquez sur le bouton **Police** de la partie que vous désirez modifier.

5. Choisissez ensuite la police, le style et la taille des caractères à utiliser, puis cliquez sur le bouton OK.

6. Cliquez sur le bouton OK pour terminer la mise en page.

7. Cliquez sur le bouton OK pour imprimer.

Ce n'est que temporaire
Cette manipulation est à effectuer à chaque impression.

925. Modifier la police et la taille des caractères imprimés

Lors de l'impression d'un message, il est possible que vous ayez envie ou besoin d'imprimer dans une police différente de celle qui a été choisie par votre expéditeur.

1. Ouvrez le message à modifier.

2. Cliquez sur le menu **Édition**, puis sur la commande **Modifier le message**.

3. Sélectionnez la partie du message à changer puis cliquez sur le menu **Format** et sur la commande **Police**.

4. Choisissez ensuite la police, le style, la taille et la couleur des caractères, puis cliquez sur le bouton OK.

5. Cliquez sur le menu **Fichier**, puis sur la commande **Imprimer**.

6. Définissez les paramètres d'impression et cliquez sur le bouton **Imprimer** pour lancer l'impression.

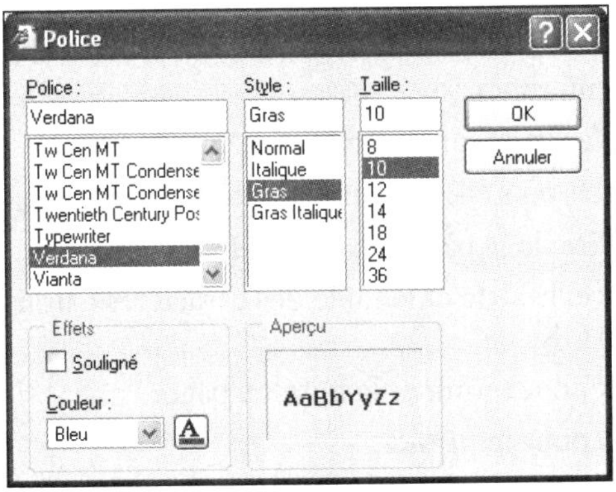

Figure 18.34 :
Choisissez la police d'impression

926. Imprimer une partie d'un message

Afin d'éviter d'imprimer la totalité d'un message qui peut tenir sur plusieurs pages, il est possible de n'imprimer que la partie "utile".

1. Ouvrez le message par un double-clic et sélectionnez avec la souris la partie à imprimer.

2. Cliquez sur le menu **Fichier** et sur la commande **Imprimer**.

3. Choisissez l'option *Sélection* dans la partie *Étendue de page*, puis cliquez sur le bouton **Imprimer**.

> **Ouverture du message obligatoire**
> Le volet d'aperçu du message ne permet pas de choisir l'option *Sélection* dans la boîte de dialogue **Imprimer**.

927. Imprimer tout ou partie du dossier Contacts

Il est possible d'imprimer certaines fiches contacts et de choisir le style d'impression.

1. Cliquez sur le dossier *Contacts* pour l'activer et sélectionnez les contacts à imprimer.

2. Cliquez sur le menu **Fichier** et sur la commande **Imprimer**.

3. Choisissez le *Style d'impression*, et l'option *Tous les éléments* ou *Éléments sélectionnés*.

4. Cliquez sur le bouton OK pour lancer l'impression ou sur le bouton **Aperçu** pour visualiser le résultat avant de l'imprimer.

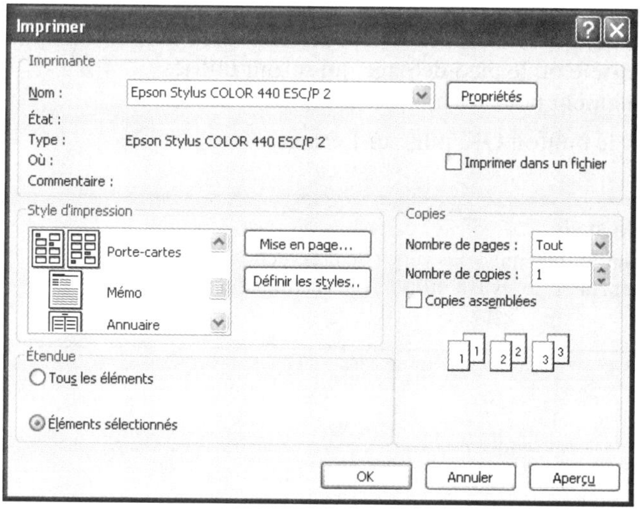

Figure 18.35 : *Imprimez une liste de contacts*

928. Imprimer une fiche du dossier Contacts

Au lieu d'imprimer un ensemble de fiches, vous pouvez avoir envie de n'imprimer que les données d'une seule fiche, mais complète.

1. Double-cliquez sur la fiche à imprimer afin de l'ouvrir.

2. Cliquez sur le menu **Fichier** et sur la commande **Imprimer**.

3. Cliquez sur le bouton OK pour lancer l'impression.

929. Créer un "style" d'impression

Il est possible de se créer son propre style d'impression pour chaque type de dossier Outlook. L'objectif étant de pouvoir choisir une mise en page sans être obligé de tout changer à chaque fois.

1. Choisissez le dossier pour lequel vous désirez créer un style d'impression (les styles sont attachés au type de dossier).

2. Cliquez sur le menu **Fichier**, puis sur la commande **Mise en page** et **Définir les styles d'impression**.

3. Choisissez un des styles existants, puis cliquez sur le bouton **Copier**, à moins que vous ne vouliez modifier les styles de base d'Outlook (non conseillé).

4. Saisissez le nom à donner à ce style, puis définissez ses paramètres comme l'en-tête ou le pied de page qui seront utilisés automatiquement pour les nouvelles impressions.

5. Cliquez sur le bouton OK, puis sur **Fermer**.

REMARQUE

Utiliser un style

Pour utiliser le style que vous venez de créer, choisissez dans le menu **Fichier/Imprimer**, le style à utiliser, puis cliquez sur le bouton OK ou **Aperçu**.

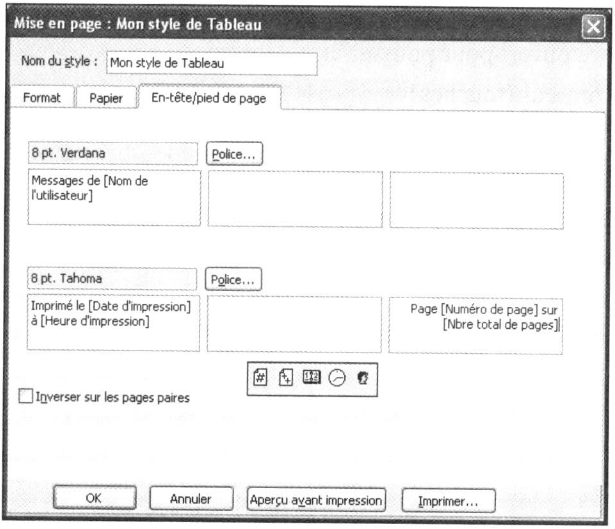

Figure 18.36 : *Une mise en page définitive*

18.6 Gérer les fichiers d'Outlook

930. Changer l'emplacement de stockage du fichier .pst d'Outlook

Afin d'automatiser les sauvegardes et d'organiser un peu mieux son disque dur pour regrouper les fichiers de données, il peut être nécessaire de définir un emplacement de stockage différent du fichier *.pst* d'Outlook. Pour ce faire, il suffit de déplacer ce dernier quand Outlook est fermé. Pour commencer, vous devez repérer où se trouve le fichier actuel, pour ne pas avoir à le chercher partout.

1. Cliquez tout d'abord sur le bouton **Liste des dossiers** en bas à gauche afin d'afficher les dossiers. Cliquez avec le bouton droit de la souris, sur le dossier *Dossier personnel* ou *Outlook Aujourd'hui*, et choisissez la commande **Propriétés de Outlook Aujourd'hui**.

2. Cliquez sur le bouton **Options avancées**.

3. Dans l'onglet **Général**, vous trouverez le nom et l'emplacement du fichier que vous pourrez sélectionner avec la souris ; copiez-le en appuyant sur les touches ⌈Ctrl⌋+⌈C⌋.

4. Refermez les boîtes de dialogue et quittez Outlook, car le fichier .*pst* ne doit pas être ouvert pour pouvoir être déplacé.

5. Lancez l'explorateur (touches [Windows]+[E]), collez le chemin (sans le nom de fichier) en appuyant sur les touches [Ctrl]+[V] dans la ligne d'adresse et appuyez sur la touche [Entrée] pour accéder directement à l'emplacement de stockage du fichier.

6. Coupez-le en cliquant du bouton droit sur le fichier .*pst* et collez-le dans le dossier que vous jugerez approprié.

7. Relancez Outlook. Ce dernier, ne trouvant plus son fichier de données, vous demandera de lui préciser le nouvel emplacement ou d'en créer un nouveau.

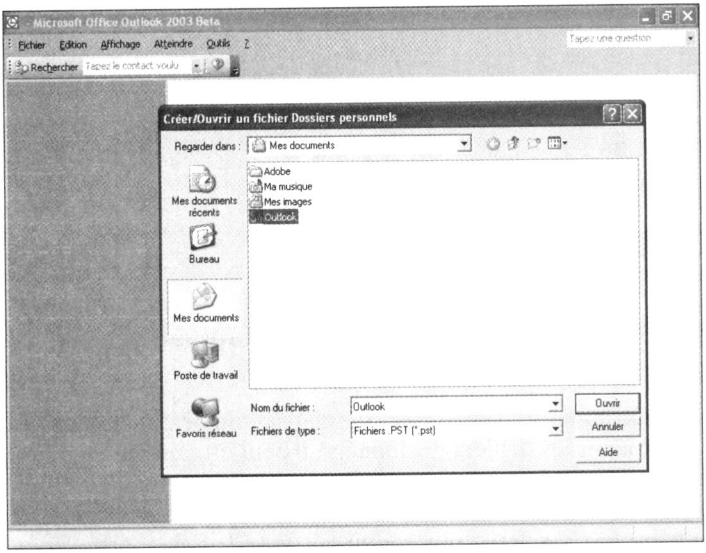

Figure 18.37 : *Déplacez le fichier .pst*

931. Réduire la taille du fichier .pst contenant les messages

Toujours dans un souci de gain de place et de rapidité de travail, il est recommandé de réduire la place occupée par les messages supprimés mais dont la "trace" reste présente dans le fichier .*pst*, ainsi que de réorganiser ce fichier comme on le fait pour son disque dur en le défragmentant régulièrement.

1. Cliquez sur le menu **Fichier**, puis sur **Gestion de fichier de données**.
2. Choisissez le dossier à compacter et cliquez sur le bouton **Paramètres**.
3. Cliquez sur le bouton **Compresser**.
4. Quand Outlook aura fini le compactage, cliquez sur le bouton OK, puis sur **Fermer**.

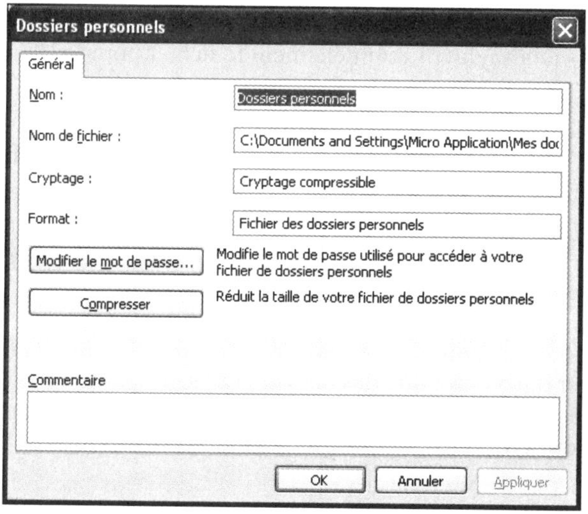

Figure 18.38 : *Déplacez le fichier .pst*

932. Paramétrer l'archivage automatique

Outlook peut, de façon régulière, alléger le fichier avec lequel vous travaillez en déplaçant certains anciens éléments que vous n'avez pas ouverts depuis un certain temps dans un fichier *.pst* d'archive que vous pouvez consulter pour y retrouver vos données.

1. Cliquez sur le menu **Outils**, puis sur **Options**.
2. Activez l'onglet **Autre** et cliquez sur le bouton **Archivage automatique**.

- Cochez la case *Archiver automatiquement tous les XX jours* et indiquez le nombre de jours entre deux archivages automatiques.

- Cochez la case *Demander avant l'exécution de l'archivage automatique* si vous désirez avoir une demande de confirmation avant d'archiver vos données automatiquement.

- Cochez la case *Supprimer les éléments arrivés à terme (dossiers de messageries uniquement)* pour supprimer sans archiver les messages dont la date d'expiration est dépassée.

- Cochez la case *Archiver ou supprimer les anciens éléments* pour accéder aux options d'archivage ou de suppression des éléments.

- Cochez la case *Afficher le dossier d'archivage dans la liste des dossiers* si vous voulez pouvoir consulter directement les archives, sinon il vous faudra ouvrir manuellement le fichier pour le consulter.

- Définissez le temps de conservation des éléments en indiquant le nombre et l'unité de temps *jours/semaines/mois* que vous choisirez dans la liste déroulante.

- Choisissez *Déplacer les anciens éléments vers* et indiquez un nom de fichier d'archives ou choisissez *Supprimer définitivement les anciens éléments* si vous ne voulez pas conserver trop de vieilleries.

3. Cliquez sur le bouton **Appliquer ces paramètres à tous les dossiers maintenant** pour que l'ensemble des dossiers utilise ce paramétrage. Par la suite, vous pourrez paramétrer différemment chaque dossier en affichant ses propriétés.

4. Cliquez deux fois sur le bouton OK.

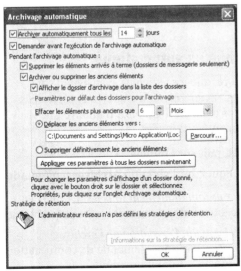

Figure 18.39 :
Paramétrage de l'archivage automatique

933. Ouvrir un fichier d'archive

Après avoir archivé certaines données, il peut être intéressant de visualiser ce qui a été archivé et/ou de faire des recherches sur d'anciennes données.

1. Cliquez sur le menu **Fichier**, puis sur la commande **Ouvrir** et enfin sur **Fichiers de données Outlook**.

2. Choisissez le dossier contenant le fichier *.pst* à ouvrir.

3. Cliquez sur le fichier puis sur le bouton OK.

ATTENTION

⚠️

Attention à l'attribut lecture seule

Le fichier *.pst* ne doit pas être sur un CD ni sur une unité réseau accessible seulement en lecture seule ; Outlook a besoin d'écrire dans ce fichier même si vous ne désirez que lire des données.

Vous devez donc désactiver l'attribut en copiant le fichier sur votre disque dur en utilisant l'Explorateur, faites un clic avec le bouton droit de la souris sur le fichier, puis cliquez sur **Propriétés** et décochez *Lecture seule* dans l'onglet **Général**.

---

934. Créer un dossier de classement

Afin d'ordonner vos données, il est important de créer des dossiers qui permettront de ranger, d'organiser vos données à l'intérieur du fichier *.pst*.

1. Cliquez sur le menu **Fichier**, puis sur la commande **Nouveau** et enfin sur **Dossier**.

2. Saisissez le nom à donner à ce dossier et définissez le type de donnée qu'il contiendra :

- *Calendrier*, pour avoir un autre dossier de calendrier afin de gérer plusieurs agendas ;

- *Contacts*, pour ranger à des endroits différents les contacts professionnels et personnels ;

- *Courrier*, pour créer des dossiers des différents types de courriers que vous envoyez ou recevez ;

- *Journal*, pour stocker tout ce qui est fait par une personne ou par une application (attention, c'est lourd et excessivement cher en ressources machine !) ;

- *Notes*, pour classer tous vos petits papiers sur une seule page au lieu de les avoir en vrac ;
- *Tâches*, pour définir des choses à faire ou faites dans différents domaines.

3. Choisissez ensuite le dossier dans lequel vous désirez créer le nouveau dossier et cliquez sur le bouton OK.

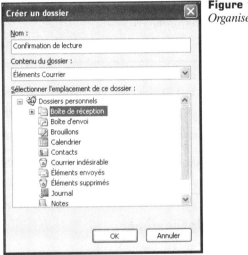

Figure 18.40 :
Organisez vos éléments

935. Gérer automatiquement les messages reçus ou envoyés

Il est possible et facile d'automatiser le classement des messages reçus ou envoyés en utilisant le gestionnaire des messages. Ce dernier vous assistera pour créer une règle qui s'appliquera à certains messages envoyés ou reçus qui correspondront à des critères que vous définirez.

1. Cliquez tout d'abord sur un dossier contenant des messages comme le dossier *Boîte de réception* afin d'activer une commande dans le menu **Outils** qui ne serait pas disponible si un autre type de dossier était sélectionné.

2. Cliquez sur le menu **Outils** puis sur la commande **Règles et alertes** et sur le bouton **Nouvelle règle**.

3. Choisissez l'assistant à utiliser ou cliquez sur *Démarrer à partir d'une règle vide* pour tout définir manuellement, puis cliquez sur le bouton **Suivant**.

4. Cochez la ou les conditions qui permettront de traiter les messages et, dans la partie basse de la boîte de dialogue, cliquez sur le mot souligné en bleu afin de définir le ou les critères d'application de la règle, puis cliquez sur le bouton **Suivant**.

5. Cochez les actions à exécuter lorsqu'un message répondra aux critères précédents et, dans la partie basse, cliquez sur le mot souligné en bleu afin de définir le ou les paramètres de l'action, puis cliquez sur le bouton **Suivant**.

6. Cochez (éventuellement) les exceptions qui agiront négativement sur la règle et, dans la partie basse, cliquez sur le mot souligné en bleu afin de définir le ou les paramètres de l'exception, puis cliquez sur le bouton **Suivant**.

7. Saisissez ensuite le nom à donner à votre règle et cochez ou décochez les options voulues, puis cliquez sur le bouton **Terminer** et, enfin, sur le bouton OK.

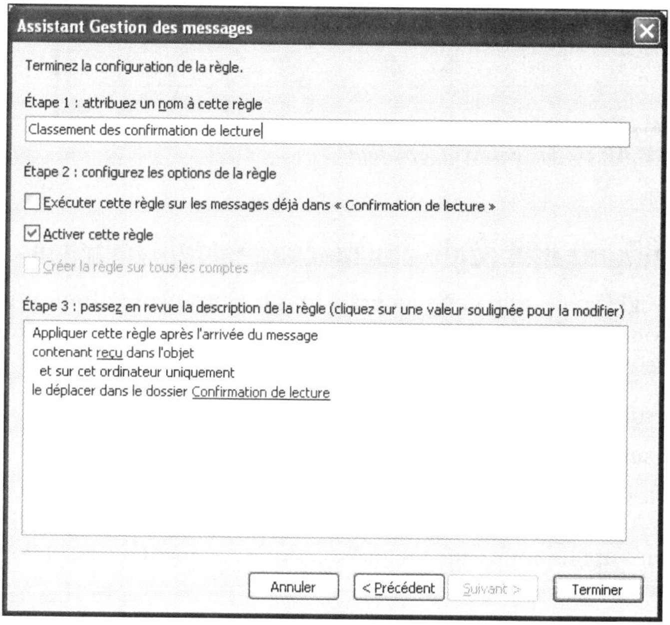

Figure 18.41 : *Classement automatique*

936. Créer une règle rapidement selon un message

Outlook peut vous permettre de créer rapidement une règle de gestion des messages selon le contenu d'un message.

1. Cliquez avec le bouton droit sur un message dans la liste et choisissez la commande **Créer une règle**.
2. Cochez la ou les conditions à appliquer ainsi que l'action ou les actions à exécuter.
3. Cliquez sur le bouton OK pour terminer la création de la règle.

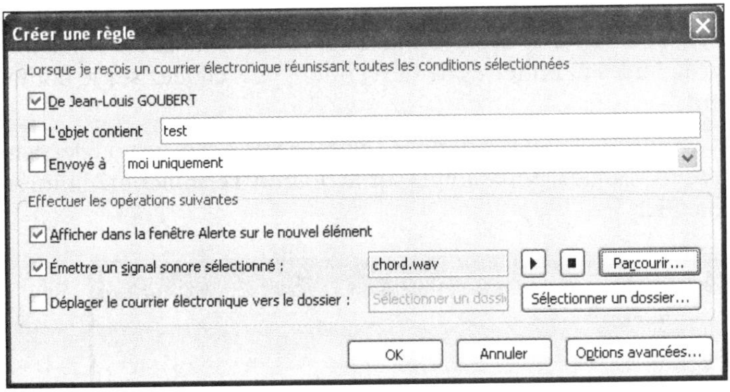

Figure 18.42 : *Classement automatique*

937. Appliquer une règle aux messages déjà chargés

Une fois la règle créée, elle s'appliquera à tous les messages entrants ou sortants, à condition d'avoir été activée. Il est possible d'appliquer à un instant T une règle précédemment créée (active ou non).

1. Cliquez sur le menu **Outils**, puis sur la commande **Règles et alertes**.
2. Cliquez sur le bouton **Exécuter**.
3. Cochez les règles à appliquer et définissez les options comme le dossier à utiliser, si les sous-dossiers doivent subir le traitement aussi et si la règle doit s'appliquer à tous les messages ou seulement à ceux qui sont lus ou non.
4. Cliquez sur le bouton **Exécuter**, puis sur le bouton **Fermer**.
5. Cliquez sur le bouton OK pour terminer.

18.7 Profil/sécurité

938. Définir plusieurs profils

Lorsque vous êtes plusieurs à utiliser le même Outlook ou que vous êtes connecté une fois au bureau et une fois chez vous sur des comptes différents, il peut être intéressant de créer ce que Outlook nomme des "profils" afin de bien séparer les différents comptes.

1. Cliquez sur le bouton **Démarrer**, puis sur **Panneau de configuration**.

2. Cliquez sur l'icône **Comptes utilisateurs**, puis sur *Courrier*.

3. Cliquez sur le bouton **Afficher les profils**.

4. Cliquez sur le bouton **Ajouter**, saisissez le nom à donner à ce nouveau profil et cliquez sur le bouton OK (Outlook vous demandera alors les paramètres du nouveau compte à créer dans ce nouveau profil).

5. Ou bien cliquez sur le bouton **Copier**, saisissez le nom à donner à la copie du profil choisi et cliquez sur le bouton OK.

6. Cliquez enfin sur le bouton OK pour terminer.

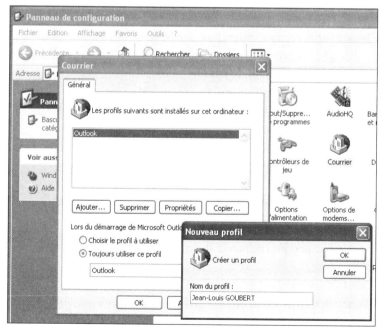

Figure 18.43 : *Partage d'Outlook entre plusieurs utilisateurs*

939. Choisir un profil au démarrage d'Outlook

Si vous avez défini plusieurs profils, vous pouvez demander à Outlook de vous proposer d'en choisir un au démarrage. Cette opération vous permettra d'annuler l'option du profil par défaut qui vous sera imposée systématiquement si vous l'avez cochée malencontreusement.

1. Cliquez sur le bouton **Démarrer**, puis sur **Panneau de configuration**.

2. Cliquez sur l'icône **Comptes utilisateurs**, puis sur *Courrier*.

3. Cliquez sur le bouton **Afficher les profils**.

4. Cliquez sur **Choisir le profil à utiliser** et sur le bouton OK pour terminer.

940. Restreindre l'accès à mon dossier par un mot de passe

Afin de préserver le caractère confidentiel de vos messages, vous pouvez demander à Outlook de protéger l'accès à votre dossier personnel par un mot de passe.

1. Cliquez sur le menu **Fichier**, puis sur **Gestion de fichier de données**.

2. Choisissez le dossier à protéger et cliquez sur le bouton **Paramètres** puis sur **Modifier le mot de passe**.

3. Ne saisissez rien dans la zone *Ancien mot de passe*.

4. Saisissez le mot de passe à affecter à l'ouverture du dossier dans la zone *Nouveau mot de passe*.

5. Saisissez à nouveau le mot de passe pour le confirmer dans la zone *Confirmer le mot de passe*.

Ne cochez pas...

... la case *Enregistrer ce mot de passe dans votre liste de mots de passe*, car il ne vous serait alors plus demandé au démarrage, et votre protection serait inutile.

6. Cliquez deux fois sur le bouton OK et sur **Fermer** pour terminer.

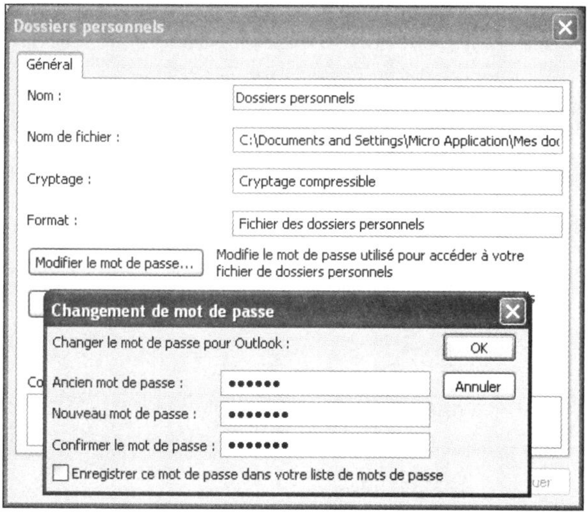

Figure 18.44 :
Protection par mot de passe

941. Autoriser la réception des pièces jointes "potentiellement sensibles"

Par précaution, Outlook interdit l'ouverture ou l'enregistrement de certains types de pièces jointes susceptibles de contenir un virus. Vous pouvez modifier cette liste afin d'autoriser ou d'interdire certains fichiers ou toutes les pièces jointes. Prenez alors vos précautions au moment de leur ouverture. Il existe trois solutions (au moins) pour résoudre ce problème.

- Pour Outlook 2002, vous pouvez télécharger le programme XPUnlock, disponible à l'adresse http://microsoft.supinfo.com/cd/outils/xpunlock, afin de choisir quelles extensions seront autorisées ou interdites (ceci avant d'ouvrir Outlook).

- Pour Outlook 2002/2003 ou Outlook 2000 avec le SP3, il existe un plug-in nommé "Attachment Options" qui ajoute un onglet dans le menu **Outils/Options** d'Outlook afin de modifier à la volée les types de fichiers à autoriser ou à interdire. Il est téléchargeable à l'adresse www .slovaktech.com/attachmentoptions.htm.

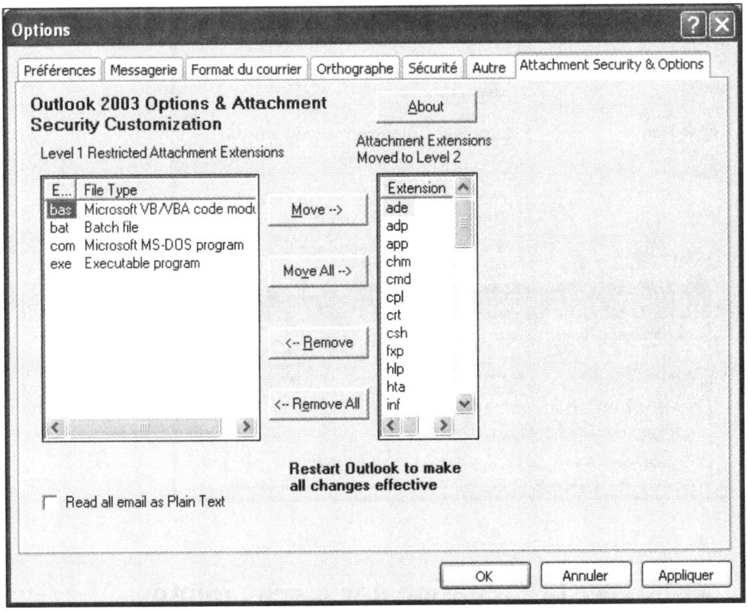

Figure 18.45 : *Modification de la sécurité des pièces jointes*

■ Il est aussi possible de modifier directement la base de registre comme ceci :

1. Cliquez sur le bouton **Démarrer**, puis sur **Exécuter** (ou sur les touches (Windows)+(R)).

2. Dans la boîte de dialogue, saisissez regedit et cliquez sur le bouton OK.

3. Cliquez successivement sur les **+** devant les clés suivantes : *HKEY_CURRENT_USER, Software\Microsoft, Office, 11.0, Outlook, Security.*

4. Cliquez sur le menu **Edition**, puis sur la commande **Nouveau** et sur **Valeur de la chaîne**.

5. Saisissez Level1Remove et appuyez sur la touche (Entrée).

6. Cliquez du bouton droit sur **Level1Remove** et choisissez **Modifier**.

7. Saisissez les extensions des types de fichiers auxquels vous désirez accéder, séparées par des points-virgules (par exemple .mdb;.mde).

8. Cliquez sur le bouton OK.

9. Fermez l'Éditeur du registre et redémarrez votre ordinateur pour que les modifications soient prises en compte.

Voici la liste des extensions bloquées par Outlook et leur signification.

Tableau 18-1 : Les fichiers potentiellement dangereux	
Extension	**Type de fichier**
.adp et *.ade*	Projet Microsoft Access et extension d'un projet Microsoft Access
.asx	Fichier audio/vidéo Windows Media
.bas	Module de classe Microsoft Visual Basic
.bat	Fichier de commandes
.chm	Fichier d'aide HTML compilé
.cmd	Script de commande Microsoft Windows NT/2000/XP
.com et *.exe*	Programme exécutable
.cpl	Extension d'un Panneau de configuration
.crt	Certificat de sécurité
.hlp	Fichier d'aide
.hta	Programme HTML
.inf	Informations d'installation
.ins	Service de noms Internet
.isp	Paramètres de communication Internet
.js et *.jse*	Fichier JScript
.lnk	Raccourci
.mdb et *.mde*	Base de données Microsoft Access
.msc	Document Microsoft Common Console
.msi et *.msp*	Correctif Microsoft Windows Installer
.mst	Fichier de transformation Microsoft Windows Installer ou fichier source Microsoft Visual Test

Tableau 18-1 : Les fichiers potentiellement dangereux

Extension	Type de fichier
.pcd	Image Photo CD ou Script compilé Microsoft Visual
.pif	Raccourci à un programme MS-DOS
.prf	Paramètres de profil Microsoft Outlook
.reg	Partie de la base de registre
.scf	Commande de l'explorateur Windows
.scr	Écran de veille
.shb et .shs	Objet Shell Scrap
.url	Raccourci Internet
.vb, .vbs et .vbe	Fichier de script VBScript
.wsc, .wsf, .sct et .whs	Composant Windows Script

942. Autoriser/interdire l'affichage des images et/ou l'activation du HTML

Certains messages en HTML peuvent contenir des scripts susceptibles de contenir des commandes malveillantes ou tout simplement des affichages pas forcément de bon goût. Afin d'éviter aussi que des spammeurs valident votre adresse en affichant simplement chez vous une image qui se trouve sur le Web, vous pouvez désactiver tout ceci afin de préserver votre intimité.

1. Cliquez sur le menu **Outils**, puis sur la commande **Options**.

2. Activez l'onglet **Préférences**, et cliquez sur le bouton **Options de la messagerie**.

3. Cochez la case *Lire tous les messages standard au format texte brut* afin de désactiver tout script HTML et cliquez sur le bouton OK.

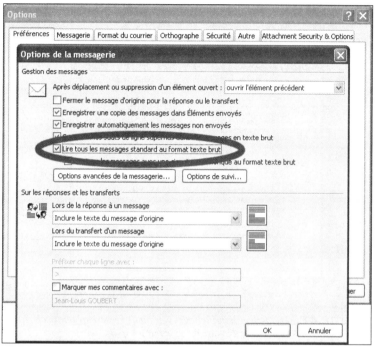

Figure 18.46 : *Désactivez le HTML*

4. Activez l'onglet **Sécurité** et cliquez sur le bouton **Modifier les paramètres de téléchargement automatique**.

5. Cochez ou décochez les cases permettant le téléchargement automatique, selon le niveau de sécurité que vous voulez obtenir, et cliquez sur le bouton OK.

6. Cliquez sur le bouton OK pour terminer.

Activation temporaire

Selon le message, vous aurez peut-être envie de l'afficher correctement ; pour ce faire, cliquez sur le bandeau gris "Pour protéger la confidentialité..." et choisissez la commande **Afficher le contenu bloqué**. Et/ou sur le bandeau "Ce message a été converti en texte brut" et choisissez la commande **Afficher en HTML**.

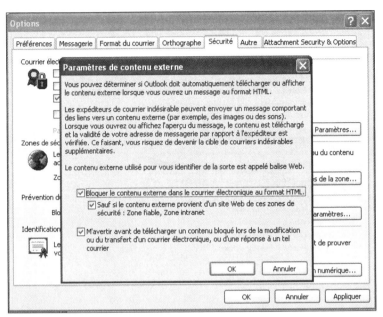

Figure 18.47 : *Désactivez les affichages venant de l'extérieur (empêche la validation de votre adresse par un spammeur)*

943. Afficher la source d'un message HTML

Lorsque vous recevez un message en HTML, Outlook ne propose pas de visualiser le code source complet du message. Il est toutefois possible de l'afficher en deux fois.

■ Pour voir le code HTML. Cliquez du bouton droit sur l'aperçu du message ou dans le message lui-même, et choisissez la commande **Afficher la source**.

■ Pour voir l'en-tête "Internet" du message. Cliquez du bouton droit sur le message dans la liste des messages, et choisissez la commande **Options**.

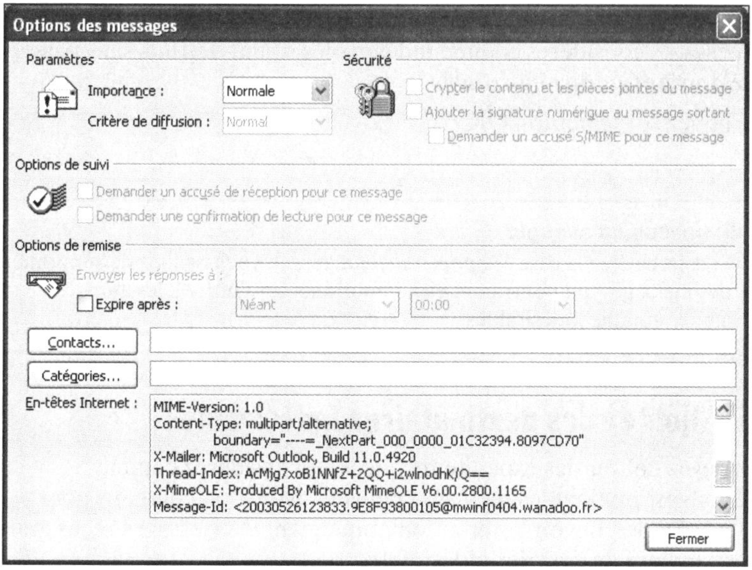

Figure 18.48 : *Voir l'en-tête d'un message*

944. Activer/paramétrer le filtre antispam d'Outlook 2003

Afin de limiter les messages non sollicités appelés spam, Outlook 2003 s'est doté d'une fonction de filtrage de ces messages que vous pouvez activer et paramétrer comme suit :

1. Cliquez sur le menu **Outils**, puis sur la commande **Options** et cliquez sur le bouton **Courrier indésirable**.

2. Activez l'onglet **Options** et choisissez le niveau de protection que vous voulez mettre en place :

   - *Aucun filtrage automatique*. Permet de désactiver le filtre.

   - *Faible*. Donne une protection minimale en excluant uniquement les adresses que vous avez désignées comme indésirables.

   - *Elevée*. Déplace tous les e-mails qui semblent être une pollution.

   - *Liste approuvées uniquement*. Autorise seulement les messages des personnes que vous avez autorisées en écartant sans discernement toutes les autres.

3. Cochez la case *Supprimer définitivement* si vous désirez que tous les messages considérés comme indésirables soient détruits sans passer par le dossier *Courrier indésirable*.

4. Cliquez sur le bouton OK.

Suppression aveugle

Si vous cochez la case *Supprimer définitivement*, vous risquez de supprimer des messages qui pourraient être importants car Outlook les aura considérés comme indésirables.

945. Ajouter des destinataires indésirables

Vous devez définir des expéditeurs que vous considérez comme "indésirables" ou dont les messages peuvent avoir des "contenus pour adultes" afin de pouvoir gérer automatiquement les messages reçus grâce au gestionnaire de courrier indésirable.

1. Cliquez avec le bouton droit sur un message.

2. Cliquez sur la commande **Courrier indésirable** puis **Ajouter l'expéditeur à la liste des expéditeurs bloqués**.

En cas d'erreur

Si vous avez défini par erreur un expéditeur comme indésirable, vous pouvez le supprimer de la liste en suivant l'astuce ci-dessous, *Supprimer/modifier des destinataires indésirables de la liste*.

946. Supprimer/modifier des destinataires indésirables de la liste

Il est possible que vous ayez ajouté par erreur une personne dans la liste des indésirables ou qu'une personne ait changé d'adresse. Il vous faut alors rectifier cette liste.

1. Cliquez sur le menu **Outils**, puis sur la commande **Options** et cliquez sur le bouton **Courrier indésirable**.

2. Activez l'onglet **Expéditeurs bloqués**.

3. Choisissez l'utilisateur à supprimer ou à modifier et cliquez sur le bouton **Modifier** pour changer l'adresse de ce dernier ou **Supprimer** pour l'enlever de la liste.

4. Cliquez sur le bouton OK.

947. Exporter/importer une liste d'expéditeurs indésirables

Vous pouvez conserver la liste des expéditeurs indésirables que vous avez patiemment élaborée pour l'intégrer sur un autre poste ou intégrer une liste que l'on vous a donnée.

Exporter

1. Cliquez sur le menu **Outils**, puis sur la commande **Options** et cliquez sur le bouton **Courrier indésirable**.

2. Activez l'onglet **Expéditeurs bloqués**.

3. Cliquez sur le bouton **Exporter vers un fichier**, saisissez le nom du fichier à créer et choisissez son emplacement. Cliquez sur le bouton **Enregistrer**.

4. Cliquez deux fois sur le bouton OK pour terminer.

Importer

1. Cliquez sur le menu **Outils**, puis sur la commande **Options** et cliquez sur le bouton **Courrier indésirable**.

2. Activez l'onglet **Expéditeurs bloqués**.

3. Cliquez sur le bouton **Importer depuis un fichier**, choisissez l'emplacement et le fichier. Cliquez sur le bouton **Ouvrir**.

4. Cliquez deux fois sur le bouton OK pour terminer.

948. Ajouter des expéditeurs de confiance

Outlook risque de considérer qu'un message de liste de diffusion, par exemple, est un courrier indésirable. Pour éviter cela, vous devez ajouter les expéditeurs de confiance afin de ne pas mettre leurs messages dans le dossier *Courrier indésirable*.

1. Cliquez du bouton droit sur un message qu'Outlook a ajouté dans les messages indésirables.

2. Cliquez sur la commande **Courrier indésirable** puis **Ajouter l'expéditeur à la liste des expéditeurs approuvés**.

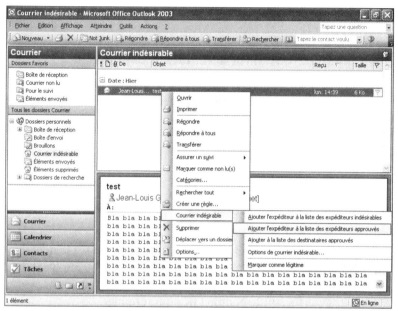

Figure 18.49 : *Expéditeur de confiance*

18.8 Erreurs et problèmes

949. Débloquer la boîte d'envoi

Suite à un problème de taille de message ou de configuration non valide, le dossier *Boîte d'envoi* peut être bloqué avec un message trop gros qui ne peut pas partir et qui bloque tous les autres envois.

Il y a plusieurs raisons pour qu'un message reste bloqué dans la boîte d'envoi, et l'une d'elles est la suppression d'un compte avec lequel vous aviez reçu le message. Étant donné qu'Outlook répond avec le compte qui a reçu le message, si ce dernier n'est plus dans la liste des comptes, le message restera bloqué indéfiniment dans la boîte d'envoi. Pour résoudre ce problème, déplacez le message dans un autre dossier, copiez le contenu et créez un nouveau message dans lequel vous collerez la copie.

Si le problème n'est pas celui-ci et que vous ne puissiez pas déplacer ni supprimer le message fautif, voici une autre solution, plus radicale :

1. Cliquez sur le menu **Outils**, puis sur la commande **Comptes de messagerie**.

2. Choisissez l'option *Afficher ou modifier les comptes de messagerie existants*, puis cliquez sur le bouton **Suivant**.

3. Cliquez sur le bouton **Nouveau fichier de données Outlook**.

4. Saisissez le nom du fichier à créer et choisissez son emplacement sur le disque dur, puis cliquez sur le bouton OK.

Important

Dans l'étape suivante, vous devez donner un nom autre que "Dossiers personnels" afin de pouvoir le différencier de l'existant qui pose problème.

5. Dans la zone *nom* de la boîte de dialogue **Création de dossiers personnels Microsoft**, saisissez le nom à afficher dans la liste des dossiers d'Outlook et cliquez sur le bouton OK.

6. Dans la liste *Remettre le nouveau courrier à l'emplacement suivant*, choisissez le dossier que vous venez de créer et cliquez sur le bouton **Terminer**.

7. Fermez ensuite Outlook puis redémarrez-le afin de prendre en compte les changements.

8. Copiez le contenu de tous les dossiers dans le nouveau fichier, à l'exception du dossier *Boîte d'envoi*.

Figure 18.50 :
Création d'un autre dossier

950. Effacer un message bloqué sur le serveur

Si un message bloque votre boîte aux lettres en réception, il va empêcher toutes les autres réceptions. Vous devez donc supprimer le message incriminé. La solution la plus efficace est de supprimer le message qui bloque la réception des autres en passant par le site de votre fournisseur d'accès à Internet. La procédure est différente pour chaque FAI ; contactez le votre pour plus d'informations ou utilisez un site comme **www.meloo.com**, qui vous permet de consulter n'importe quelle messagerie (ou presque) à partir de votre navigateur.

Une seconde solution est d'empêcher le téléchargement des messages trop volumineux (si c'est cela qui pose un problème) directement à partir d'Outlook. Mais cette solution ne débloquera pas vraiment la situation, elle ne fera que passer à côté temporairement.

1. Cliquez sur le menu **Outils**, **Envoyer/recevoir**, **Paramètres d'envoi/réception** puis sur **Définir les groupes d'envoi/réception**.

2. Choisissez le groupe *Tous les comptes* et cliquez sur le bouton **Modifier**.

3. Cliquez sur le compte à modifier puis cochez la case *Télécharger uniquement les en-têtes pour les éléments supérieurs à* et définissez la taille maximale.

4. Cliquez sur le bouton OK puis sur **Fermer** pour terminer.

951. Pourquoi le même contact est affiché plusieurs fois dans le carnet d'adresses ?

Si vous avez indiqué plusieurs adresses de messagerie pour un même contact, mais aussi si vous avez indiqué un numéro de fax (même si vous n'utilisez pas le service fax, qui requiert un modem pour la ligne téléphonique), Outlook affichera autant de fois le contact qu'il y a d'adresses différentes.

Vous devez donc utiliser la barre de défilement horizontale afin de voir à quelle adresse vous allez envoyer votre message, en espérant qu'une prochaine version permette de filtrer les numéros de fax. Pour contourner ce problème, il suffit, si vous n'utilisez pas l'envoi de fax, de mettre le numéro de fax dans une autre zone.

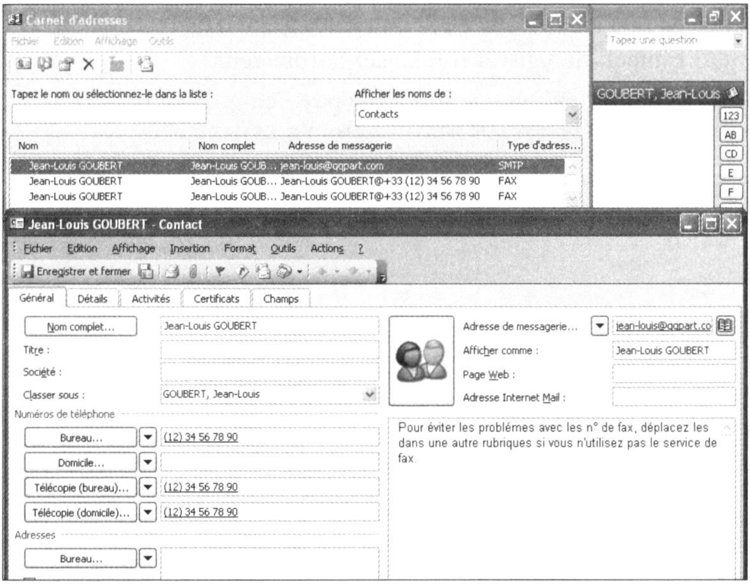

Figure 18.51 : *Affichage multiple dans le carnet d'adresses*

952. Outlook ne retient pas le mot de passe de mes comptes de messagerie

Il existe un problème reconnu par Microsoft au sujet des mots de passe, qui ne sont pas conservés d'une fois sur l'autre. C'est un problème qui touche les utilisateurs de Windows 2000 et de Windows XP. Voici sa solution :

1. Quittez tout d'abord Outlook et fermez de préférence les autres programmes.

2. Cliquez sur le bouton **Démarrer**, puis sur **Exécuter** (ou sur les touches Windows+R).

3. Dans la boîte de dialogue, saisissez regedit et cliquez sur le bouton OK.

4. Cliquez successivement sur les **+** devant les clés suivantes : *HKEY_CURRENT_USER*, *Software*, *Microsoft*, *Protected Storage System Provider*.

5. Cliquez du bouton droit sur la clé qui ressemble à *S-1-5-21-1234567890-1234567890-123456789-1234* et choisissez la commande **Supprimer**.

6. Confirmez la suppression en cliquant sur le bouton **Oui**.

7. Quittez l'Éditeur du registre et relancez l'ordinateur.

8. Lancez Outlook et indiquez vos mots de passe en cochant la case *Mémoriser le mot de passe*. Ils ne vous seront plus demandés.

Figure 18.52 : *Suppression de la clé fautive*

Retour en arrière

Attention, il est possible que cette opération soit dangereuse, car une simple erreur dans la base de registre peut empêcher votre système de fonctionner. Il est donc conseillé de sauvegarder la base de registre avant toute manipulation afin de pouvoir la restaurer en cas de problème.

18.9 Carnet d'adresses

Outlook peut utiliser au moins trois carnets d'adresses différents. Le carnet d'adresses "global" est disponible si vous utilisez un serveur Exchange ; il vous donne donc accès à toutes les adresses connues par le serveur. Le dossier *Contacts* contient vos adresses personnelles, qui sont intégrées au fichier *.pst* d'Outlook contenant toutes les données. Et, enfin, le carnet d'adresses "personnel", qui est un fichier à part *.pab* qui contient lui aussi des adresses avec un peu moins d'informations que le dossier *Contacts*, mais qui est facilement transportable d'un poste à l'autre ; il suffit de copier le fichier *.pab*. Ce dernier n'est pas installé d'office, mais vous pouvez l'ajouter.

Reportez-vous à l'astuce **Ajouter le carnet d'adresses personnel** *de ce chapitre.*

953. Compléter la saisie d'un nom manuellement

Lorsque le nom d'un contact est saisi pour la première fois, Outlook ne complète pas automatiquement cette saisie. Afin de ne pas avoir à rechercher manuellement dans les carnets d'adresses, appuyez sur les touches Ctrl+K ou cliquez sur le bouton **Vérifier les noms**. Si une correspondance unique est trouvée dans un des carnets d'adresses, le nom est souligné. Si Outlook a plusieurs possibilités, un trait rouge ondulé apparaît sous le nom. Cliquez du bouton droit sur le nom pour afficher la liste des noms possibles. Sachez quand même qu'Outlook fera une vérification automatique lors de l'envoi du message si vous ne l'avez pas faite manuellement.

954. Compléter la saisie d'un nom automatiquement

Outlook conserve les adresses de messagerie que vous saisissez dans les champs *À*, *Cc* et *Cci*. Ce qui veut dire que, la première fois que vous utilisez une adresse, celle-ci ne pourra pas se compléter automatiquement comme c'est le cas sur Outlook Express. Lorsque vous commencez la saisie d'une adresse de messagerie précédemment utilisée, Outlook la reconnaît automatiquement, si la saisie automatique est active, et la complète pour vous. Pour accepter une suggestion, appuyez sur la touche Entrée.

Pour les adresses de messagerie dont les trois premiers caractères sont identiques, Outlook fournit toutes les suggestions applicables dans la zone de liste déroulante. Utilisez les touches Flèche haut et Flèche bas pour sélectionner la bonne adresse, puis appuyez sur la touche Entrée.

Pour supprimer des adresses erronées dans la zone de liste déroulante, utilisez les touches Flèche haut et Flèche bas pour sélectionner l'adresse erronée, puis appuyez sur la touche Suppr.

955. Activer/désactiver la suggestion des adresses de messagerie

Selon vos désirs, vous pouvez activer ou désactiver la fonction de saisie semi-automatique des adresses, qui permet à Outlook de compléter ou non automatiquement les adresses saisies.

1. Cliquez sur le menu **Outils**, puis sur la commande **Options**.

2. Cliquez sur le bouton **Options de la messagerie**, puis sur **Options avancées de messagerie**.

3. Cochez/décochez la case *Suggérer les noms lors de la saisie des champs À, Cc et Cci*.

4. Cliquez trois fois sur le bouton OK pour terminer.

956. Supprimer tous les noms suggérés

Si vous avez de nombreux noms qui ont été saisis et complétés par Outlook et que plusieurs sont devenus erronés, il est sûrement plus simple de réinitialiser la liste des noms plutôt que d'essayer de les supprimer un par un.

1. Quittez Outlook.

2. Démarrez le programme de recherche de Windows par le bouton **Démarrer** puis **Recherche** (ou les touches [Windows]+[F]).

3. Cliquez sur le lien *tous les fichiers et tous les dossiers* dans la partie gauche.

4. Saisissez *.nk2 dans la zone *Une partie ou l'ensemble du nom de fichier*.

5. Sélectionnez votre disque dur dans la zone *Rechercher dans* ou cliquez sur le bouton **Parcourir** afin de choisir le dossier *Documents and setting* puis votre nom, pour accélérer la recherche.

6. Cliquez sur le bouton **Options avancées**, et cochez les cases *Rechercher dans les fichiers et les dossiers cachés* et *Rechercher dans les sous-dossiers*.

7. Cliquez sur le bouton **Rechercher** pour lancer la recherche.

8. Renommez ou supprimez ensuite le fichier trouvé puis quittez le programme de recherche.

9. Redémarrez Outlook pour vérifier que la saisie automatique est bien vierge.

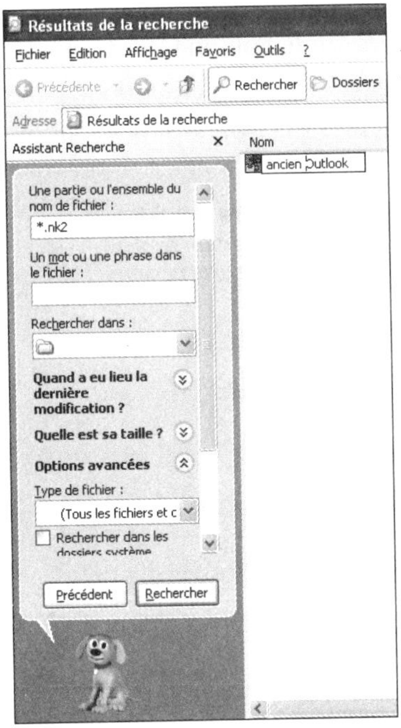

Figure 18.53 :
Recherche du fichier des noms automatiques

REMARQUE

Emplacement
Votre fichier doit se trouver à *C:\Documents and Settings\[nom_d'utilisateur]\Application Data\Microsoft*. Son nom est *Outlook.nk2*.

---

957. Ajouter le carnet d'adresses personnel

Afin de transporter facilement les adresses d'un poste à l'autre, vous pouvez enregistrer celle-ci dans un fichier spécial nommé *.pab*, pour Personnal Adress Books.

1. Cliquez sur le menu **Outils**, puis sur la commande **Comptes de messagerie**.

2. Choisissez l'option *Ajouter un nouvel annuaire ou carnet d'adresses* et cliquez sur le bouton **Suivant**.

3. Cliquez sur **Carnet d'adresses personnel**, puis sur le bouton **Suivant**.

4. Saisissez le nom du carnet d'adresses et indiquez son emplacement de stockage sur le disque dur, puis cliquez sur le bouton OK.

5. Un message vous avertira que vous devez redémarrer Outlook pour que le nouveau carnet d'adresses soit pris en compte. Cliquez sur le bouton OK et relancez Outlook.

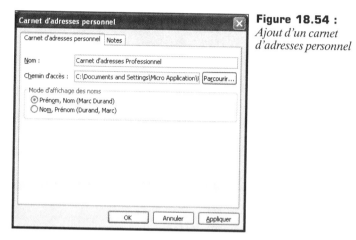

Figure 18.54 :
Ajout d'un carnet d'adresses personnel

958. Ajouter un dossier Contacts et l'afficher dans le carnet d'adresses

Afin de différencier les contacts personnels des contacts professionnels (par exemple), vous pouvez créer autant de carnets d'adresses que vous le désirez et afficher ceux-ci dans la liste des carnets d'adresses afin de choisir plus rapidement un contact déjà classé dans un de ces dossiers.

1. Cliquez sur le menu **Fichier**, puis sur la commande **Nouveau** et sur **Dossier**.

2. Saisissez le nom du dossier ("professionnel", par exemple), cliquez sur *Éléments contacts* dans la liste *Contenu du dossier*, et indiquez l'emplacement dans la liste des dossiers.

3. Cliquez sur le bouton OK pour terminer la création du dossier.

4. Cliquez du bouton droit sur le dossier précédemment créé (**Professionnel**), puis sur **Propriétés**.

5. Activez l'onglet **Carnet d'adresses Outlook**, et cochez la case *Afficher ce dossier sous forme de carnet d'adresses de messagerie*.

6. Cliquez sur le bouton OK pour terminer.

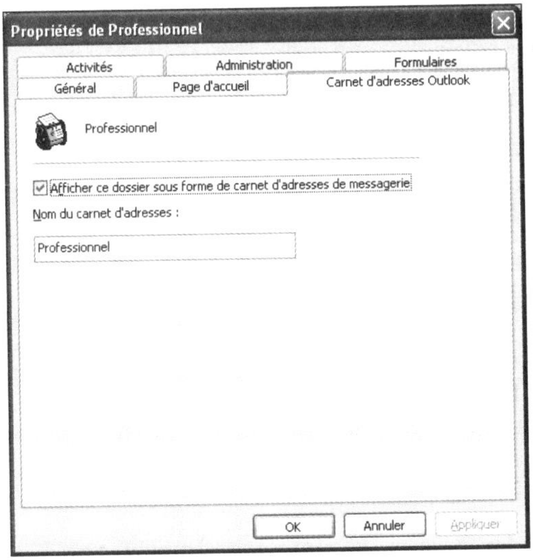

Figure 18.55 :
Ajout d'un dossier contact

Choix du dossier

Le nouveau dossier fera désormais partie de la liste des adresses à afficher lors de l'utilisation du carnet d'adresses ; il vous suffira de le choisir dans la liste des différents dossiers.

959. Exporter les contacts pour les utiliser avec d'autres applications

Le dossier *Contacts* d'Outlook peut être exporté vers un format de fichier compatible avec beaucoup d'applications. Le plus simple est d'utiliser le format Excel, mais le plus universel est le format CSV (*Comma Separated Values*). Voici la procédure :

1. Cliquez sur le menu **Fichier**, puis sur la commande **Importer et exporter**.

2. Choisissez **Exporter des données vers un fichier** puis cliquez sur le bouton **Suivant**.

3. Choisissez le format de fichier à générer et cliquez sur le bouton **Suivant**.

4. Choisissez le dossier *Contacts* et cliquez sur le bouton **Suivant**.

5. Saisissez le nom du fichier à créer et indiquez son emplacement sur le disque dur puis cliquez sur le bouton **Suivant**.

6. Cliquez sur le bouton **Terminer** pour lancer l'exportation.

Pour récupérer les contacts d'office dans Outlook Express, reportez-vous à l'astuce **Importer les contacts d'Outlook Office** *du chapitre* **Messagerie Outlook Express.**

960. Importer le carnet d'adresses d'Outlook Express dans Outlook

Si vous avez utilisé Outlook Express jusqu'à maintenant et que vous décidiez de passer à Outlook pour les nombreuses fonctionnalités qu'il offre en plus, vous aurez sûrement besoin de récupérer le carnet d'adresses que vous avez créé avec Outlook Express.

1. Cliquez sur le menu **Fichier**, puis sur la commande **Importer et exporter**.

2. Choisissez **Importer des messages et adresses Internet** puis cliquez sur le bouton **Suivant**.

3. Choisissez **Outlook Express 4.x, 5.x, 6.x**, cochez la case *Importer le carnet d'adresses* et cliquez sur le bouton **Suivant**.

4. Indiquez si vous autorisez la création ou non de doublons et cliquez sur le bouton **Terminer** pour lancer l'importation.

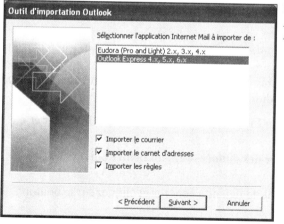

Figure 18.56 :
Importation d'Outlook Express

961. Partager le carnet d'adresses d'Outlook 2000 avec Outlook Express 5

Il est assez pratique de n'avoir à maintenir qu'un seul carnet d'adresses dans le cas de l'utilisation simultanée des deux logiciels afin d'éviter de devoir reporter deux fois les modifications d'une adresse ou inscrire deux fois la même personne dans deux carnets différents. Cette fonctionnalité est parfaitement visible jusqu'à la version 2000 d'Outlook et la version 5 d'Outlook Express.

*Pour les versions suivantes, reportez-vous à l'astuce **Partager le carnet d'adresses d'Outlook 2002/2003 avec Outlook Express 5/6** de ce chapitre.*

1. Démarrez Outlook Express.

2. Cliquez sur le menu **Outils**, puis sur la commande **Carnet d'adresses** ou sur le bouton **Carnet d'adresses** dans la barre d'outils.

3. Cliquez sur le menu **Outils** (du carnet d'adresses), puis sur la commande **Options**.

4. Choisissez l'option *Partager les informations...* et cliquez sur le bouton OK.

5. Relancez Outlook Express pour que la modification soit prise en compte.

Partage, oui, mais de quoi ?

Le partage se fait entre Outlook et Outlook Express ; ce dernier utilisera donc le dossier *Contacts* d'Outlook. Vous devrez d'abord importer les adresses dans Outlook si elles sont actuellement dans Outlook Express. Dans le cas où vous auriez réalisé la manipulation ci-dessus un peu trop rapidement sans lire cette mise en garde, vous pouvez revenir en arrière en modifiant l'étape 4.

Partage absent

Si la commande Options n'existe pas dans le menu **Outils** du carnet d'adresses, vous pouvez néanmoins partager le carnet d'adresses d'Outlook en suivant l'astuce *Partager le carnet d'adresses d'Outlook 2002/2003 avec Outlook Express 5/6*.

962. Partager le carnet d'adresses d'Outlook 2002/2003 avec Outlook Express 5/6

Jusqu'à la version 2000 d'Outlook et la version 5.x d'Outlook Express, il était possible de partager le même carnet d'adresses entre les deux applications. Ce qui était bien pratique en cas d'utilisation des newsgroups avec Outlook Express, car un seul carnet d'adresses servait aux deux applications, qui sont liées par la fonctionnalité des groupes de discussion. Bien que cette fonctionnalité ne soit plus visible dans les versions suivantes, elle est encore présente. Voici le moyen de l'activer. Cette procédure est valable pour toutes les versions, même si la fonction de partage n'apparaît pas dans le carnet d'adresses d'Outlook Express.

1. Fermez Outlook et Outlook Express.

2. Cliquez sur le bouton **Démarrer**, puis sur **Exécuter**... (ou sur les touches [Windows]+[R]).

3. Dans la boîte de dialogue, saisissez regedit et cliquez sur le bouton OK.

4. Cliquez successivement sur les + devant les clés suivantes : *HKEY_CURRENT_USER*, *Software*, *Microsoft*, *Wab*, *Wab4*.

5. Cliquez sur le menu **Édition**, puis sur **Nouveau** et enfin sur **Valeur DWORD**.

6. Saisissez UseOutlook et appuyez sur la touche [Entrée].

7. Double-cliquez sur *UseOutlook*, saisissez la valeur 1 (0 pour annuler le partage) et appuyez sur la touche [Entrée].

8. Quittez ensuite l'éditeur de la base de registre.

REMARQUE

Réinstallation/patch
La réinstallation, la réparation d'office et l'installation d'un SP ou SR quelconque supprimera cette clé.

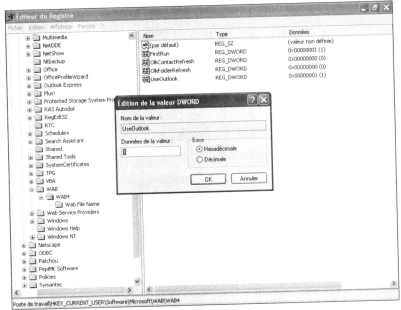

Figure 18.57 : *Partage du carnet d'adresses d'Outlook*

963. Rechercher une personne dans le carnet d'adresses

Si vous avez un carnet d'adresses contenant de nombreux contacts, vous aurez sûrement besoin de faire une recherche à l'intérieur afin de ne pas avoir à saisir l'adresse complète du destinataire. Voici comment faire selon plusieurs méthodes.

Rechercher dans le dossier Contacts

1. Cliquez dans la zone *Rechercher un contact*, qui se trouve dans la barre d'outils.

2. Saisissez quelques caractères faisant partie de la fiche recherchée et appuyez sur la touche [Entrée].

3. Outlook affichera la fiche correspondant à votre saisie ou vous proposera les noms les plus approchants.

   Ou :

1. Activez le dossier *Contacts* en cliquant dessus.

2. Cliquez sur le bouton **Rechercher**.

3. Saisissez quelques caractères faisant partie de la fiche recherchée et appuyez sur la touche (Entrée).

4. Outlook affichera les fiches correspondant à votre saisie.

5. Cliquez à nouveau sur le bouton **Rechercher** pour afficher toutes les fiches.

Rechercher dans le carnet d'adresses

1. Cliquez sur le menu **Outils**, puis sur la commande **Carnet d'adresses**, ou cliquez sur le bouton **Carnet d'adresses**.

2. Saisissez les n premiers caractères du nom ou du prénom (selon l'ordre d'affichage) du destinataire à afficher.

   Ou :

1. Cliquez sur le menu **Outils**, puis sur la commande **Carnet d'adresses**, ou cliquez sur le bouton **Carnet d'adresses**.

2. Dans le carnet d'adresses, cliquez sur le menu **Outils** puis sur la commande **Rechercher**.

3. Saisissez ce que vous recherchez et cliquez sur le bouton OK.

   Ou :

1. Créez un nouveau message et cliquez sur le bouton **A**...

2. Cliquez sur le bouton **Avancées** et choisissez la commande **Rechercher**.

3. Saisissez ce que vous recherchez et cliquez sur le bouton OK.

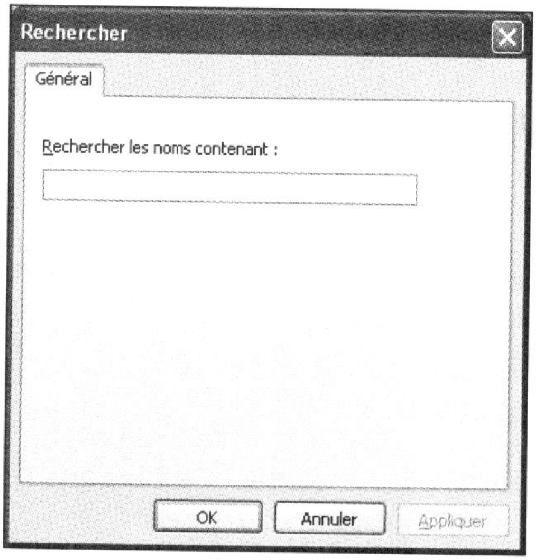

Figure 18.58 :
Recherche d'un destinataire

964. Envoyer un même message à plusieurs destinataires sans qu'ils voient les adresses les uns des autres

Il est quelquefois souhaitable de pouvoir envoyer un même message à plusieurs destinataires sans que ceux-ci sachent que le message est aussi parvenu à d'autres personnes. Il existe deux solutions pour arriver au même résultat, l'une plus simple, mais l'autre plus agréable pour vos destinataires. Soit vous utilisez le champ *Cci* (Copie carbone — ou conforme — invisible), soit vous faites un publipostage à partir de Word vers Outlook.

Reportez-vous à l'astuce **Créer un publipostage à partir des contacts d'Outlook** *ci-dessous.*

1. Créez un nouveau message.

2. Cliquez sur le menu **Affichage** puis sur **Champ Cci**.

3. Saisissez les destinataires dans ce champ ou utilisez le carnet d'adresses.

4. Complétez et envoyez votre message. Chaque destinataire recevra votre message avec votre nom seul en tant que destinataire principal.

Figure 18.59 :
Affichage du champ Cci

965. Créer un publipostage à partir des contacts d'Outlook

Vous pouvez utiliser les contacts d'Outlook pour faire un publipostage, qui permet de personnaliser le message pour chaque personne sans être obligé de faire vous-même plusieurs messages.

1. Activez le dossier *Contacts* en cliquant dessus.

2. Cliquez sur le premier destinataire, maintenez la touche [Maj] enfoncée, cliquez sur le dernier et/ou maintenez la touche [Ctrl] enfoncée et cliquez sur chaque destinataire à ajouter ou à enlever du publipostage.

3. Cliquez sur le menu **Outils** puis sur la commande **Fusion et publipostage**.

4. Choisissez **Messagerie** dans la liste *Fusionner vers*, saisissez l'objet du message puis cliquez sur le bouton OK.

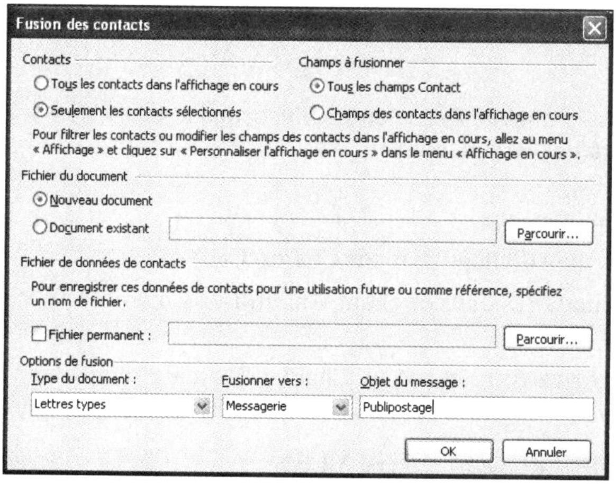

Figure 18.60 : *Publipostage à partir des contacts*

5. Créez votre message dans Word et utilisez les champs à votre disposition afin de personnaliser complètement le message.

6. Cliquez sur le bouton **Fusionner avec un message électronique**.

7. Choisissez dans la liste *A:* l'adresse de messagerie à utiliser, le format du message et cliquez sur le bouton OK.

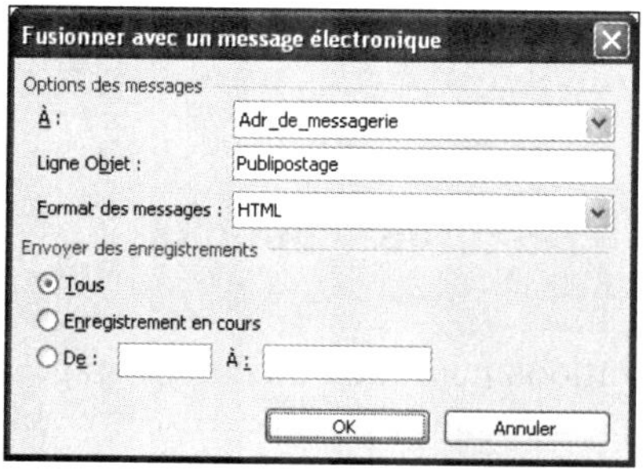

Figure 18.61 :
Envoi du publipostage

Outlook enverra autant de messages personnalisés que de destinataires précédemment sélectionnés.

966. Afficher ses contacts dans un ordre différent

Il est possible de créer des vues pour choisir l'ordre d'affichage des contacts dans le dossier *Contacts*.

1. Activez le dossier *Contacts* en cliquant dessus.

2. Cliquez sur le menu **Affichage**, puis sur les commandes **Organiser par**, **Affichage actuel** et sur **Définir les affichages**.

3. Cliquez sur le bouton **Nouveau**.

4. Saisissez le nom de l'affichage (par exemple Tri par prénom), cliquez sur *Carte* dans la liste *Type d'affichage*, choisissez *Tous les dossiers contact* si vous désirez que l'affichage soit accessible aux autres dossiers de contacts, puis cliquez sur le bouton OK.

5. Cliquez sur le bouton **Trier**, choisissez le champ à utiliser (par exemple *Prénom*) puis cliquez sur le bouton OK.

Absence du champ

Si le champ choisi n'est pas dans l'affichage actuel, Outlook vous proposera de l'ajouter.

6. Cliquez sur le bouton OK puis sur **Appliquer l'affichage** ou **Fermer**.

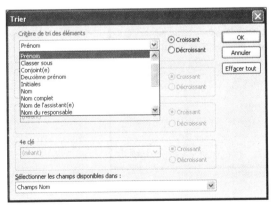

Figure 18.62 : *Trier par...*

Utilisation

Vous pouvez désormais choisir à tout instant l'affichage que vous avez créé.

967. Classer différemment ses contacts existants (définitivement)

Outlook ne propose pas de fonction qui permette *a posteriori* de reclasser les contacts existants selon un ordre différent de celui choisi par défaut au départ. Il est toutefois possible de faire ceci en suivant cette astuce.

Choix de l'ordre de tri

1. Cliquez sur le menu **Outils** puis sur la commande **Options**.

2. Activez l'onglet **Préférences** et cliquez sur le bouton **Options des contacts**.

3. Choisissez dans la liste *Ordre par défaut du "Nom complet"* et dans la liste *Ordre par défaut de "Classer sous"* le mode de tri que vous désirez, puis cliquez sur le bouton OK.

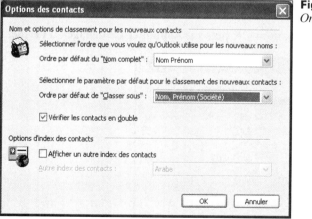

Figure 18.63 :
Ordre d'affichage

Exportation des contacts

1. Cliquez sur le menu **Fichier**, puis sur la commande **Importer et exporter**.

2. Choisissez *Exporter des données vers un fichier* puis cliquez sur le bouton **Suivant**.

3. Choisissez *Valeurs séparées par des virgules (Windows)* et cliquez sur le bouton **Suivant**.

4. Choisissez le dossier *Contacts* et cliquez sur le bouton **Suivant**.

5. Saisissez le nom du fichier à créer (par exemple c:\export.csv) et indiquez son emplacement sur le disque dur, puis cliquez sur le bouton **Suivant**.

6. Cliquez sur le bouton **Terminer** pour lancer l'exportation.

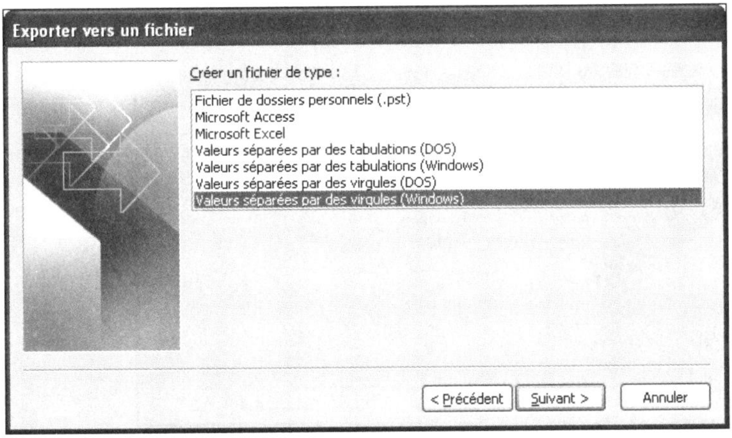

Exporter vers un fichier

Créer un fichier de type :

Fichier de dossiers personnels (.pst)
Microsoft Access
Microsoft Excel
Valeurs séparées par des tabulations (DOS)
Valeurs séparées par des tabulations (Windows)
Valeurs séparées par des virgules (DOS)
Valeurs séparées par des virgules (Windows)

< Précédent   Suivant >   Annuler

Figure 18.64 : *Exportation*

Suppression des contacts

1. Appuyez sur les touches Ctrl+A pour tous les sélectionner.

2. Appuyez sur la touche Suppr pour les supprimer.

Pas de panique

En cas de problème, les contacts ne sont pas vraiment supprimés, mais ils sont transférés dans le dossier *Éléments supprimés*. Ils resteront accessibles tant que vous ne viderez pas le dossier ou que vous ne quitterez pas Outlook.

Importation des contacts

1. Cliquez sur le menu **Fichier**, puis sur la commande **Importer et exporter**.

2. Choisissez *Importer à partir d'un autre programme ou fichier* puis cliquez sur le bouton **Suivant**.

3. Choisissez *Valeurs séparées par des virgules (Windows)* et cliquez sur le bouton **Suivant**.

4. Saisissez le nom du fichier à récupérer (par exemple c:\export.csv) et indiquez son emplacement sur le disque dur.

5. Choisissez l'option *Remplacer les doublons par les éléments importés* puis cliquez sur le bouton **Suivant**.

6. Cliquez sur le dossier à utiliser (*Contacts*, normalement) puis cliquez sur le bouton **Suivant**.

7. Cliquez sur le bouton **Terminer** pour lancer l'importation.

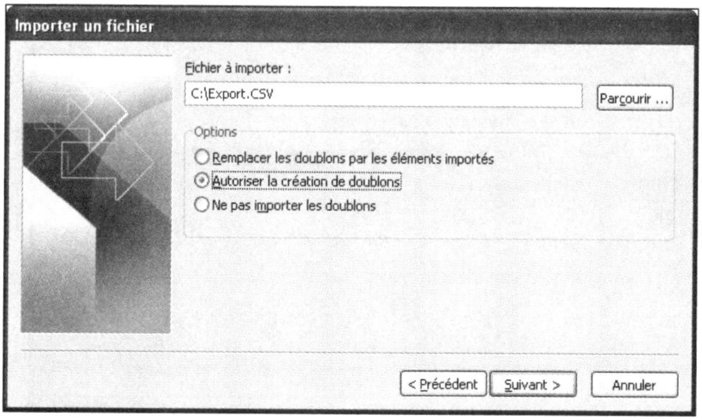

Figure 18.65 : *Importation*

968. Trier les destinataires dans le carnet d'adresses

Quand vous cliquez sur le bouton **A...**, **Cc...** ou **Cci** dans un message, le carnet d'adresses s'affiche, par défaut, non pas dans l'ordre défini dans le dossier *Contacts*, mais dans l'ordre "Prénom, Nom". Vous pouvez les afficher selon l'ordre "Classer sous" de la fiche contact en suivant cette astuce :

1. Cliquez sur le menu **Outils**, puis sur la commande **Compte de messagerie**.

2. Choisissez l'option *Afficher ou modifier les annuaires ou les carnets d'adresses existants* et cliquez sur le bouton **Suivant**.

3. Cliquez sur *Carnet d'adresses Outlook*, puis sur le bouton **Modifier**.

4. Dans la partie *Mode d'affichage des noms*, cliquez sur le classement voulu.

5. Cliquez sur le bouton **Fermer** puis sur **Terminer**.

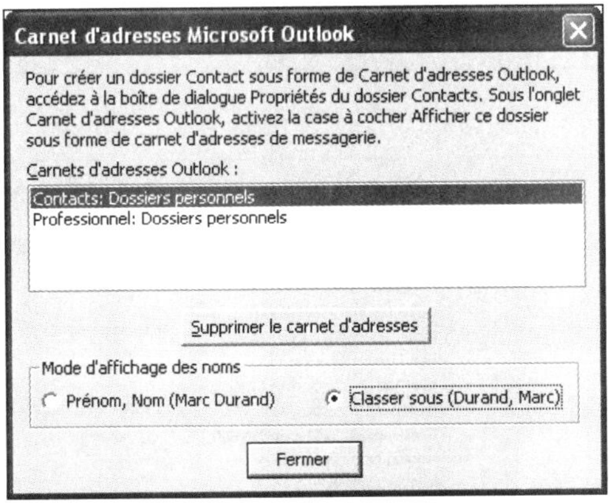

Figure 18.66 :
Tri dans le carnet d'adresses

REMARQUE

Version 2000

Avec la version 2000 d'Outlook ou avec Outlook Express, il suffit de cliquer sur l'en-tête de la colonne *Nom* pour trier une fois en ordre de nom croissant, une fois en ordre de nom décroissant, une fois en ordre de prénom croissant et une fois en ordre de prénom décroissant (quel dommage de perdre des fonctionnalités pourtant si agréables à utiliser !).

969. Créer une liste de destinataires

Si vous écrivez souvent aux mêmes personnes, plutôt que les sélectionner chaque fois individuellement dans le carnet d'adresses, vous pouvez créer une liste qui contiendra la totalité des destinataires une bonne fois pour toutes.

1. Cliquez sur le menu **Fichier**, puis sur la commande **Nouveau** et sur **Liste de distribution**.

2. Saisissez le nom de la liste et cliquez sur le bouton **Sélectionner les membres**.

3. Pour chaque destinataire à ajouter, cliquez sur son nom puis sur le bouton **Membres ->**.

4. Cliquez sur le bouton OK pour terminer l'ajout des membres.

5. Cliquez sur le bouton **Enregistrer et fermer** pour terminer la création de la liste.

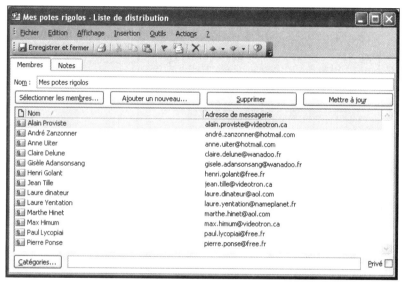

Figure 18.67 : *Liste de distribution*

Utilisation d'une liste

Dorénavant, vous trouverez dans le carnet d'adresses un nom en gras avec deux têtes comme symbole. Ceci indique une liste. Outlook 2003 permet de dégrouper cette liste au moment de l'envoi en cliquant sur le bouton **+** qui apparaît dans la ligne *A*, *Cc* ou *Cci*.

970. Ajouter rapidement un destinataire aux contacts

Lorsque vous recevez un message d'une personne, il peut être utile de conserver son adresse dans votre dossier *Contacts* sans avoir à ressaisir et donc risquer de faire des erreurs.

1. Cliquez avec le bouton droit sur l'adresse dans l'en-tête du message et cliquez sur la commande **Ajouter aux contacts Outlook**.

2. Complétez ou modifiez la fiche contact qui apparaît.

3. Cliquez sur le bouton **Enregistrer et fermer** pour terminer l'ajout du contact.

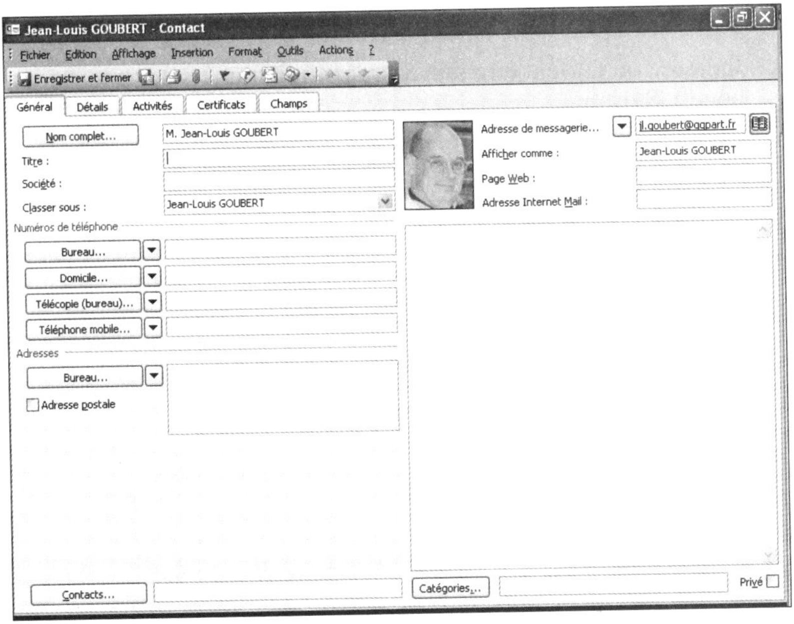

Figure 18.68 : *Fiche contact*

18.10   Sauvegarder ses données et paramètres

Dans le cas où vous devriez réinstaller entièrement votre système ainsi que tous les paramétrages personnels que vous avez faits avec Outlook, il est important de sauvegarder l'intégralité des données, surtout celles qui ne sont présentes que dans Outlook. Même si vous avez une trace papier de la totalité de vos données, il serait fastidieux de tout ressaisir. Plusieurs solutions sont possibles.

971. Sauvegarder tous les paramètres et fichiers .pst (Windows XP seulement)

1. Cliquez sur le bouton **Démarrer**, puis successivement sur **Tous les programmes**, **Accessoires**, **Outils système**.

2. Cliquez sur **Assistant Transfert de fichiers et de paramètres**.

3. L'assistant vous indique les opérations qu'il va réaliser ; cliquez sur le bouton **Suivant**.

4. Choisissez l'option *Ancien ordinateur* bien que ce soit votre ordinateur actuel et cliquez sur le bouton **Suivant**.

5. Indiquez où doivent être sauvegardés vos paramètres et cliquez sur le bouton **Suivant**.

6. Choisissez l'option *Les fichiers et les paramètres*, puis cochez la case *Me laisser choisir les fichiers et les paramètres lorsque je cliquerai sur Suivant (mode Expert)*, et cliquez sur le bouton **Suivant**.

7. Attention, vous devez maintenant supprimer tous les programmes dont vous ne voulez pas conserver les paramètres, c'est-à-dire tous sauf Outlook 2002/2003. Cliquez sur le premier programme puis sur le bouton **Supprimer** et recommencez l'opération jusqu'à ce qu'il ne reste plus qu'Outlook 2002/2003. Puis cliquez sur le bouton **Suivant**.

8. Windows va alors sauvegarder vos paramètres ainsi que tous les fichiers utilisés par Outlook.

9. Cliquez sur le bouton **Terminer** une fois que Windows aura fini cette opération.

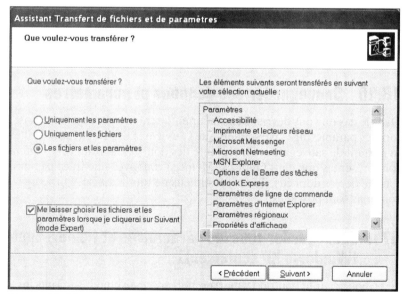

Figure 18.69 : *Sauvegardez les paramètres et fichiers sous Windows XP*

972. Exporter tout ou partie du fichier .pst

1. Cliquez sur le menu **Fichier**, puis sur la commande **Importer et exporter**.

2. Choisissez **Exporter des données vers un fichier**, et cliquez sur le bouton **Suivant**.

3. Choisissez **Fichier de dossiers personnels (.pst)**, et cliquez sur le bouton **Suivant**.

4. Sélectionnez le dossier à exporter et cochez la case **Inclure tous les sous-dossiers** si vous voulez prendre une arborescence complète.

5. Éventuellement, cliquez sur le bouton **Filtrer** pour définir une règle d'exportation, puis sur le bouton OK.

6. Cliquez sur le bouton **Suivant**.

7. Cliquez sur le bouton **Parcourir**, puis sélectionnez l'emplacement de sauvegarde du fichier et indiquez son nom. Cliquez sur le bouton OK pour terminer cette opération de choix du fichier.

8. Choisissez les options de remplacement ou non des doublons dans le fichier de destination au cas où celui-ci existerait déjà et que vous ne souhaiteriez pas mettre à jour.

9. Cliquez sur le bouton **Terminer**.

Automatiser la sauvegarde des fichiers .pst à l'aide de l'utilitaire de sauvegarde des dossiers personnels

Microsoft a conçu un utilitaire pour automatiser la sauvegarde de votre fichier *.pst*. Cet utilitaire peut être téléchargé à partir du site web de Microsoft à l'adresse http://www.microsoft.com/downloads/details .aspx?FamilyID=8b081f3a-b7d0-4b16-b8af-5a6322f4fd01&DisplayLang=fr

Il en reste à sauver

Il reste à sauver les fichiers de personnalisation.

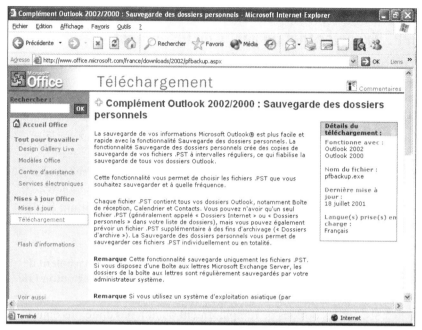

Figure 18.70 : *Sauvegardez automatiquement votre fichier .pst.*

973. Sauvegarder ses règles de gestion des messages

Afin de pouvoir remettre rapidement en fonction votre système, il est important de conserver aussi à part les règles de message que vous avez patiemment mises au point au fil du temps et qu'il serait fastidieux de refaire.

1. Cliquez sur le menu **Outils**, puis sur la commande **Règles et alertes**.

2. Cliquez sur le bouton **Options**, puis sur **Exporter les règles**.

3. Saisissez le nom du fichier à générer et sélectionnez le dossier voulu.

4. Cliquez sur le bouton **Enregistrer**, puis sur le bouton OK.

5. Cliquez sur le bouton OK pour terminer.

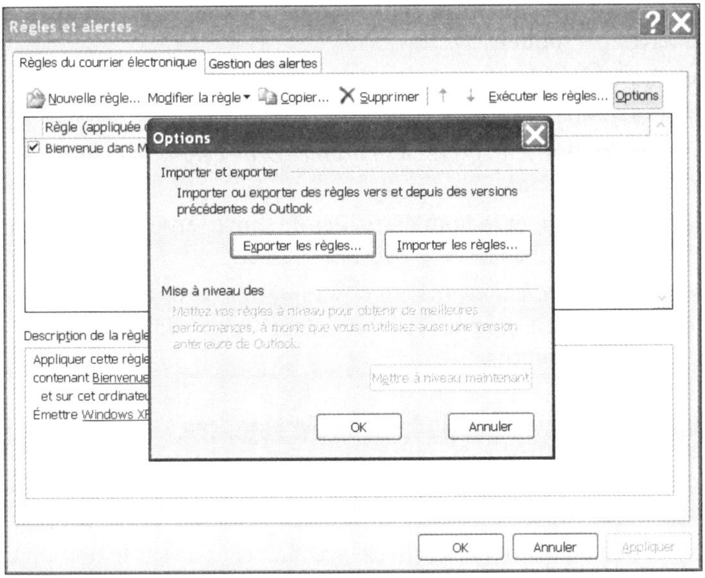

Figure 18.71 : *Sauvez vos règles*

974. Sauvegarder ses paramètres de comptes de messagerie

Dans le cas où vous devriez réinstaller vos comptes de messagerie ainsi que tous les paramétrages personnels que vous avez faits avec Outlook, il est important de sauvegarder le maximum de choses et surtout ses paramètres de comptes dont on est censé avoir gardé une trace papier quelque part... Oui, mais où ? Plusieurs solutions sont possibles.

Avec le programme de sauvegarde de la suite Office

Inconvénient
Cette méthode est globale et ne permet pas de distinguer le paramétrage d'Outlook seul.

1. Cliquez sur le bouton **Démarrer**, puis sur **Tous les programmes** et enfin sur **Outils Microsoft Office**.

2. Cliquez sur **Microsoft Office 2003 Assistant Enregistrement des paramètres personnels**.

3. L'assistant vous indique les opérations qu'il va réaliser ; cliquez sur le bouton **Suivant**.

4. Choisissez l'option *Enregistrer les paramètres de cet ordinateur* et cliquez sur le bouton **Suivant**.

5. Indiquez le chemin et le nom du fichier de sauvegarde et cliquez sur le bouton **Terminer**.

6. L'assistant va alors sauvegarder vos paramètres de la suite Office de la session en cours. Cliquez sur le bouton **Quitter** une fois que cette opération sera terminée.

En exportant une branche de la base de registre

1. Cliquez sur le bouton **Démarrer**, puis sur **Exécuter** (ou sur les touches (Windows)+(R)).

2. Dans la boîte de dialogue, saisissez regedit et cliquez sur le bouton OK.

3. Cliquez successivement sur les **+** devant les clés suivantes : *HKEY_CURRENT_USER*, *Software*, *Microsoft*, *Office*, *Outlook*, *OMI Account Manager*.

4. Cliquez sur le menu **Fichier**, puis sur **Exporter**.

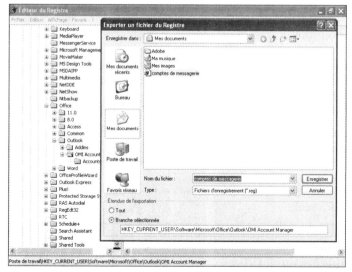

Figure 18.72 : *Sauvegardez la branche des comptes de messagerie*

5. Donnez un nom au fichier à générer et cliquez sur le bouton **Enregistrer**.

6. Quittez ensuite l'éditeur de la base de registre.

> **Ce n'est que partiel !**
> Cette sauvegarde conserve non pas vos messages, mais seulement le paramétrage d'Outlook au niveau de vos comptes. Il vous reste à sauvegarder vos messages, contacts, rendez-vous, etc., qui sont conservés dans le fichier *.pst*.

975. Sauvegarder le carnet d'adresses personnel

Bien que les destinataires puissent être conservés dans le dossier *Contacts* d'un fichier *.pst* et que l'on puisse y accéder par le Carnet d'adresses Outlook, le carnet d'adresses personnel permet d'enregistrer les adresses dans un fichier à part sur votre disque dur. Vous devez sauvegarder tous les fichiers *.pab* lors de votre sauvegarde.

1. Cliquez sur le bouton **Démarrer**, puis sur **Rechercher** et enfin sur **Fichiers ou dossiers**.

2. Saisissez *.pab, puis, dans la zone *Rechercher dans*, cliquez sur **Poste de travail** et enfin sur le bouton **Rechercher maintenant**.

3. Faites ensuite glisser le fichier sur le support à utiliser pour la sauvegarde.

976. Sauvegarder les fichiers de paramètres personnels d'Outlook

La sauvegarde partielle doit inclure les fichiers de paramètres personnels qui sont dans le dossier *x:\Documents and Settings\[Nom_d'utilisateur]\Application Data\Microsoft\Outlook* de votre disque dur. Utilisez l'explorateur de Windows pour copier sur un autre support les fichiers suivants.

Tableau 18-2 : Fichiers supplémentaires à sauvegarder	
Nom du fichier	**Rôle**
Outcmd.DAT	Stocke les paramètres de barre d'outils et de menu.
Nom_du_profil.FAV	Contient les paramètres de la barre Outlook.
Nom_du_profil.HTM	Pour la signature automatique au format HTML.
Nom_du_profil.RTF	Pour la signature automatique au format RTF.
Nom_du_profil.TXT	Pour la signature automatique en texte brut.
Nom_du_profil.NK2	Contient les surnoms pour la saisie semi-automatique.

REMARQUE

Word en tant qu'éditeur de messagerie

Si vous utilisez Word en tant qu'éditeur de messagerie, les signatures sont stockées dans le fichier *Normal.dot* en tant qu'insertions automatiques. Vous devez donc sauvegarder également ce fichier.

18.11 Restaurer ses données et paramètres de messagerie

Après avoir sauvegardé vos paramètres Outlook, il est aisé de restaurer ceux-ci sur un autre ordinateur ou après avoir réinstallé tous les programmes suite à un gros crash. Selon la méthode que vous avez utilisée précédemment pour la sauvegarde, vous devez prendre la même pour restaurer vos paramètres.

977. Restaurer tous les paramètres et fichiers .pst (Windows XP seulement)

1. Cliquez sur le bouton **Démarrer**, puis successivement sur **Tous les programmes**, **Accessoires**, **Outils système**.

2. Cliquez sur **Assistant Transfert de fichiers et de paramètres**.

3. L'assistant vous indique les opérations qu'il va réaliser ; cliquez sur le bouton **Suivant**.

4. Choisissez l'option *Nouvel ordinateur* et cliquez sur le bouton **Suivant**.

5. Indiquez si Windows doit créer une disquette de récupération ou utilisez le CD de Windows pour exécuter l'assistant sur l'ancien ordinateur, mais vous pouvez aussi choisir *Je n'ai pas besoin du disque de l'Assistant. J'ai déjà recueilli mes anciens fichiers et paramètres* (exemple que nous utiliserons ici), et cliquez sur le bouton **Suivant**.

6. Choisissez d'où doivent être récupérés vos paramètres et cliquez sur le bouton **Suivant**.

7. Windows va alors récupérer tous vos paramètres.

8. Cliquez sur le bouton **Terminer** une fois que Windows aura fini cette opération.

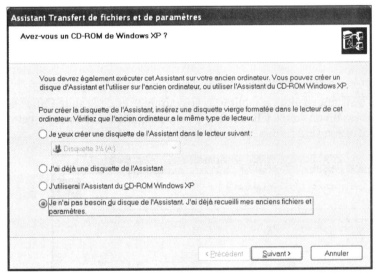

Figure 18.73 : *Restauration des paramètres et fichiers sous Windows XP*

978. Restaurer ses paramètres de comptes de messagerie

Après avoir réinstallé votre système, vous devez recréer les comptes de messagerie dont vous êtes censé avoir gardé une trace papier quelque part... Oui, mais où ? Le plus simple est de restaurer la sauvegarde que vous avez faite précédemment. Plusieurs solutions sont possibles.

Avec le programme de sauvegarde de la suite Office

Inconvénient
Cette méthode est globale et ne permet pas de distinguer le paramétrage d'Outlook seul.

1. Cliquez sur le bouton **Démarrer**, puis sur **Tous les programmes** et enfin sur **Outils Microsoft Office**.

2. Cliquez sur **Microsoft Office 2003 Assistant Enregistrement des paramètres personnels**.

3. L'assistant vous indique les opérations qu'il va réaliser ; cliquez sur le bouton **Suivant**.

4. Choisissez l'option *Rétablir sur cet ordinateur les paramètres précédemment enregistrés* et cliquez sur le bouton **Suivant**.

5. Indiquez dans quel fichier sont sauvegardés vos paramètres, et cliquez sur le bouton **Terminer**.

6. L'assistant va alors rétablir tous vos paramètres de la suite Office pour la session en cours. Cliquez sur le bouton **Quitter** une fois que cette opération sera terminée.

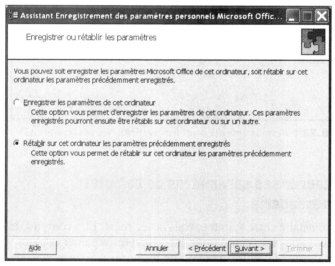

Figure 18.74 : *Restauration globale avec le programme de la suite Office*

En important une branche de la base de registre précédemment exportée

1. Cliquez sur le bouton **Démarrer** puis sur **Exécuter** (ou sur les touches (Windows)+(R)).

2. Dans la boîte de dialogue, saisissez regedit et cliquez sur le bouton OK.

3. Ouvrez le menu **Fichier**, et activez la commande **Importer**.

4. Choisissez le fichier .*reg* que vous avez précédemment exporté et cliquez sur le bouton **Ouvrir**.

5. Quittez ensuite l'éditeur de la base de registre.

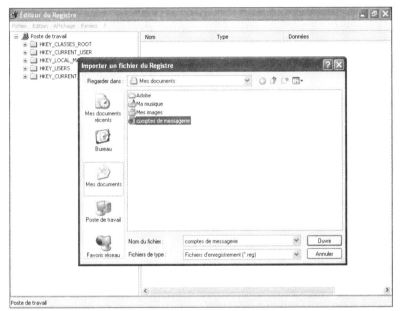

Figure 18.75 : *Importation de la branche dans la base de registre*

Ce n'est que partiel là aussi !

Cette restauration récupère non pas vos messages, mais seulement les paramètres de vos comptes. Il vous reste à récupérer vos messages, contacts, rendez-vous, etc., qui sont conservés dans le fichier .*pst* que vous avez pris la précaution de conserver aussi.

979. Importer tout ou partie d'un fichier .pst

Après avoir exporté des données dans un fichier *.pst* afin de les conserver, vous pouvez les réimporter dans un nouveau système ou dans un autre ordinateur.

L'attribut lecture seule doit être désactivé
Pour être exploitable par Outlook, le fichier *.pst* ne doit pas avoir l'attribut lecture seule, qui est donné automatiquement lors d'une copie sur un CD. Utilisez l'explorateur pour copier le fichier sur votre disque dur et enlever l'attribut lecture seule.

1. Cliquez sur le menu **Fichier** puis sur la commande **Importer et exporter.**

2. Choisissez **Importer à partir d'un autre programme ou fichier**, et cliquez sur le bouton **Suivant.**

3. Choisissez **Fichier de dossiers personnels (.pst)**, et cliquez sur le bouton **Suivant.**

4. Cliquez sur le bouton **Parcourir**, puis sélectionnez l'emplacement et le nom du fichier à restaurer. Cliquez sur le bouton OK pour terminer cette opération de choix du fichier.

5. Sélectionnez le dossier à importer et cochez la case *Inclure tous les sous-dossiers* si vous voulez prendre une arborescence complète.

6. Éventuellement, cliquez sur le bouton **Filtrer** pour définir une règle d'exportation, puis sur le bouton OK.

7. Choisissez le dossier personnel de destination.

8. Cliquez sur le bouton **Terminer.**

Ne pas remplacer le .pst
Vous pouvez aussi remplacer le fichier *.pst* actuel par celui que vous avez copié sur un support, mais vous aurez une erreur avec le dossier *Contacts*, qui ne pourra pas s'afficher dans le carnet d'adresses.
Il reste à restaurer les fichiers de personnalisation.

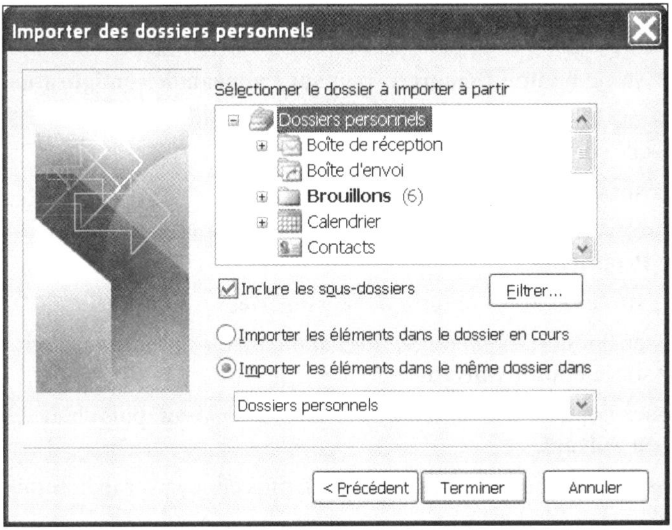

Figure 18.76 : *Importation du fichier .pst*

980. Restaurer ses règles de gestion des messages

Après avoir sauvegardé les règles de gestion des messages que vous avez mises au point, voici la procédure pour les réintégrer dans le nouveau système ou sur un autre poste :

1. Cliquez sur le menu **Outils**, puis sur la commande **Règles et alertes**.

2. Cliquez sur le bouton **Options**, puis sur **Importer les règles**.

3. Indiquez le dossier et cliquez sur le nom du fichier contenant les règles à importer.

4. Cliquez sur le bouton **Ouvrir**, puis sur le bouton OK.

5. Cliquez sur le bouton OK pour terminer

981. Restaurer le carnet d'adresses personnel

Ne confondez pas le carnet d'adresses personnel, qui est un fichier *.pab* enregistré à part, et le dossier *Contacts*, qui fait partie du fichier *.pst* et qui peut être affiché comme un carnet d'adresses. Afin de restaurer le carnet d'adresses personnel, il est nécessaire de réinstaller les composants qui permettent de le gérer.

1. Commencez par fermer tous les programmes de messagerie tels qu'Outlook, Microsoft Exchange ou Windows Messaging.

2. Cliquez sur le bouton **Démarrer**, puis sur **Panneau de configuration**.

3. Cliquez sur **Basculer vers l'affichage classique** puis effectuez un double-clic sur l'icône *Courrier*.

4. Cliquez sur le bouton **Afficher les profils**.

5. Choisissez votre profil (le plus photogénique), puis cliquez sur le bouton **Propriétés**.

6. Cliquez sur le bouton **Comptes de messagerie**.

7. Choisissez l'option *Ajouter un nouvel annuaire ou carnet d'adresses*, puis cliquez sur le bouton **Suivant**.

8. Choisissez l'option *Carnets d'adresses supplémentaires*, puis cliquez sur le bouton **Suivant**.

9. Choisissez **Carnet d'adresses personnel**, puis cliquez sur le bouton **Suivant**.

10. Cliquez sur le bouton **Parcourir** pour indiquer le chemin d'accès et le nom du fichier de carnet d'adresses personnel que vous souhaitez restaurer, puis cliquez sur le bouton OK.

11. Cliquez sur le bouton **Fermer** puis, enfin, sur le bouton OK.

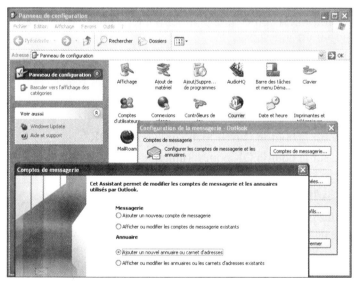

Figure 18.77 : *Réintégration du carnet d'adresses personnel*

982. Restaurer les fichiers de paramètres personnels d'Outlook

Vous devez utiliser l'explorateur de Windows pour copier à partir du support de sauvegarde les fichiers précédemment sauvegardés, pour les coller dans le dossier *x:\Documents and Settings\[Nom_d'utilisateur]\Application Data\Microsoft\Outlook* de votre disque dur.

Tableau 18-3 : Fichiers supplémentaires à restaurer	
Nom du fichier	**Rôle**
Outcmd.DAT	Stocke les paramètres de barre d'outils et de menu.
Nom_du_profil.FAV	Contient les paramètres de la barre Outlook.
Nom_du_profil.HTM	Pour la signature automatique au format HTML.
Nom_du_profil.RTF	Pour la signature automatique au format RTF.
Nom_du_profil.TXT	Pour la signature automatique en texte brut.
Nom_du_profil.NK2	Contient les surnoms pour la saisie semi-automatique.

REMARQUE

Word en tant qu'éditeur de messagerie
Si vous utilisez Word en tant qu'éditeur de messagerie, les signatures sont stockées dans le fichier *Normal.dot* en tant qu'insertions automatiques. Vous devez donc restaurer également ce fichier.

18.12   Utiliser le calendrier

Vous pouvez totalement gérer votre emploi du temps grâce au calendrier d'Outlook. Il peut servir à noter vos rendez-vous, à vous rappeler que vous avez quelque chose à faire à un moment précis et à ne pas oublier un anniversaire très important.

983. Modifier l'affichage

Afin de ne voir que la partie utile de l'agenda, il est possible de choisir plusieurs modes d'affichage. Dans la barre d'outils, cliquez sur les boutons suivants :

- **Jour**. Affiche un seul jour.
- **Semaine de travail**. Affiche ce que vous avez paramétré comme semaine de travail (du mardi au samedi, par exemple).
- **Semaine**. La semaine entière, samedi et dimanche y compris.
- **Mois**. Le mois complet.

En affichage *Jour*, *Semaine de travail* ou *Semaine*, il suffit d'appuyer sur la touche [Alt] suivie d'un chiffre du haut du clavier alphabétique pour choisir le nombre de jours à afficher simultanément. [Alt]+[0] affiche 10 jours. [Alt]+[-] affiche la semaine et [Alt]+[=] affiche le mois.

Cliquez sur le menu **Affichage**, puis sur la commande :

- **Volet de lecture** afin d'afficher ou de masquer et de choisir l'emplacement du volet permettant de voir le détail d'un rendez-vous en cliquant simplement dessus ;
- **Listes des tâches** afin d'afficher ou de masquer les tâches dans la partie droite du calendrier ;
- **Organiser par**, **Affichage actuel** et enfin sur l'affichage souhaité afin de visualiser le calendrier de différentes façons.

REMARQUE

Changement d'affichage

Si vous changez souvent d'affichage, il est souhaitable de choisir la commande **Afficher les vues dans le volet de navigation** dans le menu **Affichage**, afin de choisir rapidement une vue en cliquant dessus directement dans la partie gauche de l'écran.

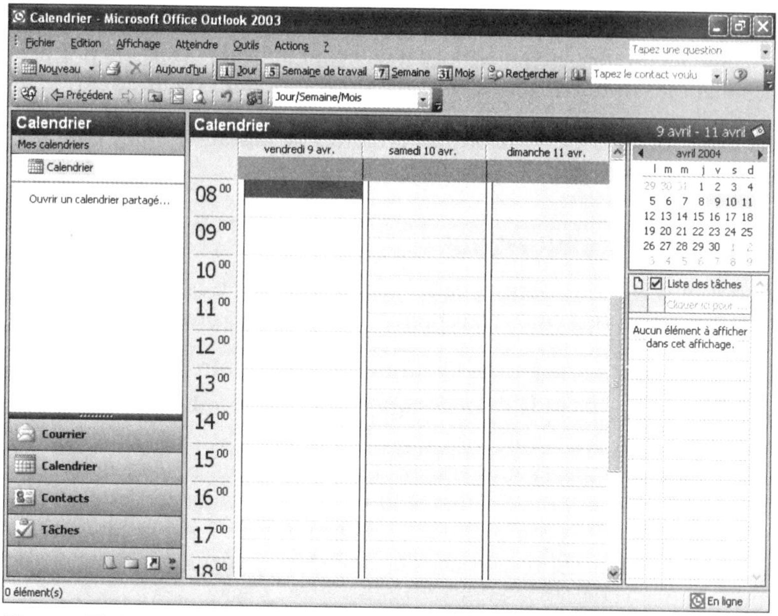

Figure 18.78 : *Calendrier*

984. Naviguer dans le calendrier

Afin de pouvoir atteindre rapidement une date ou une période dans votre calendrier, vous pouvez utiliser les manipulations suivantes :

- Pour passer à la page suivante ou précédente de l'affichage en cours, utilisez les touches [Alt]+[⬇] et [Alt]+[⬆].

- Pour changer de mois, utilisez les triangles de part et d'autre du nom du mois dans le volet de navigation (à gauche).

- Pour atteindre une date précise, appuyez sur les touches [Ctrl]+[G], indiquez la date et le type d'affichage, puis cliquez sur le bouton OK.

- Pour revenir à la date du jour, cliquez sur le bouton **Aujourd'hui**.

985. Créer un rendez-vous rapidement

Pour créer rapidement un rendez-vous sans donner tous les détails, il suffit de sélectionner la plage horaire du rendez-vous et de saisir directement l'objet du rendez-vous.

Pour le compléter, double-cliquez sur une des bordures du rendez-vous. Pour le déplacer, faites glisser le bord gauche au nouvel horaire ou jour. Pour changer les horaires, faites glisser le bord supérieur ou inférieur.

Un clic droit sur le rendez-vous vous permettra de définir certaines options comme les catégories et la disponibilité.

986. Créer un rendez-vous

Le calendrier d'Outlook permet de gérer son planning très simplement. Pour ajouter un rendez-vous, vous pouvez utiliser cette procédure.

1. Double-cliquez sur le jour et l'heure voulus pour votre rendez-vous.

2. Saisissez l'objet, l'emplacement, indiquez les dates et heures de début et de fin, choisissez la catégorie du calendrier et votre disponibilité. Définissez un rappel si vous voulez être prévenu de l'échéance du rendez-vous. Vous pouvez aussi définir les contacts concernés par ce rendez-vous (ne pas confondre avec les invités) ainsi que la catégorie de ce rendez-vous. Si vous cochez la case *Privé*, personne ne pourra voir votre rendez-vous.

3. Ajoutez les éléments et le texte nécessaires au rendez-vous dans la fenêtre en dessous.

4. Cliquez sur le bouton **Enregistrer et fermer** pour fixer votre rendez-vous sur le calendrier.

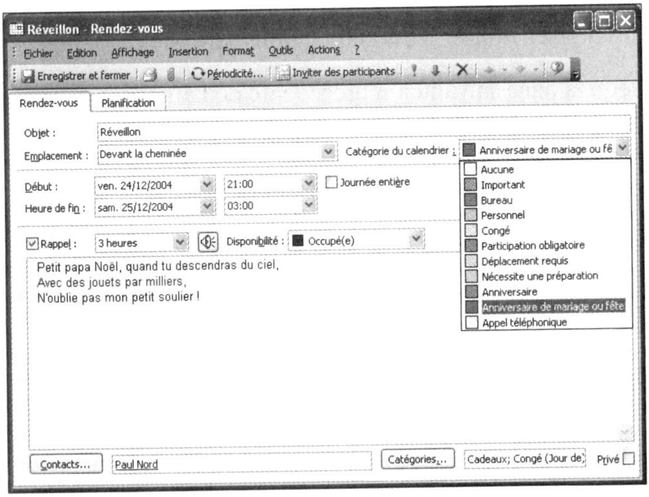

Figure 18.79 : *Rendez-vous*

987. Définir un rendez-vous répétitif

Certains rendez-vous peuvent avoir une périodicité plus ou moins importante. Outlook vous permet de créer un rendez-vous répétitif afin de ne pas avoir à saisir plusieurs fois les mêmes informations ni à faire du copier/coller.

1. Créez ou modifiez un rendez-vous en double-cliquant dessus.

2. Cliquez sur le bouton **Périodicité** et définissez vos choix.

3. Cliquez sur le bouton OK puis sur **Enregistrer et fermer** pour placer tous les rendez-vous sur le calendrier.

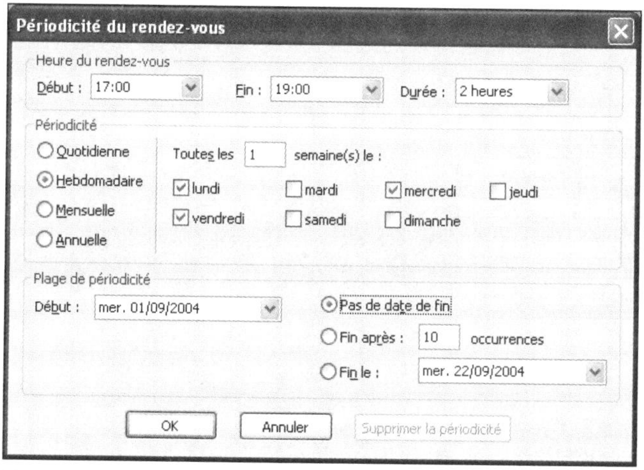

Figure 18.80 : *Rendez-vous périodique*

988. Planifier une réunion

Outlook vous permettra de planifier facilement une réunion avec plusieurs collaborateurs soit qui se trouvent sur votre serveur Exchange, soit qui ont un Passeport MicroSoft et qui se sont inscrits au service de publication des disponibilités sur Internet.

1. Créez ou modifiez un rendez-vous en double-cliquant dessus.

2. Cliquez sur le bouton **Inviter** des participants afin de transformer votre rendez-vous en réunion.

3. Cliquez ensuite sur le bouton **A...** afin de choisir les participants à votre réunion et sur le bouton OK pour revenir aux paramètres de la réunion.

4. Cliquez ensuite sur l'onglet **Planification** afin de voir les disponibilités des participants et, éventuellement, demandez à Outlook de trouver automatiquement une période adéquate qui convienne à tous les participants en cliquant sur le bouton **Sélection automatique suivante**.

5. Cliquez sur le bouton **Envoyer** pour faire parvenir une invitation aux participants.

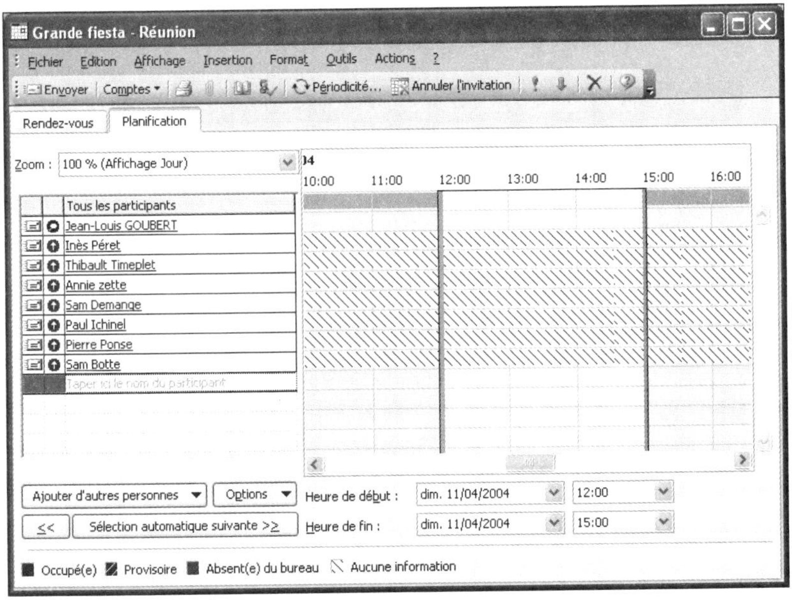

Figure 18.81 : *Planification d'une réunion*

989. Répondre à une invitation

Lorsqu'une réunion a été planifiée par une autre personne, vous recevez un message qui comprend des boutons d'acceptation ou non de la réunion.

1. Cliquez sur le message d'invitation ou double-cliquez pour ouvrir le message afin de visualiser les boutons de vote et de pouvoir y répondre le plus facilement possible.

2. Cliquez sur l'un des boutons suivants :

- **Accepter**. La réunion est ajoutée dans votre calendrier et une acceptation est renvoyée à l'organisateur.

- **Provisoire**. Même chose que l'acceptation, mais la disponibilité est définie à *Provisoire*.

- **Refuser**. L'organisateur reçoit un refus et la réunion n'est pas ajoutée dans votre calendrier.

- **Proposition d'un nouvel horaire**. L'organisateur recevra une contre-proposition qu'il pourra accepter ou non. La réunion n'est pas ajoutée à votre calendrier.

- **Calendrier**. Permet de visualiser son calendrier sans sortir de la réponse afin de voir les éventuelles impossibilités que n'aurait pas vu l'organisateur. Cliquez ensuite sur le bouton de fermeture, en haut à droite, afin de revenir à l'invitation.

3. Complétez le message que vous allez renvoyer à l'organisateur et cliquez sur le bouton **Envoyer**.

990. Gérer les réponses à la demande de réunion

Quand vous avez planifié une réunion, vous devez à tout moment savoir où en est cette planification, d'une façon aussi synthétique et simple que possible.

1. Double-cliquez sur la réunion pour l'ouvrir.

2. Cliquez sur l'onglet **Suivi** afin d'avoir l'état de la réunion.

3. Si certaines personnes vous ont répondu autrement que par la messagerie, vous pouvez indiquer leurs réponses en choisissant dans la liste *Réponse*.

4. Cliquez sur le bouton OK puis sur **Enregistrer et fermer** pour terminer.

Vous pouvez aussi ajouter ou supprimer des participants et/ou modifier le lieu et la date de la réunion. Vous cliquerez sur le bouton **Envoyer la mise à jour** afin de faire parvenir les modifications aux participants de la réunion.

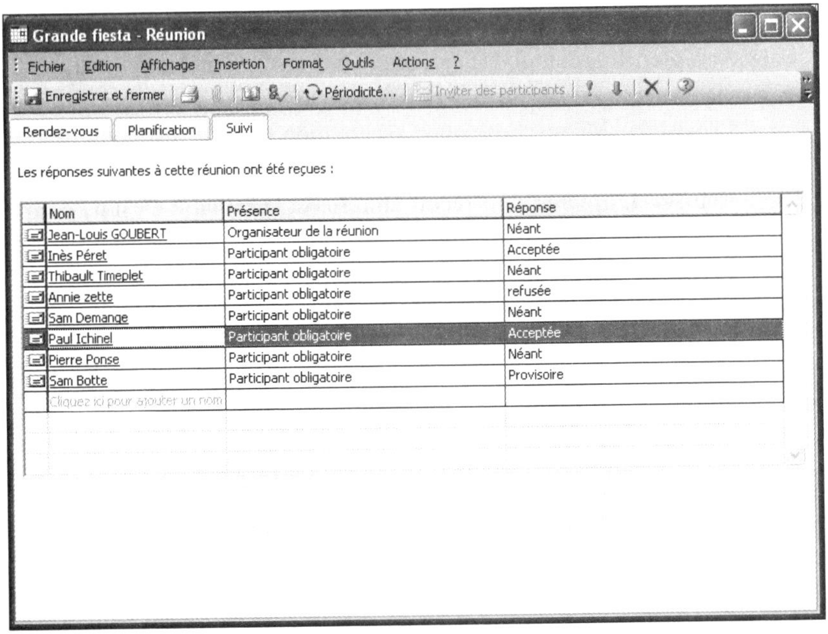

Figure 18.82 : *Suivi des réponses*

991. Publier son planning sur Internet/intranet ou un réseau personnel

Si vous ne disposez pas d'un serveur d'entreprise comme Exchange, vous pouvez quand même publier votre planning sur un site Internet/intranet ou même sur un réseau personnel, afin qu'il soit consultable par d'autres personnes.

1. Cliquez sur le menu **Fichier** et choisissez la commande **Enregistrer en tant que page Web**.

2. Dans la partie *Durée*, indiquez les dates de début et de fin que vous désirez publier.

3. Dans la partie *Options*, cochez si vous voulez que les détails des rendez-vous soient visibles ou non et choisissez éventuellement une image de fond pour votre planning.

4. Dans la partie *Enregistrer sous*, saisissez le titre de votre calendrier et, dans le nom du fichier, saisissez l'emplacement de stockage et le nom de la page de démarrage.

Par exemple, ftp://domaine/dossier/index.htm. Ou encore sur MSN, si vous possédez un Passeport, http://www.msnusers.com/ My%20Web%20Documents/Documents/index.htm.

5. Cochez ensuite la case *Ouvrir la page Web enregistrée dans le navigateur* afin de pouvoir vérifier après la publication si tout s'est bien passé.

6. Cliquez sur le bouton **Enregistrer** pour lancer la publication.

Si vous possédez un compte de messagerie chez un fournisseur, il est fort probable que vous ayez aussi un espace web gratuit pour stocker vos pages personnelles. Il suffit généralement de demander l'accès à votre FAI. Si vous possédez un Passeport Microsoft, vous avez là aussi la possibilité de stocker vos données sur un espace web mis gracieusement à votre disposition.

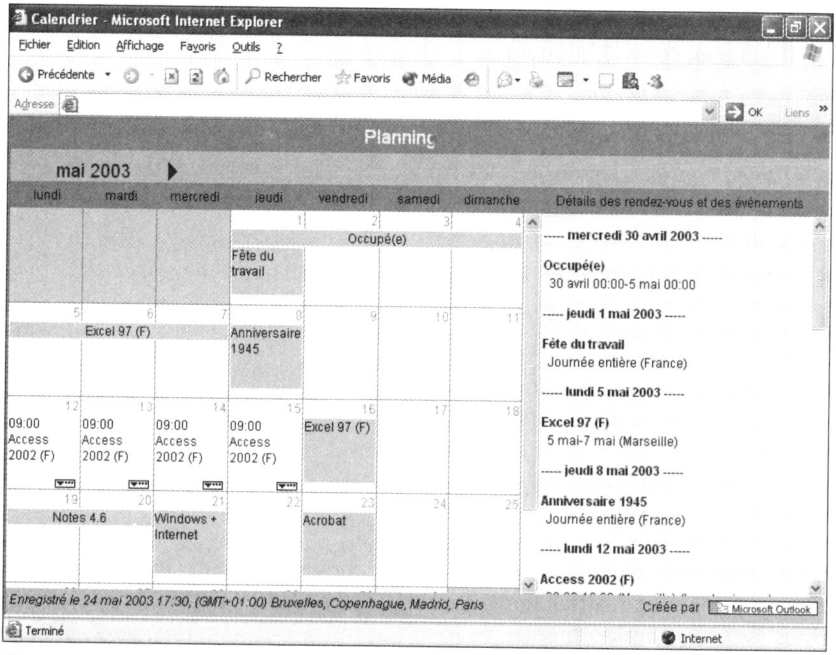

Figure 18.83 : *Consultation d'un planning sur Internet*

18.13   Utiliser le gestionnaire de tâches

Quand un événement n'est pas défini précisément dans le temps, vous pouvez utiliser les tâches afin de prévoir un moment pour réaliser cet événement.

992.   Modifier l'affichage de la liste des tâches

Il existe plusieurs modes d'affichage des tâches ; à vous de trouver celui qui convient le mieux à ce que vous désirez voir. Dans le Volet de navigation sous la rubrique *Affichage en cours*, choisissez un des modes suivants :

- *Liste simple*. La liste de toutes les tâches passées, futures ou terminées.
- *Liste détaillée*. Même chose que la précédente, mais avec un maximum de détails.
- *Tâches en cours*. Uniquement les tâches non terminées.
- *Les 7 prochains jours*. Ce que vous avez à faire dans les jours suivants.
- *En retard*. Toutes les tâches qui ont une date d'échéance dépassée.
- *Par catégorie*. Classées par les catégories que vous avez affectées à chaque tâche. Ceci permettant de retrouver rapidement un type de tâche.
- *Affectation*. Tâche que vous avez affectée à certaines personnes.
- *Par personne responsable*. Classées pas personne ayant affecté ces tâches.
- *Tâches achevées*. Permet de voir que vous avez quand même fait quelque chose ou, inversement, que vous en avez encore beaucoup à faire.
- *Affichage chronologique*. Donne un aperçu des tâches ayant une date de début et de fin.

Afin de voir ou de masquer le détail des tâches en cliquant sur une tâche, cliquez sur le menu **Affichage**, puis sur la commande **Volet de lecture** et choisissez son emplacement.

993.   Créer une tâche rapidement

Pour créer rapidement une tâche sans donner tous les détails ni la date d'échéance, il suffit de cliquer dans la ligne *Cliquer ici pour ajouter un nouvel élément tâche* et de saisir directement l'objet de la tâche.

Pour la compléter, double-cliquez sur la tâche. Vous pourrez tout modifier et donner un maximum de détails. Pour changer la date d'échéance, choisissez une nouvelle date dans la liste *Échéance*.

994. Créer une tâche

Le gestionnaire de tâches permet de créer des tâches en indiquant un maximum d'informations. Ceci peut être important surtout si vous décidez d'affecter cette tâche à une autre personne en cours de route.

1. Cliquez sur le bouton Nouveau dans la barre d'outils.

2. Saisissez l'objet, indiquez les dates de début et d'échéance, l'état, la priorité et le pourcentage achevé actuellement. Définissez un rappel si vous voulez être prévenu. Vous pouvez aussi définir les contacts concernés par cette tâche ainsi que sa catégorie. Si vous cochez la case *Privé*, personne ne pourra voir cette tâche.

3. Ajoutez les éléments et le texte nécessaires à la tâche dans la fenêtre en dessous.

4. Cliquez sur l'onglet **Détails** afin de saisir les informations complémentaires concernant la facturation.

5. Cliquez sur le bouton **Enregistrer et fermer** pour terminer.

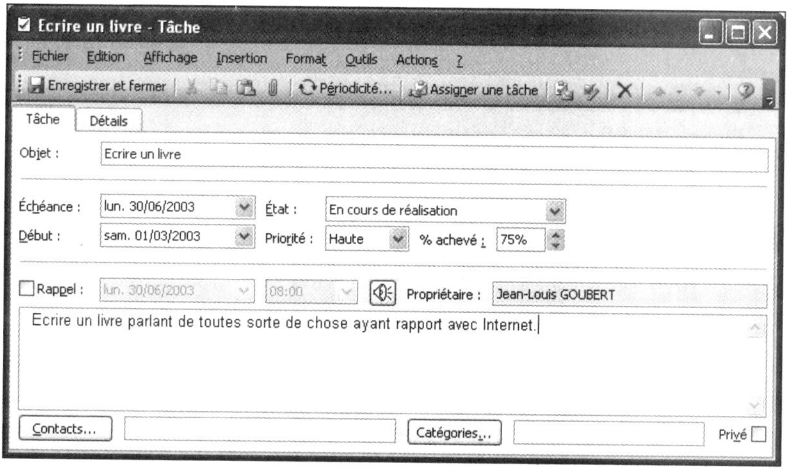

Figure 18.84 : *Création d'une tâche*

995. Définir une tâche répétitive

Certaines tâches peuvent être à répéter aussitôt qu'elles seront finies. Outlook vous permet de créer une tâche répétitive afin de ne pas avoir à saisir plusieurs fois la même information ni à faire du copier/coller.

1. Créez ou modifiez une tâche en double-cliquant dessus.

2. Cliquez sur le bouton **Périodicité** et définissez vos choix.

3. Cliquez sur le bouton OK puis sur **Enregistrer et fermer** pour placer tous les rendez-vous sur le calendrier.

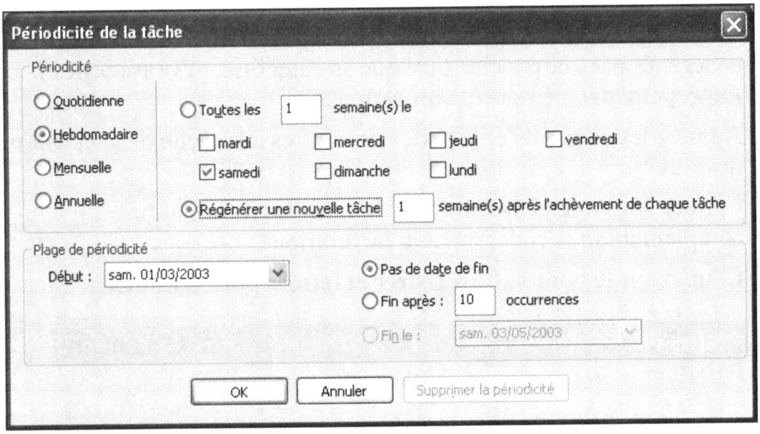

Figure 18.85 : *Tâche périodique*

996. Affecter une tâche à quelqu'un

Afin de suivre certains travaux que vous n'avez pas à effectuer, vous pouvez affecter la tâche à la personne de votre choix.

1. Créez ou modifiez une tâche et cliquez sur le bouton **Assigner une tâche**.

2. Cliquez ensuite sur le bouton **A...** afin de choisir le ou les exécutants de la tâche et cliquez sur le bouton OK pour revenir aux paramètres de la tâche.

3. Cliquez sur le bouton **Envoyer** pour faire parvenir une demande d'exécution aux destinataires.

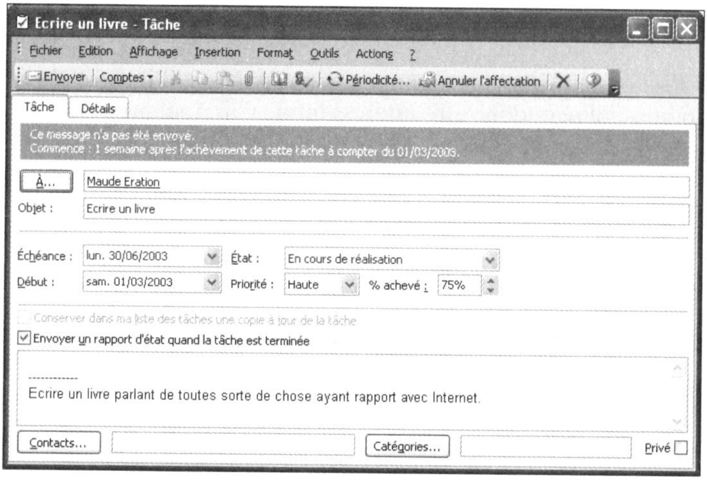

Figure 18.86 : *Comment faire faire !*

997. Répondre à une demande de tâche

Lorsqu'une tâche vous a été affectée, vous recevez un message qui comprend des boutons d'acceptation ou de refus de la tâche.

1. Cliquez sur l'un des boutons suivants :

   - **Accepter**. Afin d'ajouter cette tâche à votre gestionnaire de tâches et de répondre positivement au demandeur.

   - **Refuser**. Afin de signifier votre refus d'exécuter cette tâche, qui n'apparaîtra pas dans la liste des tâches.

   - **Assigner une tâche**. Pour charger quelqu'un d'autre d'effectuer cette besogne (à noter qu'il se peut très bien que la tâche finisse par revenir à celui qui en a fait la demande en premier).

2. Complétez le message que vous allez renvoyer au demandeur et cliquez sur le bouton **Envoyer**.

Mise à jour

Automatiquement, à chaque modification de la tâche, le demandeur recevra une notification d'avancement avec les mises à jour.

18.14   Les plus d'Outlook

Outlook n'est pas un simple programme de messagerie, il intègre plusieurs autres modules ; il peut donc être intéressant de voir quelques astuces d'utilisations supplémentaires.

998.   Recherche rapide

Outlook intègre un puissant outil de recherche qui peut se baser sur n'importe quelle partie de texte existant dans votre dossier.

1. Activez le dossier dans lequel vous désirez lancer la recherche et cliquez sur le bouton **Rechercher** ou cliquez sur le menu **Outils** puis sur les commandes **Rechercher** et **Rechercher encore**.

2. Saisissez le texte recherché et cliquez sur le bouton **Rechercher**.

3. Outlook n'affichera alors que les messages contenant le texte recherché.

999.   Recherche avancée

Si la recherche simple ne retourne pas le résultat que vous attendez, Outlook peut vous proposer de rechercher à partir de n'importe quel critère.

1. Cliquez sur le menu **Outils** puis sur les commandes **Rechercher** et **Recherche avancée**.

2. Choisissez l'onglet à utiliser et indiquez vos critères de recherche.

3. Cliquez sur le bouton **Rechercher**.

4. La boîte de dialogue s'agrandira pour afficher les éléments correspondants à votre recherche.

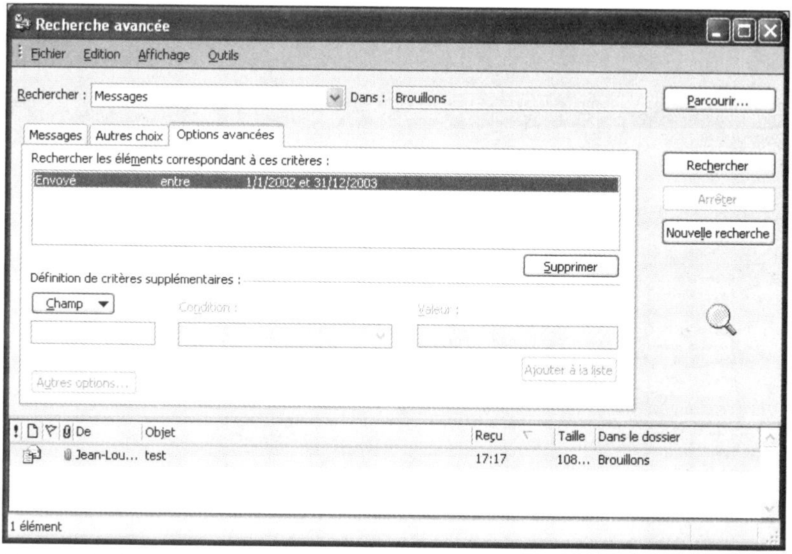

Figure 18.87 : *Recherche en tout genre*

Recherche prédéfinie

Dans la liste des dossiers ou dans le courrier, vous trouverez un dossier de recherche comprenant trois dossiers de recherche prédéfinie pour afficher les **Courriers non lu**, les **Grands messages électroniques** ainsi que les éléments que vous aurez marqués **Pour le suivi**.

1000. Ajouter/supprimer un dossier aux favoris

Le volet de navigation contient dans sa partie haute un groupe de dossiers favoris. Vous pouvez ajouter vos propres dossiers afin d'accéder plus rapidement à ceux-ci. Cliquez du bouton droit sur le dossier à ajouter et choisissez la commande **Ajouter à Dossier favoris**. Cliquez du bouton droit sur le dossier à retirer des favoris et choisissez la commande **Supprimer de Dossiers favoris**.

Pas d'effacement

Le dossier est non pas supprimé, mais juste retiré du groupe des dossiers favoris.

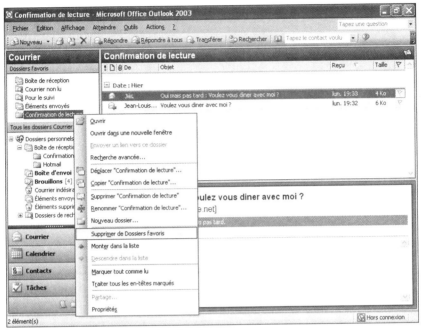

Figure 18.88 : *Suppression d'un favori*

1001. Personnaliser la barre d'outils d'Outlook

Vous pouvez complètement personnaliser la barre d'outils d'Outlook afin d'y ajouter les commandes que vous utilisez le plus souvent ou de déplacer des commandes de menus difficilement accessibles.

Ajouter un bouton

1. Cliquez du bouton droit sur une barre d'outils ou sur un menu et choisissez la commande **Personnaliser** puis activez l'onglet **Commandes**.

2. Choisissez dans la liste *Catégories* le menu qui contient la commande puis, dans la liste *Commandes*, la commande que vous désirez ajouter sur la barre d'outils.

3. Faites ensuite glisser le bouton où vous voulez dans la barre d'outils ou de menu.

4. Cliquez sur le bouton **Fermer** pour terminer.

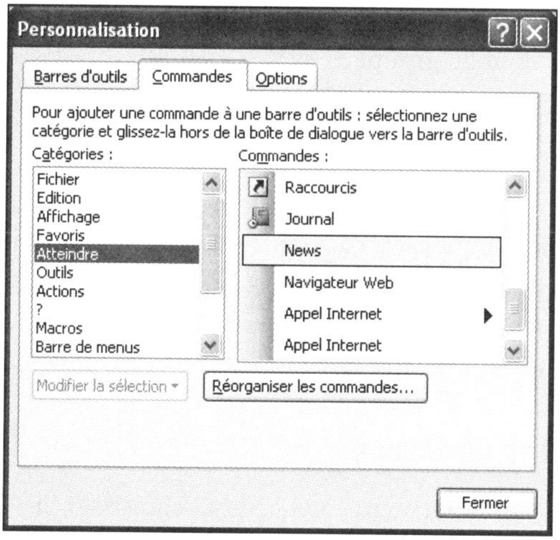

Figure 18.89 :
*Personnalisation des
barres d'outils*

Supprimer un bouton

C'est la même manipulation, mais il faut le faire glisser hors de la barre d'outils, ou cliquez sur le bouton **Réorganiser les commandes**.

Déplacer un bouton

Même manipulation là aussi, mais choisissez son nouvel emplacement ou cliquez sur le bouton **Réorganiser les commandes**.

1002. Créer des raccourcis vers des dossiers

Il est possible de créer des raccourcis pour atteindre directement un dossier particulier qui peut se trouver loin dans une arborescence de nombreux dossiers et ainsi ne choisir que certains dossiers à afficher. Pour commencer, vous devez activer le dossier des raccourcis en cliquant sur le bouton **Raccourcis** au bas du volet de navigation.

Si ce dernier n'est pas affiché, vous pouvez cliquer sur le menu **Atteindre** puis la commande **Raccourcis** (ou sur les touches Ctrl+7).

Ajouter un groupe

Afin d'organiser plus facilement vos raccourcis, il est préférable de créer des groupes pour classer les raccourcis par classe.

1. Cliquez sur la commande **Ajouter un nouveau groupe** dans le volet *Raccourci* et saisissez le nom du groupe.

2. Appuyez sur la touche [Entrée] pour valider.

Ajouter un raccourci

1. Cliquez sur le groupe dans lequel vous désirez ajouter un raccourci.

2. Cliquez sur la commande **Ajouter un nouveau raccourci** et choisissez le dossier à afficher.

3. Cliquez sur le bouton OK pour terminer l'ajout.

Supprimer un raccourci ou un groupe

1. Cliquez du bouton droit sur le raccourci à enlever et choisissez la commande **Supprimer le raccourci** ou **Supprimer le groupe**.

2. Cliquez sur le bouton **Oui** pour confirmer la suppression du raccourci (mais pas du dossier) ou du groupe.

Renommer un raccourci ou un groupe

1. Cliquez du bouton droit sur le raccourci à enlever et choisissez la commande **Renommer le raccourci** ou **Renommer le groupe**.

2. Saisissez le nom du raccourci et appuyez sur la touche [Entrée] pour valider le changement du nom du raccourci (mais non du dossier) ou du groupe.

1003. Gérer ses Notes

Plutôt que chercher partout un bout de papier et un style qui ne fonctionnera pas, vous pouvez utiliser les Notes d'Outlook, sortes de Post-it ® mais qui ne se décollent pas de l'écran et qui sont toujours à portée de main. Pour commencer, vous devez activer le dossier des notes en cliquant sur le bouton **Notes** au bas du volet de navigation.

Si ce dernier n'est pas affiché, vous pouvez cliquer sur le menu **Atteindre** puis sur la commande **Notes** (ou sur les touches [Ctrl]+[5]).

1. Double-cliquez dans la partie vierge à droite ou cliquez sur le bouton **Nouveau**.

2. Saisissez alors votre texte.

3. Fermez la note en cliquant sur la croix en haut à droite ; elle sera enregistrée automatiquement.

Cliquez droit sur la note pour changer sa couleur, l'affecter à une catégorie ou la supprimer. Il est aussi possible de faire glisser la note directement sur le bureau afin qu'elle soit utilisée indépendamment d'Outlook.

Dans le volet de navigation, vous pourrez choisir le mode d'affichage des notes. Si vous gardez le mode d'affichage *Icônes*, les boutons **Grandes icônes**, **Petites icônes** et **Liste** de la barre d'outils permettront de définir la taille des notes.

Figure 18.90 :
Notez tout sans jamais rien perdre

18.15   Programmes externes pour Outlook

Il existe quelques programmes externes à Outlook qui peuvent lui être ajoutés et qui simplifient ou améliorent ce dernier.

1004. Sauvegarde automatique du fichier .pst

La perte du fichier *.pst* est quelque chose de dramatique, mais qui peut être évitée avec ce petit outil édité par Microsoft et qui fait des sauvegardes régulières de votre fichier et contient absolument tous les messages, notes, rendez-vous, adresses, etc.

Le programme *Pfbackup* est téléchargeable à l'adresse http://www.microsoft .com/downloads/details .aspx?FamilyID=8b081f3a-b7d0-4b16-b8af-5a6322f4fd01&DisplayLang=fr

Pour exécuter et paramétrer ce programme après l'avoir installé :

1. Cliquez sur le menu **Fichier** et choisissez la commande **Copie de sauvegarde**.

2. Cliquez sur le bouton **Options**, et indiquez les paramètres suivants :

- – Cochez *Rappel pour copie de sauvegarde tous les XX jours* et indiquez la fréquence de sauvegarde.
- – Cochez ensuite les fichiers *.pst* qui doivent être sauvegardés.
- – Puis cliquez sur le bouton **Parcourir** afin de désigner le dossier qui contiendra la sauvegarde automatique et le nom du fichier à générer.

3. Cliquez sur le bouton OK pour terminer le paramétrage.

4. Cliquez sur le bouton **Enregistrer une copie de sauvegarde** si vous désirez lancer une sauvegarde maintenant ou sur le bouton **Annuler** pour terminer sans sauvegarder.

Sauvegarde automatique

À partir de maintenant, tous les n jours quand vous quitterez Outlook, le programme vous demandera s'il doit faire une sauvegarde de vos données.

Figure 18.91 :
Paramétrage de la sauvegarde automatique

1005. Gestion de la sécurité des pièces jointes

Afin de diminuer les risques de contamination de votre messagerie par des virus, Microsoft a doté Outlook de fonctions empêchant l'ouverture et la sauvegarde de fichiers considérés comme potentiellement sensibles. Vous pouvez gérer vous-même cette sécurité grâce à deux programmes aux mêmes effets, mais dont l'un est externe alors que l'autre s'intègre dans Outlook.

Le programme *XPUnlock* est téléchargeable à l'adresse www .laboratoire-microsoft.org/cd/outils/xpunlock.

1. Double-cliquez sur le programme à l'emplacement où vous l'avez téléchargé ou exécutez-le directement à partir du site.

2. Cochez les cases des types de fichiers que vous voulez autoriser et cliquez sur le bouton **Save**.

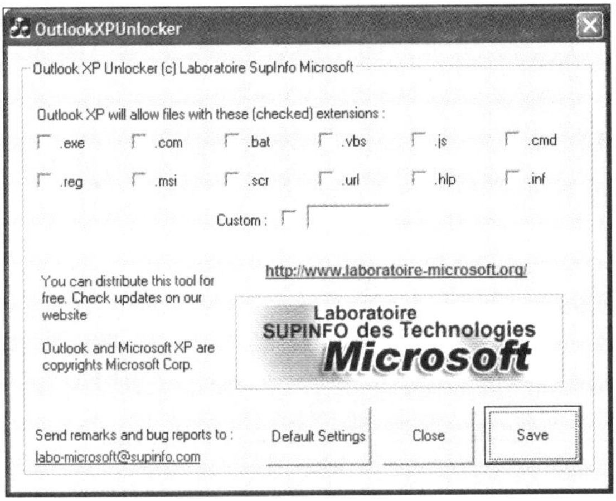

Figure 18.92 :
Choix des types de fichiers à autoriser ou à interdire

Le second programme, *Attachment Options*, est téléchargeable à l'adresse www.slovaktech.com/attachmentoptions.htm.

1. Une fois le programme installé, vous obtiendrez un onglet supplémentaire dans le menu **Outils/Options** appelé **Attachment Security and Options**.

2. Choisissez dans la partie gauche un des types de fichiers à autoriser et cliquez sur le bouton **Move**. (**Move All** autorise l'ouverture de tous les types de fichiers).

3. En cas de remords ou de renforcement de la sécurité, choisissez dans la partie droite un des types de fichiers à autoriser et cliquez sur le bouton **Remove** (**Remove All** interdit l'ouverture de tous les types de fichiers).

4. Cochez éventuellement la case *Minimize to the system Tray* afin de placer Outlook à côté de l'horloge lors de la réduction en icône afin de ne pas prendre de place sur la barre des tâches tout en restant actif.

5. Cochez éventuellement là aussi la case *Read all email as Plain Text* afin d'éviter l'activation possible d'un virus contenu dans un message en HTML.

6. Cliquez sur le bouton OK pour terminer.

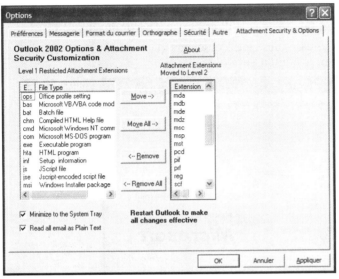

Figure 18.93 : *Choix des types de fichiers à autoriser ou à interdire*

1006. Incredimail pour Outlook (des e-mails animés et beaux !)

Afin d'améliorer agréablement vos messages, il existe un Add-on (programme supplémentaire qui s'intègre au programme principal) nommé Incredimail for Office - Outlook Add-on. Ce dernier vous permettra d'animer de façon très agréable vos messages, de définir une signature manuscrite, d'avoir des effets de texte ainsi que des effets 3D sur des objets, d'ajouter tout ce qui change la forme d'un message. De plus, vous bénéficierez d'un avertisseur d'arrivée de message très personnalisé qui fonctionnera même si Outlook est fermé.

Actuellement en version bêta, mais il ne devrait pas tarder à sortir en version définitive, il est téléchargeable à l'adresse **www.incredimail.com/english/imol_beta.asp**.

Une fois installé sur votre système, il s'intègre à Outlook et se lance en même temps que lui. Essayez de créer un nouveau message pour voir les possibilités que ce dernier offre.

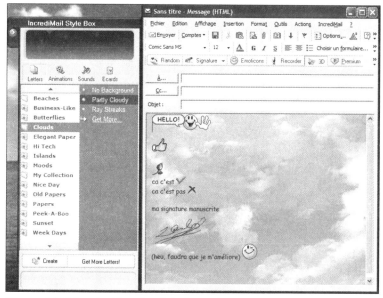

Figure 18.94 : *Amélioration de la forme des messages*

1007. Glossaire, abréviations et acronymes (FAI, Post, PST...)

Tableau 18-4 : Acronymes		
Acronyme/ expression	**Explication**	**Signification**
Cci	Champ utilisable pour envoyer à plusieurs personnes le même message sans qu'elles voient les destinataires cachés.	Copy carbone invisible
CSV	Format de fichier d'échange de données.	Comma Separated Values
Exchange	Serveur de messagerie utilisé principalement par Outlook.	

Tableau 18-4 : Acronymes		
Acronyme/ expression	**Explication**	**Signification**
FAI	Fournisseur d'accès à Internet.	
FAQ	Questions fréquemment posées ou foire aux questions.	Frequently Asked Questions
HTML	Langage de description de page pouvant contenir des commandes en divers langages de programmation.	Hyper Text Language Markup
IMAP	Protocole de gestion de message directement sur le serveur de messagerie.	Internet Mail Access Protocol
KB	Base de connaissance de Microsoft.	Knowledge Base
MAILTO	Commande permettant la création d'un message en ligne de commande.	
MIME	Format des messages.	Multipurpose Internet Mail Extension
MSN	Réseau de Microsoft.	MicroSoft Network
PAB	Fichier contenant uniquement les adresses, mais qui n'est pas systématiquement ajouté et fait une sorte de double emploi avec les contacts.	Personnal Adress Book
POP	Protocole de rapatriement de messages du serveur de messagerie vers son ordinateur.	Post Office Protocol
PST	Fichier contenant tous les messages, rendez-vous, notes, tâches et contacts.	Personnal STorage
RTF	Format de fichier.	Rich Text Format
S/MIME	Extension sécurisée de MIME.	Secure Multipurpose Internet Mail Extension
SMTP	Protocole de transfert de message vers le serveur.	Simple Mail Transfert Protocol
SPAM	Courrier publicitaire douteux non sollicité.	(Appelé aussi Pouriel)

1008. Les raccourcis clavier d'Outlook

Les raccourcis clavier peuvent vous faire gagner du temps dans beaucoup de manipulations par rapport à la souris, qui vous oblige à quitter le clavier, à pointer, à cliquer et enfin à revenir sur le clavier pour saisir la donnée suivante.

Tableau 18-5 : Raccourcis clavier	
Touche	**Utilisation**
Menus et barres d'outils	
F10 ou Alt	Active la barre de menus ou ferme un menu et un sous-menu ouverts.
Tab / Maj+Tab	Lorsqu'une barre d'outils sélectionne le bouton ou menu suivant ou précédent sur la barre d'outils.
Ctrl+Tab / Ctrl+Maj+Tab	Lorsqu'une barre d'outils est sélectionnée, sélectionne la barre d'outils suivante ou précédente.
Entrée	Ouvre le menu sélectionné ou exécute l'action attribuée à la commande ou au bouton sélectionné.
Maj+F10	Affiche le menu contextuel correspondant à l'élément sélectionné.
Alt+Espace	Affiche le menu système de la fenêtre.
Échap	Ferme un menu ouvert. Lorsqu'un sous-menu est ouvert, ferme uniquement le sous-menu.
F11	Active la zone *Rechercher un contact*.
Dans les boîtes de dialogue Ouvrir, Enregistrer sous et Insérer un fichier	
Alt+1	Passe au dossier précédent.
Alt+2	Bouton **Dossier parent** : ouvre le dossier situé un niveau au-dessus du dossier ouvert.
Alt+3	Bouton **Rechercher sur le Web** : ferme la boîte de dialogue et ouvre votre page de recherche sur le Web.
Alt+4	Bouton **Supprimer** : supprime le dossier ou fichier sélectionné.
Alt+5	Bouton **Créer un dossier** : crée un nouveau dossier.

Tableau 18-5 : Raccourcis clavier	
Touche	**Utilisation**
Alt + 6	Bouton **Affichages** : passe d'un affichage de dossiers disponible au suivant.
Alt + 7 ou Alt + L	Bouton **Outils** : affiche le menu **Outils**.
F4 ou Alt + D	Ouvre la liste *Regarder dans*.
F5	Actualise la liste de fichiers.
Boîte de dialogue	
Tab / Maj + Tab	Passe à l'option ou au groupe d'options suivant ou précédent.
Ctrl + Tab / Ctrl + Maj + Tab	Passe à l'onglet suivant ou précédent de la boîte de dialogue.
Touches de direction	Passe d'une option à l'autre dans une liste déroulante ouverte ou dans un groupe d'options.
Espace	Exécute l'action attribuée au bouton sélectionné ; active ou désactive la case à cocher sélectionnée.
Première lettre d'une option dans une liste déroulante	Ouvre la liste si elle est fermée et passe à cette option dans la liste.
Alt + lettre soulignée dans une option	Sélectionne une option ; active ou désactive une case à cocher.
Alt + bas	Ouvre la liste déroulante sélectionnée.
Échap	Ferme la liste déroulante sélectionnée ; annule une commande et ferme une boîte de dialogue.
Entrée	Exécute l'action attribuée au bouton par défaut dans une boîte de dialogue.
Navigation parmi les éléments	
Ctrl + virgule	Élément suivant (lorsqu'un élément est ouvert).
Ctrl + point	Élément précédent (lorsqu'un élément est ouvert).
F6 ou Ctrl + Maj + Tab	Passe de la liste des dossiers à la fenêtre principale d'Outlook, et inversement.
Ctrl + Y	Permet d'atteindre un dossier différent.

Tableau 18-5 : Raccourcis clavier	
Touche	**Utilisation**
⊞ ou ⊟ du clavier numérique	Développe ou réduit le dossier sélectionné.
Créer un élément	
Ctrl + Maj + A	Rendez-vous.
Ctrl + Maj + C	Contact.
Ctrl + Maj + L	Liste de distribution.
Ctrl + Maj + E	Dossier.
Ctrl + Maj + J	Entrée de journal.
Ctrl + Maj + Q	Demande de réunion.
Ctrl + Maj + M	Message.
Ctrl + Maj + N	Note.
Ctrl + Maj + H	Nouveau document Office.
Ctrl + Maj + S	Publier dans ce dossier.
Ctrl + Maj + K	Tâche.
Ctrl + Maj + U	Demande de tâche.
Pour tous les éléments	
Ctrl + S ou Maj + F12	Enregistre l'élément.
Alt + S	Enregistre et ferme l'élément ; envoie l'élément.
F12	Enregistre l'élément sous un autre nom.
Ctrl + Z ou Alt + retour arrière	Annule la dernière action effectuée.
Ctrl + D	Supprime l'élément.
Ctrl + P	Imprime l'élément.
Ctrl + Maj + Y	Copie l'élément.
Ctrl + Maj + V	Déplace l'élément.

Tableau 18-5 : Raccourcis clavier	
Touche	**Utilisation**
Ctrl + K	Vérifie les noms (Alt + K si Word est l'éditeur de messagerie électronique).
F7	Vérifie l'orthographe.
Ctrl + Maj + G	Ajoute un indicateur de suivi pour un message.
Ctrl + F	Transfère l'élément.
Ctrl + Entrée	Envoyer/publier/inviter tous (uniquement avec Outlook en tant qu'éditeur de messagerie électronique).
F3 ou Ctrl + E	Recherche des éléments.
F4	Recherche du texte dans des éléments.
MAJ + F4	Recherche l'occurrence suivante lors d'une recherche de texte.
Ctrl + Maj + F	Permet d'utiliser la fonction **Recherche avancée**.
F2	Active l'édition dans un champ (sauf en affichage Icône).
Messages électroniques	
Ctrl + Maj + I	Passe à la boîte de réception.
Ctrl + Maj + O	Passe à la boîte d'envoi.
Ctrl + R	Répondre à un message.
Ctrl + Maj + R	Répondre à tous.
Ctrl + Maj + S	Publie le message dans un dossier.
Ctrl + M ou F5	Vérifie l'arrivée de nouveau courrier.
Ctrl + N	Ouvre un message reçu.
Ctrl + Maj + B	Affiche le carnet d'adresses.
Ctrl + Maj + O	Convertit un message HTML/RTF/texte brut.
Ctrl + Q	Marque le message comme lu.

Tableau 18-5 : Raccourcis clavier

Touche	Utilisation
Dossier *Calendrier* ou *Tâches*	
Alt + C	Accepte un rendez-vous/une tâche.
Alt + D	Refuse un rendez-vous/une tâche.
Dossier Contacts	
Ctrl + Maj + D	Permet de composer un numéro.
F11	Permet de taper un nom dans la zone *Rechercher un contact*.
Mise en forme de texte	
Alt + T	Affiche le menu **Format**.
Maj + F3	Inverse la casse (lorsque du texte est sélectionné).
Ctrl + B	Met le texte en gras.
Ctrl + Maj + L	Ajoute des puces.
Ctrl + I	Met le texte en italique.
Ctrl + T	Augmente le retrait.
Ctrl + Maj + T	Diminue le retrait.
Ctrl + L	Aligne le texte à gauche.
Ctrl + E	Centre le texte.
Ctrl + U	Souligne le texte.
Ctrl + []	Augmente la taille de la police.
Ctrl + []	Diminue la taille de la police.
Ctrl + X ou Maj + Suppr	Coupe le texte.
Ctrl + C ou Ctrl + Inser	Copie le texte.
Ctrl + V ou Maj + Inser	Colle le texte.
Ctrl + Maj + Z ou Ctrl + Espace	Annule la mise en forme.

Tableau 18-5 : Raccourcis clavier	
Touche	**Utilisation**
Ajouter des informations web aux éléments	
Ctrl+bouton gauche de la souris	Modifie une URL dans le corps d'un élément.
Maj+bouton gauche de la souris	Spécifie un navigateur web.
Ctrl+K	Insère un lien hypertexte (avec Word en tant qu'éditeur de messagerie).
Aperçu avant impression	
Ctrl+F2	Ouvre l'aperçu avant impression.
Alt+P	Imprime un aperçu avant impression.
Alt+S ou Alt+U	Permet de mettre en page l'aperçu avant impression.
Alt+Z	Zoom.
Alt+C	Ferme l'aperçu avant impression.
Affichages	
Affichage Tableau	
Entrée	Ouvre un élément.
Ctrl+A	Sélectionne tous les éléments.
Page suivante/précédente	Passe à l'élément situé en bas ou en haut de l'écran.
Maj+haut/bas	Étend ou réduit d'un élément la sélection en cours.
Ctrl+haut/bas	Passe à l'élément suivant ou précédent sans étendre la sélection.
Ctrl+Espace	Sélectionne ou désélectionne l'élément actif.
Ctrl+début/fin	Déplace tous les éléments sélectionnés vers le haut ou le bas.
Affichage Jour/Semaine/Mois	
Pour les trois affichages	

Tableau 18-5 : Raccourcis clavier	
Touche	**Utilisation**
Alt+touche correspondant au nombre de jours	Affiche de 1 à 10 jours (0 affiche 10 jours).
Alt+trait d'union	Affichage semaines.
Alt+signe égal	Affichage mois.
Ctrl+Tab ou F6	Passe alternativement du calendrier à la liste des tâches et à la liste des dossiers.
Maj+Tab	Sélectionne le rendez-vous précédent.
Gauche/droite	Passe au jour précédent ou suivant.
Alt+gauche/droite	Déplace l'élément sélectionné vers le jour précédent ou suivant lorsque plusieurs jours sont affichés.
Alt+bas/haut	Passe au même jour, la semaine suivante ou précédente.
Affichage *Jour*	
Début/fin	Sélectionne l'heure à laquelle commence ou se termine votre journée de travail.
Haut/bas	Sélectionne la plage horaire précédente ou suivante.
Page précédente/suivante	Sélectionne la plage horaire située en haut de l'écran ou en bas de l'écran.
Maj+haut/bas	Étend ou réduit la plage horaire sélectionnée.
Alt+haut/bas	Déplace un rendez-vous (le curseur étant placé sur le rendez-vous).
Alt+Maj+haut/bas	Change l'heure de début ou de fin d'un rendez-vous (le curseur étant placé sur le rendez-vous).
Alt+bas/haut	Déplace l'élément sélectionné vers le même jour, la semaine suivante ou précédente.
Affichages Semaine et Mois	
Début/fin	Passe au premier ou au dernier jour de la semaine.
Page précédente/suivante	Passe au même jour de la semaine, la semaine précédente ou suivante (ou cinq semaines avant ou après si vous affichez les mois).

Tableau 18-5 : Raccourcis clavier	
Touche	**Utilisation**
Alt+haut/bas, gauche/droite	Déplace le rendez-vous vers le haut ou le bas, la gauche ou la droite.
Maj+gauche/droite, haut/bas, début/fin	Modifie la durée de la plage horaire sélectionnée.
Navigateur de dates	
Alt+début/fin	Passe au premier ou au dernier jour de la semaine en cours.
Alt+haut/bas	Passe au même jour, la semaine précédente ou suivante.
Alt+page précédente/suivante	Passe au premier ou au dernier jour du mois.
Affichage en cartes de visite	
Pour l'utilisation générale Taper une ou plusieurs lettres du nom sous lequel la carte est classée ou du champ utilisé pour effectuer le tri.	
Haut/bas, début/fin	Sélectionne la carte précédente ou suivante, première ou dernière carte de la liste.
Page précédente/suivante	Sélectionne la première carte de la page en cours ou la suivante.
Droite/gauche	Sélectionne la carte la plus proche dans la colonne suivante ou précédente.
Ctrl+Espace	Sélectionne ou désélectionne la carte active.
Maj+haut/bas	Étend la sélection jusqu'à la carte précédente ou suivante.
Maj+début/fin	Étend la sélection jusqu'à la première ou la dernière carte de la liste.
Maj+page précédente/suivante	Étend la sélection jusqu'à la première carte de la page précédente ou suivante.
Passer d'une carte à une autre sans changer la sélection	
Ctrl+bas/haut	Vers la carte suivante ou précédente.
Ctrl+début/fin	Vers la première ou dernière carte de la liste.

Tableau 18-5 : Raccourcis clavier	
Touche	**Utilisation**
Ctrl+page précédente/suivante	Vers la première carte de la page précédente ou suivante.
Ctrl+gauche/droite	Vers la carte la plus proche dans la colonne précédente ou suivante.
F2	Vers un champ de la carte active.
Passer d'un champ à un autre dans une carte	
Tab / Maj+Tab	Passe au champ suivant ou précédent et, à partir du dernier ou du premier champ d'une carte, passe au premier ou au dernier champ de la carte suivante ou précédente.
Entrée	Passe au champ suivant ou ajoute une ligne à un champ multiligne.
Maj+Entrée	Passe au champ précédent sans quitter la carte active.
F2	Affiche le point d'insertion dans le champ actif pour modifier le texte.

1009. Pour aller plus loin : LE site incontournable d'Outlook

Sur Internet, vous trouverez de nombreux sites parlant d'Outlook et des problèmes rencontrés, mais surtout des solutions trouvées grâce notamment aux forums de Microsoft. Vous le trouverez à l'adresse http://faq .outlook.free.fr.

Chapitre commun

Chapitre
commun

19.1 Windows

Vous trouverez ici les éléments communs concernant certaines manipulations de Windows, comme l'affichage des fichiers cachés, les raccourcis clavier ou la manipulation de la base de registre.

1010. Afficher les fichiers cachés, les fichiers système

Il est souvent important de voir tous les fichiers que le système cache par précaution.

1. Cliquez sur le bouton **Démarrer**, puis successivement sur **Tous les programmes**/**Accessoires**/**Explorateur Windows** (ou le raccourci clavier `Windows`+`E`).

2. Cliquez sur le menu **Outils**, puis sur **Options des dossiers.**

3. Cliquez sur l'onglet **Affichage** :

   – Cochez la case *Afficher le contenu des dossiers système*.

   – Choisissez l'option *Afficher les fichiers et dossiers cachés*.

   – Décochez la case *Masquer les fichiers protégés du système d'exploitation*.

4. Cliquez sur le bouton OK.

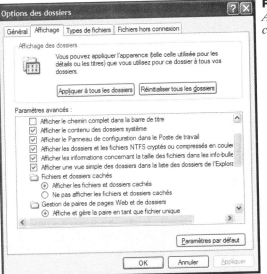

Figure 19.1 :
Afficher les fichiers cachés

1011. Afficher les extensions des fichiers

Afin de savoir quel est exactement le type de n'importe quel fichier, vous pouvez afficher leur extension comme ceci :

1. Cliquez sur le bouton **Démarrer**, puis successivement sur **Tous les programmes**, **Accessoires**, **Explorateur Windows** (ou le raccourci clavier [Windows]+[E]).

2. Cliquez sur le menu **Outils**, puis sur **Options des dossiers**.

3. Cliquez sur l'onglet **Affichage** et décochez la case *Masquer les extensions des fichiers dont le type est connu*.

4. Cliquez sur le bouton OK.

1012. Principaux raccourcis clavier de Windows XP

Tableau 19-1 : Principaux raccourcis clavier de Windows	
Raccourci	**Action**
[Ctrl]+[C]	Copier
[Ctrl]+[X]	Couper
[Ctrl]+[V]	Coller
[Ctrl]+[Z]	Annuler
[Maj]+[Suppr]	Supprimer définitivement l'élément sélectionné sans passer par la Corbeille
[Ctrl] tout en faisant glisser un élément	Copier l'élément sélectionné
[Ctrl]+[Maj] tout en faisant glisser un élément	Créer un raccourci vers l'élément sélectionné
[F2]	Renommer l'élément sélectionné
[Ctrl]+[Flèche droite]	Début du mot suivant
[Ctrl]+[Flèche gauche]	Début du mot précédent
[Maj]+une touche de direction	Sélectionner un bloc de texte
[Ctrl]+[A]	Sélectionner tout

Tableau 19-1 : Principaux raccourcis clavier de Windows

Raccourci	Action
F3	Rechercher un fichier ou un dossier
Alt + Entrée	Afficher des propriétés de l'objet sélectionné
Alt + F4	Fermer l'élément actif ou quitter le programme actif
Ctrl + F4	Fermer le document actif
Alt + Tab	Passer d'un élément ouvert à l'autre
Alt + Echap	Parcourir les éléments dans leur ordre d'ouverture
F6	Parcourir les éléments d'écran d'une fenêtre ou du Bureau
F4	Afficher la liste des barres d'adresse dans le Poste de travail ou dans l'Explorateur Windows
Maj + F10	Afficher le menu contextuel associé à l'élément sélectionné
Alt + Espace Alt + Barre d'espace	Afficher le menu système pour la fenêtre active
Ctrl + Echap	Afficher le menu **Démarrer**
F10	Activer la barre de menus dans le programme actif
F5	Actualiser la fenêtre active
Retour Arrière	Afficher le dossier d'un niveau supérieur dans le Poste de travail ou dans l'Explorateur Windows
Maj lorsque vous insérez un CD/DVD dans le lecteur de CD-Rom/DVD	Empêcher la lecture automatique du CD
Windows	Afficher ou masquer le menu **Démarrer**
Windows + Pause	Afficher la boîte de dialogue **Propriétés système**
Windows + D	Afficher le Bureau
Windows + M	Réduire toutes les fenêtres
Windows + Maj + M	Restaurer les fenêtres réduites
Windows + E	Lancer l'Explorateur

Tableau 19-1 : **Principaux raccourcis clavier de Windows**	
Raccourci	**Action**
[Windows]+[F]	Rechercher un fichier ou un dossier
[Ctrl]+[Windows]+[F]	Rechercher des ordinateurs
[Windows]+[F1]	Afficher l'Aide de Windows
[Windows]+[L]	Changer de session
[Windows]+[R]	Ouvrir la boîte de dialogue **Exécuter**
[Windows]+[U]	Ouvrir le Gestionnaire d'utilitaires

19.2 Utilisation du Gestionnaire de la base de registre

La base de registre est un endroit sensible, et la moindre fausse manipulation risque de rendre votre système instable. Voici comment procéder pour sauvegarder et restaurer une partie de votre base de registre avant toute manipulation hasardeuse.

1013. Ouvrir la base de registre

Manipulation de base pour ouvrir la base de registre :

1. Cliquez sur le bouton **Démarrer**, puis sur **Exécuter** (ou le raccourci clavier [Windows]+[R]).

2. Dans la boîte de dialogue, saisissez regedit et cliquez sur le bouton OK.

1014. Sauver une branche

Afin de conserver une trace de la branche avant de faire une manipulation dans la base de registre, voici comment procéder :

1. Choisissez la clé que vous désirez sauvegarder.

2. Cliquez sur le menu **Fichier**, puis sur **Exporter**.

3. Donnez un nom au fichier à générer et cliquez sur le bouton **Enregistrer**.

4. Quittez ensuite l'éditeur de la base de registre.

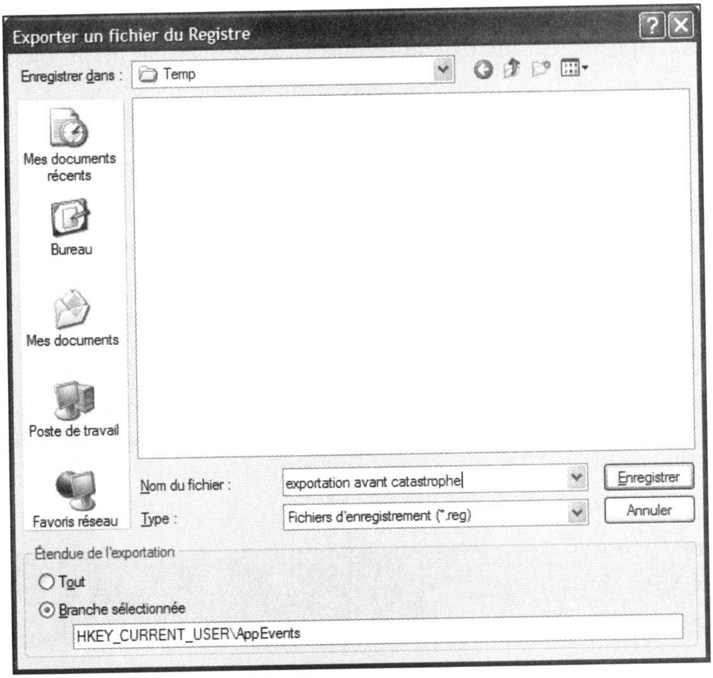

Figure 19.2 : *Exportation d'une branche du registre*

1015. Restaurer une branche

Si vous avez fait une mauvaise manipulation dans la base de registre, il est possible de restaurer la branche qui aurait un problème :

1. Effectuez un double-clic sur le fichier *.reg* qui a été généré auparavant.

2. Confirmez l'intégration en cliquant sur le bouton **Oui**.

3. Une fois que la restauration est terminée, cliquez sur le bouton OK.

Ou

1. Cliquez sur le menu **Fichier**, puis sur **Importer**.

2. Choisissez le fichier *.reg* que vous avez généré et cliquez sur le bouton **Ouvrir**.

3. Quittez ensuite l'éditeur de la base de registre.

19.3 Sauvegarder/Restaurer le système

Afin de mettre votre système à l'abri, voici comment créer un "point de restauration" qui vous permettra de revenir en arrière en cas de problème.

1016. Créer un point de restauration

Voici comment prévenir un problème en créant un point de restauration :

1. Cliquez sur le bouton **Démarrer**, puis successivement sur **Tous les programmes/Accessoires/Outils système**.

2. Cliquez sur **Restauration du système**.

3. Choisissez l'option *Créer un point de restauration* et cliquez sur le bouton **Suivant**.

4. Saisissez une description afin de retrouver plus facilement cette sauvegarde et cliquez sur le bouton **Créer**.

5. Cliquez sur le bouton **Fermer** lorsque Windows aura fini de créer le point de restauration.

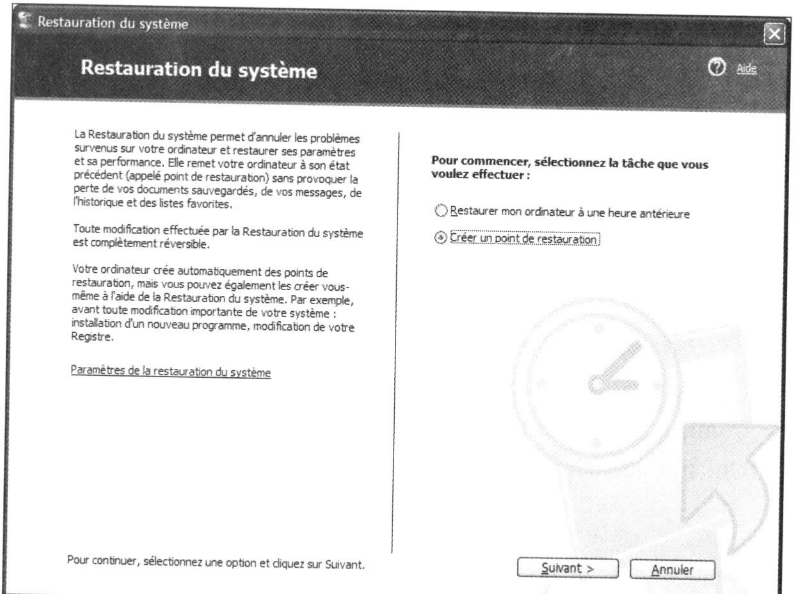

Figure 19.3 : *Créer un point de restauration*

1017. Revenir en arrière

Après certains problèmes, vous pouvez revenir à l'endroit où vous aviez fait un point de restauration.

1. Cliquez sur le bouton **Démarrer**, puis successivement sur **Tous les programmes, Accessoires, Outils système.**

2. Cliquez sur **Restauration du système.**

3. Choisissez l'option *Restaurer mon ordinateur à une heure antérieure* et cliquez sur le bouton **Suivant.**

4. Cliquez sur la date à laquelle vous désirez revenir et éventuellement sur l'heure, et cliquez sur le bouton **Suivant.**

5. Windows va relancer le système après la restauration. Une boîte de dialogue vous annonce que la restauration est terminée.

6. Cliquez sur le bouton OK.

19.4 Webmaster

Cette partie concerne plus spécifiquement les webmasters ou les curieux qui voudraient en savoir plus.

1018. Codes d'erreur HTTP

Tableau 19-2 : Redirections/Erreurs du client			
Erreur	**Signification**	**Erreur**	**Signification**
300	Multiple Choices	406	Not Acceptable
301	Moved Permanently	407	Proxy Authentication Required
302	Found	408	Request Time-out
303	See Other	409	Conflict
304	Not Modified	410	Gone
305	Use Proxy	411	Length Required
307	Temporary Redirect	412	Precondition Failed

Tableau 19-2 : Redirections/Erreurs du client

Erreur	Signification	Erreur	Signification
400	Bad Request	413	Request Entity Too Large
401	Unauthorized	414	Request-URI Too Large
402	Payment Required	415	Unsupported Media Type
403	Forbidden	416	Requested range not satisfiable
404	Not Found	417	Expectation Failed
405	Method Not Allowed		

Tableau 19-3 : Erreurs du serveur

Numéro d'erreur	Signification	Traduction
500	Internal Server Error	Erreur sur le serveur
501	Not Implemented	Programme absent
502	Bad Gateway	Mauvaise passerelle
503	Service Unavailable	Service indisponible
504	Gateway Time-out	La passerelle met trop de temps à répondre
505	HTTP Version not supported	Version HTTP pas reconnue

Ensemble des codes d'erreur

Retrouvez l'ensemble des codes d'erreur et leur description à partir des adresses http://avialle.free.fr/codes_reponse_serveur.html et http://selfhtml.selfhtml .com.fr/divers/httpstatuscodes.htm.

1019. Noms de couleurs

Dans les documents web, des couleurs prédéfinies sont accessibles par leur nom. Voici la liste des 140 couleurs reconnues :

Tableau 19-4 : 140 couleurs reconnues				
Nom des couleurs	Nom des couleurs	Nom des couleurs	Nom des couleurs	Nom des couleurs
aliceblue	darkolivegreen	indigo	mediumpurple	purple
antiquewhite	darkorange	ivory	mediumseagreen	red
aqua	darkorchid	khaki	mediumslateblue	rosybrown
aquamarine	darkred	lavender	mediumspringgreen	royalblue
azure	darksalmon	lavenderblush	mediumturquoise	saddlebrown
beige	darkseagreen	lawngreen	mediumvioletred	salmon
bisque	darkslateblue	lemonchiffon	midnightblue	sandybrown
black	darkslategray	lightblue	mintcream	seagreen
blanchedalmond	darkturquoise	lightcoral	mistyrose	seashell
blue	darkviolet	lightcyan	moccasin	sienna
blueviolet	deeppink	lightgoldenrodyellow	navajowhite	silver
brown	deepskyblue	lightgreen	navy	skyblue
burlywood	dimgray	lightgrey	oldlace	slateblue
cadetblue	dodgerblue	lightpink	olive	slategray
chartreuse	firebrick	lightsalmon	olivedrab	snow
chocolate	floralwhite	lightseagreen	orange	springgreen
coral	forestgreen	lightskyblue	orangered	steelblue
cornflowerblue	fuchsia	lightslategray	orchid	tan
cornsilk	gainsboro	lightsteelblue	palegoldenrod	teal
crimson	ghostwhite	lightyellow	palegreen	thistle

Tableau 19-4 : 140 couleurs reconnues				
Nom des couleurs	Nom des couleurs	Nom des couleurs	Nom des couleurs	Nom des couleurs
cyan	gold	lime	paleturquoise	tomato
darkblue	goldenrod	limegreen	palevioletred	turquoise
darkcyan	gray	linen	papayawhip	violet
darkgoldenrod	green	magenta	peachpuff	wheat
darkgray	greenyellow	maroon	peru	white
darkgreen	honeydew	mediumaquamarine	pink	whitesmoke
darkkhaki	hotpink	mediumblue	plum	yellow
darkmagenta	indianred	mediumorchid	powderblue	yellowgreen

Rendez-vous sur la page http://msdn.microsoft.com/workshop/author/dhtml/reference/colors/colors.asp pour avoir un aperçu en couleurs de ce tableau.

1020. Références de caractères

Caractères 8859-1, déclaration dans le header d'un document web par :

```
<!ENTITY % HTMLlat1 PUBLIC "-//W3C//ENTITIES Latin 1//EN//HTML">
```

Tableau 19-5 : Caractères de Latin 1 (8859-1)							
Ref. Entité	Code	C	Caractère	Ref. Entité	Code	C	Caractère
nbsp;	160		espace insécable	ETH;	208	Ð	lettre majuscule latine ED
iexcl;	161	¡	point d'exclamation renversé	Ntilde;	209	Ñ	lettre majuscule latine N tilde
cent;	162	¢	symbole centime	Ograve;	210	Ò	lettre majuscule latine O accent grave

Tableau 19-5 : Caractères de Latin 1 (8859-1)

Ref. Entité	Code	C	Caractère	Ref. Entité	Code	C	Caractère
pound;	163	£	symbole livre	Oacute;	211	Ó	lettre majuscule latine O accent aigu
curren;	164	¤	symbole monétaire	Ocirc;	212	Ô	lettre majuscule latine O accent circonflexe
yen;	165	¥	symbole yen	Otilde;	213	Õ	lettre majuscule latine O tilde
brvbar;	166	¦	barre verticale discontinue	Ouml;	214	Ö	lettre majuscule latine O tréma
sect;	167	§	paragraphe	times;	215	×	signe multiplication
uml;	168	¨	tréma	Oslash;	216	Ø	lettre majuscule latine O barré obliquement
copy;	169	©	symbole copyright	Ugrave;	217	Ù	lettre majuscule latine U accent grave
ordf;	170	ª	indicateur ordinal féminin	Uacute;	218	Ú	lettre majuscule latine U accent aigu
laquo;	171	«	guillemet gauche	Ucirc;	219	Û	lettre majuscule latine U accent circonflexe
not;	172	¬	signe négation	Uuml;	220	Ü	lettre majuscule latine U tréma
shy;	173		trait d'union virtuel	Yacute;	221	Ý	lettre majuscule latine Y accent aigu
reg;	174	®	symbole marque déposée	THORN;	222	Þ	lettre majuscule latine THORN
macr;	175	¯	macron	szlig;	223	ß	lettre minuscule latine s dur

Tableau 19-5 : Caractères de Latin 1 (8859-1)

Ref. Entité	Code	C	Caractère	Ref. Entité	Code	C	Caractère
deg;	176	°	symbole degré	agrave;	224	à	lettre minuscule latine a accent grave
plusmn;	177	±	signe plus-ou-moins	aacute;	225	á	lettre minuscule latine a accent aigu
sup2;	178	²	exposant deux	acirc;	226	â	lettre minuscule latine a accent circonflexe
sup3;	179	³	exposant trois	atilde;	227	ã	lettre minuscule latine a tilde
acute;	180	´	accent aigu	auml;	228	ä	lettre minuscule latine a tréma
micro;	181	µ	symbole micro	aring;	229	å	lettre minuscule latine a rond en chef
para;	182	¶	pied de mouche	aelig;	230	æ	lettre minuscule latine ae
middot;	183	·	point médian	ccedil;	231	ç	lettre minuscule latine c cédille
cedil;	184	¸	cédille	egrave;	232	è	lettre minuscule latine e accent grave
sup1;	185	¹	exposant un	eacute;	233	é	lettre minuscule latine e accent aigu
ordm;	186	º	indicateur ordinal masculin	ecirc;	234	ê	lettre minuscule latine e accent circonflexe
raquo;	187	»	guillemet droite	euml;	235	ë	lettre minuscule latine e tréma
frac14;	188	¼	fraction un quart	igrave;	236	ì	lettre minuscule latine i accent grave

Tableau 19-5 : Caractères de Latin 1 (8859-1)

Ref. Entité	Code	C	Caractère	Ref. Entité	Code	C	Caractère
frac12;	189	½	fraction un demi	iacute;	237	í	lettre minuscule latine i accent aigu
frac34;	190	¾	fraction trois quarts	icirc;	238	î	lettre minuscule latine i accent circonflexe
iquest;	191	¿	point d'interrogation renversé	iuml;	239	ï	lettre minuscule latine i tréma
Agrave;	192	À	lettre majuscule latine A accent grave	eth;	240	ð	lettre minuscule latine ed
Aacute;	193	Á	lettre majuscule latine A accent aigu	ntilde;	241	ñ	lettre minuscule latine n tilde
Acirc;	194	Â	lettre majuscule latine A accent circonflexe	ograve;	242	ò	lettre minuscule latine o accent grave
Atilde;	195	Ã	lettre majuscule latine A tilde	oacute;	243	ó	lettre minuscule latine o accent aigu
Auml;	196	Ä	lettre majuscule latine A tréma	ocirc;	244	ô	lettre minuscule latine o accent circonflexe
Aring;	197	Å	lettre majuscule latine A rond en chef	otilde;	245	õ	lettre minuscule latine o tilde
AElig;	198	Æ	lettre majuscule latine AE	ouml;	246	ö	lettre minuscule latine o tréma
Ccedil;	199	Ç	lettre majuscule latine C cédille	divide;	247	÷	signe division
Egrave;	200	È	lettre majuscule latine E accent grave	oslash;	248	ø	lettre minuscule latine o barré obliquement

Tableau 19-5 : Caractères de Latin 1 (8859-1)							
Ref. Entité	Code	C	Caractère	Ref. Entité	Code	C	Caractère
Eacute;	201	É	lettre majuscule latine E accent aigu	ugrave;	249	ù	lettre minuscule latine u accent grave
Ecirc;	202	Ê	lettre majuscule latine E accent circonflexe	uacute;	250	ú	lettre minuscule latine u accent aigu
Euml;	203	Ë	lettre majuscule latine E tréma	ucirc;	251	û	lettre minuscule latine u accent circonflexe
Igrave;	204	Ì	lettre majuscule latine I accent grave	uuml;	252	ü	lettre minuscule latine u tréma
Iacute;	205	Í	lettre majuscule latine I accent aigu	yacute;	253	ý	lettre minuscule latine y accent aigu
Icirc;	206	Î	lettre majuscule latine I accent circonflexe	thorn;	254	þ	lettre minuscule latine thorn
Iuml;	207	Ï	lettre majuscule latine I tréma	yuml;	255	ÿ	lettre minuscule latine y tréma

Caractères HTML spéciaux. Déclaration dans le header d'un document web par :

```
<!ENTITY % HTMLspecial PUBLIC "-//W3C//ENTITIES
%< Special//EN//HTML">
```

Tableau 19-6 : Caractères spéciaux pour HTML							
Ref. Entité	Code	C	Caractère	Ref. Entité	Code	C	Caractère
quot;	34	"	guillemet anglais = guillemet APL	lrm;	8206		marque gauche-à-droite
amp;	38		esperluette	rlm;	8207		marque droite-à-gauche

Tableau 19-6 : Caractères spéciaux pour HTML

Ref. Entité	Code	C	Caractère	Ref. Entité	Code	C	Caractère
lt;	60	<	signe inférieur à	ndash;	8211	–	tiret demi-cadratin
gt;	62	>	signe supérieur à	mdash;	8212	—	tiret cadratin
OElig;	338	Œ	ligature majuscule latine OE	lsquo;	8216	'	guillemet-apostrophe culbuté
oelig;	339	œ	ligature minuscule latine oe	rsquo;	8217	'	guillemet-apostrophe
Scaron;	352	Š	lettre majuscule latine S caron	sbquo;	8218	‚	guillemet-virgule inférieur
scaron;	353	š	lettre minuscule latine s caron	ldquo;	8220	"	guillemet-apostrophe double culbuté
Yuml;	376	Ÿ	lettre majuscule latine Y tréma	rdquo;	8221	"	guillemet-apostrophe double
circ;	710	⊞	lettre modificative accent circonflexe	bdquo;	8222	„	guillemet-virgule double inférieur
tilde;	732	~	petit tilde	dagger;	8224	†	obèle
ensp;	8194		espace demi-cadratin	Dagger;	8225	‡	double obèle
emsp;	8195		espace cadratin	permil;	8240	‰	symbole pour mille
thinsp;	8201		espace fine	lsaquo;	8249	<	guillemet simple vers la gauche
zwnj;	8204		antiliant sans chasse	rsaquo;	8250	>	guillemet simple vers la droite
zwj;	8205		liant sans chasse	euro;	8364	€	symbole euro

Retrouvez l'ensemble des caractères à l'adresse **www.la-grange.net/w3c/html4 .01/sgml/entities.html**.

Pour inscrire un caractère d'après son entité, inscrivez dans le code HTML le signe & suivi de la valeur lue du tableau (colonne *Ref Entité*).

Pour inscrire un caractère d'après son code caractère, inscrivez dans le code HTML les signes &# suivi de la valeur lue du tableau (colonne *Code*).

Index

Index

!

A

B

C

D

E

F

N

O

P

T

U

V

W

X

Y

Composé en France par Jouve
11, bd de Sébastopol - 75001 Paris

Imprimerie France Quercy - Cahors
N° d'impression : 41361/
Dépôt légal : juin 2004

Imprimé en France